Peter Pilhofer

Philippi

Band II

Katalog der Inschriften
von Philippi

Mohr Siebeck

PETER PILHOFER, geboren 1955 in Bayreuth; 1975–80 Studium in Erlangen; 1981 Erstes Theologisches Examen; 1981–83 Vikar der Evang.-Lutherischen Kirche in Bayern in Stockdorf bei München; 1983 Ordination; anschließend wiss. Hilfskraft und Wiss. Mitarbeiter in Münster; 1989 Promotion; 1989–94 Wiss. Assistent in Münster; 1994 Habilitation. 1994–96 Vertretung der Professur für Bibelwissenschaft, Schwerpunkt Neues Testament an der Rheinisch-Westfälischen Technischen Hochschule Aachen; seit 1996 Professor für Neues Testament an der Theologischen Fakultät der Ernst-Moritz-Arndt-Universität Greifswald.

Die Deutsche Bibliothek – CIP-Einheitsaufnahme

Pilhofer, Peter:
Philippi / von Peter Pilhofer. – Tübingen : Mohr Siebeck,
Bd. 2. Katalog der Inschriften von Philippi. – 2000
   (Wissenschaftliche Untersuchungen zum Neuen Testament ; 119)
   ISBN 3-16-146518-0

© 2000 J. C. B. Mohr (Paul Siebeck) Tübingen.

Das Buch wurde von Gulde-Druck in Tübingen auf alterungsbeständiges Werkdruckpapier der Papierfabrik Niefern gedruckt und von der Großbuchbinderei Heinr. Koch in Tübingen gebunden.

ISSN 0512-1604

HELMVT · VOGTMANN
ERNST · BAMMEL
HELMVT · MERKEL

MAGISTRIS · SOCIIS · AMICIS

D · D · D

AVCTOR

Vorwort

Die Drucklegung des zweiten Bandes hat länger auf sich warten lassen, als wünschenswert gewesen wäre. Ihre Verzögerung hängt mit meinem Wechsel zunächst von Münster nach Aachen, dann von Aachen nach Greifswald sowie dem bedauerlichen Sachverhalt zusammen, daß Ministerien Forschungssemester nach Anciennität und nicht nach Bedarf vergeben. *Sapienti sat.*

Kein Geringerer als Julius Wellhausen entschuldigte sich einst mit der Bemerkung: „Vorläufig ist meine Zeit zum besten Theile durch die Collegia in Anspruch genommen, und die absehbare Zukunft wird daran wenig ändern."[1] Ich wende den Schluß *a maiore ad minus* an und nehme dasselbe für mich in Anspruch, um meine Leserinnen und Leser um Verständnis für die Unzulänglichkeiten der vorliegenden Inschriftensammlung zu bitten. Das zuständige Greifswalder Finanzamt hat das Projekt „Philippi II" aus gegebenem Anlaß als „Liebhaberei" bezeichnet; sollte damit gemeint sein, daß ich dieses Buch trotz erheblicher Inanspruchnahme durch die Lehre fast ohne universitäre Unterstützung im wesentlichen auf eigene Kosten unter großen Mühen vollendet habe, so gebe ich der famosen Sachbearbeiterin dieses Finanzamtes an dieser Stelle ausdrücklich recht. Von anderen beteiligten (bzw. vielmehr unbeteiligten) Institutionen schweigt des Sängers Höflichkeit ...

„Ich möchte keinen Zweifel daran aufkommen lassen, daß ich mir weder einbilde, das Material im ganzen Umfang beigebracht, noch das vorgelegte vollständig verarbeitet zu haben."[2] Ziel dieser Sammlung ist es, das epigraphische Material der *Colonia Iulia Augusta Philippensis* möglichst vollständig darzubieten; soweit es bisher publiziert worden ist, so lautet die erste Einschränkung. Ich hoffe, daß mir dies für die auf dem Territorium der Kolonie gefundenen Steine gelungen ist. Was die Inschriften von außer-

---

[1] Julius Wellhausen: Die Pharisäer und die Sadducäer. Eine Untersuchung zur inneren jüdischen Geschichte, Greifswald 1874, 2. Aufl. Hannover 1924, 3. Aufl. Göttingen 1967, in der Widmung.

[2] Walter Bauer: Das Leben Jesu im Zeitalter der neutestamentlichen Apokryphen, Tübingen 1909 (Nachdr. Darmstadt 1967), S. V. Auch die andere Aussage Bauers nehme ich bereitwillig für mich in Anspruch: „Auch den Tadel, daß ich die neuere Literatur nicht in durchaus befriedigendem Maße herangezogen habe, werde ich ohne Widerspruch hinnehmen. Aber anfängliche und aufrichtige Versuche haben in dieser Hinsicht mich überzeugt, daß eine gewissenhafte Berücksichtigung der unabsehbaren Schar von Büchern, Schriften und Aufsätzen, die in Beziehung stehen zu den zahlreichen von mir behandelten Gegenständen, den Abschluß der Arbeit um Jahre verzögern müßte." (Walter Bauer, a.a.O., S. VI). Im übrigen gilt das o. in Band I 6–14 Gesagte.

halb angeht, die Philippi oder einen Bürger dieser Stadt erwähnen, gestaltet
sich die Suche auch heute noch wesentlich schwieriger. Ein Grenzfall sind
diejenigen Steine, die Neapolis oder einen Bürger dieser Stadt nennen. Hier
habe ich die berühmten Tributlisten von vornherein weggelassen, da der
vollständige Abdruck dieser Texte meinen Rahmen bei weitem gesprengt
hätte, ein Teilabdruck der Neapolis betreffenden Passagen hingegen wenig
erhellend gewesen wäre.[3]

Ich habe mich darum bemüht, möglichst viele Steine selbst zu sehen und
zu photographieren; gerade in der Epigraphik gilt das Hammondsche Dic-
tum: „... in the long run autopsy counts for most"[4] in besonderem Maße. Aus Kosten- und Umfangsgründen war nie geplant, meiner Sammlung
der Inschriften die Photographien beizufügen. Trotzdem habe ich die Dia-
Nummern stehen gelassen; wer die Texte anhand einer Photographie genauer studieren will, mag die Nummern als Einladung verstehen, sich von mir
Abzüge schicken zu lassen.[5]

Über die Anordnung des Materials habe ich das Nötige in der Einleitung
zu Band I gesagt (S. 10). Nachzutragen sind hier lediglich die Kriterien, die
für die Anhänge angewandt wurden: In *Anhang I* folge ich einfach der Reihenfolge in den beiden Büchern von Μερτζίδης, da es sich überwiegend um
gefälschte Inschriften handelt, deren Anordnung nach dem fingierten Fundort wenig erhellend wäre. In *Anhang II* ist das Material von Ost nach West
fortschreitend geordnet: Ich beginne in Alexandria Troas (700/L738) – der
östlichsten mir bekannt gewordenen einschlägigen Inschrift[6] – und schrei-
te über Samothrake nach Thasos fort, wobei die nördlich gelegenen Gebiete (z. B. Dalmatien) jeweils dazwischengeschoben werden. Aus formalen
Gründen sind hier auch diejenigen Inschriften aus Thessaloniki eingereiht,
die im Zuge der Zerstörung des jüdischen Friedhofs durch die deutschen Be-

---

[3] B.D. Meritt/H.T. Wade-Gery/M.F. McGregor: The Athenian Tribute Lists, Bd. I,
Cambridge (Mass.) 1939; Bd. II–IV, Princeton 1949–1953; die Texte findet man jetzt auch
in IG I³1 259–290.

[4] N.G.L. Hammond: A history of Macedonia, Volume I: Historical geography and
prehistory, Oxford 1972 (Nachdr. New York 1981), S. vii. Zum ursprünglichen Zusammenhang, in den das Zitat gehört, vgl. auch Peter Pilhofer/Thomas Witulski: Archäologie
und Neues Testament: Von der Palästinawissenschaft zur lokalgeschichtlichen Methode,
in: Exegese und Methodendiskussion, TANZ 23, Tübingen/Basel 1998, S. 237–255; hier S.
237–245.

[5] Anschrift: Peter Pilhofer, Theologische Fakultät, Rubenowplatz 2/3, 17487 Greifswald; FAX: 03834/862502; e-mail: pilhofer@mail.uni-greifswald.de.

[6] Gern komme ich berechtigten Einwänden geographisch versierter Rezensenten zuvor:
Selbstverständlich ist Kos (754/G707) *weiter* im Osten als Alexandria Troas. Dasselbe gilt
auch für die nachgetragene Inschrift aus Halikarnassos (699a/G841), die neuesten Erkennt-
nissen zufolge freilich sogleich wieder zu streichen ist, weil der hier genannte Philipper gar
nicht aus unserm Philippi stammt (vgl. Raymond Descat: À propos d'un citoyen de Philippes à Théangela, REA 99 (1997), S. 411–413). Für Verehrer von Louis Robert (vgl. BÉ
1938, Nr. 216) mag sie immerhin stehen bleiben.

satzungsbehörden im Jahr 1943 gefunden wurden[7], obwohl sie höchstwahrscheinlich aus Philippi stammen und daher nicht eigentlich in diesen Anhang gehören. Es folgen die Texte aus Griechenland und von den ägäischen Inseln. Am Schluß stehen die stadtrömischen Texte sowie die Inschriften, die nördlich von Italien gefunden wurden.

Was schließlich das Literaturverzeichnis angeht, so habe ich mich bemüht, das seit dem Erscheinen von Band I Publizierte sowie bisher Übersehenes hier nachzutragen. Dieses Bemühen wurde erschwert durch die Tatsache, daß viele Zeitschriften und Jahrbücher nicht rechtzeitig erschienen. So fehlt L'Année Philologique 65 (1994) noch immer (obgleich Band 67 (1996) im Jahr 1999 zugänglich wurde), Το Αρχαιολογικό Έργο στη Μακεδονία και Θράκη 8 (1994) ist bis zur Abfassung dieser Zeilen noch nicht nach Deutschland gelangt, selbst das Bulletin de Correspondance Hellenique[8] ist in Verzug geraten ... So ist auch der Nachtrag zum Literaturverzeichnis, der hier abgedruckt wird, noch nicht auf dem »neuesten« Stand – aber er ist auf dem letzten mir in Greifswald erreichbaren Stand. Mein Dank gilt dem Kollegen Γεώργιος Γούναρης in Thessaloniki und meinem früheren Mitarbeiter Thomas Mittring in Münster, die mir manch' schmerzlich vermißten Titel aus den dortigen Bibliotheken zukommen ließen. Die Kollegen Nigdelis (Thessaloniki) und Sève (Metz) haben mir freundlicherweise ihre einschlägigen Arbeiten geschickt, wofür ich ihnen auch an dieser Stelle herzlich danken möchte.

Über die im Vorwort zum ersten Band genannten Helferinnen und Helfer hinaus – der Dank an sie gilt unverändert weiter – nenne ich hier insbesondere die folgenden Aachener und Greifswalder Mitarbeiterinnen und Mitarbeiter: Frau Ettine Bauer, die die französische Sekundärliteratur »nachkollationiert« hat; Herrn Bernhard Mollenhauer und insbesondere Frau Kristin Vesterling, die viele Nachträge dem Ibycus einverleibt haben. Herr Thomas Mittring in Münster hat die Hauptlast bei der Erstellung des endgültigen Manuskripts getragen. Ohne seine Hilfe hätte ich die Drucklegung dieses zweiten Bandes nicht in Angriff nehmen können. Ihm gilt daher mein ganz besonderer Dank. Frau Manuela Kindermann hat die letzten Inschriften und Nachträge getippt. Frau Eva Ebel hat die Übersetzungen kritisch gelesen und nicht nur zu diesen zahllose Verbesserungsvorschläge gemacht; vor allem ihr textkritischer Scharfsinn kann gar nicht genug gerühmt werden. Ich danke ihr herzlich für ihre energische und nie ermüdende Hilfe. Herr Jens Börstinghaus hat sich zügig und erfolgreich in TEX/LATEX eingearbeitet und den größeren Teil der Korrekturen sowie die Indices besorgt. Besonderen Dank schulde ich schließlich Dirk Hansen, dem Freund und Kollegen aus

---

[7] Zu dieser Gruppe von Inschriften vgl. genauer die Einleitung zu Band I, S. 34f.

[8] Der letzte in Greifswald angelangte Band ist 122,1 (1998) [1999]. Im Jahrgang 121 (1997) fehlt die Chronique des fouilles et découvertes archéologiques en Grèce im Dezember 1999 noch immer. Die letzte verfügbare Chronique für das Jahr 1995 (120,3 [1996]) erschien 1998.

dem hiesigen Institut für Altertumskunde, der mich über viele Semester hin mit Rat und Tat unterstützt hat.

Im Verlag J.C.B. MOHR bin ich dem Verleger, Herrn Georg Siebeck, für sein Interesse auch an diesem Band dankbar. Für die praktische Betreuung der Drucklegung danke ich erneut Herrn Rudolf Pflug.

„So eine Arbeit wird eigentlich nie fertig, man muß sie für fertig erklären, wenn man nach Zeit und Umständen das möglichste getan hat."[9, 10]

Insel Riems, 1. Dezember 1999   Peter Pilhofer

---

[9] Johann Wolfgang Goethe: Italienische Reise – Annalen, Gedenkausgabe der Werke, Briefe und Gespräche, hg. v. Ernst Beutler, 11. Band, Zürich [2]1962, S. 228.

[10] Fertig ist dagegen seit fünf Jahren Band I. Einige *Addenda et corrigenda* finden sich unten S. 833–836. Ich bitte besonders die Bemerkungen zu Band I 153 auf S. 835 zu beachten: Mehrere Rezensenten haben mir unterstellt, ich hielte Lukas für einen Zeitgenossen des Paulus. Ich benutze die Gelegenheit, dem auch an dieser Stelle energisch zu widersprechen und zusammenfassend auf Band I 248–254 zu verweisen: Jeder, der diese Seiten liest, versteht, daß ich Lukas in die nachpaulinische Zeit setze (S. 205 datiere ich die Apostelgeschichte im übrigen „an das Ende des ersten Jahrhunderts"). Die Mehrheit der Rezensenten hat dies ja auch verstanden ...

Inhaltsverzeichnis

Abkürzungen

Die Abkürzungen sind soweit wie möglich dem Abkürzungsverzeichnis der TRE von Siegfried Schwertner[1] entnommen.

Die einschlägigen *Kommentare* zum Philipperbrief, zur Apostelgeschichte und zum Brief des Polykarp werden in der Regel nur mit dem Verfassernamen zitiert; die bibliographischen Details kann man unschwer im Literaturverzeichnis ermitteln.

Die benutzten *Landkarten* sind unter einer eigenen Rubrik im Literaturverzeichnis (Band I, S. 260) zusammengestellt.

Über Schwertner hinaus werden die folgenden Abkürzungen verwendet:

AAA   Αρχαιολογικά Ανάλεκτα εξ Αθηνών – Athens Annals of Archaeology

AΔ   Αρχαιολογικόν Δελτίον

AE   Αρχαιολογική Εφημερίς

AÉ   L'Année Épigraphique

AEMΘ   Το αρχαιολογικό έργο στη Μακεδονία και Θράκη

AR   Archaeological Reports

Bauer   Walter Bauer: Griechisch-deutsches Wörterbuch zu den Schriften des Neuen Testaments und der frühchristlichen Literatur, 6., völlig neu bearbeitete Auflage, herausgegeben von Kurt Aland und Barbara Aland, Berlin/New York 1988.

Bormann   Lukas Bormann: Philippi. Stadt und Christengemeinde zur Zeit des Paulus, NT.S 78, Leiden/New York/Köln 1995.

Bornemann/Risch   Eduard Bornemann/Ernst Risch: Griechische Grammatik, Frankfurt am Main/Berlin/München 1973.

BÉ   Bulletin Épigraphique

---

[1] Theologische Realenzyklopädie. Abkürzungsverzeichnis, zusammengestellt von Siegfried Schwertner, Berlin/New York 1976, [2]1994.

Canon   Luci Berkowitz/Karl A. Squitier [Hg.]: THESAURUS LIN-
               GUAE GRAECAE. *Canon of Greek Authors and Works*,
               New York/Oxford, 3. Aufl., 1990.[2]

CCET   Corpus Cultus Equitis Thracii

Collart   Paul Collart: Philippes, ville de Macédoine, depuis ses
               origines jusqu'à la fin de l'époque romaine [zwei Bände],
               Paris 1937.

Collart/Ducrey Paul Collart/Pierre Ducrey: Philippes I. Les reliefs ru-
               pestres, BCH Suppl. 2, Athen/Paris 1975.

Detschew   Dimiter Detschew: Die thrakischen Sprachreste, Österei-
               chische Akademie der Wissenschaften. Phil. hist. Klasse,
               Schriften der Balkankommission. Linguistische Abteilung
               XIV, 2. Auflage mit Bibliographie 1955–1974 von Živka
               Velkova, Wien 1976.

Δήμιτσας   Μαργαρίτης Δήμιτσας: Η Μακεδονία εν λίθοις φθεγγομέ-
               νοις και μνημείοις σωζομένοις ήτοι πνευματική και αρ-
               χαιολογική παράστασις της Μακεδονίας εν συλλογή 1409
               ελληνικών και 189 λατινικών επιγραφών και εν απεικονίσει
               των σπουδαιοτέρων μνημείων, Athen 1896 (Nachdr. in
               zwei Bänden, Thessaloniki 1988).

DNP   Der Neue Pauly. Enzyklopädie der Antike, hg. v. Hu-
               bert Cancik und Helmuth Schneider, Stuttgart/Weimar
               1996ff.

Feissel   Denis Feissel: Recueil des inscriptions chrétiennes de Ma-
               cédoine de IIIe au VIe siècle, BCH Suppl. 8, Athen/Paris
               1983.

Φίλιπποι-Führer Χάϊδω Κουκούλη-Χρυσανθάκη/Χαράλαμπος Μπακιρτζής:
               Φίλιπποι, Athen 1995.

Glare   P.G.W. Glare [Hg.]: Oxford Latin Dictionary, Oxford
               1982 (Nachdr. 1985).

Γούναρης   Γεώργιος Γ. Γούναρης: Το Βαλανείο και τα Βόρεια Προσ-
               κτίσματα του Οκταγώνου των Φιλίππων, Βιβλιοθήκη της
               εν Αθήναις Αρχαιολογικής Εταιρείας 112, Athen 1990.

Hammond I   Nicholas Geoffrey Lemprière Hammond: A history of Ma-
               cedonia, Volume I: Historical geography and prehistory,
               Oxford 1972 (Nachdr. New York 1981).

---

[2] Gelegentlich verweise ich auf dieses Buch auch als Canon of Greek Authors and
Works.

Hammond II   Nicholas Geoffrey Lemprière Hammond/Guy Thompson Griffith: A history of Macedonia, Volume II: 550–336 B.C., Oxford 1979.

Hammond III   Nicholas Geoffrey Lemprière Hammond/Frank William Walbank: A history of Macedonia, Volume III: 336–167 B.C., Oxford 1988.

Hammond, Atlas   Nicholas G.L. Hammond [Hg.]: Atlas of the Greek and Roman World in Antiquity, Park Ridge/New Jersey 1981.

Heuzey/Daumet   Léon Heuzey/H. Daumet: Mission archéologique de Macédoine, [Bd. I] Texte, [Bd. II] Planches, Paris 1876.[3]

IBulg   Inscriptiones Graecae in Bulgaria repertae ed. Georgius Mihailov, Bd. I–IV, Serdicae 1956–1966.

IEph   Die Inschriften von Ephesos (vgl. das Literaturverzeichnis)

IGSK   Inschriften Griechischer Städte aus Kleinasien

IKor   Die Inschriften von Korinth (vgl. das Literaturverzeichnis)

IMXA   Ἴδρυμα Μελετῶν Χερσονήσου τοῦ Αἵμου

Kajanto   Iiro Kajanto: The Latin Cognomina, Commentationes Humanarum Litterarum XXXVI 2, Helsinki 1965.

Kalléris   Jean N. Kalléris: Les anciens Macédoniens. Étude linguistique et historique, Tome I. Tome II 1, CIFA 81, Athen 1954 und 1976 (ergänzter Nachdr. 1988).

Κανατσούλης   Δ. Κανατσούλης: Μακεδονικὴ προσωπογραφία. (Ἀπὸ τοῦ 148 π.Χ. μέχρι τῶν χρόνων τοῦ Μ. Κωνσταντίνου), Ἑλληνικά. Περιοδικὸν σύγγραμμα Ἑταιρείας Μακεδονικῶν Σπουδῶν. Παράρτημα 8, Thessaloniki 1955 (mit einem Nachtrag: ders.: Συμπλήρωμα, Thessaloniki 1967).

Καφταντζής   Γιῶργος Β. Καφταντζής: Ἱστορία τῆς πόλεως Σερρῶν καὶ τῆς περιφερείας της (ἀπὸ τοὺς προϊστορικοὺς χρόνους μέχρι σήμερα), Τόμος Ι: Μύθοι, ἐπιγραφές, νομίσματα, Athen 1967. Τόμος ΙΙ: Γεωλογία, γεωγραφία, ἱστορικὴ γεωγραφία. Προϊστορικοὶ καὶ πρῶτοι ἱστορικοὶ χρόνοι. Μακεδονικὴ καὶ ῥωμαϊκὴ περίοδος, Serres 1972.

Kazarow   Gawril I. Kazarow: Die Denkmäler des Thrakischen Reitergottes in Bulgarien (Textband und Tafelband), Dis-

---

[3] Gelegentlich einfach als »Heuzey« zitiert.

sertationes Pannonicae, Ser. II, Fasc. 14, Budapest bzw. Leipzig 1938.

Lampe G.W.H. Lampe [Hg.]: A Patristic Greek Lexicon, Oxford 1961 (Nachdr. 1978).

Λαζαρίδης Δημήτριος Λαζαρίδης: Φίλιπποι – Ρωμαϊκή αποικία, Ancient Greek Cities 20, Athen 1973.

Lemerle Paul Lemerle: Philippes et la Macédoine orientale à l'époque chrétienne et byzantine. Recherches d'histoire et d'archéologie, [Bd. 1] Texte, [Bd. 2] Album, BEFAR 158, Paris 1945.

LSJ Henry George Liddell/Robert Scott/Henry Stuart Jones [Hg.]: A Greek–English Lexicon (mit einem Supplement ed. by E.A. Barber), Oxford 1968 (Nachdr. 1977).[4]

Mason Hugh J. Mason: Greek Terms for Roman Institutions. A Lexicon and Analysis, American Studies in Papyrology 13, Toronto 1974.

ΠΑΕ Πρακτικά της εν Αθήναις Αρχαιολογικής Εταιρείας

Papazoglou Fanoula Papazoglou: Les villes de Macédoine à l'époque romaine, BCH Suppl. 16, Athen/Paris 1988.

PHI Packard Humanities Institute (CD-ROMs #5.3 und #6)[5]

Σαμσάρης Δημήτριος Κ. Σαμσάρης: Ιστορική γεωγραφία της Ανατολικής Μακεδονίας κατά την αρχαιότητα, Μακεδονική Βιβλιοθήκη 49, Thessaloniki 1976.

Samsaris Dimitrios C. Samsaris: La vallée du Bas-Strymon à l'époque impériale. Contribution épigraphique à la topographie, l'onomastique, l'histoire et aux cultes de la province romaine de Macédoine, Δωδώνη 18 (1989), S. 203–382.

Sarikakis Théodore Chr. Sarikakis: Des soldats Macédoniens dans l'armée romaine, in: Αρχαία Μακεδονία II (s. dort), S. 431–464.

---

[4] Die neue Ausgabe des Supplements (P.G.W. Glare/A.A. Thompson [Hg.]: Greek-English Lexicon. Revised Supplement, Oxford 1996) wird ohne Abkürzung zitiert.

[5] Die CD-ROM #5.3 enthält »(1) Latin Texts« und »(2) Bible Versions«. Sie ist 1991 erschienen. Das Copyright liegt bei The Packard Humanities Institute. Die CD-ROM #6 enthält »(1) Inscriptions (Cornell, Ohio, IAS)«, »(2) Papyri (Duke, Michigan)« und »(3) Coptic Texts«, sie ist ebenfalls 1991 erschienen, und das Copyright liegt bei The Packard Humanities Institute. Mittlerweile ist PHI-CD-ROM #7 erschienen mit »(1) Inscriptions (Cornell, Ohio State, et al.)« und »(2) Papyri (Duke, U. of Michigan)« – Copyright für Compilation 1991–1996 bei The Packard Humanities Institute. Vgl. dazu die folgende Anmerkung.

Šašel Kos	Marietta Šašel Kos: Inscriptiones latinae in Graecia repertae. Additamenta ad CIL III, Epigrafia e antichità 5, Faenza 1979.
Schulze	Wilhelm Schulze: Zur Geschichte lateinischer Eigennamen, Berlin/Zürich/Dublin ²1966 (Nachdr. 1991).
SEG	Supplementum Epigraphicum Graecum
Sève/Weber	Plan des Forums von Philippi von Patrick Weber, publiziert von Michel Sève: Philippes, BCH 106 (1982), S. 651–653; hier S. 652.[6]
SIG³	Sylloge inscriptionum graecarum
Solin/Salomies	Heikki Solin/Olli Salomies: Repertorium nominum gentilium et cognominum Latinorum, AlOm, Reihe A, Bd. 80, Hildesheim/Zürich/New York ²1994 (1. Aufl. 1988).
Souter	Alexander Souter: A Glossary of Later Latin to 600 A.D., Oxford 1949 (Nachdr. 1964).
ThLL	Thesaurus Linguae Latinae editus auctoritate et consilio Academiarum quinque Germanicarum Berolinensis Gottingensis Lipsiensis Monacensis Vindobonensis (später: editus iussu et auctoritate consilii ab Academiis Societatibusque diversarum nationum electi), Leipzig 1900ff.
TLG	Thesaurus Linguae Graecae (CD-ROM)[7]

---

[6] Verwiesen wird insbesondere auf die Nummern der einzelnen Gebäude, wie sie in diesem Plan festgelegt sind.

[7] Während der meisten Zeit habe ich mit der CD-ROM #C gearbeitet; erst ab Ende Mai 1993 konnte ich die neue Version #D benutzen, die immerhin ungefähr ein Drittel mehr an Text enthält. („TLG CD ROM C contained roughly 42 million words of text; the D disk contains approximately 57 million words of text" teilte der Direktor des TLG, Theodore F. Brunner, am 6.5.1993 mit.) Ich gebe aber in jedem Fall an, auf welcher CD-ROM meine Ergebnisse basieren.

Ich weise ausdrücklich darauf hin, daß ich zur Arbeit sowohl mit den TLG-CD-ROMs als auch mit den oben genannten PHI-CD-ROMs einen *Ibycus Personal Computer* benutze. Bei zweifelhaften Fällen ist die genaue Fragestellung (search pattern ets.) spezifiziert.

Ich halte es für überaus bedenklich, wenn Behauptungen wie z.B. „... konnte mit Hilfe des »Ibykus«-Computerprogramms, das die gesamte erhaltene antike griechische Literatur erfaßt, ... der Nachweis erbracht werden ..." (OTTO BETZ/RAINER RIESNER: Jesus, Qumran und der Vatikan. Klarstellungen, Gießen/Basel und Freiburg/Basel/Wien 1993; Zitat S. 149) publiziert werden; denn der *Ibycus Personal Computer* ist ein Computer, der von sich aus gar nichts »erfaßt«, sondern wie alle Computer nur das, was man ihm vorsetzt. Eine CD-ROM, welche die genannte Behauptung RIESNERS erfüllt, existiert nirgendwo. Die damals allein verfügbare CD-ROM #C blieb hinter der RIESNERschen Behauptung sehr weit zurück. Es ist daher unerläßlich, anzugeben, welche Textbasis man benutzt, mit welcher Software man darauf zugreift, und gegebenenfalls, welches die genaue Fragestellung ist.

Inschriften aus Kavala

Vgl. zur Lage o. Band I, Karte 2: Das Territorium der *Colonia Iulia Augusta Philippensis* (S. 50f.).

Sarkophag des Publius Cornelius Asper Atiarius Montanus

Heuzey/Daumet, Nr. 1 (S. 15).
CIL III 1, Nr. 650.
Δήμιτσας, Nr. 980 (S. 765f.).
Collart, S. 265.
Fanoula Papazoglou: Le territoire de la colonie de Philippes, BCH 106 (1982), S. 89–106; hier S. 104, Anm. 68.
Bormann, S. 43, Nr. 6.

Kavala. „Sur un sarcophage de marbre blanc. Hauteur des lettres, 8 c." (Heuzey, S. 15). „... marmor ex agro quarta miliarii parte ab urbe distante in Cavallam iussu Bassae delatum et fontibus subiectum, longum palm. 12, latum palm. 5, altum palm. 7 BELON" (CIL, a.a.O., S. 123).
Heute im Garten des Archäologischen Museums in Kavala (ohne Inventarisierungsnummer).
Dia Nummer 91.92.93.94.95/1990.

> P(ublius) Cornelius Asper Atiarius Montanus
> equo publico honoratus, item ornamentis decu-
> rionatus et Ⅱviralicis, pontifex, flamen divi Claudi Philippis,
> ann(orum) XXIII h(ic) s(itus) e(st).

1 Der Text der Z. 1–2 geht auf die Belonsche Abschrift zurück (vgl. den Mommsenschen Apparat z. St.). Heuzey liest (auch nach Belon): *Atriarius.* **3** Heute sind nur noch die Z. 3–4 erhalten. Die Zahl mit Überstrich. **4** Die Zahl ohne Überstrich.

Publius Cornelius Asper Atiarius Montanus, ausgezeichnet mit einem *equus publicus*, auch mit den *ornamenta* eines Ratsherren und eines Duumvir, Priester, Priester des vergöttlichten Claudius in Philippi, dreiundzwanzig Jahre alt, liegt hier begraben.

Z. 1 Heuzey diskutiert ausführlich die Namensgebung (S. 15f.). Zum *nomen* Atiarius – es ist für Philippi charakteristisch – vgl. den Kommentar zu 588/L236. Zur Familie des Montanus vgl. auch die beiden folgenden Inschriften.

Z. 2 Aus dem *equo publico honoratus* geht hervor, daß Montanus ehrenhalber in den Ritterstand aufgenommen worden ist. Zu *ornamentis decurionatus honoratus* vgl. auch die folgenden Inschriften aus Philippi: 032/L162; 062/L112; 252/L467; 395/L780; 396/L781; 492/L110; 493/L113; 502/L247 und 720/L713.

Z. 3 Folgende *flamines* sind in dieser Sammlung bezeugt: ein *flamen divi Iuli* namens Caius Antonius Rufus (700/L738; 701/L739; 702/L740; 703/L741 – alle aus Alexandria Troas; *flamen* des *divus Iulius* war Rufus nur dort! Falsch Bormann S. 43 und S. 44); ein *flamen divi Augusti* namens Caius Oppius Montanus (aus Βασιλάκη, 031/L121); ein *flamen divi Augusti* (241/L466, vom Forum); ein *flamen divi Augusti ... coloniae Iuliae Philippensis* namens Caius Antonius Rufus (700/L738 und die drei folgenden Inschriften aus Alexandria Troas); zwei (?) *flamines* ohne nähere Kennzeichnung (Fragment vom Forum, 197/L359); ein *flamen divi Titi Augusti Vespasiani* (004/L030, ebenfalls aus Kavala); sowie ein weiterer *flamen divi Vespasiani* (719/L712, in Thessaloniki gefunden); schließlich ein *flamen divi Antonini Pii* namens Publius Marius Valens (395/L780 aus Philippi). Cornelia Asprilla aus 002/L028 ist *sacerdos divae Augustae.*

Neben den *flamines* spielen im Kaiserkult die *sexviri Augustales* eine herausragende Rolle (vgl. den Kommentar zu 037/L037).

002/L028   Sarkophag der Cornelia Asprilla
I

Heuzey/Daumet, Nr. 2 (S. 16).
CIL III 1, Nr. 651.
Δήμιτσας, Nr. 981 (S. 766).
Fanoula Papazoglou: Le territoire de la colonie de Philippes, BCH 106 (1982), S.
    89–106; hier S. 104, Anm. 68.
Bormann, S. 43, Nr. 4.

Kavala. „Sur un sarcophage de marbre blanc. Hauteur des lettres 14 c. et 9 c." (Heuzey, S. 16). „... in arca, ad Kavalam delata una cum n. 650 et fonti subiecta BELON" (CIL, a.a.O., S. 123).
Dia Nummer 86.87/1990.

> Cornelia P(ubli) fil(ia) Asprilla, sac(erdos) divae
> Aug(ustae), ann(orum) XXXV h(ic) s(ita) e(st).

> Cornelia Asprilla, Tochter des Publius, Priesterin der vergöttlichten Augusta, fünfunddreißig Jahre alt, liegt hier begraben.

Z. 1 Der hier erwähnte Publius, Vater der Cornelia Asprilla, ist der Publius Cornelius Asper aus 001/L027. Die Gleichheit der beiden Eponyma bestärkt die Hypothese von Heuzey bezüglich des Namens der Familie dieser Person. Die folgende Inschrift (003/L029) ist die Grabinschrift seiner Frau Cornelia Longa.

Z. 2 *Augusta* bezieht sich auf Livia, von welcher der Titel *Augusta* dann auch auf spätere römische Kaiserinnen überging. „Je n'ai pas trouvé trace, dans les inscriptions de Philippes, du culte rendu à la personne même d'Auguste; mais un monument de la Troade, publié par Orelli (n° 512 [unsere Nummern 700/L738ff.]), fait mention d'un certain C. Antonius Rufus, fils de Marcus, de la tribu Voltinia, honoré de hautes charges sacerdotales dans plusieurs colonies, et qui porte notamment le title de *flamen divi Augusti Coloniae Juliae Philippensis*, en même temps que celui de premier citoyen, *princeps*, de cette ville" (Heuzey, S. 16f.). Doch vgl. die neuen Funde.

Sarkophag der Cornelia Longa

003/L029
I

Heuzey/Daumet, Nr. 3 (S. 17).
CIL III 1, Nr. 652.
Δήμιτσας, Nr. 982 (S. 766f.).
Fanoula Papazoglou: Le territoire de la colonie de Philippes, BCH 106 (1982), S. 89–106; hier S. 104, Anm. 68.

Kavala. „Sur un sarcophage de marbre blanc" (Heuzey, S. 17). „... in arca, ad Kavalam delata una cum n. 650 et fonti subiecta BELON" (CIL, a.a.O., S. 123).

> Cornelia Longa, Asprillae mater,
> ann(orum) LX h(ic) s(ita) e(st).

> Cornelia Longa, die Mutter der Asprilla, sechzig Jahre alt, liegt hier begraben.

Dies ist der dritte Marmorsarkophag (vgl. 001/L027 und 002/L028) aus Kavala. Alle drei Sarkophage gehören zu ein und derselben Begräbnisstätte dieser Familie. Die Mutter der Cornelia Asprilla ist die Frau des Cornelius Asper. Normalerweise behält bei den Römern die Frau ihren Familiennamen. Cornelius aber heiratete eine Verwandte oder aber eine Cornelia aus einem anderen Zweig der Familie.

Papazoglou spricht in diesem Zusammenhang von der Nekropole von Neapolis: „... la stèle funéraire du chevalier P. Cornelius Asper Atiarius Montanus [d.i. 001/L027] et celles de sa femme [d.i. die vorliegende Inschrift] et de sa fille ... [d.i. 002/L028], déterrées dans un champ aux alentours de Kavala, proviennent apparemment de la nécropole de Néapolis. Le site de la ville romaine n'a pas été encore établi." (Papazoglou, S. 104, Anm. 68). Eine Cornelia Longa Secundilla begegnet in 044/L127.

004/L030 **Fragment der Inschrift eines *flamen divi Vespasiani***
I

Heuzey/Daumet, Nr. 4 (S. 17).
CIL III 1, Nr. 660.
Δήμιτσας, Nr. 983 (S. 767).
Fanoula Papazoglou: Le territoire de la colonie de Philippes, BCH 106 (1982), S. 89–106; hier S. 104, Anm. 68.
Bormann, S. 44, Nr. 7 (mit ungenügendem Text).

Kavala. „Sur un fragment de marbre blanc" (Heuzey, S. 17). Wahrscheinlich handelt es sich um ein Fragment einer Deckelplatte eines Sarkophags.

> [... patronus]
> colo[niae Augustae Iuli-]
> ae Vict[ricis Philipp-]
> ensium, [omnibus]
> 5 muner[ibus functus, ...]
> iterum [... fla-]
> men d[ivi Titi Augusti]
> Vespas[iani ...]
> filius C[...]
> 10 niae [...]

> ... Patron der *Colonia Augusta Iulia Victrix Philippensium*, der alle Ämter innehatte, zum zweiten Mal ..., Priester des vergöttlichten Titus Augustus Vespasianus, ... Sohn des ...

Mommsen stimmt mit Heuzey nicht überein: „Supplementa editoris colo[niae Augustae Iuli]ae Vict[ricis Philipp]ensium mihi non probantur, cum nusquam praeterea colonia haec appelletur *Victrix* et quod restat *ensium* magis ducat ad vocabulum, cuius syllaba antepaenultima constituatur solis litteris *en,* quale est *Diensium.* Denique supplementa illa spatium longe excedunt" (S. 124).

Z. 1 Ein anderer *patronus col(oniae)* ist in 031/L121 erwähnt: Caius Oppius Montanus.

Z. 6ff. Ein weiterer *flamen divi Vespasiani* begegnet in einer Grabinschrift aus Thessaloniki (719/L712). Eine Liste aller Vorkommen des Vespasianus in den Inschriften von Philippi bei der Ehreninschrift 281/L371 aus der Basilika B. Eine Liste aller *flamines* oben bei 001/L027.

Stifterinschrift des νεωχόρος Ἀπολλοφάνης

Heuzey/Daumet, Nr. 5 (S. 21).
Albert Dumont: Inscriptions et monuments figurés de la Thrace, Archives des missions scientifiques, 3ᵉ série, III, S. 117–200; jetzt in: ders.: Mélanges d'archéologie et d'épigraphie, réunis par Th. Homolle et précédés d'une notice sur Albert Dumont par L. Heuzey, Paris 1892, S. 307–581; hier S. 448.
Δήμιτσας, Nr. 975 (S. 757–760).
Adolf Wilhelm: Nachlese zu griechischen Inschriften, JÖAI 3 (1900), S. 40–62; hier S. 47f.
Paul Perdrizet: Rez. Wilhelm Dittenberger [Hg.]: Sylloge inscriptionum graecarum (2. Aufl.), REA 2 (1900), S. 259–268; hier S. 263.
Γεώργιος Μπακαλάκης: Νεάπολις – Χριστούπολις – Καβάλα, AE 1936, S. 1–48; hier S. 32f. mit Abb. 47 und 48.
Collart, S. 108f. mit Anm. 1 (S. 109f.) und Abb. Pl. XXII 3.
BÉ 1938, Nr. 221 [b].
Δημήτριος I. Λαζαρίδης: Νεάπολις, Χριστούπολις, Καβάλα. Οδηγός Μουσείου Καβάλας, Athen 1969, Λ 37 (S. 89; Abb. πίν. 26α).
Benjamin Isaac: The Greek Settlements in Thrace until the Macedonian Conquest, Studies of the Dutch Archaeological and Historical Society 10, Leiden 1986, S. 68 mit Anm. 392.

Kavala. „Dans la haute ville, sur une plaque de marbre blanc" (Heuzey, S. 21). Perdrizet präzisiert: „J'ai vu la pierre en août 1899, à La Cavalle, encastrée dans la maison de Haffouz Mechmet Effendi" (Perdrizet, S. 263, Anm. 1). Heute (1992) befindet er sich im Museum in Kavala (Inventarisierungsnummer Λ 37).
Platte aus weißem Marmor. Abmessungen: H. 0,19; B. 0,47; D. 0,22; H. der Buchstaben ca. 0,03 (nach Collart, S. 109, Anm. 1). „... la partie postérieure est brisée et la surface de la pierre est légèrement endommagée à la fin de la deuxième et de la troisième ligne de l'inscription; ... l'écriture n'est pas antérieure au 1ᵉʳ siècle avant J.-C." (Collart, ebd.)
Dia Nummer 91/1992.

> Ἀπολλοφάνης
> νεωχόρος
> Παρθένῳ [τ]ὸ
> κρεοφυλάκιον.

Text nach Λαζαρίδης. **2** Heute (1992): νεωχόρ[ο]ς. **3** Heuzey/Daumet, Dumont: Παρθενῶνο[ς]. Platz für drei Buchstaben wäre vorhanden. Perdrizet: Παρθένωι τὸ. Heute (1992): τὸ.

Apollophanes, der Tempelaufseher, (hat) für Parthenos das Kreophylakion (errichten lassen).

Η πανάρχαιη και πρωταρχική λατρεία της Νεαπόλεως ήταν της πολιούχου Θεάς της Π α ρ θ έ ν ο υ. Και ήταν η Παρθένος εξελληνισμένη ίσως μορφή της θρακικῆς Ἀρτέμιδος ταυροπόλου ἡ Βενδῖδος, με χθόνιο πιθανά χαρακτήρα. Η λατρεία της συνδέεται με τα πρώτα χρόνια της ιστορίας της νέας πόλης, αν κρίνη κανείς από τα πιο παλιά αγγεία που βρέθηκαν στο χώρο του ιερού της, που το εντόπισαν οι έρευνες του κ. Γ. Μπακαλάκη πριν από τον τελευταίο πόλεμο, εκεί ψηλά στην οδό Θεοδώρου Πουλίδη, στην περιοχή του βακουφικού κτηρίου Ιμαρέτ. Οι νεώτερες έρευνες στη θέση του ιερού, που άρχισαν το 1959 και συνεχίστηκαν ως το 1963, έδωσαν πολυάριθμα και πολύ αξιόλογα ευρήματα και πλούτισαν σημαντικά τις γνώσεις μας. Τίποτε δεν μαρτυρεί σήμερα την ιερότητα του χώρου και την πανάρχαια ιστορία του, καθώς την θέση του ιερού έχουν καταλάβει σύγχρονες οικοδομές (Λαζαρίδης, S. 17).

Z. 2 Ἀπολλοφάνης bekleidet das Amt des νεωκόρος („Tempelaufseher") und hat das χρεοφυλάκιον auf eigene Kosten errichtet. Das Amt des νεωκόρος ist kein untergeordnetes; vielmehr handelt es sich um eine religiöse Würdestellung; der Amtsinhaber macht sich nicht selbst die Finger schmutzig, sondern beauftragt andere damit.

Z. 4 Das letzte Wort der Inschrift, χρεοφυλάκιον (statt χρεωφυλάκιον), begegnet in diesem Text zum ersten Mal und fehlt daher in den älteren Wörterbüchern. Es bezeichnet das Gebäude des Tempels, in welchem dasjenige Fleisch der Opfer aufbewahrt wird, welches zur Ernährung der Priester ausgesondert wurde. Nach der Konjektur von Adolf Wilhelm wäre hier χρεοφυλάκιον zu lesen. Gemeint wäre dann ein Gebäude, in dem das Archiv der Stadt untergebracht war. Auf dem Stein steht aber (vgl. etwa die Abbildung bei Collart) eindeutig ein K und nicht ein X. Man müßte daher, wollte man die Wilhelmsche Konjektur aufrechterhalten, mit einem Schreibfehler rechnen. Für diese Konjektur tritt Collart ein: „Malgré l'orthographe différente du dernier mot, il est probable que le sens en est bien celui qu'avait pressenti A. Wilhelm, car χρεοφυλάκιον qu'on lit sur la pierre ne se rencontre nulle part ailleurs, tandis que χρεοφυλάκιον,»dépôt d'archives où sont inscrits les débiteurs publics«, ainsi que les mots de même famille χρεωφύλακες, χρεωφυλακέω, χρεωφυλακία, etc., ne sont pas rares dans les textes épigraphiques; on est donc fondé à admettre ici une faute du graveur ou du rédacteur de l'inscription" (Collart, S. 109f., Anm. 1).

Λαζαρίδης datiert den Stein auf das 2. Jh. v. Chr.; Collart dagegen (vgl. oben die Beschreibung) weist die Buchstaben dem 1. Jh. v. Chr. zu.

Heuzey: „Le type de l'écriture accuse une époque grecque peu reculée, mais antérieure à l'établissement des Romains dans la Macédoine. Les curieux détails mentionnés, en quatre mots, sur la pierre se rapportent aussi, exclusivement, à la période hellénique." (S. 22).

<table>
<tr><td></td><td></td></tr>
</table>

Griechische Weihinschrift des Διεύς und des Φίλτων

006/G475
5./4. Jh.
v. Chr.

Γεώργιος Μπακαλάκης: Νεάπολις – Χριστούπολις – Καβάλα, AE 1936, S. 1–48; hier
S. 33f. mit Abb. 49 und 50.
BÉ 1938, Nr. 221 [c].
Collart, S. 108 mit Anm. 3.
Δημήτριος Ι. Λαζαρίδης: Νεάπολις, Χριστούπολις, Καβάλα. Οδηγός Μουσείου Κα-
βάλας, Athen 1969, S. 92, A 1092.
Χάϊδω Κουκούλη-Χρυσανθάκη, ΑΔ 43 (1988) Β΄2 Χρονικά [1993], S. 429 mit Abb.
πιν. 258α.
R.A. Tomlinson: Archaeology in Greece 1994–95, AR 41 (1994–1995), S. 1–74;
hier S. 48.
Sandrine Huber/Yannis Varalis: Chronique des fouilles et découvertes archéolo-
giques en Grèce en 1994, BCH 119 (1995), S. 843–1057; hier S. 973.
SEG XLIII (1993) [1997] 430.

Kavala. Aus demselben Heiligtum wie 005/G031. Maße: 0,60x0,46 oben
(x0,48 unten); D. 0,11; H. der Buchstaben 0,018–0,020; Zeilenzwischenraum
0,015–0,020.
Die Inschrift ging im Zweiten Weltkrieg verloren und wurde 1988 zufällig
wiedergefunden, wie Κουκούλη-Χρυσανθάκη im ΑΔ, S. 429 berichtet. Die
Inschrift ist heute (1992) im Museum in Kavala (Inventarisierungsnummer
Λ 1383).
Dia Nummer 92.93/1992.

> Διεὺς καὶ Φίλτων Ἀντικρά-
> τους τοὺς θάκους καὶ τὰς
> τραπέζας Παρθένῳ.

3 Das Iota am Schluß auf dem Stein adskribiert.

Dieus und Philton, (der Sohn) des Antikrates, (weihen) der Parthenos die Stühle und die Tische.

Z. 1 Bei Detschew sucht man Διεύς vergeblich (doch vgl. S. 129, s.v.
Δία); Μπακαλάκης allerdings hält Διεύς für einen thrakischen Namen: Το
θρακικόν όνομα Διεύς είναι και άλλοθεν γνωστόν και ως Διῆς γεν. Διέους
Ditt. Syll³ αρ. 700,50, πρβ. Rev. Arch. XXVIII, 779. Θρακικά Δ΄ σελ. 99.
Παρά Θουκυδ. Ε, 36 και Syll³ αρ. 764², 518³ Διῆς ἀπὸ Θράκης. Pape-
Benseler³ Διεύς, -έως, Αθην. 5,212 d. Διεῖος, Διείου εις επιγραφήν εκ Μαρω-
νείας BCH 1913 σ. 142 αριθ. 45. Preisigke Namenbuch κλπ. σ. 88 Διεύς γεν.
Διέως (Μπακαλάκης, S. 34).
Zwei Männer namens Φίλτων aus Neapolis begegnen auch in der großen
Theorodokoi-Inschrift aus Delphi (745a/G819, Z. 82); vermutlich handelt
es sich um Vater und Sohn (vgl. den Kommentar z. St.). Da jedoch der
makedonische Teil der Theorodokoi-Inschrift auf 230/220 v. Chr. zu datieren

ist, besteht wohl kein Zusammenhang mit diesem Φίλτων aus dem 5. oder 4. Jahrhundert v. Chr.

Z. 2 Ποία ήτο η χρήσις των αναφερομένων θάκων (θῶκος ιωνικώς και επικώς βλπ. Herwerden Lexicon Graecum Suppl. et Dialect. λ. θᾶκος) και τραπεζῶν δεν γνωρίζομεν. Ἦσαν ιεραί τράπεζαι, προοριζόμεναι δηλ. διά την λατρείαν της θεάς ή μήπως εγένετο εις το ιερόν της καμμία συγκέντρωσις των πιστών της και κοινή εστίασις, όπως εις τα Αιγυπτιακά ιερά; (Poland. Griech. Vereinswesen σ. 465 και 477). Τράπεζα Μητρός αναφέρεται εν επιγραφή Syll³ 1047, Ἡρακλέους 1106· αυταί θα ήσαν ιεραί, όπως τράπεζαν ονομάζει η επιγραφή το πρόσθιον ανάγλυφον μέρος του βωμού της Κυβέλης του Μουσείου Θάσου (CRAI, 1914, σ. 13.), το κοσμούμενον διά του Ελληνικού Πανθέου και γρυπών σπαρασσόντων έλαφον. Τραπέζας συχνάκις ανέθετον οι αρχαίοι τω Σαράπιδι, Ισίδι (Wiegand-Schrader Priene σ. 165; H. v. Gärtringen Inschr. v. Priene αρ. 195; Collart BCH 1925 [muß richtig heißen: 1929] σ. 82 (επιγρ. Φιλίππων [unsere Inschrift 581/L238]); Poland έ.α. σ. 269 σημ. 2[)]. Περί τραπεζών δε καθιερωμένων τοις θεοίς διά την εναποθέτησιν αναθημάτων και εδεσμάτων βλπ. Δείναρχον 108,35 (Μπακαλάκης, ebd.).

Μπακαλάκης datiert die Inschrift in den Zeitraum από των αρχών του 5ου π.Χ. αιώνος μέχρι του 360 π.Χ. (S. 34). Anders Λαζαρίδης, der schreibt: Λίγο πριν από τα μέσα του 4ου π.Χ. αιώνα, δύο ευσεβείς αδελφοί αναθέτουν στη Θεά καθίσματα και τράπεζες ή όπως γράφει η επιγραφή, που δυστυχώς χάθηκε ... (folgt Text der Inschrift; Λαζαρίδης, S. 18).

007/G568
6./5. Jh.
v. Chr.

Inschrift aus dem Parthenostempel

ΠΑΕ 1938 [1939], S. 12.

Γεώργιος Μπακαλάκης: Ανασκαφή εν Καβάλα και τοις πέριξ, ΠΑΕ 1938 [1939], S. 75–102; hier S. 79 mit Abb. 5.

Paul Lemerle: Chronique des fouilles et découvertes archéologiques en Grèce en 1938, BCH 62 (1938), S. 443–483; hier S. 476.

BÉ 1939, Nr. 184 [a].

Ιερόν της Παρθένου. Die Inschrift (auf einer Scherbe) wurde von Γ. Μπακαλάκης im Parthenosheiligtum in Kavala gefunden. Falls die Ergänzung von Μπακαλάκης zutrifft, liegt hier der Name eines athenischen Malers vor.

[Τλέσον ho Νεάρ]χο ἐποίεσε[ν].

1 In ΠΑΕ 1938 gibt Μπακαλάκης ἐποίεσε[ν] (S. 79).

Tleson, (der Sohn) des Nearchos, hat es gemacht.

Νέαρχοι gibt es wie Sand am Meer (weit über 100 Belege auf der CD-ROM #C); die Suche nach Τλεσ- dagegen ergibt keinen Beleg. (Pap. Rain. Cent. 109,10 Τλεσ[ί]δος paßt nicht.)

Weihinschrift

007a/G817
6. Jh. v. Chr.

Γεώργιος Μπακαλάκης: Εκ του ιερού της Παρθένου εν Νεάπολει (Καβάλα), AE 1938 [1940], S. 106–154; hier S. 112 mit Abb. 5,3.

Ιερόν της Παρθένου. Πάμπολλα όστρακα, ανήκοντα εις τον γνωστόν ιωνικόν τύπον της κύλικος μετά καθέτου στεφάνης, ελαφρώς δακτυλιωτής βάσεως και σφαιρικής λεκάνης, τον εξ όλων των ιωνικών πόλεων-αποικιών και εξαγωγικών λιμένων γνωστόν ..., προέρχονται εκ των πυρών, αλλ' ουδέν δυστυχώς ακέραιον αγγείον συνεκροτήθη (Μπακαλάκης, S. 109). Diese Fragmente gliedert Μπακαλάκης in verschiedene Typen; die vorliegende Inschrift befindet sich auf einem Fragment des Typs Γ (seine Nummer 36): Επί της στεφάνης του 36 υπάρχει εγχάρακτος η αρχαϊκού τύπου γραμμάτων επιγραφή ... (S. 112). Abmessungen werden nicht angegeben.

> [...]ΕΣΜΑΝΕΘΕΚΕ[ΝΠΑΡΘΕΝΩΙ]

In dem ΕΣ am Anfang möchte Μπακαλάκης den Rest des Namens des Weihenden sehen. Die Ergänzung ΠΑΡΘΕΝΩΙ geht ebenfalls auf den Vorschlag von Μπακαλάκης zurück (= Παρθένῳ). Sicher identifizierbar ist ἔθεκεν „er hat es geweiht".

Weihinschrift für Παρθένος

007b/G818
6. Jh. v. Chr.

Γεώργιος Μπακαλάκης: Εκ του ιερού της Παρθένου εν Νεάπολει (Καβάλα), AE 1938 [1940], S. 106–154; hier S. 113 mit Abb. 5,2.

Ιερόν της Παρθένου. Zum Gefäßtyp vgl. die Beschreibung der vorigen Nummer 007a/G817. Die vorliegende Inschrift befindet sich auf einem Fragment des Typs Δ. Εις μικροσκοπικόν όστρακον εικ. 5,2 ανήκον εις λεκάνην παρομοίου αγγείου, ήτις εξωτερικώς έφερε κλώνον μύρτου, εσωτερικώς δε τας λεπτάς καστανερύθρους παραλλήλους γράμμας, διεσώθη η εγχάρακτος επιγραφή ... (Μπακαλάκης, S. 113). Abmessungen: H. des Fragments 0,02; H. der Buchstaben wird nicht angegeben.

> ΠΑΡΘ[ΕΝΩΙ]

Der Parthenos (ist es geweiht).

008/G596   **Fragment einer griechischen Weihinschrift**
6. Jh. v. Chr.

Δημήτριος I. Λαζαρίδης, ΑΔ 17 (1961/62) Β΄ Χρονικά [1963], S. 238 mit Abb.
    Tafel 281α.
Georges Daux: Chronique des fouilles et découvertes archéologiques en Grèce en
    1961, BCH 86 (1962), S. 629–975; hier S. 837.
BÉ 1964, Nr. 263 [a]?

Ἱερόν τῆς Παρθένου. Bei den Ausgrabungen dieses Heiligtums 1960/61
(vgl. ΑΔ 17, S. 235–238) wurde eine große Zahl an Funden verzeichnet,
darunter auch μέγας κρατήρ με λαβάς τύπου »διπλῶν κιονίσκων« ανήκων εις
κυκλαδικόν εργαστήριον, των μέσων του 6ου π.Χ. αιώνος ... Ούτος έφερε
αναθηματικήν επιγραφήν, γεγραμμένην βουστροφηδόν (S. 238).
Ich bekam keine Genehmigung, die Inschrift selbst zu studieren (Ὑπουργείο
Πολιτισμού – Εφορεία προϊστορικών και κλασσικών αρχαιοτήτων Καβάλας,
Aktenzeichen 2558, 20. August 1992).

       [...] ἀνέθηκεν [...]

       ... er hat geweiht ...

009/G597   **Fragmente griechischer Weihinschriften**

Δημήτριος I. Λαζαρίδης, ΑΔ 17 (1961/62) Β΄ Χρονικά [1963], S. 238 mit Abb.
    Tafel 283α.
BÉ 1964, Nr. 263 [a]?

Ἱερόν τῆς Παρθένου. Bei den Ausgrabungen dieses Heiligtums 1960/61
(vgl. ΑΔ 17, S. 235–238) wurde eine große Zahl an Funden verzeichnet,
darunter auch πολλά όστρακα, φέροντα αναθηματικάς επιγραφάς (S. 238 –
Λαζαρίδης gibt leider keine Texte, einiges ist jedoch auf der Abbildung zu
erkennen).

     a   ΘΑΥ
     b   ΝΙΚΟ
     c   ΩΝΤΗ
     d   ΕΘΚΗ
     e   ΩΙΩΣΜΕΑΝ
     f   ἀνέθηκ[εν]
     g   ΠΑ
     h   ΗΔ

Kraterinschrift

010/G572
um 550 v. Chr.

Δημήτριος I. Λαζαρίδης, ΑΔ 17 (1961/62) Β´ Χρονικά [1963], S. 238 mit Abb.
　　Tafel 283β.
Δημήτριος I. Λαζαρίδης: Νεάπολις, Χριστούπολις, Καβάλα. Οδηγός Μουσείου Κα-
　　βάλας, Athen 1969, S. 92, A 1092.
Georges Daux: Chronique des fouilles et découvertes archéologiques en Grèce en
　　1961, BCH 86 (1962), S. 629–975; hier S. 838.
BÉ 1964, Nr. 263 [b].
SEG XXIV (1969) 622.
Benjamin Isaac: The Greek Settlements in Thrace until the Macedonian Con-
　　quest, Studies of the Dutch Archaeological and Historical Society 10, Leiden
　　1986, S. 11.

Ιερόν της Παρθένου. Der Krater wurde 1960/61 gefunden (ΑΔ 17, S. 238).
Απότμημα από μελανόμορφο κρατήρα, που διασώζει τη μιά λαβή. Στη λαβή
κεφάλι κόρης και γύρω του, σε πάριο αλφάβητο, εγχάρακτη η επιγραφή ... .
Στον ώμο του αγγείου, μέσα σε μετόπη, παράσταση πάνθηρα. Γύρω στο 550
π.Χ. Θασιακό εργαστήριο (Λαζαρίδης: Νεάπολις, S. 92).
Ich bekam keine Genehmigung, die Inschrift selbst zu studieren (Υπουργείο
Πολιτισμού – Εφορεία προϊστορικών και κλασσικών αρχαιοτήτων Καβάλας,
Aktenzeichen 2558, 20. August 1992).

　　　[Ν]ύμφις καὶ Πέργαμος ἀνέθεσαν.

Im Museumsführer liest Λαζαρίδης [Ν]ύμφις, wohingegen er in ΑΔ 17 noch [Ν]ύνφις bot;
die Abb. in ΑΔ 17 spricht für [Ν]ύμφις. Λαζαρίδης setzt nicht in das gängige Alphabet
um und hält an Πέργαμως fest (so auch Jeanne Robert und Louis Robert, BÉ 1964, Nr.
263 [b]).

　　　Nymphis und Pergamos haben (den Krater) geweiht.

Es handelt sich um eine Inschrift im parischen Alphabet (vgl. etwa Margherita Guarducci: L'epigrafia greca dalle origini al tardo Impero, Rom 1987,
S. 48ff. und die Beilage nach S. 561): „L'usage de l'alphabet parien ($\Omega = O$)
montre les liens qui unissaient Thasos et Néapolis vers le milieu du VIe
siècle." (Daux, S. 838).
Jeanne Robert und Louis Robert verweisen in BÉ 1964, 263 zu dem Namen
Πέργαμως u.a. auf den Ort Πέργαμος (zu diesem vgl. Σαμσάρης, S. 135 und
161–162). Dieser Ort ist bei Herodot (VII 112) bezeugt. Σαμσάρης sucht
ihn beim heutigen Eleutheroupolis (zur Lage von Eleutheroupolis im W von
Kavala vgl. o. Band I, Karte 2 auf S. 50).

011/G573

1. H. 6. Jh.

v. Chr.

Inschrift auf einem Becher

Δημήτριος I. Λαζαρίδης: Νεάπολις, Χριστούπολις, Καβάλα. Οδηγός Μουσείου Καβάλας, Athen 1969, S. 92, A 3107.

Ιερόν της Παρθένου. Κύλιξ με υπογεωμετρική διακόσμηση καθέτων γραμμών, που σχηματίζουν μετόπες, με συγκεντρικούς κύκλους στο μέσον. Αποτμήματα από δύο όμοιες κύλικες· στο χείλος της μιάς εγχάρακτη η επιγραφή (Λαζαρίδης). Datierung vom Herausgeber.

[...]ΤΗΣ Παρθ(ένῳ).

... (hat es) der Parthenos (geweiht).

012/G595

Fragment einer griechischen Inschrift

Δημήτριος I. Λαζαρίδης, ΑΔ 16 (1960) Χρονικά [1962], S. 219f. mit Abb. auf Tafel 189β.

Ιερόν της Παρθένου. Im Zuge der Ausgrabung dieses Heiligtums wurde das Grundstück της οικοδομής επί της οδού Θεοδώρου Πουλίδου, αριθ. 40, sowie η παρακειμένη πάροδος και μέγα τμήμα της οδού μετά του πεζοδρομίου, περιλαμβανόμενον μεταξύ των δύο μεσημβρινών εισόδων του βακουφικού κτήματος Ιμαρέτ untersucht (S. 219). Dabei wurden auch die auf Tafel 189β abgebildeten όστρακα μελανομόρφων μικρογραφικών αττικών αγγείων gefunden, darunter eines mit der Inschrift.

PIOEN

013/G591

Weihinschrift für Παρθένος

Δημήτριος I. Λαζαρίδης, ΑΔ 19 (1964) Β΄3 Χρονικά [1967], S. 371.
Benjamin Isaac: The Greek Settlements in Thrace until the Macedonian Conquest, Studies of the Dutch Archaeological and Historical Society 10, Leiden 1986, S. 10f.

Ιερόν της Παρθένου. Επί πολλών οστράκων, ιδία βάσεων, υπάρχουν χαράγματα και επιγραφαί, όπως και τα γράμματα ΠΑΡ, άτινα αποτελούν συντομογραφίαν του ονόματος της Παρθένου, όπως διεπιστώθη άλλοτε και εξ οστράκων προερχομένων εκ της θέσεως του Ιερού.

ΠΑΡ(ΘΕΝΩΙ)

Der Parthenos (ist es geweiht).

Weihinschrift für Παρθένος

Δημήτριος Ι. Λαζαρίδης, ΑΔ 19 (1964) Β΄3 Χρονικά [1967], S. 371.

Ιερόν της Παρθένου. Επί δε του χείλους του μεγάλου μελανομόρφου κρατήρος, του εικονίζοντος την πάλην του Ηρακλέους με τον λέοντα της Νεμέας, υπήρχεν αναθηματική επιγραφή εξ ης διεσώθη η κατάληξις ΩΙ (πιθανώς Παρθένω).

[ΠΑΡΘΕΝ]ΩΙ

Der Parthenos (ist es geweiht).

Weihinschrift für Παρθένος

Δημήτριος Ι. Λαζαρίδης, ΑΔ 20 (1965) Β΄3 Χρονικά [1968], S. 446.
Φ.Μ. Πέτσας: Χρονικά Αρχαιολογικά 1966–1967, Μακεδονικά 9 (1969), S. 101–223; hier S. 204f.
Jeanne Robert und Louis Robert, BÉ 1968, Nr. 333 [a]; BÉ 1970, Nr. 379 [a].
Benjamin Isaac: The Greek Settlements in Thrace until the Macedonian Conquest, Studies of the Dutch Archaeological and Historical Society 10, Leiden 1986, S. 10f.

Ιερόν της Παρθένου. Ausgrabungen auf dem Grundstück της οδού Θεοδώρου Πουλίδου αριθ. 49, εγγύς του Ιερού της Παρθένου, οικόπεδον Στεφάνον Σιμίτα brachten etliche Ostraka zum Vorschein, zwei davon (vgl. auch die nächste Nummer) mit Weihinschrift.

ΠΑΡΘ(ΕΝΩΙ)

Der Parthenos (ist es geweiht).

Weihinschrift für Παρθένος

Δημήτριος Ι. Λαζαρίδης, ΑΔ 20 (1965) Β΄3 Χρονικά [1968], S. 446.
Φ.Μ. Πέτσας: Χρονικά Αρχαιολογικά 1966–1967, Μακεδονικά 9 (1969), S. 101–223; hier S. 204f.
Jeanne Robert und Louis Robert, BÉ 1968, Nr. 333 [b]; BÉ 1970, Nr. 379 [b].
Benjamin Isaac: The Greek Settlements in Thrace until the Macedonian Conquest, Studies of the Dutch Archaeological and Historical Society 10, Leiden 1986, S. 10f.

Ἱερόν τῆς Παρθένου. Ausgrabungen auf dem Grundstück τῆς ὁδοῦ Θεοδώρου Πουλίδου ἀριθ. 49, ἐγγύς τοῦ Ἱεροῦ τῆς Παρθένου, οἰκόπεδον Στεφάνον
Σιμίτα brachten etliche Ostraka zum Vorschein, zwei davon (vgl. auch die
vorherige Nummer) mit Weihinschrift.

ΠΑΡ(ΘΕΝΩΙ)

Der Parthenos (ist es geweiht).

017/G574   **Siegel mit Inschrift**

Δημήτριος Ι. Λαζαρίδης: Νεάπολις, Χριστούπολις, Καβάλα. Ὀδηγός Μουσείου Καβάλας, Athen 1969, S. 96, A 664.

Ἱερόν τῆς Παρθένου. ... σφράγισμα με σύμπλεγμα γραμμάτων.

Παρθέ[νῳ].

Der Parthenos (ist es geweiht).

018/G469   **Weihinschrift für Ἄρτεμις Ὀπιταΐς**
1. H. 3. Jh.
v. Chr.   *Pierre Amandry:* Chronique des fouilles et découvertes archéologiques en Grèce en
          1948, BCH 73 (1949), S. 516–536; hier S. 532.
Jeanne Robert und Louis Robert, BÉ 1951, Nr. 131.
Δημήτριος Ι. Λαζαρίδης: Ἄρτεμις Ὀπιταΐς ἐξ ἐπιγραφῆς τῆς Νεαπόλεως, Μακεδο-
          νικά 2 (1941–1952), S. 263–265.
Χαράλαμπος Ι. Μακαρόνας: Χρονικά ἀρχαιολογικά. Ἀνασκαφαί, ἔρευναι καὶ τυχαία
          εὑρήματα ἐν Μακεδονία καὶ Θράκη κατὰ τὰ ἔτη 1940–1950, Μακεδονικά 2 (1941–
          1952), S. 590–678; hier S. 651f.
SEG XIV (1957) 481.
Δημήτριος Ι. Λαζαρίδης: Νεάπολις, Χριστούπολις, Καβάλα. Ὀδηγός Μουσείου Κα-
          βάλας, Athen 1969, S. 115f., Λ 43 (mit Abb. πίν. 26β).

Kavala. Eingemauert in die Mauer des Platzes bei dem Geburtshaus des
Mechmet Ali. Jetzt im Museum in Kavala (Inventarisierungsnummer Λ 43).
Abmessungen: B. 0,30; H. 0,115.
Dia Nummer 95.96.97/1992.

> [Ἀ]ρτέμιδι Ὀπιταΐδι
> [Φ]ιλῖνος Στρατοκλέους
> [Ζ]ακύνθιος κατὰ πρόστ-
> [αγ]μα.

1 Jeanne Robert und Louis Robert lesen irrtümlich (Ἀ)ρτέμιδι.

Der Artemis Opitais. Philinos, (der Sohn) des Stratokleos, aus Zakynthos, auf Befehl (der Göttin).

Z. 1 Nach Λαζαρίδης handelt es sich um eine Weihinschrift στην Ἄρτεμη την προστάτιδα των επιτόκων γυναικών (im Museumsführer, S. 115). Für Ὀπιταΐς bietet LSJ nur einen weiteren Beleg aus Zakynthos, der Heimat unseres Dedikanten, IG IX 1,600: Ἀρτέμιτι Ὀπιταΐδι (Suppl., S. 109). Im neuen Supplement (P.G.W. Glare/A.A. Thompson [Hg.]: Greek-English Lexicon. Revised Supplement, Oxford 1996, S. 229) wird unser Beleg nach SEG XIV (1957) zitiert, aber kein weiterer hinzugefügt. Die Suche auf dem TLG CD-ROM #D ergibt keinen Treffer.
Falls diese Inschrift aus dem Heiligtum der Παρθένος stammen sollte, ergäben sich interessante Folgerungen bezüglich des Verhältnisses der beiden Göttinnen zueinander: Μιά αναθηματική επιγραφή του 3ου π.Χ. αιώνα πρός την Ἄρτεμιν Ὀπιταΐδα, την προστάτιδα των επιτόκων γυναικών ... που βρέθηκε ξαναχρησιμοποιημένη σαν οικοδομικό υλικό στην περιοχή του ιερού [sc. der Παρθένος], δεν αποκλείεται να προέρχεται από το ίδιο το ιερό της Θεάς, οπότε η ταύτιση της Π α ρ θ έ ν ο υ με την Ἄ ρ τ ε μ ι ν θα ήταν βέβαια (Λαζαρίδης im Museumsführer, S. 19).
Datierung von Λαζαρίδης.

Lateinisches Fragment   019/L109

CIL III 1, Nr. 643.
Δήμιτσας, Nr. 984 (S. 767f.).

Kavala. „... in pariete prope magnum aquaeductum" (CIL, Nr. 643).

    hic [...]
    sodaliciu[m?]
    Apion(i) suo C · O
    sacerd(oti) Luperco
5   NCRIM Quinto
    [...]RTUI

Rechts fehlen die Fortsetzungen in allen sechs Zeilen. Eine Ergänzung ist daher nicht möglich.

Z. 4 Mommsen bemerkt: „occurrit sacerdos Lupercus"; Lupercus ist *cognomen*. Κανατσούλης hat den Lupercus als Nummer 846 (S. 90) ohne weiteren Kommentar aufgenommen.

020/L146   **Fragment**

CIL III, Suppl. 2, Nr. 12315a.

Kavala. „... prope Cavallam in coemeterio Turcico. ... reliqua latent in terra" (ebd.).

PIODIIII

021/G184   **Grabinschrift des Σύντροφος**

Salomon Reinach: Chronique d'Orient, RAr 4 (1884), S. 76–102; hier S. 89.
Δήμιτσας, Nr. 974 (S. 756).
IG XII 8,481.

Kavala. Reinach zufolge handelt es sich um einen Stein aus Thasos: „M. Bulgaridis, vice-consul de France à Cavalla, possède un bas-relief thasien appartenant à la classe nombreuse des *cavaliers thraces*: un cavalier accompagné d'un chien se précipite sur un sanglier en arrêt au pied d'un arbre" (S. 89).
Δήμιτσας zufolge κεχαραγμένη επί αναγλύφου, όντος εν τη κατοχή του υποπροξένου της Γαλλίας Βουλγαρίδου.

> Σύντροφος
> Συντρόφου
> χαῖ[ρε].

Reinach bietet keine Zeilenabteilung. Ob die Zeilenabteilung bei Δήμιτσας mehr ist als Phantasie, vermag ich nicht zu entscheiden. Er hat anscheinend keine andere Quelle als Reinach.
3 Δήμιτσας: χαῖρε.

Syntrophos, (Sohn) des Syntrophos, (liegt hier begraben). Sei gegrüßt.

022/G220   **Grabstein des Ἀρχέδημος und seiner Familie**

Paul Perdrizet: Inscriptions de Philippes: Les Rosalies, BCH 24 (1900), S. 299–323; hier S. 313f.
C. Fredrich: Aus Philippi und Umgebung, MDAI.A 33 (1908), S. 39–46; hier S. 45, Nr. 9.
Fanoula Papazoglou: Le territoire de la colonie de Philippes, BCH 106 (1982), S. 89–106; hier S. 104, Anm. 68.

Kavala. Diese Inschrift wurde 1899 bei Wix in Kavala aufgenommen. Sie befindet sich auf einem Grabstein aus weißem Marmor. Ob heute noch vorhanden? Abmessungen: H. 0,98, L. 0,48; große, gründlich geschriebene Buchstaben, viele Ligaturen. Fredrich gibt als H. 0,94 und fügt die Dicke hinzu: 0,14.

Ἀρχέδημος
πραγματευτὴς
Βαιβίου Μάγνου
ἑαυτῷ κὲ τῇ συν-
5 βίῳ Κλεοπάτρᾳ κὲ
τέκνοις. ὃς ἂν δὲ ἕ-
τερον πτῶμα κατα-
θῆτε, δώσι προστί-
μου τῇ πόλι ✳ ͵αφ´
10 κὲ δηλάτορι ✳ φ´.

9 „Die Tausender sind durch einen Strich bezeichnet, der von dem oberen Apex des A schräg nach links unten läuft" (Fredrich, S. 45).

Archedemos, Gutsverwalter des Baebius Magnus, (hat) für sich und seine Frau Kleopatra und die Kinder (die Inschrift anfertigen lassen). Wer aber (in dieses Grab) eine andere Leiche legt, der soll der Stadt 1500 Denare Strafe zahlen und dem, der es anzeigt, 500 Denare.

Z. 2 Zu πραγματευτής vgl. Norbert Ehrhardt: Eine neue Grabinschrift aus Iconium, ZPE 81 (1990), S. 185–188; hier S. 185f. (mit Literaturhinweisen). In Philippi begegnet das Wort noch in 083/G066 (aus Κρηνίδες) und in 248/G435 (vom Macellum).
Das lateinische Pendant *actor* findet sich in 333/L268 (SW der Basilika B); 344/L449 (Turm im südlichen Abschnitt der Stadtmauer); in 432/L163 (aus Κύρια) und in 525/L104 (aus Χαριτωμένη). In 350/L448 (südlich der Stadtmauer gefunden) begegnet ein *actor coloniae*.
Z. 3 „Les *Baebii* étaient l'une des grandes familles de la colonie" (Perdrizet, S. 314); vgl. dazu die Inschrift 309/G060.
Z. 10 δηλάτωρ (das Wort fehlt bei LSJ – beinahe irreführend ist das Lemma δηλάτωρ im neuen Supplement hg. v. P.G.W. Glare/A.A. Thompson: Greek-English Lexicon. Revised Supplement, Oxford 1996, S. 85, wo als einziger Beleg „BCH 59.152 (Philippi)" angeführt wird [d. i. unsere Inschrift 280/G415]) ist ein Spezifikum der Inschriften von Philippi. In lateinischen Texten begegnet es als *delator* in 038/L038 (aus Φίλιπποι) und 136/L453 (vom Neapolistor); als δηλάτωρ in den griechischen Inschriften 133/G441 (vom Neapolistor), 265/G417 (aus der Basilika B) und 280/G415 (ebenfalls

aus der Basilika B); in 734/G749 (vom jüdischen Friedhof in Thessaloniki),
sowie wahrscheinlich in einer unpublizierten Inschrift von Λυδία.

023/L262   Milliarium des Septimius Severus
198/201

> *A. Salač:* Inscriptions du Pangée, de la région Drama-Cavalla et de Philippes,
> BCH 47 (1923), S. 49–96; hier S. 80–83 (Nr. 1, mit Abb. 6).
> *Paul Collart:* Une réfection de la „Via Egnatia" sous Trajan, BCH 59 (1935), S.
> 395–415; hier S. 401, Nr. 2.
> *Collart,* S. 499 mit Anm. 4.
> *Firmin O'Sullivan:* The Egnatian Way, Newton Abbot/Harrisburg 1972; hier S.
> 146, Nr. 11.
> *Paul Collart:* Les milliaires de la Via Egnatia, BCH 100 (1976), S. 177–200; hier
> S. 190f. und S. 198 (Nr. 6).

Kavala. „Partie supérieure d'une colonne, brisée en bas" (Salač, S. 80). Zur
Zeit von Salač „rue Abba-Hilmi pacha, près de la porte" (S. 80). Maße werden
nicht angegeben.
Der Stein befindet sich heute (1993) im Museum in Kavala (Inventarisie-
rungsnummer Λ 893).
Dia Nummer 55.56.57.58/1993.

> Imp(erator) Caes(ar) L(ucius) Septi-
> mius Severus Pius
> Pe{p}rtinacis Aug(ustus) Ar(abicus)
> Adiab(enicus), Part(hicus) max(imus), pont(ifex)
> 5 max(imus), imp(erator) XI, trib(unicia) pot(estate) [. . .]
> co(n)s(ul) II, p(ater) p(atriae), et imp(erator) C[aes(ar) L(uci)
>   Sept(imi)]
> Severi Pi(i) Pert(inacis) [Aug(usti)]
> [Part(hici) max(imi) . . . f(ilius)]
> [M(arcus) Aurelius Antoninus]
> 10 [Aug(ustus) *etc.*]

3 Auf dem Stein steht in der Tat PEPRTINACIS, d.h. Genitiv statt Nominativ. **5** „Le
chiffre qui indique le nombre des *trib. pot.* de Septime Sévère n'est pas conservé; les deux
barres obliques, non entièrement visibles, sont des restes d'un V, non d'un X" (Salač, S.
81).

Imperator Caesar Lucius Septimius Severus Pius Pertinax Augustus, Arabicus, Adiabenicus, Parthicus Maximus, Pontifex Maximus, Imperator zum elften Mal, (im Jahr seiner . . .) tribunizischen Gewalt, zum zweiten Mal Consul, Vater des Vaterlandes,
und Imperator Caesar Marcus Aurelius Antoninus Augustus . . . ,

der Sohn des Lucius Septimius Severus Pius Pertinax Augustus,
Parthicus Maximus ...

Für die Datierung der Inschrift verweist Salač auf den *terminus post quem*,
den Titel *Parthicus Maximus* im Jahr 198, und den *terminus ante quem*,
das dritte Consulat, im Jahr 202. Damit fällt die Inschrift in die fünf Jahre
198/202. Zu den Zahlen vgl. die übersichtliche Zusammenstellung bei Paasch
Almar (S. 402). Daraus ergibt sich, daß man bei der Ergänzung der Zahl
in Z. 5 die Wahl hat zwischen VI (198), VII (199), VIII (200) oder VIIII
(201), vgl. Salač, S. 81. Collart datiert in den Zeitraum „de l'été 198 au 9
décembre 201" (S. 190).
Eine Liste der veröffentlichten Milliarien aus Philippi findet sich im Kommentar zu 414/L433.

Fragment eines Sarkophags mit lateinischer Inschrift   024/L296

A. Salač: Inscriptions du Pangée, de la région Drama-Cavalla et de Philippes,
    BCH 47 (1923), S. 49–96; hier S. 95 (Nr. 35).
Šašel Kos, Nr. 211 (S. 90).

Kavala. „... dans la partie des remparts qui est vis-à-vis de Thasos, au-
dessous d'un faubourg détruit par les Bulgares" (Salač, S. 95).
Abmessungen: H. 0,27; B. 0,36; Buchstaben H. 0,005. Weißer Marmorblock
„encastrée à l'envers dans le mur de fortification".

[maritus *oder* filiu]s f(aciendum) c(uravit). *folium*

1   „Semble être le fragment d'un sarcophage."

... der Mann (oder: der Sohn) hat es anfertigen lassen.

Grabinschrift für Ἀμύντας und Πύρρος   025/G297

A. Salač: Inscriptions du Pangée, de la région Drama-Cavalla et de Philippes,
    BCH 47 (1923), S. 49–96; hier S. 95f. (Nr. 36).
SEG II (1924) 429.
IGBulg IV 2291.

Kavala? „Stèle de marbre blanc ... maintenant à Cavalla, à l'école n° 1
de jeunes filles" (Salač, S. 95). Offenbar stammt die Stele jedoch nicht aus
Kavala: „Cette stèle, ainsi que M. P. Perdrizet a bien voulu nous l'indiquer,
fut trouvée près de Melnik, au village d'Orman, le même qui a donné les

nombreuses petites stèles de marbre blanc au type d'Artémis chasseresse, dont l'une a été rapportée au Louvre" (Salač, S. 96). Falls damit das Melnik in der Sintike gemeint sein sollte (zur Lage dieses Ortes vgl. Karte Nr. 16 bei Papazoglou), würde diese Inschrift natürlich nicht aus dem Stadtgebiet von Philippi stammen. Sie wäre in diesem Fall auszuscheiden.

Diese Auffassung vertritt Mihailov, der diese Inschrift in die IGBulg aufgenommen hat: „Reperta in vico Laskarevo (olim Dolni Orman, apud ed. Orman), nunc conservatur in museo urbis Kavala (inv. Λ 7). Non vidi, sed contuli in imagine phot. parvula, quam mihi D. L a z a r i d i s ephorus eiusdem musei liberaliter subministravit et vs. 4 meum in usum contulit" (Bd. IV, S. 264).

Relief mit Figuren (ein Mann und eine verschleierte (voilée) Frau und eine kleinere Gestalt in der Mitte), links und rechts davon die Inschrift.

Abmessungen: H. 0,59; B. 0,43; H. der Buchstaben 0,015–0,02; Zeilenzwischenraum 0,005.

Die Inschrift befindet sich heute (1993) im Museum in Kavala (Inventarisierungsnummer Λ 7).

Dia Nummer 50.51.52.53.54/1993.

> Ἀμύντᾳ Τήρου
> καὶ Πύρρῳ
> τῷ ἀδελφῷ
> Δειτουζαι-
> 5 ποῦ ἡ γυνὴ
> Ἀμύντου
> καὶ ἑαυτῇ
> ζῶουσα (sic!).

4/5 Salač erwägt [Ζόη] Τουζαί-|που. Für nicht möglich hält Salač dagegen [Κεν]τουζαι-|ποῦ<ς>. Crönert (SEG), Mihailov: Δειτουζαι-|ποῦ. Heute ist vom Δ nichts mehr, vom E und I jeweils nur noch die Spitze vorhanden. **5** Salač schreibt: ποῦ(ς) ἡ γυνή. **8** Salač, S. 96: „Le lapicide semble avoir hésité entre ζῶσα et ζόουσα. La forme pour laquelle il avait opté était indiquée au minium."

Für Amyntas, (den Sohn) des Teros, und für Pyrrhos, ihren Bruder, und für sich selbst (hat) Deitouzaipou, die Frau des Amyntas, zu ihren Lebzeiten (den Stein anfertigen lassen).

026/L123   ## Bauinschrift des Sermo Turpilius Vetidius

S. Reinach: Inscriptions latines de Macédoine, BCH 8 (1884), S. 47–50; hier S. 47, Nr. 2.

Theodor Mommsen, Ephemeris Epigraphica V (1884) 1429.

ILS 5710.

Δήμιτσας, Nr. 962 (S. 748).

CIL III, Suppl. 1, Nr. 7342.

Collart, S. 262.

Fanoula Papazoglou: Le territoire de la colonie de Philippes, BCH 106 (1982), S. 89–106; hier S. 104, Anm. 68.

Band I, S. 23, Anm. 68; S. 148, Anm. 3; S. 243.

Kavala. „... epistylii pars; lapis ipse integer est, deficit alter olim adiunctus. Cavallae (Christopoli) rep. dum domum aedifica Const. Ster. Phessa et in ea parieti immissa" (CIL, S. 1326).

Abmessungen: H. 0,30; L. 1,00 (nach Reinach).

> IIviri quinq(uennales) Philipp(is) AVGVR[...]
> Sermo Turpilius Vetidius [... per]
> Oppium Frontonem patrem [...]
> adiecta cella natatori[a thermas restituerunt].

Die Überlieferungslage ist nicht ganz eindeutig. In Ephemeris Epigraphica V bezieht sich Mommsen ausschließlich auf die Publikation von Reinach (S. 607). In CIL III, Suppl. 1 dagegen betont Mommsen: „Nobis descripsit a. 1885 Purgold. Reinach descriptam misit ediditque *bull. de corr. hell.* 8 (1884) p. 47" (a.a.O., S. 1326). Purgold scheint also der Gewährsmann für die im CIL Suppl. 1 gegenüber der Ephemeris gebotenen neuen Lesungen zu sein.
1 Mommsen (CIL): TIVIRI mit dem Kommentar: „debuit esse IIviri, sed erravit faber Graecus." Reinach liest: *Philipp[orum] Augu[stensium].* Mommsen (Ephemeris): *Philipp. Augu[st...]* mit dem Kommentar: „*Philipp(enses) Augu(stani)* sic alibi non redeunt; *colonia Augusta Iulia Philippi* constanter legitur in nummis." Mommsen (CIL): AVGVR mit dem Kommentar: „AVGVI| Purg., AVGV Rein.; videtur priori duumviro nomen fuisse *Augurius Sermo.*" Collart: *IIviri quinq. Philipp., augur ...* **3/4** Mommsen (in beiden Publikationen): *patrem [thermas? refec]|adiecta cella natatori[a].* **4** Reinach schreibt kursiv in Klammer dazu *vel simile quid.*

> Die Duumviri *quinquennales* in Philippi ..., (nämlich) Sermo Turpilius Vetidius (und ...), haben durch Oppius Fronto, den Vater, ... [die Thermen wiederhergestellt] und ein Schwimmbecken hinzugefügt.

Z. 2 Sermo ist ein überaus seltener Name. In der lateinischen Literatur vermag ich lediglich Marcus Marcius Sermo bei Livius (in XLII 21,4) zu finden.
Turpilius ist Reinach zufolge „un gentilicium fréquent en Macédoine" (S. 48). Zu Vetidius vgl. in Philippi 393/L625 (Grabinschrift des Lucius Vetidius) und das Militärdiplom 705/L503 (Caius Vetidius Rasinianus).
Z. 3 Ein anderer Fronto aus Philippi 743/L734 (*Publius Insummenius Fronto, IIvir*); vgl. aber auch 383/L614.
Z. 4 Bei Glare wird (S. 1158) diese Inschrift s.v. *natatorius* als einziger Beleg zitiert. Im ThLL ist der Buchstabe N noch nicht erschienen; s.v. *cella*

(ThLL III 759–761) aber existiert eine Rubrik *in balneo* (Sp. 760, Z. 30ff.),
wo unsere Inschrift auch verzeichnet ist (Z. 39f.).
Was die lateinische Literatur angeht, so bietet die CD-ROM PHI #5.3 lediglich zwei Belege aus der Vulgata (Johannes 9,7 und 11, die *natatoria
Siloae*).
Erika Brödner erklärt *natatio* wie folgt: „Das große Schwimmbecken, die
natatio, lag meist an der Rückseite, eingegliedert in die Gestaltung der
Palästra. In manchen Fällen war die *natatio* ebenfalls überdeckt, insbesondere dort, wo man im Winter mit anhaltendem Frostwetter zu rechnen
hatte" (Die römischen Thermen und das antike Badewesen. Eine kulturhi-
storische Betrachtung, Darmstadt 1983, S. 103). Hier ist aber nicht von
einer *natatio*, sondern lediglich von einer *cella natatoria*, also offenbar einer
kleineren Anlage, die Rede.
Gerne wüßte man, auf welche Badeanlage in Philippi sich diese Bauinschrift
bezieht. Leider geht Collart darauf überhaupt nicht ein (er erwähnt diese
Inschrift nur in einer Liste von *duumviri*, S. 262). Auch in der neuen Publikation des *balneum* nördlich des Oktogons wird diese Inschrift, soweit ich
sehe, nicht berücksichtigt (Γεώργιος Γ. Γούναρης: Το Βαλανείο και τα Βόρεια
Προκτίσματα του Οκταγώνου των Φιλίππων, Βιβλιοθήκη της εν Αθήναις Αρχαιολογικής Εταιρείας 112, Athen 1990). Γούναρης ist der Auffassung, die
vorliegende Inschrift müsse sich auf eine größere Badeanlage beziehen, die
bisher noch nicht ausgegraben worden sei (briefliche Mitteilung vom 6. 4.
1992). Wie wir uns bei unserer Exkursion am 2. September 1999 überzeugen konnten, hat Γούναρης mittlerweile mit der Freilegung einer sehr viel
größeren Badeanlage im SO des Oktogon begonnen (zur Lage vgl. den Plan
auf S. 723 bei Γεώργιος Γούναρης/Γεώργιος Βελένης: Πανεπιστημιακή ανασκαφή Φιλίππων 1988–1996, AEMΘ 10 B (1996) [1997], S. 719–733; dort S.
733 als „glass-maker's shop" bezeichnet, vgl. genauer den griechischen Text
S. 730f.); möglicherweise bezieht sich unsere Inschrift auf diese Anlage.

027/L329
II/III
Grabinschrift für das Kind Lucius Licinius Firmus

P. Collart/P. Devambez: Voyage dans la région du Strymon, BCH 55 (1931), S.
171–206; hier Nr. 16, S. 201f., mit Abb. 16.
Fanoula Papazoglou: Le territoire de la colonie de Philippes, BCH 106 (1982), S.
89–106; hier S. 104, Anm. 68.

Kavala. „... dans les jardins de la Glenn Tobacco C°. Stèle funéraire provenant des ruines de Philippes ... . Cassure à droite, à la hauteur de la 6^e
ligne" (Collart/Devambez, S. 201).
Abmessungen: H. 1,12; B. 0,52; D. 0,125; H. der Buchstaben Z. 1, 3 und 4:
0,05–0,057; Z. 2, 5, 6 und 7: 0,039–0,042. Zeilenzwischenraum 0,031–0,037.
Weißer Marmor.

L(ucius) Licinius
Firmus an(norum) IIII h(ic) s(itus) e(st).
L(ucius) Licinius So-
ter qui et Musi-
5 cus et Cassia
Restituta filio
f(aciendum) c(uraverunt).

2 Auf dem Stein IIII (vgl. die Abb. bei Collart/Devambez, S. 202). Papazoglou irrtümlich: *an. III.*

Lucius Licinius Firmus, vier Jahre alt, liegt hier begraben. Lucius Licinius Soter, der auch Musicus heißt, und Cassia Restituta haben (die Inschrift) für ihren Sohn anfertigen lassen.

Z. 3 *Lucius Licinius Soter qui et Musicus* begegnet auch in einer in Κρηνίδες gefundenen Inschrift, die leider noch nicht publiziert ist (Χάϊδω Κουχούλη, ΑΔ 22 (1967) Β´2 Χρονικά [1969], S. 420 mit Anm. 3 – kein Text, kein Bild). Κουχούλη zufolge handelt es sich um eine ενεπίγραφος επιτύμβιος στήλη (Inventarisierungsnummer Museum Philippi Λ 181). Für eine Frau begegnet das *cognomen* Musice in 726/L719 (aus Thessaloniki: *Laelia L(uci) l(iberta) Musice*).

Z. 5 Zu Cassia vgl. die Liste bei 156/L564. Cassia Restituta in 729/L722. Die Datierung wird von Collart/Devambez (S. 202) vorgeschlagen.

Grabinschrift für das Kind Publius Veneteius Phoebus

028/L330
I/II

P. Collart/P. Devambez: Voyage dans la région du Strymon, BCH 55 (1931), S. 171–206; hier Nr. 17, S. 202ff. mit Photo auf S. 203.
Šašel Kos, Nr. 210 (S. 90).
Fanoula Papazoglou: Le territoire de la colonie de Philippes, BCH 106 (1982), S. 89–106; hier S. 104, Anm. 68.

Kavala. „Ara sepulcralis e marmore albo (0.825 x 0.48–0.40 x 0.21–0.25, alt. litt. 0.025–0.038), supra et infra margine, supra etiam acroteriis exornata. In parte antica inscriptio et anaglyphum sunt. Anaglyphum, in quo puer manus levans repraesentatur, in medio inter primos quattuor versus male exculptus est. Reperta est Neapoli, ubi conservabatur ad ecclesiam s. Nicolai. Anno 1930 Collart et Devambez viderunt" (Šašel Kos, S. 90).
Der Stein befindet sich heute (1993) im Museum in Kavala (Inventarisierungsnummer Λ 656).
Dia Nummer 33.34.35.36/1993.

P(ublius) Vene-
teius
Phoebus,
qui et
5 Heronianus,
an(norum) X h(ic) s(itus) e(st).
Veneteius Hero-
nianus et Lici-
nia Valeria fil(io)
10 dulc(issimo) v(ivi) f(aciendum) c(uraverunt).

10   Collart/Devambez schlagen *v(otum)* vor.

Publius Veneteius Phoebus, der auch Heronianus heißt, zehn
Jahre alt, liegt hier begraben. Veneteius Heronianus und Licinia
Valeria haben für ihren liebsten Sohn zu ihren Lebzeiten (den
Altar) anfertigen lassen.

Z. 3   Phoebus begegnet als Name eines Gemeindesklaven in der Liste der
Silvanusverehrer (163/L002, Z. 30 und Z. 55, vgl. den dortigen Kommentar
zu Z. 30).
Die Datierung wird von Collart/Devambez (S. 203) vorgeschlagen und bei
Šašel Kos referiert.

028a/L796   **Lateinisches Fragment**

Hubert Gallet de Santerre: Chronique des fouilles et découvertes archéologiques en
      Grèce en 1949, BCH 74 (1950), S. 290–314; hier S. 307.
Χαράλαμπος Ι. Μακαρόνας: Χρονικά αρχαιολογικά. Ανασκαφαί, έρευναι και τυχαία
      ευρήματα εν Μακεδονία και Θράκη κατά τα έτη 1940–1950, Μακεδονικά 2 (1941–
      1952), S. 590–678; hier S. 652.

Kavala. Der genaue Fundort ist nicht feststellbar: Im BCH-Bericht ist von
verschiedenen Funden „en divers points de la ville" die Rede (S. 307); auch
Μακαρόνας macht keine genaueren Angaben. Es handelt sich um die „base
d'un monument, brisée à gauche et à droite; de l'inscription, il ne subsiste
que le mot SILVANO (hauteur des lettres: 0 m. 095)" (H. Gallet de Santerre,
S. 307).

[. . .] Silvano [. . .]

. . . dem Silvanus . . .

Falls damit der Gott Silvanus gemeint sein sollte – die vorliegenden Angaben zu unserer Inschrift erlauben keine eindeutige Rubrizierung –, hätten wir damit die sechste einschlägige Inschrift aus dem Territorium von Philippi (in Band I 108 war noch von fünf Inschriften die Rede: 148/L682; 163/L002; 164/L001; 165/L003; 166/L004).

Inschrift der Μάντα

029/G215

II

Franz Cumont: Notices épigraphiques. V. Inscriptions de Macédoine, Revue de l'instruction publique en Belgique 41 (1898), S. 328–340; hier S. 338f., Nr. 21.

Paul Perdrizet: Inscriptions de Philippes: Les Rosalies, BCH 24 (1900), S. 299–323; hier S. 305ff. (Nr. 2).

C. Fredrich: Aus Philippi und Umgebung, MDAI.A 33 (1908), S. 39–46; hier S. 44, Nr. 5.

Franz Poland: Geschichte des griechischen Vereinswesens, Leipzig 1909; Nachdr. Leipzig 1967; hier B 62 und S. 127.

Werner Baege: De Macedonum sacris, Dissertationes Philologicae Halenses XXII 1, Halle 1913; hier S. 92.

Bernhard Laum: Stiftungen in der griechischen und römischen Antike. Ein Beitrag zur antiken Kulturgeschichte, Erster Band: Darstellung; Zweiter Band: Urkunden, Leipzig/Berlin 1914; hier Nr. 38 (= Band II, S. 41).

Charles Picard/Charles Avezou: Le testament de la prêtresse thessalonicienne, BCH 38 (1914), S. 38–62; hier S. 48, Nr. 2.

É. Michon, BSNAF 1924, S. 234–236.

Paul Collart: ΠΑΡΑΚΑΥΣΟΥΣΙΝ ΜΟΙ ΡΟΔΟΙΣ, BCH 55 (1931), S. 58–69; hier S. 59, Nr. 2 und *passim.*

Josef Zingerle: Vermeintliche und verkannte Geographica, JÖAI 30 (1937), Beiblatt, Sp. 129–168; hier Sp. 132–133.

Collart, S. 474–485; insbesondere S. 474f., Anm. 3, Nr. 5.

Louis Robert: Épitaphe chrétienne de Cilicie copiée par Cockerell, in: ders.: Hellenica. Recueil d'épigraphie, de numismatique et d'antiquités grecques I, Paris 1940, S. 30–32; hier S. 30, Anm. 1.

Κανατσούλης, Nr. 870.

Papazoglou, S. 411 mit Anm. 194.

Band I, S. 220 mit Anm. 10.

Kavala? Βασιλάκη? Die Inschrift wurde zuerst 1898 von Cumont zwischen Kavala und Philippi gesehen und folgendermaßen beschrieben: „Stèle de pierre calcaire ... dressée dans le fossé à droite de la route qui conduit de Drama à Kavala, à une heure environ au-delà des ruines de Philippes, non loin d'un cimetière turc. Le bas de la pierre est encore enfoncé dans le sol. La partie supérieure est occupée par un bas relief: Cavalier thrace galopant vers un arbre placé à droite; sous le poitrail du cheval, un chien court dans le même sens. Au-dessous de cette représentation, on lit l'épitaphe suivante (copie et frottis)" (Cumont, S. 338).

Abmessungen: H. der Stele 1,85; B. 0,52; D. 0,31; H. der Buchstaben 0,05. Oben ist in einer rechteckigen Vertiefung der Thrakische Reiter dargestellt. Fredrich bietet eine genauere Beschreibung: „Stele aus blauem Marmor, unten gebrochen. ... Oben ein Relief (H. 0,35): ein Reiter sprengt mit wehendem Mantel nach rechts gegen einen Baum, unter dem ein Eber hervorkommt; unter dem Pferd ein Hund. Darunter steht die Inschrift (B.H. 0,045, Z.A. 0,03; viele Ligaturen), unter der letzten Zeile sind noch 0,82m des Steines frei" (S. 44). Auch die folgende Beobachtung bietet ausschließlich Fredrich: „die letzten fünf Zeilen sind in etwas feinerer und grösserer Schrift offenbar später nachgetragen worden" (ebd.).

Perdrizet druckt die Abschrift von Wix aus dem Jahr 1899; damals befand sich der Stein bereits in Kavala. Wix war „agent consulaire d'Autriche-Hongrie à Cavalla" (Michon, S. 236; dazu s. unten).

Nach Papazoglou, S. 411 mit Anm. 194, stammt die Inschrift aus Βασιλάκη; bei Cumont und Perdrizet jedoch sucht man diese Ortsangabe vergeblich.

Die Inschrift soll sich heute angeblich in Österreich, vermutlich in Wien befinden: „Il est probable que, avec les autres antiquités recueillies par M. Wix, notamment une très belle tête de femme provenant de Thasos, elle avait été, avant la guerre, emportée et vendue en Autriche. Il ne serait pas impossible qu'elle se trouvât aujourd'hui au Musée de Vienne" (Michon, S. 236). Dies ist aber keineswegs der Fall; der Stein befindet sich mittlerweile im Museum in Kavala (Inventarisierungsnummer Λ 68). Dia-Nummer 22.23.24.25.26.27/1993.

> Μάντα ἰδίῳ τέκνῳ
> Σουδίῳ Παιβίλα ἔ-
> των κϛ´ μνήμης χάριν.
> καταλείπω δὲ κου-
> 5 πίασιν Καλπαπου-
> ρείτα(ι)ς ✷ ρν´. παρα-
> καύσουσιν δὲ ἅπαξ
> τοῦ ἔτους ῥόδοις.

4 Cumont irrtümlich: Καταλ[ε]ίπω. **4f.** Cumont: κου|τιασιν. Fredrich: ΔΕΚΟΥ|ΓΙΑ-CINK. Zingerle: ἰς [εσ]|τίασιν (zur Begründung Zingerles vgl. unten den Kommentar zur Stelle). **5** Perdrizet: [π]ίασιν (so auch Poland, Laum, Collart). Fredrich: „der erste Buchstabe ... kann nicht Π sondern nur T gewesen sein; Z. 5 und 6 sind ein wenig eingerückt; H. Dessau, dem ich auch für mehrere Nachweise zu danken habe, vermutet δεκου|[ρ]ιά(λε)σιν (vgl. CIL. III 14206^{13} [= 555/L158])." Auf dem Stein ist m.E. ein Π zu erkennen; T ist nicht ausgeschlossen, aber weniger wahrscheinlich. **6—8** Cumont: παρα|λύσουσιν δὲ ἀπλ|οῦς τοὺς ῥόδοις (*sic*).

Manta ihrem eigenen Kind Soudios, (dem Sohn) des Paibilas, (verstorben im Alter) von sechsundzwanzig Jahren, zum Andenken. Ich hinterlasse den Kalpapuritanischen Totengräbern (??) 150 Denare. Sie sollen einmal im Jahr am Rosalienfest opfern.

Z. 1 Μάντα ist ein geläufiger thrakischer Name, vgl. z.B. 517/L176; 598/
G214; 599/G216 (Μάνταδα) und öfter (auch 643/G762). Cumont macht
Μάντα zum Dativ: Μάντᾳ ἰδίῳ τέκνῳ. Damit wäre zu übersetzen: „Für Manta, ihr eigenes Kind, hat ... ". Dies könnte nur funktionieren, wenn man
außerdem mit Cumont auch Σουδιωπαιβίλα als Nominativ eines Namens
auffaßte; das aber ist unmöglich. Zudem wäre die Stellung der Altersangabe hinter dem Stifter des Steins statt hinter dem Verstorbenen mehr als
ungewöhnlich.

Z. 2 Σούδιος ist seltener. Immerhin kann man eine Inschrift aus Thessaloniki anführen (IG X 2,1, Nr. 489, Z. 1): Μάντω Σουδίῳ. Neu ist der Name
Παιβίλας (auch in Thessaloniki gibt es offenbar bis heute keinen Beleg, vgl.
das Register von Edson IG X 2,1). Hier liegt der Genitiv Singular Παιβίλα
vor („*nichtgriechische* Eigennamen auf -ᾱς können Genitiv Sing. in dorischer
Weise auf langes -ᾱ bilden", Bornemann/Risch § 33,3).

Z. 3 Laum übersetzt: „... der 25 Jahre alt geworden" (Nr. 38, II 41) –
wie er darauf kommt, verstehe ich nicht. ϗϛ´ = 26!

Z. 4 „Il me paraît impossible d'expliquer ceci autrement qu'en voyant
dans κουπίασιν un datif pluriel de *κουπίας -αδος, synonyme de κοπια-
ταί, *copiatae*, mots qui sont ainsi expliqués par Forcellini, *s.v.* copiatae:
»Vespillones, quorum munus cadavera christianorum obvolvere, efferre, se-
pelire; a κοπιάω, laboro« " (Perdrizet, S. 312).
Diese Deutung Perdrizets, der sich auch Poland, Laum und Collart anschließen, ist Zingerle zufolge „sprachlich ebenso unwahrscheinlich wie die Distink-
tion der Totengräber mit dem Ethnikon[,] kommt aber überhaupt nicht in
Frage, nachdem mittlerweile an Stelle von Π vielmehr T sicher gestellt ist
... [mit Verweis auf den Aufsatz Fredrichs, vgl. oben im Apparat zur Stel-
le]. Dessaus ebendort vorgetragene und von Baege, De Maced. sacris [S. 91]
übernommene Vermutung δεκου[ρ]ιά(λε)σιν befriedigt freilich ebensowenig,
weder paläographisch, noch sprachlich, noch sachlich. Vor allem ist nach der
Topik dieser Kodizille an δὲ als selbständiger Partikel festzuhalten ..., das
Nächstliegende dann in ΚΟΥΤΙΑϹΙΝ den Zweck der Stiftung zu suchen,
also wieder Κ = ἰς abzutrennen. Das Weitere wickelt sich sehr notwendig
ab: es gibt nur ein einziges Wort auf -τίασις und eben dieses einzige ergibt
den erlösenden Sinn: ἰς [ἐσ]τίασιν, also eine Stiftung für das Totenmahl, wie
sie ja so zahlreich belegt sind ... . Die Verschreibung ΟΥ statt ΕϹ findet ihre Erklärung darin, daß in der folgenden Zeile unmittelbar darunter
ΟΥ von Καλπαπουρείταις steht, das also dem Steinmetzen aus der Vorlage
hinaufgerutscht ist, nachträglich aber gewiß mit Farbe verbessert worden
ist" (Zingerle, Sp. 132f.).
Robert hält die Kritik von Zingerle für durchschlagend, kann sich aber
dessen Konjektur nicht anschließen: „les objections de J. Zingerle ... me
paraissent décisives; mais j'hésite à accepter ses corrections et son interprétation" (Robert, S. 30, Anm. 1). Er datiert die Stele auf das zweite Jahrhundert (ebd.).

Poland interpretiert die Zeilen 4ff., die er nach Perdrizets Version liest, dahingehend, daß hier von einem „christlichen Begräbnisverein" die Rede sei (S. 127). Was das Christliche daran sein soll, wird man fragen dürfen.

Z. 5 „Καλπαπουρεῖτα serait un nom de village: Κάλπη ou Καλπαί, nom géographique de Bithynie" (Perdrizet, S. 312). „Ein vicus dieses Namens kommt unter den vici von Philippi (CIL. VI 2799 = 32543 = Inscr. sel. 2094) nicht vor" (Fredrich ebd.). Das Argument Fredrichs beruht auf einer Verwechslung; die von ihm zitierte Inschrift enthält in der Tat eine ganze Reihe von *vici* – aber es handelt sich dabei um *vici* von Philippopolis, nicht von Philippi. Der Einwand Fredrichs ist also hinfällig.

Das Dorf der Καλπαπουρεῖται ist inzwischen im Genitiv Singular auch in der Inschrift der Verehrer der almopianischen Göttin bezeugt (602/G647, wo u.a. die ἀπόστολοι ... Καλπρίω genannt werden: Z. 9ff.15).

Z. 6 Laum übersetzt: „Ich hinterlasse den Grabwächtern – 140 Denare"; auch hier hat er sich mit der Zahl vertan, denn ρν´ sind natürlich nicht 140, sondern 150!

Z. 6–8 Die hier verfügte Stiftung ist für Philippi spezifisch. Sie hängt aufs engste mit dem Rosalienfest zusammen (vgl. dazu o. Bd. I, S. 104 und die dort genannte Literatur; acht oder neun Inschriften aus Philippi illustrieren die einschlägigen Bräuche, die vorliegende sowie 133/G441; 512/L102; 524/L103; [525/L104;] 529/L106; 597/G211; 636/G223 und 644/L602). Der Dativ ῥόδοις am Schluß unseres Textes weist ausdrücklich auf das Rosalienfest hin; er ist im temporalen Sinne zu verstehen: „am Fest der Rosen", „am Rosalienfest". Die früher übliche Übersetzung „Rosen verbrennen" für παρακαύσουσιν ῥόδοις (etwa bei Laum, Bd. II, S. 40f.) läßt sich nicht halten. Meine einschlägige Formulierung o. Bd. I, S. 104 ist entsprechend zu korrigieren (und die Kritik von Hatzopoulos in BÉ 1996, Nr. 280 insoweit berechtigt).

Ist ῥόδοις in der Tat temporaler Dativ, so stellt sich die Frage: Was wird hier eigentlich verbrannt, d.h. was ist mit παρακαύσουσιν gemeint? Collart hat diese Frage in seinem Aufsatz von 1931 ausführlich untersucht und sich der Frage dann in seiner Monographie (S. 476–485) erneut zugewandt; er kommt zu dem Ergebnis, daß sich das Verb παρακαίω auf eine Opferhandlung bezieht: „il s'agissait d'un sacrifice par le feu sur le tombeau" (S. 484, vgl. auch Anm. 4). „L'absence constante de complément au verbe παρακαίειν, dans les inscriptions de Philippes, ne doit pas surprendre; comme a bien voulu nous l'indiquer M. Rostovtzeff, on jugeait inutile de préciser la nature de l'objet qui devait être offert en holocauste, puisque tout le monde la connaissait" (S. 484, Anm. 5).

Dieser Ritus, der alljährlich am Grab stattfindet, wird hier den „Kalpapuritanischen Totengräbern" auferlegt. Gewöhnlich handelt es sich um einen einschlägigen Verein („Versicherungsgesellschaft", vgl. etwa 636/G223) oder um einen *vicus* (etwa bei 524/L103; Material zu *vici* bzw. *vicani*, die an die Stelle von Begräbnisvereinen treten können, bei Collart, S. 479 mit Anm. 1).

Im Fall des Cintis Scaporenus (512/L102) sind die Erben für die Ausrichtung der Rosalienbräuche zuständig.

Militärdiplom des Vespasianus für Hezbenus 030/L523

71

Σπ. Βάσης: Λατινική εκ Θράκης επιγραφή, Αθηνά. Σύγγραμμα Περιοδικόν της εν Αθήναις Επιστημονικής Εταιρείας 23 (1911), S. 145–150.

J.-B. Mispoulet: Note sur un diplôme militaire découvert en Thrace, concernant la flotte de Misène, du 9 février 71, CRAI 1912, S. 394–407.

Wilhelm Kubitschek: Ein Soldatendiplom des Kaisers Vespasian, JÖAI 17 (1914), S. 148–193.

AÉ 1912 [1913] 10.

RAr 19 (1912[1]), S. 456.

CIL XVI 12.

Collart, S. 291.

Sarikakis, Nr. 181 (S. 455).

John Morris/Margaret Roxan: The Witnesses to Roman Military *Diplomata,* Acta Archaeologica 28 (1977), S. 299–333.

Slobodan Dušanić: The Witnesses to the Early »Diplomata Militaria«, in: Sodalitas. Scritti A. Guarino, Neapel 1984, S. 271–286; hier S. 275; S. 277; S. 284f.

Hartmut Wolff: Die Entwicklung der Veteranenprivilegien vom Beginn des 1. Jahrhunderts v. Chr. bis auf Konstantin d. Gr., in: Heer und Integrationspolitik. Die römischen Militärdiplome als historische Quelle, Passauer historische Forschungen 2, Köln/Wien 1986, S. 44–115; hier S. 49.

Okko Behrends: Die Rechtsregelungen der Militärdiplome und das die Soldaten des Prinzipats treffende Eheverbot, in: Heer und Integrationspolitik (s. oben), S. 116–166; hier S. 146.

Band I, S. 14, Anm. 40; S. 123; S. 257.

Kavala. Das Militärdiplom befindet sich den Angaben von Nesselhauf zufolge in Wien (CIL, a.a.O., S. 11). Die Angaben bezüglich der Herkunft differieren. „Gefunden wurde das Diplom nach Vassis ἐν τοῖς πέριξ τῆς Θρᾳκικῆς πόλεως Γκιουμουρτζίνης ὑπὸ τῇ Ῥοδόπῃ, nach Angabe des Verkäufers, des Herrn Dimitri Prowadaljeff in Paris, in der Nähe von Kawala. Gümüldschina liegt etwa auf halbem Weg zwischen Kawala und Dedeagatsch, ungefähr 80 *km* in der Luftlinie von ersterem entfernt. Ich habe nach einem Überblicke über die Verhältnisse von vornherein darauf verzichtet, von hier (Wien) aus die näheren Umstände zu erfragen und mit dieser Erkundigung dann etwa in die Irre zu gehen" (Kubitschek, S. 149). „Ab Arthuro Perger donatum est museo Vindobonensi q. d. *Kunsthistor. Museum*" (CIL, ebd.).

Auch wenn dieses Militärdiplom nicht in Kavala gefunden worden sein sollte, wäre es doch in jedem Fall in diese Sammlung von Inschriften aufzunehmen, der Zeugenliste wegen, die ausschließlich aus Philippern besteht.

Nesselhauf gibt die folgende Beschreibung: „Tabellae a. cm. 17, l. 15, quarum
tab. II cr. cm. 0,3 pendet gr. 595, tab. I cr. cm. 0,15 pendet gr. 357. In
interiore parte tab. I cernuntur tres sarturae" (CIL, ebd.).

Innenseite, Tafel I

Imp(erator) Caesar Vespasianus Aug(ustus) pont(ifex) max(i-
                               mus),
tr(ibunicia) pot(estate) $\overline{\text{II}}$, imp(erator) $\overline{\text{VI}}$, p(ater) p(atriae),
                            co(n)s(ul) $\overline{\text{III}}$,
veteranis, qu<i> militaverunt in clas-
se Misenense sub Sex(to) Lucilio Basso,
5 qui sena et vicena stipendia aut plura
m<e>ruerunt, et sunt deducti Paesti, quorum nomina subscripta sunt, ipsis liberis posterisque eorum, civitatem dedit
et conubium cum uxoribus, quas tunc
10 habuissent, cum est civitas is data,

Innenseite, Tafel II

aut, si qui caelibes essent, cum is, quas
postea duxissent dumtaxat singuli
singulas. pos(itum) a(nte) d(iem) V id(us) Febr(uarias)
imp(eratore) Caesar(e) Vesp(asiano) Aug(usto) $\overline{\text{III}}$ M(arco) Coc-
                         ceio Nerva{e} co(n)s(ulibus)
15 cent(urio) Hezbenus Dulazeni Sappa(eus)
vacat et *vacat*
vacat Doles f(ilius) eius. *vacat*
descriptum et recognitum ex tabula
aenea, quae fixa e<s>t Romae in Capitol(io)
20 ad aram Gentis Iuliae in podio parte
exteriore tab(ula) I. *vacat*

Außenseite, Tafel II

Imp(erator) Caesar Vespasianus Aug(ustus) pont(ifex) max(i-
                               mus),
tr(ibunicia) pot(estate) $\overline{\text{II}}$, imp(erator) $\overline{\text{VI}}$, p(ater) p(atriae),
                            co(n)s(ul) $\overline{\text{III}}$,
veteranis, qui militaverunt in clas-
se Misenense, qui sena et vicena sti-
5 pendia aut plura meruerunt et sunt
deducti Paesti, quorum nomina subscripta sunt, ipsis liberis posterisq(ue)
eorum, civitatem dedit et conubium
cum uxoribus, quas tunc habuissent,
10 cum est civitas is data, aut, si qui caelibes essent, cum is, quas postea du-

xissent dumtaxat singuli sin-
gulas. p(ositum) a(nte) d(iem) V id(us) Feb(ruarias) imp(eratore) Caes(are) Aug(usto) III M(arco) Coc(ceio)
Ner(va) co(n)s(ulibus)
c(enturio) Hesbenus Dulazeni f(ilius) Sapp(aeus)
15 *vacat* et Doles f(ilius) eius. *vacat*
descriptum et recognitum ex tabul(a)
aenea, quae fixa est Romae in Capitolio ad aram Gentis Iul(iae)
in podio
parte exteriore tab(ula) Ī. *vacat*

Außenseite, Tafel I
20 D(ecimi) Liburni Rufi, Philippie<n>sis,
C(ai) Sallusti Crescentis, m(ilitis) c(o)h(ortis) IIII pr(aetoriae)
vacat   c(enturiae) Augur(ini), Philipp(ie<n>sis),
P(ubli) Popilli Rufi, Philippie<n>sis,
L(uci) Betuedi Valentis, Philippie<n>sis,
25 L(uci) Betuedi Primigeni, Philippie<n>s(is),
Cn(aei) Corneli Flori, Philippie<n>sis,
C(ai) Herennulei Chryserotis, Phi-
vacat   lippie<n>sis.

Den Angaben Kubitscheks zufolge ist Z. I13 (ab dem Wort *positum*) bis Z. I17; Z. I20–21;
Z. A13 (ab dem Wort *positum*) bis Z. A15 und Z. A18 (ab dem Wort *ad*) bis Z. A19 von
einer zweiten Hand geschrieben.
I3 Auf dem Diplom: *que*. **I6** Auf dem Diplom: *miruerunt*. **I19** Auf dem Diplom:
eit. „Auf der Bronze steht EIT; also hat sich aus der Vorlage oder der Vormalung ein
kursives S eingeschlichen" (Kubitschek, S. 152, Anm. 8). **A20** Hier nimmt Kubitschek
eine dritte Hand an: „... ist die Zeugenliste sicher nicht von zweiter Hand geschrieben,
deren Buchstaben andere Proportionen zeigen und die andersgeformte Werkzeuge verwendet haben muß; aber sie scheint auch nicht von der ersten Hand herrühren zu können ...;
ich halte es daher ... für wahrscheinlich, daß drei Hände an diesem Diplom sich beteiligt
haben" (Kubitschek, S. 181). **A21f.** Die Ergänzung zu *Augurini* nach Kubitschek.

Der Imperator Caesar Vespasianus Augustus, Pontifex Maximus,
zum zweiten Mal Inhaber der tribunizischen Gewalt, zum sechsten Mal Imperator, Vater des Vaterlands, zum dritten Mal Konsul, hat den Veteranen, welche in der misenensischen Flotte unter
Sextus Lucilius Bassus [diese Information fehlt auf der Außensei-
te] gedient haben, [5] welche sechsundzwanzig oder mehr Dienst-
jahre absolviert haben, und in Paestum angesiedelt sind, deren
Namen unten aufgelistet sind, ihnen selbst, ihren Kindern und
ihren Nachkommen, das Bürgerrecht verliehen sowie das Recht,
eine rechtmäßige Ehe zu schließen mit den Frauen, die sie damals
[10] gehabt hatten, als ihnen das Bürgerrecht verliehen wurde,
beziehungsweise, wenn sie ledig waren, mit denjenigen (Frauen),

die sie später geheiratet hatten, ein einzelner jeweils nur eine ein-
zelne. Gegeben am 9. Februar des Jahres, als Imperator Caesar
Vespasianus [der Name fehlt auf der Außenseite] Augustus zum
dritten Mal und Marcus Cocceius Nerva Konsuln waren. Der
Centurio Hezbenus [auf der Außenseite Hesbenus ohne Rang-
angabe], der Sohn des Dulazenus, der Sappäer, und sein Sohn
Doles. Kopiert und überprüft nach der Bronzetafel, welche in
Rom auf dem Capitol, am Altar der *gens Iulia* an dem Stylobat
an der Außenseite auf Tafel I angebracht ist.
[Die Zeugen:] [A20] Decimus Liburnius Rufus, der Philipper. Caius Sallustius Crescens, Soldat der vierten Prätorianerkohorte
aus der Centuria des Augurinus, der Philipper. Publius Popillius Rufus, der Philipper. Lucius Betuedus Valens, der Philipper.
[A25] Lucius Betuedus Primigenius, der Philipper. Cnaeus Cornelius Florus, der Philipper. Caius Herennuleius Chryseros, der
Philipper.

Zur Gattung der Militärdiplome und zum Aufbau dieser Dokumente vgl.
den Kommentar zu 705/L503 aus Moesien.
    Z. I1 Eine Liste aller Vorkommen des Vespasianus in den Inschriften von
Philippi bei der Ehreninschrift 281/L371 aus der Basilika B.
    Z. I6 Abschiedsprämien waren für Soldaten der Auxiliartruppen nicht
üblich: „Die Ansiedlung der Veteranen der Misenensischen und Ravenna-
tischen Flotte in Paestum und Pannonien im Jahre 71 war, wie schon die
Aufnahme der Bestimmung in die Bürgerrechtskonstitutionen [z.B. unser
vorliegendes Militärdiplom] zeigt, zweifellos eine ungewöhnliche Ausnahme,
die man mit dem besonderen Verdienst der Flottensoldaten um den Sieg
Vespasians auch hinreichend erklärt" (Wolff, a.a.O., S. 49).
    Z. I3f. Die misenensische Flotte begegnet in den Inschriften von Philippi
sonst nicht.
    Z. I13 (vgl. **A13**) Nesselhauf schlägt vor, das seltsame *positum* im Sinne
von *datum* oder im Sinne von *propositum* zu verstehen (CIL, a.a.O., S. 11).
    Z. I15 „Alle anderen Diplome nennen, wie auch gar nicht gut anders zu
denken ist, den Empfänger des Privilegiums im Dativ. Dies ist der einzige
Fall, daß er im Nominativ erscheint. Ich nehme an, daß ein Versehen oder,
vielleicht richtiger gesagt: ein unabsichtliches Abweichen von der Gepflogen-
heit vorliegt ... " (Kubitschek, S. 156).
Der thrakische Name Hezbenus bzw. (auf der Außenseite, Z. A14) Hesbenus
ist in lateinischer wie griechischer Gestalt belegt, vgl. Detschew, S. 165, s.v.
Εζβενις κτλ.
Der thrakische Name Dulazenus ist sehr selten (Detschew bietet S. 152, s.v.
Dulazenus etc. nur einen weiteren Beleg!).

Sappaeus ist die lateinische Form zu Σαπαῖος, ein Angehöriger des Stammes der Σάπαι (vgl. Detschew, S. 421f., s.v. Σαπαῖοι κτλ.; unser Beleg hier S. 422 am Ende von Ziffer 1).

Z. I16 Doles ist ein ziemlich häufig vorkommender thrakischer Name (vgl. Detschew, S. 146f., s.v. Δολης κτλ.; unser Doles hier S. 146 unter Ziffer 2).

Z. A20 „Als Zeugen, welche zur Beglaubigung des vom Diplom Beurkundeten namhaft gemacht werden und ihre Siegel auf das Dokument gesetzt haben, kehren im zweiten Jahrhundert n. Chr., soweit möglich, die gleichen Personen wieder. Es bestand also (wenigstens etwa in der Zeit des Kaisers Pius) eine Gruppe von sieben und mehr Personen, die Jahre hindurch in möglichst gleicher Zusammenstellung Diplome unterfertigte und siegelte …" (Kubitschek, S. 164). „Dieser Zeit, in der dieselben Zeugen immer häufiger sich wiederholen, so daß sie zuletzt fast wie ein ständiges Kollegium oder Bureau vor unseren Augen erscheinen, geht eine Periode voraus, in der die Zeugenschaft, soweit wir sehen, für jeden einzigen Fall individuell und aus Landsleuten des Diplomierten zusammengestellt wird …" (Kubitschek, S. 166f.). Dies gilt nicht nur für das vorliegende Militärdiplom, sondern auch für das des Dule (705/L503), wo immerhin fünf der sieben Zeugen aus Philippi stammen.

Kubitschek zieht aus dem genannten Sachverhalt den Schluß, daß Hezbenus möglicherweise „in Macedonien vor Zeugen, die er vor den Statthalter führte, [den Wortlaut der Konstitution] beschworen hat" (S. 193) – daraufhin sei das Militärdiplom dann (in Makedonien!) ausgestellt worden. Diese These ist nach den neueren Forschungen zu den Militärdiplomen nicht mehr zu halten. Vielmehr ist die Ausfertigung in Rom zu denken, die Zeugen müssen sich folglich zu dieser Zeit dort aufgehalten haben: „Dieses die tabula publica genau in situ lokalisierende *describere et recognoscere* setzt notwendig voraus, daß die Urkunden in Rom selbst errichtet wurden. Eine Errichtung in den Provinzen oder in den Castra anhand von Kopien der allgemeinen Konstitution, wie sie erwogen worden ist, ist mit der Unmittelbarkeit, mit welcher der Vorgang der Abschrift in Rom bekundet wird, unvereinbar. Daß man vielmehr den Formalismus des *describere et recognoscere* ernst nehmen muß, zeigt die durch die tabula Banasitana überlieferte Parallele; dort bezieht sich die gleiche Formel *descriptum et recognitum* statt auf eine tabula publica auf den *commentarius civitate Romana donatorum* des kaiserlichen Archivs selbst, und zwar wieder bekräftigt durch Zeugen, diesmal zwölf Angehörige des consilium principis" (Behrends, a.a.O., S. 146).

Was insbesondere die Zeugen aus Philippi angeht, vgl. den Kommentar zu 705/L503.

Das *nomen gentile* Liburnius ist in Philippi bisher noch nicht belegt. Unser Decimus Liburnius Rufus ist bei Κανατσούλης als Nr. 821 aufgenommen.

Z. A21 Sowohl das *nomen gentile* Sallustius als auch das *cognomen* Crescens begegnet in Philippi gelegentlich (unser Caius Sallustius Crescens bei

Κανατσούλης als Nr. 1258). In der *cohors IIII praetoria* hat auch Lucius Tatinius Cnosus gedient (vgl. die Ehreninschrift vom Forum, 203/L313, Z. 3).

Z. A23 Das *nomen gentile* Popil(l)ius findet sich zweimal in der Inschrift der Silvanusverehrer 165/L003 (Z. 2 und Z. 4); unser Publius Popillius Rufus bei Κανατσούλης als Nr. 1194.

Z. A24f. Das seltene (vgl. ThLL II, Sp. 1951, Z. 40–45) *nomen gentile* Betuedius bzw. Betuedus begegnet auch in der Inschrift 242/L355 vom Forum (ebenfalls aus dem ersten Jahrhundert; dort allerdings in der Form Betuedus); es ist auch in Thasos bezeugt und „may originate from Ameria, for it is known there both from early Umbrian (i.e. pre-Roman) and, later, from Latin inscriptions. Otherwise, it is attested only at Rome (a few instances in *CIL* VI; *CIL* XV 890, a brick stamp) and once at Atina (*CIL* X 5148 ...)" (Olli Salomies: Contacts between Italy, Macedonia and Asia Minor during the Principate, in: Roman Onomastics in the Greek East. Social and Political Aspects, hg. v. A.D. Rizakis, Μελετήματα 21, Athen 1996, S. 111–127; hier S. 119). Die beiden *Betuedi* unseres Militärdiploms könnten Brüder sein (so Κανατσούλης, Nr. 309 und 310; hier unter Nr. 310).

Z. A26 Das *nomen gentile* Cornelius ist in Philippi recht häufig. Unser Cnaeus Cornelius Florus bei Κανατσούλης unter Nr. 782.

Z. A27 Weder Herennuleius noch Chryseros sind in Philippi sonst belegt. Unser Caius Herennuleius Chryseros bei Κανατσούλης als Nr. 472.

Von Kavala nach Philippi

Vgl. zur Lage Band I, Karte 2: Das Territorium der *Colonia Iulia Augusta Philippensis* (S. 50f.), die Nummern 2 (Βασιλάκη), 3 (Αμυγδαλεώνας), 4 (Παλαιά Καβάλα), 5 (Δάτον), 6 (Πολύστυλον) und 7 (Φίλιπποι).

Inschrift des Caius Oppius Montanus 031/L121

I

S. Reinach: Inscriptions latines de Macédoine, BCH 8 (1884), S. 47–50; hier S. 49, Nr. VII.
Theodor Mommsen, Ephemeris Epigraphica V (1884) 1430.
CIL III, Suppl. 1, Nr. 7340.
Δήμιτσας, Nr. 968 (S. 750).
Paul Collart: Inscriptions de Philippes, BCH 57 (1933), S. 313–379; hier S. 341, Anm. 5.
Collart, S. 265 und S. 267.

Βασιλάκη. „... prope Philippos inter rudera vici deserti" (CIL, Nr. 7340). Zur Lage von Basilaki vgl. unter 033/G631 (mit Literatur). Abmessungen: H. 0,44; L. 0,75 (nach Reinach).

> C(aius) O[ppiu]s
> Montanus
> patronus col(oniae)
> [f]lam(en) divi Aug(usti).

1   Reinach denkt an *Coelius.* Mommsen: *Cottius.* Collart: *C. Oppius.*

Caius Oppius Montanus, Patron der Colonia (Philippi), Priester des vergöttlichten Augustus.

Z. 1   Ein Caius Oppius Montanus Iunior in Philippi (O-Tempel) in der Inschrift 231/L341.
Z. 3   Heuzey restituiert einen weiteren *[patronus] coloniae* in 004/L030 (der Name ist weggebrochen).
Z. 4   Eine Liste aller *flamines* aus Philippi oben bei 001/L027 aus Kavala; darunter sind die folgenden *flamines divi Augusti:* ein *flamen divi Augusti* vom Forum (241/L466) und ein *flamen divi Augusti ... coloniae Iuliae*

Philippensis namens C. Antonius Rufus (700/L738 und die drei folgenden Inschriften aus Alexandria Troas).

032/L162   Lateinisches Fragment

J. Arthur R. Munro: Epigraphical Notes from Eastern Macedonia and Thrace, JHS 16 (1896), S. 313–322; hier S. 317 (Nr. 12).
CIL III, Suppl. 2, Nr. 14206[17].
Collart, S. 268.

Βασιλάκη. Nach Munro aus Basilaki und zwar „at the door of the coffeeshop. Fragment of marble block, 2 feet 7 inches long, 1 foot 4 inches broad, broken at both ends. Letters 5 1/2 and 4 1/2 inches" (Munro, S. 317).
Zur Lage von Βασιλάκη vgl. unten 033/G631 (mit Literatur).

> [Cal]listam
> [ornat]us ornam[entis decurionatus] …

… mit den *ornamenta* eines Ratsherrn ausgezeichnet …

Z. 2   Vgl. 001/L027: dort alle Belege aus Philippi.

033/G631   Amphorenstempel
310/300
v. Chr.   Σταυρούλα Σαμαρτζίδου: Εγνατία οδός: Από τους Φιλίππους στη Νεάπολη, in: Μνή-μη Δ. Λαζαρίδη: Πόλις και χώρα στην αρχαία Μακεδονία και Θράκη. Πρακτικά Αρχαιολογικού Συνεδρίου, Καβάλα 9–11 Μαΐου 1986, Ελληνογαλλικές Έρευνες 1, Thessaloniki 1990, S. 559–578; hier S. 575.
SEG XL (1990) [1993] 544.

Βασιλάκη. Das frühere Βασιλάκη, das bis etwa 1940 bewohnt war, liegt beim heutigen Dorf Αμυγδαλεώνας (vgl. Plan 1 auf S. 560 bei Σαμαρτζίδου). Bei der archäologischen Untersuchung von Βασιλάκη im Zusammenhang der Erforschung des Verlaufs der Via Egnatia im Anschluß an den zufälligen Fund des Milliariums (vgl. unten 034/LG630) wurde ein Mauerring entdeckt (Plan 3 auf S. 567). Στο εσωτερικό του τείχους βρέθηκαν λιθοσωροί και θραύσματα πιθαριών, ενώ η επιφανειακή κεραμική έδωσε δύο ενσφράγιστες λαβές αμφορέων (η μία έχει τρισκελές σύμβολο και επιγραφή … και χρονολογείται στα 310–300 π. Χ.· στην δεύτερη διακρίνεται μόνο σύμβολο κρατήρα), μερικά μελαμβαφή όστρακα και θραύσματα δύο τριπτήρων (το ένα πιθανότητα από τριβείο μεταλλείου) (Σαμαρτζίδου, S. 575). Maße nicht angegeben.

ΘΑΣΙΩΝ ΠΟΥΛΥΑΔΟΥ
Θασίων Πουλυάδου.

Zu den thasischen Amphorenstempeln vgl. Anne-Marie Bon/Antoine Bon: Les timbres amphoriques de Thasos, Études Thasiennes IV, Paris 1957, zu Πολυάδης speziell die Nr. 1393–1401 sowie Nr. 1348; gleichlautend mit unserm Text ist Nr. 1398. Zur Datierung vgl. ferner Michel Debidour: Refléxions sur les timbres amphoriques thasiens, in: Thasiaca, BCH Suppl. 5, Athen/Paris 1979, S. 269–314; hier S. 311 („Troisième tiers du IVe siècle").

Milliarium der Via Egnatia

034/LG630
2. H. 2. Jh.
v. Chr.

Χάϊδω Κουκούλη-Χρυσανθάκη, ΑΔ 34 (1979) Β΄2 Χρονικά [1987], S. 332 (kein Text, keine Abb.).
Miltiade Hatzopoulos, ΒÉ 1989, Nr. 475.
Σταυρούλα Σαμαρτζίδου: Εγνατία οδός: Από τους Φιλίππους στη Νεάπολη, in: Μνήμη Δ. Λαζαρίδη: Πόλις και χώρα στην αρχαία Μακεδονία και Θράκη. Πρακτικά Αρχαιολογικού Συνεδρίου, Καβάλα 9–11 Μαΐου 1986, Ελληνογαλλικές Έρευνες 1, Thessaloniki 1990, S. 559–578.
Miltiade Hatzopoulos, ΒÉ 1990, Nr. 494.
SEG XL (1990) [1993] 543.
Band I, S. 118 mit Anm. 1; S. 157, Anm. 11.

Αμυγδαλεώνας. Κατά την εκσκαφή βόθρου στο αριθ. 269 οικόπεδο ιδιοκτησίας Γ. Μόσχου, νότια από το ηρώο του χωριού, βρέθηκε μιλιάριο της Εγνατίας Οδού, που χρονολογείται στο δεύτερο μισό του 2ου αι. π. Χ., δηλαδή ανήκει στα πρώτα μιλιάρια που αναφέρει ο Στράβων ... . Ακολούθησε περιορισμένης έκτασης ανασκαφή από τη Σ. Σαμαρτζίδου, αρχαιολόγο, επιστημονική βοηθό, κατά την οποία αποκαλύφθηκε τμήμα του λιθόστρωτου της Εγνατίας Οδού, σε βάθος 1,40 μ. Ο δρόμος είχε κατεύθυνση Β.-Ν. και πλάτος τουλάχιστον 3,50 μ. (Κουκούλη-Χρυσανθάκη, S. 332).

Abmessungen: H. 1,38; Durchmesser oben 0,445, unten 0,395. Lateinische Buchstaben 0,055–0,06; griechische Buchstaben 0,035–0,04. Zeilenzwischenraum 0,015–0,017. Rückseite: Buchstabenhöhe 0,075 (alle Maße nach Σταυρούλα Σαμαρτζίδου, S. 559 mit Anm. 5).

Heute im Museum Kavala (Inventarisierungsnummer Λ 1209).

Dia Nummer 86.87.88.89.90/1992; 59/1993.

Vorderseite:
Cn(aeus) Egnati(us) C(ai) f(ilius)
proco(n)s(ul).
Γναῖος Ἐγνάτιος Γαίου
ἀνθύπατος Ῥωμαίων.

Rückseite:

VI⟦I⟧

Vorderseite: 1 SEG liest irrtümlich *G(aii)*. **Rückseite:** Auf dem Stein ist VII in VI korrigiert (Rasur).

Cnaeus Egnatius, der Sohn des Caius, der Proconsul.
Cnaeus Egnatius, (der Sohn) des Caius, der Proconsul der Römer.

Nach dem Stein aus Thessaloniki, der 1974 gefunden wurde (AÉ 1973, 492; AÉ 1976, 643; BÉ 1976, 456; publiziert von C. Romiopoulou: Un nouveau milliaire de la Via Egnatia, BCH 98 [1974], S. 813–816 mit Abb. 1–2; Museum Thessaloniki, Inventarisierungsnummer 6932), ist dieses Milliarium der zweite Beleg für den Namen des Erbauers der Via Egnatia. Diese Inschrift aus Thessaloniki lautet:

CC↓X
Cn(aeus) Egnati(us) C(ai) f(ilius)
proco(n)s(ul).
Γναῖος Ἐγνάτιος Γαίου
ἀνθύπατος Ῥωμαίων.
σξ´

(vgl. im allgemeinen Paul Collart: Les milliaires de la Via Egnatia, BCH 100 (1976), S. 177–200).
Das Proconsulat des Egnatius in Makedonien wird datiert zwischen 146 und 120 v. Chr. (vgl. Σαμαρτζίδου, S. 561, hier auch Literatur). Dieser Stein ist demnach in die zweite Hälfte des 2. Jahrhunderts v. Chr. zu datieren. Der grundsätzliche Unterschied zwischen dieser Inschrift und derjenigen aus Thessaloniki ist der, daß hier die Entfernung von der nächsten Stadt (nämlich Philippi) angegeben ist (VI Meilen = 8892m, vgl. Σαμαρτζίδου, S. 564), wohingegen dort die Entfernung von Dyrrachium aus gemessen wird (vgl. Σαμαρτζίδου, S. 562).
Eine Liste der veröffentlichten Milliarien aus Philippi findet sich im Kommentar zu 414/L433.

035/L119   **Inschrift des Zipas und seiner Familie**

Léon Heuzey: Apollon et Diane. Dieux funéraires, RAr 22 (1870/71), S. 247–251; hier S. 248f., Anm. 1.
CIL III 2, Nr. 6115a.
Daphne Hereward: Inscriptions from Amorgos, Hagios Eustratios and Thrace, Palaeologia 1968, S. 136–149; hier S. 144 mit Abb. 16.

Παλαιά Καβάλα? „... sur les hauteurs, derrière la chaîne des montagnes qui entourent Kavala GRASSET" (CIL III 2, Nr. 6115a).
Daphne Hereward bezieht sich a.a.O. irrtümlich auf C<u>IG</u> III 2, 6115a, doch ist dies offensichtlich ein Druckfehler (vgl. auch die Abb.), und es muß unsere lateinische Inschrift gemeint sein.
„In 1959 this was near the spring Sampsaki near Palaia Kaballa, and some of it is flow [zu lesen now] missing. Height .54, breadth *ca.* .0465, thickness .11+. letter and space down .049. letter and space across, line 1, .031, line 2 .063." Nach ihrer Abb. ist 1959 noch erhalten ZIPAS.SE (Z. 1) und B̪IET SPEL̪ (Z. 2) und ein Buchstabenstück aus Z. 3. Dazu ein Teil eines Reliefs mit Darstellung eines Mahls (Weintrauben!).

> Zipas SED f(ilius) an(nos) LX
> sibi et SPEL AVCT uxor(i)
> suae et Secundae f(iliae)
> su(a)e vivos f(aciendum) cura-
> 5 *vacat* vit. *vacat*

1 Heuzey: *Zipas ser(vus)*. Das FANLX möchte Heuzey als *Fannia* lesen (vgl. den Kommentar). **2** Heuzey: *Auge* (vgl. den Kommentar).

Zipas, der Sohn des ..., sechzig Jahre alt, hat für sich und für seine Frau ... und für seine Tochter Secunda zu Lebzeiten (das Relief) anfertigen lassen.

Z. 1f. Heuzey: „Le second mot doit se lire évidemment *ser(vus)*; mais le nom du maître ou de la maîtresse de Zipas, bien qu'il semble se rattacher à la famille *Fannia*, et celui de sa femme, sauf peut-être le surnom grec *Auge*, ne peuvent être restitués avec certitude" (a.a.O., Anm. 1). Das *nomen gentile* Fannius ist allerdings in Philippi bisher nirgends belegt.
Zu einer weiteren (angeblichen) lateinischen Inschrift aus der Gegend von Παλαιά Καβάλα vgl. den Kommentar zu 605/L644.

Grenzmarkierung?   036/L646

Daphne Hereward: The Boundaries of Thasos and Philippi, Archaeology 16 (1963), S. 133.
Daphne Hereward: Inscriptions from Amorgos, Hagios Eustratios and Thrace, Palaeologia 1968, S. 136–149; hier Nr. 21, S. 147 mit Abb. 23.
Δ. *Λαζαρίδης:* Φίλιπποι – Ρωμαϊκή αποικία, Αρχαίες Ελληνικές Πόλεις 20, Athen 1973, S. 4.
Fanoula Papazoglou: Le territoire de la colonie de Philippes, BCH 106 (1982), S. 89–106; hier S. 96 mit Anm. 31.
Band I, S. 60; S. 66.

Παλαιά Καβάλα. „Kisselees, a hill east of Palaia Kaballa, scratched on the rock, height ca. 1.1, breadth *ca.* .145+, letter and space down, lines 1 and 2, 32; line 3, .19" (Hereward, Palaeologia, S. 147).

[Fin]INI
[col´]
ΠΙΜϹ

.1 Die Abbildung zeigt allenfalls INI. Soll die Herewardsche Notation also bedeuten [fin]INI? Aber Archaeology 16 (1963), S. 133, gibt sie *fin(es)*, nicht [*fin(es)*]. **2** Auf der Abbildung schlechterdings nicht zu erkennen. Aber Archaeology 16 (1963), S. 133, gibt sie *col(onia)*, nicht [*col(onia)*].

Die Inschrift ist mit Vorsicht zu genießen: Λαζαρίδης ist skeptisch: Για τον καθορισμό του ανατολικού ορίου των εδαφών της ρωμαϊκής αποικίας ένα ξεχωριστό ενδιαφέρον παρουσιάζει μια λατινική οροθετική επιγραφή, εφ' όσον βέβαια η ανάγνωσή της *FIN(ES) COL(ONIAE)*, είναι ορθή (a.a.O., S. 4; meine Hervorhebung).

Vgl. auch die Stellungnahme Papazoglous: „D. HEREWARD, *Archaeology* 16 (1963), p. 133, signala la découverte d'une inscription rupestre près du village de »Kisselees« (Kjoseler?), à l'Est de Palia Kavala, »which seemed to mark the bou[n]daries *fin(es)* of the *col(onia)* of Philippi«. La présence d'une borne de la colonie en cet endroit n'aurait rien d'étrange en soi, mais les traces des lettres dans le fac-similé de l'inscription publié par le même auteur dans *Palaeologia* (1968), p. 147, rendent sa lecture sujette à caution" (S. 96, Anm. 31).

1963 formuliert Hereward: „In 1959 I found a badly preserved inscription scratched on a rock at Kisselees, just east of Palaia Kavalla, of the time of the Roman empire, which seemed to mark the boundaries »fin(es)«, of the »col(onia)« of Philippi" (Archaeology, a.a.O., S. 133).

Vorsichtiger 1968: „Possibly this marks the boundary of Philippoi, in which case it would support the view of COLLART who disagrees with the contention of PERDRIZET that it went east as far as the Nestos river" (Palaeologia, a.a.O., S. 147). Sie fügt die folgenden Informationen hinzu: „Near this inscription is a cross with the top ending on an arrow marked on a rock. There is a hill next to this one with a little mosque, disused mines with antiquities reported in them, walls round it, and a sculpture fragment is said to have been found there. There is a cave with walls built out, possibly a cell or a church" (Palaeologia, S. 147f.).

037/L037   **Grabinschrift des Caius Postumius Ianuarius**

G. Perrot: Daton, Néopolis, les ruines de Philippes, RAr N.S. 1,2 (1860), S. 45–52.67–77; hier S. 72.

Heuzey/Daumet, Nr. 11 (S. 37).
CIL III 1, Nr. 657.
Δήμιτσας, Nr. 988 (S. 769).
Collart, S. 269.
Bormann, S. 45.

Δάτον. „Cimetière de Béréketlu. Sur une stèle en forme d'autel" (Heuzey, S. 37). Beim türkischen Friedhof an der Via Egnatia auf der Höhe von Πολύστυλον fanden sich antike Reste, z.B. Säulen, Fragmente von Architraven, Reste von Sarkophagen und dieses kleine Denkmal in Form eines Altars (Heuzey).

> C(aius) Postumiu[s]
> Ianuarius
> sevir Aug(ustalis)
> an(norum) XXXV h(ic) s(itus) e(st).
> 5 [...]ELA
> [mari]to.

Perrot hat nur Z. 1–4.
4   Perrot konnte die Zahl nicht entziffern: „les chiffres sont effacés" (S. 72).

Caius Postumius Ianuarius, Sexvir Augustalis, fünfunddreißig Jahre alt, liegt hier begraben. ... (hat den Stein) für ihren Mann (anfertigen lassen).

Z. 3 Die Listen der *sexviri Augustales* bei Collart (S. 268f.) und bei Bormann (S. 45f.) sind ergänzungsbedürftig. Folgende *sexviri Augustales* sind neben Caius Postumius Ianuarius zu nennen: die namenlosen *sexviri Augustales* aus den fragmentarischen Inschriften 043/L124, 256/L444, 276/L376, 412/L260 und 455/L083, der (von mir ergänzte) Valerius Euhelpidus aus 289/L383, Naevius Symphorus aus 463/L122, Caius Galgestius aus 505/L251 (der allerdings nur als *sexvir* bezeichnet wird, nicht als *sexvir Augustalis*) sowie Lucius Licinius Euhemerus aus 721/L714; noch immer unpubliziert ist der Sarkophag des Caius Sallustius – ein Fund aus dem Jahr 1953 (vgl. BCH 78 (1954), S. 142)! Hinzu kommt sodann noch Marcus Velleius, der sich auf seiner Grabinschrift als *Augustalis* bezeichnet (321/L377) sowie das Fragment 639/L621; als Gruppe treten die *Augustales* schließlich im Theater in Erscheinung, wo ihnen besondere Sitzplätze vorbehalten sind (145/L763).
Leider umfaßt unser Material aus Philippi keine Liste von *sexviri Augustales*, so daß wir nicht wissen können, ob es sich in der Tat um *sechs* Männer handelt; vgl. die Belege, die im Art. Augustalis (ThLL II, Sp. 1403–1409) zu den *sexviri Augustales* gesammelt sind (Sp. 1406, Z. 19 bis Sp. 1407, Z. 48), wo sich mehrere Beispiele von Listen mit weniger bzw. mehr als sechs

Männern finden. Ebensowenig sind wir in der Lage, anzugeben, ob bzw. falls ja, inwiefern sich in Philippi *Augustales* von *sexviri Augustales* unterscheiden; Bormann (der übrigens fast durchweg fälschlich *sexvir Augusti* schreibt) geht auf diese Frage leider nicht ein (Bormann, S. 45f.).

Neben den *flamines* (vgl. die Liste im Kommentar zu Z. 3 von 001/L027) sind die *sexviri Augustales* die wichtigsten Funktionäre im Kaiserkult (vgl. zuletzt John Scheid: Art. Augustales [1], DNP 2 (1997), Sp. 291f.). Damit geht auch eine besondere soziale Stellung für diese meist aus Freigelassenen bestehende Gruppe der *Augustales* einher, die sich in den im Theater reservierten Plätzen widerspiegelt. „Auch wenn die A.[ugustales] erst im 2. Jh. ein regelrechtes *corpus* und einen *ordo* bildeten, gleicht ihre Organisation von Anfang an der des *ordo decurionum*" (John Scheid, a.a.O., Sp. 292).

038/L038   Sarkophag der Secundilla und der Ulpia Matrona

Heuzey/Daumet, Nr. 12 (S. 38).
CIL III 1, Nr. 684.
CIL III, Suppl. 2, S. 2328[85].
Δήμιτσας, Nr. 989 (S. 769f.).
Johannes Merkel: Ueber die sogenannten Sepulcralmulten, in: Festgabe der Göttinger Juristen-Fakultät für Rudolf von Jhering zum fünfzigjährigen Doktor-Jubiläum am VI. August MDCCCXCII, Leipzig 1892, S. 79–134; hier S. 97.
Paul Perdrizet: Inscriptions de Philippes: Les Rosalies, BCH 24 (1900), S. 299–323; hier S. 314.
C. Fredrich: Aus Philippi und Umgebung, MDAI.A 33 (1908), S. 39–46; hier S. 45, Nr. 8.
Fanoula Papazoglou: Le territoire de la colonie de Philippes, BCH 106 (1982), S. 89–106; hier S. 104, Anm. 68.

Δάτον. „Cimetière de Béréketlu. Sur une plaque de sarcophage" (Heuzey, S. 38). Abmessungen (nach Fredrich): H. 0,38; B. 1,10; D. 0,11; H. der Buchstaben 0,055; Zeilenabstand 0,02. Der Stein war zur Zeit von Perdrizet schon in Kavala. Auch Fredrich fand ihn dort noch vor, beide allerdings nicht mehr in den ursprünglichen Ausmaßen (vgl. Perdrizet, S. 314).

> [...] Secundilla sivi et Ulpia Matrona [...]
> v(iva) f(aciendum) c(uravit). in eam arcam alium qui posue[rit],
> [dabi]t r(ei) p(ublicae) P(hilippensium) ✕ mil(le) et delatori
> ✕ CC N[...]

... Secundilla für sich ... und Ulpia Matrona hat zu ihren Lebzeiten (den Sarkophag) errichten lassen. Wer in diesen Sarg einen anderen gelegt hat, soll der Stadt Philippi 1000 Denare bezahlen und dem, der es anzeigt, 200 Denare ...

Z. 1 Vgl. 044/L127 (zu Secundilla); *sivi* steht für *sibi*.

Z. 3 Das *dabit rei publicae Philippensium* ist gleichbedeutend mit *dabit fisco* o.ä.: „Dans la formule sépulcrale mentionnant l'amende qui devrait être versée en cas de violation de la sépulture »*dabit reipublicae Phil(ippensium)* ...«, le terme désigne le trésor public de la colonie" (Fanoula Papazoglou: Le territoire de la colonie de Philippes, BCH 106 (1982), S. 89–106; hier S. 106, Anm. 80).

Zu den *delator*-Belegen aus Philippi vgl. die Inschrift 022/G220 aus Kavala; zum Problem Johannes Merkel a.a.O.

Heuzey diskutiert (S. 38) die Relation der Summen und verweist auf die Aussage: „*delator quartum accipiet*, ce qui parâit avoir été à Rome un taux souvent fixé pour les délations. La somme marquée sur notre sarcophage serait calculée d'aprés la même proportion, si l'on substituait à la lettre N, qui est douteuse, la lettre numérale L, qui compléterait le chiffre de deux cent cinquante deniers."

Inschrift für Longinus Crispus Ulpianus　　039/L039

Heuzey/Daumet, Nr. 13 (S. 38f.).
CIL III 1, Nr. 648.
Δήμιτσας, Nr. 990 und 991 (S. 770).
Sarikakis, Nr. 238 (S. 460).

Δάτον. „Cimetière de Béréketlu. Sur deux pierres, provenant d'une construction. Hauteur des lettres, 18 c." (Heuzey, S. 38f.).

Long[i]no Cri[spo]
Ulpian[o] vet(erano) VLP

Diese Rekonstruktion (vgl. im einzelnen unten im Kommentar) beruht auf der Voraussetzung, daß die beiden von Heuzey beschriebenen Steine genau aneinanderpassen. Sollte dazwischen etwas fehlen, müßte man die Rekonstruktion revidieren.

Für ... Longinus Crispus Ulpianus, den Veteranen ...

Z. 1 Δήμιτσας will zu Longus oder Longinus ergänzen. Am Ende der Zeile könnte man Crispus vermuten. In beiden Fällen kommt man über eine gewisse Wahrscheinlichkeit nicht hinaus: In Philippi ist sowohl Longus als auch Longinus des öfteren bezeugt. Das *cognomen* Crispus ist ebenfalls recht häufig in Philippi.

Z. 2 *Ulpian[o]* ist ein relativ klarer Fall. In der Mitte der Zeile ist das VET wohl zu *vet(eranus)* zu ergänzen. Ulpianus begegnet in Philippi des öfteren. Die Belege sind gesammelt im Kommentar zu 719/L712 (Z. 1f.).

„Voilà deux fragments qui appartenaient au même monument ... mais les
pierres portent trop peu de caractères et sont trop martelées sur les bords,
pour qu'il soit possible de les rapprocher avec succès." „Malgré la dimension
extraordinaire des caractères, le style de l'écriture dénote une époque assez
basse." (Heuzey, S. 39).

040/G040   **Sarkophag mit griechischer Inschrift**

Heuzey/Daumet, Nr. 14 (S. 39).
Δήμιτσας, Nr. 993 (S. 770f.).
A. *Salač:* Inscriptions du Pangée, de la région Drama-Cavalla et de Philippes,
    BCH 47 (1923), S. 49–96; hier S. 94 (Nr. 31).

Δάτον. „Cimetière de Béréketlu. Sur une plaque de sarcophage" (Heuzey, S.
39). Zur genaueren Lagebeschreibung vgl. die folgende Inschrift 041/L041.
Zur Zeit von Salač nicht mehr *in situ*: „Raktcha, maison Agha Oglou Molla
Khasan. Polygnote Clonaris a copié la partie droite de l'épitaphe que L.
Heuzey avait lue complète au cimetière de Béréketlu"; der Rest liest sich so:
ΝΕΣΤΙΝ... | ΒΥΖΑΝΤΙΟ... | ΕΝΚΟΛΠΙΟΣΑΙ... |. Da dies eine deutliche
Verschlechterung ist, wird diese Version im folgenden nicht berücksichtigt.

> Ένεστιν ὧδε Συνεργ[...]
> Βυζάντιος ἐτῶν με´ ταῦτ[...]
> Ἐνκόλπιος ἀπελεύθε[ρ]ος. ζὴ κα[ὶ ...].

Hier liegt Synergetes (?) aus Byzanz, fünfundvierzig Jahre alt
... Enkolpios, der Freigelassene. Lebe und ...

Z. 1 Heuzey möchte das Συνεργ- zu Συνεργήτης oder Συνεργάτης ergänzen. Dieses will er auf das Βυζάντιος in Z. 2 beziehen.
Z. 2 Das ταῦτ' am Ende der Zeile möchte Heuzey verstehen im Sinne
eines ταύτῃ bzw. ταύτου. Folgt man Heuzey in diesem Punkt, so ergibt sich,
daß der Freigelassene Ἐνκόλπιος in demselben Grab begraben werden wollte
wie sein Herr.
Z. 3 Das an sich völlig gewöhnliche ἀπελεύθερος ist in Philippi selten (vgl.
506a/G838).
Den Schluß der Zeile möchte Heuzey verstehen als ζὴ καὶ ὑγίαινε, ein Wunsch,
der für gewöhnlich dem Vorübergehenden gilt. Liest man in Z. 2 ταῦτ[α],
dann ergibt sich, daß Ἐνκόλπιος noch am Leben ist und dem verstorbenen Συνεργήτης wünscht, er möchte leben und gesund sein. Dieser Wunsch
scheint auf den ersten Blick verwunderlich; doch weist er darauf hin, daß
sich dergleichen eschatologische Vorstellungen auf solchen Grabinschriften
in diesem Teil von Thrakien nicht selten finden.

Sarkophag mit lateinischer Inschrift   041/L041

Heuzey/Daumet, Nr. 15 (S. 40).
CIL III 1, Nr. 690.
Δήμιτσας, Nr. 992 (S. 770).
Σταύρος Μερτζίδης: Οι Φίλιπποι, Έρευναι και μελέται χωρογραφικαί υπό αρχαιο-
λογικήν, γεωγραφικήν, ιστορικήν, θρησκευτικήν και εθνολογικήν έποψιν, Kon-
stantinopel 1897, Nr. 22, S. 141.

Δάτον. „Dans la plaine de Béréketlu. Sur un sarcophage en place." Näherhin
„situés tout à fait en dehors de la route, dans la direction de *Sélani*" (Heuzey,
S. 40). Sélani ist das heutige Dorf Φίλιπποι.

> [. . .]RILEFIL
> [. . .]ANTAEMES
> [. . .]VIC et vale
> [. . .] suis v(ivus) f(aciendum) c(uravit).

3 CIL: IC ET VALE.   **4** Μερτζίδης liest SVIS VEC.

Man kann lediglich für Z. 3f. eine Übersetzung vorschlagen:

> . . . und leb wohl . . . für die Seinigen hat er zu seinen Lebzeiten
> (den Sarkophag) anfertigen lassen.

Grabinschrift für Naevia Musa   042/L115

Pierre Belon: Les observations de plusieurs singularitez et choses memorables,
trouvées en Grece, Asie, Iudée, Egypte, Arabie, et autres pays estranges, re-
digées en trois livres, Paris [2. Auflage] 1554, fol. 57 (mir nicht zugänglich).
CIL III 1, Nr. 672.
Δήμιτσας, Nr. 959 (S. 747).
Collart, S. 9, Anm. 4.

Πολύστυλον (türkisch Bulutschka). „. . .»auge de puits, Bolisce (?) à
un quart de lieue de Philippi« BELON" (CIL, Nr. 672). Collart erläutert: „inscription funéraire copiée par P. Belon à Bolisce (Bulutchka), village voisin
de Philippes" (S. 9, Anm. 4). Wenn das Bolisce Belons und Mommsens dem
türkischen Bulutschka entspricht, dann ist die Zuweisung an Πολύστυλον
gesichert.

> N[a]eviae Musae
> <ex> testamento.

1 Mommsen gibt als Lesart Belons: NEVIΛE.   **2** Mommsen gibt als Lesart Belons: IN
PRO EX.

Der Naevia Musa aufgrund ihres Testaments.

Z. 1 Eine andere Naevia, Naevia Sympherusa, begegnet in Χωριστή zusammen mit ihrem Vater Naevius Symphorus (463/L122). Ein Marcus Naevius Messianus in 269/L390.

043/L124   **Lateinisches Fragment**

S. Reinach: Inscriptions latines de Macédoine, BCH 8 (1884), S. 47–50; hier S. 49,
    Nr. VI.
Theodor Mommsen, Ephemeris Epigraphica V (1884) 1431.
Δήμιτσας, Nr. 967 (S. 750).
CIL III, Suppl. 1, Nr. 7344.
Collart, S. 269.
Bormann, S. 45.

Πολύστυλον (türkisch Bulutschka). „... in vico Bulutschka rep. cum n.
7347 [= 044/L127]" (CIL, Nr. 7344). Abmessungen: H. 0,16; L. 1,74 (nach
Reinach). Reinach: „Au *tchiflik* de *Bouloutchka*, près de Philippes".

> [...] Volt(inia) ide[m ...]
> IIIIIIvir Aug(ustalis) an̲[...]

2 Reinach liest *Sevir.* Mommsen (Ephemeris): |Ī̄Ī̄Ī̄| traditur.

... aus der Tribus Voltinia, Sexvir Augustalis ...

Z. 1 Beachtung verdient die hier verwendete Abkürzung VOLT für *Voltinia*; sie ist in Philippi überaus selten, normalerweise steht VOL (vgl. die
Liste bei 600/L229).
Z. 2 Zu den *sexviri Augustales* in Philippi vgl. den Kommentar zu 037/
L037.

044/L127   **Grabstein der Cornelia Longa**

S. Reinach: Inscriptions latines de Macédoine, BCH 8 (1884), S. 47–50; hier S. 48,
    Nr. V.
Theodor Mommsen, Ephemeris Epigraphica V (1884) 1432.
Δήμιτσας, Nr. 966 (S. 749).
CIL III, Suppl. 1, Nr. 7347.

Πολύστυλον (türkisch Bulutschka). „... litteris magnis Bulutschka prope Philippos in coemeterio" (CIL, Nr. 7347.) Reinach: „*tchiflik* de *Boulout-*

chka, près de Philippes". Abmessungen: H. 0,62; L. 1,43; H. der Buchstaben
0,13, 0,12, 0,05 (nach Reinach 0,09) und 0,07.

[C]ornelia Longa [. . .]
quae et Secundilla.
[. . .] [C]ornelius P(ubli) f(ilius) Vol(tinia) Cre[scens matri]
piissimae v(ivus) f(aciendum) c(uravit).

3   Reinach ergänzt nur zu *Cre[scens]*.

Cornelia Longa, die auch Secundilla heißt, (liegt hier begraben).
Cornelius Crescens, der Sohn des Publius, aus der Tribus Voltinia, hat zu seinen Lebzeiten seiner liebsten Mutter (die Inschrift)
anfertigen lassen.

Z. 1   Reinach: „Une Cornelia Longa est déjà connue par une inscription
de Philippes, C.I.L. III, 652." (S. 49). Das ist unsere Nummer 003/L029.
Z. 2   Zu Secundilla vgl. 070/L058.

Grabinschrift für Publius Opimius Felix   045/L042

Heuzey/Daumet, Nr. 16 (S. 40f.).
CIL III 1, Nr. 656.
Δήμιτσας, Nr. 995 (S. 772f.).
Paul Perdrizet: Inscriptions de Philippes: Les Rosalies, BCH 24 (1900), S. 299–
    323; hier S. 314–315.
Bernhard Laum: Stiftungen in der griechischen und römischen Antike. Ein Beitrag
    zur antiken Kulturgeschichte, Erster Band: Darstellung; Zweiter Band: Urkun-
    den, Leipzig/Berlin 1914, Nr. 115 (= Bd. II, S. 192).
Paul Collart: Inscription de Sélian-Mésoréma, BCH 54 (1930), S. 376–391; hier S.
    387f.
Σαμσάρης, S. 169 mit Anm. 1.
Band I, S. 78 mit Anm. 4; S. 86, Anm. 3; S. 88; S. 243, Anm. 5.

Φίλιπποι. „Cimetière des Vignes de Sélani. Sur une plaque de marbre.
Hauteur des lettres, 8, 6 et 4 c." (Heuzey, S. 40). Nach Δήμιτσας, S. 803, Nr.
5, hat Heuzey diese Inschrift nach Paris in den Louvre geschafft. Dies wird
von Perdrizet bestätigt: „aujourd'hui au Louvre" (S. 314).

P(ublio) Opimio P(ubli) f(ilio) Vol(tinia) Felici an(norum) XX
                                                    Tagina
Quarta, quae et Polla, filio f(aciendum) c(uravit). hic ab hered[e]
matre post obitum eius legavit libertis matris et suis

posterisq(ue) eorum fundos Aemilian(um) et Psychian(um), ne
unquam
5 [d]e familia exeant, sed ut ex reditu eorum ii qui s(upra) s(cripti) s(unt) moniment[um]
[eiu]s et parentium eius colant et ipsi alantur. item vicanis Media[nis]
[eadem] condicione ex fundo Psychiano vinearum pl[ethra ... le-
gavit].

1 CIL: *Tagini[a].* Perdrizet: *Taginia.* **2** Perdrizet: *herede.* **5** Perdrizet: *de familia.*
6 [*eius*] laut Perdrizet. **7** Heuzey: VINEAR.

Für Publius Opimius Felix, den Sohn des Publius, aus der Tribus
Voltinia, zwanzig Jahre alt, ihren Sohn, hat Tagina Quarta, die
auch Polla heißt, (die Inschrift) anfertigen lassen. Dieser (Opimius) hat durch seine Erbin, seine Mutter, nach ihrem Tod den
Freigelassenen der Mutter und seinen (Freigelassenen) und deren Nachkommen Landgüter, (nämlich) das Aemilianum und das
Psychianum, testamentarisch vermacht (unter der Bedingung),
daß (diese Landgüter) niemals außerhalb der Familie verkauft
werden; sondern daß aus ihrem Ertrag die oben Genannten seine
(d.h. des Opimius) und seiner Eltern Grabanlage pflegen und sich
selbst ernähren. Gleichermaßen hat er den Bewohnern des Dorfes
Medius unter derselben Bedingung aus dem Landgut Psychianum ... Plethren Weingarten [testamentarisch vermacht].

Die vorliegende Inschrift ist aus zwei Gründen besonders interessant:
1. Sie bietet Informationen bezüglich des Erbrechts.
2. Sie bietet Informationen in bezug auf die Topographie der Umgebung von
Philippi; denn die *vicani Mediani* (Z. 6) beweisen die Existenz eines antiken
Dorfes, welches Medius hieß. Δήμιτσας vermutet, daß dieser Name mit der
Lage des Ortes zwischen Philippi und Neapolis zusammenhängt.
   Z. 4 Die beiden Landgüter sind offenbar nach früheren Eigentümern so
benannt. Heuzey hält es für möglich, daß die „rares arpents de vignes que l'on
rencontre dans la plaine" die letzten Spuren der in unsrer Inschrift genann-
ten Weingärten darstellen (S. 41). Σαμσάρης übernimmt diese Auffassung
Heuzeys (ἴσως) und präzisiert sie dahingehend, daß diese Weingärten heute
gerade γύρω απ' το χωριό αυτό, d.h. dem Dorf Φίλιπποι, anzutreffen seien.
Das ist insofern verwunderlich, als diese Gegend rund um das Dorf Φίλιπποι
weder für den Weinbau überhaupt sonderlich geeignet scheint, noch auch
heute einen solchen aufzuweisen hat (es findet sich in erster Linie – in den
Sommermonaten relativ karges – Weideland).
   Z. 6f. Wie schon Perdrizet, so interpretiert auch Collart die vorliegende
Inschrift im Rahmen der Rosalien-Inschriften: Die Bestimmung in bezug

auf die *vicani* zeige, daß an jährlich wiederkehrende Feiern am Grabmal zu denken sei: „les *vicani Mediani* ont hérité d'une pièce de vigne, à charge de s'acquitter des mêmes obligations (*item vicanis Medianis eadem condicione ex fundo Psychiano vinearum plethra ...*). M. Perdrizet a rangé ce texte à côté de ceux qui, plus explicitement, désignent les *rosalia*, et nous croyons qu'il a eu raison: par *colant*, il faut entendre que le culte des morts sera assuré, mais aussi, plus particulièrement, que le tombeau sera orné, qu'on le parera de roses; et si *alantur* se rapporte à l'entretien matériel, il désigne sans doute aussi celui d'outre-tombe; ailleurs des legs de terres sont destinés à assurer la célébration des *rosalia*; ailleurs aussi des *vicani* sont chargés du même soin." (Collart, S. 387f.)

Z. 7 Bemerkenswert ist, daß in diesem lateinischen Text das griechische Maß πλέθρα verwendet wird. In 343/G440 aus dem Haus mit Bad begegnet πλέ(θρα) δʹ. Vgl. zu diesem auffälligen Sachverhalt den Kommentar bei 446/L079 aus Doxato.

Grabinschrift für Burrenus Firmus   046/L043

                                                                              I

Heuzey/Daumet, Nr. 17 (S. 41f.).
CIL III 1, Nr. 646.
Δήμιτσας, Nr. 994 (S. 771f.).
Sarikakis, Nr. 87 und Nr. 89 (S. 447).

Φίλιπποι. „Cimetière des Vignes de Sélani. Sur une plaque de marbre. Hauteur des lettres, 9, 7 et 4 c." (Heuzey, S. 41).

> [...] Burreno Ti(beri) f(ilio) Vol(tinia) Firmo praef(ecto) fa-
> bru[m],
> [...] ann(orum) XX mens(ium) IV [et ... Fi]rminae ann(orum)
> [...]
> [...] Burrenus Ti(beri) f(ilius) [...]
> [tr(ibunus)] mil(itum) bis, praef(ectus) cohor[tis ...].

2 Mommsen will zu *Siburreno* ergänzen. **4** Mommsen will zu *Siburrenus* ergänzen. (Er verweist zur Begründung auf 047/L044.)

> ... für Burrenus Firmus, den Sohn des Tiberius, aus der Tribus Voltinia, den *praefectus fabrum*, (gestorben im Alter von) zwanzig Jahren und vier Monaten [und ...] für Firminia, ... Jahre ... alt, (hat) Burrenus, der Sohn des Tiberius, zweimal Militärtribun, Präfekt der ... Kohorte ...

Heuzey bemerkt, daß der Charakter der Schrift und die Aufzählung der militärischen Dienstgrade ohne Nennung der einzelnen Truppenteile darauf hindeuten, daß die Inschrift in die frühe Kaiserzeit gehört. Es könnte sein, daß diese Inschrift von allen von ihm gefundenen am nächsten an die Gründung der Kolonie Philippi heranreicht.

Z. 1 Der Name Burrenus begegnet auch in der Weihinschrift für ein Gebäude im Norden des Forums aus dem ersten Jahrhundert (221/L334) sowie in einer unpublizierten Grabinschrift (Fragment). Burrena findet sich in 463/L122. Dieser Name Burrenus ist für Philippi spezifisch, vgl. O. Salomies: Contacts between Italy, Macedonia, and Asia Minor during the Principate, in: Roman Onomastics in the Greek East. Social and Political Aspects, hg. v. A.D. Rizakis, Μελετήματα 21, Athen 1996, 111–127; hier S. 115.

047/L044	**Grabinschrift**

Heuzey/Daumet, Nr. 18 (S. 42).
CIL III 1, Nr. 678.
Δήμιτσας, Nr. 996 (S. 773f.).

Φίλιπποι. „Cimetière des Vignes de Sélani. Sur une stèle grossièrement taillée" (Heuzey, S. 42).

> Siburrini (?)
> TRAIICENT
> f(ilii)
> vixit annos
> 5 XXXV.

2 Δήμιτσας: *traicent.*

... die Söhne. Er lebte fünfunddreißig Jahre.

048/L304 41?	**Lateinische Inschrift des Aliupaibes in griechischer Schrift**

Paul Collart: Inscription de Sélian-Mésoréma, BCH 54 (1930), S. 376–391.
AÉ 1932 [1933] 21.
P. Roussel, BÉ 1932, S. 209.
Jérôme Carcopino: Note sur une épitaphe thrace rédigée en latin et gravée en lettres grecques, in: In memoria lui Vasile Pârvan, Bukarest 1934, S. 77–95.
AÉ 1933 [1934] 231.
P. Roussel, BÉ 1934, S. 231.
Jacques Coupry/Michel Feyel: Inscriptions de Philippes, BCH 60 (1936), S. 37–58; hier S. 41f.
Collart, S. 286 mit Anm. 4; S. 308–311; Abb. im Tafelband, Pl. XXXVI 3.
Σαμσάρης, S. 169 mit Anm. 3.

Papazoglou, S. 411 mit Anm. 195; S. 462.
Band I, S. 14 mit Anm. 38; S. 86 mit Anm. 5; S. 88; S. 119; S. 243, Anm. 5.

Φίλιπποι. Die Fundstelle befindet sich unterhalb des Ortes Φίλιπποι (damals Sélian-Mésoréma), „non loin de la route de Drama à Cavalla, sans doute à l'endroit même qu'Heuzey appelle »Cimetière des Vignes de Sélani«", sagt Collart (S. 376).

Marmorstele (Marmor aus Philippi) mit einem Relief und darunter einer Inschrift. Das Relief stellt ein Totenmahl dar; fünf (nicht vier, wie Collart zunächst irrtümlich schrieb) Personen sind zu erkennen: „au centre, sur le lit dont la tête est à droite, deux figures vêtues d'une tunique, accoudées sur le côté gauche, le bras droit ramené sur la poitrine. Devant elles, une table basse chargée de mets, fruits ou gâteaux; les pieds en sont traités en pattes d'animaux, ce qui est courant. Deux femmes voilées et vêtues d'une draperie qui laisse libres l'épaule et les bras droits sont assises de part et d'autre, occupant les angles; les sièges, dépourvus de dossier, sont de simples dés. Le travail est grossier et les figures très frustes" (Collart, S. 377).

Bereits in einem Nachtrag zu diesem Aufsatz hat Collart seine Beschreibung des Reliefs korrigiert: „Un nouvel [im Original irrtümlich nonvel] examen du monument, conservé maintenant à Raktcha, nous a convaincu que trois personnages figuraient sur le lit. Ce que nous interprétions comme la tête du lit est en réalité une figure d'enfant, une petite fille, semble-t-il, assise à califourchon et appuyant la tête sur l'épaule gauche du personnage voisin, un homme aux traits indistincts, vêtu d'une tunique. Le troisième personnage à gauche paraît être une femme avec une chevelure à côtes" (S. 391).

Darunter eine Inschrift von acht Zeilen.

Abmessungen: die Stele als ganze: H. 1,20; B. 0,58; D. 0,19; das Relief: H. 0,26; B. 0,44; die Inschrift: H. der Buchstaben 0,03; Zeilenzwischenraum 0,01.

Der Stein befindet sich heute im Museum Philippi (keine Inventarisierungsnummer). Er steht auf der Terrasse des Museums.

Dia Nummer 378.379/1991; 211.212.213.214.215.216/1993.

ΑΛΙΟΥΠΑΙΒΕϹΖΕΙ
ΠΑΛΑΟΥΞΩΡΙΤΕΡ
Τ·ΙΕϹΟΥΕ·ΦΗΚΥΤ·ΑΝ
·Χ·Ο·ϹΕΚΟΥϹΦΥΡΜΙ
5 ΦΕΙΛΙΑΡΕΛΙΚΥΤΒΙΚΑΝΙ
ΒΟΥϹϹΑΤΡΙΚΗΝΙϹΧΡΜ
ΟΥΤΜΙΔΕΚΙΜΟΥΚΑ
ΛΑΝΔΑϹΠΑΡΕΝΙΗΤΟΡ

Αλιουπαιβες Ζει-
παλα ουξωρι Τερ-
τιε σουε φηχυτ αν

χ ο΄. Σεχους Φυρμι
5 φειλια ρελιχυτ βιχανι-
βους Σατριχηνις ✕ ρμ΄,
ουτ μ ι δεχιμου Κα-
λανδας παρεν[τ]ητορ.

Aliupaibes Zei-
pala \<filius\> uxori Ter-
tiae suae fecit an(no)
ch(oloniae) LXX. Secus Firmi
5 filia reliquit vicani-
bus Satricenis ✕ CXL,
ut m(anibus) i(nferis) decimo kalandas paren[t]etur.

2 Collart: ΠΛΛΛΙ. Diesen Befund interpretierte er zunächst als *Zei-|pa Ali (filius) uxori* (S. 377). Detschew interpretiert ΠΛΛΛΙ als παλαι (S. 12, s.v. Αλιουπαιβες und S. 179, s.v. Ζειπαλας). Auf dem Stein ist jedoch m.E. kein Iota vorhanden (Collart selbst hat das im Nachtrag (S. 391) anscheinend stillschweigend in *Zipala uxori* korrigiert; vgl. auch Carcopino, S. 78 mit Anm. 1). **4** Collart liest zunächst (S. 377) *X o(bitae)*. Vgl. den Kommentar. Carcopino konjiziert \<CC\>LXX; zur Begründung vgl. den Kommentar. Auf dem Stein: ✕ O (der Strich ist wahrscheinlich sekundär). **6** Collart hat bei *Satricenis* eine Leerstelle: *Sa[-]tricenis*. Es handelt sich hier jedoch wohl um eine Unregelmäßigkeit auf dem Stein. Diese Möglichkeit zieht schon Collart selbst in Betracht (S. 384). **7** Collart löst die Abkürzung als *m(ensis) I(unii)* auf (vgl. den Kommentar).

Aliupaibes, (der Sohn) des Zeipalas, hat (die Inschrift) für seine Frau Tertia im siebzigsten Jahr der Kolonie (Philippi) gemacht. Sekous, die Tochter des Firmus, hat den Bewohnern des Dorfes, den Satricenern, 140 Denare hinterlassen, damit den unterirdischen Göttern (jedes Jahr) am zehnten Tag vor den Kalenden (des Januars) ein Opfer dargebracht wird.

„Le lapicide a utilisé les caractères grecs pour graver un texte latin. Le cas n'est pas nouveau …", kommentiert Collart (S. 378). In Philippi ist bisher nur ein einziger analoger Fall publiziert: 614/L651 aus Μουσθένη. Eine Mischung aus lateinischen und griechischen Buchstaben findet sich in einer unpublizierten Inschrift mit der Inventarisierungsnummer Λ 1316 aus dem Museum Philippi. Es lassen sich aus der vorliegenden Inschrift interessante Folgerungen in bezug auf die damalige Aussprache des Griechischen ziehen, vgl. die Liste bei Collart, S. 378f. Für die Interpretation der vorliegenden Inschrift wäre eine weitere unpublizierte Inschrift aus dem Museum von Philippi (Inventarisierungsnummer Λ 1430) von großem Interesse. Sie wird nach ihrer Publikation in mehr als einer Hinsicht für den vorliegenden Text aufschlußreich sein.

Z. 1 Aliupaibes ist ein neuer thrakischer Name (Detschew, S. 12, s.v. Αλιουπαιβες bietet nur unsere Inschrift). Collart: „*Zeipala* étant le génitif d'un nom thrace composé de Zeipas" (Collart, S. 391). Es handelte sich dann um den Gen. Sing. auf -ā bei nichtgriechischen Eigennamen (vgl. Bornemann/Risch § 33,3). Der Vater des Aliupaibes heißt in jedem Fall Zeipalas. Collart, S. 380 ausführlich zu Aliupaibes u.a.: „... il est régulièrement formé d'éléments thraces déjà connus."

Z. 2–4 Collart war ursprünglich der Auffassung, daß hier nicht der Name der verstorbenen Ehefrau genannt ist: „*Tertia* peut être nom propre ou adjectif numéral; mais comme Secus, nommée plus loin, est très probablement la morte, la seconde solution est ici préférable" (S. 382). Dies kritisiert Carcopino als abwegig („étrange résultat", S. 79). Nun hat aber schon Collart selbst in seinem Nachtrag seine ursprüngliche Auffassung revidiert, nachdem er die oben in der Beschreibung genannte fünfte Person als solche identifiziert hatte: „On est alors tenté de reconnaître dans la figure enfantine la jeune épouse d'Aliupaibes, et sa présence sur le bas-relief nous autorise à interpréter de la façon la plus conforme aux habitudes de l'épigraphie AN · X · O: *an(norum) decem o(bitae)*" (S. 391; ursprünglich wollte Collart verstehen: *anno X obitae*, d.h. im zehnten Jahr ihrer Ehe mit Aliupaibes gestorben). Diese Nachbesserung Collarts wird von Carcopino aufs schärfste kritisiert: „On me dispensera d'insister sur la bizarrerie du commentaire que M. Paul Collart a cru devoir improviser *in extremis* sur le bas-relief qui surmonte la stèle funéraire de Tertia. Il reconnaît le portrait de cette femme enfant dans la petite tête d'appui de la *clinè*, et celui de Secus, décidément indépendante, dans la figure de gauche. Aucun archéologue ne voudra suivre M. Collart dans un dispositif où Secus, qu'il a enfin renoncé à identifier à la morte, occupe précisément la place qui revient à celle-ci à la droite de son mari, Aliupaibes" (S. 81, Anm. 1). Auch der neue Vorschlag *annorum decem obitae* sei nicht akzeptabel: „Toutes les raisons de M. Paul Collart lui échappent à la fois, et son ingéniosité n'empêchera pas que, dans une inscription latine, une *uxor* de dix ans ou de moins de dix ans révolus constitue une monstrueuse impossibilité" (S. 82).

Will man dieser monstrueuse impossibilité entgehen, muß man bei dem X ansetzen. Daß AN für *anno* oder *annorum* steht, leidet keinen Zweifel. Aber die Analogie der griechischen Zahlenangabe in Z. 6: ρμ′ = 140 zeigt, daß hier das X nicht gleich 10 zu setzen ist, wie Collart will, sondern – falls es sich wirklich um eine Zahl handelt – X = χ′ = 600 (nähme man noch das O hinzu, erhielte man χο′ = 670). Damit kann hier in keinem Fall eine Altersangabe der Tertia gemeint sein: „Comme Tertia n'a certainement pas bénéficié de la longévité de Mathusalem, force nous est d'abandonner du même coup le développement de *O* en *o(bitae)* et celui de *X* en un chiffre qui, en latin comme en grec, aboutirait, quoiqu'en sens contraire, à la même dérisoire invraisemblance" (Carpocino, S. 82f.). Hinzu kommt die Beobachtung, daß das Verbum nicht *vixit*, sondern *fecit* lautet (es folgt dann *reliquit*). Dies legt die Vermutung nahe, daß es sich hier nicht um eine Altersangabe der Tertia, sondern um eine Datierung des *fecit* (und des *reliquit*) handelt. Diese Beobachtung führt Carcopino zu der Vermutung, daß das X nicht Teil der Zahl sein kann (man müßte sonst eine Jahreszählung von der Gründung der Stadt im Jahr 356 v. Chr. annehmen, die in den Inschriften von Philippi sonst nicht bezeugt ist). Das X stehe vielmehr für ch = c{h} = c{h}*(oloniae)*, und es ist zu lesen *an(no) c{h}(oloniae) LXX* (S. 88).

Da man damit höchstens in die 1. Hälfte des 1. Jahrhunderts käme und diese Datierung aufgrund der Buchstabenform nicht möglich sei, nimmt Carcopino eine Haplographie des C an und konjiziert: AN·X·O[C]·CEKOYC. Wegen der Ähnlichkeit des C und des O sei auch AN·X·[C]O·CEKOYC als ursprüngliche Möglichkeit in Betracht zu ziehen (S. 89). In jedem Fall erhielte man so oϛ´ = CCLXX und käme zu einer Datierung auf 241 n. Chr.: „Du même coup, toutes les difficultés sont résolues; et l'on est directement fondé à dater de 229 ap. J.-C., si l'on opte pour l'ère de la première colonisation de Philippes, ou mieux de 241 ap. J.-C., si l'on se réfère à l'ère de la durable colonisation de 30 av. J.-C." (S. 89).

Coupry und Feyel erweisen die Konjektur Carcopinos als entbehrlich. Der Text des Steins LXX = 70 führt auf das Jahr 41 n. Chr. und ist in jeder Hinsicht akzeptabel: In diese Zeit paßt die Tatsache, daß die lateinische Sprache ausgerechnet von Thrakern verwendet wird, sehr viel besser als in das 3. Jh. n. Chr.: „au IIIe siècle de notre ère, comme on le sait déjà ..., les Romains eux-mêmes faisaient graver les inscriptions en grec pour la plupart. Les Thraces, dont on a justement observé le durable attachement à la langue grecque ..., n'ont guère pu faire graver en latin (même avec des caractères grecs) qu'à l'époque où le latin était le plus fréquemment usité dans la colonie, c'est-à-dire aux deux premiers siècles de notre ère" (S. 42f., Anm. 6). Was die Form der Buchstaben angeht, so verweisen Coupry und Feyel auf datiertes Material aus dem 1. Jh., welches genau die gleichen Buchstabenformen enthält. Entfallen somit die von Carcopino vorgebrachten Bedenken gegen die Datierung ins 1. Jh., so empfiehlt es sich m.E., an der Datierung, die der Stein selbst bietet, festzuhalten, zumal dann die Konjektur Carcopinos sich erübrigt.

Collart hat die Frage in seiner Monographie (S. 308–311) noch einmal aufgegriffen. Er ist davon überzeugt, daß die datierten Inschriften in Philippi durchweg die makedonische Ära benutzen; daher gelte nach wie vor: „le sens des lettres ·X·O· reste à trouver" (S. 311, Anm. 1; zur Lösung von Coupry und Feyel vgl. a.a.O., Anm. 2).

Z. 3 Collart: „Quant à la présence intempestive d'un point séparatif au milieu d'un mot (l. 3), il ne faut point s'en étonner: le cas est fréquent ... " (S. 379f.).

Z. 4 Collarts ursprünglicher Auffassung zufolge war Sekous die dritte Frau des Aliupaibes: „Ces exemples nous montrent que, dans notre texte, l'intervention de Secus serait absolument insolite si elle n'était elle-même la morte: c'est Aliupaibes, le mari, qui a érigé la stèle; Secus, qui fait la donation, ne saurait être que sa femme défunte. S'il en était autrement, il serait au moins étrange que le lien unissant la donatrice à la bénéficiaire ne soit pas exprimé. *Tertia*, par conséquent, ne peut être un nom propre" (S. 383). „La testatrice porte le nom thrace de *Sekous* dont on connaît quelques exemples . . . " (ebd.). (Eine aktuellere Liste von Belegen für diesen thrakischen Namen bei Detschew, S. 172, s.v. Ζαιχα; darunter auch Belege aus Philippi.) Nach der Entdeckung der fünften Person ist Collart der Ansicht, daß die verstorbene Frau des Aliupaibes Tertia hieß; von dieser sei Sekous zu unterscheiden.

Z. 5f. Beachte den falsch gebildeten Dativ *vicanibus* (statt *vicanis*). Collart: „En ce qui concerne la grammaire, el faut remarque la forme *vicanibus*. De tels barbarismes ne sont pas rares dans les inscriptions: on trouve *amicibus*, *filibus*, *natibus*, très fréquemment *dibus*. De même, pour la première déclinaison, le datif-ablatif pluriel en -*abus* se rencontre souvent" (S. 379).

Z. 6 „Les légataires sont des *vicani* dont le nom, malheureusement corrompu sur la pierre, se rencontre ici pour la première fois. Si toutefois l'érosion de la stèle en cet endroit était antérieure à la gravure qui l'aurait enjambée, on pourrait considérer ce nom comme complet, et rapprocher *Sa.triceni* de Σάτραι et de Σατροκένται, noms de peuplades thraces qui habitaient précisément cette région" (Collart, S. 384).

Auch Carcopino stellt den Zusammenhang her mit der thrakischen Urbevölkerung (Σάτραι/Σατροκένται) und präzisiert diesen: „Les *vicani Satriceni* ... sont les habitants du *Vicus Satricenus*, dont notre épitaphe identifie un cimetière et le nom fut emprunté à la peuplade indigène – les *Satriceni* – que la conquête romaine y avait fixée" (Carcopino, S. 78).

Vorsichtig äußert sich Detschew: „Es bleibt die Frage offen, ob wir hier mit der Adjektivbildung des thrak. Stammesnamens Σάτραι zu tun haben. Denn das Ethnikon läßt sich auch von der italischen Ortschaft *Satricum* ... ableiten, deren Bewohner sich auch an der Kolonisation von Philippi und seiner Umgebung beteiligt haben könnten" (Detschew, S. 426, s.v. Σατριχηνι).

Aufgrund des heute vorliegenden epigraphischen Materials erscheint die Interpretation Collarts und Carcopinos ungleich näherliegend als der Vorbehalt Detschews. Denn erstens gibt es keine positive Evidenz für eine Ansiedlung von Leuten aus *Satricum* – ein Ort ungefähr 50 km südlich von Rom – in Philippi. (Epigraphisch belegt ist etwa Sextus Volcasius aus Pisa, ein Mann der ersten Stunde [418/L266 aus Κεφαλάρι].) Bei der Gründung der ersten römischen Kolonie durch Quintus Paquius Rufus, den Legaten des Antonius, wurden entlassene Soldaten in Philippi angesiedelt (vgl. die Darstellung in der Monographie Collarts, S. 223ff. und S. 233ff.); im Zuge der „Neugründung" der Kolonie durch Augustus im Jahre 30 v. Chr. (Collart, a.a.O., S. 235ff.) wurde dann zwar auch eine Zahl von Menschen aus Italien neu angesiedelt, wie Dio Cassius bezeugt (LI 4,6): τοὺς γὰρ δήμους τοὺς ἐν τῇ Ἰταλίᾳ τοὺς τὰ τοῦ Ἀντωνίου φρονήσαντας ἐξοικίσας τοῖς μὲν στρατιώταις τάς τε πόλεις καὶ τὰ χωρία αὐτῶν ἐχαρίσατο, ἐκείνων δὲ δὴ τοῖς μὲν πλείοσι τό τε Δυρράχιον καὶ τοὺς Φιλίππους ἄλλα τε ἐποικεῖν ἀντέδωκε, τοῖς δὲ λοιποῖς ἀργύριον ἀντὶ τῆς χώρας τὸ μὲν ἔνειμε τὸ δ' ὑπέσχετο. Die Hochburg des Antonius in Italien aber war Kampanien. Dort hatte er den Veteranen Caesars Land angewiesen. Daß seine Anhänger ausgerechnet in Satricum beheimatet waren, ist durch nichts zu belegen.

Zweitens ist hier der epigraphische Befund speziell aus dem modernen Ort Φίλιπποι (dem Sélian Heuzeys und Collarts) von Belang, denn hier ist der antike *vicus Satricenus* ja zu suchen, wie unsere Inschrift zeigt: acht Inschriften sind aus diesem Bereich publiziert, sechs davon enthalten Namen, römische sind vertreten in 045/L042: Publius Opimius Felix, ein „Großgrundbesitzer" und seine Mutter Tagina Quarta; und in 046/L043: Burrenus Firmus und ein weiterer Burrenus. Die übrigen vier Inschriften sind entweder rein thrakisch oder doch überwiegend thrakisch. 048/L304, die vorliegende Inschrift: Aliupaibes, Zeipalas, Sekous; 050/G648: Karoses, Auluporis, Artilas; 051/L649: Zipa, Manta (die römischen Namen, die auf dieser Inschrift vorkommen, zeigen – wie das Tertia bei unserer vorliegenden Inschrift – lediglich, daß man sich in thrakischen Familien auch römischer Namen bediente; das Umgekehrte anzunehmen, wäre ersichtlich absurd). 052/L650 hat Diescus und römische Namen; für sie gilt das soeben Gesagte ebenfalls. Die Inschriften zeigen also, daß es in dem in der Gegend des modernen Φίλιπποι zu suchenden *vicus Satricenus* überwiegend thrakische Bewohner gab; auch dies spricht dafür, daß der Name des Dorfes nicht ausgerechnet aus Italien importiert sein wird. Daß sich inmitten dieser thrakischen Bevölkerung auch die eine oder andere römische Familie findet, ist in keiner Weise auffallend.

Z. 7 Seine Lesart *mensis Iunii* begründet Collart wie folgt: „On pensera aux mois de janvier ou de juin; la seconde solution nous ramène aux *rosalia*. On sait, en effet, que celles-ci, en tant que fête privée des collèges et des particuliers, étaient célébrées un jour quelconque des mois de mai ou de juin, variable d'une famille ou d'une association à l'autre; les inscriptions nous en fournissent maints exemples. Une date, cependant, semble plus officiellement reconnue, parce qu'elle figure dans le calendrier de Philocalus: c'est le dixième jour avant les calendes de juin, correspondant au 23 mai (*X. Kal. Iun.*), celle précisément que nous avons ici. La concordance exacte du jour rend cette interprétation fort vraisemblable; si l'abréviation paraît insolite, on en trouvera une justification suffisante d'une part dans le caractère barbare de l'inscription, d'autre part dans le fait que la popularité, dans cette région, de la fête des *rosalia* la rendait claire pour chacun" (Collart, S. 389). Der Vorschlag Collarts, das MI zu *m(ensis) I(unii)* zu ergänzen, ist Carcopino zufolge (S. 89f.) aus mehreren Gründen nicht akzeptabel. Die Stellung sei ungewöhnlich (man würde die Bestimmung des Monats nach dem *kalandas* erwarten; vgl. dazu das Material im ThLL VII 2, s.v. *kalendae*, Sp. 755–759; hier vor allem Sp. 758, Z. 45ff.); das *mensis* sei ungewöhnlich (normalerweise werde nur der Name des Monats genannt); die Abkürzung für *Iunius* sei IVN (nicht I; Verwechslungsgefahr mit *Iulius*!). Es liegt daher näher, das MI zu *m(anibus) i(nferis)* zu ergänzen, zumal es auch von der Syntax her paßt: Man gewinnt auf diese Weise einen Dativ für das Verb *parentetur*.

Z. 8 Das Verbum *parento* begegnet weder in den Rosalieninschriften noch in sonst einer Inschrift aus Philippi. Collart macht darauf aufmerksam, daß die *consecutio temporum parentaretur* statt *parentetur* erforderte (S. 379).

Lateinische Grabinschrift   049/L629

Χάϊδω Κουκούλη-Χρυσανθάκη, ΑΔ 34 (1979) Β´2 Χρονικά [1987], S. 331–332.

Φίλιπποι. Στη θέση Καραγάτσια, νοτιοανατολικά και νότια του χωριού εντοπίστηκαν διάσπαρτα αρχιτεκτονικά μέλη παλαιοχριστιανικής βασιλικής, καθώς και επιτύμβια ρωμαϊκή στήλη ... (Κουκούλη-Χρυσανθάκη, S. 331f.).
Abmessungen: H. 1,00; B. 0,37; D. 0,14.
Heute im Hof des Museums von Philippi (Inventarisierungsnummer Λ 1419).
Dia Nummer 430/1991.

In fron(te)
p(edes) LXXV, in
agr(o) p(edes) XXXV.

(Die Grabanlage mißt) fünfundsiebzig Fuß in der Breite, fünfunddreißig Fuß in der Tiefe.

Grabstele des Καρώσης Ἀρτίλας   050/G648

Collart, Tafelband Pl. XXXVI 1.
Paul Collart: Monuments thraces de la région de Philippes, in: Serta Kazaroviana. Commentationes gratulatoriae Gabrielo Kazarov septuagenario oblatae A. D. XVII. Kal. Nov. MCMXLIV, Pars prima, Bulletin de l'institut archéologique bulgare 16, Serdicae 1950, S. 7–16; hier S. 9 (Nr. 2) mit Abb. 2.
Jeanne Robert und Louis Robert, BÉ 1951, Nr. 132 [a].
Band I, S. 13, Anm. 36; S. 88; S. 243, Anm. 5.

Φίλιπποι. „Stèle funéraire à fronton, brisée en bas. Haut., 97 cm.; larg., 51 cm. (au corps, 48 cm.); ép., 11 cm. Les pointes du fronton et des acrotères sont brisées; dans le champ, cercle incisé; haut., 21 cm. Au-dessous, relief, reposant sur une baguette saillante; haut., 46 cm. Au-dessous, encore, inscription grecque de 3 lignes; haut., 30 cm.; hauteur des lettres, env. 5 cm." (Collart, S. 9.)

„Le relief représente un cavalier galopant vers la droite, vêtu d'une chlamyde dont un pan flotte au vent, la main droite levée en arrière, brandissant l'épieu. A droite, arbre, autour duquel s'enroule un serpent. Chien sous le cheval." (Collart, S. 9.)

Καρώσης Αὐ-
λουπόρεως
ὁ καὶ Ἀ[ρτί]λας.

1   Collart irrtümlich: Κάρωσης.

Karoses, (der Sohn) des Auluporis, der auch Artilas (heißt), (ist hier begraben).

„L'épitaphe, comme le relief, est purement thrace" (Collart, S. 9).
Z. 1   Der Name Καρώσης ähnelt dem schon belegten Κάρωσσος, vgl. Detschew, S. 233, s.v. Καρωσης.
Z. 1f.   Der Name Αὐλούπορις ist ziemlich häufig, vgl. Detschew, S. 37f., s.v. Αυλουπορις.
Z. 3   Statt Ἀ[ρτί]λας könnte man auch Ἀ[γίλ]λας ergänzen, vgl. Collart, S. 9. Detschew, S. 5, s.v. Αγιλλας bietet nur einen einzigen Beleg; ebenfalls nur einen Beleg findet man bei Detschew, S. 29, s.v. Artila. Unseren Ἀρτίλας bzw. Ἀγίλλας hat Detschew anscheinend überhaupt nicht.

051/L649   **Sarkophag des Valerius Zipa**

Paul Collart: Monuments thraces de la région de Philippes, in: Serta Kazaroviana. Commentationes gratulatoriae Gabrielo Kazarov septuagenario oblatae A. D. XVII. Kal. Nov. MCMXLIV, Pars prima, Bulletin de l'institut archéologique bulgare 16, Serdicae 1950, S. 7–16; hier S. 9f. (Nr. 3).
Band I, S. 88; S. 243, Anm. 5.

Φίλιπποι. „Grande plaque de sarcophage, en deux morceaux, brisée à gauche et à droite[.] Haut., 45 cm.; long., 178 cm.; ép., 15 cm. Elle porte une inscription latine de 3 lignes; hauteur des lettres: 9·5; 8; 7 cm. La surface de la pierre est usée et les lettres sont très frustes." (Collart, S. 9.)

Valerius Z[i]pa an(norum) XXXI [h(ic) s(itus) e(st)].
L(ucius) Valerius M(arci) f(ilius) fr[a]tri et Mantae matri
v(ivus) f(aciendum) c(uravit).

3   Collart löst die Abkürzung in *v(otum)* auf. Sinn?

Valerius Zipa, einunddreißig Jahre alt, liegt hier begraben. Lucius Valerius, der Sohn des Marcus, hat (den Sarkophag) für seinen Bruder und seine Mutter Manta zu seinen Lebzeiten anfertigen lassen.

Z. 1 Der Name Zipa ist überaus häufig, insbesondere in seiner griechischen Form Ζιπας bzw. Ζειπας, vgl. Detschew, S. 189f., s.v. Ζιπας. Auch aus Philippi gibt es eine ganze Reihe von Belegen.

Z. 2 Der Name Manta ist ebenfalls weit verbreitet, vgl. Detschew, S. 286f., s.v. Μαντα. Auch in Philippi mehrere Belege.

Grabinschrift des Diescus und seiner Frau Quarta   052/L650

Paul Collart: Monuments thraces de la région de Philippes, in: Serta Kazaroviana. Commentationes gratulatoriae Gabrielo Kazarov septuagenario oblatae A. D. XVII. Kal. Nov. MCMXLIV, Pars prima, Bulletin de l'institut archéologique bulgare 16, Serdicae 1950, S. 7–16; hier S. 10 (Nr. 4) mit Abb. Fig. 3.
Band I, S. 88; S. 243, Anm. 5.

Φίλιπποι. „Angle supérieur droit d'un gros cippe funéraire, en forme d'autel, richement mouluré. Haut., 67 cm.; larg., 54 cm.; ép. 58 cm. Sur la face antérieure, très détériorée, vestiges d'une inscription latine de 3 lignes; hauteur des lettres: 7; 5·2; 4·5 cm. Sur la face latérale, inscription latine de 4 lignes; hauteur des lettres: 6·7; 5; 4·2 cm. Ligatures." (Collart, S. 10.)

A
[. . .]us Publ(i)
[f(ilius) an(norum) . . .] IX h(ic) s(itus) e(st).
[. . .] Valentis p[. . .]
B
Diescus Publi
fil(ius) h(ic) s(itus) e(st). Publius
[D]iescus patri et Quarta[e]
[. . .]e matri v(ivus) f(aciendum) c(uravit).

B4 Collart löst die Abkürzung in *v(otum)* auf. Sinn?

A
. . . der Sohn des Publius, . . . neun (?) Jahre alt, liegt hier begraben. . . . des Valens . . .
B
Diescus, der Sohn des Publius, liegt hier begraben. Publius Diescus hat (den Stein) für seinen Vater und für seine Mutter Quarta . . . zu seinen Lebzeiten anfertigen lassen.

Z. B1 Diescus ist erstmals in dieser Inschrift belegt (vgl. Detschew, S. 132, der s.v. Diescus nur diese Inschrift bietet).

053/G760   Grabinschrift des Ἡρόδοτος
4. Jh. v. Chr.

Χάϊδω Κουκούλη-Χρυσανθάκη, ΑΔ 42 (1987) Β΄2 Χρονικά [1992], S. 444 (keine
  Abbildung).
E.B. French: Archaeology in Greece 1993–94, AR 40 (1993–1994), S. 3–84; hier S.
  62.
SEG XLII (1992) [1995] 621.
Miltiade Hatzopoulos, BÉ 1993, Nr. 370 [c].

Φίλιπποι. Die Vf.in berichtet von den zufälligen Funden der Jahre 1986 und
1987 (die vorliegende Inschrift gehört der Folge der Inventarisierungsnummern entsprechend in das Jahr 1987): Στη γειτονική Κοινότητα των Φιλίππων βρέθηκε εντοιχισμένη σε νεότερο κτίριο μαρμάρινη επιτύμβια βωμόσχημη
στήλη 4ου αι. π.Χ. με την επιγραφή ... (S. 444). Inventarisierungsnummer
des Museums in Philippi: Λ 1594.

> Ἡρόδοτος
> [...]σιπόλιος.

> Herodotos ...

Z. 1 Ein Ἡρόδοτος begegnet auch in der Inschrift 578/G232 (aus dem
Kloster Εἰκοσιφοινίσσα; möglicherweise von der Insel Thasos stammend)
sowie in 606/G607 aus Ποδοχώρι.
Z. 2 Man kann den Namen des Vaters des Herodotos etwa zu [Ἡγη]σιπό-
λιος ergänzen. Hatzopoulos erwägt [Σω]σιπόλιος.

Der östliche Friedhof

Vgl. zur Lage o. Band I, Karte 8: Die Stadt Philippi (S. 75).

Weihinschrift für Kybele   054/L045

Heuzey/Daumet, Nr. 19 (S. 43f.).
CIL III 1, Nr. 639.
Δήμιτσας, Nr. 997 (S. 774).
Collart, S. 455, Anm. 1.
Band I, S. 133 mit Anm. 26; S. 138 mit Anm. 28.

Dikili-Tasch. Der Name Dikili-Tasch kommt aus dem Türkischen: dikili heißt „aufgepflanzt, aufgestellt" (zu dikmek „aufrecht hinstellen") und
taş „Stein", demnach dikili taş = „aufgestellter Stein". Diese Bezeichnung
des türkischen Khan rührt von dem monumentalen Stein des Caius Vibius
(058/L047) her, der im 19. Jh. in den Khan verbaut worden war. Heute
(1992) ist von dem Khan keine Spur mehr erhalten. „Khan de Dikili-tash,
sur une pièce de marbre noir. Hauteur du marbre, 27 c.; hauteur des lettres,
15 c." (Heuzey, S. 43).

[Ma]tri deo[rum].

Der Mutter der Götter (ist es geweiht).

Die Verehrung der Κυβέλη als μήτηρ θεῶν geht in Makedonien mindestens
auf das 4. Jh. v. Chr. zurück, wie ein neuer Fund aus Βεργίνα zeigt. Στέλλα
Δρούγου: Βεργίνα: Ιερό Μητέρας των Θεών – Κυβέλης, AEMΘ 4 (1990)
[1993], S. 5–20 publiziert ihn vorläufig. In dem ΑΦΙΕΡΩΜΑ: Μιά ζωή αφιερ-
ωμένη στη Βεργίνα, Καθημερινή vom 28. März 1993, hier S. 8f., wird unter der
Überschrift Η λατρεία της θεάς Κυβέλης die Ausgräberin Στέλλα Δρούγου
folgendermaßen zitiert: Μετά την ανακάλυψη, το 1990, του ιερού της μητέρας
των θεών στη Βεργίνα αποδεικνύεται ότι η θεά λατρευόταν εκεί ήδη από τον
4ο π.Χ. αιώνα. Ενα πήλινο αγγείο, που έφερε την χαρακτηριστική επιγραφή:
„Μητρί θεών ..." [sic! Es muß heißen: Μητρὶ θεῶν] ανεκάλυψε τη θεότητα
στην οποία το ιερό της είναι αφιερωμένο. (Eine Abbildung a.a.O., S. 9.)
Das griechische Pendant zu *mater deorum*, μήτηρ θεῶν, begegnet in der Weihinschrift 468/G179, die Cousinéry zwischen Drama und Philippi gesehen hat.

In Philippi selbst ist im Zusammenhang mit dem Kult der Kybele auch die Inschrift des Marcus Velleius und seiner Frau zu nennen (321/L377 aus der Basilika B). Dieser Velleius hatte das Amt eines *dendrophorus* inne.

Eine sehr interessante Inschrift, die schon bei Picard im Jahr 1922 erwähnt wird, doch nach nunmehr siebzig Jahren noch immer unpubliziert ist, erwähnt anscheinend einen ἀρχίγαλλος (Ch.[arles] Picard: Les dieux de la colonie de Philippes vers le Ier siècle de notre ère, d'après les ex-voto rupestres, RHR 86 (1922), S. 117–201; hier S. 197; vgl. Collart, S. 456, Anm. 1). Weiter wurde in Philippi eine Statue der Kybele gefunden (vgl. etwa Collart, S. 360 mit Anm. 5). Zu den Felsreliefs vgl. Collart, S. 455 und Collart/Ducrey, Nr. 145–147.

055/L288   **Fragment einer lateinischen Grabinschrift**

A. *Salač:* Inscriptions du Pangée, de la région Drama-Cavalla et de Philippes, BCH 47 (1923), S. 49–96; hier S. 93 (Nr. 27).

Dikili-Tasch. Mauer des Gartens „du grand *khani*" (Salač, S. 93). Weißer Marmor.
Abmessungen: H. 0,38; B. 0,50; D. 0,13. Große Buchstaben.

     [...] sibi et [...]

     ... für sich und ...

„Fragment d'une inscription funéraire" (Salač).

056/L289   **Lateinisches Fragment**

A. *Salač:* Inscriptions du Pangée, de la région Drama-Cavalla et de Philippes, BCH 47 (1923), S. 49–96; hier S. 93 (Nr. 28).

Dikili-Tasch. In der Mauer hinter dem „grand *khani*" (Salač, S. 93). Fragment aus weißem Marmor.
Abmessungen: H. 0,16; B. 0,37; Zeilenzwischenraum 0,07.

     SL

Weihinschrift der Scandilia Optata 057/L046

Heuzey/Daumet, Nr. 20 (S. 44).
CIL III 1, Nr. 641.
Δήμιτσας, Nr. 998 und 999 (S. 774f.).

Dikili-Tasch. „... dans un petit cimetière voisin du khan, sur une plaque de marbre, décorée à gauche d'une bande saillante. Hauteur des lettres, 6 et 4 c." (Heuzey, S. 44).

> Scandilia Optata
> Venerei
> aedicula et sig[illo]
> vot(um) sol[vit l(ibens) m(erito)].

3 CIL: SIG*no*, d.h. also *sig[no]*.

Scandilia Optata hat der Venus die Nische und die Statuette (geweiht), ihr Gelübde gern und verdientermaßen erfüllend.

Heuzey weist auf die enge Beziehung zwischen Venus/Aphrodite und Kybele hin. „Cette divinité se rattachait par d'étroits rapports à Cybèle et surtout à Cotytto, la Cybèle thrace, représentée comme la déesse du libre désir, *liberi cupidinis* [Horaz: Epod. XVII 56]: elle pouvait très-bien avoir ses honneurs et ses autels dans l'enceinte du même sanctuaire" (Heuzey, S. 44).

Inschrift des Caius Vibius Quartus 058/L047
I

E.M. Cousinéry: Voyage dans la Macédoine [zwei Bände], Paris 1831; hier Band II, S. 18–19 (Abb.).
Heuzey/Daumet, Nr. 21 (S. 44ff.).
CIL III 1, Nr. 647.
CIL III, Suppl. 1, Nr. 7337.
ILS 2538.
Δήμιτσας, Nr. 1000 (S. 775f.).
Γεώργιος Χατζηκυριακού: Σκέψεις και εντυπώσεις εκ περιοδείας ανά την Μακεδονίαν (1905–1906), IMXA 58, Thessaloniki ²1962 (1. Aufl. 1906); hier S. 120.
Κωνστ. Γ. Ζησίου: Έρευναι των εν Μακεδονία Χριστιανικών μνημείων, ΠΑΕ 1913 [1914], S. 119–251; hier S. 206f.
Luisa Banti: Iscrizioni di Filippi copiate da Ciriaco Anconitano nel codice Vaticano latino 10672, Annuario della R. Scuola Archeologica di Atene e delle Missioni Italiane in Oriente NS 1–2 (1939–1940), S. 213–220; hier S. 214.
Collart, S. 326f. und Abb. im Tafelband Pl. VIII 2.
Sarikakis, Nr. 214 (S. 458).
Band I, S. 119; S. 178.

Φίλιπποι-Führer, S. 60, Abb. 52.

Michel Sève: Philippes: une ville romaine en Grèce, in: L'espace grec. 150 ans de fouilles de l'École française d'Athènes, Paris 1996, S. 89–94; hier S. 92.

Dikili-Tasch. „Sur les deux faces adjacentes d'un grand tombeau monolithe, encore en place. Hauteur des lettres, 25, 21, 16 et 15 c." (Heuzey, S. 45). Χατζηκυριακού gibt die folgende Beschreibung: Ἔχει δε τας εξής διαστάσεις: Ὕψος 3.80 μέτρ.; πλάτος 2.70 και πάχος 1 μέτρ. Ἐπί της άνω βάσεως λέγουσιν οι εωρακότες ότι φέρει οπήν, εν η υποθέτουσιν ότι ήτο εμπεπηγμένος ο ανδριάς του Ρωμαίου στρατηγού Βιβίου, πρός τιμήν του οποίου εστήθη το μνημείον (S. 120).
Dia Nummer 564–566/1991; 17–18/1992.

> C(aius) Vibius C(ai) f(ilius)
> Cor(nelia) Quartus, *folium*
> mil(es) leg(ionis) V̅ Macedonic(ae)
> decur(io) alae Scubulor(um)
> 5 praef(ectus) coh(ortis) I̅I̅I̅ Cyreneic(ae)
> [tribunus militum le]g(ionis) II Au[g]u[stae ...]
> [...]

Die Fassung der Inschrift auf der westlichen Seite des Steins ist wesentlich schlechter lesbar als die auf der südlichen Seite. Heuzey schreibt zum Zustand des Steines: „Une autre superstition attache à la poussière blanche qu'on obtient en grattant le marbre de Dikili-tash, la vertu de donner du lait aux nourrices: aussi est-il rongé par les couteaux des paysans ...; plus de la moitié de l'inscription a été ainsi détruite." (S. 45).
1 Χατζηκυριακού gibt irrtümlich: VIVIUS. Kyriakos bei Banti liest fälschlich: VIRBIVS.
2 Das *folium* am Ende der Zeile ist auf der nach Süden gewandten Seite nicht vorhanden. **3** Zahl laut Heuzey auf der südlichen Seite mit Überstrich: „A la troisième ligne, le signe qui surmonte la lettre numérale V manque sur la face occidentale ..." (Heuzey, S. 46). **4** Heuzey/Daumet, Abb. 1,2: SCVIVLOR; Transkription: SCVRVLOR; Text: *Scubulo(rum)*. CIL: SCVBVLOR. Χατζηκυριακού: PECURALAES CURULOR. **4/5** Kyriakos bei Banti, S. 214: DECVRALES·QVIN·PRAETOR· **5** Zahl laut Heuzey mit Überstrich. CIL: PRAE[f]; I̅I̅I̅I̅; CYRENEI[c].

> Caius Vibius Quartus, der Sohn des Caius, aus der Tribus Cornelia, Soldat der fünften Legion Macedonica, Decurio bei den scubulischen Reitern, Präfekt der dritten Kohorte Cyrenaica, Militärtribun der zweiten Legion Augusta...

Der älteste Gewährsmann für diese Inschrift ist Kyriakos von Ancona, der im 15. Jahrhundert diese Inschrift abgeschrieben hat. „Constantinus Lascaris († c. a. 1493) iter faciens per Graeciam iussu Mediceorum ad libros scriptos indagandos inter alia quae adnotavit in codice hodie Vaticano n. 1412 chart. saec. XV f. 2. 3. 4 titulos tres (quos excerpserunt mea causa Elter et Huelsen) posuit praescriptione nulla, sed omnino descriptos Philippis, in his nunc f. 4 sic:

C · VIBIVS · C · F ·
COR · QVARTVS
MILITE C̄V̄ MA
CEDONICO ·
DECVR · A
(reliqua desunt)" (Mommsen im CIL III, Suppl. 1, Nr. 7337).

Z. 1 Zu Caius Vibius vgl. auch die Inschrift 493/L113 (Grabinschrift für das Kind Caius Vibius Daphnus von seinem Vater Caius Vibius Florus) sowie die folgenden Belege aus Philippi: Ein C(aius) Vibius Trophimus in 277/L385 sowie dessen Vater Vibius Trophimus (ebd.), der vielleicht mit dem folgenden [Tro]phimus Vib[ius] in 278/L386 identisch ist. Eine Vibia Aril[ia?] in 318/L404. Eine *Vibia C(ai) l(iberta)* bietet 392/L624. Ebd. auch deren Sohn Vib[ius] Paris.

Z. 2 Unser Vibius Quartus wird nicht mit der *tribus Voltinia* in Zusammenhang gebracht, sondern gehört der *tribus Cornelia* an; er war daher ursprünglich kein Bürger der Stadt Philippi.

Z. 4 Die *ala Scubulorum* begegnet auch in der Inschrift 700/L738. Da der Rest der Karriere unseres Caius Vibius nicht mehr lesbar ist, insbesondere bestimmten Kaisern zugeordnete *dona* fehlen, fällt die Datierung schwer. Zur Datierung ins 1. Jh. vgl. den Kommentar zu 700/L738; Z. 11f. Näherhin gehört die Inschrift demnach in claudisch-neronische Zeit, d.h. Paulus kam vielleicht schon an diesem Stein vorbei!

Sarkophag eines Certus   059/L048

Heuzey/Daumet, Nr. 22 (S. 46).
CIL III 1, Nr. 666.
CIL III, Suppl. 2, Nr. 12311.
Δήμιτσας, Nr. 1001 (S. 776).
C. Fredrich: Aus Philippi und Umgebung, MDAI.A 33 (1908), S. 39–46; hier S. 41.

Dikili-Tasch. „Fragments de sarcophages" (Heuzey, S. 46). Zur Zeit von Fredrich (1908) war diese Inschrift „in das Pflaster vor der Tür des danebenstehenden [sc. neben dem Denkmal des Caius Vibius, 058/L047] Chan ... eingelassen" (S. 41). Er gibt die Abmessungen: H. 0,24; B. 2,19; D. 0,16; H. der Buchstaben 0,014–0,015; Zeilenzwischenraum 0,025.

    [...]nius, P(ubli) f(ilius), Vo{u}l(tinia) Certu[s]
    [...] parentib(us) b(ene) m(erentibus) f(aciendum) c(uravit).

---

1 CIL: *Vo[l]*. Fredrich: VOVLGERIV. Heuzey: *Voul[tiniâ]*. **2** Heuzey: *...eso parentib(us) b(ene) mer(entibus)*. Fredrich: „an vierter Stelle ō" (?).

... Certus, der Sohn des Publius, aus der Tribus Voltinia, ...
hat (den Sarkophag) für seine wohlverdienten Eltern anfertigen
lassen.

Sarkophag für Herennia

Heuzey/Daumet, Nr. 23 (S. 46).
CIL III 1, Nr. 668.
Δήμιτσας, Nr. 1002 (S. 776).

Dikili-Tasch. „Fragments de sarcophages" (Heuzey, S. 46).

> [...] ann(orum) XIV EIS
> [...] sibi et Herenniae ASO
> [...]A uxori suae [...]

1 CIL: ETS. **2** CIL: ASC. Heuzey: ... *Herenniae So...*

... vierzehn Jahre alt ... für sich und für Herennia ...
für seine Frau ...

Sarkophag des Caius Iulius Maximus

Heuzey/Daumet, Nr. 24 (S. 46).
CIL III 1, Nr. 689.
Δήμιτσας, Nr. 1003 (S. 777).
Luisa Banti: Iscrizioni di Filippi copiate da Ciriaco Anconitano nel codice Vatica-
    no latino 10672, Annuario della R. Scuola Archeologica di Atene e delle Missioni
    Italiane in Oriente NS 1–2 (1939–1940), S. 213–220; hier S. 214ff.
AÉ 1948 [1949] 20.

Dikili-Tasch. „Fragments de sarcophages" (Heuzey, S. 46).
Eine (offenbar nahezu vollständige) Fassung dieser Sarkophaginschrift sah,
wie unten gezeigt wird, Kyriakos von Ancona zu Beginn des 15. Jh. Leider
ist nicht mehr festzustellen, wo genau im Territorium der Stadt Philippi
Kyriakos den Sarkophag gesehen hat.
Heuzey bietet den folgenden Text:

> [...]ro v[...]
> [...]us Teres Thr[...]
> [...] fratri piissim[o ...]

Heuzey gibt als ursprüngliche Anordnung das folgende:

ROVI

VS·TERES·THR

FRATRI·PIISSIM

Dies kann man (mit Hilfe der Angaben von Banti) ergänzen zu:

DEC·PHILIPP·ET·INPROVINCIA·THRACIA·AN·XXXV·H·S·E

C·IVLIVS·TERES·THRACARCHES

FRATRI·PIISSIMO

F · C

Damit spricht alles dafür, daß das von Heuzey im 19. Jh. Gesehene der Rest desselben Sarkophags ist, dessen Inschrift Lascaris im 15. Jh. abgeschrieben hat.

Nach Kyriakos hat die Inschrift als ganze den folgenden Wortlaut:

C(aius) Iul(ius) Maximus vir cl(arissimus) latoclavọ

HO.AD.NIAN, aedilis cerealis, praetor designatus, item

dec(urio) Philipp(is) et in provincia Thracia, an(norum) XXXV

h(ic) s(itus) e(st).

C(aius) Iulius Teres thra[ca]rches

5   fratri piissimo

f(aciendum) c(uravit).

Die Zeilenaufteilung ist nicht in allen Fällen rekonstruierbar.

1 Banti gibt S. 214: LATO·CL·AVG, bei Kyriakos aber heißt es: LATOCLAVG, zu lesen ist also offensichtlich *latoclavọ*. **2** Nach 240/L465 wäre zu lesen: *latoclavọ ho[n(orato)] a d[i]<vo Pio>*, etc. (so hier übersetzt). **4** Die Ergänzung ist von mir.

C(aius) Iulius Maximus, *vir clarissimus*, mit dem breiten Purpurstreifen (durch den vergöttlichten Pius geehrt), für die Getreideversorgung zuständiger Ädil, designierter Prätor, zugleich
Decurio von Philippi und von der Provinz Thrakien, fünfunddreißig Jahre alt, liegt hier begraben. Caius Iulius Teres, der
Thracarch, hat (die Inschrift) für seinen liebsten Bruder anfertigen lassen.

Zu Teres und überhaupt zu dieser Inschrift ist die überaus ähnliche Ehreninschrift 240/L465 vom Forum zu vergleichen. Eine weitere Ehreninschrift
für denselben ist 357/L120.

Mit dieser Inschrift ist der Text CIL III, Suppl. 1, Nr. 7339, der auf Constantinus Lascaris († 1493) zurückgeht (= 357/L120), allerdings nicht identisch.
Denn um mit Banti (S. 216) die Identität der beiden Inschriften zu behaupten, müßte man annehmen:

1. Lascaris hat das F·C am Schluß überlesen (das wäre denkbar).
2. Lascaris hat nicht nur das C bei C. Iulius Teres übersehen (das wäre denkbar), sondern auch das THR[AC]ARCHES – das ist schon weniger wahrscheinlich.
3. Lascaris hat auch das AN·XXXV·H·S·E nicht gelesen – das ist schwer vorstellbar.
4. Umgekehrt müßte, geht man von der Identität der beiden Inschriften aus, Kyriakos am Anfang das [A] DIVO PIO Q.PR.[PR]. PER PROVINCIAM PONTVM ET BITH[Y]NIAM überlesen haben – das ist vollends unvorstellbar.
5. Schließlich müßte man noch annehmen, statt dieses überlesenen Stückes hätte Kyriakos AVG.HO.AD.NIAN eingefügt – was hätte ihn dazu veranlassen können?
Ich komme daher zu dem Ergebnis, daß zwar das Fragment von Heuzey mit der von Kyriakos gelesenen Inschrift identisch ist, daß aber Lascaris eine andere Inschrift vor Augen hatte als Kyriakos.
Zu inhaltlichen Fragen vgl. den Kommentar zur Ehreninschrift für Caius Iulius Maximus (240/L465).

062/L112   **Grabinschrift der Petronia Rufina und ihrer Tochter**

CIL III 1, Nr. 658.
Luisa Banti: Iscrizioni di Filippi copiate da Ciriaco Anconitano nel codice Vaticano latino 10672, Annuario della R. Scuola Archeologica di Atene e delle Missioni Italiane in Oriente NS 1–2 (1939–1940), S. 213–220; hier S. 214ff.
P.M. Nigdelis: Eine neue Familie aus Thessaloniki, ZPE 82 (1990), S. 202–212.

Philippi. Da diese Inschrift von Kyriakos von Ancona vor dem Jahr 1427 in Philippi gesehen wurde, gehört sie dorthin und nicht nach Rom, wohin sie offenbar mittlerweile gebracht worden ist, vgl. die Angaben Mommsens: „Philippis MARC. CHIG. FERR. (qui addit: in marmore quadrato). – Romae IVC.; in palatio prope trivium in via Salaria MAZ., Terracinae PEUT. AP.“ Mommsen fügt dem im einzelnen folgendes hinzu: „Cyriacus videtur servavisse. Exhibent Marcanova (Bern. n. 657, Mut. f. 99), ex quo sumpsit Ferrarinus cod. Reg. f. 145; cod. Chig. I. VI 203 f. 17; Iucundus Ver. f. 145[1], unde pendent Peutinger 827 f. 8 (inde Apian. 183, 4) et Mazoch. f. 68 (inde Grut. 482, 2).“
Nach Kyriakos handelt es sich um einen Marmorsarkophag (die Abmessungen werden nirgendwo angegeben).

    M(arcus) Varinius M(arci) f(ilius) Philippicus orn(amentis)
             dec(urionatus) <or>n<a>t(us)
    Petroniae Rufinae uxori suae et Varin<i>ae

Philippicae filiae suae.
si quis in ea arca alium posuerit q(uam) q(ui) s(upra) s(cripti)
  dabit
5 coloniae nostrae poine nomine [...]

Zeileneinteilung nach Mommsen (die Angaben bei Kyriakos, die von den Mommsenschen abweichen, sind in der Regel nicht zuverlässig, wie die Beispiele 058/L047 und 508/L253 zeigen, und können daher nicht als Grundlage dienen). **1** Kyriakos: *Varinius*, die meisten späteren Gewährsleute dagegen lesen *Varinus*, vgl. die Angaben bei Mommsen. Mommsen bietet M · P · PHILIPPICUS, was sinnlos ist. Kyriakos hat das sinnvolle M · F · PHILIPPICUS. Kyriakos hat am Ende der Zeile statt des <or> n<a>t(us): Q · ANN · T (bei ihm entspricht das dem Anfang der Zeile 2). **3** Kyriakos: PHILIPPICE. Text nach Mommsen. **4** Mommsen: Q · Q · S · S · i· **5** Mommsen: *poenae*. Bei Kyriakos findet sich die Abkürzung NOE, vgl. Banti, S. 216.

Marcus Varinius Philippicus, der Sohn des Marcus, mit den *ornamenta* eines Ratsherren geehrt, für Petronia Rufina, seine Frau, und Varinia Philippica, seine Tochter. Wenn einer in dieses Grab einen anderen gelegt hat als die oben Genannten, soll er unsrer Colonia Strafe zahlen in Höhe von ...

Z. 1 Ein anderer Varinius 253/L447 (dort auch eine vollständige Liste aller Belege aus Philippi).
Zu *ornamentis decurionatus honoratus* vgl. 001/L027, Kommentar Z. 2.
Z. 2 Petronia ist ein in Makedonien weit verbreitetes *nomen gentile*. Vgl. dazu Nigdelis, S. 211 mit Anm. 1 (dort Belege und Literatur). In Philippi ist zu vergleichen 165/L003 von der Akropolis: Petronius Optatus *iunior*, Petronius Eutychus und Petronius Zosimus und 628/L756 aus Kipia: Quintus Petronius Firmus.

Sarkophag mit lateinischer Inschrift   063/L051

Heuzey/Daumet, Nr. 25 (S. 46).
CIL III 1, Nr. 685.
Δήμιτσας, Nr. 1004 (S. 777).

Dikili-Tasch. „Fragments de sarcophages" (Heuzey, S. 46).

[...]A Zosimi f(ilius) [a]n(norum) XXXX[...]

1 Heuzey hat XXXX und schreibt *triginta*. Δήμιτσας hat XXXX und bemerkt: „triginta ἴσως ἀντὶ quater deni".

... , der Sohn des Zosimus, im Alter von ... und vierzig Jahren (liegt hier begraben).

064/L052   Lateinisches Fragment

Heuzey/Daumet, Nr. 26 (S. 47).
CIL III 1, Nr. 681.
Δήμιτσας, Nr. 1005 (S. 777).

Dikili-Tasch. „Petits fragments" (Heuzey, S. 47).

    VARI

Bei Δήμιτσας sind 064/L052 und 066/L054 eine Inschrift (Nr. 1005), die er so wiedergibt:
    VARI
    FILIAE.SVAE.

065/L053   Fragment einer lateinischen Inschrift

Heuzey/Daumet, Nr. 27 (S. 47).
CIL III 1, Nr. 693.
Δήμιτσας, Nr. 1006 (S. 777).

Dikili-Tasch. „Petits fragments" (Heuzey, S. 47).

    [...]ET
    TRI·ET
    [...]ET
    [...]AR

Bei Δήμιτσας sind 065/L053 und 067/L055 eine Inschrift, er fügt das VIRO.SVOD... als
Z. 5 einfach hinzu.

066/L054   Fragment einer lateinischen Inschrift

Heuzey/Daumet, Nr. 28 (S. 47).
CIL III 1, Nr. 691.
Δήμιτσας, Nr. 1005 (S. 777).

Dikili-Tasch. „Petits fragments" (Heuzey, S. 47).

    [...] filiae suae [...]

CIL: FILIAE·SVAE·V. Δήμιτσας: 066/L054 und 064/L052 sind eine Inschrift (s. dort).

    ... ihrer (oder: seiner) Tochter ...

Fragment einer lateinischen Inschrift   067/L055

Heuzey/Daumet, Nr. 29 (S. 47).
CIL III 1, Nr. 692.
Δήμιτσας, Nr. 1006 (S. 777).

Dikili-Tasch. „Petits fragments" (Heuzey, S. 47).

[...] viro suo D[...]

Δήμιτσας: 067/L055 und 065/L053 sind eine Inschrift (s. dort).

... ihrem Mann ...

Grabinschrift für Δημήτριος aus Ainos   068/G056

Heuzey/Daumet, Nr. 30 (S. 47).
Μ[αργαρίτης] Γ. Δήμιτσας: Της εν Μακεδονία Ηδωνίδος ανέκδοτοι επιγραφαί τρεις,
    Παρνασσός. Σύγγραμμα περιοδικόν 5 (1881), S. 222–226; hier S. 225.
Δήμιτσας, Nr. 1007 (S. 777f.).
Γεώργιος Μπακαλάκης: Νεάπολις – Χριστούπολις – Καβάλα, AE 1936, S. 1–48; hier
    S. 29.
BÉ 1938, Nr. 221 [a].

Dikili-Tasch. „Sur une stèle à fronton grossièrement décoré" (Heuzey, S. 47). Die Inschrift bietet ein gutes Beispiel für die Wanderung von antiken Steinen aus Philippi nach Kavala. Denn Μπακαλάκης fand diese Inschrift zwei Menschenalter später in Kavala (übrigens ohne zu bemerken, daß die von ihm publizierte Inschrift schon bekannt war. An der Identität kann es aber überhaupt keinen Zweifel geben.). Er gibt folgende Beschreibung: ... έκ τινος δαπέδου οικίας του μαχαλά (S. 29).
Abmessungen: H. 0,47; B. 0,30. H. der Buchstaben 0,03–0,06 (ebenfalls nach Μπακαλάκης).
Der Stein befindet sich heute im Museum in Philippi (Inventarisierungsnummer Λ 1155).
Dia Nummer Σ150.151.152/1991; 205.206/1992.

Heuzey:	**Μπακαλάκης:**
[Δ]ημήτριος	[Δη]μήτριος
Σωτηρίχου	[Σω]τηρίχου
Αἴνιος ἐτῶν	[Θάσ]ιος ἐτῶν
κ΄ ἐνθάδε	[– ἐ]νθάδε
5 κεῖται. Σωτή-	[κεῖ]ται. Σωτή-
ριχος τῷ	[ριχ]ος τῷ
ἀδελφῷ.	[ἀ]δελφῷ.

1.2 Die Ergänzungen von Μπακαλάκης erweisen sich als zutreffend. **3** Heuzey: ἐτων.
Hier trifft Μπακαλάκης dagegen nicht das Richtige. **4** Heuzey gibt: (εἴκοσι) ἐνθάδε.
5–7 Die Ergänzungen von Μπακαλάκης erweisen sich als zutreffend.

Demetrios, (der Sohn) des Soterichos, aus Ainos, zwanzig Jahre
alt, liegt hier begraben. Soterichos (hat den Stein) für seinen
Bruder (setzen lassen).

Z. 2 Μπακαλάκης macht auf die folgenden Parallelen aufmerksam: Σω-
τηρίχα in Bolos (Ν. Γιαννοπούλου, ΑΕ 1933, Ἀρχαιολογικά Χρονικά, S. 4).
Alexander Conze: Reise auf den Inseln des thrakischen Meeres, Hannover
1860, Taf. XVI 8, hat einen Σωτήριχος aus Thasos.
Preisigke, Namenbuch, S. 401. (Μπακαλάκης, S. 29, Anm. 2).
Heuzey bemerkt summarisch zur Datierung auf S. 47: „Quelques inscriptiones grecques de basse époque … “

069/G057   **Fragment einer griechischen Inschrift**

Heuzey/Daumet, Nr. 31 (S. 47).
Δήμιτσας, Nr. 1009 und 1010 (S. 778).

Dikili-Tasch. „Au même endroit. Fragments" (Heuzey, S. 47).

[…] Δομίτ[ιος] *bzw.* Δομιτ[ιανός]
[…]ιος Γερμ[ανός] *bzw.* Γερμ[ανικός].

Der Name dieser Inschrift bezieht sich vielleicht auf den Kaiser Domitian.
Heuzey, S. 47: „commencement de deux noms propres qui pourraient se
rapporter à l'empereur Domitien."

070/G058   **Fragment einer griechischen Grabinschrift**

Heuzey/Daumet, Nr. 32 (S. 47).
Δήμιτσας, Nr. 1011 (S. 778).

Dikili-Tasch. „… sur un troisième fragment" (Heuzey, S. 47).

ΠΡΟΣΤΕΙΛ

Hier ist vielleicht πρόστειμ[ον] zu lesen (es geht um die Strafe, die demjenigen
angedroht wird, der eine Grabstätte widerrechtlich nutzt).
Abschließend bemerkt Heuzey zu dieser Gruppe von Inschriften: Wenn man
die zahlreichen Grabdenkmäler betrachtet, so kommt man zu dem Ergebnis,

daß die Via Egnatia zwischen Philippi und Dikili-Tasch eine Gräberstraße war; hier dehnte sich eine Vorstadt aus, die vom Neapolistor bis zum Heiligtum der Kybele reichte. Das Gebiet ist mit Ruinen übersät; besonders ein großes Bauwerk auf der linken Seite ist beachtlich (die Bewohner der Gegend sprechen von 7000 Räumen; wahrscheinlich handelt es sich um eine Thermenanlage).

Grabstein des Αὐρήλιος Κυριακός

071/G437
III/IV

Jacques Coupry/Michel Feyel: Inscriptions de Philippes, BCH 60 (1936), S. 37–58; hier S. 53–55, Nr. 4 mit Abb. 6.
AÉ 1937 [1938] 49.
BÉ 1938, Nr. 217 (4) – kein Text.
Lemerle, S. 94.
Feissel, Nr. 231 (S. 195f. mit Tafel 54).
Band I, S. 40; S. 143; S. 241.

Dikili-Tasch. „Trouvée à Dikili-Tasch, dans un champ appartenant à Ioannis Staphylidis, en bordure N.-E. de la route Drama-Cavalla" (Coupry/Feyel, S. 53, Anm. 1).
Stele aus lokalem Marmor (an mehreren Stellen beschädigt, vgl. die Abb. bei Feissel). Der obere Teil der Inschrift befindet sich heute (1992) im Museum in Philippi, auf der Terrasse, am äußersten Ende als letzte Inschrift auf der rechten Seite (Inventarisierungsnummer Λ 427)
Abmessungen: H. 0,77; B. 0,41; D. 0,18. H. der Buchstaben 0,03; Zeilenzwischenraum 0,04. Ligaturen.
Dia Nummer 377/1991; 668.669/1992.

Αὐρήλιος	καὶ τέκνοις.
Κυριακὸς διδ[άσ-]	10 εἰ δέ τις τολ-
καλος ἐποίησ[α]	μήσι ἕτερον σκή-
τὸ χαμοσόρ[ιον]	νωμα καταθέσ-
5 τ[ο]ῦτο ἐ[μαυτῷ]	θαι, δώσει τῷ
χ[αὶ τῇ συμβίῳ]	ἱερωτάτῳ τα-
μου [Α]ὐρη[λίᾳ]	15 [μ]είῳ χρυσοῦ
Μαρκελλίνῃ	[λίτ]ραν μίαν.

Das heute im Museum befindliche obere Stück umfaßt Zeile 1–6.
5 Coupry/Feyel: τ[οῦ]το. **16** Feissel: [λί]τραν.

Ich, Aurelios Kyriakos, (von Beruf) Lehrer, habe dieses Grab für mich und meine Frau Aurelia Marcellina und für die Kinder gemacht. Wenn aber einer es wagen wird, eine andere Leiche hier

niederzulegen, soll er dem heiligsten Fiscus ein Pfund Gold (als
Strafe) bezahlen.

Vgl. zu dieser Inschrift 083/G066 (dort Z. 12 σκήνυμα).

Z. 2 Der Name Κυριακός begegnet in Philippi auch in der (ebenfalls
christlichen) Inschrift 274/G430 aus der Basilika B.

Z. 10–16 Zur Strafbestimmung vgl. 125a/G802 sowie 083/G066.
Zur Datierung vgl. Coupry, S. 54f.

072/G438   Fragment einer griechischen Grabinschrift
III

Jacques Coupry/Michel Feyel: Inscriptions de Philippes, BCH 60 (1936), S. 37–58;
  hier S. 55–57, Nr. 5 mit Abb. 7.

Dikili-Tasch. Fundort wie 071/G437. „Marbre local à partire rougeâtre."
Abmessungen: H. 0,21; L. 0,60; D. 0,16; H. der Buchstaben 0,075; Zeilenzwischenraum 0,1.

[. . .]β[. . .]ι̣ν
[. . . τῷ ἰ]δίῳ ἀνδρὶ Αὐρη[λίῳ]
[ὃς ἂν δὲ ἕτερον πτῶμ]α καταθῆτε δώσ[ει τῇ πόλει]
[προστίμου ✗ . . .]

2 Die Ergänzungen sind von den Herausgebern.   **3** Die Ergänzungen sind von den
Herausgebern.   **4** Die Ergänzung ist von mir.

. . . ihrem eigenen Mann Aurelius. Wer aber eine andere Leiche
(hier) niederlegt, soll (der Stadt Strafe) zahlen (. . . Denare).

Datierung laut Coupry: „premièr moitié du IIIe siècle" (S. 57).

073/G294   Grabinschrift des Δημήτριος Προυσαεύς für seine Frau

A. Salač: Inscriptions du Pangée, de la région Drama-Cavalla et de Philippes,
  BCH 47 (1923), S. 49–96; hier S. 94f. (Nr. 33).
SEG II (1924) 428.
Josef Zingerle: Phrygische Oertlichkeiten, Klio 21 (1927), S. 421–427; hier S. 426,
  Anm. 1.
Κανατσούλης, Nr. 1591.
Louis Robert: A travers l'Asie Mineure. Poètes et prosateurs, monnaies grecques,
  voyageurs et géographie, BEFAR 239, Athen/Paris 1980; hier S. 79f.

Dikili-Tasch. Madjar-Tchiflik „... près de Dikili-Tasch, dans les *kalyvia*" (Salač, S. 94).
Abmessungen: H. 0,78; B. 0,50; D. 0,22; H. der Buchstaben 0,04–0,045; Zeilenzwischenraum 0,015.

<table>
<tr><td>[...]ΘΑ[-]3ZI</td><td>πὸ Ὑ<π>ίου ἰδί-</td></tr>
<tr><td>[Δ]ημήτ(ρ)ιος</td><td>5 ᾳ γυναικὶ ἐποίει</td></tr>
<tr><td>Προυσαεὺς ἁ-</td><td>[μν]ήμην· χαῖρε.</td></tr>
</table>

2 Crönert (SEG): [...]η Μήτιος. Dagegen Robert, S. 80, Anm. 488: „Ce dernier nom n'est pas séduisant ici." **3f.** Salač: ἀπὸ υἱοῦ mit Fragezeichen. Text nach Crönert/Wilhelm (im SEG), Zingerle, S. 426, Anm. 1 und Robert, S. 79, Anm. 488. **6** Die Ergänzung nach SEG.

Demetrios, aus Prusias *ad Hypium*, hat für seine eigene Frau das Denkmal errichtet; sei gegrüßt!

Z. 2 Die von Salač vorgeschlagene und von Robert unterstützte Lesart Δημήτριος wird bestätigt durch den späteren Fund der Grabinschrift eben dieses Mannes in der Basilika B (319/G418, vgl. dort!).
Z. 3 Zur Form Προυσαεύς vgl. Robert, S. 80: „... la double apparition de l'ethnique Προυσαεύς au lieu du correct Προυσιεύς est à attribuer, plutôt qu'à une incorrection du lapicide ..., à une confusion entre les deux ethniques de Prousa et de Prousias née dans la famille alors expatriée." Demetrios stammt nicht aus Prusa *ad Olympum*, sondern aus Prusias *ad Hypium*, vgl. den Kommentar zu 319/G418 aus der Basilika B!
Z. 5 Salač, S. 95: „Au lieu de l'imparfait ἐποίει on attendrait l'aoriste ἐποίησε."

Fragment einer lateinischen Grabinschrift   074/L295

A. Salač: Inscriptions du Pangée, de la région Drama-Cavalla et de Philippes, BCH 47 (1923), S. 49–96; hier S. 95 (Nr. 34).

Dikili-Tasch. Madjar-Tchiflik, „dans le puits de la ferme" (Salač, S. 95). Abmessungen: H. 0,42; B. 0,43; D. 0,17; H. der Buchstaben 0,05; Zeilenzwischenraum 0,03–0,02.

[...]la p(osuit) d(e)d(icavit)
l(ocum) d(ederunt) her(edes?).
in (f)r(onte) p(edes) XX
in ag(ro) p(edes) XX.

... gestellt (und) geweiht. Den Platz haben die Erben zur Verfügung gestellt. (Die Grabanlage mißt) zwanzig Fuß in der Breite,
zwanzig Fuß in der Tiefe.

074a/L840   Lateinisches Fragment

H. Koukouli-Chrysanthaki/E. Gerontakou, ΠΑΕ 144 (1989) [1992], S. 237.
AÉ 1992, Nr. 1528.
SEG XLIII (1993) [1997] 449.

Dikili-Tasch. „Fragment d'un autel de marbre inscrit." (AÉ, S. 424).

[...] Heroni [...]

... dem Heros ...

Zur Verehrung des Ἥρως (Αὐλωνείτης) vgl. Band I, S. 93–100 sowie das
epigraphische Material unter den Nummern 616/L227–629/G757.

075/L117   Lateinisches Fragment

CIL III 1, Nr. 694.

Zwischen Philippi und Dikili-Tasch. „... Philippis ad diversorium Dike-
litasch" (CIL). Das „Heuzey descripsit" im CIL bezieht sich jedenfalls nicht
auf das große Werk von Heuzey/Daumet; auch in den Aufsätzen von Heuzey
vermochte ich diese Inschrift nicht zu verifizieren.

... f(aciendum) c(uravit *oder* -uraverunt).

... hat (haben) es anfertigen lassen.

076/L144   Lateinisches Fragment

CIL III, Suppl. 2, Nr. 12314.

Philippi. Zwischen Philippi und Dikili-Tasch an der Straße.

NIIAFCF HIC

Grab der Diakonin Ποσιδωνία und der κανονική Πανχαρία   077/G067
IV/V

Heuzey/Daumet, Nr. 50 (S. 95f.).
Δήμιτσας, Nr. 930 (S. 733).
Paul Perdrizet: Le cimetière chrétien de Thessalonique, MAH 19 (1899), S. 541–548; hier S. 547.
Lemerle, S. 92ff.
Feissel, Nr. 241, S. 204f.
Band I, S. 143; S. 241.
Ute E. Eisen: Amtsträgerinnen im frühen Christentum. Epigraphische und literarische Studien, FKDG 61, Göttingen 1996, S. 183f.

Philippi: Östlicher Friedhof. „Faubourg oriental de Philippes. Sur une stèle à fronton" (Heuzey, S. 95).
Die Inschrift ist heute nicht mehr vorhanden (Feissel).

        † † †
   † Κοιμ(ητήριον) διαφέροντα Ποσιδω-
   νίας διακ(ονίσσης) κ(αὶ) Πα-
   νχαρίας ἐλαχ(ίστης)
5 κανονικῆς. †

1 Feissel: „... le M est surmonté d'une sorte d'accent aigu en guise d'abréviation" (S. 204). Die von Eisen erneut vorgeschlagene pluralische Ergänzung κοιμ(ητήρια) empfiehlt sich nicht; zumindest in den Inschriften von Philippi steht κοιμητήριον auch dann im Singular, wenn es sich um ein Grab mehrerer Personen handelt (vgl. 101/G544; 115/G766 und 274/G430). 3 Feissel: „... le K est ΔIAK est surmonté d'un point; faut-il lire: δια-χο(νίσσης)?" (ebd.). „... les linéaments qui suivent, et qui semblent former deux lettres différentes" (Heuzey) bilden eine Art Ligatur, die in ganz ähnlicher Form auch in der heutigen griechischen Schreibschrift für και gebräuchlich ist. Heuzey liest (καὶ). 4 Feissel: „... le X de ΕΛΑΧ est surmonté du même signe d'abréviation qu'à la ligne 1" (ebd.).

Grabanlage („Schlafzimmer"), gehörend der Diakonin Posidonia und der allergeringsten Kanonike Pancharia.

Z. 1 Schwierig ist die Konstruktion κοιμητήριον (Sg. Neutrum) διαφέρον-τα (Akk. Sg. Maskulinum bzw. Pl. Neutrum), die verschiedene Lösungsvorschläge hervorgebracht hat. So könnte man versuchen, κοιμ(ητήρια) zu ergänzen (neuerdings wieder bei Eisen), was Feissel ohne Begründung ablehnt („ne s'impose pas", S. 204). Der Plural κοιμητήρια ist zwar nicht in Philippi, aber anderwärts bezeugt (Δ.Ι. Πάλλας/Στ.Π. Ντάντης: Επιγραφές από την Κόρινθο, AE 1977 [1979], S. 61–85; hier Nr. 3, S. 64f. = SEG XXIX (1979) [1982] 315, Z. 1). Die Herausgeber bieten a.a.O., S. 65, Anm. 1, weitere Belege aus Korinth.
Heuzey meint: „La langue de l'inscription, par le sens donné aux mots δι-αφέρειν et κοιμητήριον, par l'emploi de l'accusatif singulier du masculin com-

me forme indéclinable du participe présent, se rapproche du grec moderne" (S. 95f.). Wegen der im Apparat zitierten Parallelen aus Philippi halte
ich trotz der syntaktischen Probleme an der singularischen Form κοιμητήριον
fest.

Chrysostomos erklärt die Bedeutung des Wortes κοιμητήριον folgendermaßen: Διὰ τοῦτο καὶ αὐτὸς ὁ τόπος κοιμητήριον ὠνόμασται, ἵνα μάθῃς ὅτι
οἱ τετελευτηκότες καὶ ἐνταῦθα κείμενοι οὐ τεθνήκασιν, ἀλλὰ κοιμῶνται καὶ
καθεύδουσι. πρὸ μὲν γὰρ τῆς παρουσίας Χριστοῦ ὁ θάνατος θάνατος ἐκαλεῖτο
... [es folgen Schriftbelege]. ταῦτα εἶχε τὰ ὀνόματα ἡμῶν ἡ τελευτὴ πρὸ
τούτου· ἐπειδὴ δὲ ἦλθεν ὁ Χριστὸς, καὶ ὑπὲρ ζωῆς τοῦ κόσμου ἀπέθανεν,
οὐκέτι θάνατος καλεῖται λοιπὸν ὁ θάνατος, ἀλλὰ ὕπνος καὶ κοίμησις. ...
[Es folgen Schriftbelege.] ὅρα πανταχοῦ ὕπνον καλούμενον τὸν θάνατον· διὰ
τοῦτο καὶ ὁ τόπος κοιμητήριον ὠνόμασται· χρήσιμον γὰρ ἡμῖν καὶ τὸ ὄνομα,
καὶ φιλοσοφίας γέμον πολλῆς. (Johannes Chrysostomos: *De coemeterio et de
cruce*, PG 49, S. 393–398; hier S. 393f.)

Zu den beiden vorchristlichen Belegen für κοιμητήριον im Sinn von „Schlaf-
gemach" vgl. Johannes Kramer: Was bedeutet κοιμητήριον in den Papyri?,
ZPE 80 (1990), S. 269–272; hier S. 270. Der früheste christliche Beleg für
κοιμητήριον im Sinn von „Begräbnisstätte" stammt Kramer zufolge aus der
ersten Hälfte des 3. Jahrhunderts (ebd.).

„Die Selbstverständlichkeit der Bedeutung »Begräbnisplatz« für κοιμητήριον
kann man auch daran erkennen, daß es so ins Lateinische entlehnt wurde:
coemeterium (meistens in Anlehnung an die griechische Aussprache *cimi-
terium* oder auch *cymiterium* geschrieben, daneben volksetymologisch auch
caementerium, vgl. ThLL 3, 1411) kann nur »locus sepulchrorum« bedeuten"
(Kramer, ebd.).

Z. 2ff. Nach Feissel geht das Wort διακόνισσα auf die apostolische Zeit
zurück, wohingegen die Bezeichnung κανονική (= eine ehelos lebende Frau)
seit dem 4. Jh. in Gebrauch ist. Mir ist jedoch die Ergänzung zu διακόνισσα
zweifelhaft; auf der Inschrift 115/G766 bezeichnet sich Ἀγάθη nämlich als
διάκονος – so könnte man auch hier ergänzen! Eine weibliche διάκονος findet
sich bekanntlich schon in Röm 16,1, und der Brief des Plinius an Trajan setzt
ebenfalls weibliche διάκονοι voraus (*ministrae*, Plinius: Epistulae X 96,8).
In Philippi selbst dürfte es von allem Anfang an auch weibliche διάκονοι
gegeben haben, wie schon das Präskript des paulinischen Briefes nahelegt
(Phil 1,1). Vgl. zur späteren Entwicklung des Amtes auch Lemerle, S. 92f.
sowie das entsprechende Kapitel in der Studie von Eisen (S. 154–192; ihr
zufolge ist διακόνισσα „nicht vor dem 4. Jahrhundert in der christlichen
Literatur anzutreffen", S. 32 – auf die apostolische Zeit geht es gewiß nicht
zurück ...).

Der Name Ποσιδωνία ist alt; anders der Name Πανχαρ(ε)ία, der vielleicht
von παγχάρης/παγχάρεια abzuleiten ist (Heuzey, S. 96).

Zum Epitheton ἐλαχίστη sowie zu der Bezeichnung κανονική vgl. Eisen, S.
184.

Grabstein der Kinder Cerdo und Primilla   078/L320

Paul Collart: Inscriptions de Philippes, BCH 56 (1932), S. 192–231; hier S. 224f.,
Nr. 15 (keine Abb.).

Philippi: Östlicher Friedhof. „Les travaux récemment entrepris pour la
construction d'une route ont mis au jour, non loin de la porte de Néapolis,
les restes de plusieurs nouvelles sépultures de cette nécropole. C'est parmi
les tombes éventrées, de forme rectangulaire, construites en un blocage lié de
mortier, et couvertes soit par une voûte semblablement maçonnée, soit par
des plaques assemblées, que nous avons relevé, sur une dalle, l'inscription
ci-dessus; tout auprès gisaient les restes du sarcophage démoli auquel elle
appartenait" (Collart, S. 225).
„Plaque de sarcophage, en trois morceaux, brisée à sa partie inférieure, et
portant une inscription latine de deux lignes" (Collart, S. 224).
Abmessungen: L. 1,54; B. 0,34; D. 0,11. H. der Buchstaben Z. 1: 0,06; Z. 2:
0,05. Zeilenzwischenraum 0,03.

> Cerdo Cassi fil(ius) an(norum) XIIII et Primilla
> Cassi fil(ia) an(norum) VII h(ic) s(iti) s(unt).

> Cerdo, Sohn des Cassius, vierzehn Jahre alt, und Primilla, Toch-
> ter des Cassius, sieben Jahre alt, sind hier begraben.

Z. 1 „Cerdo peut être reconstitué dans un fragment d'inscription funérai-
re publié par Heuzey et trouvé par lui à Philippes" (Collart, S. 225). Collart
fügt in Anm. 3 hinzu, daß es sich dabei um Heuzey Nr. 52 auf S. 117 (unsere
Nr. 358/L069) handelt.
Cassius ist ein in Philippi häufig begegnender Name.
Primilla auch auf der Akropolis (173/L575): Weihinschrift der Galgestia
Primilla.

Fragment einer lateinischen Grabinschrift   079/L321

Paul Collart: Inscriptions de Philippes, BCH 56 (1932), S. 192–231; hier S. 225,
Nr. 16 (ohne Abb.).

Philippi: Östlicher Friedhof. Zu den Fundumständen vgl. 078/L320. „Petit couvercle de sarcophage à rampants et acrotères (longueur, 76 cm.; largeur, 51 cm., épaisseur au faîte, 16 cm.) portant sur un des longs côtes les
deux lettres" (Collart, S. 225).

> D(is) M(anibus).

> Den Manen.

Eine Liste aller Inschriften aus Philippi mit *Dis Manibus* findet sich im Kommentar zu 092/G496 aus Κρηνῖδες.

080/GL567   **Grabinschrift des Kindes Viatoreilius**

Paul Lemerle: Chronique des fouilles et découvertes archéologiques en Grèce en
    1938, BCH 62 (1938), S. 443–483; hier S. 476.
AÉ 1939 [1940] 45.
Band I, S. 119 mit Anm. 2.

Philippi: Östlicher Friedhof. Heute (1991) im Lapidarium gleich rechts vom Häuschen der φύλακες, wo man seinen Eintritt bezahlt.
Abmessungen: H. 0,55; B. 0,44.
Dia Nummer Σ190–193.198a.198b.199/1991.

> D(is) M(anibus).
> Viatoreilius
> Liciniani pro-
> tectori<s> de sco-
> 5 la seniore pedi-
> tum, qui vixsit
> annos quattuor
> me<n>ses nove<m>, hic est
> depositus.
> 10 χαῖρε, παρ[οδῖτα].

3 Heute: LICINIANIP̣R̠[-]. **5** Heute: L̠A. **7** Lemerle: ANNO; doch ist das S deutlich erkennbar. Heute: QV[-]T̠[-]VOR. **8** Heute: MESESNOV[. . .]ST. **9** Heute: DEPOSI̠-T̠V̠Ṣ.

Den Manen. Viatoreilius, (der Sohn) des Licinianus, des Wacht-meisters (?) vom älteren Bürgerverein, der vier Jahre und neun Monate gelebt hat, liegt hier begraben. Sei gegrüßt, der du vor-übergehst.

Z. 1 Die Liste aller *Dis-Manibus*-Inschriften aus Philippi findet sich im Kommentar zu 092/G496 aus Κρηνῖδες.
Z. 3 Glare bringt nur einen Beleg für *protector* (S. 1503); daraus kann man für die vorliegende Stelle nichts entnehmen. (Der ThLL-Faszikel ist noch nicht erschienen.)
Z. 4 Nach Glare, S. 1702, s.v. *schola* 4 b, kann *scola* auch bedeuten „an area of this sort [sc. eine runde oder halbrunde Anlage mit Bänken] in which members of a *collegium* met for recreation, ritual, etc.; (meton.) the members meeting in such a place". Eine Fülle einschlägiger Belege bei W. Liebenam:

Zur Geschichte und Organisation des römischen Vereinswesens. Drei Untersuchungen, Leipzig 1890 (Nachdr. Aalen 1964), S. 275–280.

Z. 5 *pedes* bezeichnet zunächst den, der zu Fuß geht; dann den Fußsoldaten, schließlich den Bürger. Im ThLL wird unsere Stelle leider nicht diskutiert; in der entsprechenden Passage des Artikels findet sich keinerlei analoges Material, das in etwa der Zeit unserer Inschrift entspräche (ThLL X 1, Sp. 965–969; hier Sp. 967, Z. 61ff.). Man kann *scola senior peditum* etwa mit „der ältere Bürgerverein" o.ä. wiedergeben.

Grabinschrift des Λούκιος Βάσσιος 081/G322

Paul Collart: Inscriptions de Philippes, BCH 56 (1932), S. 192–231; hier S. 226, Nr. 17 mit Abb. 16.

Κρηνίδες. „Dans un champ, au sud-est de la ville, plus bas que la route et à cinq minutes de celle-ci" (Collart, S. 226).
„Bloc, en forme de chapiteau très simple, dont la face supérieure, brisée en bas, endommagée en haut et à droite, porte une inscription grecque de 4 lignes" (ebd.).
Abmessungen: H. 0,29; B. 0,32; D. 0,15. H. der Buchstaben ungefähr 0,046.
Zeilenzwischenraum ungefähr 0,015.

Λ(ούκιος) Βάσσι[ος]
Διονυσί[ου]
ἐτ(ῶν) λ´ ἐνθ[ά-]
δε κ[εῖται.]

3 Collart: ἔτ(ων).

Lukios Bassios, (der Sohn) des Dionysios, dreißig Jahre alt, liegt hier begraben.

Lateinisches Fragment 082/L063

Heuzey/Daumet, Nr. 46 (S. 94).
CIL III 2, Nr. 6114.
Δήμιτσας, Nr. 945 (S. 743).

Κρηνίδες. „Raktcha, dans une maison" (Heuzey, S. 94).

RCORNEI

083/G066   **Grabmal des Αὐρήλιος Σεβῆρος und seiner Familie**
IV

Heuzey/Daumet, Nr. 49 (S. 94f.).
Δήμιτσας, Nr. 929 (S. 732).
Johannes Merkel: Ueber die sogenannten Sepulcralmulten, in: Festgabe der Göt-
    tinger Juristen-Fakultät für Rudolf von Jhering zum fünfzigjährigen Doktor-
    Jubiläum am VI. August MDCCCXCII, Leipzig 1892, S. 79–134; hier S. 119,
    Anm. 166.
Feissel, Nr. 232, S. 196.
Band I, S. 40; S. 241.

Κρηνίδης. „Cimetière turc de Raktcha. Sur un pilier à quatre faces" (Heuzey, S. 94).
Feissel zufolge ist diese Inschrift heute verschollen.

Αὐρήλιος   καὶ τοῖς γλυ[κυτά-]
Σεβῆρος,   10   τοις μου τέκν[οι]ς.
πραγματευ-   <ε>ἰ δέ τις τολμήσι ἔτε-
τής, ἐποίησ[α]   ρον σκήν<ω>μα κατα-
5 τὸ χαμοσόρ[ιον]   θέσθαι, δώσι τῷ ἱερ-
τοῦτο ἐμαυ[τῷ]   ωτάτῳ ταμίῳ χρυσοῦ
καὶ τῇ συμβί[ῳ]   15   λίτραν μίαν.
μου Αὐρ(ηλία) Κλαυδία

6 Heuzey gibt: ἐμαυ[τῷ]. **7** Δήμιτσας gibt: συμβ[ίῳ]. **11** Δήμιτσας: (ε)ἰ δέ. Heuzey:
ἰδέ. **12** Auf dem Stein anscheinend σκήνιμα. Heuzey: σκήνιμα (?). **13** Δήμιτσας:
δώσει τῷ ἱερ[ω-]. **14** Δήμιτσας: τάτῳ.

Ich, Aurelios Severos, der Gutsverwalter, habe dieses Grab für
mich und meine Frau Aurelia Claudia und meine liebsten Kinder
gemacht. Wenn es aber einer wagen wird, eine andere Leiche niederzulegen, soll er dem heiligsten Fiscus ein Pfund Gold geben.

Z. 3f. Zum Begriff πραγματευτής vgl. den Kommentar bei 022/G220 aus
Kavala.
Z. 12 Feissel liest σκήν(ω)μα und weist auf 2Petr 1,14 hin. σκήνωμα begegnet im Sinn von „Leiche" in 071/G437, Z. 11f. LSJ hat aufgrund der
vorliegenden Inschrift σκήνημα ins Suppl. aufgenommen mit der neuen Bedeutung „body" (S. 133). σκήνωμα begegnet auch in 125a/G802.
Z. 14f. Merkel diskutiert a.a.O., S. 118ff. „die mit einem Reskript des
Septimius Severus ... beginnenden Kaisergesetze, welche das am Grabe be-
gangene Sacrilegium mit Todesstrafe, Zwangsarbeit und Verbannung ahn-
den, bis im Jahre 349 Konstantius und Konstans erklären (C. Th. 9, 17, 2),
das bisher mit Blut gerügte Delikt solle fortan nur noch mit mulcta verfolgt
werden ... " (Merkel, S. 118). Interessant an diesem Gesetz ist die Tatsache,

daß es „sich ... sogen. rückwirkende Kraft in der Weise [gibt], dass 1 Pfund
Gold für jedes Grab demjenigen gedroht wird, der seit a. 333 Grabmonumen-
te zerstört hat .... Diesem Strafmass entsprechen die Grabmulten öfter" (S.
119). Ein Beispiel ist unsere Inschrift, die Merkel in Anm. 166 anführt.
Ist dies richtig, so kann man aus diesem Zusammenhang mit dem von Merkel
zitierten Gesetz aus dem Jahr 349 eine etwas genauere Datierung gewinnen:
Der Grabstein fällt dann offensichtlich in die zweite Hälfte des 4. Jahrhunderts.
Ebenfalls ein Pfund Gold wird in 071/G437 gefordert; höhere Strafzahlungen
sowohl an die Kirche (zwei Pfund) als auch an den Fiscus (fünf Pfund) sieht
125a/G802 vor.

Lateinisches Fragment   084/L132

S. Reinach: Inscriptions latines de Macédoine, BCH 8 (1884), S. 47–50; hier S. 48,
    Nr. III.
Theodor Mommsen, Ephemeris Epigraphica V (1884) 1431.
Δήμιτσας, Nr. 964 (S. 749).
CIL III, Suppl. 1, Nr. 7352.

Κρηνίδες. „... dans une construction moderne servant d'abreuvoir et contenant plusieurs fragments de marbre avec le fronton d'une stèle et une petite
architrave" (Reinach, S. 48).
Abmessungen: H. 0,66; L. 1,30.

   III · PLANI VERE[cundi]

Lateinische Grabinschrift   085/L171

J. Arthur R. Munro: Epigraphical Notes from Eastern Macedonia and Thrace,
    JHS 16 (1896), S. 313–322; hier S. 318 (Nr. 14).
CIL III, Suppl. 2, Nr. 14206[26].

Κρηνίδες.„... at the washing fountain. Marble sarcophages lid, broken at
both ends. Letters about 2 1/2 inches, inscribed on the edge of the slabs"
(Munro, S. 318).

   [in ea a]rca alium qui posuerit O[...]

---

1 Munro ergänzt: [*quam qui supra scripti sunt dabit reipublicae*, etc.].

  ... wer in dieses Grab eine andere (Leiche) gelegt hat ...

086/G183　　　　　　　Grabinschrift für Ποσιδώνιος
I/II

M[αργαρίτης] Γ. Δήμιτσας: Της εν Μακεδονία Ηδωνίδος ανέκδοτοι επιγραφαί τρεις,
　　Παρνασσός. Σύγγραμμα περιοδικόν 5 (1881), S. 222–226; hier S. 225.
Δήμιτσας, Nr. 973 (S. 753).
Marcus N. Tod: Macedonia. VI. Inscriptions, ABSA 23 (1918–1919), S. 67–97; hier
　　S. 81.
Band I, S. 89 mit Anm. 15.

Κρηνίδες. Die Inschrift wurde gefunden εν τω υπό την ακρόπολιν των Φιλίππων κειμένω τουρκικώ χωρίω Ῥάχτσα (Δήμιτσας, S. 753).

> Βασιέλας Βίθυος Ποσ-
> ιδωνίω Βασιέλου
> τῷ ἰδίῳ υἱῷ τελευτήσαντι
> ἐτῶν ιη΄ καὶ Σούσᾳ συμβίῳ
> 5　ἰδίᾳ ζῶν ἐποίησα
> μνείας χάριν.

1f. Δήμιτσας: Βιθύοσμος Ἰδωνίω. Text nach Tod, S. 81; vgl. auch Detschew, S. 43, s.v.
Βασιελας. **4** Δήμιτσας 1881: ΣΥΜΒΙΩ. Im Corpus dann versehentlich: ΣΥΜΕΙΩ und
Συμείω (Συμείου).

Ich, Basielas, (der Sohn) des Bithys, habe (dieses Grab) für Posidonios, (den Sohn) des Basielas, meinen eigenen Sohn, gestorben
im Alter von achtzehn Jahren, und für Susa, meine eigene Frau,
zu meinen Lebzeiten machen lassen um des Andenkens willen.

Die Datierung stammt von Δήμιτσας (S. 753).
　　Z. 1 Der thrakische Name Βασιελας ist neu (Detschew bietet S. 43, s.v.
Βασιελας nur unsere Inschrift). Der Thraker Βασιελας hat seinem Sohn den
griechischen Namen Posidonios gegeben.
　　Z. 4 Σούσα ist ein häufig vorkommender thrakischer Frauenname, vgl.
Detschew, S. 472f., s.v. Σουσος.

087/L265　　　　　　　Ein spendenfreudiger Bürger

A. Salač: Inscriptions du Pangée, de la région Drama-Cavalla et de Philippes,
　　BCH 47 (1923), S. 49–96; hier S. 86f. (Nr. 4).
AÉ 1924, Nr. 54.
Paul Collart: Le théâtre de Philippes, BCH 52 (1928), S. 74–124; hier S. 107f.
Collart, S. 382f. mit Anm. 1.
Louis Robert: Les gladiateurs dans l'orient grec, BEHE.H 278, Paris 1940, S. 86
　　(Nr. 22).

V. Beševliev/G. Mihailov: Starini iz Belomorieto, I. Antični nadpisi i trakijski konici, Belomorski Pregled 1 (1942), S. 318–347; hier Nr. 34 (S. 333).
Band I, S. 148f.

Raktcha. Teil eines Sarkophagdeckels. Weißer Marmor. Abmessungen: H. 0,30; L. 1,72; B. 0,66. H. der Buchstaben 0,065–0,04. Zeilenzwischenraum 0,03–0,02.

Der Stein fand sich am 27. August 1992 im Hof der Kirche Aγία Σοφία in Drama (er bietet also ein Beispiel für die Wanderung von Inschriften aus Philippi Richtung Norden; schon Beševliev/Mihailov setzen 1942 seine Existenz in Drama voraus). Er trägt naturgemäß keine Inventarisierungsnummer. Leider liegt der Stein unmittelbar hinter einem anderen, so daß der mittlere Abschnitt der Inschrift verdeckt ist.

Dia Nummer 532.536–544/1992.

> [...] Iuli Fidei Manli Ba[sci]la et GAI[-]VR[-]Γ[...]
> sua paria VII pugna[ve]ru(n)t. Philipp[is ...]
> ucno (?) IIII venatio[nes] PIΛNA et crocis sparsi[t arenam?]

Salač kommentiert: „Epitaphe d'un (?) riche habitant de la colonie qui avait fait les frais de combats de gladiateurs et de *venationes*; c'est la première mention de spectacles de ce genre dans l'épigraphie de Philippes" (S. 86).

Z. 2f. Robert: „peut-on penser à la lecture: *venatio plena* (**PLENA**), d'après Dessau, 5059?" (S. 86). Der spendenfreudige Bürger hat auf seine Kosten im zur Arena umgebauten Theater in Philippi sieben Paare von Gladiatoren auftreten lassen (*paria VII pugnaverunt*); er hat vier Tierhetzen finanziert (*IIII venationes*) und schließlich die Arena mit Safranwasser besprengen lassen.

Eine analoge Inschrift aus dem pisidischen Antiochien (AÉ 1926 [1927] 78), die die Forschung bisher leider sträflich vernachlässigt hat, bespricht Thomas Witulski in seiner Greifswalder Dissertation: Die Gemeinde von Antiochia ad Pisidiam und der Galaterbrief. Untersuchungen zur Frage nach den Adressaten des Galaterbriefes (Diss. theol. Greifswald 1998). Wenn die Rekonstruktion Witulskis zutrifft, handelt es sich in Antiochien allerdings um 36 Paare von Gladiatoren, nicht nur – wie hier – um sieben. (Witulskis Dissertation wird in Kürze in FRLANT erscheinen; vgl. einstweilen: Peter Pilhofer/Thomas Witulski: Archäologie und Neues Testament: Von der Palästinawissenschaft zur lokalgeschichtlichen Methode, in: Exegese und Methodendiskussion, TANZ 23, Tübingen/Basel 1998, S. 237–255; hier S. 252ff.)

088/L290   Lateinisches Fragment
Zeit d.
Tiberius?

A. *Salač:* Inscriptions du Pangée, de la région Drama-Cavalla et de Philippes, BCH 47 (1923), S. 49–96; hier S. 93f. (Nr. 29).

Raktcha, im Haus Morifa. „... dans l'escalier en bas" (Salač, S. 93). Marmor. L. 1,12; H. 0,30; D. (sichtbar) 0,13; H. der Buchstaben 0,09.

[Cae]sar div(i) Aug(usti)

... Caesar, (der Sohn) des vergöttlichten Augustus ...

Salač meint: „Il s'agit là de Tibère" (S. 94).

089/L291   Sarkophag der Valeria Trophime und des Longus Alexander

A. *Salač:* Inscriptions du Pangée, de la région Drama-Cavalla et de Philippes, BCH 47 (1923), S. 49–96; hier S. 94 (Nr. 30).

Raktcha: Sarkophag am Brunnen. Abmessungen: H. 0,62; L. 2,11; B. 0,99; D. 0,12; Tiefe 0,44; H. der Buchstaben 0,10–0,055; Zeilenzwischenraum 0,02.

Valeria Trophime sibi et
Longo Alexandri f(aciendum) c(uravit).

Valeria Trophime hat (den Sarkophag) für sich und für Longus Alexander anfertigen lassen.

090/L367   Fragment einer lateinischen Grabinschrift

Paul Collart: Inscriptions de Philippes, BCH 57 (1933), S. 313–379; hier S. 378, Nr. 36 (keine Abb.).

Κρηνίδες (Raktcha). „Borne funéraire remployée dans un mur ... . La tête de la pierre est brisée, ainsi que les bords. Il subsiste la dernière ligne d'une inscription latine" (Collart, S. 378).
Abmessungen: B. 0,255; H. 0,145. H. der Buchstaben ca. 0,04.

[In f(ronte) p(edes) X]II, in ag(ro) p(edes) IX.

[(Die Grabanlage mißt) in der Breite] zwölf Fuß, in der Tiefe neun Fuß.

Mitgliederliste eines *collegium* 091/L360

Paul Collart: Inscriptions de Philippes, BCH 57 (1933), S. 313–379; hier S. 370–373, Nr. 28 mit Abb. 38.
Band I, S. 89 mit Anm. 14; S. 149 mit Anm. 9; S. 220 mit Anm. 11.

Raktcha. „Dalle brisée à gauche, en haut, et en bas, trouvée à Raktcha, dans un jardin; elle porte les restes de 16 lignes d'une inscription latine, dont la gravure est peu soignée; la surface de la pierre est endommagée par places" (Collart, S. 370).
Abmessungen: H. 0,53; B. 0,48; D. 0,13; H. der Buchstaben ca. 0,03.
Der Stein steht heute im Hof unterhalb des Foyers des Museums in Philippi (Inventarisierungsnummer Λ 1688).
Dia Nummer 332.333.334/1991.

```
      [. . .]us
      [. . .]ndus
      [. . .] Niger
      [. . .]ivi[. . . Here]nnius Zoticus
  5   [. . . Ma]rcellus L(ucius) Eprius Tertullus
      [. . . Her]ennianus pec(unia) inlata.
      [. . .]erna P(ublius) Rufrius Maximus
      [. . .]dus M(arcus) Herennius Priscinus
      [. . . Sec]undus Q(uintus) Manius Proculus
 10   [. . .]ens L(ucius) Atiarius Hilarus
      [. . .]iens Q(uintus) Cossutius Hilarus
      [. . .]lis L(ucius) Salvius Niger f(ilius)
      [. . .] Ti(berius) Caecina Celer
      [. . .]idius Fortunatus
 15   [. . .]onius Ianuarius pec(unia) in(lata)
      [. . .]viu[s . . .]
```

„Dans cette liste de noms, mutilée en haut, à gauche, et en bas, on lit deux fois, à la fin des lignes 6 et 15, la formule *pec(unia) inlata*. Elle désignait couramment, avec d'autres formules analogues, des contributions collectives, offertes soit par les membres d'un collège, soit par des groupes non organisés, soit encore par tout ou partie de la communauté municipale; on en pourrait citer, pour toutes les parties de l'Empire, près de deux cents exemples épigraphiques. C'est sans doute à la première catégorie qu'appartenait notre inscription: on connaissait déjà à Philippes, par les grandes inscriptions rupestres de l'acropole, l'existence d'un collège, celui de Silvain; ces inscriptions nous donnent, outre les noms d'un grand nombre de *cultores*, des renseignements précis sur l'organisation de l'association, ainsi que sur l'aménagement du sanctuaire, édifié grâce à la générosité des fidèles" (Collart, S. 372–373).

Die von Collart angesprochenen Inschriften finden sich unten unter den
Nummern 163/L002; 164/L001; 165/L003; 166/L004. Vgl. auch den Kommentar zu diesen Silvanusinschriften. Collart ist der Auffassung, hier handle
es sich um eine Liste von Freigelassenen. Die Namen sind in vielen Fällen
auch sonst in Philippi belegt.

Z. 10 Zum *nomen* Atiarius – es ist für Philippi charakteristisch – vgl.
den Kommentar zu 588/L236.

Z. 12 Liste aller *Salvii* aus Philippi bei 635/L033.

Die Datierung stammt vom Herausgeber: „ce document ne paraît pas être
antérieur au IIe siècle" (S. 373).

092/G496   **Griechische Weihinschrift für den Θεὸς Ὑπόγαιος**

Χάϊδω Κουκούλη-Χηρυσανθάκι, ΑΔ 33 (1978) Β΄1 Χρονικά [1985], S. 292.
SEG XXXV (1985) [1988] 761.
Miltiade Hatzopoulos, BÉ 1988, Nr. 865.
Lilian Portefaix: Sisters Rejoice. Paul's Letter to the Philippians and Luke-Acts
    as Seen by First-century Philippian Women, CB.NT 20, Uppsala 1988, S. 148
    mit Anm. 80.
Band I, S. 9 mit Anm. 28; S. 44, Anm. 138; S. 139, Anm. 28.

Κρηνίδες: Γήπεδο κοινότητας. Σε εργασίες εκσκαφών που έγιναν στο γήπεδο της κοινότητας εντοπίστηκε ένα ρωμαϊκό κτίριο. Στην επίχωση του κτιρίου
βρέθηκε μετακινημένο ένα ενεπίγραφο βάθρο.
Πεσσόσχημο βάθρο με κυματιόφορο βάση και επίστεψη. Ορθογώνιος τόρμος
στην επάνω επιφάνεια του βάθρου.
Abmessungen: insgesamt H. 0,53; B. 0,285 (so irrtümlich Κουκούλη-Χρυσανθάκη); D. 0,285. Beschriebene Fläche: 0,39x0,33. H. der Buchstaben: 0,05–
0,03.
Der Stein befindet sich heute (1991) im Museum in Philippi, im Hof hinter
dem Foyer (Inventarisierungsnummer Λ 1308).
Dia Nummer 328.329/1991.

Θεῷ
Ὑπογαίῳ.

Dem unterirdischen Gott (ist es geweiht).

Zu Θεῷ Ὑπογαίῳ gibt es auf der PHI-CD-ROM #6 nicht eine einzige Parallele. Handelt es sich mithin um einen singulären Fall?
In der griechischen Literatur ist die Verbindung von θεός und ὑπόγαιος
überaus selten (auf der TLG-CD-ROM #C finden sich lediglich drei Belege). Dieser Befund bestärkt die Vermutung, daß es sich bei der vorliegenden

Inschrift um eine Besonderheit handelt. Die Frage ist, welcher Gott hier gemeint ist. Was läge näher, als an Hades/Pluton zu denken, zumal er es ist, dem eine andere Weihinschrift aus dem Territorium von Philippi gewidmet ist (527/G208 aus Νευροκόπι): Κυρίῳ Πλούτωνι.

Für die Interpretation der vorliegenden Inschrift sind auch die zahlreichen *Dis-Manibus*-Inschriften aus Philippi von Interesse:

Dis Manibus (Fragment) in 079/L321 aus dem östlichen Friedhof;

in der Grabinschrift des Viatoreilius (ebd.; 080/GL567);

in der Grabinschrift des Marcus Aurelius Lucius aus der Nähe des Neapolistors (136/L453);

in der Grabinschrift des Caius Vibius Trophimus aus der Basilika B (277/L385);

in der Grabinschrift des Lucius Iunius Maximus aus Ἅγιος Ἀθανάσιος (429/L075);

in der Grabinschrift für Titus Flavius Alexander aus Drama (502/L247);

in der Grabinschrift des Sklaven Lucius, eines Anhängers des Liber Pater (hier als *Dis inferis Manibus*) aus Χαριτωμένη (525/L104);

in der Grabinschrift des *aedilis* Publius Marronius Narcissus (714/L111; unbekannter Herkunft);

in der Grabinschrift des Caius Iulius Longinus (die Inschrift wurde zwar in Reate gefunden; Longinus war aber *domo Voltinia Philippis Macedonia*; 756/L701, Z. 4–6);

in der Grabinschrift für die Eltern des Decimus Furius Octavius (758/L699; diese Inschrift wurde zwar in Rom gefunden; Octavius stammt aber aus Philippi);

in der Grabinschrift des Quintus Vilanius Nepos (diese Inschrift wurde zwar in Karthago gefunden; Nepos war aber aus Philippi; 767/L745);

sowie in einigen noch nicht publizierten Inschriften, die sich im Museum in Philippi befinden.

Hierher kann man auch die Inschrift 048/L304 aus Φίλιπποι stellen, wo ein jährliches Opfer für die *manes inferi* angeordnet wird: *ut m(anibus) i(nferis) decimo kalandas paren[t]etur* (Z. 7f.).

Das griechische Pendant zu den *Dis-Manibus*-Inschriften sind die Inschriften mit der Formel Θεοῖς Καταχθονίοις, die recht weit verbreitet sind (vgl. zuletzt etwa die Inschrift aus Warschau, *saec.* I/II; unbekannter Herkunft: SEG XXXVII (1987) [1990] 1739; nach Jadwiga Kubińska: Épitaphe grecque de Rome au Musée National de Varsovie, Eos 75 (1987), S. 305–307 stammt diese Inschrift aus Rom; oder die nun verlorene Inschrift, früher Paris: SEG XXXVII (1987) [1990] 1741; in beiden Fällen handelt es sich um Grabinschriften mit Θ Κ in der ersten Zeile; eine ganze Reihe weiterer Beispiele läßt sich unschwer auf der PHI-CD-ROM #6 finden), sich aber in Philippi bisher nicht nachweisen lassen (das Wort καταχθόνιος kommt in den Inschriften aus Philippi nicht vor).

Portefaix zieht diese Inschrift im Zusammenhang mit dem Philipperhymnus heran (zu Phil 2,10: ἵνα ἐν τῷ ὀνόματι Ἰησοῦ πᾶν γόνυ κάμψῃ, ἐπουρανίων καὶ ἐπιγείων καὶ καταχθονίων): „... there is a surviving altar furnished with the inscription ΘΕΩ ΥΠΟΓΑΙΩ ..., a fact which – along with the above-mentioned story about the rape of Persephone within the colony ... – shows the interest of the Philippians in matters referring to the afterlife." (S. 148; die Geschichte von Persephone steht bei Appian: *Bellum civile* IV 105.)

093/L464   **Ehreninschrift für Lucius Tatinius Cnosus**
I

Collart, S. 352 mit Anm. 1.
Paul Collart: Inscriptions de Philippes, BCH 62 (1938), S. 409–432; hier S. 420f., Nr. 7 mit Abb. 4.
AÉ 1939 [1940] 187.

Raktcha. „Partie supérieure d'une grande base, mutilée, et taillée en vue d'un remploi. Les moulurations ont été grossièrement ravalées et la pierre coupée à la hauteur de la deuxième ligne de l'inscription" (Collart, Inscriptions, S. 420). „Gravure peu profonde. Points séparatifs. A noter le F plus petit à la fin de la première ligne" (Collart, S. 420).
Abmessungen: H. 0,29; B. 0,70; D. 0,39; H. der Buchstaben 0,085.

> L(ucio) Tatinio L(uci) f(ilio)
> Vol(tinia) Cnoso ...

> Für Lucius Tatinius Cnosus, den Sohn des Lucius, aus der Tribus
> Voltinia ...

Der hier geehrte Lucius Tatinius Cnosus ist von zwei Forumsinschriften her bekannt (202/L313 und 203/L314). Die Ehreninschrift 202/L313 (vor 96 datiert) bietet die Stationen seiner Laufbahn. „Notre inscription peut donc être datée avec certitude des dernières années du Ier siècle de notre ère" (Collart, S. 421).

094/L590   **Weihinschrift für Liber und Libera**

Collart, S. 399, Anm. 7; S. 414, Anm. 1 (der für BCH 61 (1937) angekündigte Aufsatz ist offenbar nicht erschienen).
AÉ 1939 [1940] 197.
Band I, S. 102 mit Anm. 33.

Rakchta. Collart bietet keine näheren Angaben.

[L]ibe[ro]
[et] Lib[erae]
[s]acrum ...
[...]SEN[...]
5 Mercu[r...]

Dem Liber und der Libera ist es geweiht. ... Mercur ...

Diese Inschrift stammt vielleicht aus dem Heiligtum des Liber und der Libera unter dem Haus mit Bad im Süden des Forums (vgl. 338/L333; dort auch eine Liste aller Belege für Liber und Libera aus Philippi).

Z. 5 Bemerkenswert ist die Tatsache, daß neben Liber und Libera am Schluß auch noch Mercurius genannt wird (zur Verehrung dieses Gottes vgl. Collart, S. 398f., wo die Inschriften 094/L590, 164/L001, 225/L308, 250/L374, 514/L246 angeführt werden; neu hinzugekommen ist mittlerweile 485/L617). Doch ist in diesem Fall Vorsicht geboten: „Il peut s'agir d'un nom théophore" (Collart, S. 399, Anm. 7).

Fragment einer lateinischen Inschrift   095/L346

Collart, S. 417 mit Anm. 2 (der für BCH 61 (1937) angekündigte Aufsatz ist offenbar nicht erschienen).
Band I, S. 102 mit Anm 34.

Raktcha. Collart macht keine weiteren Angaben.
Die Publikation durch Collart umfaßt nur einen Teil der (fragmentarischen) Inschrift. Ich gebe im folgenden nur den von Collart publizierten Teil der Inschrift wieder, da die übrigen Zeilen als unpubliziert zu gelten haben.
Der Stein mit der Inventarisierungsnummer Λ 691 befindet sich heute (1993) im Museum in Philippi, im Hof unterhalb des Foyers.
Dia Nummer 210/1993.

[...] ut eorum [...]
[...] thiasum muner[...]
[...] eorum celebrent
scriberentur [...]

Z. 2 Das Wort *thiasus*, das für die Collartsche Interpretation dieser Inschrift (s. unten) von kardinaler Bedeutung ist, kommt in der lateinischen Form in Philippi in folgenden Inschriften vor:
340/L589 aus dem Haus mit Bad: *thiasus Maenad(um)*;
524/L103 aus Χαριτωμένη: *Bithus donavit thiasis Lib(eri) Pat(ris) Tasibast(eni)* ✶ *CC* ...;

525/L104 aus Χαριτωμένη: *Lucius thiasis Lib(eri) Pat(ris) Tasibasten(i) donavit* ✳ *C* ...;

529/L106 aus Φωτολίβος: ... *[donavit thiasis] Baçc[hi].*

Collart bemerkt folgendes: „A Raktcha, une inscription latine mutilée semble être un fragment de règlement religieux relatif au culte du même dieu [d.h. Liber Pater], car on y lit le mot *thiasum*" (S. 417).

096/G626
III/IV

Grabinschrift des Μενεκλῆς

Χάϊδω Κουκούλη-Χρυσανθάκη, ΑΔ 34 (1979) Β´2 Χρονικά [1987], S. 331 mit Abb. auf Tafel 144γ.
SEG XXXVIII (1988) [1991] 659.
Miltiade Hatzopoulos, BÉ 1989, Nr. 474 [a].

Κρηνίδες. Den genauen Fundort dieser Grabstele aus Marmor gibt Κουκούλη-Χρυσανθάκη nicht an.

Abmessungen: H. 0,74; B. (oben) 0,31; B. (unten) 0,34; D. 0,19; H. der Buchstaben 0,02–0,03; Zeilenzwischenraum 0,02–0,025.

Jetzt im Museum in Philippi (Inventarisierungsnummer Λ 1349).

Dia Nummer 416/1991.

Μνήμη	5 τεμισίῳ
Μενεκλῆ-	τριτικά-
δος τελευ-	δι.
τ(ήσαντος) μηνὶ Ἀρ-	

1 SEG: Μνήμῃ (dann wäre zu übersetzen: „Der Erinnerung an Menekles usw."). **2–4** SEG: Μενεκλῆ|δος· τελευ|τ(ᾷ).

Grab des Menekles, gestorben im Monat Artemisios ...

Z. 2f. Μενεκλῆς ist ein gebräuchlicher Name, der Genitiv Μενεκλῆδος ist allerdings nirgendwo zu finden. IEph 4234 hat immerhin Μενεκλῖδος (eine Frau):

[τ]ὸ ἡρῶόν ἐσ-	καὶ τοῦ ἀνδρὸς
τιν Πομπηΐας	5 αὐτῆς Τυχασί-
Μενεκλῖδος	ου· ζῶσιν.

Z. 4f. Ἀρτεμίσιος ist ein makedonischer Monatsname (der siebte Monat im makedonischen Kalender, vgl. Kalléris II 1, S. 566).

Z. 6f. Was heißt τριτικάδι? Ist τρίτη καὶ δεκάτη zu verstehen? Hatzopoulos schlägt als Datierung III/IV vor (BÉ 1989, Nr. 474 [a]).

Lateinische Grabinschrift   097/L627

Χάϊδω Κουχούλη-Χρυσανθάκη, ΑΔ 34 (1979) Β΄2 Χρονικά [1987], S. 331 (keine Abb.).

Κρηνίδες. Den genauen Fundort gibt Κουχούλη-Χρυσανθάκη nicht an: Επιτύμβια ενεπίγραφη στήλη με καμπύλο το επάνω άκρο που σώζει και το μεγαλύτερο μέρος του μαχριού συμβόλου της (Κουχούλη-Χρυσανθάκη, S. 331). Abmessungen: H. 1,14; B. (oben) 0,46; D. 0,14; H. der Buchstaben wird nicht angegeben.
Jetzt im Museum in Philippi (Inventarisierungsnummer Λ 1352).
Dia Nummer 418/1991.

> In front(e)
> pedes XV
> in agro
> pedes XV.

(Die Grabanlage mißt) fünfzehn Fuß in der Breite, fünfzehn Fuß in der Tiefe.

Griechische Versinschrift des Μάρχελλος   098/G263
                                                II

A. Salač: Inscriptions du Pangée, de la région Drama-Cavalla et de Philippes, BCH 47 (1923), S. 49–96; hier S. 83f. (Nr. 2).
SEG II (1925) 423.
Werner Peek [Hg.]: Griechische Vers-Inschriften, Band I: Grab-Epigramme, Berlin 1955, Nr. 1972 (S. 617).
IG X 2,1, Nr. 1034 (S. 285).

Philippi: Östlicher Friedhof. Die Inschrift wurde gefunden „à 350 pas à l'Est de la porte de Néapolis, dans un champ près d'une maison en ruines et d'une fontaine turque, au bord de la route de Cavalla à Drama" (Salač, S. 83).
Marmoraltar. H. 1,58; B. 1,03; beschriebene Fläche H. 0,90; B. 0,80; H. der Buchstaben 0,045–0,03; Zeilenzwischenraum 0,025–0,02. Schrift aus dem 2. Jh. n. Chr. (Salač, ebd.).

> Οὔνομά μοι [Μάρχελλος]·
> [ἄ]τη, φίλε μου, [μ' ἐφόνευσεν].
> [πατρὶ]ς Θεσσαλονεί[χη]
> [ἐπαί]δευσεν δέ με ῥήτω[ρ]
> 5 [ὁ] θρέψας Ξενοφῶ[ν],
> [καὶ] τάφον ἀνφέβα[λεν].

folium vacat folium
[β]ωμῷ ὑπ' αἰγλήεντι πανείχελος
ἀστέρι χοῦρος
10 Μάρχελλος χεῖμαι τεσσα-
ραχαιδεχέτης.

2   SEG (G. Croenert), Peek: ἔ]τη, φίλε, μοῦ[να δὶς ἑπτά]. Edson, IG X: ἔ]τη, φίλε, μοῦγ[α
δὶς ἑπτά].

Mein Name ist Markellos. Eine Verletzung, mein Freund, töte-
te mich. Meine Vaterstadt ist Thessaloniki, es bildete mich aber
der Rhetor Xenophon, der mich aufzog, aus, und er warf den
Grabhügel auf. Unter dem glänzenden Altar liege ich, der vier-
zehnjährige Knabe Markellos, in allem wie ein Stern.

„L'épigramme est composée de cinq vers: un hexamètre suivi de deux disti-
ques élégiaques" (Salač, S. 84).
Salač sieht eine Verwandtschaft zwischen der vorliegenden Inschrift und
129/G264; zu dieser und dem Schluß, den Salač daraus zieht, siehe den
Kommentar zu 129/G264.
   Z. 1   Μάρχελλος trug Salač zufolge neben diesem hellenisierten römischen Namen auch *praenomen* und *cognomen* (anders Perdrizet; s. den Kommentar zu 129/G264 am Ende). Salač hält den Μάρχελλος für den Sohn eines
verstorbenen Veteranen (S. 86). „... né à Salonique, Markellos est venu à
Philippes, comme orphelin, nous le devons supposer, et il a été confié aux
soins d'un rhéteur ..." (S. 84).

099/G542   **Griechische Grabinschrift**
IV

Στυλιανός Πελεχανίδης: Παλαιοχριστιανικός τάφος εν Φιλίπποις, in: Tortulae. Studien zu altchristlichen und byzantinischen Monumenten, RQ.S 30, Freiburg
1966, S. 213–228; wieder abgedruckt in: ders.: Studien zur frühchristlichen und
byzantinischen Archäologie, IMXA 174, Thessaloniki 1977, S. 67–74; hier S.
68ff. (Photo).
Feissel, Nr. 234, S. 199 (Tafel 55).

Κρηνίδες: Bei der Quelle. Πελεχανίδης sagt: εις την παρά την χοινόχρη-
στον χρήνην του χωρίου Κρηνίδες θέσιν (a.a.O., S. 67). Hier wurden zwei
Kammergräber entdeckt; eines dieser Gräber (Maße: 2,28x1,73x1,95) ist an
den beiden Schmalseiten mit Wandmalereien geschmückt. Die östliche Darstellung (ein Kreuz in der Mitte, links und rechts je ein Vogel) wird von der
vorliegenden Inschrift gerahmt.

Halbkreisförmig:
† K(ύρι)E EΛEHCON HMAC KAI ANACTHCON HMAC
TOΥC EN TH OPΘH
Horizontal:
[ΠΙ]CT\<EI> ENΘAΔE KOIMHΘENTAC †

K(ύρι)ε ἐλέησον ἡμᾶς καὶ ἀνάστησον ἡμᾶς τοὺς ἐν τῇ ὀρθῇ
[πί]στ\<ει> ἐνθάδε κοιμηθέντας.

2   Auf dem Stein: [ΠΙ]CTI.

Herr, erbarme dich unser und wecke uns auf, die wir im richtigen
Glauben hier schlafen.

Die Datierung stammt von Πελεκανίδης (Mitte des 4. Jahrhunderts); es
handle sich hier um denselben Maler, der auch das Grab des Φαυστίνος
und des Δονάτος (unten 101/G544) ausgeschmückt habe (S. 70f.).

Z. 1–2   Die Formulierung ἐν τῇ ὀρθῇ πίστει wird vom Herausgeber Πελεκανίδης ausführlich diskutiert (S. 73f.). Sie sei gleichbedeutend mit der anderwärts epigraphisch bezeugten ὀρθόδοξος πίστις, welche wiederum nicht
anderes als die καθολικὴ πίστις sei. Daraus sei zu schließen, daß es zur Zeit
dieser Inschrift – d.h. also in der Mitte des 4. Jahrhunderts – in Philippi nicht
nur Anhänger der ὀρθὴ πίστις, sondern auch Arianer gegeben habe: Η προ-
βολή δε τρόπον τινα των κοιμηθέντων εν τῇ ὀρθῇ πίστει της επιγραφής διά
του ἡμᾶς προϋποθέτει, πιστεύω, όχι μόνον την ύπαρξιν, αλλά και την έξαρσιν
της αιρετικής κινήσεως και εις την χριστιανικήν κοινότητα των Φιλίππων, της
οποίας η εκκλησία, ως τουλάχιστον εκ των επιταφίων επιγραφών τεκμαίρεται,
συνετάξατο τη Καθολική πίστει. Το ἡμᾶς ετέθη διά να αντιδιαστείλη τους
ως ορθοδόξους κοιμηθέντας προς τους αιρετικούς (S. 73f.).

Grabstein des Presbyters und Arztes Paulus   100/G543
IV/V

Στυλιανός Πελεκανίδης: Η έξω των τειχών παλαιοχριστιανική βασιλική των Φιλίπ-
πων, AE 1955 (1961), S. 114–179; wieder abgedruckt in: ders.: Studien zur
frühchristlichen und byzantinischen Archäologie, IMXA 174, Thessaloniki 1977,
S. 333–394; hier Nr. 1, S. 379f. (mit Photo: Abb. 37).
R.F. Hoddinott: Early Byzantine Churches in Macedonia and Southern Serbia. A
Study of the Origins and the Initial Development of East Christian Art, London
1963; hier S. 103.
Jeanne Robert und Louis Robert, BÉ 1963, Nr. 140 [a].
SEG   XIX (1963) 440.
Feissel, Nr. 237, S. 200f. (Tafel 56).
Band I, S. 118 mit Anm. 14; S. 241.

Basilika *extra muros*. Die Inschrift wurde oberhalb des Grabes A gefunden (die Beschreibung der Grabkammer bei Πελεκανίδης, a.a.O., S. 369–370).

Platte aus weißem Marmor, oben links und unten rechts beschädigt, aus sechs Teilen zusammengesetzt. Abmessungen: H. 0,85; B. 0,98. H. der Buchstaben 0,04.

> Κοιμητήριον Παύ[λου]
> πρεσβ(υτέρου) καὶ ἰατροῦ
> Φιλιππησίων.
> κ(ύρι)ε Ἰ(ησο)ῦ Χ(ριστ)ὲ ὁ θ(εὸ)ς ὁ ποιήσας
> 5 ἀπὸ τῶν μὴ ὄντων εἰ[ς]
> εἶναι ἐν τῇ ἡμέρᾳ τῆ[ς]
> κρίσεως μὴ μνησθ<εὶ>ς
> τῶν ἁμαρτιῶν μου ἐλέ-
> ησόν με.

4 Πελεκανίδης irrtümlich: κ(ύριε). 7 Auf dem Stein: MNHCΘHC. Jeanne Robert und Louis Robert präferieren den „texte authentique" und lesen μνησθῇς.

Grab („Schlafzimmer") des Paulus, Presbyter und Arzt der Philipper. Herr Jesus Christus, Gott, der du aus dem Nichtseienden in das Seiende schaffst, an dem Tag des Gerichts gedenke meiner Sünden nicht und erbarme dich meiner.

Z. 1 Zu dem spezifisch christlichen Wort κοιμητήριον vgl. den Kommentar bei 077/G067. Die Ergänzung zu Παύλου ist so gut wie sicher (auch aus Platzgründen: Πελεκανίδης, S. 380).
Z. 2 Πελεκανίδης weist (ebd.) darauf hin, daß es in der Alten Kirche selten sei, daß ein geistlicher Würdenträger auch noch einem weltlichen Beruf nachgeht.

101/G544
IV
Grabstein der Presbyter Φαυστῖνος und Δονᾶτος

Στυλιανός Πελεκανίδης: Η ἔξω τῶν τειχῶν παλαιοχριστιανική βασιλική τῶν Φιλίππων (wie zuvor bei 100/G543); hier Nr. 2, S. 381 (mit Photo: Abb. 38).
R.F. Hoddinott: Early Byzantine Churches in Macedonia and Southern Serbia. A Study of the Origins and the Initial Development of East Christian Art, London 1963; hier S. 104.
Jeanne Robert und Louis Robert, BÉ 1963, Nr. 140 [b].
SEG XIX (1963) 441.
Feissel, Nr. 235, S. 199f. (Tafel 55).
Band I, S. 118, Anm. 14; S. 241.

Basilika *extra muros*. Die Inschrift wurde oberhalb des Grabes B gefunden (die Beschreibung dieser Grabkammer bei Πελεκανίδης, a.a.O., S. 370ff.). Platte aus weißem Marmor, aus zwei Stücken zusammengesetzt. Abmessungen: H. 1,40; B. 1,13; H. der Buchstaben 0,06. Heute im Museum Philippi, im Erdgeschoß, d.h. in der byzantinischen Abteilung, gleich wenn man hineinkommt, links (keine Inventarisierungsnummer). Dia Nummer 204–208/1990; 26.27/1992.

Κοιμητήριον τῶν εὐλαβεστάτων
πρεσβ(υτέρων) Φαυστίνου καὶ Δ<ο>νάτου
τῆς καθολικῆς καὶ ἀποστολικῆς
ἁγίας ἐκκλησίας Φιλιππησίων.
folium vacat folium

2 Auf dem Stein: ΠΡΕCΒΒ mit einem hochgestellten kleinen S dahinter als Markierung der Abkürzung. Jeanne Robert und Louis Robert irrtümlich: Φωστείνου. Auf dem Stein: ΔΩΝΑΤΟΥ. Jeanne Robert und Louis Robert präferieren den „texte authentique" und lesen Δωνάτου. 3 Jeanne Robert und Louis Robert lassen ἁγίας versehentlich aus.

Grab („Schlafzimmer") der sehr gottesfürchtigen Presbyter der katholischen und apostolischen heiligen Gemeinde der Philipper, Faustinus und Donatus.

Πελεκανίδης datiert diese Inschrift samt dem zugehörigen Grab in die Mitte des 4. Jahrhunderts (vgl. zu dem Münzfund im Grab a.a.O., S. 372; zur Datierung aufgrund dieser Münzen – μεταξύ τῶν ἐτῶν 337–361 – a.a.O., S. 389; zu den Wandmalereien im Τάφος Β a.a.O., S. 370.372; zu Malereien von der Hand desselben Künstlers vgl. oben bei 099/G542).

Z. 1 Zu dem spezifisch christlichen Wort κοιμητήριον vgl. den Kommentar bei 077/G067.

Grabstein der Presbyter Γουράσιος und Κωνστάντιος

102/G545
IV/VI

Στυλιανός Πελεκανίδης: Η ἔξω τῶν τειχῶν παλαιοχριστιανική βασιλική τῶν Φιλίππων (wie zuvor bei 100/G543); hier Nr. 3, S. 381 (mit Photo: Abb. 39).
R.F. Hoddinott: Early Byzantine Churches in Macedonia and Southern Serbia. A Study of the Origins and the Initial Development of East Christian Art, London 1963; hier S. 104.
Jeanne Robert und Louis Robert, BÉ 1963, Nr. 140 [c].
SEG XIX (1963) 442.
Feissel, Nr. 236, S. 200.
Band I, S. 241.

Basilika *extra muros*. Den genauen Fundort dieser Inschrift kann man der Publikation von Πελεκανίδης nicht entnehmen.

Platte aus weißem Marmor, aus vier Teilen zusammengesetzt. Abmessungen: H. 1,19; B. 0,90; H. der Buchstaben 0,05–0,07. Heute im Museum in Philippi (Inventarisierungsnummer Λ 94); im Erdgeschoß, d.h. in der byzantinischen Abteilung, vom Eingang aus gesehen die dritte auf der linken Seite. Dia Nummer 28.29/1992.

Κ<οι>μητήρι(ον)   5 Κωνσταντίου
τῶν θεοφ<υ>λά(κτων)   ἀναπαυσαμ(ένων) ἐν Χ(ριστ)ῷ
πρεσβ(υτέρων)   Ἰνδ(ικτιῶνος) ιδ΄.
Γουρασίου καὶ

1 Auf dem Stein: ΚΥΜΗΤΗΡ mit S dahinter zur Markierung der Abkürzung. **2** Auf dem Stein: ΘΕΟΦΙΛΛSS; Feissel liest θεοφιλ(εστάτων). **3** Auf dem Stein: ΠΡΕΣΒΒSS. **6** Auf dem Stein: ΑΝΑΠΑΥΣΑΜs. Jeanne Robert und Louis Robert geben irrtümlich Χ(ριστῷ). **7** Auf dem Stein: ΙΝΔS sowie ῑΔ.

Grab („Schlafzimmer") der von Gott beschützten Presbyter Gourasios und Konstantios; sie ruhen in Christus. Im vierzehnten Jahr der Indiktion.

Z. 1 Zu dem spezifisch christlichen Wort κοιμητήριον vgl. den Kommentar bei 077/G067.

Z. 2 θεοφύλακτος ist eine christliche Prägung (fehlt bei LSJ; Lampe, S. 643, gibt „guarded by God"); die Belege bei Lampe sind relativ spät.

Z. 5 Der Name Κωνστάντιος begegnet auch in der Inschrift 734/G749 vom jüdischen Friedhof in Thessaloniki.

Z. 7 „Die Indiktion gibt an, welche Stelle das Jahr in dem 15-jährigen Zyklus der byzantinischen Steuerverwaltung einnahm; doch wird nur die Zahl des Jahres, nicht aber die Nummer des Zyklus mitgeteilt" (Hans Lietzmann: Zeitrechnung der römischen Kaiserzeit, des Mittelalters und der Neuzeit für die Jahre 1–2000 nach Christus, SG 1085, Berlin [2. Aufl.] 1946, S. 7). Οὐδεμία χρονολογία εἶναι δυνατόν νὰ καθορισθῇ ἐλλείποντος τοῦ μηνός καὶ τῆς ἡμέρας (Πελεκανίδης, S. 382).

103/G546
IV/V
        Grabstein des πρωτοπρεσβύτερος Παῦλος

Στυλιανός Πελεκανίδης: Η ἔξω τῶν τειχῶν παλαιοχριστιανικὴ βασιλικὴ τῶν Φιλίππων (wie zuvor bei 100/G543); hier Nr. 4, S. 382f. (mit Photo: Abb. 40).

R.F. Hoddinott: Early Byzantine Churches in Macedonia and Southern Serbia. A Study of the Origins and the Initial Development of East Christian Art, London 1963; hier S. 104.

Jeanne Robert und Louis Robert, BÉ 1963, Nr. 140 [d].

SEG XIX (1963) 443.

Feissel, Nr. 238, S. 201f. (Tafel 56).

Στυλιανός II. Ντάντης: Απειλητικαί εκφράσεις εις τας ελληνικάς επιτύμβιους παλαιοχριστιανικάς επιγραφάς. Επιγραφική συμβολή εις την έρευναν πλευρών του παλαιοχριστιανικού βίου, Diss. Athen 1983, S. 122 u. S. 154.

Band I, S. 118, Anm. 14; S. 241.

Φίλιπποι-Führer, S. 88, Abb. 76.

Basilika *extra muros*. Die Inschrift steht auf dem Deckel der Larnax des Grabes H (zu diesem Grab Πελεκανίδης, a.a.O., S. 377).

Platte aus grobkörnigem, weißem Marmor, aus zwei Teilen zusammengesetzt.

H. 2,16; B. 0,86; H. der Buchstaben 0,04. Zu Beginn und am Ende der Inschrift findet sich ein lateinisches Kreuz, das genauso groß ist wie die Buchstaben.

Heute im Museum in Philippi (Inventarisierungsnummer Λ 202 [im Φίλιπποι-Führer wird dagegen die Inventarisierungsnummer Λ 1854 angegeben]), byzantinische Abteilung.

Dia Nummer 36.37.38/1992.

 † Κ<οι>μητήριον Παύλου
 πρεσβ<υ>τέρου τῆς Φι-
 λιππ<η>σίων ἁγίας τοῦ
 θεοῦ ἐκ<κ>λησίας. <εἴ> τις δὲ
5 μετὰ τὴν ἐμὴν κατάθε-
 σιν ἐπιχειρήσει ἐνθάδε ἕτερον θεῖναι νεκρόν, λόγον δώσει τῷ θεῷ· ἔστιν γὰρ μονό-
 σωμον πρωτοπρεσβ<υ>τέρου. †

Jeanne Robert und Louis Robert halten durchweg an der Orthographie auf dem Stein als dem „texte authentique" fest.
1 Auf dem Stein: ΚΥΜΗΤΗΡΙΟΝ. **2** Auf dem Stein: ΠΡΕΣΒΟΙΤΕΡΟΥ. **2f.** Auf dem Stein: ΦΙΛΙΠΠΙΣΙΩΝ. **4** Auf dem Stein: ΕΚΛΗΣΙΑΣ, ΗΤΙΣ. **9** Auf dem Stein: ΠΡΩΤΟΠΡΕΣΒΟΙΤΕΡΟΥ.

Grab („Schlafzimmer") des Paulus, des Presbyters der heiligen Gemeinde Gottes der Philipper. Wenn aber einer es wagen wird, nach meiner Beerdigung hier einen anderen Toten hineinzulegen, soll er Gott Rechenschaft ablegen. Denn dies ist (eine Grabanlage) für eine Leiche, (und zwar die) des ersten Presbyters (Vorsitzenden des Presbyteriums).

Z. 1 Zu dem spezifisch christlichen Wort κοιμητήριον vgl. den Kommentar bei 077/G067.

Z. 4 Hier wird die weit verbreitete pagane Formel umgeprägt: Heißt es auf den paganen Grabsteinen: „... soll Strafe zahlen der Stadt (dem Fiskus o.ä. [bei jüdischen Grabsteinen kann hier auch die Synagoge genannt werden, so CIJ 799; vgl. jetzt auch unsere Inschrift 387a/G813!]) ... ", so wird hier gesagt: „... soll Gott Rechenschaft ablegen."

Z. 5 LSJ bietet s.v. κατάθεσις auch die Bedeutung „burial" mit einem Beleg aus dem 2. Jahrhundert (S. 891, s.v. κατάθεσις, 7.). Lampe hat das Wort nur mit der Bedeutung *„deposition* of relics" (S. 708), die hier ersichtlich nicht paßt.

Z. 8 Das Wort μονόσωμος ist offenbar sehr selten (vgl. LSJ, Suppl., S. 101, s.v., wo außer unserer Stelle nur noch ein weiterer Beleg geboten wird).

Z. 9 Ebenfalls selten ist πρωτοπρεσβύτερος, LSJ bietet S. 1545, s.v. nur einen Beleg und trägt im Suppl., S. 129, s.v. unsere Stelle nach. Christliche Belege bei Lampe, S. 1201, s.v.; er schlägt vor „senior presbyter".

104/G547   Grabstein des τριβοῦνος νοταρίων Ἀνδρέας
V

Στυλιανός Πελεκανίδης: Ἡ ἔξω τῶν τειχῶν παλαιοχριστιανικὴ βασιλικὴ τῶν Φιλίππων (wie zuvor bei 100/G543); hier Nr. 5, S. 383f. (mit Photo: Abb. 41).

R.F. Hoddinott: Early Byzantine Churches in Macedonia and Southern Serbia. A Study of the Origins and the Initial Development of East Christian Art, London 1963; hier S. 104.

Jeanne Robert und Louis Robert, BÉ 1963, Nr. 140 [e].

SEG XIX (1963) 444.

Feissel, Nr. 247, S. 207f. (Tafel 58).

Band I, S. 241.

Φίλιπποι-Führer, S. 89, Abb. 77.

Basilika *extra muros*. Die Platte mit der Inschrift war als Abdeckung des Grabes Δ verwendet worden (zu diesem Grab vgl. Πελεκανίδης, a.a.O., S. 375f.).

Platte aus weißem Marmor, auf der linken Seite und unten beschädigt.

H. 2,00; B. 1,09; H. der Buchstaben 0,06. Zu Beginn der Inschrift ein Kreuz und am Ende ein Efeublatt, jeweils gleich groß wie die Buchstaben.

Heute im Museum in Philippi (Inventarisierungsnummer Λ 193 [im Φίλιπποι-Führer wird dagegen die Inventarisierungsnummer Λ 93 angegeben]), das vierte Stück links in der byzantinischen Abteilung.

Dia Nummer 30.31.32.33/1992.

> † Ἐνθάδε κ<εῖ>ται Ἀνδρέας
> οὗ τὸ ἐπίκλην Κομιτᾶ(ς) ὁ
> πιστὸς τριβοῦνος νο-
> ταρίων, συνετὸς ὤν, ἡλι-
> 5 κία, κάλλος καὶ εὐγέν<ε>ια
> {α} πολλὴ ἦν παρ' αὐτῷ·

οὗτος δ' ἐτελεύτα ἐτῶν
δέκα ὀκτὼ παρὰ μῆ(να) α´ ἡμ(έρας) ς´. folium

1 Auf dem Stein: ΚΙΤΑΙ. Πελεκανίδης gibt irrtümlich ΚΙΤΕ. **5** Auf dem Stein: ΕΥΓΕ-
ΝΙΑ. **6** Jeanne Robert und Louis Robert irrtümlich: πολή. **8** Πελεκανίδης: μη. α´ ἡμ.
mit der Interpretation: ἕνα μῆνα καὶ ἡμέραν μίαν. Text nach Feissel. Auf dem Stein M mit
einbeschriebenem H, danach ein Ā, dann ein H mit einbeschriebenem M und schließlich
ein S.

Hier liegt Andreas mit dem Beinamen Komitas begraben, der
treue Tribunus Notariorum, der verständig war und groß, schön
und sehr edel. Dieser verstarb im Alter von achtzehn Jahren
weniger einen Monat und sechs Tage.

Z. 3 Πελεκανίδης kommentiert zu dem τριβοῦνος νοταρίων: Αξίωμα ιδιαιτέραν περιβληθέν σημασίαν επί Κωνσταντίνου του Μεγάλου διά της ιδρύσεως
της Schola notariorum, της οποίας τα μέλη έφερον κατ' αρχάς και τον στρα-
τιωτικόν τίτλον tribunus. H Schola notariorum απετέλει ιδιαιτέραν τελείως
τάξιν ανωτέρων δημοσίων λειτουργών, των οποίων ο αρχαιότερος, ο primi-
cerius notariorum, εξηρτάτο αμέσως από του αυτοκράτορος. Οι αυτοκρατο-
ρικοί notarii υπηρέτουν όχι μόνον ως αρχιγραμματείς του αυτοκρατορικού
Συμβουλίου, αλλ' από των μέσων του 4ου αιώνος απεστέλλοντο και ως αυ-
τοκρατορικοί εκπρόσωποι (κομμισσάριοι) με πλήρη εξουσιοδότησιν εις τας
επαρχίας (S. 384).

Grabstein mit griechischer Inschrift

105/G548
IV/V

Στυλιανός Πελεκανίδης: Η έξω των τειχών παλαιοχριστιανική βασιλική των Φιλίπ-
πων (wie zuvor bei 100/G543); hier Nr. 6, S. 385 (mit Photo: Abb. 42).
SEG XIX (1963) 445.
Feissel, Nr. 240, S. 203 (Tafel 57).
Band I, S. 241.

Basilika *extra muros*. Die Inschrift steht auf einer Marmorplatte, welche
als Bedeckung des Grabes I diente (zu diesem Grab Πελεκανίδης, a.a.O., S.
378).
Platte aus grobkörnigem Marmor aus Drama, oben und rechts beschädigt.
H. 1,78; B. 0,65; H. der Buchstaben bis zu 0,07.
Heute im Museum in Philippi (Inventarisierungsnummer Λ 1328 – zur ungewöhnlichen Inventarisierungsnummer vgl. die Bemerkung bei 112/L555):
die zweite Inschrift von rechts, im Hof, unten vor dem Gebäude.
Dia Nummer 298.299.300.301/1991; 46.47/1992.

Σιρο[. . .]   5 πρὸ α´ [Νο-]
κομι[. . .]   νῶν *vac.*
ος *vac.*   Ὀκτωβρί[ων].
ἐκ<οι>[μήθη . . .]

1 Heute nur noch CIP erhalten.   **2** Heute nur noch ΚΟΜΙ. Für Z. 2f. erwägt Feissel κομι[τιαν]ός, vgl. Lampe, s.v.   **4** Feissel (mit dem Stein): ἐκυ. Πελεκανίδης sinnvollerweise
ἐκ<οι>.   **5** Feissel: [νω].   **7** Πελεκανίδης irrtümlich: Ὀκτωβρίων.

. . . verstorben am sechsten Oktober.

106/G549   **Grabstein des Presbyters Εὐστάθιος**
IV/V

Στυλιανός Πελεκανίδης: Η ἔξω των τειχῶν παλαιοχριστιανική βασιλική των Φιλίπ-
πων (wie zuvor bei 100/G543); hier Nr. 7, S. 385 (mit Photo: Abb. 43).
SEG XIX (1963) 446.
Feissel, Nr. 239, S. 203 (Tafel 57).
Band I, S. 241.

Basilika *extra muros*. Platte aus weißem Marmor.
Abmessungen: H. 1,00; B. 0,39; D. 0,145; H. der Buchstaben 0,04; 0,05; 0,06.
In zweiter Verwendung als oberste Stufe des Eingangs zum Diakonikon ge-
braucht. Über der Inschrift Verzierungen (mit Kreuz). Vor dem ΠΡΕC in Z.
2 Monogramm von drei Buchstaben: Ε, Υ, Λ (Δεν ηδυνήθην να αναγνώσω το
συμπίλημα του ονόματος [Πελεκανίδης]; er denkt an Εὔπλος oder Εὔπλους),
bzw. vier Buchstaben: Ε, Υ, C, Τ – so Feissel, der diese zu dem Namen
Εὐστ(αθίου) ergänzen möchte.
Der Stein befindet sich heute (1992) noch *in situ* in der Basilika *extra muros*.
Dia Nummer 276.277.278/1992.

    folium   †   *folium*
    Κοιμ(η)τ(ήριον)
    Εὐστ(αθίου) πρεσ(βυτέρου).

1 Auf dem Stein ΚΟΙΜΤ und das Abkürzungszeichen S.   **2** Πελεκανίδης: Εὔ(π)λ(ος;
oder ους) Πρεσ(βυτέρου). Auf dem Stein über dem C des ΠΡΕC das Abkürzungszeichen
S.

Grab („Schlafzimmer") des Presbyters Eustathios.

Z. 1 Zu dem spezifisch christlichen Wort κοιμητήριον vgl. den Kommentar bei 077/G067.

Grabepigramm

Στυλιανός Πελεκανίδης: Η έξω των τειχών παλαιοχριστιανική βασιλική των Φιλίππων (wie zuvor bei 100/G543); hier Nr. 8, S. 385f. (mit Photo: Abb. 44).
SEG XIX (1963) 447.
Χαράλαμπος Μπακιρτζής: Έκθεση παλαιοχριστιανικών αρχαιοτήτων στο Μουσείο Φιλίππων, ΑΑΑ 13 (1980) [1981/1982], S. 90–98; hier S. 94f.
Feissel, Nr. 230, S. 194 (Tafel 54).
Band I, S. 241.

Basilika *extra muros*. Platte aus weißem Marmor, benutzt als Schwelle des Altars der späteren Kapelle. Es fehlt die rechte Hälfte.
H. 1,75; B. 0,46; D. 0,14; H. der Buchstaben 0,04–0,05; Zeilenabstand 0,04.
Heute im Museum in Philippi (Inventarisierungsnummer Λ 88).
Dia Nummer 39.40.41/1992.

Οὐδὲ θανὼν [...]	πάντας γὰρ [...]
μος ἀλλὰ σὲ π[άντες ...]	10 ειδε πᾶσιν [...]
κυδ<αί>νουσι [...]	ΠΙΟΟΙΕΥΝΟ[...]
φίης χάριν ε[...]	δικάζομεν [...]
5 ἑπτὰ γὰρ λυ[...]	τοὔνεκα C[...]
καὶ τέσσερα[ς δεκάδας ...]	θεὸς πανο[...]
οὐδενὶ οὐδ[...]	15 συνπιστιν [...]
ἔλαχες σο[...]	μακαρτατ[...]

2 Ergänzung von Feissel. **3** Feissel mit dem Stein: κυδένουσι. **5** Πελεκανίδης: ΑΥ. Feissel ergänzt λυ[κάβαντας]. **6** Πελεκανίδης: τέσσερα (?). Ergänzung von Feissel. **7** Πελεκανίδης: ΟΥ. **10** Πελεκανίδης: CIΛCITΛC III. **11** Πελεκανίδης: ΠΙΟΟΙΕΥΠ[...]. **13** Πελεκανίδης: τοὔνεκα [...]. **14** Πελεκανίδης: πανο. Feissel: πανό[λβιος]. **15** Feissel: σὺν πίστι Ν.

„Il n'est pas possible de traduire, ni de restituer de façon suivie, cette épigramme dont il manque au moins la moitié droite (si l'on prend pour axe de symétrie l'ornement qui la termine) et dont même le schéma métrique (hexamètres ou distiques?) ne peut être déterminé. Le mouvement du texte est cependant reconnaissable. Les lignes 1–3 reprennent un thème connu de l'épigramme hellénistique. On comparera le distique initial d'une épitaphe de Cnossos (Peek, 1513): Οὐδὲ θανὼν ἀρετᾶς ὄνυμ' ὤλεσας, ἀλλὰ σὲ φάμα | κυδαίνουσ' ἀνάγει δώματος ἐξ Ἀΐδα (cf. aussi *Anth. Pal.* VII, 690 = Peek, 1514). Je reconnais ensuite l'âge du défunt, mort à 47 ans: on pourrait hésiter à restituer τέσσερα[ς] (l. 6), qui n'est pas dactylique, si plus haut ἑπτὰ γὰρ ne constituait une faute semblable. Suivent les éloges, dont presque tout nous échappe (probablement l. 9–10 le thème »aimant tout le monde, aimé de tous«). Enfin, en récompense de ses vertus, Dieu l'a placé au nombre des bienheureux (l. 13–16). Le singulier Θεός ne prouverait pas à lui seul qu'il s'agit d'un chrétien sans la mention déterminante de la foi (l. 15)." (Feissel, S. 194.)

Die Datierung nach Feissel; anders Μπακιρτζής, der von einer μεγάλη σπασμένη επιγραφή με καλλιγραφικά γράμματα του 3ου – 4ου αι. spricht, που εαν είναι χριστιανική είναι ένα από τα πρωιμότερα παραδείγματα (S. 94f.).

108/G551 Griechisches Fragment

Στυλιανός Πελεκανίδης: Η έξω των τειχών παλαιοχριστιανική βασιλική των Φιλίππων (wie zuvor bei 100/G543); hier Nr. 9, S. 386f. (mit Photo: Abb. 45).
SEG XIX (1963) 448.
(Fehlt bei *Feissel.*)
Band I, S. 241.

Basilika *extra muros.* Fragment einer Platte aus Marmor von Drama. An allen Seiten abgebrochen.
H. 0.15; B. 0,20.

    [. . .]άσιος
    [. . .]ΜΑ *vacat*
    [. . .]ΡΩΝΧΗ

109/G552 Griechisches Fragment

Στυλιανός Πελεκανίδης: Η έξω των τειχών παλαιοχριστιανική βασιλική των Φιλίππων (wie zuvor bei 100/G543); hier Nr. 10, S. 386f. (mit Photo: Abb. 45).
SEG XIX (1963) 449.
(Fehlt bei *Feissel.*)
Band I, S. 241.

Basilika *extra muros.* Fragment einer Platte ohne Rand aus Marmor von Drama.
Abmessungen: H. 0.18; B. 0,25; H. der Buchstaben 0,05.

    † ΠΡΟCΤ[. . .]

110/G553 Grabstein des Έρακλέων
V/VI

Στυλιανός Πελεκανίδης: Η έξω των τειχών παλαιοχριστιανική βασιλική των Φιλίππων (wie zuvor bei 100/G543); hier Nr. 11, S. 386f. (mit Photo: Abb. 45).
SEG XIX (1963) 450.

Feissel, Nr. 250, S. 210 (Tafel 59).
Band I, S. 241.

Basilika *extra muros*. Fragment einer Platte aus Marmor aus Drama. An allen Seiten beschädigt. Mit Kreuz.
H. 0,33; B. 0,20; H. der Buchstaben 0,05.
Der Stein wurde zwar in der Basilika *extra muros* gefunden, aber jetzt nach Feissel „déposée près de la basilique A".
Angaben zur Inventarisierungsnummer fehlen.

> †
> Ἐρακλέ-
> ωνο[ς]
> μιμό[ριον]
> 4 ἐν τῳ [. . .]
> [. . .]

Zeile 1 und 2 verlaufen quer zu der unteren Reihe des Längsbalkens des Kreuzes.
1 Πελεκανίδης: ΕΡΑΚΛΕ. **2** Πελεκανίδης: Ω Ν. **3** Πελεκανίδης: ΜΙΜΟ. **4** Πελεκανίδης: ΕΜ Τ.

Grab des Herakleon . . .

Z. 3 μιμόριον = μημόριον = μεμόριον, vgl. LSJ, Suppl., S. 100, s.v. μημόριον (drei Belege; alle aus Makedonien). In 123/G483 findet sich μεμόριον.

Grabstein des Mauricius   111/L554
                                                    IV

Στυλιανός Πελεκανίδης: Ἡ ἔξω τῶν τειχῶν παλαιοχριστιανικὴ βασιλικὴ τῶν Φιλίπ-πων (wie zuvor bei 100/G543); hier Nr. 12, S. 387 (mit Photo: Abb. 46).
Feissel, Nr. 251, S. 210 (Tafel 59).
AÉ 1983 [1986] 890.
Band I, S. 90; S. 241.

Basilika *extra muros*. Die Inschrift steht auf einer Marmorplatte, welche als Bedeckung des Grabes Θ diente (zu diesem Grab Πελεκανίδης, a.a.O., S. 377f.).
Platte aus weißem feinkörnigem Marmor, auf der linken Seite beschädigt.
H. 1,87; B. 0,58; D. 0,10; H. der Buchstaben 0,06; Zeilenabstand 0,005–0,01.
Heute im Museum von Philippi (Inventarisierungsnummer Λ 67), in der byzantinischen Abteilung vom Eingang aus gesehen die zweite Inschrift (nach 101/G544) links.
Dia Nummer Σ181.182/1991.

†   *vacat*   †

Hic in pace requies-

c[i]t in nomine

[Ch]risti Maurici-

[us] vir clarissi-

5 [mus] ex comite.

folium

3 Feissel: *[C]ḥristi* sowie *Mauriçi-|*.   **4** Feissel: *clariṣsi-|*.   **5** Feissel: ẹx çọṃite.

Hier ruht in Frieden im Namen Christi Mauricius, ein *vir claris-simus ex comite*.

Z. 4   Eine Liste aller *viri clarissimi* bei 240/L465 vom Forum (Z. 3).

Z. 5   Nach Souter bezeichnet *comes* einen Funktionär, „sent to the provinces *by the Emperor to investigate certain matters and to report on return; one who holds a position in the Emperor's household; one who, without office, has this honorary title*" (S. 60, s.v. *comes*). In unserem Fall kommt das Letzte bzw. Vorletzte in Frage. Im AÉ findet sich die Bemerkung: „Le personnage, *ex comite*, est probablement un *honoratus*".

Πελεκανίδης datiert (S. 390) die Inschrift auf 300/320. Zur Begründung s. bei 112/L555. In AÉ liest man dazu: „à notre avis nettement plus tard".

112/L555   **Grabstein des Lauricius**
IV

Στυλιανός Πελεκανίδης: Η έξω των τειχών παλαιοχριστιανική βασιλική των Φιλίπ-πων (wie zuvor bei 100/G543); hier Nr. 13, S. 387 (mit Photo: Abb. 47).
Feissel, Nr. 252, S. 211 (Tafel 59).
AÉ 1983 [1986] 891.
Band I, S. 90; S. 241.

Basilika *extra muros*. Drei Fragmente einer Platte, beim Bau der späteren Kapelle verwendet. Am Ende der Inschrift ein Efeublatt. Unter der Inschrift ein Kreuz. Es fehlt das rechte obere Viertel.

H. 0,58–0,425; B. 1,00; H. der Buchstaben 0,07.

Feissel findet im Museum in Philippi nur noch das Hauptfragment (rechts fehlt einiges). Der Stein liegt heute im Museum von Philippi, in dem fußballplatzartigen Areal parallel zur Straße Καβάλα-Δράμα. Inventarisierungsnummer Λ 1321 (offenbar wurde dieser Stein erst sehr viel später inventarisiert als die anderen Inschriften aus der Basilika *extra muros*: 102/G545 hat die Inventarisierungsnummer Λ 94; 103/G546 hat die Inventarisierungsnummer Λ 202; usw., allerdings hat 105/G548 die Inventarisierungsnummer Λ 1328).

Dia Nummer 434/1991.

Hic in pac[e requiescit]
in nomine Ch[risti]
Lauricius [s]e̦[rvus Dei]
qui vixit an[nos] XXII. *folium*
  †

3 Πελεκανίδης irrtümlich: *Mauricius* (auf dem Stein ohne Zweifel: *Lauricius*). Sowohl
Πελεκανίδης als auch Feissel haben zwei S: LAVRICIVSSE̦. Auf dem Stein ist aber (auch
auf den gedruckten Photographien!) eindeutig nur ein S zu erkennen.

Hier ruht in Frieden im Namen Christi Lauricius, der Diener
Gottes, der zweiundzwanzig Jahre gelebt hat.

Πελεκανίδης weist darauf hin, daß 111/L554 und 112/L555 bis *dato* die
einzigen christlichen Inschriften aus Philippi sind, die lateinisch abgefaßt
sind. Alle übrigen sind griechisch. (Feissel bietet insgesamt 35 christliche
Inschriften, Nr. 218–252, darunter nur diese beiden lateinischen, d.h. das
Verhältnis ist 33:2.) Dies deute auf eine frühe Zeit. Πελεκανίδης beruft sich
ferner auf die Rede des Himerios (Mitte des 4. Jahrhunderts) in Philippi:
Diese zeige, daß zur Zeit des Himerios das Griechische herrschend war (ebd.).
Schließlich verweist er auf die Art der Buchstaben und gelangt zu einer
Datierung der beiden Inschriften auf 300/320.

Sarkophaginschrift   113/L690

Στυλιανός Πελεκανίδης: Η έξω των τειχών παλαιοχριστιανική βασιλική των Φιλίππων (wie zuvor bei 100/G543); hier S. 376f.

Basilika *extra muros*. In der Basilika *extra muros* wurden verschiedene Gräber gefunden, darunter auch Τάφος Z: Εις την πλαγίαν ΝΔ είσοδον
του νάρθηκος (Πελεκανίδης, a.a.O., S. 376). In der Kammer dieses Grabes
befand sich ein Marmorsarkophag ohne Deckel (Maße: 2,07x0,95). Επί της
δεξιάς μακράς πλευράς της σαρκοφάγου αι ελλιπείς χρονολογικαί ενδείξεις
... (ebd.).

    [...] an(nos) LIX [...]

    ... 59 Jahre ...

Da dies nicht gerade eine typisch christliche Inschrift ist (überdies lateinisch
– die christlichen Inschriften aus Philippi sind, von zwei Ausnahmen abgesehen, alle griechisch), gehört diese Inschrift wohl nicht zu dem in dem Sarkophag bestatteten Toten: Η σαρκοφάγος πιθανώτατα ενταύθα εις δευτέραν

χρῆσιν (Πελεκανίδης, a.a.O., S. 376). Zudem würde man in einer solchen Grabkammer keinen Sarkophag erwarten (zu der westlichen Wand war der Abstand gerade 0,05m, zu der östlichen 0,10m!).

Η ιδιομορφία του τάφου τούτου, η εν τω καμαρωτώ δήλον ότι θαλάμω ύπαρξις σαρκοφάγου, είναι, εξ όσων τουλάχιστον έχω υπ' όψει μου, μοναδική. Ουδαμού αλλού διεπίστωσα ουδ' εύρον παράδειγμα (Πελεκανίδης, S. 376f.).

114/G765   Grabinschrift der Εὐοδιανή und der Δωροθέα
V

Χαράλαμπος Μπακιρτζής: Ἐκθεση παλαιοχριστιανικών αρχαιοτήτων στο Μουσείο
  Φιλίππων, AAA 13 (1980) [1981/1982], S. 90–98; hier S. 95.
Valerie Ann Abrahamsen: The Rock Reliefs and the Cult of Diana at Philippi,
  Diss. Harvard Divinity School, Cambridge (Mass.) 1986, S. 145, Nr. 10.
Band I, S. 241.

Basilika *extra muros* (?). Die Angaben zur Herkunft bei Μπακιρτζής sind nicht ganz eindeutig; zunächst heißt es: Στη νότια πλευρά της αίθουσας [sc. des Museums in Philippi, wo diese christlichen Inschriften ausgestellt sind] τοποθετήθηκαν οι μαρμάρινες επιτύμβιες επιγραφές, που αποτελούν ένα ιδιαίτερα σημαντικό κεφάλαιο της ιστορίας των παλαιοχριστιανικών Φιλίππων και που προέρχονται είτε μέσα από την κοιμητηριακή βασιλική »εκτός των τειχών«, είτε από το ανατολικό νεκροταφείο που την περιβάλλει (S. 94). Bei einer der vorliegenden Inschrift vorausgehenden Nummer (= 107/G550) gibt Μπακιρτζής die Herkunft aus der Basilika *extra muros* eigens an – hier dagegen nicht. Soll man daraus schließen, daß die vorliegende Inschrift aus dem östlichen Friedhof stammt?

†
Κυμ(ητήριον) Εὐοδι-
ανῆς κὲ Δω-
ροθέας.

Grab („Schlafzimmer") der Euodiane und der Dorothea.

Z. 1 Zu dem spezifisch christlichen Wort κυμητήριον = κοιμητήριον vgl. den Kommentar bei 077/G067.
Der Name Euodiane (Εὐοδιανή) ist in Philippi neu (doch vgl. Εὐοδία in Phil 4,2!). Er begegnet auch in anderen christlichen Inschriften aus Makedonien nirgendwo (vgl. den Index bei Feissel). Auch auf der PHI-CD-ROM #7 findet sich kein Beleg für diese Form des Namens (häufiger dagegen ist Εὐοδία, vgl. dazu Phil 4,2).
Z. 2 κέ = καί.

Der Name Dorothea ist ebenfalls neu (und begegnet auch sonst in den christlichen Inschriften aus Makedonien nicht, vgl. den Index bei Feissel).
Die Datierung ist von Abrahamsen.

Grabinschrift der Ἀγάθη und des Ἰωάννης

115/G766
V

Χαράλαμπος Μπακιρτζής: Ἔκθεση παλαιοχριστιανικών αρχαιοτήτων στο Μουσείο
Φιλίππων, AAA 13 (1980) [1981/1982], S. 90–98; hier S. 95.
Valerie Ann Abrahamsen: The Rock Reliefs and the Cult of Diana at Philippi,
Diss. Harvard Divinity School, Cambridge (Mass.) 1986, S. 145, Nr. 11.
Valerie Abrahamsen: Women at Philippi. The Pagan and the Christian Evidence,
Journal of Feminist Studies in Religion 3 (1987), S. 17–30; hier S. 23, Anm. 22
(transkribierter Text).
Band I, S. 143f.; S. 241.
Ute E. Eisen: Amtsträgerinnen im frühen Christentum. Epigraphische und literarische Studien, FKDG 61, Göttingen 1996, S. 184f. (mit defizitärem Text).

Basilika *extra muros* (?). Die Angaben zur Herkunft bei Μπακιρτζής sind
nicht ganz eindeutig; vgl. dazu das bei 114/G765 Bemerkte.

†	κόνου καὶ Ἰω-
† Κυμιτίριον	5 ἀν<ν>ου ὑποδέ-
διαφέροντα	κτου κὲ ὠθο-
Ἀγάθης δια-	νιτοῦ. †

Der erratische Eisensche Text ist nicht berücksichtigt.

Grab („Schlafzimmer"), gehörend der Diakonin Agathe und dem
Johannes, Kassierer („Kirchmeister"?) und Leinweber.

Z. 1 κυμιτίριον steht für κοιμητήριον, vgl. dazu den Kommentar zu 077/
G067.
Z. 2 Schwierig ist die Konstruktion κοιμητήριον διαφέροντα, vgl. dazu den
Kommentar zu 077/G067.
Z. 3 Ἀγάθη begegnet sonst in griechischen Inschriften in Philippi nicht
(in Makedonien gibt es auch keine Christin dieses Namens, vgl. den Index
bei Feissel). Lateinisch begegnet Agathe in 448/L130 aus Doxato.
Z. 3f. Zu den weiblichen διάκονοι vgl. den Kommentar zu 077/G067, Z.
3. Für die auch von Eisen referierten Spekulationen Abrahamsens (Eisen, S.
185) sind die Quellen aus Philippi zu dünn gesät; natürlich bleibt es einem
jeden unbenommen, eigene Spekulationen zu entwickeln.
Z. 5f. ὑποδέκτης heißt „receiver, steward, a financial official" (LSJ, S.
1878, s.v.). Christliche Belege bei Lampe (S. 1447, s.v.), der als Bedeutung

„treasury official" gibt. Um eine Funktion des Johannes im Rahmen der christlichen Gemeinde in Philippi muß es sich jedenfalls handeln, da zusätzlich der Beruf ὀθονητής angegeben wird.

Z. 6 ὠθονιτοῦ = ὀθονητοῦ, zu ὀθόνη „fine linnen", vgl. LSJ, s.v. (S. 1200). ὀθονητής fehlt bei LSJ, auch im Supplement. Auch bei Lampe sucht man das Wort vergeblich.

Die Datierung ist von Abrahamsen.

115a/G801   Bauinschrift des Turmarchen Leon
X

Paul Lemerle: Le château de Philippes au temps de Nicéphore Phocas, BCH 61
    (1937), S. 103–108 mit Abb. Pl. XIV.
BÉ 1938, Nr. 220.
Lemerle, S. 142ff.
Φίλιπποι-Führer, S. 85, Abb. 73.

Raktcha. „Pendant la fouille de la basilique de la terrasse, en 1937, on vint me signaler l'existence d'une pierre portant des lettres grecques, remployée comme pierre d'angle – γωνιά, disent les Grecs – dans la construction d'une maison du village de Κρηνίδες, autrefois Raktscha, au pied même de l'acropole de Philippes. Le propriétaire consentit, moyennant quelque indemnité, à laisser desceller la pierre, qui se trouva porter la seule inscription proprement byzantine trouvée jusqu'aujourd'hui à Philippes. Elle est d'ailleurs mutilée: ou bien la pierre a été brisée en deux par le milieu, ou bien, comme il est plus probable, l'inscription a été gravée sur deux pierres, dont seule celle de droite nous est parvenue" (Lemerle, S. 142).

„Marbre local. La pierre est complète en haut et à droite, incomplète (brisée?) à gauche, complète mais endommagée en bas" (Lemerle, BCH-Aufsatz, S. 103).

Abmessungen: H. 0,30; B. 0,60; D. 0,10; H. der Buchstaben (Mittelwert) 0,05 (nach Lemerle, ebd.).

Ich ordne diese Inschrift unmittelbar nach der Basilika *extra muros* ein, da sie nach der Lemerleschen Beschreibung („au pied de l'acropole dans la direction nord-est" heißt es S. 103 im BCH-Aufsatz) im NW der Basilika *extra muros* gefunden wurde, die folgenden Inschriften aber eher in südwestlicher Richtung zu dieser Kirche liegen. Zur Orientierung vgl. o. Band I, Karte 8 (S. 75).

Der Stein ohne Inventarisierungsnummer steht auf der Terrasse des Museums. Laut Φίλιπποι-Führer Inventarisierungsnummer Λ 23.

Dia Nummer 364/1991.

[Ἐτελειώθη τὸ ἔργον τοῦ κάσ]τρου Φιλήπο ἐπὶ
[τῶν φιλοχρίστων δεσποτῶν Νικηφ]όρου Βασιλ(είου) κ(αὶ)
                                        Κων(σταντίνου)

[ἔτους κτίσεως κόσμου ͵ϛυοˊ. σ]τρατιγεύον(τος) Ῥωμα-
[νοῦ τοῦ βασιλικοῦ πρωτοσπαθαρί]ου ἐπιστα<τοῦντος> Λέων(τος)
τουρμάρχ(ου).
5   vacat? TOYX vacat?

1 Die Ergänzung am Anfang der Zeile nach Lemerle, S. 142. Im Φίλιπποι-Führer nur [κάσ]τρου. Weitere Konjekturmöglichkeiten bei Lemerle, BCH-Aufsatz, S. 104. Φιλήπο steht für Φιλίππων. **2** Die Ergänzung am Anfang der Zeile nach Lemerle, S. 142. Im Φίλιπποι-Führer nur [Νικηφ]όρου. Statt mit Lemerle das Κων als Κων(σταντίνου) aufzufassen, liest der Φίλιπποι-Führer fälschlich Κων-|[σταντίνου]. **3** Die Ergänzung am Anfang der Zeile nach Lemerle, S. 142, gegen den Φίλιπποι-Führer. Am Ende liest der Φίλιπποι-Führer wiederum Ῥωμα-|νοῦ ἐπιστατοῦντος κτλ. **4** Die Ergänzung am Anfang der Zeile nach Lemerle, S. 142, gegen den Φίλιπποι-Führer. **4f.** Der Φίλιπποι-Führer liest fälschlich τουρμάρ-|χου. In Z. 5 steht jedoch TOYX, nicht TOY, vgl. die Photographie auf Pl. XIV im BCH-Aufsatz.

Das Werk der Burg von Philippi wurde vollendet unter den christlichen Herrschern Nikephoros [Phokas], Basileios [später: Basileios II.] und Konstantinos [später: Konstantinos VIII.], im Jahr 6470 seit der Erschaffung der Welt, als Romanos, der kaiserliche Protospatharios, Stratege [des Thema Strymon] war und Leon das Amt eines Turmarchen innehatte.

„Sans doute, le complément de la première ligne est conjectural: on pourrait avoir aussi bien ἀνεκαινίσθη, ἀνηγέρθη, ἀνῳκοδομήθη, etc., puis ὁ πύργος, ἡ πύλη, τὰ τείχη, etc. Mais il est certain que l'inscription avait pour objet de commémorer des travaux importants effectués aux fortifications qui couronnent l'acropole de Philippes, d'où provient la pierre. La date en est donnée à la ligne suivante, avec la mention des trois coempereurs: Nicéphore Phocas, Basile et Constantin. Ces derniers, encore enfants, sont les deux fils de Romain II et Théophano, les futurs Basile II et Constantin VIII. Les travaux furent donc effectués, et l'inscription gravée, entre l'avènement et l'assassinat de Nicéphore Phocas, c'est-à-dire entre le 16 août 963 et le 10 décembre 969. La date par l'an du monde devait être exprimée au début de la troisième ligne: elle ne peut être restituée qu'en laissant en blanc le chiffre des unités. Venait enfin la mention des fonctionnaires qui avaient ordonné et surveillé les travaux. En tête, le stratège Romain: c'est évidemment le stratège du thème du Strymon. C'est le troisième stratège de ce thème dont le nom nous soit parvenu, les deux autres étant Basile Kladon, connu par l'inscription de Christoupolis, et Lykastos, connu par un de ses sceaux. C'est le second dont la date nous soit aussi connue: Basile Kladon était stratège en 926, Romain entre 963 et 969. Nous avons ainsi, dans le cours du Xe siècle, deux points de repère bien assurés pour l'histoire du thème du Strymon. Romain avait sa résidence à Christoupolis, plutôt qu'à Serrès: à Philippes, l'exécution des travaux était confiée au commandant des troupes stationnées dans la ville, le turmarque Léon." (Lemerle, S. 142f.)

Inschriften aus dieser späten Zeit nehme ich sonst in diese Sammlung nicht auf (vgl. o. Band I, S. 9). Weil dieser Stein dem Besucher im Museum in Philippi begegnet und weil die Inschrift für die bauliche Entwicklung der Akropolis von Interesse ist, mache ich hier eine Ausnahme (das analoge Dokument aus Kavala habe ich jedoch nicht berücksichtigt; vgl. dazu S. Reinach: La reconstruction des murs de Cavalla, BCH 6 (1882), S. 267–275).

Z. 2 Für φιλόχριστος gibt Lampe, S. 1485 „loving Christ, devout". Aber „christliebend" klingt im Deutschen allzu künstlich. Sollte man statt mit „christlich" vielleicht „allerchristlichst" übersetzen?

Z. 3 Das Jahr ͵ϛυο΄ = 6470 „seit der Erschaffung der Welt" ist von Lemerle konjiziert. Das ergäbe 962 n. Chr. (vgl. etwa Hans Lietzmann: Zeitrechnung der römischen Kaiserzeit, des Mittelalters, und der Neuzeit für die Jahre 1–2000 nach Christus, SG 1085, Berlin 1934 (Nachdr. 1946), S. 41); um auf das von Lemerle angestrebte Jahr 965 (vgl. S. 143f.) zu kommen, müßte man genauer, ͵ϛυογ΄ konjizieren: ͵ϛυογ΄ = 6473 = 965 n. Chr. στρατιγεύω fehlt bei LSJ wie auch bei Lampe; vgl. Lemerle: „On notera l'emploi, à la place du terme habituel στρατηγός, du verbe rare στρατηγεύω, que d'ailleurs Constantin Porphyrogénète emploie précisément au sens de »exercer la fonction de stratège«" (BCH-Aufsatz, S. 105).

Z. 4 Zu πρωτοσπαθάριος vgl. den Artikel bei Lampe, S. 1201: „chief of imperial ceremonial bodyguard" mit zwei Belegen. Das Wort τουρμάρχης fehlt bei LSJ; Lampe gibt (s.v., S. 1398) „*commander of a turma* (squadron)" mit Belegen aus Theophanes Confessor. „C'est la première mention d'un turmarque pour le thème [*sc.* du Strymon], et la présence de cet important officier, qui venait après le stratège, indique bien que le thème avait une organisation régulière" (Lemerle, BCH-Aufsatz, S. 107).

116/G511   **Grab des Architekten Alexandros**
V/VI

X.I. Πέννας, ΑΔ 29 (1973–1974) Β΄3 Χρονικά [1980], S. 843 mit Abb. Tafel 634β.
X.I. Πέννας: Παλαιοχριστιανικές ταφές στους Φιλίππους, in: Η Καβάλα και η περιοχή της. Α΄ τοπικό συμπόσιο (18–20 Απριλίου 1977). Πρακτικά, ΙΜΧΑ 189, Thessaloniki 1980, S. 437–444; hier S. 441 mit Abb. 6.
SEG XXX (1980) [1983] 584.
Feissel, Nr. 248, S. 209.
Band I, S. 241.

Philippi: Östlicher Friedhof. Οικόπεδο Ηλ. Θεοδωρίδη (αριθ. κληροτεμαχίου 930). Das Grundstück befindet sich an der Dorfstraße, die dem Verlauf der Via Egnatia folgt, südwestlich der Basilika *extra muros* (Plan bei Πέννας, S. 844, σχεδ. 1).
Auf diesem Grundstück wurden 1974 und 1975 durch die byzantinische Ephorie Kavala achtzehn Gräber freigelegt (Πέννας, S. 439). Im Grab Num-

mer 3 (a.a.O., S. 440f.) fand sich in zweiter Verwendung der Stein mit der vorliegenden Grabinschrift.

Maße werden nicht angegeben.

†	5 καὶ τῆ<ς> συν-
Μνῆμα	βίου αὐτοῦ
Ἀλεξάν-	ἅμα τῇ γλυ-
δρου οἰ-	κυτάτῃ μη-
κοδόμου	τρ{ρ}ί{ι}.

5 Auf dem Stein: Haplographie des C.   9 Auf dem Stein: TPPII über die ganze Zeile; die Verdoppelung der Buchstaben P und I ist unerklärlich.

Grabmal des Architekten Alexander und seiner Frau zusammen mit seiner liebsten Mutter.

Die ungefähre Datierung V/VI stammt von Feissel. Er bietet auch Literaturhinweise zu den οἰκόδομοι.

Fragment einer lateinischen Grabinschrift   117/L608

X.I. Πέννας, ΑΔ 29 (1973–1974) Β´3 Χρονικά [1980], S. 844 mit Abb. Tafel 634γ.

Philippi: Östlicher Friedhof. Οικόπεδον Ηλ. Θεοδωρίδη (αριθ. κληροτε-μαχίου 930). Das Grundstück befindet sich an der Dorfstraße, die dem Verlauf der Via Egnatia folgt, südwestlich der Basilika *extra muros* (Plan bei Πέννας, S. 844, σχεδ. 1). Grab 11.

Dia Nummer 251.252.253.254/1993.

EIIDIC
in fr(onte) p(edes) XX
in agr(o) p(edes) XXII.

2 Πέννας: H.F.R.P.X.X.   3 Πέννας: INACRP.XX.II.

... (Die Grabanlage mißt) zwanzig Fuß in der Breite, zweiundzwanzig Fuß in der Tiefe.

118/L601　　　　　　Fragment einer lateinischen Grabinschrift

Χάϊδω Κουκούλη, ΑΔ 23 (1968) Β΄2 Χρονικά [1969], S. 354 mit Anm. 10 und Abb.
auf Tafel 300α.

Κρηνίδες: Οικόπεδον Α. Πασβάντη (αριθ. κληροτ. 1173). Es wurde
ein Teil eines Gebäudes aus spätrömischer Zeit ausgegraben, welches durch
Feuer zerstört wurde. Dieses lag außerhalb der Stadtmauern von Philippi εις
την περιοχήν του προς Α. της πόλεως εκτεινομένου νεκροταφείου ρωμαϊκών
και παλαιοχριστιανικών χρόνων. Πλησίον του οικοπέδου ευρέθη κάτω τμήμα
κορμού αρραβδώτου κίονος, προφανώς προερχομένου εκ του κτηρίου, ως και
κάτω τμήμα ενεπιγράφου επιτυμβίου βωμού (S. 353f.).
Heute im Hof des Museums in Philippi (Inventarisierungsnummer Λ 1309).
Dia Nummer 431/1991.

> AMIANVS L̩ T̩
> Messianus fratri
> bene mer(ito).

1　Vielleicht *[D]amianus*, falls es sich um einen Namen handeln sollte. Κουκούλη: A
[..]MIANVS.　3　Κουκούλη: *bene mer[itus]*.

... Messianus für seinen wohlverdienten Bruder.

119/G500　　　　　　Inschrift auf einem Sarkophagdeckel

Χ.Ι. Πέννας: Παλαιοχριστιανικές ταφές στους Φιλίππους, in: Η Καβάλα και η πε-
ριοχή της. Α΄ τοπικό συμπόσιο (18–20 Απριλίου 1977). Πρακτικά, IMXA 189,
Thessaloniki 1980, S. 437–444; hier S. 443 mit Abb. 17.
Χ.Ι. Πέννας, ΑΔ 30 (1975) Β΄2 Χρονικά [1983], S. 306 (keine Abb.).
SEG XXXIII (1983) [1986] 539.
M.B. Hatzopoulos, BÉ 1987, Nr. 712.
Band I, S. 242.
Charalambos Pennas: Early Christian Burials at Philippi, in: Bosphorus: Essays
in Honour of Cyril Mango = ByF 21 (1995), S. 215–227 mit Plan I–IX und
Plate I–XII; hier S. 216 mit Plate I; S. 227.

Κρηνίδες: Αγρός Ηλία Παυλίδη (αριθ. κληρ. 460). Das Grundstück
Παυλίδης befindet sich 350 m südöstlich des südöstlichen Eckturmes der
Stadtmauer von Philippi und 350 m südlich von der Basilika *extra muros*
(vgl. Πέννας, S. 442).
Auf diesem Grundstück wurde in den Jahren 1974 und 1975 bei Ausgrabun-
gen der byzantinischen Ephorie Καβάλα eine Reihe von Gräbern freigelegt.

Im zweiten Grabungsabschnitt (vgl. Πέννας, S. 443) fanden sich unter anderem drei Sarkophagdeckel: Στο ένα από τα δύο καλύμματα των σαρκοφάγων που έχει αετωματικές απολήξεις στις στενές πλευρές και κωνωειδείς στις γωνίες, στην επιφάνεια της μακρινής πλευράς διαβάζουμε την παρακάτω επιγραφή (Πέννας, S. 443).
Maße werden nicht angegeben.

> Τοῦτο τὸ πῶμα ὃς ἂν μεταθῇ, ἀπο-
> τείσει τῇ πόλει *vacat*
> *vacat* Ж φ´.

Wer diesen Deckel versetzt, der soll der Stadt (Strafe) zahlen 500 Denare.

Ὅπως αναφέρει ο P. Collart [in der Monographie, S. 473] ..., οι επιτύμβιες επιγραφές στους Φιλίππους που περιέχουν την απειλή του προστίμου είναι πολυάριθμες και για διάφορες αιτίες· κυρίως η εισαγωγή στον τάφο νεκρών που δεν είχαν δικαίωμα και λιγότερο συχνά η τυμβωρυχία. Στην επιγραφή μας, η αιτία της απειλής του προστίμου είναι η μετακίνηση του καλύμματος του τάφου. Το ολικό ποσό του προστίμου στις επιγραφές των Φιλίππων είναι ποικίλο και μπορεί να δει κανείς ότι σε μερικές περιπτώσεις ήταν 500 (όπως στην δική μας επιγραφή), 1.000 ή και 1.500 δηνάρια. Πολύ αργότερα το πρόστιμο μετριέται με λίτρες χρυσού (Πέννας, S. 443, Anm. 13).
In den auf der PHI-CD-ROM #6 gespeicherten Inschriften ist keine vergleichbare Strafandrohung für das Versetzen eines πῶμα zu finden.

Lateinisches Fragment 120/L618

X.I. Πέννας, ΑΔ 31 (1976) Β΄2 Χρονικά [1984], S. 336 mit Plan (Σχεδ. 1) und Abb. auf Tafel 266α.

Κρηνίδες: Αγρός Ηλία Παυλίδη (αριθ. κληρ. 460). Bei den Ausgrabungen im Jahr 1976 wurden auch Marmorplatten mit Inschriften entdeckt: Εγκάρσια προς τον τοίχο Τε τοποθετημένες στο δάπεδο, πάνω σε λεπτό στρώμα ασβεστοκονιάματος, αποκαλύφθηκαν μαρμάρινες πλάκες σε β΄ χρήση με λατινικά γράμματα.
Η μία πλάκα, διάστ. 0,97x0,38 μ., έχει το εξής υπόλοιπο λατινικής επιγραφής ... ΄ Ύψος γραμμάτων 0,10 μ. (Πέννας, S. 336).

> [f]il(ius) Volṭ(inia) VL
> DECHONAE
> NER irenar[ches].

... der Sohn [des ...], aus der Tribus Voltinia ... der Irenarch
(der „Friedensrichter"?)

Z. 3 Denkbar wäre auch *irenar[chus]* oder *irenar[cha]*, vgl. die Belege im
ThLL VII 2, Sp. 376, Z. 61ff. Hier wird das Wort wie folgt erklärt: „is, cui
munus delatum est, ut pacis publicae perturbatores adprehendat, interroget,
officio praesidis exhibeat (sc. in municipiis orientis ...)".
Pass Polycarpi 6,2 und 8,2 ist von einem *irenarches* die Rede.
In Philippi vgl. 252/L467 (Einbindung in die Ämterlaufbahn?).

121/L619   **Lateinisches Fragment**

X.I. Πέννας, ΑΔ 31 (1976) Β΄2 Χρονικά [1984], S. 336 mit Plan (Σχεδ. 1) und
   Abb. auf Tafel 266β.

Κρηνίδες: Αγρός Ηλία Παυλίδη (αριθ. κληρ. 460). Zu den Fundumstän-
den vgl. bei 120/L618.
Η άλλη πλάκα, διαστ. 1,80x0,38 μ., έχει το εξής υπόλοιπο λατινικής επιγραφής
... Ύψος γραμμάτων 0,13 μ. (Πέννας, S. 336).

   [...]eminia P(ubli) f(ilia) Te[...]
   Valeriu[s].

1   Hinter dem EMINIA, hochgestellt, auf dem Stein ein I.

... die Tochter des Publius ... Valerius.

122/G482   **Inschrift des Ἐλπιδήφορος**

X.I. Πέννας, ΑΔ 32 (1977) Β΄1 Χρονικά [1984], S. 289–291; hier S. 289 mit Abb.
   Tafel 170β.
SEG XXXIV (1984) [1987] 666.

Κρηνίδες. Οικόπεδο Παυλίδη (αριθ. κληρ. 640). ... επίθημα αμφικιονίσκου από δεύτερη χρήση, ύψ. 0,145, πλ. 0,29–0,17, μήκ. 0,61–0,44 μ. Στη
μεγαλύτερη βάση του φέρει αετωματική ανάγλυφη διακόσμηση, στην οποία εγ-
γράφεται ρόδακας και τα κενά τρίγωνα φέρουν καμπύλες ανάγλυφες γραμμές
(Πέννας, S. 289).
H. der Buchstaben 0,045.

Ἐλπιδήφορος ἑαυτ[ῷ ...]

Elpidephoros (hat) für sich selbst ...

Fragment einer griechischen Grabinschrift   123/G483

X.I. Πέννας, ΑΔ 32 (1977) Β΄1 Χρονικά [1984], S. 289–291; hier S. 289.
SEG XXXIV (1984) [1987] 667.
D. Feissel, BÉ 1987, Nr. 445 [a].
Band I, S. 241f.

Κρηνίδες: Οικόπεδο Παυλίδη (αριθ. κληρ. 460). Τμήμα ενεπίγραφης επιτύμβιας στήλης (διαστ. 0,47x0,35, παχ. 0,07 μ). Σώζει υπόλοιπο επιγραφής
... (Πέννας, S. 289). Höhe der Buchstaben 0,04.

Μεμόριον Φιλοκυρί[ου].

1   Πέννας: ΦΙΛΟ ΚΥΡΙ. Ergänzung von Feissel.

Grab des Philokyrios.

Zu μεμόριον vgl. oben 110/G553.
Der Name Philokyrios begegnet auch in einer anderen christlichen Inschrift
aus Philippi (308/G432 aus der Basilika B).

Inschrift des Ἀλέξανδρος   124/G486

X.I. Πέννας, ΑΔ 32 (1977) Β΄1 Χρονικά [1984], S. 289–291; hier S. 290.
SEG XXXIV (1984) [1987] 670.
D. Feissel, BÉ 1987, Nr. 445 [b].
Band I, S. 241f.
Kara Hattersley-Smith: The Early Christian Churches of Macedonia and their Pa-
    trons, in: Bosphorus: Essays in Honour of Cyril Mango = ByF 21 (1995), S.
    229–234; hier S. 232.

Κρηνίδες: Οικόπεδο Παυλίδη (αριθ. κληρ. 460). Es handelt sich um ein
τμήμα αρράβδωτου κιονίσκου με ... επιγραφή (Πέννας macht keine weiteren
Angaben).

Ὑπὲρ ε[ὐχ]ῆς Ἀλεξάνδρου.

Wegen des Gelübdes des Alexander.

„It would seem that Alexander paid for at least one of the church's columns" (Hattersley-Smith, S. 232).

125/G485   Grabinschrift des Ἀνδρέας

X.I. Πέννας, ΑΔ 32 (1977) Β΄1 Χρονικά [1984], S. 289–291; hier S. 290f. (mit Tafel 170ε).
SEG XXXIV (1984) [1987] 669.
Gilles Touchais: Chronique des fouilles et découvertes archéologiques en Grèce en 1984, BCH 109 (1985), S. 825 (kein Text!) mit Abb. 152 auf S. 826.
D. Feissel, BÉ 1987, Nr. 445 [c].
SEG XXXVI (1986) [1989] 629.
Band I, S. 25; S. 241f.
Charalambos Pennas: Early Christian Burials at Philippi, in: Bosphorus: Essays in Honour of Cyril Mango = ByF 21 (1995), S. 215–227 mit Plan I–IX und Plate I–XII; hier S. 223ff. mit Abb. 9 (Umschrift) und Plate XI.

Κρηνίδες: Οικόπεδο Παυλίδη (αριθ. κληρ. 460). Den Bearbeitern des SEG ist hier ein Fehler unterlaufen, insofern neben der vorliegenden Inschrift des Ἀνδρέας (= Nr. 669) eine weitere Inschrift eines Andreas (= Nr. 668) aufgenommen wurde. Dies beruht auf dem Mißverständnis einer Bemerkung von Πέννας, der schreibt: Το συνεργείο συντήρησης ψηφιδωτών της Εφορίας με επικεφαλής το συντηρητή Γ. Κοταρίδη αποκόλλησε την ψηφιδωτή επιγραφή [d.h. die hier vorliegende Inschrift des Ἀνδρέας] κι έτσι αποκαλύφθηκε [sc. unterhalb der abgetragenen Mosaikschicht] ένας κιβωτιόσχημος τάφος χωρίς κτερίσματα, με ακέραιο το σκελετό του ΑΝΔΡΕΑ της πιο πάνω επιγραφής [d.h. der Mosaikinschrift, und nicht noch einer zusätzlichen Inschrift!].
Im Rahmen der Ausgrabungen der Basilika (vgl. dazu den englischen Aufsatz von Pennas, S. 222f.) wurde im Mosaik-Fußboden eine Grabinschrift freigelegt: „The funerary inscription in capital letters consists of twenty one lines ... . On a white background the words ὅς μιν ἔτευξε καὶ ἔλαβεν [und] ναιετάειν ... [sowie einige andere] are in red, and the rest in black. The writing is quick and irregular" (Pennas, S. 223).
Heute im Museum in Philippi in der αποθήκη (ohne Inventarisierungsnummer).
Dia Nummer 652–658/1992.

† Ἀνδρέαν ὡ-   όνος δύνατ-
ς νέκυν οὖ-   {ατ}αι· πάντα γὰρ
τος ἔχει τάφ-   10 ἐξετέλεσεν ἐ-
ος· ἀλλὰ κ-   πάξια μύστιδ-
5 αλύπτειν κίν-   ος ἀρχῆς τερπ-
ου ἐχεφροσ-   όμενος θεσμο-
ύνην οὐδὲ χρ-   ῖς· ἀὶ [ὲ]π' εὐσεβί-

15 ης τοὔνεχεν   ος ἦν σχῆπτ-
   ὅς μιν ἔτευξε   20 ρων ἐγγύθι να-
   χαὶ ἔλαβεν· οὐ-   ιετάειν.
   ρανίων γὰρ ἄξι-

1 Heute fehlt das ω am Schluß. **2** Heute am Schluß ΟΥ. **4** Nach dem OC ein Worttrenner: drei Punkte übereinander. **14** Nach dem IC drei Punkte übereinander. Auf dem Stein: ΑΙΘΠ. Emendation von Feissel. Pennas möchte neuerdings αἱ [ἐν ἐπ'] lesen. **17** Nach dem ΜΙΝ ein Worttrenner in der Form eines Doppelpunkts. **18** Nach dem ΕΛΑΒΕΝ drei Punkte übereinander.
Es handelt sich um eine metrische Inschrift. Mit Feissel sind die Zeilen folgendermaßen abzuteilen (so auch die Zählung im Kommentar):

    † Ἀνδρέαν ὡς νέχυν οὗτος ἔχει τάφος, ἀλλὰ καλύπτειν
    χίνου ἐχεφροσύνην οὐδὲ χρόνος δύνατ{ατ}αι·
    πάντα γὰρ ἐξετέλε<σ>σεν ἐπάξια μύστιδος ἀρχῆς
    τερπόμενος θεσμοῖς ἀὶ [ἐ]π' εὐσεβίης·
  5 τοὔνεχεν ὅς μιν ἔτευξε χαὶ ἔλ<λ>αβεν· οὐρανίων γὰρ
    ἄξιος ἦν σχήπτρων ἐγγύθι ναιετάειν.

3 Die Verdoppelung des Sigma ist wegen des Metrums erforderlich. Bei Feissel und im SEG irrtümlich μυστίδος. **5** Die Verdoppelung des Lambda ist wegen des Metrums erforderlich.

Dieses Grab enthält Andreas als einen Toten. Dessen Klugheit aber kann auch die Zeit nicht verhüllen. Denn alles hat er ausgeführt in Übereinstimmung mit dem geheimnisvollen Ursprung und hatte in bezug auf die Frömmigkeit stets Freude an den (göttlichen) Ordnungen. Deswegen hat der, der ihn schuf, ihn auch (wieder) aufgenommen; denn würdig war er, in der Nähe der himmlischen Szepter zu wohnen.

„Des ponctuations, faites de trois points superposés, correspondent à une coupe bucolique (vers 1 et 5), trihémimère (vers 5) ou à la césure d'un pentamètre (vers 4), jamais à une fin de vers" (Feissel).
Z. 2 χίνου = χείνου = ἐχείνου.
Z. 3 μύστιδος, Genitiv zu μύστις. Über den Befund bei LSJ (S. 1156, s.v. μύστις) führt Lampe (S. 894, s.v. μύστις, ἡ) hinaus: „as adj., *mystic*". Man hat das Adjektiv dann zu ἀρχῆς zu ziehen. Ist μύστις ἀρχή Umschreibung für Gott (vgl. Lampe, s.v. ἀρχή, S. 235; hier II A)?
Z. 4 εὐσεβίη = εὐσέβεια (ionische Form). ἀὶ = ἀεί.
Z. 5f. Was ist mit οὐρανίων σχήπτρων gemeint? Nach Lampe (S. 1238, s.v. σχῆπτρον 2.) wird das Wort auch im Sinne des hebr. שֵׁבֶט gebraucht; dies würde dann in unserem Fall auch die Pluralform erklären; man hätte dann zu übersetzen: „. . . bei den himmlischen Stämmen zu wohnen".

Pennas möchte in Andreas einen Bischof sehen: „The honorary position of Andreas' grave in the centre of the aisle, the long inscription praising his character and mentioning his duties, the formal style of the elegant text and, last but not least, the mention of μύστιδος ἀρχῆς imply that he was a high ranking cleric, and most probably a bishop" (S. 225).

125a/G802   **Bauinschrift des Φλάβιος Γοργόνιος und der Γλυκερίς**
IV

Charalambos Pennas: Early Christian Burials at Philippi, in: Bosphorus: Essays in Honour of Cyril Mango = ByF 21 (1995), S. 215–227 mit Plan I–IX und Plate I–XII; hier S. 216f. mit Abb. 7 (Umschrift) und Plate VI.
Band I, S. 25; S. 242.
Denis Feissel, BÉ 1998, Nr. 631.

Κρηνίδες: Οἰκόπεδο Παυλίδη (ἀριθ. κλήρ. 460). Pennas fand in dem Grabkomplex „an entrance, an antechamber and two parallel vaulted burial chambers (plan 4, 5 and fig. 2)" (S. 216). Die vorliegende Bauinschrift findet sich neben dem Eingang der südlichen Grabkammer: „The foundation inscription, in red capital letters, was engraved on the marble revetment or painted on the plaster at the point where the slabs meet, beside the entrance of the south chamber (fig. 11 and plan 7). Although the text is in prose, there is a particular sense of rhythm" (S. 217f.).

> Φλάβιος Γοργόνιος ὁ Κρατεροῦ
> καὶ ἡ Γλυκερὶς ἡ Ἀνδρονείκου τοῦ λ(α)μ(προτάτου)
> ἐκ πατρίδος Πόντου, οἰκήσαντες
> ἐν Φιλίπποις, ἑαυτοῖς καὶ τοῖς τέκνοις
> 5 κατεσκεύασαν τὸ ἡρῷον, παρανγέ-
> λοντες μηδὲν ἐπεισφέρειν σκήνωμα
> ἀλλότριον τοῦ γένους. εἰ δέ τις τολ-
> μήσιεν δώσει{ι} προστείμου, τῇ μὲν
> ἁγιωτάτῃ ἐκκλησίᾳ χρυσοῦ
> 10 λείτρας δύο, τῷ δὲ ἱερωτάτῳ
> ταμείῳ χρυσοῦ λείτρας πέντε.

Flavius Gorgonios, der (Sohn des) Krateros, und Glykeris, die (Tochter des) *vir clarissimus* Androneikos, (kommend) aus ihrer Heimat Pontos, wohnhaft in Philippi, haben für sich selbst und für ihre Kinder das Grab errichtet; sie bestimmen, daß niemand eine Leiche aus einer anderen Familie hineinbringen darf. Falls aber jemand dies wagen sollte, soll er Strafe zahlen, und zwar der heiligsten Gemeinde (von Philippi) zwei Pfund Gold, dem heiligsten Fiscus aber fünf Pfund Gold.

Z. 1f. Die Namen Gorgonios, Glykeris und Androneikos begegnen auch in der Grabinschrift der Glykeris (125b/G803), wo Androneikos allerdings nicht als λαμπρότατος bezeichnet wird. Alle drei Namen sind pagan; daher erhebt sich die Frage, ob es sich hier um einen christlichen oder um einen paganen Grabkomplex handelt (vgl. Pennas, S. 220 und unten zu Z. 8f.) Glykeris ist ein nicht nur im makedonischen Bereich überaus seltener Frauenname (ich vermochte nur einen einzigen Beleg zu finden: IG X 2,1, 786 aus Thessaloniki).

Z. 2 Der Titel λαμπρότατος begegnet in den Inschriften von Philippi sonst nirgendwo; er entspricht dem lateinischen *clarissimus*, vgl. LSJ, S. 1028, s.v. λαμπρός II. (vgl. für Philippi die einschlägige Liste bei 240/L465 zu Z. 3. Bemerkenswert ist der christliche *vir clarissimus* in 111/L554).

In jedem Fall muß es sich bei Androneikos um eine bedeutende Persönlichkeit gehandelt haben. „The honorific epithet λ(α)μ(προτάτου) could indicate that Androneikos was a consul or ex-consul, although λαμπρότατος was used also for a variety of officials. The *Prosopography of the Later Roman Empire* lists a pagan Androneikos, friend of Libanius and native of Constantinople, who was appointed by the usurper Procopius (365-366) as governor of Bithynia and then as vicar of Thrace. Libanius describes him as πιστὸς μέν Βιθυνίας ἄρχων καὶ φιλόπονος, πολύ δὲ βελτίων ἐφ᾽ ὅλην ἀπεσταλμένος τὴν Θράκην, i.e.»trustworthy governor of Bithynia and industrious too and much better as representative of the whole of Thrace«. After the usurper's fall, Androneikos attempted to base his defense on having acted under duress, but was nevertheless executed by Valens and his property confiscated. Another distinguished person bearing the name Androneikos and the title of *lamprotatos eparchos* is recorded as Prefect of Pannonia of the East in the year A.D. 310" (Pennas, S. 219).

Pennas möchte einen Zusammenhang zwischen dem Schicksal des Androneikos und dem Umzug seiner Tochter nach Philippi herstellen: „The fact that, according to the tomb inscription, the founders moved from Pontos to Philippi could be connected with the career of Androneikos and his inglorious end. The name Glyceria [*sic!* Zu lesen ist vielmehr: Glykeris] is generally rather rare. In the area of Macedonia and western Thrace it only appears once, on a burial inscription recorded in the museum of Thessalonica" (S. 219f.), vgl. o. zu Z. 1f.

Z. 5 ἡρώϊον = ἡρῷον, hier im Sinn von Grab (vgl. LSJ, S. 778, s.v. ἡρῷον).

Z. 6 Zu σκήνωμα vgl. den Kommentar zu 083/G066, Z. 12.

Z. 7 Die Strafbestimmung ähnelt denjenigen in 071/G437 und 083/G066, wo allerdings nur ein Liter Gold an den heiligsten Fiscus abzuführen ist (vgl. den Kommentar zu Z. 14f. bei 083/G066). Das Bemerkenswerte an der vorliegenden Inschrift ist, daß hier eine Strafe sowohl an die Kirche als auch an den Fiscus vorgesehen wird. Ob man daraus schließen darf, daß die Erbauer des Grabes Christen waren, ist die Frage: „The only indication that they may be Christians is the mention of a fine to be paid to the most holy church

(ἁγιωτάτη ἐχχλησία). Of course, this may indicate merely an administrati-
ve policy of that period at Philippi, connected with burial formalities" (S.
220). Mehr als die Tatsache, daß „by the second half of the fourth century
the Church of Philippi was well established and an active force in the city"
kann man dem vielleicht wirklich nicht entnehmen (Pennas, S. 221): Unter
anderem „because fines in gold pounds are recorded on some Early Christian
inscriptions from Concordia in the East, de Rossi considered some similar
inscriptions in Philippi to be Christian. However, the penalty of λείτρας χρυσοῦ is already mentioned from the late third century in pagan inscriptions
from Thessalonike, Perinthos, Nicomedia, and Caria. Feissel has argued that
at Philippi Christians and pagans used the same funeral formulas until the
fourth century and that their epitaphs might have been carved by the same
workshops" (S. 220).
Wer mithin mit guten Gründen die genannten Flavius Gorgonios und Glykeris nicht für Christen halten will, muß die beiden aus meiner Prosopographie
der Christinnen und Christen Philippis (Band I 242) streichen; für die dort
vorgetragene Argumentation ändert sich dadurch freilich nichts, da es auf
zwei Namen mehr oder weniger nicht ankommt.
Pennas datiert diese Bauinschrift in die zweite Hälfte des 4. Jahrhunderts
(S. 226).

125b/G803   ## Grabinschrift der Γλυχερίς
IV

Charalambos Pennas: Early Christian Burials at Philippi, in: Bosphorus: Essays
   in Honour of Cyril Mango = ByF 21 (1995), S. 215–227 mit Plan I–IX und
   Plate I–XII; hier S. 218f. mit Abb. 8 (Umschrift) und Plate VII.
Band I, S. 25; S. 242.
Denis Feissel, BÉ 1998, Nr. 631.

Κρηνίδες: Οιχόπεδο Παυλίδη (αριθ. κληρ. 460). Zu der Grabanlage vgl.
die Beschreibung bei 125a/G802. „In the south chamber, on the marble
revetment of the south wall, there is a second funerary inscription engraved
in red (fig. 12 and plan 8). This inscription features the peculiar sequence
of an hexameter, followed by two pentameters. The rhythmical principle of
this Early Christian funerary inscription also merits attention. It belongs to
the category, not untypical in fourth century poetry, which does not strictly
adhere to the rules of ancient prosody, and thus forebodes the accentuating
metricality of later hymns and Byzantine *meloi*" (Pennas, S. 218f.).

   Ἀνδρονείχοιο παῖν Γλυχερὶν παράχοιτιν ὀλέσσας
   τοῖσδ' ἐνὶ γῆς χόλποις χάτθετο Γοργόνιος
   ἐχ χαμάτων ἰδίων σῆμα τόδ' ἐξανύσας.

---

2 Pennas schlägt aus metrischen Gründen vor, χά{τ}θετο zu lesen.

Das Kind des Androneikos, Glykeris, seine Frau, hat Gorgonios verloren. Er hat sie in den Schoß der Erde gelegt, nachdem er dieses Grab aufgrund eigener Mühen errichtet hat.

Die Inschrift enthält keinen Hinweis darauf, daß es sich bei Gorgonios und seiner Frau Glykeris um Christen handeln könnte (vgl. die Diskussion zu Z. 7 der Bauinschrift 125a/G802).

Z. 1 Es ist bemerkenswert, daß Gorgonios seine Frau Glykeris auch nach ihrem Tod als Kind des Androneikos bezeichnet (alle drei Namen begegnen auch in der Bauinschrift 125a/G802). Pennas sieht darin einen Hinweis auf die große Bedeutung des Androneikos (vgl. den Kommentar zu 125a/G802, Z. 2).

Sarkophag des Caius Pisidius Rufus   126/L613

Χάϊδω Κουκούλη-Χρυσανθάκη, ΑΔ 30 (1975) Β΄2 Χρονικά [1983], S. 285 (keine Abb.).

Philippi: Östlicher Friedhof, θέση Ξεροπήγαδο. Στις εργασίες διαπλάτυνσης της κοίτης του χειμάρρου, έξω από την ανατολική πλευρά του ανατολικού βραχίονα των τειχών των Φιλίππων, εντοπίστηκε και ανασκάφτηκε μια περιοχή με τάφους ρωμαϊκών χρόνων. Οι τάφοι βρέθηκαν συγκεντρωμένοι σε δύο περιοχές.
Περιοχή Ι wird wie folgt beschrieben: Μέσα στην κοίτη του χειμάρρου βρέθηκαν στην αρχική τους θέση κάτω τμήματα σαρκοφάγων καταστραμμένων και βάθρα σαρκοφάγων, καθώς και άλλα θραύσματα σαρκοφάγων και βάθρων μετακινημένα ... Θραύσματα από σαρκοφάγους και πλίνθοι από βάθρα σαρκοφάγων βρέθηκαν μετακινημένα στην επίχωση. Το πιό αξιόλογο από τα μετακινημένα αυτά ευρήματα είναι μια μικρή μαρμάρινη σαρκοφάγος που σώθηκε ακέραιη. Η σαρκοφάγος, που σώζει και το κάλυμμά της, έχει διαστάσεις 0,70x0,50x0,41, ύψος γραμμάτων 0,06 μ., και στη μια πλευρά της την επιγραφή (Κουκούλη-Χρυσανθάκη, S. 284f.).

C(aius) Pisidius Rufus
an(norum) XXIV h(ic) s(itus) e(st).

Caius Pisidius Rufus, vierundzwanzig Jahre alt, liegt hier begraben.

Z. 1 Zum Namen Pisidius vgl. den Kommentar zu 341/L267, Z. 2. Rufus begegnet auf dem Sarkophag aus Χαριτωμένη, der jetzt im Hof des Museums von Philippi steht (524/L103). Auch sonst nicht selten in Philippi.

127/G272 **Griechische Grabinschrift**

A. Salač: Inscriptions du Pangée, de la région Drama-Cavalla et de Philippes,
   BCH 47 (1923), S. 49–96; hier S. 90 (Nr. 11).
SEG II (1924) 426.

**Philippi, Gräberstraße, nahe bei der Brücke (d.h. also vor dem
Neapolistor).** Deckel eines Sarkophags in zwei Teilen.
H. max. 0,38; L. 1,70; B. 1,06; H. der Buchstaben 0,045; Zeilenzwischenraum
0,02.

[διὰ ...]ην χὲ τὴν ἰδίαν σύνβιον Μ[...]Α[...]ΝΓΩΝΩΤ[...]Ν
[... ἐποίη]σεν· ἐὰν τολμίσι ἕτερον πτῶμα καταθῖ[νε], δώσ[ι] τῇ πόλι
[...]Λ[...]Α[...]
[...] προστείμου [...]

1   SEG: [τὰ τέχνα ... χαὶ ... γέν].

... und seine eigene Frau ... hat es gemacht. Wenn es einer
wagen wird, eine andere Leiche niederzulegen, der soll der Stadt
... Strafe bezahlen.

Salač kommentiert: „en langue vulgaire" und führt die folgenden Fälle an:
   Z. 1 χέ = χαί; σύνβιον = σύμβιον.
   Z. 2 τολμίσι = τολμήσῃ oder τολμήσει; καταθῖνε = καταθεῖναι.
   Z. 4 προστείμου = προστίμου.

Neapolistor und Theater

Vgl. zur Lage o. Band I, Karte 8: Die Stadt Philippi (S. 75).

128/L293

Lateinisches oder griechisches Fragment?

A. Salač: Inscriptions du Pangée, de la région Drama-Cavalla et de Philippes,
BCH 47 (1923), S. 49–96; hier S. 94 (Nr. 32).

Philippi: Neapolistor. „... près du pont de Philippes et de la porte de
Néapolis" (Salač, S. 94).
Abmessungen: H. 0,55; B. 0,52; D. 0,13; H. der Buchstaben 0,11.

ELPIS
ABIIR≶
ΛΙ

Grabepigramm

129/G264
II

A. Salač: Inscriptions du Pangée, de la région Drama-Cavalla et de Philippes,
BCH 47 (1923), S. 49–96; hier S. 84ff. (Nr. 3 mit Abb. 7).
SEG II (1924) 424.

Philippi: Neapolistor. Gefunden 1914 von Ch. Picard und Ch. Avezou.
Im Ersten Weltkrieg verschwunden. Avezou (bei Salač, S. 84) teilt über den
Fundort folgendes mit: „A l'Est de la porte orientale, au Nord de la route."
Altar aus weißem Marmor. H. 0,90; B. 0,51 (oben 0,49); D. 0,31; H. der
Buchstaben 0,016 (das T 0,025); Zeilenzwischenraum 0,015.
„A la face antérieure, sous l'inscription, un relief martelé, dont il reste, visible
à gauche, une queue de boeuf, tourné vers la droite" (Avezou bei Salač, S.
84).

> [. . .]ου Σεπτιμ(?)[. . .]
> [ἄ]στυ δὲ Νικαίης προλιπὼν [καὶ δῶμα πατρῷον]
> [πεντ]ετὲς Ἀσκανίην ἀπονοστεῖν [ἤθελον ἀεὶ]
> [ἤμη]ν δ᾽ ἡλικίης βούπαις· θάνον οὔτι τοιοῦ[τον]
> 5 [κά]λλος ἐν ἀνθρώποισι λιπὼν μετ᾽ ἐμ(α)υτὸν [ἐόντα?]

[κ]αί μου γεινομένῳ δῶρ' ἀθάνατοι δόσαν αὐτ[οὶ]
[ἄ]μφω ἀριστεύειν ἡμὲν Μούσας ἠδὲ παλ[αίστραν.]

Ergänzungen von Salač. Dekorative Schrift „un peu compliquée, ce qui explique les fautes assez nombreuses; elle présente notamment la form ⪝ = Ε, fréquente en Macédoine au IIᵉ siècle de notre ère" (Salač, S. 86).
2 SEG am Schluß: δώματα πατρός. **3** SEG am Anfang: [ἀμφ]ετὲς. SEG am Ende: [οὐκετ' ἔμελλον]. **4** Die Buchstaben κι des Wortes ἡλικίης „en caractères plus petits au-dessus de la ligne" (Salač, S. 85, Anm. 1). **5** SEG am Ende: [ἄπασιν].

[2] Ich habe die Stadt Nikaia und das väterliche Haus seit fünf Jahren verlassen und wollte immer zum Askania-See zurückkeh-ren. Ich war aber vom Alter her ein großer Junge. Ich starb und [5] ließ keine solche Schönheit unter den Menschen zurück, die es nach meiner eigenen gab, und die Unsterblichen selbst gaben meinem Erzeuger als Geschenke, sich in beidem auszuzeichnen, sowohl bezüglich der Musen, als auch in der Palaistra.

„Le sort du défunt, dont le nom était mentionné peut-être à la première ligne, ressemble beaucoup à celui du Markellos [in der Inschrift 098/G263] . . . . Lui aussi a quitté sa patrie, la ville de Nicée en Bithynie" (Salač, S. 85). Obgleich wir es auch hier mit einem Grabepigramm zu tun haben, hat Peek es nicht in seine Sammlung aufgenommen; das ist umso verwunderlicher, als Peek das „Zwillingsepigramm", welches Salač im selben Aufsatz publizierte (098/G262), als Nummer 1972 (S. 617) berücksichtigt.

    Z. 3 Salač verweist zu Ἀσκανίην auf die Stelle Strabon XII 665 (= XII 4,7, Z. 4–5): Νίκαια ἡ μητρόπολις τῆς Βιθυνίας ἐπὶ τῇ Ἀσκανίᾳ λίμνῃ (Salač, S. 85). Gemeint ist also der Askania-See.

    Z. 4 βούπαις „est un mot de la langue attique du Vᵉ siècle qui signifie »gros garçon« (Salač, S. 85). LSJ zitiert s.v. βούπαις (S. 326) unsere Inschrift und schlägt als Übersetzung „großer Junge" („big boy") vor. Auf Inschrif-ten scheint βούπαις ansonsten offenbar überhaupt nicht belegt zu sein, wie eine Suche auf der PHI-CD-ROM #6 nahelegt (auch LSJ hat außer der vor-liegenden Inschrift keinen weiteren epigraphischen Beleg). Aber hinsichtlich der literarischen Belege ergibt sich ein anderes als das von Salač nahegelegte Bild: Diese sind nämlich durchaus nicht auf das 5. vorchristliche Jahrhundert beschränkt. Die Suche auf TLG-CD-ROM #C erbringt insgesamt 22 Belege, darunter auch solche von christlichen Schriftstellern. Aus unserer Zeit wäre neben einer Stelle bei Philon vor allem *Vita Aesopi* 20 zu nennen (dazu vgl. unten).

Salač ist der Auffassung, daß sowohl Μάρκελλος aus 098/G263 als auch unser „großer Junge" aus Nikaia – beide nicht ursprünglich aus Philippi, der eine aus Thessaloniki, der andere aus Nikaia stammend – „fils orphelins de vétérans romains" gewesen seien (S. 86): „Mais rien n'autorise à supposer encore qu'il y ait eu à Philippes une sorte d'institution, par exemple, pour les fils des vétérans décédés" (S. 86).

Dieser Interpretation stimmt Perdrizet allerdings nicht zu: In 098/G263 „le défunt [Μάρκελλος] était peut-être aussi un esclave, élevé par un rhéteur. Pour les deux cas l'hypothèse de sépultures de jeunes esclaves doit être sans doute préférée" (Paul Perdrizet bei Salač, S. 86, Anm. 1).

Für die Perdrizetsche Interpretation könnte auch ein βούπαις-Beleg aus der *Vita Aesopi* sprechen, wo es heißt: διανύσαντες δὲ τὰ πέρα ἦλθον εἰς Ἔφεσον. καὶ δὴ ὁ ἔμπορος πρᾶσιν τῶν σωματίων ποιήσας ἐκέρδησεν. κατελείφθη δὲ αὐτῷ σωμάτια τρία· δύο μὲν βούπαιδες, ὧν ὁ εἷς γραμματικός, ὁ δὲ ἕτερος ψάλτης, καὶ ὁ Αἴσωπος (*Vita Aesopi* [sogenannte *Vita* G] 20, Z. 1ff.). Auch bei dem Philon-Beleg (*De vita contemplativa* 50) sind die βούπαιδες Sklaven. Es scheint demnach so, als sei das Wort βούπαις in der frühen Kaiserzeit – anders als im 5. Jahrhundert v. Chr. – in erster Linie für Sklaven gebraucht worden. Wäre dies richtig, so hätte man auf diese Weise eine Bestätigung der Perdrizetschen Interpretation gewonnen.

Anrufung Christi

130/G558
V/VI

Collart, S. 466ff. mit Anm. 1 auf S. 468.
Lemerle, S. 90f.
Feissel, Nr. 223, S. 189–191 (Tafel 52).
Band I, S. 241.

Philippi: Neapolistor. Drei Fragmente eines Marmorblocks, von Collart bei den Ausgrabungen des Neapolistors 1934 entdeckt. „Retrouvés en 1975 au musée de Kavala ... [Inventarisierungsnummer Λ 694], les deux fragments principaux (de gauche à droite A et B) ont été rapportés au musée de Philippes (revus le 14 mai 1975). Le troisième, qui complète A en bas à gauche, a disparu" (Feissel, S. 190).
Abmessungen (nach Feissel): A: H. 0,31; L. 0,24; D. 0,46. B: H. 0,21; L. 0,49; D. 0,53. H. der Buchstaben 0,045.

```
    [...]
    [Κύριε Ἰησοῦ Χριστὲ γεννηθεὶς ἐκ τῆς π]αρθέ|νου Μαρίας σταυρ[ωθεὶς]
    [δι' ἡμᾶς, βοήθει τῇ πόλ]ει ταύτῃ | στῆναι εἰς ἅπαντ[α]
    [χρόνον καὶ φύλαξον τοὺς ἐ]ν σοὶ κατο[ι]|κοῦντας εἰς δόξα[ν σου].
                            vacat
5   [...] παρθέν|[...]
```

Text nach Feissel. Der senkrechte Strich | markiert die Naht zwischen Block A und B. Restitution des Textes von H. Grégoire (bei Collart).
1 „Le face inscrite est mutilée en haut et pouvait comporter une ligne initiale perdue" (Feissel, S. 190). **4** Collart: κατο[ικ]οῦντας. **5** Lemerle stellt den Text folgender-

maßen wieder her: [πρεσβείαις τῆς ὑπερδόξου δεσποίνης ἡμῶν θεοτόκου καὶ ἀει]παρθέν[ου
Μαρίας]. Feissel stimmt dem nicht zu: „On n'a pas pris garde au *vacat* qui précède: cette
ligne [sc. Z. 5] est en fait le début d'une seconde invocation, soit au Christ, soit à la Vierge
elle-même." (ebd.)

> Herr Jesus Christus, geboren von der Jungfrau Maria, gekreuzigt
> unsertwegen, hilf dieser Stadt, daß sie für alle Zeit besteht, und
> bewahre die, die in dir wohnen, zu deiner Ehre.

Z. 2 Die Erwähnung der Jungfräulichkeit der Maria muß Feissel zufolge
nicht notwendigerweise auf ein Datum nach dem Konzil von Ephesus im
Jahr 431 hinweisen (S. 190).

Z. 4 Material zum Vergleich findet sich bei Lemerle. Vgl. auch Feissel zur
Stelle (S. 190).

131/G225
V

Korrespondenz zwischen Abgar und Jesus

Ch. Picard: Un texte nouveau de la correspondance entre Abgar d'Osroène et
Jésus-Christ gravé sur une porte de ville, à Philippes (Macédoine), BCH 44
(1920), S. 41–69.

Collart, S. 466ff.

Lemerle, S. 87–90.

Margherita Guarducci: Epigrafia Greca IV. Epigrafi sacre pagane e cristiane, Rom
1978, S. 357–360.

Feissel, Nr. 222 (S. 185–189).

Han J. W. Drijvers: Abgarsage, in: Wilhelm Schneemelcher [Hg.]: Neutestamentliche Apokryphen, I. Band: Evangelien, Tübingen [5]1987, S. 389–395.

Band I, S. 241.

Philippi: Neapolistor. Gefunden am 13. Juni 1914 durch Ch. Avezou
und Ch. Picard an der Außenseite des Neapolistors „où l'inscription était
apposée" (Feissel, S. 185).

Nach dem Ersten Weltkrieg sind die Fragmente dieser Inschrift verschwunden und bleiben bis heute unauffindbar. Feissel kann auf das Material der
École française d'Athènes zurückgreifen: „la copie originale de Ch. Avezou
dans son Carnet de fouille; les photographies de quelque fragments mineurs",
sowie die Abklatsche von Ch. Picard (Feissel, S. 185).

Es handelte sich um Fragmente zweier Marmorplatten (D. 0,07), deren eine
(= A) den Brief des Abgar, deren andere (= B) die Antwort Jesu enthielt.
A bestand aus neun Fragmenten. Die Buchstabenhöhe schwankte zwischen
0,04 (in Z. 2) und 0,045 (Z. 12), „égale ou supérieure à 4,3 [au] à parti de
la l. 9" (Feissel, S. 185). Zeilenzwischenraum 0,06–0,011. B bestand aus vier
Fragmenten. Höhe der Buchstaben 0,047; Zeilenzwischenraum 0,01.

A

[† Ἄβγα]ρος Οὐχαμᾶ τοπάρχης Ἰ(ησο)ῦ ἀ[γαθῷ σ(ωτῆ)ρι ἀναφανέντι]
[ἐν πόλει Ἱ]εροσολύμων χαίρειν. *vacat*
[ἤκουσταί μ]οι τὰ περὶ σοῦ κ(αὶ) τῶν σῶ[ν ἰαμάτων, ὡς ἄνευ]
[βοταν]ῶν κ(αὶ) φαρμάκων ὑπὸ σοῦ γι[νομένων, ...]
5 [- λόγ]ῳ τυφλοὺς ἀναβλέπειν ποιεῖς, χωλοὺς [περιπατεῖν, *vac.?*]
[κ(αὶ) λεπρο]ὺς καθαρί[ζεις] κ(αὶ) ἀκάθαρτα [πνεύματα ἐκβάλλεις
κ(αὶ)]
[τοὺς ἐν μ]ακρονοσί[ᾳ βασανιζομένους θεραπεύεις.]
[ταῦτ]α πά[ν]τα ἀκού[σας περὶ σοῦ, ...]
ἢ ὅτι σὺ εἶ ὁ θ(εὸ)ς [..., ἢ υἱὸς εἶ τοῦ θ(εο)ῦ ποιῶν]
10 ταῦτα. ἰδού, [... ἐδεήθην σου σκυλῆναι πρός με]
κ(αὶ) τὸ πάθος [ὃ ἔχω θεραπεῦσαι. ... καταγογγύζου-]
σίν σου κ(αὶ) ὑ[... · πόλις]
μικροτ[άτη μοί ἐστι κ(αὶ) σεμνή, ἥτις ἐξαρκεῖ ἀμφοτέροις. †]

B

[† Μακάριος εἶ πιστεύσας ἐν ἐμοὶ μὴ ἑορα-]
[κώς με· γέγραπται γὰρ περὶ ἐμοῦ τοὺς ἑο-]
[ρακότας με μὴ πιστεύσειν ἐν ἐμοὶ κ(αὶ) ἵνα]
[οἱ μὴ ἑορακότες με αὐτοὶ πιστεύσωσι κ(αὶ)]
5 [ζήσον]τα[ι· περὶ δὲ οὗ ἔγραψάς μοι ἐλθεῖν]
[πρός] σε δ[έον ἐστὶ πάντα δι' ἃ ἀπεστάλην]
[ἐνταῦθ]α πλ[ηρῶσαι κ(αὶ) οὕτως ἀναληφθῆναι]
[πρὸς τ]ὸν ἀπ[οστείλαντά με ... κ(αὶ)]
[ἐπει]δὰν ἀν[αληφθῶ ...]
10 [ἀποσ]τέλλω σ[οί τινα τῶν μαθητῶν μου ἵνα ?]
[ζω]ὴν αἰών[ιον κ(αὶ) εἰρήνην κ(αὶ) σοὶ κ(αὶ) τοῖς]
[σ]ὺν σοὶ π[αράσχηται κ(αὶ) τῇ πό]λ[ει σο[υ ...]
[-] πρὸς τὸ [μηδένα τῶν ἐχθρῶ]ν σου [ἐξου-]
[σίαν τ]αύτ[ης ἔχειν ἢ σχεῖν π]οτ[ε. †]

Text und Ergänzung nach Feissel. Er zieht für seine Rekonstruktion des Textes neben Euseb die Inschrift aus Ephesos (s.u.) und die Inschrift aus Gurdju (Recueil des inscriptions grecques et latines du Pont et de l'Arménie I, hg. v. J.G.C. Anderson, Franz Cumont, Henri Grégoire, Studia Pontica III 1, Brüssel 1910, S. 198–202, Nr. 211 heran.
B11ff. Picard rekonstruiert den Schluß des Briefes Jesu folgendermaßen:

[κ(αὶ) ζω]ὴν αἰών[ιον σοὶ]
[κ(αὶ) εἰρήνην τῇ πό]λει σο[υ κ(αὶ) τοῖς] σὺν σοὶ π[αράσχηται.]
[κ(αὶ) ποιήσει εἰς τὴν πόλι]ν σου [τὸ ἱκανὸν] πρὸς τὸ [μηδένα τῶν]
[ἐχθρῶν τῶν σῶν τὴν ἐξουσίαν τ]αύτ[ης ἔχειν ἢ σχεῖν τοτε †]

A

Der Toparch Abgar Uchama grüßt Jesus, den guten Retter, der erschienen ist [2] in der Stadt Jerusalem. [3] Ich habe von dir und deinen Heilungen gehört, daß sie ohne [4] Kräuter und (künstliche) Arzneien von dir geschehen sind; [5] du bewirkst durch (dein) Wort, daß Blinde wieder sehen (und) Lahme gehen, [6] und du reinigst Aussätzige und treibst unreine Geister aus und [7] heilst die, die von einer langen Krankheit gequält werden. [8] Dies alles habe ich über dich gehört ..., [9] daß du entweder Gott bist ... oder Gottes Sohn, weil du dies vollbringst. [10] Siehe ..., ich bitte dich, die Mühe auf dich zu nehmen, zu mir (zu kommen) [11] und das Leiden, das ich habe, zu heilen. (Die Juden) murren [12] gegen dich und [13] ... Ich habe eine sehr kleine, aber angesehene Stadt, eine, die für uns beide ausreicht.

B

[1] Du bist selig, weil du an mich glaubst, obwohl du mich nicht gesehen hast. [2] Denn es steht über mich geschrieben, daß die, die mich gesehen haben, [3] nicht an mich glauben werden, und daß [4] gerade die, die mich nicht gesehen haben, glauben und [5] leben werden. Betreffs dessen, was du mir geschrieben hast, zu dir zu kommen, [6] ist es nötig, alles, weswegen ich gesandt worden bin, [7] hier zu vollenden und so wieder aufgenommen zu werden [8] zu dem, der mich gesandt hat, ... Und [9] wenn ich aufgenommen worden bin, ... [10] sende ich dir einen meiner Schüler, damit [11] er ewiges Leben und Frieden für dich und die [12] deinen bewirke; für deine Stadt aber, [13] daß keiner deiner Feinde jemals Macht [14] über sie haben oder sie erhalten soll.

Den Inhalt der Abgarsage beschreibt Drijvers folgendermaßen: „Der Briefwechsel Jesu mit dem König Abgar V Ukama von Edessa (4 v.Chr. – 7 n.Chr.; 13–50 n.Chr.) bildet den Kern der Abgarsage. Der König hat von den Wunderheilungen Jesu gehört und lädt ihn brieflich nach Edessa ein, um ihn einerseits von seiner Krankheit zu heilen und andererseits sich vor der Feindseligkeit der Juden zu schützen. In seiner Antwort preist Jesus den König Abgar selig, weil er geglaubt hat, ohne ihn gesehen zu haben. Der Einladung kann er aber keine Folge leisten, weil er nach der Erfüllung seiner irdischen Aufgabe zu seinem himmlischen Vater, der ihn gesandt hat, aufgenommen werde. Dann wird er dem König einen seiner Jünger senden, der den König heilen und ihm und den seinen das Leben bringen solle. Nach der Himmelfahrt Jesu sandte Judas Thomas den Apostel Addai, von Eusebius Thaddäus genannt, nach Edessa, wo er den Abgar heilt und die Stadt für das Christentum gewinnt" (S. 389).

In diesem Zusammenhang kann es nicht darum gehen, die verwickelten Überlieferungsprobleme in einer ganzen Reihe von Sprachen (Drijvers zählt S. 390 Syrisch, Armenisch, Griechisch, Lateinisch, Arabisch, Persisch, Slawisch und Koptisch auf) zu untersuchen. Die älteste greifbare Überlieferung findet sich bei Euseb in der Kirchengeschichte (H. E. I 13; II 1,6–8), die nächste Parallele in Ephesos:

Αὔγαρος Οὐκάμα τοπά[ρ]χης Ἰησοῦ ἀγαθῷ σωτῆρι ἀναφανέντι ἐν πόλι Ἱε-
ροσολύμων χέριν. ἤκουστέ μοι τὰ περὶ σοῦ καὶ τῶν σῶν ἰαμάτων, ὡς ἄνευ
φαρμάκων καὶ βωτανῶν ὑπ[ὸ σ]οῦ γινομένων τυφλοὺς ἀναβλέπιν ποιεῖς, χωλοὺς πε[ρι]πατῖν, λεπροὺς καθαρίζις καὶ ἀκάθαρτα πνεύματα καὶ δέμονας ἐκ-
βάλλις καὶ τοὺς μὲν μακρονοσ[ίᾳ] βασανιζομένους θεραπεύει<ς> καὶ νεκροὺς
ἐγίρις, [κ]αὶ ταῦτα πάντα ἀκούσας περὶ σοῦ κατὰ νοῦν ἐθέμην τὸ ἕτερον τῶν
δύο, ἢ ὅτι σοὶ εἶ ὁ υἱ(ὸ)ς τοῦ θ(εο)ῦ καὶ καταβὰς ἐκ τοῦ οὐρανοῦ ποιεῖς
ταῦτα ἢ ὅτι σοὶ εἶ ὁ θ(εὸ)[ς] καὶ καταβὰς ἐκ τοῦ οὐρανοῦ ποιεῖς ταῦτα. διὰ
τοῦτο γράψας ἐθεήθην σου σκυλῆναι πρός με καὶ τὸ πάθος, ὃ ἔχω, θεραπεῦσαι·
ἤκουστέ μοι γά[ρ, ὅ]τι οἱ Ἰουδὲοι καταγογγύζουσίν σου καὶ βούλονται κακῶσέ
σαι· πόλις δέ μ[οί] ἐστιν μιχροτάτη καὶ σεμνή, ἥτις ἐξαρκεῖ ἀμφοτέροις. τὰ
ἀντιγραφέντα παρὰ τοῦ δεσπότου διὰ Ἀνανίου ταχοδρόμου (IEph 46, Z. 1–6).
μακάριος ὁ πιστεύσας [ἐ]ν ἐμοὶ μὴ ἑωρακώς με. γέγραπτε γὰρ περὶ ἐμοῦ· »οἱ
ἑωρακότες με μὴ πιστεύσουσιν ἐν ἐμοὶ καὶ οἱ ἑωρακότες μ[ε] πιστεύσουσιν
καὶ ζήσον[τ]ε«. περὶ δὲ οὖ ἔγραψάς μοι ἐλθῖν πρός σε, δέον ἐ[στὶ]ν πάντα,
δι' ἃ ἀπεστάλην, πληρῶ<σ>αι {τὰ πάντα} καὶ μετὰ τὸ πληρῶ[σαι] τὰ πάντα
ἀναλημφθῆναι πρὸς τὸν ἀποστίλαντά με· καὶ ἐπιδὰν ἀναλημφθῶ, ἀποστέλλω
τινὰ τῶν μαθητῶ<ν> μου, ὅστις εἰάσεταί σου τὸ πάθος καὶ ζωήν σοι παράσχῃ
καὶ τοῖς σὺν σοὶ <πᾶ>σιν καὶ τῇ πόλι τῇ σῇ <πρὸς τὸ> μηδένα τῶν ἐχθρῶν τῶν
σῶν ἐξου<σί>αν ταύτης ἔχιν ἢ σχῖν ποτέ (IEph 46, Z. 7–11).
Der Schluß des Briefes Jesu (B 12–15) bot den Anlaß, diesen Text als Inschrift gerade an einem Stadttor anzubringen. Schon im Jahre 384 wurde
der Pilgerin Egeria in Edessa selbst von dem wunderwirkenden Schreiben
Jesu berichtet, welches man nur an das Tor der Stadt bringen müsse, und
schon wären die Feinde machtlos (der Brief Jesu an Abgar: *Peregrinatio
Egeriae* 17,1; seine wunderwirkende Kraft: 19,8–13, gipfelnd in der Aussage:
*Nam et postmodum quotienscumque voluerunt venire et expugnare hanc ci-
vitatem hostes, haec epistola prolata est et lecta est in porta, et statim nutu
Dei expulsi sunt omnes hostes* [ed. Pierre Maraval, Sources Chrétiennes 296,
Paris 1982]). Schon die „Edessener sollen darum später eine Abschrift des
Briefes an den Stadttoren befestigt haben, um die Stadt gegen ihre Feinde
zu schützen" (Drijvers, S. 389).
Margherita Guarducci datiert diese Inschrift auf den Anfang des 5. Jahr-
hunderts (S. 357).

Weihinschrift des Quintus Mofius Euhemerus   132/L303

II/III

Marcus N. Tod: Macedonia. VI. Inscriptions, ABSA 23 (1918–1919), S. 67–97; hier
    S. 96f., Nr. 21 mit Abb. 2.
AÉ 1921, Nr. 4.
Ch.[arles] Picard: Les dieux de la colonie de Philippes vers le Ier siècle de notre
    ère, d'après les ex-voto rupestres, RHR 86 (1922), S. 117–201; hier S. 182f. (Nr.
    7).

Paul Collart: Le sanctuaire des dieux égyptiens à Philippes, BCH 53 (1929), S. 70–100; hier S. 82–87, Nr. 7 (mit Abb.).

AÉ 1930 [1931] 50.

Collart, S. 447 (Nr. 7 mit Abb.).

Lemerle, S. 86.

Ladislaus Vidman [Hg.]: Sylloge inscriptionum religionis Isiacae et Sarapiacae, RVV 28, Berlin 1969; hier S. 55, Nr. 121.

Françoise Dunand: Le culte d'Isis dans le bassin oriental de la méditerranée. Vol. II: Le culte d'Isis en Grèce, EPRO 26, Leiden 1973, S. 191 mit Anm. 2; S. 192f.; S. 196–198.

Valerie Ann Abrahamsen: The Rock Reliefs and the Cult of Diana at Philippi, Diss. Harvard Divinity School, Cambridge (Mass.) 1986, S. 43 mit Anm. 53 (Die Übersetzung ist eine Katastrophe).

Lilian Portefaix: Sisters Rejoice. Paul's Letter to the Philippians and Luke-Acts as Seen by First-century Philippian Women, CB.NT 20, Uppsala 1988, S. 118f.

Bormann, S. 59.

Band I, S. 39; S. 44f.; S. 138 mit Anm. 20; S. 150 mit Anm. 20.

Philippi: Neapolistor. „Grand cippe en forme d'autel, exhumé en 1914 par Ch. Picard et Ch. Avezou, à la porte sud-est de la ville, vers Néapolis" (Collart, S. 82); möglicherweise von den Christen aus dem Heiligtum der Isis zum Tor gebracht (vgl. z.B. Vidman, S. 55).

Abmessungen: H. 1,80; B. (oben) 1,10; B. (Mitte) 0,94; D. 0,70; H. der Buchstaben Z. 1: 0,078; Z. 2: 0,052; Z. 3: 0,043; Z. 4: 0,036; Z. 5: 0,057; Z. 6: 0,042; Z. 7: 0,038; Z. 8: 0,054; Zeilenzwischenraum 0,025–0,034.

Auf der rechten Seite des Monuments christliche Symbole, ein Kreuz und eine Taube (vgl. die Zeichnung, Abb. 13, bei Collart, S. 86). 1990 noch *in situ.*

Dia Nummer 166.167.168.169.170.171/1990; 199.200.201/1991; Σ100.101/1991.

> Isidi Reg(inae) sac(rum).
> ob honor(em) divin(ae)
> domus pro salute
> colon(iae) Iul(iae) Aug(ustae) Philippiens(is)
> 5   Q(uintus) Mofius Euhemer(us),
> medicus, ex imperio
> p(ecunia) s(ua) p(osuit). idem subselia IIII
> loco adsig(nato) d(ecreto) d(ecurionum).

Der Königin Isis ist es geweiht. Zur Ehre des kaiserlichen („göttlichen") Hauses (und) zum Heil der *Colonia Iulia Augusta Philippiensis* hat Quintus Mofius Euhemerus, der Arzt, auf Anweisung (nämlich der Isis) auf eigene Kosten (den Altar) aufgestellt. Derselbe (hat) auch vier Bänke (aufgestellt) am durch das Dekret der Ratsherren bestimmten Ort.

Z. 1 Das Epitheton *regina* auch bei Apuleius, Met. XI 5,3: ... *priscaque doctrina pollentes Aegyptii caerimoniis me* [sc. *Isidem*] *propriis percolentes appellant vero nomine reginam Isidem* (vgl. auch XI 1,2; 5,1; 26,3). In Philippi begegnet Isis Regina auch auf den Inschriften 506/L252 aus Drama und 581/L239 aus Αγγίστα.

Z. 2f. „La formule *domus divina*, pour désigner la famille impériale, n'est communément employée que vers la fin du IIᵉ siècle, bien qu'il en existe déjà un exemple épigraphique sous Claude ou Néron [R. Cagnat: Cours d'épigraphie latine, 4ᵉ éd., p. 168]. Nous y trouvons donc un élément de datation pour notre inscription" (Collart, S. 84).

Die Formel *ob honorem divinae domus [et] coloniae Iuliae Philippensis* begegnet auch in der Weihinschrift des Westtempels des Forums (201/L305: mit *in* statt *ob*) und in der Weihinschrift der Bibliothek (233/L332: ebenfalls *in* statt *ob*). Dunand schließt aus unserer Formulierung in Z. 2f. auf den offiziellen Charakter des Isiskultes in Philippi: „ce culte a dû avoir dès l'origine à Philippes un caractère officiel" (S. 191), und behauptet einen Zusammenhang zwischen Kaiserkult und Isiskult (a.a.O., Anm. 2). Ein solcher mag in der Person des Euhemerus gegeben sein; weitergehende Schlüsse bleiben m. E. hypothetisch.

Z. 4 Collart zum Namen der Kolonie: „... mais le titre complet, tel qu'il figure ici, *Colon(ia) Iul(ia) Aug(usta) Philippiens(is)* n'est attesté par aucune autre inscription" (S. 85).

Z. 5 Das *cognomen* Euhemerus begegnet auch auf zwei weiteren Inschriften aus Philippi, und zwar auf der Liste der Silvanusverehrer auf der Akropolis (165/L003) ein Veronius Euhemerus und unter den von Πέτσας publizierten Inschriften ein *Lucius Licinius Luci libertus Euhemerus* (721/L714). „Le gentilice Mofius, qui ne se trouve nulle part ailleurs, serait un nom hébraïque latinisé", bemerkt Collart (S. 85); er verweist auf Picard, S. 182. In dem halben Jahrhundert seit Collart hat sich kein einziger weiterer Beleg für Mofius gefunden (vgl. Olli Salomies: Contacts between Italy, Macedonia, and Asia Minor during the Principate, in: Roman Onomastics in the Greek East. Social and Political Aspects, hg. v. A.D. Rizakis, Μελετήματα 21, Athen 1996, S. 111–127; hier S. 117, Anm. 31: Der hier genannte zweite Beleg, BCH 58 (1943), S. 481, Nr. 31, ist erratisch; gemeint ist vermutlich BCH 58 (1934), wo sich S. 481 auch eine Nr. 31 findet [d.i. unsere Inschrift 279/L401] – aber nicht ein zweiter Beleg für den Namen Mofius!).

Z. 6 Ein weiterer *medicus* begegnet in 322/L379 aus der Basilika B: Caius Velleius Platon.

Z. 8 „En raison de cette mention précise, et à moins de supposer qu'il existait aussi un *Isieion* à la porte S.-E., hors l'enceinte macédonienne, on peut croire que le cippe avait changé de place dans l'antiquité, et qu'il aurait été comme »expulsé« du côté de la Nécropole. Ce transfert ne serait-il pas le fait des chrétiens? Ils avaient mis, à leur tour, la porte S.-E. sous la protection de la correspondance magique du Christ, comme ils ont aussi »annexé« à leur culte le cippe-autel d'Isis Regina: on y voit, gravés sur la face latérale droite, au trait, deux des symboles de la foi nouvelle, la colombe et la croix (celle-ci au dessus de la colombe)" (Picard, S. 183).

Weit hergeholt sind die Bemerkungen bei Portefaix, wonach diese Inschrift „may refer also to the function of healing implied in her power although it does not directly address Isis in her role of healing goddess; the fact that the dedication was made by a physician suggests that healing formed a part of the success (»salus«) he besought for the inhabitants of the colony and it also fitted into the almighty power of the goddess. The aspect of healing in the character of Isis was of importance to women in view of their gynaecological needs ... and might have attracted particularly those who lacked the economic means to consult a doctor for themselves ... and their children ... " (S. 119).

Einen öffentlichen Charakter der Isisverehrung in Philippi entnimmt Bormann (S. 59) der Z. 8; dies geht m. E. zu weit: Der Beschluß des Stadtrats betrifft doch lediglich den öffentlichen Ort der Aufstellung des Altars, den Euhemerus zugewiesen bekommt, nicht aber die Isisverehrung und ihren „Status einer öffentlichen Religion" (ebd.).

133/G441
II/III
Le testament d'un Thrace à Philippes

Paul Lemerle: Le testament d'un Thrace à Philippes, BCH 60 (1936), S. 336–343 mit Abb. Pl. XLII und Abb. 1.
AÉ 1937 [1938] 51.
BÉ 1938, Nr. 218.
Collart, S. 474f., Anm. 3, Nr. 8; S. 478 mit Anm. 6; S. 480 mit Anm. 1.
Vărbinka Najdenova: A Shrine of Ares Suregethes in Thrace, in: Third International Scientific Symposium »Terra Antiqua Balcanica«. Acta Centri Historiae »Terra Antiqua Balcanica« II, Sofia 1987, S. 252–258; hier S. 255f. mit Anm. 9.
Band I, S. 89, Anm. 15; S. 95, Anm. 13; S. 133, Anm. 26; S. 139 mit Anm. 29; S. 149f. mit Anm. 11f.; S. 221 mit Anm. 14.

Philippi: Neapolistor. Stele aus lokalem Marmor, „légèrement pyramidante" (Lemerle, S. 337). Oberhalb der Inschrift sind drei Figuren zu erkennen. „C'était sans doute un des premiers parmi les nombreux monuments funéraires qui, depuis la porte même jusqu'à une assez grande distance dans la direction de Néapolis, bordaient la Via Egnatia et en faisaient, selon la coutume antique, une voie des tombeaux. On peut donc penser que la stèle a été trouvée non loin de sa place primitive, et qu'elle est restée longtemps visible: il n'est pas téméraire d'attribuer aux Turcs la mutilation qu'ont subie les trois visages" (Lemerle, S. 336f.).
Abmessungen: H. 1,26; B. 0,64; D. 0,40. H. der Buchstaben 0,054 (Z. 1) bis 0,030 (Z. 21).

Inventarisierungsnummer: Λ 293 (? oder 273? – schwer lesbar). 1999 noch *in situ.*
Dia Nummer 156.161–166/1990; 338–346/1992.

Αὐρή(λιος) Ζιπύρων
ἐτῶν λ´ ἐνθάδε
κεῖται. Οὐαλ(ερία) Μαντάνα
τῷ εἰδίῳ ἀνδρὶ καὶ
5 αἱαυτῇ ζῶσα ἐποί-
ησεν. ἐὰν δέ τις
μεταρῇ τὸν βωμὸν
τοῦτον, δώσι τῇ πώλι
✶ χίλια καὶ δηλάτω-
10   ρι ✶ φ´.
Οὐαλερία Μοντάνα κα-
τὰ κέλευσιν τοῦ ἀνδρὸς Αὐρη-
λίου Ζιπύρωνος Δίζανος ἔδωκα συνποσίῳ θεοῦ Σουρεγέθου
15 πρὸς τὴν ἀγορὰν παρὰ τὸ ὡρο-
[λ]όγιν ✶ ρν´, ἀφ' ὧν ἐκ τῶν τόκ[ων]
[π]αρακαύσωσιν κατὰ ῥόδοις· [ἐὰν]
[δὲ] μὴ παρακαύσωσιν, δώσο[υσιν]
[πρ]οστείμου τὰ προγεγράμμ[ενα]
20 [δι]πλᾶ τοῖς ποσιασταῖς Ἥρ[ωνος]
[πρὸ]ς τὰ Τορβιανά.

Aurelios Zipyron, 30 Jahre alt, liegt hier begraben. Valeria Mantana hat (den Altar) für ihren eigenen Mann und für sich selbst
zu ihren Lebzeiten machen lassen. [6] Wenn aber jemand diesen Altar wegnimmt, soll er der Stadt 1000 Denare und dem,
der es anzeigt, 500 Denare geben. [11] Ich, Valeria Montana, habe gemäß des Auftrages meines Mannes Aurelios Zipyron Dizas
dem Begräbnisverein des Gottes Suregethes neben der Agora gegenüber der Uhr 150 Denare gegeben, davon sollen sie aus den
Zinserträgen (beim Grab) alljährlich zur Zeit des Rosenfestes
opfern. Wenn sie aber nicht opfern, sollen sie als Strafe das Doppelte des oben Genannten den Mitgliedern des Begräbnisvereins
des Ἥρως πρὸς τὰ Τορβιανά geben.

Z. 1 Der Verstorbene wird in 12f. erneut genannt. Der Nominativ lautet
nach Lemerle (S. 338) Δίζας. Demnach heißt er mit vollem Namen Αὐρήλιος
Ζιπύρων Δίζας (die TLG-CD-ROM #C hat keinen Beleg für Δίζας). Der
Erblasser ist mithin ein Thraker, „qui peut-être a pris le gentilice Aurelius
à l'occasion de son service dans l'armée romaine" (Lemerle, S. 338).

Z. 9f. Zu δηλάτωρ vgl. die Inschrift 022/G220 aus Kavala.

Z. 11 Valeria und Montana bzw. Mantana (so Z. 3) sind in Philippi häufig belegte Namen. Eine Αὐρηλία Μουντάνα begegnet in 273/G413 von der Basilika B und in 734/G749 vom jüdischen Friedhof in Thessaloniki.

Z. 14 συμπόσιον (hier συνπόσιον) bezeichnet nach Lemerle einen Begräbnisverein (S. 338f.). Das läßt sich bei LSJ so noch nicht finden (doch vgl. immerhin im Suppl. s.v. συμποσιαστής: „... 2. member of a cult-association").

Der thrakische Gott heißt im Nominativ Σουρεγέθης (vgl. Collart S. 480, Anm. 2). Ein literarischer Beleg dafür findet sich auf der TLG-CD-ROM #D nicht. Inschriftliche Belege für diese Gottheit bei Lemerle, S. 338, Anm. 7. Aus Amphipolis stammt ein neuer Beleg für diese thrakische Gottheit: [Θεῷ Σ]ουρεγ[έθη] Γείθυς Ἄθου (Καφταντζής, Nr. 609, S. 374; fehlt bei Detschew, s.v. Σουρεγεθης, dort weitere Belege). Eine Weihinschrift: *[He]roni Sur-|gethie* aus dem Museum in Sofia publiziert V. Beševliev: Epigrafski prinosi, Sofia 1952, Nr. 114 (S. 68). Zum Θεὸς Σουρεγέθης vgl. jetzt die Studie von Vărbinka Najdenova, die alle bekannten Belege zusammenstellt.

Z. 16 ὡρολόγιν heißt nach der Schulgrammatik ὡρολόγιον (vgl. Lemerle, S. 339, Anm. 4). Dazu bemerkt er: „L'association a son lieu de réunion »du côté de l'agora, contre l'horloge«: l'agora de Philippes a été dégagée par les fouilles, on n'y a point trouvé d'horloge. On ne saurait dire d'ailleurs s'il s'agit d'un simple cadran solaire, ou d'une horloge hydraulique" (S. 339).

Z. 16f. Zum Rosalienfest vgl. o. Bd. I, S. 104 und die dort genannte Literatur; das Material aus Philippi ist im Kommentar zu 029/G215, Z. 6–8 zusammengestellt (dort wird auch die Übersetzung von παρακαύσωσιν ῥόδοις diskutiert). Hier liegt insofern ein besonderer Fall vor, als zu dem temporalen Dativ ein κατά tritt; gemeint ist, wie die analogen Formeln zeigen, κατ' ἔτος ῥόδοις, d.h. „alljährlich am Rosenfest" (vgl. Lemerle, S. 341f.).

Z. 20 „On connait déjà en Thrace des associations cultuelles du dieu Héros; celle de Philippes était un συμπόσιον, mais le terme de ποσιασταί qui en désigne les membres, au lieu de συμποσιασταί, est absent des lexiques et paraît se rencontrer ici pour la première fois." (Lemerle, S. 340).

Den Vorschlag Lemerles bezüglich des ποσιαστής hat LSJ in dem Suppl. aufgenommen: s.v. „prob. *member* of a religious association called a συμπόσιον, BCH 60. 337 (Philippi, ii/iii A.D.)". TLG-CD-ROM #C bietet keinen Beleg für ποσιαστ-.

Die mögliche Ergänzung zu Ἡρ[ακλέους] lehnt Lemerle wegen der Länge ab; Ἡρ[ας] sei zu kurz. Passend sei Ἡρ[ωος] oder besser Ἡρ[ωνος] (S. 340). Nichts könnte in Philippi näher liegen, als hier an die Verehrung des Ἥρως Αὐλωνείτης zu denken (vgl. die Inschriften aus dessen Heiligtum aus Kipia, die damals allerdings noch nicht entdeckt worden waren), zumal da mittlerweile sogar eine Münze aus Philippi bekannt geworden ist, die diesen Ἥρως Αὐλωνείτης auf der Rückseite abbildet: Die Münze wurde auf der Agora in Thasos gefunden und 1991 publiziert (Olivier Picard: Ανασκαφές της Γαλ-

λικής Αρχαιολογικής Σχολής στο Θάσο το 1988, ΑΕΜΘ 2 (1988) [1991],
S. 387–394; hier S. 389 mit Abb. 10). Auf der Vorderseite ist Augustus ab-
gebildet (mit der Legende DIVO AVGVSTO); auf der Rückseite der ῞Ηρως
Αὐλωνείτης mit der Aufschrift:

HEROI AULONITE

und

R(es) P(ublica) C(oloniae) P(hilippensis).

Wer in Philippi von einem solchen ῞Ηρως ohne eine nähere Kennzeichnung spricht, meint also wohl mit großer Wahrscheinlichkeit den ῞Ηρως
Αὐλωνείτης.

Z. 21 Τορβιανά = torviana; Lemerle, S. 341: „Il y aurait donc eu à Philippes quelque construction due à un certain Torvus, et qu'il était inutile
de désigner avec plus de précision parce que, dans cette petite ville, tout le
monde la connaissait ainsi."

Lemerle datiert die Inschrift wie folgt: „Nous daterons donc approximative-
ment notre texte de la fin du deuxième ou de la première moitié du troisième
siècle" (S. 343).

Die vorliegende Inschrift zeigt den Synkretismus, der für die Kolonie Philippi
charakteristisch ist. Collart formuliert es so: „l'influence réciproque, à Philippes, des rites funéraires indigènes et de ceux qu'avaient apportés d'Italie
les colons romains ne saurait être plus clairement exprimée. Ces inscriptions sont donc la preuve manifeste du rapport qu'on n'avait pas manqué
d'établir entre les fêtes des morts latines, *Rosalia* et *Parentalia*, et la croyan-
ce à l'immortalité qui faisait partie de l'eschatologie dionysiaque; elles montrent que les colons romains de Philippes comme les Thraces de la colonie
avaient bien vite assimilé, dans une même ferveur, les cérémonies funèbres
qu'ils avaient coutume de pratiquer. Les thiases dionysiaques du Pangée
et de l'Orbèle ou les associations qui se réclamaient du Héros chasseur se
chargeaient pour les uns comme pour les autres de célébrer les *Rosalia*" (S.
480).

Grabinschrift für Vergilius Valerius und seinen Sohn   134/L451

Paul Lemerle: Nouvelles inscriptions latines de Philippes, BCH 61 (1937), S. 410–
420; hier S. 416f., Nr. 10.

Philippi: in der Nähe des Neapolistors. „Deux fragments d'une stèle
mutilée, trouvés près de la porte orientale de la ville" (Lemerle, S. 416).
Abmessungen: H. 0,60; B. 0,60; D. 0,53; H. der Buchstaben 0,065–0,050.

Ver[gili]us
Valerius

an(norum) XLV et Mu-
cianus Rufi
5 fil(ius) an[n(orum) X]V. B[en-]
dis Ru[fa mari-]
to et f[ilio f(aciendum) c(uravit).]

Vergilius Valerius, fünfundvierzig Jahre alt, und Mucianus, der
Sohn des Rufus, fünfzehn Jahre alt, (sind hier begraben). Bendis
Rufa hat (den Stein) für ihren Gatten und ihren Sohn anfertigen
lassen.

Z. 6f. Lemerle macht auf den theophoren Namen *Bendis* aufmerksam,
„qui seul me semble s'accorder aux lettres visibles sur la pierre: bien que rare,
il est attesté, et moins qu'ailleurs on s'étonnera de le rencontrer à Philippes,
où Artemis Bendis tient dans le cultes locaux une si grande place" (S. 417).

135/GL452   ### Grabinschrift für Quintus Claudius Capito

Paul Lemerle: Nouvelles inscriptions latines de Philippes, BCH 61 (1937), S. 410–
420; hier S. 417, Nr. 11 mit Abb.
AÉ 1938 [1939] 55.
Sarikakis, Nr. 93 (S. 447).

Philippi: in der Nähe des Neapolistors. Lemerle macht keine präzisen
Angaben in bezug auf den Fundort.
Abmessungen: H. 0,60; D. 0,50; H. der Buchstaben 0,075–0,10.
„Sur le côté droit de la stèle, à la hauteur de la l. 1, on lit: PREFECT,
d'une gravure comparable à celle de l'inscription; sur le côté gauche, en très
mauvaise gravure, BIKTΩPEIKOC" (S. 417).

A
Q(uinto) Clau[d(io)]
Capitoni
pref(ecto) leg(ionis) XIII
Gemine fili
5 carissim[o]
[patri ...]

B
PREFECT

C
BIKTΩPEIKOC

Für Quintus Claudius Capito, den Präfekten der dreizehnten Legion Gemina, ihren liebsten Vater, (haben) die Söhne (die Inschrift anfertigen lassen).

Z. 1 „On sait que *Claudius* est un des rares gentilices qu'on peut, dans les inscriptions assez tardives, trouver abrégés *Cl.* ou *Claud.*" (S. 417).

Z. 3 *prefecto = praefecto.*

Z. 4 *Gemine = Geminae.* Die *legio XIII Gemina* begegnet auch in der Inschrift der Magia Secunda aus Ἅγιος Ἀθανάσιος (430/L159, Z. 5) und in den vier Inschriften aus Alexandria Troas (700/L738, 701/L739, 702/L740 und 703/L741).

Grabinschrift des Marcus Aurelius Lucius   136/L453

III

Paul Lemerle: Nouvelles inscriptions latines de Philippes, BCH 61 (1937), S. 410–420; hier S. 418, Nr. 12.

AÉ 1938 [1939] 56.

Sarikakis, Nr. 57 (S. 444).

Charles Pietri: Art. Grabinschrift II (lateinisch), RAC 12 (1983), Sp. 514–590; hier Sp. 532.

Philippi: in der Nähe des Neapolistors. „Grande stèle brisée en trois morceaux, même provenance" (Lemerle, S. 418).

Abmessungen: H. 1,50; B. 1,02; D. 0,67; H. der Buchstaben 0,075 bis 0,045.

     D(is) M(anibus).
     M(arcus) Aurelius Lucius
     vetranus ex le-
     gionis secunda Pa[r-]
5   thica ann(orum) LV h(ic) s(itus) e(st). Au[r(elia)]
     Calliste coiux et Aurel(ia)
     Lucilla filia patri dulcis-
     simo bene moerenti memoriaca-
     s {a}ara(s) posuerunt. si cuis eam
10 aram trastolerit aut mobe-
     rit dabit rei publicae Philip(pensium)
     ✳ mile ex ea pecunia dela-
     tori ✳ CCL.

5 AÉ: ESE statt HSE (Druckfehler). AÉ: AVR.

Den Totengöttern. Marcus Aurelius Lucius, [3] Veteran der zweiten Legion Parthica, fünfundfünfzig Jahre alt, liegt hier begraben. Aurelia [6] Calliste, seine Frau, und Aurelia Lucilla, seine Tochter, haben für ihren allerliebsten wohlverdienten Vater das Denkmal zur Erinnerung aufgestellt. Wenn einer dieses [10] Denkmal weggeschafft hat oder bewegt hat, soll er der *res publica Philippensium* 1000 Denare geben; von diesem Geld erhält der, der es anzeigt, 250 Denare.

Z. 1 Eine Liste aller *Dis-Manibus*-Inschriften aus Philippi findet sich im Kommentar zu 092/G496.

Z. 3f. *vetranus = veteranus.* Die *legio secunda Parthica* begegnet sonst in den Inschriften aus Philippi nicht. Statt *ex legionis* müßte es natürlich *ex legione* heißen.

Z. 6 *coiux = coniux.*

Z. 8 *moerenti = merenti.* Das Adjektiv *memoriacus* kommt in klassischen lateinischen Texten nicht vor. Selbst im ThLL findet sich s.v. nur unser Beleg (Band VIII, Sp. 684, Z. 71–74). Lemerle weist darauf hin, daß der Ausdruck *memoriaca ara* selten sei (S. 418). Vgl. ferner die Bemerkungen bei Pietri, a.a.O., Sp. 532.

Z. 9 *cuis = quis.*

Z. 10 *trastolerit = transtulerit*; *moberit = moverit.*

Z. 11 Das *dabit rei publicae Philippensium* ist gleichbedeutend mit *dabit fisco* o.ä.: „Dans la formule sépulcrale mentionnant l'amende qui devrait être versée en cas de violation de la sépulture »*dabit reipublicae Phil(ippensium)* ...«, le terme désigne le trésor public de la colonie" (Fanoula Papazoglou: Le territoire de la colonie de Philippes, BCH 106 (1982), S. 89–106; hier S. 106, Anm. 80).

Z. 12 *mile = mille.* Eine Liste aller *delator*-Stellen aus Philippi bei der Inschrift 022/G220 aus Kavala.

Zur Datierung bemerkt Lemerle: „La gravure, les ligatures, les formes incorrectes assignent à cette inscription une date relativement tardive: je proposerai le IIIe siècle" (S. 418).

137/G270 **Inschrift des Εὐτυχής und seiner Frau**

A. Salač: Inscriptions du Pangée, de la région Drama-Cavalla et de Philippes, BCH 47 (1923), S. 49–96; hier S. 89 (Nr. 9).
SEG II (1924) 45.

Philippi: Neapolistor. „... au Sud de la route. Cippe quadrangulaire mouluré sur 3 faces, brisé en haut et en bas" (Salač, S. 89).
Abmessungen: H. 1,04; B. 0,49; D. 0,45; H. der Buchstaben 0,04; Zeilenzwischenraum 0,025.

[...] Εὐτυχὴς
ζῶν ἑαυ(τῷ) κα[ὶ]
τῇ ἰδίᾳ συμ-
βίῳ ἐποίε[ι].
5 ὃς ἂν δὲ ἕτε-
ρον πτῶμα
καταθῖ, δώσι
προστίμου
[τ]ῇ πόλι [...]

1 SEG: Εὐτύχης.

Eutyches hat zu seinen Lebzeiten für sich und für seine eigene
Frau (die Inschrift) gemacht. [5] Wer aber eine andere Leiche
(hier) niederlegt, soll der Stadt Strafe zahlen ...

Z. 7 Gemeint ist καταθῇ und δώσει (Futur wie in 125a/G802, Z. 8) bzw.
δώσῃ (Aor. Konj.: zur Form vgl. Joh 17,2; klassisch wäre δῷ). Die Lesung
als Futur entspräche der klassischen Grammatik: wir hätten dann hier den
sogenannten prospektiven Fall, bestehend aus der Protasis mit ἄν und Konjunktiv sowie der Apodosis mit Futur (Bornemann-Risch, § 279 [S. 291f.]);
jedoch geht in später Zeit der Gebrauch von Futur und Konjunktiv durch-
einander, vgl. hierzu die Kommentare zu 387a/G813 und 613/G228 sowie
die schon erwähnte Stelle Joh 17,2 mit den *variae lectiones*.
Z. 9 Gemeint ist πόλει.

Lateinische Grabinschrift   138/L273

A. Salač: Inscriptions du Pangée, de la région Drama-Cavalla et de Philippes,
   BCH 47 (1923), S. 49–96; hier S. 90 (Nr. 12).
Band I, S. 222.

Philippi: Stadtmauer. „... dans le mur byzantin entre le théâtre et la
route, stèle de marbre blanc brisée en haut et à droite" (Salač, S. 90).
Abmessungen: H. 0,41; B. 0,32; D. 0,09; H. der Buchstaben 0,035; Zeilenzwischenraum 0,005.

ÇA SMC
quot si non [fecerint ...]
tunc uti pec[uniam? ...]
tanu(?) redd[ant?] P[... si quis]
5 lapidem t[... violaverit]
dab(it) r(ei) p(ublicae) ✳ C[...]
Montan[...]

Ergänzungen von Salač.

... Wenn sie dies aber nicht getan haben ... dann soll das Geld
... sie sollen zurückgeben ... Wenn einer [5] den Stein beschädigt, soll er der *res publica* einhundertund... Denare (Strafe)
zahlen.

Z. 2 Für das *quot si non fecerint* gibt es mittlerweile eine exakte Parallele
in der Rosalieninschrift 644/L602. Dort soll die Summe von 120 Denaren
dazu benutzt werden, *ut ex usuris eorum vescantur quotquot annis rosis.*
Dann heißt es weiter: *quot si non fecerint, tum dabunt poena* ...
Z. 3f. Falls es sich in Z. 2 wirklich um das Formular einer Rosalieninschrift handelt, könnte man für Z. 3f. eine Art von „Versicherungswechsel"
(ähnlich wie in 644/L602; vgl. auch die Inschrift 133/G441 vom Neapolistor!)
annehmen.
Z. 5f. Zum Schluß steht die gewöhnliche Strafandrohung für denjenigen,
der das Grab verletzt.
Z. 6 Das *dabit rei publicae* ist gleichbedeutend mit *dabit fisco* o.ä.: „Dans
la formule sépulcrale mentionnant l'amende qui devrait être versée en cas
de violation de la sépulture »*dabit reipublicae Phil(ippensium)* ...«, le terme
désigne le trésor public de la colonie" (Fanoula Papazoglou: Le territoire de
la colonie de Philippes, BCH 106 (1982), S. 89–106; hier S. 106, Anm. 80).

139/L274   Milliarium (?)

A. Salač: Inscriptions du Pangée, de la région Drama-Cavalla et de Philippes,
    BCH 47 (1923), S. 49–96; hier S. 90f. (Nr. 13).

Philippi: Stadtmauer. „... dans le mur byzantin entre la porte orientale et le théâtre, à 50 pas de la porte vers le Nord; une colonne qui avait
été engagée dans le mur, maintenant disparue, a laissé l'empreinte de son
inscription dans le mortier" (Salač, S. 90f.).
Abmessungen: H. 1,30 (Inschrift: 0,75); H. der Buchstaben 0,06; Zeilenzwischenraum 0,02–0,04.

        NI
        XLL
        IOL co(n)s(ulibus)
        OBS Caes(ar)
    5 [sp]lendidiss[imae]
        [coloniae] Philipp[ensium?]
        AES
        I

„Semble être le reste d'une inscription très intéressante, peut-être d'une borne milliaire" (Salač, S. 91).

Z. 5 *splendidissimus* ist ein beliebtes Epitheton, vgl. Glare, S. 1807, s.v. *splendidus* 3b: „(of provinces, communities, etc.) brilliant, splendid, illustrious", das aber in Philippi außer an dieser Stelle nur ein weiteres Mal begegnet (in einem *ineditum* aus dem Oktogonbereich).

Fragment einer lateinischen Grabinschrift   140/L275

A. Salač: Inscriptions du Pangée, de la région Drama-Cavalla et de Philippes, BCH 47 (1923), S. 49–96; hier S. 91 (Nr. 14).

Philippi: Stadtmauer. „... dans le même mur vers l'Ouest [heißt das: an der Innenseite?], fragment en marbre" (Salač, S. 91).
Abmessungen: H. 0,24; B. 0,30; H. der Buchstaben 0,07; Zeilenzwischenraum 0,04.

> I S
> VS·C
> AN·

Salač vermutet: „Fragment d'une inscription funéraire" (S. 91).

Fragment der Bauinschrift des Theaters   141/L306

Marcus N. Tod: Macedonia. VI. Inscriptions, ABSA 23 (1918–1919), S. 67–97; hier S. 96f., Nr. 22 mit Abb. 2.
Paul Collart: Le théâtre de Philippes, BCH 52 (1928), S. 74–124; hier S. 90f. mit Abb. 8.
Collart, S. 373 mit Anm. 1
Band I, S. 148, Anm. 3.

Philippi: Theater. „Il faut encore signaler deux fragments d'une inscription monumentale dédicatoire qui ornait probablement la façade extérieure du théâtre; ils portent l'un et l'autre le mot DEDIT en lettres de 16 cm" (Collart, S. 90).
Der Stein befindet sich heute hinter dem „Bühnenhaus" des Theaters. Das rechte Stück (vgl. die Abb. bei Collart) ist mittlerweile weggebrochen und fehlt heute.
Dia Nummer Σ429/1991; 152/1993.

> dedit
> [...]s dedit

er hat gegeben
er hat gegeben

142/G562   Weihinschrift des M. Βελλεῖος Ζώσιμος
II/III

Fernand Chapouthier: Némésis et Niké, BCH 48 (1924), S. 287–303, Inschrift A.
BÉ 1924, S. 348 (kein Text).
AÉ 1925, Nr. 62.
SEG III (1927) 499.
Paul Collart: Le théâtre de Philippes, BCH 52 (1928), S. 74–124; hier S. 108–110.
Collart, S. 381ff. mit Abb. Pl. LXVII 2.
Louis Robert: Les gladiateurs dans l'orient grec, BEHE.H 278, Paris 1940, S. 86f.
   (Nr. 23 [a]).
Michael B. Hornum: Nemesis, the Roman State, and the Games, Religions in the
   Graeco-Roman World 117, Leiden/New York/Köln 1993, Nr. 84 (S. 198).
Band I, S. 139 mit Anm. 23; S. 145.
Φίλιπποι-Führer, S. 24, Abb. 17.

Philippi: Theater. Der Stein war verbaut in eine Mauer des 4. Jh.
Grobkörniger Marmor aus Philippi. Oben und an der rechten Seite beschädigt. Die ersten drei Zeilen der Inschrift (H. insgesamt 0,16) befinden sich
oben auf dem Block (B. des Blocks 0,46); darunter in einem Rahmen Darstellung der Nike und Fortsetzung der Inschrift (H. des Rahmens 0,45; B.
des Rahmens 0,34). Abstand des Rahmens zum Rand des Blocks 0,05–0,07.
H. der Buchstaben 0,025–0,015. Zeilenabstand ungefähr 0,01.
Nicht nur die Reihenfolge der Publikation der drei Inschriften (dazu siehe
gleich) verstehe ich nicht, sondern auch die Abmessungen von Chapouthier
sind mir ein Rätsel. Er sagt *expressis verbis* nichts dazu, daß sich die später
veröffentlichte Inschrift 144/G298 auf demselben (!) Stein befindet.
„Représentation d'une Victoire ..., d'un type fort courant; la déesse est
debout sur un globe, le corps de face, la jambe gauche en avant; elle est
drapée d'un péplos léger et collant, qui laisse à découvert le sein droit
(ἑτερομάσχαλος), est serré sous les seins par un cordon, forme un κόλπος à
hauteur de la ceinture, et flotte librement autour des jambes. Une seule aile
est visible, dont on discerne le duvet et les plumes. La main gauche tient
une longue palme; la main droite fait le geste de tendre et de déposer une
couronne qui déborde le cadre extérieur; une des bandelettes qui l'attachent
est bien visible. La tête de la Niké est ceinte d'une couronne, les pieds sont
nus; le globe déborde le cadre dans lequel a été ménagée une entaille demi-
circulaire" (S. 289).
Diese Inschrift befindet sich auf demselben Stein wie 144/G298 und steht
noch heute (1991) im Theater in Philippi, wenn man von NW her kommt.
Dia Nummer 245.248.249/1991.

Μ(άρκος) Βελλεῖος Ζώσι[μος]
ἱερεὺς τῆς ἀνεικήτου Νεμ[έσε-]
ως ὑπὲρ φιλοκυνηγῶν τοῦ στέ[μ-]
μα *vacat* τος
5 τὰ ἀφυδ *vacat* ρεύ-
ματα τῶ-
ν θεῶν
ἐκ{κ} τῶν ἰ-
δίων ἐ-
10 ποίησ-
εν.

3f. Chapoutier trennt: στέ[μ]||μα|τος. Auf dem Stein findet sich aber στέ[μ]||μα   *vacat*
τος. **5f.** Chapouthier trennt: τὰ ἀφυ|δρεύ|ματα. Auf dem Stein aber τὰ ἀφυδ *vacat*
ρεύ|ματα.

Marcus Velleius Zosimus, Priester der unbesiegbaren Nemesis,
hat für die Tierkämpfer der Gemeinschaft die Götterbilder auf
eigene Kosten gemacht.

Datierung auf II/III vom Herausgeber. Im Unterschied zu diesem plädiert
Collart für eine spätere Ansetzung: „Le caractère de l'écriture, le style des
sculptures, et surtout l'emploi de la langue grecque nous engagent à les
placer de préférence à la fin de cette période" (Collart, S. 386, Anm. 3).
     Z. 1 Der Priester hat einen mehr lateinischen als griechischen Namen:
Marcus Velleius Zosimus; d.h. *praenomen* und *nomen gentile* sind lateinisch,
nur das *cognomen* ist griechisch.
     Z. 2 Zu Nemesis ist jetzt durchweg die oben genannte Monographie von
Hornum zu vergleichen.
     Z. 3 Das Wort στέμμα in Philippi nur noch in 144/G298. Es liegt hier
die selten bezeugte Bedeutung „guild" vor (vgl. LSJ, s.v.). Weitere Belege:
CIG 3995b (Iconium); ISmyrn (ed. Petzl) 844a (im Sinne von φυλή?).
Hier ist von der „guild of huntsmen" die Rede, vgl. Chapouthier zu dem
Wort στέμμα: „Le mot στέμμα, qui n'a guère en épigraphie grecque que
le sens de»bandelette«, semble avoir pris au début de l'ère chrétienne une
nouvelle acception; mais les exemples en sont rares" (S. 290). Chapouthier
kommt zu dem Schluß, στέμμα φιλοκυνηγῶν sei soviel wie *familia venatoria*
(S. 292 mit Hinweis auf CIL V 2541; vgl. noch S. 300ff.).
Ein κυνηγός in 602/G652 aus Trita (Grabinschrift); ein weiterer *venator*,
der seinen Beruf in Hexametern mehr vertuscht als schildert, in 296/G412
aus der Basilika B. Ein Finanzier von *venationes* in 087/L265.
     Z. 5 ἀφυδρεύματα = ἀφειδρύματα = ἀφιδρύματα (Chapouthier, S. 292),
das bedeutet „thing set up" (so LSJ, S. 289, s.v.), „Götterbild". Hornum
übersetzt irrtümlich „the water-tanks of the gods" (S. 198). Aber an der

Richtigkeit der von Chapouthier vorgeschlagenen Übersetzung kann es keinen Zweifel geben, vgl. im einzelnen Chapouthier, S. 292.
Zur Bedeutung von ἀφίδρυμα vgl. ferner: Irad Malkin: What is an Aphidruma?, ClA 10 (1991), S. 77–96.

143/G563
II/III

Weihinschrift des M. Βελλεῖος Ζώσιμος

Fernand Chapouthier: Némésis et Niké, BCH 48 (1924), S. 287–303, Inschrift B.
BÉ 1924, S. 348 (kein Text).
SEG III (1927) 500.
Paul Collart: Le théâtre de Philippes, BCH 52 (1928), S. 74–124; hier S. 108–110.
Collart, S. 381ff. mit Abb. Pl. LXVII 3.
Louis Robert: Les gladiateurs dans l'orient grec, BEHE.H 278, Paris 1940, S. 87,
    Nr. 23 [b].
Michael B. Hornum: Nemesis, the Roman State, and the Games, Religions in the
    Graeco-Roman World 117, Leiden/New York/Köln 1993, Nr. 85 (S. 198f.).
Band I, S. 139 mit Anm. 23; S. 145.

Philippi: Theater. Grobkörniger Marmor aus Philippi. An allen Seiten
stark beschädigt (der untere Teil fehlt völlig; die Inschrift ist fragmentarisch). Oberhalb eines Rahmens, in welchem Nemesis dargestellt wird, sind
vier Zeilen einer Inschrift zu erkennen.
Abmessungen: B. des Blocks 0,44; Rahmen: H. 0,42–0,25; B. 0,35. Abstand
des Rahmens zum Rand des Blocks 0,03–0,06. H. der Buchstaben 0,025–
0,015.
Dia Nummer 158.159.162/1993.

[M(άρκος) Βε]λλε[ῖος]
[Ζ]ώσιμος ἱε[ρεὺς]
τῆς ἀνεικίτου Νε[μέσ-]
vacat εος. *vacat*

1 Robert, Hornum: [Β]ελλ[εῖος]. 3 Robert, Hornum: ἀνεικήτου.

Marcus Velleius Zosimus, Priester der unbesiegbaren Nemesis.

Datierung auf II/III vom Herausgeber. Im Unterschied zu diesem plädiert
Collart für eine spätere Ansetzung: „Le caractère de l'écriture, le style des
sculptures, et surtout l'emploi de la langue grecque nous engagent à les
placer de préférence à la fin de cette période" (Collart, S. 386, Anm. 3).
   Z. 1 Zu Marcus Velleius Zosimus vgl. die vorige Inschrift.
   Z. 3 ἀνεικίτου = ἀνικήτου.
   Z. 3f. Νε[μέσε]ος: „cette forme de génitif, qui semble certaine, n'est pas
surprenante à cette époque tardive, même à côté de la forme Νεμέσεως de
l'inscription précédente [d.i. 142/G562]" (Chapouthier, S. 293f.).

Zur Nemesis bemerkt Chapouthier: „... type courant; la déesse est debout,
le corps de face et portant sur la jambe droite; elle est drapée d'un long péplos
fermé à κόλπος, à plis très droits, sans manches et serré une deuxième fois
sous les seins par un cordon. Sa main gauche, dont on ne discerne plus la
position exacte, tient la coudée, qui s'appuie le long du bras. Cette coudée
ne s'amincit point, comme ailleurs, à son extrémité inférieure, mais demeure
toujours égale. La main droite, largement détachée du corps, tient la balance.
A droite, aux pieds de la déesse, une roue à six rayons. Les proportions du
corps sont lourdes; la tête est portée par un large cou; les cheveux sont
disposés en bandeaux dont on voit les mèches sinueuses; les pieds semblent
nus" (a.a.O., S. 292).

Weihinschrift des M. Βελλεῖος Ζώσιμος   144/G298
                                                              II/III

Fernand Chapouthier: Un troisième bas-relief du théâtre de Philippes, BCH 49
    (1925), S. 239–244.
BÉ 1926, S. 273 (kein Text).
SEG III (1927) 501.
Paul Collart: Le théâtre de Philippes, BCH 52 (1928), S. 74–124; hier S. 108–110.
Collart, S. 381ff. mit Abb. Pl. LXVII 1.
Louis Robert: Les gladiateurs dans l'orient grec, BEHE.H 278, Paris 1940, S. 87
    (Nr. 24).
Michael B. Hornum: Nemesis, the Roman State, and the Games, Religions in the
    Graeco-Roman World 117, Leiden/New York/Köln 1993, Nr. 86 (S. 199f.)
Band I, S. 139 mit Anm. 23; S. 145.

Philippi: Theater. Zum Fund vgl. 142/G562 (= A) und 143/563 (= B);
die vorliegende Inschrift bezeichnet der Herausgeber mit C. Grobkörniger
Marmor aus Philippi.
Abmessungen: B. 0,54. Anordnung auf dem Stein ähnlich wie 142/G562:
erst vier Zeilen Inschrift (H. 0,12), dann in einem Rahmen (H. 0,40; B. 0,30)
Darstellung des Mars; neben der Figur Fortsetzung der Inschrift. H. der
Buchstaben 0,02.
„Champ rectangulaire, ravalé et rattaché au bord par un cavet; représenta-
tion du dieu Mars ..., debout, regardant à droite. Costume du légionnaire
romain à la fin de l'Empire: tête coiffée du casque à panache; cuirasse de
cuir à lambrequins, renforcée sur la poitrine par une cuirasse d'écailles (squa-
mata); à la ceinture, courte épée (parazonium), soutenue par un baudrier.
Le bras gauche est passé à travers l'attache d'un bouclier rond et s'appuie
sur une longue haste, la main droite paraît posée sur un objet indistinct"
(Chapouthier, S. 239).
Beachte: Diese Inschrift befindet sich auf demselben Block wie 142/G562
und ist heute im Theater, wenn man von Nordwesten hereinkommt.
Dia Nummer 49/1989; 244.246.247.250.251.252/1991.

[Μ(άρκος) Βελλεῖος - - -]λῆνος Ζώσιμος
[ἱερεὺς Νεμέσεω]ς τῆς θεοῦ ἀνεική-
[του ὑπὲρ φιλ]οκυνηγῶν τοῦ στέμ-
ματος. *vacat*
5 [...]ΜΑ
[...]ΚΕΜ
[...]ΝΙΟΥ
[...]ΕΠΑΤΕ
[...]ΟΝΣΕ
10 [...]ΕΝΕ
[...]ΧΗΝ
[...]Λ *vacat*
[ἐκ τῶν ἰδί]ων τὰ
[ἀφυδρε]ύμα-
15 [τα ἐποίη]σα.

1–4 Chapouthier druckt nur diese Zeilen, für den Rest bietet er lediglich eine Zeichnung.
1 Chapouthier meint, in die Lücke gehörten „2 à 3 l." (S. 240); m.E. mindestens drei
Buchstaben. 11 Vielleicht εὐχήν? 13–15 Die Ergänzung nach SEG. Chapouthier
hatte erwogen: [ἐκ τῶν ἰδί]ων τὰ [ἀφυδρε]ύμα[τα] (S. 241, Anm. 3).

Marcus Velleius ... Zosimus, Priester der Nemesis, der unbesiegbaren Göttin, für die Gemeinschaft der Tierkämpfer ... .
Ich habe die Götterbilder auf eigene Kosten gemacht.

Datierung auf II/III vom Herausgeber. Im Unterschied zu diesem plädiert
Collart für eine spätere Ansetzung: „Le caractère de l'écriture, le style des
sculptures, et surtout l'emploi de la langue grecque nous engagent à les
placer de préférence à la fin de cette période" (Collart, S. 386, Anm. 3).
    Z. 3 Die Belege für κυνηγοί (*venatores*) aus Philippi siehe bei 142/G562.
    Z. 3f. φιλοκυνηγῶν στέμμα auch in der anderen Inschrift auf diesem Stein
(142/G562); vgl. den Kommentar dort.
    Z. 13ff. Hornum übersetzt irrtümlich „from his own funds the water-
tanks" (S. 200). Vgl. dazu oben den Kommentar zu 142/G562, Z. 5.
Mars gehört zu einer Arena (in eine solche wurde das alte griechische Theater von Philippi in der späteren römischer Zeit umgebaut), wie schon der
vom Herausgeber zitierte Tertullian zeigt: *Omnium daemonum templum est
... . ut de artibus concludam, Martem et Dianam utriusque ludi praesides
novimus* (*De spect.* XII D; zitiert bei Chapouthier, S. 242, Anm. 3).
Die drei Gottheiten der Inschriften A, B und C gehören zusammen: „On
notera comme les trois images du théatre [*sic*] de Philippes expriment,
sous des formes diverses, une même idée. Némésis invicta, Mars Victor,
Victoria: cette triade était, à la porte de l'arène, un triptyque de victoire;
c'est l'ex-voto d'une confrérie avide de vaincre, et qui, de trois manières,

matérialise son désir. Tel est bien en effet le caractère dominant des ex-voto »némésiaques« qui, tous, nous ramènent à ce monde, âpre à la lutte, des gladiateurs et des athlètes en compétition" (Chapouthier, S. 243f.).

Chapouthier zieht weitreichende Schlüsse aus dieser Inschrift: „On a beaucoup discuté, ces derniers temps, le rôle respectif des vieux éléments indigènes et des formations augustéennes dans la jeune colonie; le présent ex-voto est un indice appréciable, bien que modeste, de l'influence des nouveaux arrivants: à une époque où le grec reste la langue populaire, les effigies de trois divinités proprement romaines se dressent à l'entrée de l'amphithéâtre" (Chapouthier, S. 243).

Markierung der Sitzplätze der *Augustales*   145/L763

Paul Collart: Le théâtre de Philippes, BCH 52 (1928), S. 74–124; hier S. 98.
Collart, S. 269.

Philippi: Theater. Die Inschrift befand sich in der *ima cavea*, an der zentralen Treppe: „Deux sondages dans l'axe de celle-ci n'ont révélé aucun vestige d'escaliers ou de gradins en place; quelques blocs épars ont pu être des sièges; deux d'entre eux portent des traces d'inscriptions … " (Collart 1928, S. 98).

Das Stück ist heute (1993) im Gegensatz zu der folgenden Markierung (146/L764) offenbar nicht mehr vorhanden.

Aug(ustales).

Bezüglich der Privilegien der *Augustales* bemerkt Collart: „Parmi les prérogatives honorifiques, accordées aux membres de cet ordre privilégié, en échange des dépenses qui leur étaient imposées par leurs fonctions, on sait qu'une place leur était réservée pour les spectacles. Or, au théâtre de Philippes, sur un des gradins demeurés en place près de l'escalier central de la cavéa, on a relevé l'inscription *Aug.*; il est permis de supposer qu'elle désignait précisément cette place, réservée aux Augustales." (Collart, S. 269).

Augustalis begegnet in Philippi sonst nur noch in 321/L377; zu den häufigen *sexviri Augustales* vgl. den Kommentar zu 037/L037.

Markierung von Sitzplätzen   146/L764

Paul Collart: Le théâtre de Philippes, BCH 52 (1928), S. 74–124; hier S. 98.

Philippi: Theater. Zum Fundort vgl. 145/L763.

Die Inschrift befindet sich im Gegensatz zu der vorigen (145/L763) noch heute (1993) im Theater. Sie ist an dem zentralen Treppenaufgang an der zweiten Sitzreihe auf der rechten Seite angebracht.
Dia-Nummer 154/1993.

PO

147/G767   **Griechische Steinmetzzeichen**

Paul Collart: Le théâtre de Philippes, BCH 52 (1928), S. 74–124; hier S. 102.
Collart, S. 305 mit Anm. 2.
Band I, S. 82 mit Anm. 18.

Philippi: Theater. Collart beschreibt S. 100ff. die östliche πάροδος des Theaters. Hier heißt es unter anderem: „En outre plusieurs blocs, ayant sans doute appartenu aux gros murs, portent, comme marques d'assemblage, des lettres grecques: Δ, P, P à l'Ouest; Λ à l'Est." (Collart 1928, S. 102).
Dia Nummer 156.157/1993 (die beiden P).

Δ

P   (zweimal)

Λ

Andere Steinmetzzeichen (ebenfalls griechisch) auf den Stufen der Treppe, die zur Basilika B hinaufführen (158/G492; vgl. den Kommentar zu diesen) und auf dem Forum (212/G768).

148/L682   **Lateinisches Fragment**

[La Rédaction:] Chronique des fouilles et découvertes archéologiques dans l'Orient hellénique (novembre 1919 – novembre 1920), BCH 44 (1920), S. 367–415; hier S. 407.
Marcus N. Tod: Macedonia. VI. Inscriptions, ABSA 23 (1918–1919), S. 67–97; hier S. 96f., Nr. 22 mit Abb. 2.
Collart, S. 408 mit Anm. 2.
Band I, S. 108–113.

Philippi: Theater. Den genauen Fundort im Theater gibt Tod leider nicht an. Er bemerkt folgendes: „The chief monument of the worship of Silvanus in this region is the record of the *cultores Silvani*, which has survived among the ruins of a temple of that god near the Philippian theatre … [163/L002; 164/L001; 165/L003; 166/L004]. The four inscribed stones here represented

were lying in the ruins of the theatre, and almost certainly came from the
same sanctuary. The letters are about eight inches high" (S. 97).

Neben der vorliegenden Inschrift handelt es sich um 141/L306 (nach Collart ohne Zusammenhang mit der Silvanusverehrung!) sowie um die beiden
folgenden Fragmente 149/L683 und 150/L684.

Am Schluß seines Aufsatzes bemerkt Tod: „At the last moment before going
to press, I learn that the Latin inscriptions Nos. 21 [d. i. die Inschrift des
Quintus Mofius Euhemerus, 132/L303] and 22 [das sind die oben genannten
vier Inschriften: 141/L306, die vorliegende und die beiden folgenden] come
from the French excavation at Philippi. I fear it is too late now to correct
my inadvertence, and trust that the members of the French School, of whose
generosity my experience during the war has afforded me abundant testim-
ony, will excuse me for having unwittingly trespassed on their domain" (S.
97).

> [...] Silvano [...]

> ... dem Silvanus ...

Silvanus ist in Philippi bisher nur in zwei der oben genannten Silvanus-
Inschriften, 164/L001 und 166/L004, belegt. Zur Verehrung des Silvanus in
Philippi vgl. o. Band I, S. 108–113 sowie den Kommentar zu den Inschriften
163/L002, 164/L001, 165/L003 und 166/L004.

Lateinisches Fragment   149/L683

Marcus N. Tod: Macedonia. VI. Inscriptions, ABSA 23 (1918–1919), S. 67–97; hier
    S. 96f., Nr. 22 mit Abb. 2.

Philippi: Theater. Den genauen Fundort im Theater gibt Tod leider nicht
an. Zu den Fundumständen im Zusammenhang mit den französischen Ausgrabungen (?) in Philippi vgl. oben bei 148/L682.

> [...] PO [...]

Dem Buchstabenbestand nach könnte es sich hier auch um eine griechische
Inschrift handeln; da dieser Stein aber zusammen mit drei lateinischen Fragmenten gefunden wurde, liegt es nahe, auch hier eine lateinische Inschrift zu
postulieren.

150/L684   ## Lateinisches Fragment

Marcus N. Tod: Macedonia. VI. Inscriptions, ABSA 23 (1918–1919), S. 67–97; hier
S. 96f., Nr. 22 mit Abb. 2.

Philippi: Theater. Den genauen Fundort im Theater gibt Tod leider nicht
an. Zu den Fundumständen im Zusammenhang mit den französischen Ausgrabungen (?) in Philippi vgl. oben bei 148/L682.

>   LOÇ[...]

Vermutlich *loc(us)*.

>   ... Platz (der/des) ...

151/L685   ## Lateinisches Fragment

Marcus N. Tod: Macedonia. VI. Inscriptions, ABSA 23 (1918–1919), S. 67–97; hier
S. 96f., Nr. 23 mit Abb. 2.

Philippi: Theater. Den genauen Fundort gibt Tod nicht an. Da er aber
nach Nr. 22 (vgl. oben 148/L682; 149/L683; 150/L684) keine neuen Angaben
macht, wird man annehmen dürfen, daß auch dieses Fragment zum Bereich
des Theaters gehört.

>   [...]ONCHV[...]
>   TH · ANVSA · I *vacat*
>   ṬVS Optatilla [...]

1 Vor dem O ein L oder ein E.

Z. 3 Tod bemerkt: „The names Optatus [auch in Philippi] und Optata
[in Philippi 057/L046] are common, but I have not found another example
of Optatilla. For the formation cf. Primilla, Secundilla, Asprilla, Maximilla,
etc." (S. 97).

152/L686   ## Grabinschrift des Caius Cerdo

Marcus N. Tod: Macedonia. VI. Inscriptions, ABSA 23 (1918–1919), S. 67–97; hier
S. 96f., Nr. 24 mit Abb. 2.

Philippi: Theater. Den genauen Fundort gibt Tod nicht an. Vgl. im übrigen bei 151/L685.

[...] C(aius) Cerdo [...]
[...] XV h(ic) s(itus) e(st).
[...] LAVAΠ [...]

1 Ergänzung von mir.   **3** Das Π ist vermutlich in T + E (oder F oder T) aufzulösen.

... Caius Cerdo, fünfzehn (? oder fünfundzwanzig usw.) Jahre
alt, liegt hier begraben. ...

Z. 1 Das *nomen gentile* Cerdo begegnet auch sonst gelegentlich in Philippi, so in 078/L320 vom östlichen Friedhof und in 310/L487.

Fragment einer Grabinschrift   153/L687

Marcus N. Tod: Macedonia. VI. Inscriptions, ABSA 23 (1918–1919), S. 67–97; hier
S. 96f., Nr. 25 mit Abb. 2.

Philippi: Theater. Den genauen Fundort gibt Tod nicht an. Vgl. im übrigen bei 151/L685.

[...]SLV[...]
[...] CHRYS[...]
[...]OLI fil(iae) Pia[e ...]
[...]E sibi VEC [...]

2 Hier liegt wohl eine Form des Namens Chryseus (vgl. in Philippi 163/L002, Z. 41)
bzw. Chrysius vor. **4** Vermutlich handelt es sich hier um einen Fehler Tods bzw. dessen
Gewährsmanns (er verdankt die Inschriften aus Philippi F.B. Welch, vgl. S. 95). Zu lesen
ist wohl: ... *sibi v(ivus)* bzw. *v(iva) f(aciendum) c(uravit)*, also muß auf dem Stein VFC
stehen.

... für ... Pia, die Tochter des ... , (hat) zu seinen (oder ihren)
Lebzeiten (die Inschrift anfertigen lassen).

Tod hält es für möglich, daß diese Inschrift und die vorige zwei Fragmente
ein und desselben Steins sein könnten (S. 97).

Grabinschrift der Obellia   154/L600

Δημήτριος Ι. Λαζαρίδης, ΑΔ 17 (1961/62) Β΄ Χρονικά [1963], S. 240 (kein Text)
mit Abb. auf Tafel 287γ.
Band I, S. 28, Anm. 81; S. 243.

Philippi: Theater. Ανατολικώς της ανατολικής παρόδου απεκαλύφθησαν αλλεπάλληλοι τοίχοι νεωτέρων κτισμάτων, ευτελούς κατασκευής και επιφανειακής θεμελιώσεως, κλίμαξ φέρουσα εις το βυζαντινόν τείχος της πόλεως ..., αποχετευτική αύλαξ, ερχομένη εκ του κοίλου του θεάτρου ..., μαρμαρίνη τετράγωνος βάσις μνημείου, ως και επιτυμβία ανάγλυφος στήλη, φέρουσα παράστασιν ανδρός ισταμένου επί βάθρου προ τραπέζης, εφ᾽ ής μέγα αγγείον με προσφοράς .... Κάτωθεν του αναγλύφου υπάρχει λατινική επιγραφή (Λαζαρίδης, S. 240).

> Obellia Sp(uri) f(ilia) Qua[rta]
> sibi *vacat* et
> M(arco) Vesonio Steph[ano]
> viro *vacat* suo
> 5　testament(o) fieri iussi[t]
> arbitr(atu) M(arci) Poblici Anter[i]
> viri sui et Rasini AEPER[...].

Obellia Quarta, die Tochter des Spurius, hat für sich selbst und für Marcus Vesonius Stephanus, ihren Mann, aufgrund des Testaments (die Stele) anfertigen lassen nach der schiedsrichterlichen Entscheidung des Marcus Poblicius Anterus, ihres Mannes, und des Rasinius (?) ...

Z. 1 Das *nomen gentile* Obellius ist in Philippi bisher sonst nicht belegt.

Z. 3 Das *nomen gentile* Vesonius begegnet auch in der Inschrift 430/L159 aus Άγιος Αθανάσιος: *Marcus Vesonius Marci filius Repentinus.* Stephanus kommt als *cognomen* in Philippi sonst nicht vor.

Z. 5f. Zur Formulierung *testamento fieri iussit arbitratu* etc. zitiert der ThLL II, s.v. *arbitratus*, Sp. 409, Z. 19f. CIL V 6017[5]. Ähnlich heißt es in 438/L077 aus Doxato: *sicut fieri iussit arbitratu* ...

Z. 6 Das *nomen gentile* Poblicius fehlt in Philippi (aber Publicius begegnet häufiger). Ein Caius Abellius Anteros in 163/L002, der Liste der Silvanusverehrer (Z. 9).

Z. 7 Ein Caius Rasinius Valens findet sich in 388/L566 (im Westen der Stadtmauer). Der Schluß des Textes ist mir unverständlich.

155/L639　　　　　　　　**Bauinschrift**

Χάϊδω Κουκούλη-Χρυσανθάκη, ΑΔ 41 (1986) [Β´] Χρονικά [1990], S. 177. *Band I,* S. 28, Anm. 81.

Philippi: Theater. Bei der Ausgrabung des Bereiches östlich des Theaters wurde ein zwischen dem Theater und der Stadtmauer gelegener Torbogen (vgl. bei Κουκούλη-Χρυσανθάκη Abb. auf Tafel 126δ) gefunden. Στο σημείο του τόξου η επιφάνεια των δόμων του αναλημματικού τοίχου του θεάτρου έχει ξαναδουλευτεί και σε ένα δόμο υπάρχει χαραγμένος ο λατινικός αριθμός (Κουκούλη-Χρυσανθάκη, S. 177).

XII

zwölf

Grabinschrift für Quintus Cassius Saturninus

156/L564
II

Χρυσηΐς Σαμίου/Γιώργος Αθανασιάδης: Αρχαιολογικές και αναστηλωτικές εργασίες στο θέατρο των Φιλίππων, ΑΕΜΘ 1 (1987), S. 353–362; hier S. 362, Abb. 13 (kein Text).
Band I, S. 28, Anm. 81.

Philippi: Theater. Römische Grabstele, als Türschwelle verwendet. Η πυλίδα αυτή θα οδηγούσε σε κάποιον πύργο του βυζαντινού τείχους με εσωτερική κλίμακα (Σαμίου, ΑΔ 42 (1987) Β΄2 Χρονικά, S. 443).
Ich bekam keine Genehmigung, den Stein selbst zu studieren (Υπουργείο Πολιτισμού – Εφορεία προϊστορικών και κλασσικών αρχαιοτήτων Καβάλας, Aktenzeichen 2558, 20. August 1992).

> Q(uinto) Cass[i]o
> Saturnino [an(norum)] XXXV̱.
> Cassia Epi-
> gone mater
> 5   sibi et filio viva f(aciendum) c(uravit).

Für Quintus Cassius Saturninus, fünfunddreißig Jahre alt. Cassia Epigone, seine Mutter, hat für sich selbst und für ihren Sohn zu ihren Lebzeiten (die Inschrift) anfertigen lassen.

Z. 3 Cassia kommt in Philippi auch sonst vor: 027/L329 (Cassia Restituta, Z. 5f.); 313/L382 (Cassia Gemella, Z. 1); 729/L722 (Cassia Restituta, Z. 2f.) und 740/731 (Cassia Procula).

Z. 3f. Epigone kommt in Inschriften gelegentlich als Frauenname vor (ILS 2093.7022.7469); in der lateinischen Literatur (PHI #5.3) gibt es keinen Beleg. Im Griechischen häufig als Name für Frauen (Ἐπιγόνη).
Die Datierung stammt von Σαμίου/Αθανασιάδης: Η πυλίδα, χρησιμοποιεί ως παραστάδες και υπέρθυρα επιτύμβιες ρωμαϊκές στήλες με επιγραφές του 2ου μ. Χ. αι. παρέχοντας έτσι ένα σίγουρο terminus post quem δια την κατασκευή της (ΑΕΜΘ 1, S. 358).

Basilika A, Basilika beim Museum, Akropolis

Vgl. zur Lage o. Band I, Karte 8: Die Stadt Philippi (S. 75).

157/L491
II   **Fragment einer Bauinschrift**

Michel Sève/Patrick Weber: Le côté nord du forum de Philippes, BCH 110 (1986), S. 531–581; hier S. 569, Nr. 20 mit Abb. 52–54.
SEG XXXVI (1986) [1989] 630.

Philippi: Basilika A. Bei der Untersuchung der Vorgängerbauten der Basilika A (vgl. dazu die folgenden Inschriften 158/G492; 159/G493; 160/G494) wurde auch ein Architravfragment mit Inschriftrest entdeckt: „Fragment d'architrave au soffite mouluré en marbre blanc assez fin, brisé de tous côtés sauf en bas. Longueur: 0,59 m; largeur: 0,32 m; hauteur: 0,22 m. Il subsiste à la face antérieure deux fasces lisses hautes respectivement de 0,035 m et 0,057 m, et des vestiges d'une troisième, inscrite: on y distingue le pied de deux hastes, l'une oblique vers la gauche, l'autre verticale, donc ṂỊ" (Sève/Weber, S. 569).
Der Block wurde „sur le stylobate de l'atrium, dans la basilique A" gefunden (ebd.).

       ṂỊ

Die Datierung ergibt sich aus dem archäologischen Befund. Die von Sève und Weber untersuchten Baulichkeiten, die das nordwestliche Areal der späteren Basilika A einnahmen, stammen aus dem 2. Jahrhundert (vgl. das Ergebnis S. 579f. Das entscheidende Argument: „L'orientation du temple est celle des constructions de l'époque de Marc Aurèle", S. 580).
Ist dies richtig, dann muß es sich um das Fragment einer lateinischen Inschrift handeln, denn alle „offiziellen" Inschriften auf dem gleichzeitig gebauten Forum sind selbstverständlich lateinisch. Daher ist es ausgeschlossen, daß eine Bauinschrift aus dieser Zeit in Philippi griechisch gewesen sein könnte (und unser Fragment ist daher zu Unrecht ins SEG aufgenommen worden!).

Griechische Steinmetzzeichen 158/G492

II

Michel Sève/Patrick Weber: Le côté nord du forum de Philippes, BCH 110 (1986),
S. 531–581; hier S. 541–543 mit Abb. 12–16 und Plan A.
SEG XXXVI (1986) [1989] 631.
Band I, S. 82, Anm. 18.

Philippi: Basilika A. Sève und Weber untersuchen einen Vorgängerbau der
Basilika A. Dieser Bereich wurde von J. Coupry 1936 und 1937 ausgegraben
(vgl. bei 160/G494). Es geht hier um die Stufen, die zu dem kleinen Tempel
hinaufführen (die sogenannte „kleine Treppe").

„Les marches portent des marques de montage gravées d'une façon visible
sur la face de foulée de part et d'autre de chaque joint. La marche inférieure
n'en porte pas, mais on relève au-dessus, de bas en haut, les lettres *thêta,
êta, zêta* et, sur la dernière marche conservée, le chiffre 6 en forme de *stigma*"
(Sève/Weber, S. 541).

„Des deux blocs de cette marche trouvés lors de la fouille, l'un a disparu et
l'autre est tourné lit d'attente contre terre. Notre description repose sur le
relevé de H. Ducoux et sur la photographie de J. Coupry ... . Les lettres
de ces assises sont gravées symétriquement de part et d'autre du joint, dans
le sens dextroverse à l'extrémité droite du bloc, dans le sens sinistroverse
à son extrémité gauche. Cette particularité, ainsi que l'identité du marbre
employé permettent de reconnaître un bloc de l'assise *gamma* remployé dans
le grand escalier en contrebas ..., et cela malgré des dimensions différentes
(hauteur 0,20 m; face de foulée 0,36 m)" (a.a.O., Anm. 25).

„Ces lettres sont de dimensions irrégulières d'un degré à l'autre et à l'intérieur d'un même degré, variant de 0,055 m à 0,07 m pour *thêta* et *zêta*,
de 0,075 à 0,095 pour *êta*. Le tracé en est de l'époque impériale avancée"
(a.a.O., S. 541.543).
Dia Nummer 305.306.308.309.310.313/1992.

Θ (sechsmal, auf der zweiten Stufe von unten).
H (sechsmal, auf der dritten Stufe von unten).
Z (fünfmal, auf der vierten Stufe von unten).
ς (Stigma; zwei- oder dreimal, auf der fünften und obersten Stufe).
Γ (Abb. 12: „sur une marche remployée provenant du petit escalier" – fehlt im SEG).

Die neunte (Stufe).
Die achte (Stufe).
Die siebte (Stufe).
Die sechste (Stufe).
Die dritte (Stufe).

Die Datierung der Steinmetzzeichen in das 2. Jahrhundert ergibt sich aus der Datierung des Tempels, zu dem diese Treppe hinaufführte (dazu siehe 157/L491; vgl. auch die Diskussion bei Sève und Weber, S. 543, Anm. 26, die unten zu 159/G493 zitiert ist).

Die Stufen dieser Treppe waren offenbar durchgezählt und zwar, wie die Anordnung zeigt (vgl. den Plan A bei Sève und Weber), von oben nach unten (vgl. auch die Rekonstruktion des gesamten Ensembles [Abb. 17 bei Sève und Weber], die eine Stufe zu wenig aufweist; vgl. zu dieser Differenz – „une marche supplémentaire" – die Ausführungen auf S. 543). Bei den Ausgrabungen von Coupry wurden die Stufen 6–9 noch *in situ* vorgefunden, während der Stein mit der Nummer Γ in zweiter Verwendung anderswo verbaut war.

Ist die von Sève und Weber vorgeschlagene Deutung des archäologischen Befundes zutreffend, dann kann man aus der Kombination der Inschriften 157/L491 und 158/G492 gewisse sozialgeschichtliche Schlüsse ziehen. Dies ist möglich, obwohl die beiden Inschriften verschiedenen Bauwerken zuzu-ordnen sind: Die Inschrift 157/L491 gehört zu einem Gebäude „à fronton modillonnaire" (Sève/Weber, S. 579), die vorliegende Inschrift 158/G492 da-gegen zu den Treppen eines Tempels. Aber beide Bauwerke sind Bestandteil ein und desselben Gesamtplans aus dem 2. Jahrhundert: Die Bauinschrift 157/L491, als offizielles Dokument, ist lateinisch abgefaßt. Die Steinmetz-zeichen 158/G492, als Hilfe für die ausführenden Arbeiter gedacht – Sève und Weber stellen ihnen kein gutes Zeugnis aus –, sind griechisch. D.h. doch: Die Sprache der Handwerker, der Steinmetzen und Maurer, die diese Treppe bauten, war das Griechische, wohingegen die „offizielle" Sprache der *colonia Iulia Augusta Philippensis* das Lateinische war, wie auch die Bauinschrift 157/L491 zeigt.

Andere (ebenfalls griechische) Steinmetzzeichen finden sich im Theater (147/G767) und auf dem Forum (212/G768).

<table>
<tr><td>**159/G493**
II?</td><td>**Graffito des Κρίσπος**</td></tr>
</table>

Michel Sève/Patrick Weber: Le côté nord du forum de Philippes, BCH 110 (1986), S. 531–581; hier S. 543 mit Abb. 16.
SEG XXXVI (1986) [1989] 632.

Philippi: Basilika A. Sève und Weber untersuchen einen Vorgängerbau der Basilika A. Dieser Bereich wurde von J. Coupry 1936 und 1937 ausge-graben (vgl. bei 160/G494). Es geht hier um die Stufen, die zu dem kleinen Tempel hinaufführen (die sogenannte „kleine Treppe"; vgl. die Angaben bei 158/G492).

„C'est de cette même époque qu'il faut sans doute dater le graffite Κρίσπος gravé en lettres irrégulières hautes de 0,08 m à 0,085 m, très peu profondes, irrégulièrement espacées, sur le dernier bloc à l'Est de l'assise *thêta*" (Sève/ Weber, S. 543).

Auf dieser zweiten Stufe, direkt neben diesem Graffito, befindet sich ein Θ aus 158/G492.

Dia Nummer 307.314/1992.

Κρίσπος.

Zur Datierung bemerken Sève und Weber: „Il est difficile de proposer une date pour une écriture aussi négligée. On ne peut tirer argument de la langue employée: le latin, seul employé dans l'usage officiel au Haut-Empire, n'a probablement jamais éliminé de l'usage populaire le grec, qui redevient dominant au cours du IIIe siècle: voir LEMERLE, p. 13 n. 1 et p. 102–103, et déjà *BCH* 59 (1935), p. 126 n. 1. Or graffite et marques de montage relèvent de l'usage populaire. On ne peut pas davantage dater la forme employée pour noter le chiffre 6. En l'absence d'une étude spéciale, quelques lectures montrent que le *stigma* est utilisé dès le Ier siècle: à Chypre, en 6 ou 13, *AJA* 65 (1961), p. 139 n. 38; en Lydie, en 61–62, *TAM* V 1, 275 (*AA* [1977], p. 337 fig. 17); et en Lydie encore, *TAM* V 1, 173 (P. HERRMANN, *Ergebnisse einer Reise in Nordostlydien*, pl. XV, 4). Une étude plus large multiplierait sans aucun doute le nombre des exemples" (S. 543, Anm. 26).

Nachdem der Tempel aber mit Sicherheit dem 2. Jahrhundert zuzuweisen ist (vgl. oben zu 157/L491), wird man vielleicht auch das Graffito des Κρίσπος in diese Zeit setzen dürfen.

Inschrift auf einem Gefäß   160/G494
                                                  hellenistisch

Michel Sève/Patrick Weber: Le côté nord du forum de Philippes, BCH 110 (1986), S. 531–581; hier S. 541, Anm. 21.

SEG XXXVI (1986) [1989] 633.

Philippi: Basilika A. Bei der Ausgrabung nördlich des Forums durch J. Coupry in den Jahren 1936 und 1937, deren Ergebnisse nie publiziert worden sind, fand sich dieses Fragment einer griechischen Inschrift. Sève und Weber stützen sich auf zwei unveröffentlichte Berichte Couprys aus dem Archiv der École Française in Athen (mit der Signatur Phi 71 und Phi 77), aus denen sie Coupry folgendermaßen zitieren: „»On a trouvé vers ce monument quelques menus fragments de poterie hellénistique dont une coupe portant sous son pied l'inscription ΑΠ« (Phi 71, p. 26–30)" (Sève/Weber, S. 541, Anm. 21). Die Scherben samt der Inschrift sind verlorengegangen.

ΑΠ

Ein Dekret Alexanders des Großen

Γεώργιος Μπακαλάκης: Νεάπολις – Χριστούπολις – Καβάλα, AE 1936, S. 1–48; hier
    S. 38, Anm. 1.
Collart, S. 40, Anm. 1; S. 179, Anm. 3.
Griffith, in: Hammond II, S. 359 mit Anm. 2.
Paul Collart: La légende d'Alexandre à Philippes, in: Μέγας Αλέξανδρος. 2300
    χρόνια από τον θάνατό του, Αφιέρωμα Εταιρείας Μακεδονικών Σπουδών, Thes-
    saloniki 1980, S. 21–25; hier S. 21.
Claude Vatin: Lettre adressée à la cité de Philippes par les ambassadeurs auprès
    d'Alexandre, in: Πρακτικά του Η´ Διεθνούς Συνεδρίου Ελληνικής και Λατινικής
    Επιγραφικής, Τόμος Α´, Athen 1984, S. 259–270 (dies ist die *editio princeps*).
SEG XXXIV (1984) [1987] 664.
Lambros Missitzis: A Royal Decree of Alexander the Great on the Lands of Phil-
    ippi, The Ancient World 12 (1985), S. 3–14.
M.B. Hatzopoulos, BÉ 1987, Nr. 714 (S. 436–439).
SEG XXXVII (1987) [1990] 573.
Eugene E. Borza: Timber and Politics in the Ancient World: Macedon and the
    Greeks, PAPS 131 (1987), S. 32–52.
N.G.L. Hammond in Hammond III 475 mit Anm. 2.
N.G.L. Hammond: The King and the Land in the Macedonian Kingdom, CQ 38
    (1988), S. 382–391.
Miltiade Hatzopoulos, BÉ 1989, Nr. 428 [b]; Nr. 471; Nr. 472.
Eugene N. Borza: Some Toponym Problems in Eastern Macedonia, The Ancient
    History Bulletin 3 (1989), S. 60–67; hier S. 62–66.
E. Badian: History from »Square Brackets«, ZPE 79 (1989), S. 59–70.
N.G.L. Hammond: Inscriptions Concerning Philippi and Calindoea in the Reign
    of Alexander the Great, ZPE 82 (1990), S. 167–175.
SEG XXXVIII (1988) [1991] 575 und 657.
SEG XXXIX (1989) [1992] 625.
Eugene N. Borza: In the Shadow of Olympus. The Emergence of Macedon, Prin-
    ceton 1990 (paperback-Ausgabe 1992), S. 56.309.
Miltiade Hatzopoulos, BÉ 1990, Nr. 495.
M.B. Hatzopoulos, BÉ 1991, Nr. 417.
Ernst Badian: Alexander and Philippi, ZPE 95 (1993), S. 131–139.
Miltiade Hatzopoulos, BÉ 1993, Nr. 356.
N.G.L. Hammond: A Note on E. Badian »Alexander and Philippi«, ZPE 95 (1993),
    131–9, seinerseits erschienen in ZPE 100 (1994), S. 385–387.
E. Badian: A Reply to Professor Hammond's Article, ZPE 100 (1994), 388–390.
Miltiade Hatzopoulos, BÉ 1994, Nr. 436.
Band I, S. 8f.
Φίλιπποι-Führer, S. 9, Abb. 6 (nur Teilabbildung).
M.B. Hatzopoulos: Macedonian Institutions under the Kings, Bd. II: Epigraphic
    Appendix, Μελετήματα 22, Athen 1996, S. 25–28 (Nr. 6).
M.B. Hatzopoulos: Alexandre en Perse: Le revanche et l'empire, ZPE 116 (1997),
    S. 41–52.
Weitere Literatur ist im Nachtrag (S. 167) verzeichnet.

Philippi. Über den Fundort verliert der Herausgeber Vatin kein Wort. Stammt die Inschrift aus dem Bereich der Basilika A, wo Coupry in den Jahren 1936 und 1937 Ausgrabungen durchgeführt hat? Verkehrt ist auch die Angabe bei Vatin, wonach diese Inschrift 1938 gefunden worden wäre, denn Collart nimmt schon in seiner Monographie von 1937 auf diesen Text Bezug (S. 179 u.ö.). Und bei Μπακαλάκης heißt es klipp und klar: Κατά τας εφετινάς [d.h. 1936!] εν Φιλίπποις ανασκαφάς της Γαλλ. Σχολής των Αθηνών ευρέθη η πρώτη επιγραφική μνεία της »χώρας του Δάτου« (S. 38, Anm. 1). Es handelt sich also eindeutig um einen Fund des Jahres 1936. In der Annahme, daß es sich um einen Fund aus der Basilika A handelt, stelle ich die Inschrift hierher.

Die Inschrift befindet sich im Museum in Philippi und hat die Inventarisierungsnummer Λ 37; sie besteht aus zwei Blöcken, A und B (vgl. unten den Text). Ich habe sie am 12. September 1990 dank der freundlichen Genehmigung der Direktorin der Εφορεία Κλασσικών Αρχαιοτήτων Καβάλας studieren können. Dia Nummer 147.148.149.150.151.152.153.154/1990.

A

[. . .]ρσιδ[. . .]
[. . .]ΗΣ[. . . π]ρέσβευσαν-
[τες πρὸς βασιλέα Ἀλέ]ξαν[δ]ρον· καὶ Ἀλέξανδρος
[τάδε διετέταχε]ν. τὴν ἀργὸν ἐργάζεσθαι Φ[ιλί]π-
5 [πους . . . ἐστ]ιν χώρα καὶ προστελοῦσ[ι . . .]
[. . . τ]ὴν ἀργόν· ὁρίσαι δὲ τὴν [. . .]
[. . .]ς Φιλώταν καὶ Λεονν[ᾶτον· . . .]
[. . . ἐπεισβε]βήκασιν τῆς χώ[ρας . . .]
[. . . ἣν Φιλίπ]ποις ἔδωκεν Φί[λιππος . . .]
10 [. . . κα]ὶ ἐπισκέψα[σθαι . . .]
[. . .]ασιν τοῦ [. . .]
[. . . ἐ]πεισβεβήκ[ασιν . . .]
[. . .] ἐξελεῖν [. . .]
[. . .] πλέθρα δισχ[ίλια . . .]
15 [. . .] Δάτου χώρα [. . .]
          vacat

B

[. . . πρ]οσλα[β]ε[ῖν] ἀπὸ [. . .]
μ[. . . στ]αδίους· τ[ῶ]ν μὲν α[. . .]
ν[. . .]ς· ὅσα δὲ τοῖς Θραιξὶν [ὑπὸ]
[Φιλίππου δέδο]ται, κα[ρ]πίζεσθαι τοὺς Θρ[ᾶι-]
5 [κας καθάπερ καὶ Ἀλέξαν]δρος περὶ αὐτῶν δια-
[τέταχεν· Φιλίππου]ς δὲ ἔχειν τὴν χώραν τὴν
[. . . , ἧ]ς οἱ λόφοι ἑκατέρωθεν ἔχου-
[σι . . .]η[. . . πε]ρὶ Σειραϊκὴν γῆν καὶ

Δαίνηρον νέμεσθ[αι Φι]λίππους, καθάπερ ἔδω-
10 κε Φίλιππος· τὴν δὲ [ὕλ]ην τὴν ἐν Δυ[σώρ]ωι μη-
θένα πωλεῖν, τέως ἡ πρεσβεία πά[λιν παρ' Ἀλε-]
ξάνδρου ἐπανέλ[θ]ηι· τὰ δὲ ἔλη ε[ἶναι πάντα]
Φιλίππων ἕως γεφύρας.   *vacat*
vacat

Für die Konstituierung des Textes ist die Frage nicht ohne Bedeutung, wer über die betreffende Inschrift direkt an den Steinen gearbeitet hat. „There is nothing in Vatin's publication to indicate that he actually worked with the stone; he seems, rather, to have depended upon the photographs and notes of the French who excavated the inscription at Philippi half a century ago. Missitzis … improved Vatin's reading and provided a useful commentary, although he worked entirely from the material presented in Vatin's report" (Eugene N. Borza, PAPS, S. 47, Anm. 62). Demnach wäre Borza selbst, der ebd. „Ch. Koukouli-Chrysanthaki" dankt „for permitting me to examine the surviving fragments of the inscription, now housed at the archaeological museum at Philippi", der erste gewesen, der die Steine selbst in Augenschein genommen hat, bevor er zur Feder griff.
Eine neue Quelle hat Hatzopoulos in „Ch. Edson's unpublished notes" erschlossen, die eine viel bessere Fassung repräsentieren als die heute noch im Museum in Philippi aufbewahrten Steine, vgl. im einzelnen die Angaben bei Hatzopoulos, Epigraphic Appendix, S. 25f.
A1 Hatzopoulos schlägt vor: [Ὡς ἐπέστειλαν οἱ πρεσβευταὶ ἐκ Πε]ρ̣σ̣ί̣δ̣[ος]. Vgl. den Kommentar. **A2** Missitzis möchte zu [καὶ … Φιλιππ]ήσ[ιοι] ergänzen; aus den unten im Kommentar genannten Gründen vermag ich mich diesem Vorschlag nicht anzuschließen. Am Schluß der Zeile folge ich Missitzis; Vatin hat [ἐπ]ρέσβευσαν. Hatzopoulos schlägt vor: [οἱ ὑπὲρ Φιλίππων καὶ τ]ῆς [γῆς π]ρεσβευσαν-. **A3** Text nach Missitzis; Vatin hat: [πρὸς βασιλέα Ἀλέ]ξα[νδ]ρον καί Ἀλέξανδρος. Hatzopoulos schlägt vor: [τες ὡς βασιλέα Ἀλέ]ξα[νδ]ρον. **A4** Text nach Missitzis; Vatin hat: [. . .]ν τὴν ἀργὸν ἐργάζεσθαι [. . .]π. Hatzopoulos schlägt vor: [περὶ αὐτῶν ἔκρινε]ν· τὴν ἀργὸν ἐργάζεσθαι Φιλίπ-. **A5** Text nach Missitzis; Vatin hat: [. . .]ιν χώρα καὶ προστελοῦσ[ι . . .]. Hatzopoulos: [πους ἢ αὐτοῦ ἐστ]ι̣ν χώρα, καὶ προστελοῦσ[ι φο-]. **A6** Text nach Missitzis; Vatin hat: [. . . τ]ὴν ἀργόν· ὁρίσαι δὲ τὴν [χώραν]. Borza liest jetzt (1989) [. . .]γ τὴν ἀργόν κτλ. Hatzopoulos: [ρον εἶναι αὐτοῖς τ]ὴν ἀργόν· ὁρίσαι δὲ τὴν [ἀρ-]. **A7** Borza (1989) nur [. . .] Φιλώταν. Hatzopoulos: [γον χώραν αὐτοῖ]ς Φιλώταν καὶ Λεονν[ᾶτον· ὅσοι]. **A8** Borza (1989): [. . .]εβήχασιν. Hatzopoulos: [δὲ Θραικῶν ἐπεισβεβήκ]ασιν τῆς χώ[ρας τῆς ἀρ-]. **A9** Hatzopoulos: [χαίας ἣν τοῖς Φιλίπ]ποις ἔδωκεν Φί[λιππος, Φιλώ-]. **A10** Hatzopoulos: [ταν καὶ Λεοννᾶτον] ἐπισκέψα[σθαι εἰ πρότε-]. **A11** Hatzopoulos: [ρον ἐπεισβεβήκ]ασιν τοῦ [διαγράμματος τοῦ Φιλίπ-]. **A12** Hatzopoulos ergänzt: [που ἢ ὕστερον ἐ]πεισβεβήκ[ασιν· εἰ δὲ ὕστερον ἐκ-]. **A13** Text nach Missitzis; Vatin hat ἐξελεῖν δ[ὲ]. Ein Δ ist jedoch auf dem Stein nicht zu finden. Anders Borza 1989. Hatzopoulos: [χωρεῖν αὐτοῦς·] ἐξελεῖν δ[ὲ Φιλώταν καὶ Λεοννᾶ-]. **A14** Hatzopoulos: [τον ἐκ τῆς ἀργοῦ] κτλ. **A15** Hatzopoulos: [. . . τῆς Δάτου χώρα[ς . . .]. **B1** Hatzopoulos schlägt am Ende vor: ἀπὸ [ταύτης]. **B2** Text nach Missitzis; Vatin hat τ[ὴ]ν μὲν ἄ[λλην]. Hatzopoulos: μ[ετρήσαντας δύο στ]αδίους· τὴν μὲν ἄ[λλην]. **B3** Text nach Missitzis; Vatin hat: ν[. . .]ς· ὅσα δὲ τοῖς Θραιξί[ν . . .]. Vgl. Borza 1989. Hatzopoulos: ν[έμεσθαι Φιλίππου]ς, ὅσα δὲ τοῖς Θραιξὶ [πα-]. **B4** Text nach Missitzis; Vatin hat: [. . .]ται χαρπίζεσθαι τοὺς Θρ[ᾶ-]. Hatzopoulos schlägt vor: [ρὰ τοῦ Φιλίππου δέδο]ται κτλ. **B5** Text nach Missitzis; Vatin hat: [ικας καθάπερ Ἀλέξαν]δρος περὶ αὐτῶν δια-. **B5f.** Hatzopoulos präferiert δια-|[τέθηκεν κτλ.]. **B7** Text nach Missitzis; Vatin hat: [. . . ὡ]ς οἱ λόφοι ἑκατέρωθεν ἔχου-. **B8** Text nach Missitzis; Vatin hat: [σιν . . .]η[. . .]ρισειραικὴν γῆν καὶ. Hammond (CQ, S. 384) schlägt vor: [τὴν πε]ρὶ Σειραϊκὴν γῆν καὶ. **B10** Text nach Missitzis; Vatin hat: κε Φίλιππος· τὴν δὲ γῆν τὴν ἐν Δυ[. . .]ι μη-. **B11** Text nach Missitzis; Vatin hat: θένα πωλεῖν τέως ἡ πρεσβεία πα[ρὰ τοῦ Ἀλε-]. Hatzopoulos liest am

Ende ebenfalls πα[ρὰ τοῦ Ἀλε-]. **B12** Text nach Missitzis; Vatin hat: ἐπανέλθηι sowie ε[ἶναι τῶν]. Borza 1989: εἶ[ναι . . .]. Hatzopoulos liest am Ende: εἶ[ναι τῶν].

A

. . . waren als Abgesandte (aus Philippi) bei König Alexander. Und Alexander hat folgendes angeordnet: Das Brachland ist von Philippi zu bestellen, zu dessen Territorium es gehört, und Philippi bezahlt zusätzlich . . . das Brachland. Die Grenzen sind festzulegen . . . von Philotas und Leonnatos . . . . (Sie) sind in das Land eingedrungen, welches Philipp Philippi gegeben hat . . . . zu inspizieren . . . . (Sie) sind eingedrungen . . . . zweitausend [Hunderter, Zehner und Einer fehlen womöglich wegen der folgenden Lücke] Plethren . . . das Land von Daton (oder: Datos) . . .

B

. . . außerdem zu bekommen . . . Stadien . . . . Was aber den Thrakern von Philipp gegeben worden ist, (dessen) Ertrag soll den Thrakern gehören, gemäß den Anordnungen, die auch Alexander dazu getroffen hat. Philippi aber soll das . . . Land haben, dessen Hügel auf beiden Seiten . . . haben, . . . (sowie das) Land um Seraike herum und Daineros (oder: Daineron) soll von Philippi ausgebeutet werden, wie Philipp es gegeben hat. Das Holz von Dysoron aber soll keiner verkaufen, bevor die Gesandtschaft von Alexander wieder zurückgekehrt ist. All die Sümpfe aber bis zur Brücke sollen Philippi gehören.

Es handelt sich bei dieser Inschrift um ein Dekret Alexanders des Großen, vielleicht um das älteste Dekret, das wir von Alexander überhaupt besitzen (Eugene N. Borza, PAPS, S. 47). Die Bestimmung der Gattung als „Brief", die Vatin vorgenommen hat, wird von Missitzis scharf kritisiert: „The recently issued *editio princeps* was rather inadequate in editing the text and interpreting its historical content. By considering the inscribed document simply as a »letter« to the city from the ambassadors of Philippi sent to the Macedonian court, the *editio princeps* failed even to identify the earliest known royal decree of Alexander the Great, unearthed in an area belonging to his early kingdom" (Missitzis, S. 3).
Die frühe Datierung auf 335 v. Chr. ist von Badian ohne durchschlagende Gründe bestritten worden. Nach meinem Urteil sind die von Hammond gegen Badian vorgetragenen Argumente, die sich auf die in Z. A7 genannten Namen Philotas und Leonnatos stützen (ZPE 1990, S. 171–174), überzeugend.
Nach Missitzis handelt es sich bei der Inschrift aus Philippi um „a summary or epitome of the original" (S. 4), wohingegen Hammond die Auffassung

vertritt, daß wir es mit „an exact record of Alexander's arrangements" zu tun haben (CQ, S. 382, Anm. 1).

„Philippi sent two embassies to Alexander, no doubt to negotiate (lines 2 [= A2] and 26 [= B11]). There is no mention of embassies from »the Thracians«, and we may infer that they were in no position to negotiate. The difference between Philippi and the Thracians was one of status. Philippi acted as an independent Greek city. The Thracians who hat endangered Crenides had been defeated by Philip and were treated then as his subjects and now as Alexander's subjects. There was also a difference between Philippi and the Thracians in regard to the land. Whereas Philippi owned its original territory and any further land given to it to possess (as in line 21 [= B6] ἔχειν τὴν χώραν if Philippi is correctly restored there), the Thracians were allowed only to cultivate the land and gather its produce (as in lines 18–21 [= B3–6] καρπίζεσθαι)." (Hammond, CQ, S. 385). Alexander ist um einen Ausgleich der Interessen der Philipper und der Thraker bemüht („His aim was to strike a proper balance between the Greeks of Philippi and his Thracian subjects", Hammond, CQ, S. 387).

Z. A1f. Am Anfang des Dokuments standen vermutlich die Namen der Abgesandten, die die Stadt Philippi an Alexander geschickt hatte. Anders P. Faure, dessen Übersetzung (Alexandre, Paris 1985, S. 475–476) „la lecture du mot Περσίς à la l. 1 de l'inscription" (Hatzopoulos, BÉ 1989, Nr. 472) voraussetzt. Für eine solche Lösung plädieren auch Badian (1989, S. 68) und Hatzopoulos; er begründet diese Auffassung allseitig in seinem Aufsatz von 1997: Alexandre en Perse: La revanche et l'empire. Ihm zufolge ist in Z. A1ff. zu ergänzen: [Ὡς ἐπέστειλαν οἱ πρεσβευταὶ ἐκ Πε]ρσίδ[ος] | [οἱ ὑπὲρ Φιλίππων καὶ τ]ῆς [γῆς π]ρεσβεύσαν||[τες ὡς βασιλέα Ἀλέ]ξα[νδ]ρον κτλ.

Z. A2 Missitzis möchte das ΗΣ zu [Φιλιππ]ήσ[ιοι] ergänzen; dies halte ich für nicht annehmbar, da diese Form des Ethnikons erstmals in Phil 4,15 bezeugt ist (worauf Missitzis übrigens auf S. 6 selbst hinweist: „The ethnicon Φιλιππήσιος is first attested by Paul ... who visited the city in the 1st c. A.D. and undoubtedly heard from the Philippians how they called themselves"). In hellenistischer Zeit heißt der Einwohner von Philippi nicht Φιλιππήσιος, sondern Φιλιππεύς, wofür man nicht nur *einen* epigraphischen Beleg anführen kann (diesen Eindruck gewinnt der Leser möglicherweise bei Hammond, CQ, S. 387); vgl. dazu das in Band I, S. 116–118 angeführte Material und die dortige Diskussion. Über die dort aus dem Territorium von Philippi gesammelten epigraphischen Belege hinaus kann man neben 745/G782 aus Delphi [d.i. die von Hammond als SIG 267 A zitierte Inschrift] eine lange Reihe weiterer Belege nennen (vgl. die Liste im Kommentar zu 752/G759, Z. 1). An dem Band I, S. 118, Anm. 14 formulierten Ergebnis halte ich fest: „Der epigraphische Befund ist somit eindeutig: Die christlichen Inschriften weisen ausschließlich die Form Φιλιππήσιοι auf, die in den vorchristlichen Inschriften nirgends nachweisbar ist; umgekehrt findet man in den nicht- bzw. vorchristlichen Inschriften aus Philippi ausschließlich die Form Φιλιππεῖς, die wiederum in keiner christlichen Inschrift begegnet."

Ich stimme Missitzis ausdrücklich zu, wenn er behauptet, Paulus habe das Ethnikon Φιλιππήσιοι von den Philippern selbst übernommen (vgl. Band I, S. 117); freilich bin ich mit Ramsay der Auffassung, daß es sich hier um einen spezifisch *römischen* Sprachgebrauch handelt. Ein solcher aber ist in einem Dokument Alexanders des Großen unmöglich. Hinzu kommt die Feststellung, daß in unserem Text ansonsten nur der Name der Stadt, also Φίλιπποι, verwendet wird (vgl. Z. A4f.; A9; B6; B9 und B12f.), so daß angesichts dieser einheitlichen Kennzeichnung der einen Partei deren einmalige Bezeichnung mit einem anderslautenden Ethnikon in Z. A2 denkbar unwahrscheinlich erscheint. Unser Dokument verwendet also οἱ Φίλιπποι wie ein Ethnikon und ist insofern eine Ausnahme (sonst epigraphisch nur noch in 754/G707, vgl. dort den Kommentar zu Z. 35).

Z. A3 Badian polemisiert gegen die Ergänzung des Titels βασιλεύς (1989, S. 65): „The word does not seem a necessary and inevitable supplement: alternatives can be supplied without any great trouble."

Z. A4 Der Stadt Philippi wird erlaubt, die ἀργός, das Brachland, das zu ihrem Territorium gehört, zu bearbeiten. Vgl. dazu näher Missitzis, S. 7f. Irreführend ist die Bemerkung von Hatzopoulos in BÉ 1987 (S. 436), der von den „citoyens de Philippes" redet – von diesen ist hier eben gerade *nicht* die Rede!

Z. A5 Was zusätzlich gezahlt wird (οἱ Φίλιπποι προστελοῦσι …) und wofür Philippi bezahlen soll, stand in der folgenden Lücke in Z. A5f.

Z. A7 Zu den beiden von Alexander beauftragten Männern Philotas und Leonnatos vgl. Missitzis, S. 8f. und Hammond, ZPE 1990, S. 171–174.

Z. A8 „The verb [ἐπεισβεβήκασιν] seems to inform us of a penetration rather than an invasion into a territory. An invasion would have forced Alexander to take far more drastic measures. The penetrators' identity can be found, in all likelihood, in L. 18 [= Z. B3], where Alexander's royal decree disposes a Thracian problem" (Missitzis, S. 9).

Z. A15 Auf das verwickelte Problem von Daton (bzw. Datos) kann ich in diesem Zusammenhang nicht eingehen. Es wäre zusammen mit dieser Inschrift im Rahmen der literarischen Quellen zu diskutieren (vgl. einstweilen Eugene N. Borza: Some Toponym Problems, S. 63–65). Vorläufig muß es mit der resignierenden Bemerkung sein Bewenden haben: „Despite one's wishes, the inscription does not illuminate the question. All we gain from it with certainty is that Datos existed as a territory or town in the vicinity of Philippi during Alexander's times" (Missitzis, S. 10). Einen älteren Beleg für Δάτος (aus der Regierungszeit Perdikkas' III., 365 bis 359 v. Chr.) bietet unsere Inschrift 752b/G821 (dort eindeutig maskulinum).

Z. B2f. Das μέν in Z. B2 und das folgende δέ in Z. B3 deuten auf einen Wechsel des Themas hin zu den Thrakern. „These Thracians must be the ones dwelling in the vicinity of Philippi, possibly in the northern territories of the plain and the surrounding mountains" (Missitzis, S. 11).

Z. B8 Der Name Σειραϊκή ist in dem heutigen Σέρρες noch erhalten (zu den antiken Belegen vgl. Missitzis, S. 12).

Z. B8f. Das Land um Seiraike herum (τὴν περὶ Σεραϊκὴν γῆν) und Dainaros gehörte Hammond zufolge nicht zum Territorium von Philippi, sondern soll nur durch die Philipper kultiviert werden (vgl. das Verbum νέμεσθαι), „in accordance with a grant made by Philip (καθάπερ ἔδωκε Φίλιππος)" (Hammond, CQ, S. 385).

Z. B10 Der Name Δύσωρον ist bei Herodot belegt (V 17), vgl. Missitzis, S. 12f. Zur Lage des Dysoron-Gebirges vgl. die Diskussion bei M.B. Hatzopoulos/L.D. Loukopoulou: Morrylos. Cité de la Crestonie, Μελετήματα 7, Athen 1989, S. 97 mit Anm. 6. Im Gegensatz zu Missitzis sind die Verfasser der Auffassung, daß man das Dysoron-Gebirge keineswegs „in a site which the Philippians must have owned" zu suchen habe (ebd.).

Z. B10ff. Nach Eugene N. Borza geht es hier um den Verkauf von Holz („the sale of Mt. Dysoron timber", PAPS, S. 39, Anm. 29), welcher aufgeschoben werden soll bis zur Rückkehr der Gesandtschaft Alexanders; demnach läge hier ein Beleg für „only royal jurisdiction" über makedonische Wälder, nicht aber für „ownership" des Königs vor (ebd.).

Offensichtlich handelt es sich hier nicht um die oben in Z. A2 erwähnte Gesandtschaft (anders Hatzopoulos in BÉ 1987): „The embassy mentioned in L. 27 [= Z. B11] cannot be the same as the one that the Philippians sent to Alexander (L. 2 [= Z. A2]); otherwise one cannot explain how Alexander's royal decree reached Philippi and was already inscribed on the stone when the Philippian ambassadors who received it are yet to return" (Missitzis, S. 13).

Z. B13 Hammond möchte in γέφυρα den Namen einer Ortslage erkennen und übersetzt: „The marshes up to Gephyra are all (possessions) of Philippi". Er meint: „It was probably a place name, as for instance in a Roman Itinerary ... [vgl. Hammond I 48f.]; in any case we reach the crossing of a river as the limit of the marshes." Zur Lage der Brücke am Angites (Vatin, S. 269) bzw. am Xeropotamos vgl. Hammond, CQ, S. 385 mit Anm. 10.

Missitzis dagegen interpretiert im Sinne einer echten Brücke: „To Philippi, then, are given by the royal decree all the marsh lands up to the bridge. The statement as made is precise only if one bridge existed in the plain, whose position could serve as a landmark. The river which this bridge spanned must have been Angites, the plain's sole river. Such a bridge has survived form the Roman times, south of the village Alistrati ... , in the narrow valley where Angites still maintains its course, between the mountains Pangaeon and Menikion" (S. 14).

Hammond datiert die Inschrift auf Mai 335 (1990, S. 173). Eine späte Datierung ergibt sich, wenn man Hatzopoulos folgt (s. Kommentar zu Z. A1f.).

Nachtrag: Nicht mehr berücksichtigt werden konnte: N.G.L. Hammond: The
Lakes on the lower Strymon and Mt. Dionysus, The Ancient World 28 (1997),
S. 41–45 (vgl. Miltiade B. Hatzopoulos, BÉ 1998, Nr. 280) sowie R.M. Er-
rington: Neue epigraphische Belege für Makedonien zur Zeit Alexanders des
Großen, in: Alexander der Große. Eine Welteroberung und ihr Hintergrund,
Vorträge des Internationalen Bonner Alexanderkolloquiums, Bonn 1998, S.
77–90 (vgl. Miltiade B. Hatzopoulos, BÉ 1998, Nr. 235 und Nr. 281).

Heilige Immobilien

161/G632

2. H. d. 4. Jh.
v. Chr.

Βασίλειος Πούλιος, ΑΔ 36 (1981) Β΄2 Χρονικά [1988], S. 343 (kein Text, keine
    Abb.).
F. W. Walbank: Monarchies and monarchic ideas, in: CAH² VII 1, Cambridge
    1984, S. 62–100; hier S. 90.
Pierre Ducrey: Des dieux et des sanctuaires à Philippes de Macédoine, in: Comptes
    et inventaires dans la cité grecque. Actes du colloque international d'épigraphie
    tenu à Neuchâtel du 23 au 26 septembre 1986 en l'honneur de Jacques Tréheux,
    Genf 1988, S. 207–213.
Pierre Ducrey: Θεοί και ιερά στους Φιλίππους της Μακεδονίας, in: Μνημή Δ. Λα-
    ζαρίδη: Πόλις και χώρα στην αρχαία Μακεδονία και Θράκη. Πρακτικά Αρχαιολο-
    γικού Συνεδρίου, Καβάλα 9–11 Μαΐου 1986, Ελληνογαλλικές Έρευνες 1, Thes-
    saloniki 1990, S. 551–556.
Miltiade Hatzopoulos, BÉ 1989, Nr. 473.
SEG XXXVIII (1988) [1991] 658.
Band I, S. 93 mit Anm. 3.
M.B. Hatzopoulos: Macedonian Institutions under the Kings, Bd. II: Epigraphic
    Appendix, Μελετήματα 22, Athen 1996, S. 98 (Nr. 83).

Philippi: Basilika A. Die beiden Publikationen Ducreys sind offenbar (vom
sprachlichen Gewand abgesehen) identisch. Ich zitiere die zuletzt erschienene
griechische Fassung.

Lokaler Marmor (Fragment), in zweiter Verwendung verbaut in einem Fen-
ster der Basilika A. Am 18. März 1980 entdeckt.

Maße: H. 0,50; B. 0,54; H. der Buchstaben 0,01–0,015.

Heute im Museum in Philippi (Inventarisierungsnummer Λ 1420).

Ich bekam keine Genehmigung, den Stein selbst zu studieren (Υπουργείο
Πολιτισμού – Εφορεία προϊστορικών και κλασσικών αρχαιοτήτων Καβάλας,
Aktenzeichen 2558, 20. August 1992).

> Φιλίππου Ε[- -]ΦΙ[-]ΤΕ[- -⁵- -]ΟΛ[-]Υ   [-] Τ[. . .]
> τῆς πελεθρια[ί]ας δραχμάς [. . .]   ΗΔ[. . .]
> χιλίας διακοσίας πεντήκοντα   [-]ΑΥΡΟ
> καὶ ἐπώνιον δραχμάς [. . .]   ἐπώ[νιον]
> 5 εἴκοσι ὀβολὸν τεταρτημόριον   [. . .]

καὶ ἄλλου τεμένους Φιλίππου   [-]Ο[...]
χιλίας δέκα ἐπώνιον [δραχμάς]   ΔΡΑΣΗ[...]
εἴκοσι ὀβολὸν τεταρτημόριον   ἐπών[ιον]
Ἄρεως πεντήκοντα [δραχμάς]   Ποσειδ[ῶνος]
10 ἐπώνιον δραχμήν [...]   ἐπών[ιον]
Ἡρώων πεντήκοντα [δραχμάς]   ΣΤΕ[...]
[ἐπ]ώνιον δραχμήν [...]   ἐπώνι[ον].

... des Philipp ...
[2l] für 1000 Quadratfuß 1250 Drachmen
und Abgaben (in Höhe von) ... und 20 Drachmen 1 1/4 Obolen
[5l] und des anderen Gebiets des Philipp 1010 (Drachmen) (und)
Abgaben (in Höhe von) 20 (Drachmen) 1 1/4 Obolen; (des Gebiets) des Ares 50 Drachmen
[10l] (und) Abgaben (in Höhe von) ... Drachmen; (des Gebiets) der Heroen 50 (Drachmen) (und) Abgaben (in Höhe von) ... Drachmen; ...
[4r] Abgaben ...
[8r] Abgaben
[9r] des Poseidon
[10r] Abgaben ...
[12r] Abgaben.

Ducrey hält es für wahrscheinlich, daß es sich um zwei Kolumnen handelt (S. 552).
Die zwei genannten Götter Ares (Z. 9links), Poseidon (Z. 9rechts) und die Ἥρωες (Z. 11links) waren in Philippi bisher noch nicht belegt.
Z. 2 πελεθριαία = 1/10 of a plethron = 1000 square feet (SEG).
Z. 6 Zum τέμενος Φιλίππου bemerkt Ducrey: Μήπως πρέπει να εννοήσουμε »ιερό περίβολο« του Φιλίππου, και επομένως να σκεφτούμε ότι πρόκειται για μιαν ένδειξη σχετικά με την ύπαρξη λατρείας του μονάρχη, στην πόλη που ίδρυσε ο ίδιος στα 356 π. Χ. ... (S. 553).
Die Badiansche These, wonach es „unlikely" sei, daß Philipp „ever received [a] cult anywhere, in his lifetime or (as far as I know) even after his death", wäre damit erledigt (Ernst Badian: The Deification of Alexander the Great, in: Ancient Macedonian Studies in Honor of Ch.F. Edson, Institute for Balkan Studies 158, Thessaloniki 1981, S. 27–71; Zitat S. 71). Ducrey ist jedoch der Auffassung, daß dies nicht der Fall ist: Κάτι τέτοιο δε φαίνεται πιθανό. Με τη λέξη τέμενος εννοείται χωρίς αμφιβολία η γη που ανήκει στο βασιλιά και τους θεούς που μνημονεύονται στην επιγραφή τα »ιερά κτήματά« τους (S. 554). Die vorliegende Inschrift widerlegte demzufolge die Auffassung Badians nicht.

Vgl. jedoch das Material, das M.B. Hatzopoulos/L.D. Loukopoulou (Morrylos. Cité de la Crestonie, Μελετήματα 7, Athen 1989, S. 46–48) anführen.

Schon vor der Publikation unserer Inschrift hatte Walbank die Formulierung τέμενος Φιλίππου ganz anders interpretiert als Ducrey, nämlich im Sinne von „sacred precinct", und daraus den Schluß gezogen, in Philippi habe es „a cult to Philip" gegeben, wenn auch nur „as founder" (Walbank, S. 90 mit Anm. 93).

Άκίνδυνος

162/G633
VIII/X

Ευ. *Κουρκουτίδου-Νικολαΐδου*, ΑΔ 36 (1981) Β΄2 Χρονικά [1988], S. 364f. mit Abb. 250β.
SEG XXXVIII (1988) [1991] 661.
Band I, S. 241.

Philippi: Basilika Γ΄. Το μόνο εύρημα από το κοιμητήριο βρέθηκε σε μια πρόχειρη ταφή κοντά στο βόρειο τοίχο του νάρθηκα. Είναι ένα εγκόλπιο σε σχήμα σταυρού, από το οποίο βρέθηκε μόνο η μία πλευρά ... . Φέρει εγχάρακτη παράσταση αγίου δεομένου, στο γνωστό τύπο που υπάρχει σε εγκόλπια και σταυρούς που χρονολογούνται γενικά από τον 8ο ως το 10ο αιώνα. Στα χρονολογικά αυτά όρια μας οδηγεί το συνοπτικό γραμμικό σχέδιο, τα χαρακτηριστικά του τριγωνικού προσώπου και οι χαρακτήρες της ανορθόγραφης επιγραφής.

Τα εγκόλπια αυτά έπαιρναν μαζί τους οι προσκυνητές από τις ιεραποδημίες τους στους τόπους όπου έζησαν και μαρτύρησαν μεγάλοι μάρτυρες της πίστης. Τα εγκόλπια, όπως άλλωστε και τις γνωστές »ευλογίες«, φορούσαν οι χριστιανοί σαν φυλακτά και τα κρατούσαν και στην ταφή τους. Η εγχάρακτη επιγραφή δίνει το όνομα ΑΚΙΝΔΥΝΟΣ. Ο Ακίνδυνος αναφέρεται ότι μαρτύρησε μαζί με τον Πηγάσιο και τον Ανεμπόδιστο στην Περσία, στα χρόνια του Μ. Κωνσταντίνου. Η σύναξή τους τελούνταν στις 2 Νοεμβρίου στο Μαρτύριό τους, που αναφέρεται ότι βρισκόταν στο Δεύτερον της Κωνσταντινούπολης. Από μια ιεραποδημία στο Μαρτύριο αυτό της Κωνσταντινούπολης φαίνεται λοιπόν ότι προέρχεται ο σταυρός του νεκρού στην πρόχειρη ταφή (Κουρκουτίδου-Νικολαΐδου, S. 364f.).

Άκίνδυνος.

Hinweis: Bei der Einordnung der Basilika Γ΄ = Basilika beim Museum ist mir ein Fehler unterlaufen, der nun, da die laufenden Nummern für die Inschriften ein für allemal festgelegt sind, nicht mehr rückgängig gemacht werden kann. Eine Inschrift (162/G633) ist hier, passenderweise gleich im Anschluß an die Basilika A aufgenommen, eine weitere (196/G758) steht am Ende der Akropolis-Inschriften. Beide stammen aber von ein und demselben Fundort.

163/L002   *Cultores Silvani:* Mitgliederliste
II

E.M. Cousinéry: Voyage dans la Macédoine [zwei Bände], Paris 1831; Band II, S. 22f.

Heuzey/Daumet, Nr. 34 II (S. 69–78).

CIL III 1, Nr. 633 (S. 121, Nr. II).

Δήμιτσας, Nr. 935 (S. 736–738).

ILS 5466,2. (unvollständig: es fehlt die Namensliste).

Jean-Pierre Waltzing: Étude historique sur les corporations professionnelles chez les Romains. Depuis les origines jusqu'à la chute de l'Empire d'Occident, Bd. III: Recueil des Inscriptions grecques et latines relatives aux Corporations des Romains, Löwen 1899 (Nachdr. Hildesheim/New York 1970), Nr. 199 II (S. 72f.).

C. Fredrich: Aus Philippi und Umgebung, MDAI.A 33 (1908), S. 39–46; hier S. 40.

Johann Baptist Keune: Art. Felsendenkmäler, PRE Suppl. III (1918), Sp. 482–491; hier Sp. 488, Nr. 49.

Paul Collart: Inscription de Sélian-Mésoréma, BCH 54 (1930), S. 376–391; hier S. 380, Anm. 6.

Collart, S. 403–408.

Fanoula Papazoglou: Le territoire de la colonie de Philippes, BCH 106 (1982), S. 89–106; hier S. 105, Anm. 72.

Band I, S. 39; S. 89 mit Anm. 14; S. 108–113; S. 138 mit Anm. 19; S. 145; S. 150 mit Anm. 14.

Philippi: Akropolis. Im oberhalb der Straße gelegenen Teil der Ausgrabungen, westlich des Theaters. „Sur une face de rocher taillée, auprès d'une niche pour une statuette" (Heuzey, S. 71). Links haben wir zunächst 164/L 001, daneben 165/L003, sodann 163/L002; über 163/L002, etwas nach rechts versetzt, schließlich 166/L004.

Zur Lage der vier Inschriften vgl. etwa Φίλιπποι-Führer, Abb. 20, S. 27.

Abmessungen nach Fredrich: Beschriebene Fläche: H. 0,74; B. 1,03; H. der Buchstaben 0,06; 0,03; 0,17 und in der mittleren Kolumne bis 0,01.

Dia Nummer 47/1979; 59/1989; 298.302.303.304.305.306.307.308/1990.

P(ublius) Hostilius P(ubli) l(ibertus) Philadelphus
petram inferior(em) excidit et titulum fecit, ubi
nomina cultor(um) scripsit et sculpsit sac(erdote) Urbano s(ua)
p(ecunia).

L(ucius) Volattius Urbanus sac(erdos),   **Kolumne I**
5   L(ucius) Nutrius Valens iun(ior),
Hermeros Metrodori,
C(aius) Paccius Mercurialis,
P(ublius) Vettius Victor,
C(aius) Abellius Anteros,
10   Orinus coloniae,
M(arcus) Publicius Valens,

Crescens Abelli,
C(aius) Flavius Pudens,
M(arcus) Varinius Chresimus,
15 M(arcus) Minucius Ianuarius,
P(ublius) Hostilius Philadelphus,
L(ucius) Herennius Venustus,
L(ucius) Domitius Ikarus,
M(arcus) Publicius Laetus,
20 C(aius) Abellius Agathopus,
C(aius) Curtius Secundus,
P(ublius) Ofillius Rufus,
C(aius) Horatius Sabinus,
Ti(berius) Claudius Magnus,
25 L(ucius) Domitius Primigenius,
L(ucius) Atiarius Thamyrus,
M(arcus) Herennius Helenus,   **Kolumne II**
C(aius) Atilius Fuscus,
C(aius) Atilius Niger,
30 Tharsa coloniae,
Phoebus coloniae,
L(ucius) Laelius Felix,
M(arcus) Plotius Gelos,
P(ublius) Trosius Geminus,
35 M(arcus) Plotius Valens,
M(arcus) Plotius Plotianus f(ilius),
M(arcus) Plotius Valens f(ilius),
L(ucius) Atiarius Successus,
C(aius) Licinius Valens,
40 C(aius) Velleius Rixa,
T(itus) Flav[iu]s Clymenus,
L(ucius) Domitius Callistus,
C(aius) Decimius Germanus,
M(arcus) Publicius Primigenius,
45 C(aius) Paccius Trophimus,
L(ucius) Atiarius Firmus,
P(ublius) Vettius Aristobulus,
Chrysio Pacci,
Hostilius Natales,   **Kolumne III**
50 C(aius) Paccius Mercuriales l(ibertus),
M(arcus) Alfenus Aspasius sacerdos,
C(aius) Valerius Firmus,
Velleius Paibes,
A(ulus) Velleius Onesimus,
55 Phoibus colon(iae),

C(aius) Flavius Pudens,
L(ucius) Volattius Firmus,
M(arcus) Publicius Cassius,
C(aius) Abellius Secundus,
60 Atilius Fuscus,
L(ucius) Domitius Venerianus,
L(ucius) Volattius Urbanus,
C(aius) Iulius Philippus,
L(ucius) Domitius Icario,
65 Canuleius Crescens,
L(ucius) Atiarius Moschas,
Fontius Capito,
M(arcus) Glitius Carus,
L(ucius) Atiarius Suavis,
70 Domitius Peregrinus,
Iulius Candidus,   **Kolumne IV**
Valerius Clemens.

Zur Anordnung der Namen auf dem Stein (drei Kolumnen) ist eine Abbildung heranzuziehen. **1** Heuzey/Daumet bieten eine andere Reihenfolge: *P(ublius) Hostilius Phil-*
adelphus, P(ublii) l(ibertus). **4** Heuzey/Daumet lesen nur *sa* (statt *sac*). **7** Heu-
zey/Daumet: *Mercuriales.* **8** Heuzey/Daumet: Wahrscheinlicher als L. ist m.E. die Lesart P. **15** Heuzey/Daumet: *Minusius.* **16** Heuzey/Daumet: P. **17** Heuzey/Daumet
und CIL lesen: P. Fredrich dagegen: L. **24** Heuzey/Daumet und CIL: T. Fredrich: *Ti.*
Claudius. **31** Heuzey/Daumet bieten irrtümlich *Poebus,* wie ihre Transkription zeigt.
32 Heuzey/Daumet sowohl I. als auch L. **34** Heuzey/Fredrich: *Trocius.* CIL: *Trosius*
(so mit großer Wahrscheinlichkeit auf dem Stein). **35** Heuzey/Daumet: *Plotius Valens*
(Druckfehler, vgl. die Transkription ebd.!). **36** Heuzey/Daumet und CIL lassen das *f*
weg; Fredrich: *Plotiannn. f.* **37** Heuzey/Daumet: *M. Plotius Valent(is) filius.* **38** Heu-
zey/Daumet sowohl I. als auch L. CIL: *l.* Fredrich: *C. Atiarius.* **39** Heuzey/Daumet und
CIL: *C. Herennius Valens.* Fredrich: *C. Licinius Valens.* **40** Heuzey/Daumet: *C. Upil-*
pius Rixa. **41** Der Stein bietet keinesfalls *Flavius* (zwei Buchstaben zu wenig). Lesbar
ist FLAVS bzw. PLAVS. Heuzey/Daumet: *Flav[i]us Clumenus.* CIL: FLAViVS. Δήμιτσας:
Flav(ius). Fredrich: „Flaus. ist geschrieben“. **48** *Chryseo?* **49** Ab hier war eine andere
Hand am Werk. **50** Fredrich: *C. P[acc]ius Mercuriales.f.* mit der Bemerkung: „In Spalte c steht C. P[acc]ius Mercuriales.f. in der ersten Reihe; der Name Hostilius Natales ist
mitten über der Spalte im freien Raume nachgetragen. Zeile 1–5 [sc. der dritten Kolumne]
ist jetzt zum Teil zerstört.“ **51** Heuzey/Daumet: *Al[i]enus.* **53** Heuzey/Daumet: *C.*
Velleius Palbes. CIL: *A. Velleius Palbes.* Fredrich: „[A. Velleius]. Paibes. (zum Namen vgl.
BCH. XXIV 1900, 36)“. Diese Lesart *Paibes* unterstützt auch Collart BCH 54 (1930), S.
1930, S. 380, Anm. 6. **55** *P. Hoibus?* CIL: *Phoebus.* Fredrich: *Phoibus.* Heuzey: *Phoebus*
Colon(iae); Transkription: *Phoibus.* **66** Heuzey/Daumet und CIL: *Moschos;* Fredrich:
Moschas. **67** CIL: *Fonteius.* **68** Heuzey/Daumet: *Olitius.* **71** Dieser und der fol-
gende Name stehen im ersten Viertel der vierten Kolumne. Fredrich: „In Spalte 4 hat nie
mehr als die beiden Namen gestanden.“

Publius Hostilius Philadelphus, der Freigelassene des Publius,
hat den unteren Felsen abgeschlagen und die Inschrift gesetzt, wo

er die Namen der Kultgenossen aufgeschrieben und eingemeißelt
hat auf eigene Kosten zur Zeit des Priesters Urbanus.

Zur Interpretation der Silvanusinschriften vgl. o. Band I, S. 108–113. Das
Material besteht neben der unergiebigen Nr. 148/L682 (aus dem Theater)
aus den Mitgliederlisten 163/L002, 165/L003 und 166/L004 sowie aus der
Liste von Spendern 164/L001. Diese vier befinden sich dicht nebeneinander
in den anstehenden Felsen gehauen. Links von diesem Ensemble ist der Felsen in der Art bearbeitet, daß eine metallene Inschrift in Form einer *tabula
ansata* eingefügt werden kann. Diese (bronzene?) Inschrift ist leider nicht
mehr vorhanden. Ich vermute, daß sie die *lex collegii Silvani* von Philippi
enthielt.

Dank dieses reichhaltigen Materials stellen diese *sodales Silvani* das mit
großem Abstand am besten dokumentierte *collegium* von Philippi dar. Eine
andere Mitgliederliste (*album*) eines *collegium* wurde im Osten der Stadt,
in Raktcha, gefunden (091/L360). Das sich dort zweimal findende *pecunia
inlata* scheint aber auf eine andere Art von *collegium* hinzuweisen.

Z. 3   Zur Organisation des Vereins der Silvanus-Anhänger vgl. meine Diskussion o. Band I, S. 110–112, zum Priesteramt speziell S. 110f.

Z. 5   Der Name Nutrius, „attested both at Dyrrachium (*CIL* XVI 1, 52
AD) and, later, at Philippi . . ., the praenomen being in both cases *Lucius*,
is otherwise attested only at Rome (*CIL* VI), near Sarsina in N. Umbria
(*CIL* XI 6488) and at Brixia (*Inscr. It.* X 5, 163, referring to two *Nutrii
Galli*, perhaps brothers, one of whom is called *Lucius*). The distribution of
the attestations may perhaps be taken to indicate a Northern Italian origin
for the nomen" (Olli Salomies: Contacts between Italy, Macedonia and Asia
Minor during the Principate, in: Roman Onomastics in the Greek East.
Social and Political Aspects, hg. v. A.D. Rizakis, Μελετήματα 21, Athen
1996, S. 111–127; hier S. 123).

Z. 6   Der Name Hermeros ist sonst in Philippi nicht belegt. Unser *Hermeros Metrodori* bei Κανατσούλης Nr. 474. Metrodorus begegnet im griechischen Gewand (Μητρόδωρος) in einer Fälschung des Μερτζίδης (687/M670).

Z. 7   Zu Caius Paccius Mercurialis vgl. unten den Kommentar zu Z. 48.

Z. 9   Zum *nomen gentilicium* Abellius vgl. unten den Kommentar zu Z.
12. Zum *cognomen* Anteros vgl. den Marcus Poblicius Anteros bzw. Anterus
in 154/L600 aus dem Theater (Z. 6).

Z. 10   Der Name Orinus ist in Philippi (und anscheinend auch sonst in
Makedonien: vgl. Κανατσούλης, S. 112, wo unser *Orinus coloniae* als Nr.
1026 verzeichnet ist) nicht geläufig.

Z. 12   Das *nomen gentilicium* Abellius begegnet in Philippi ausschließlich
in dieser Inschrift (Z. 9.20.59). Es liegt daher die Vermutung nahe, daß unser
Crescens der Sklave einer der drei *Abellii* war. Unser *Crescens Abelli* bei
Κανατσούλης Nr. 799, die drei *Abellii* Nr. 2–4. Der Name Crescens begegnet
in Philippi auch sonst mehrfach.

Z. 20 Zum *nomen gentilicium* Abellius vgl. oben den Kommentar zu Z. 12.

Z. 23 Caius Horatius Sabinus begegnet auch in 164/L001 (Z. 7). Das *cognomen* Sabinus findet sich dann in dem Militärdiplom 705/L503 (Z. 24: Publius Carullius Sabinus). Schließlich Sabinus als Name eines Thrakers in 524/L103 aus Χαριτωμένη.

Z. 26 Zum *nomen* Atiarius – es ist für Philippi charakteristisch – vgl. den Kommentar zu 588/L236.

Z. 28 Das *cognomen* Fuscus begegnet auch unten Z. 60 (Atilius Fuscus); ein weiterer (derselbe?) Atilius Fuscus in der Silvanusinschrift 165/L003, Z. 5. Außerdem haben wir in Philippi noch die Grabinschrift des Kindes Caius Annius Fuscus (270/L387). In Rom wurde eine Liste von Prätorianern gefunden, die in Z. 5 den Philipper Marcus Aurelius Fuscus enthält (763/L743). Aus Καριανή im SW des Pangaion stammt die Grabinschrift eines Sklaven namens Fuscus (Paul Perdrizet: Voyage dans la Macedoine première [I], BCH 18 (1894), S. 416–445; hier S. 444, Nr. 8), vgl. dazu o. Bd. I, S. 55 mit Anm. 9 (Text und Übersetzung dieser lateinischen Inschrift aus Καριανή). Unser Caius Attilius Fuscus hat bei Κανατσούλης die Nr. 201.

Z. 30 Der Name Tharsa ist in Philippi und auch sonst in Makedonien nicht belegt (vgl. Κανατσούλης, S. 59; unser *Tharsa coloniae* dort als Nr. 541).

Z. 31 Zu *Phoebus coloniae* vgl. den *Phoibus coloniae* in Z. 55. Da es sich um ein und dieselbe Inschrift handelt, muß man annehmen, daß entweder ein Versehen der Vorlage oder des Steinmetzen vorliegt, oder die *Colonia Iulia Augusta Philippensis* zur selben Zeit zwei Gemeindesklaven namens Phoebus bzw. Phoibus hatte. Dies gilt m.E. auch dann, wenn Kolumne III später sein sollte als der Rest der Inschrift, wie Collart meint. Κανατσούλης verzeichnet Nr. 1461 nur *Phoebus coloniae*. Als *cognomen* begegnet Phoebus in 028/L330 aus Kavala.

Z. 32 Eine Liste der *Laelii* aus Philippi bei der Inschrift 747/G769 aus Attika. Unser Lucius Laelius Felix (Κανατσούλης, Nr. 811) ist, wie viele seiner *sodales*, vermutlich ein Freigelassener (so auch Papazoglou: „probablement un affranchi", a.a.O., S. 105, Anm. 72).

Z. 34 Der Name Trosius begegnet in Philippi sonst nicht. „The attestations of this nomen ... show such a heavy concentration in Aquileia and its vicinity that it seems more than probable that the ancestors of the man in Philippi had arrived from somewhere in this area" (Olli Salomies, a.a.O. [vgl. o. zu Z. 5], S. 123, wo unser Trosius allerdings irrtümlich als P. Trosius *Clemens* statt als P. Trosius *Geminus* erscheint).

Z. 37 Ein Photius Valens begegnet auch auf einer unpublizierten lateinischen Inschrift aus dem Museum in Philippi.

Z. 38 Zum *nomen* Atiarius vgl. oben Z. 26.

Z. 39 Ebenfalls auf der Akropolis hat (unser?) Licinius Valens (fehlt bei Κανατσούλης; nachgetragen im Suppl. als Nr. 1668) der Diana ein Relief geweiht (170/L008). Sowohl Licinius als auch Licinia begegnen in Philippi des öfteren.

Z. 43 Germanus ist vermutlich ein Freigelassener eines Mitgliedes der Familie der *Decimii*, die durch eine Reihe von Inschriften vom West-Brunnen bekannt sind (vgl. 213/L347). Unser Germanus bei Κανατσούλης als Nummer 374 (S. 43).

Z. 45 Zum *cognomen* Paccius vgl. unten den Kommentar zu Z. 48.

Z. 46 Zum *nomen* Atiarius vgl. oben Z. 26.

Z. 48 Chrysio begegnet in Philippi sonst nicht. Unser *Chrysio Pacci* bei Κανατσούλης Nr. 1478. Bemerkenswert ist die Tatsache, daß das *nomen gentile* Paccius in Philippi nur in den drei Silvanusinschriften 163/L002, 164/L001 und 165/L003 begegnet: Paccius Mercuriales in 164/L001, Z. 11 und 15; C(aius) Paccius Mercurialis in 163/L002, Z. 7; C(aius) Paccius Trophimus in 163/L002, Z. 45; *C(aius) Paccius Mercuriales l(ibertus)* in 163/L002, Z. 50; Paccius Germanus in 165/L003. Offenbar ist der Paccius Mercurialis aus 164/L001 mit dem Caius Paccius Mercuriales aus 163/L002 identisch; der *Caius Paccius Mercuriales libertus* aus Z. 50 ist sein Freigelassener, wie die Bemerkung in 164/L001, Z. 16 (*cum filis et liberto*) nahelegt: Er nennt einen Freigelassenen sein eigen, und dieser beteiligt sich finanziell an einer Spende für den Bau des Silvanusheiligtums; es ist daher nicht verwunderlich, wenn dieser Freigelassene unter den *cultores* des Silvanus aufgezählt wird. Wenn man einmal von dem Paccius Germanus aus 165/L003 absieht (die dortige Liste ist mit 164/L001 und 163/L002 nicht gleichzeitig), verbleibt nur der Caius Paccius Trophimus aus Z. 45. Ich halte es daher für so gut wie sicher, daß unser Chrysio entweder ein Sklave des Trophimus oder ein Sklave des Mercurialis/Mercuriales ist.
Übrigens hieß der *legatus coloniae deducendae*, den Antonius mit der Gründung der *Colonia Victrix Philippensium* betraute, Q. Paquius Rufus, vgl. zu diesem Κανατσούλης Nr. 1111, zu den oben diskutierten *Paccii* Κανατσούλης Nr. 1108–1110 (der Paccius Germanus aus 165/L003 ist bei Κανατσούλης im Supplement als Nr. 1725 nachgetragen).

Z. 50 Zu Caius Paccius Mercuriales vgl. oben den Kommentar zu Z. 48.

Z. 51 Der Priester Marcus Alfenus Aspasius begegnet auch in 164/L001, Z. 18.

Z. 55 Zu Phoibus vgl. oben den Kommentar zu Z. 31.

Z. 59 Zum *nomen gentilicium* Abellius vgl. oben den Kommentar zu Z. 12.

Z. 60 Zum *cognomen* Fuscus vgl. o. den Kommentar zu Z. 28.

Z. 66 Zum *nomen* Atiarius vgl. oben Z. 26.

Z. 69 Zum *nomen* Atiarius vgl. oben Z. 26.

Z. 72 Clemens ist sonst in Philippi nirgendwo belegt (doch vgl. Phil 4,3).

Cultores Silvani: Spenderliste

Le Bas, Nr. 1435–1439.
Heuzey/Daumet, Nr. 33 I (S. 69–78).
CIL III 1, Nr. 633 (S. 120, Nr. I).
Traugott Schiess: Die römischen Collegia Funeraticia nach den Inschriften, München 1888, S. 100; S. 137f. (Nr. 348).
Δήμιτσας, Nr. 934 (S. 735–736).
ILS 5466,1.
Jean-Pierre Waltzing: Étude historique sur les corporations professionnelles chez les Romains. Depuis les origines jusqu'à la chute de l'Empire d'Occident, Bd. III: Recueil des Inscriptions grecques et latines relatives aux Corporations des Romains, Löwen 1899 (Nachdr. Hildesheim/New York 1970), Nr. 199 I (S. 72).
C. Fredrich: Aus Philippi und Umgebung, MDAI.A 33 (1908), S. 39–46; hier S. 39.
Johann Baptist Keune: Art. Felsendenkmäler, PRE Suppl. III (1918), Sp. 482–491; hier Sp. 488, Nr. 49.
Marcus N. Tod: Macedonia. VI. Inscriptions, ABSA 23 (1918–1919), S. 67–97; hier S. 97, Nr. 22.
Collart, S. 403–408.
Peter F. Dorcey: The Cult of Silvanus. A Study in Roman Folk Religion, Columbia Studies in the Classical Tradition 20, Leiden/New York/Köln 1992, S. 67 mit Anm. 111; S. 91 mit Anm. 42.
Band I, S. 39; S. 55, Anm. 9; S. 89 mit Anm. 14; S. 108–113; S. 138 mit Anm. 19; S. 145; S. 150; S. 220f. mit Anm. 12.

Philippi: Akropolis. Zur Lage im einzelnen vgl. 163/L002.
Abmessungen nach Fredrich: Beschriebene Fläche H. 0,66; B. 1,04; H. der Buchstaben Z. 1: 0,06, dann 0,03 und 0,025–0,02; Zeilenabstand 0,02–0,01.
Dia Nummer 61/1989; 297.301/1990.

P(ublius) Hostilius Philadelphus
ob honor(em) aedilit(atis) titulum polivit
de suo et nomina sodal(ium) inscripsit eorum
qui munera posuerunt.   **Kolumne I**
5 Domitius Primigenius statuam
aeream Silvani cum aede.
C(aius) <H>oratius Sabinus at templum tegend(um)
tegulas CCCC tectas.
Nutrius Valens sigilla marmuria
10 dua, Herculem et Mercurium.
Paccius Mercuriales opus cementic(ium)
✳ CCL ante templum et tabula picta Olympum ✳ XV.
Publicius Laetus at templum aedificandum donavit ✳ L.
15 item Paccius Mercuriales at templum
aedificandum cum filis et liberto don(avit)

✶ L, item sigillum marmurium Liberi ✶ XXV.

Alfenus Aspasius sacerd(os)   **Kolumne II**

signum aer(eum) Silvani cum basi,

20 item vivus ✶ L mortis causae sui

remisit.

vacat

Hostilius Philadelphus inscin-

dentibus in templo petram excidit d(e) s(uo).

Zur Anordnung der Zeilen auf dem Stein (die Namen stehen in zwei Kolumnen) ist eine Abb. heranzuziehen.
3 Zwischen *inscripsit* und *eorum* ist auf dem Stein eine Lücke, in die m.E. ungefähr zwei Buchstaben paßten. **7** Heuzey/Daumet: *C(aius) Oratius*. CIL: *Coratius*. Δήμιτσας: *C(aius) Oratius*; ILS: *C. Oratius*; Collart: *C. Oratius*. Da dieser Mann vermutlich mit dem 163/L002, Z. 23 genannten C. Horatius Sabinus identisch ist, schlage ich vor, auch hier *C. Horatius* zu lesen. **12** Heuzey/Daumet und Δήμιτσας ergänzen *tabula(m) picta(m)*, vgl. u. den Kommentar z.St. **16** Heuzey/Daumet und Δήμιτσας: *filiis*. Auf dem Stein ist eindeutig nur ein *i*. **18** Heuzey/Daumet und Δήμιτσας: *Alienus*. **20** Heuzey/Daumet: *quinquaginta*. CIL: *singulos*. Δήμιτσας: *quinquaginta*. ILS (wie CIL): I. Collart: L. Man kann sowohl I als auch L lesen; I erscheint mir aber unwahrscheinlich. CIL im Apparat: „CAUSAE vel CAUSAF lapis, unde legi potest causa f(ili) sui; ad hoc admisso vivus caret idonea significatione." Fredrich: „causae steht auf dem Stein". **22** Die Leerzeile fehlt bei Δήμιτσας. Fredrich: „hinter remisit sind 1 1/2 Zeilen frei, wie es scheint radiert". Die Leerzeile fehlt bei Heuzey in der Transkription ebenfalls. **23f.** Heuzey/Daumet: *inscendentibus*. CIL: *ins[c]endentibus*. ILS: *insc[e]n|dentibus*. Fredrich: „inscin|dentibus steht auf dem Stein".

Publius Hostilius Philadelphus hat wegen der (ihm verliehenen) Ehrenstellung der Ädilität die Inschrift auf eigene Kosten fein ausarbeiten lassen und die Namen derjenigen Genossen aufgeschrieben, die Leistungen (für den Bau des Heiligtums) erbracht haben. [5] Domitius Primigenius (hat) eine eherne Statue des Silvanus mit Haus (aufgestellt). Caius Horatius Sabinus (hat) zur Tempelbedachung 400 bedeckte Dachziegel (gegeben). Nutrius Valens (hat) zwei Statuetten aus [10] Marmor (gestiftet), Hercules und Mercur. Paccius Mercuriales (hat) Beton vor dem Tempel für 250 Denare und den Olympus auf einer bemalten Tafel für 15 Denare (gestiftet). Publicius Laetus hat für den Tempelbau 50 Denare gestiftet. [15] Ebenso hat Paccius Mercuriales für den Tempelbau mit den Söhnen und einem Freigelassenen 50 Denare gestiftet, (und) ebenfalls eine Statuette des Liber aus Marmor für 25 Denare. Alfenus Aspasius, der Priester, (hat) ein ehernes Standbild des Silvanus mit Basis (gestiftet), (und) ebenso [20] hat (der genannte Alfenus Aspasius) zu seinen Lebzeiten für den Fall seines Todes 50 Denare hinterlegt. [23] Hostilius Philadelphus hat für die zum Heiligtum Heraufsteigenden auf eigene Kosten den Felsen herausgehauen.

Z. 2 Bei der Funktion des *aedilis* handelt es sich nicht um eine Stellung in der Stadt, sondern im Verein des Silvanusanhänger (so schon Heuzey, S. 75, vgl. meine Diskussion o. Band I, S. 111f.).

Z. 6 Heuzey: „Cette statue étant la première nommée en tête des offrandes, immédiatement après la mention du travail d'aplanissement du rocher, il est possible que l'*aedis* dont il est ici question ne soit autre chose que la niche dont l'enfoncement se voit encore dans le roc au-dessus des inscriptions." (S. 75).

Z. 10 Zu Mercurius in Philippi vgl. den Kommentar zu 094/L590.

Z. 11 Paccius Mercuriales wird u. Z. 15 ein zweites Mal genannt. Zu ihm vgl. den Kommentar bei 163/L002, Z. 48.

Zum *opus caementicium* vgl. das gleichnamige Buch von Lamprecht (Heinz-Otto Lamprecht: Opus Caementitium. Bautechnik der Römer, Düsseldorf 1993), bes. S. 33.

Z. 12 Heuzey bemerkt auf S. 76: „La mention d'une peinture sur bois, pendue à l'intérieur du temple, est surtout un fait à noter pour l'archéologie." Seine Ergänzung zu *tabula(m) picta(m)* – der auch Δήμιτσας folgt – ist nicht erforderlich. Man kann *tabula picta* ohne Schwierigkeiten als Ablativ auffassen.

Allerdings stellt sich in der Tat die Frage, was mit Olympus gemeint ist (vgl. Heuzey, S. 96). Es kann sich hier entweder um den bekannten Berg oder aber – dafür plädiert Heuzey – um den gleichnamigen Flötenspieler handeln, den in der lateinischen Literatur Ovid in den Metamorphosen (VI 393), Plinius in seiner Naturkunde (XXXVI 29) u.a. erwähnen. Neben Heuzey hat sich auch Collart (S. 407) dafür ausgesprochen, hier unter Olympus den Flötenspieler zu verstehen: „L'on avait en outre déposé dans le sanctuaire l'effigie peinte du joueur de flûte Olympus, dont L. Heuzey a bien noté les affinités avec Silvain."

Z. 18 Hier begegnet Alfenus Aspasius als *sacerdos* (des Silvanus, wie sich versteht). In 163/L002 werden zwei Priester genannt: Urbanus (Z. 3), der mit vollem Namen Lucius Volattius Urbanus heißt (Z. 4), und unser Alfenus Aspasius (Z. 51). Zur Datierung von 166/L004 dient ein dritter Priester, Macius Bictor. Zum Priesteramt im Verein der Silvanusanhänger vgl. o. Band I, S. 110f.

Z. 20 *mortis causae sui* ist schwierig, Heuzey möchte für das Problem den Steinmetzen verantwortlich machen (S. 78: „. . . imputable sans doute à l'inadvertance du graveur") und statt des *sui* vielmehr *suae* lesen; in jedem Fall gelte: „le sens général n'en est pas douteux" (ebd.). Aparterweise versichert Collart – fast drei Generationen später –: „le sens général en est clair" (S. 406, Anm. 1), obgleich sich in der Zwischenzeit eine durchaus nuancenreiche Diskussion darüber ergeben hatte, wer bei welcher Gelegenheit wem was bezahlen muß. Mommsen ist sich seiner Sache sicher: „Funeraticium collegium fuisse cum ex ipso cultorum nomine patet tum praesertim inde, quod collegium mortuo sodale denarios singulos dare oportuit (I col.

2, 3), exequiarii nomine opinor ad funus venientibus, id quod beneficii causa sodalis quidam collegio remisit, ita fortasse, ut de suo exequiarium illud praestandum esse ultima voluntate caveret" (im CIL, S. 122). Anders legt sich Traugott Schiess den Sinn der Formulierung Z. 20f. zurecht: „das soll offenbar heissen, er habe dem Coll.[egium] (resp. den Mitgliedern desselben) die Zahlung des 1 Denar, welchen jedes Mitglied beim Tode eines andern zu zahlen hatte, für den Fall seines Todes bei Lebzeiten erlassen" (Schiess, S. 100 – hier wie bei Mommsen hätte die von mir abgelehnte Lesart ✕ I einen guten Sinn!). Waltzing kehrt im wesentlichen zur Hypothese Mommsens zurück, wenn er von der „obligation" spricht, derzufolge „le collège avait de payer un denier à chacun des membres qui assistaient aux funérailles d'un confrère. Alfenus Aspasius dispense le collège de cette obligation, en l'imposant sans doute à ses héritiers" (S. 73; Waltzing weist im folgenden auf die abweichende Auffassung von Schiess hin). M.E. ist eine eindeutige Entscheidung nicht möglich; besäßen wir die *lex collegii Silvani* (vgl. o. die einleitenden Bemerkungen zum Kommentar zu 163/L002), verstünden wir Z. 20f. mit Sicherheit besser.

Z. 23f. Hierzu ist die Inschrift des Isispriesters Lucius Titonius Suavis (175/L012) zu vergleichen, der *in superiore itinere petram ex suo excidit et gradus fecit* – eine sehr nahe Parallele zum Werk des Hostilius Philadelphus! Heuzey übersetzt: „sur la montie" (S. 74) und schließt daraus, daß „que les inscriptions se trouvaient gravées sur la paroi même de l'escalier ou de la rampe qui donnait entrée dans le temple. On peut en conclure que le temple, qui devait être de petite dimension, était construit au-dessus de la pointe de rochers où elles sont taillées" (S. 76).

Cultores Silvani: Liste

Heuzey/Daumet, Nr. 35 III (S. 69–78).
CIL III 1, Nr. 633 (S. 121, Nr. III).
Δήμιτσας, Nr. 936 (S. 738).
Jean-Pierre Waltzing: Étude historique sur les corporations professionnelles chez les Romains. Depuis les origines jusqu'à la chute de l'Empire d'Occident, Bd. III: Recueil des Inscriptions grecques et latines relatives aux Corporations des Romains, Löwen 1899 (Nachdr. Hildesheim/New York 1970), Nr. 199 III (S. 73).
C. Fredrich: Aus Philippi und Umgebung, MDAI.A 33 (1908), S. 39–46; hier S. 40f.
Collart, S. 403–408.
Peter F. Dorcey: The Cult of Silvanus. A Study in Roman Folk Religion, Columbia Studies in the Classical Tradition 20, Leiden/New York/Köln 1992, S. 67 mit Anm. 111.
Band I, S. 38; S. 89 mit Anm. 14; S. 108–113; S. 138 mit Anm. 19; S. 145.

Philippi: Akropolis. Lage wie 163/L002, zwischen 164/L001 und 163/L 002.

Zum Zustand 1908 bemerkt Fredrich, von dieser Inschrift sei „die Überschrift und der grösste [!] Teil der Liste zerstört; sie war noch viel flüchtiger als n. II [das ist 163/L002] eingeritzt" (S. 40f.).

Abmessungen nach Fredrich: Beschriebene Fläche: B. 0,70; H. der Buchstaben 0,02; Zeilenabstand 0,005.

Dia Nummer 60/1989; 452–455/1992.

			[...]
	[Cal]list(us)	Popili(us) T[...]	Iulius Crispus
	[...]s Optatus	Veturius [...]us	Atiarius Aniites
	[Domiti]us Venerianus	Popillius [...]ilus	d(ecuria) VI
5	Atilius Fuscus	Domitius [...]nchus	Paccius Germanus
	Atiarius Firmus	Capitius [Ve]nerianus	Veronius Euheme-
			rus
	Domitius Icario	[...]us Trophimus	[...]ius
[...]		[...]	Petronius Optatus
			iun(ior)
[...]		[...]	Cassius Ocraterus
10 [...]		[...]	Sallustius Magnus
[...]		[...]	Acomius Tertullus
			Petronius Eutyches
			Petronius Zosimus
			d(ecuria) VII
15			Atiarius Rusticus

2 Heuzey/Daumet: *Popili[us*. Die dritte Kolumne ist bei Heuzey/Daumet um eine Zeile nach unten versetzt. CIL setzt sie drei Zeilen tiefer. Zutreffend bemerkt Fredrich: „in Spalte c steht Iulius (was davor angegeben ist, ist fälschlich aus Spalte b genommen) Crispus in gleicher Höhe mit – list – Popilius –." Heuzey: *ulius Crispus*. **3** Heuzey/Daumet: „*An..tes*". **4** Fredrich: *Popilius* (5) *ilus*. Heuzey: *... us Venerianus*. **5** Fredrich fügt vor 5 in der dritten Kolumne noch —*ius* ein. Nicht mehr verifizierbar. Heuzey/Daumet lesen: *A[til]ius*. Fredrich liest: *Ati[li]us* sowie *Domitius* (3) *IIchus*. **6** Heuzey/Daumet lesen: *C. Apitius*; *Veronius Euh[e]merus*. Text nach Fredrich. **7** Heuzey/Daumet und CIL: *vius*. Fredrich: „vor us können nur etwa 3 Buchstaben fehlen, also z. B. [Iuli]us." **9** Fredrich: *Cassius Cypaerus*. **11** Heuzey/Daumet und CIL: *Tertullius*. Fredrich: *Tertullus*. **14f.** Die Zeilen fehlen bei Heuzey/Daumet und CIL. Fredrich dagegen hat sie. Heute nur noch *At[- -⁵- -]s Rusticus* erkennbar.

Z. 2 Das *nomen gentile* Popilius kommt außer hier und unten Z. 4 nur in dem Militärdiplom 030/L523 (Z. A23) vor.

Z. 3 Zum *nomen* Atiarius vgl. den Kommentar zu 588/L236; es ist für Philippi spezifisch und begegnet sonst nirgendwo.

Z. 4 Das *nomen gentile* schon oben in Z. 2 (siehe dort).

Zur Einteilung des Vereins in *decuriae* vgl. meine Diskussion o. Band I, S.

112. Auf ein weiteres Beispiel eines *collegium* von Silvanusverehrern, welches in (vier) *decuriae* gegliedert ist, hat schon Heuzey (S. 75) hingewiesen: Es handelt sich um das *collegium Silvani Aureliani* in Rom (CIL VI 631.632; vgl. darüber hinaus CIL VI 647). Leider ist Dorcey an diesen mit der Struktur der Vereine zusammenhängenden Phänomenen zu wenig interessiert: Man müßte das gesamte Material selbst noch einmal prüfen, wenn man sich ein gesichertes Urteil bilden wollte, wie häufig *decuriae* bei Silvanuscollegia sind. Meine Diskussion in Band I ist insofern gegebenenfalls revisionsbedürftig.

Z. 5 Zu Paccius Germanus vgl. den Kommentar bei 163/L002, Z. 48.

Z. 6 Zu Atiarius vgl. oben den Kommentar zu Z. 3.

Extrem selten ist auch das *nomen* Capitius; „there is only one other attestation, at Verona (*NSA* 1965, Suppl. 52 fig. 29)" (Olli Salomies: Contacts between Italy, Macedonia and Asia Minor during the Principate, in: Roman Onomastics in the Greek East. Social and Political Aspects, hg. v. A.D. Rizakis, Μελετήματα 21, Athen 1996, S. 111–127; hier S. 121).

Die Liste aller Belege für das *cognomen* Euhemerus findet sich bei 132/L303, der Inschrift des Quintus Mofius Euhemerus vom Neapolistor.

Z. 8 *Petronii* begegnen noch in Z. 12 und 13; außerdem eine Petronia Rufina in 062/L112 aus Dikili-Tasch (dort im Kommentar weitere Literatur zu der Familie der *Petronii* in Makedonien). „Dans la liste n° III, au contraire, on ne retrouve quelques noms de la liste n° II [163/L002] que dans la première colonne; ce sont ceux d'Atilius Fuscus, d'Atiarius Firmus et de Domitius Icario; ... on a le droit d'en inférer que cette inscription est moins ancienne d'un certain nombre d'années." (Heuzey, S. 76f.)

Z. 10 Das *gentilicium* Sallustius findet sich auch in einer Inschrift vom Forum (237/L317) sowie in einer unpublizierten Inschrift aus Philippi (Marmorsarkophag mit den Namen des C. Sallustius und seiner Frau Lucilia, vgl. P. Courbin: Chronique des fouilles et découvertes archéologiques en Grèce en 1953, BCH 78 (1954), S. 95–175; hier S. 142).

Z. 15 Zum *nomen* Atiarius vgl. oben den Kommentar zu Z. 3.

Cultores Silvani: Liste

166/L004

III

Heuzey/Daumet, Nr. 36 IV (S. 69–78).
CIL III 1, Nr. 633, S. 121, Nr. IV.
Δήμιτσας, Nr. 937 (S. 738f.).
Jean-Pierre Waltzing: Étude historique sur les corporations professionnelles chez les Romains. Depuis les origines jusqu'à la chute de l'Empire d'Occident, Bd. III: Recueil des Inscriptions grecques et latines relatives aux Corporations des Romains, Löwen 1899 (Nachdr. Hildesheim/New York 1970), Nr. 199 IV (S. 173).
C. Fredrich: Aus Philippi und Umgebung, MDAI.A 33 (1908), S. 39–46; hier S. 41.

Collart, S. 403–408.

Peter F. Dorcey: The Cult of Silvanus. A Study in Roman Folk Religion, Columbia Studies in the Classical Tradition 20, Leiden/New York/Köln 1992, S. 67 mit Anm. 111.

Band I, S. 39; S. 89 mit Anm. 14; S. 108–113; S. 138 mit Anm. 19.

Philippi: Akropolis. Lage wie 163/L002, oberhalb von 163/L002. Abmessungen nach Fredrich: Beschriebene Fläche H. 0,74; B. 1,05; H. der Buchstaben Z. 1: 0,05, sonst 0,04–0,035.

Dia Nummer 62/1989; 300/1990; 456–459/1992.

> Cul[tores colleg]i Silbani s(ub)s(cripti) D
> sacerdoṭ[e] Ṃagio Bictore:
> Q(uintus) Sedius Proclus pater, Var(ius) Dionysi, D[...]
> Sedius Valens, ... neanisc[-]arc[...]
> 5 LL Proculus ...
> P(ublius) Sulp(icius), Quintus ... Afros a foro
> *vacat*   S   *vacat*
>   *vacat*   C(aius) Agapetus Heracliei
>   *vacat*   Martiales fr(ater)   *vacat*
> 10 Urtius Silba[nus] *vacat*

1 Heuzey/Daumet: *Cul[tores sanct]i.* Fredrich: *cul[tores colleg]i* hat „nur Platz, wenn das erste Wort abgekürzt war (etwa cultor.); am Schluss sind nach Silbani die unteren Hasten erhalten von S. u. D.". Statt des *s(ub)s(cripti)* schlägt Mommsen *s(upra) s(cripti)* vor. Vgl. dazu unten meinen Kommentar zu Z. 1.   **2** Heuzey/Daumet: *sacerdot[e P]a[c]cio.* CIL: *MA[g]IO.* Fredrich: *sacerdot[e] Magio.* Ist vor dem *sacerdote* auf dem Stein ein Q?   **3** Heuzey/Daumet ohne Q am Anfang und D am Ende. CIL ohne Q. Fredrich: *Diony-siod(orus).* Auf dem Stein: DE am Schluß.   **4** Heuzey/Daumet: „... *us Car".* CIL: *N ANS CARC.* Fredrich: *Neanis Carc.*   **5** Heuzey/Daumet: *L... .l...... .Proculus.* CIL: *[f]il Proculus* ARC I RFA. Fredrich: *L L Proculus* (frei) *Arc. Ner Fa* (frei). Auf dem Stein am Schluß: ṚǪFṚ.   **6** Heuzey/Daumet: *Sulp(itius); A[nt]eros. Afros* ist nicht eindeutig zu identifizieren; es scheint sich um einen Buchstaben mehr zu handeln: A–OS. Fredrich gibt: (frei) *Affios* AFORO.   **7** Nach Zeile 7 folgen mindestens zwei Leerzeilen.   **8** Heuzey/Daumet: *C. Agapetus Heraclie.* Fredrich: Γ *(P?) Agapetus Heracli fi(lius).* Fredrichs Bemerkung: „in das erste C ist ein kleines R hineingeschrieben; daneben steht in der oberen Hälfte der Zeile, wie es scheint, ein kleines A und in der unteren ein Γ(P?). Agapetus Heracli fil(ius)" verstehe ich nicht. Auf dem Stein findet sich heute nur noch HERACLỊ.   **9** Fredrich: *Martiales fr.(ater).* Heuzey: *Martiales fr... .*   **10** Heuzey/Daumet lesen: *vir[i]ti[m] Silba[no]* (?). Fredrich: „Virtius (das erste i steht klein in der Mitte der Zeile) Silba(nus ist weggebrochen)."

> Die Mitglieder des Collegiums des Silbanus zur Zeit des Prie-
> sters Magius Bictor sind unten verzeichnet: [ab Z. 3 folgt die
> angekündigte Liste].

„Quant à la liste n° IV, elle se distingue complétement des trois autres par l'absence de tout rapport de noms, par le caractère de l'écriture, par l'orthographe qui substitue le B au V, par l'abréviation des noms de famille, comme Sulp(icius), ce qui on'a fait risquer plus loin l'interprétation Var(ius)." (Heuzey, S. 77)

Z. 1 Erst in dieser letzten Silvanus-Inschrift fällt der *terminus technicus collegium*! Er begegnet sonst auf Inschriften in Philippi nicht.

Die von Mommsen vorgeschlagene Ergänzung des SS am Schluß der Zeile zu *s(upra) s(cripti)* ist nicht sinnvoll, da die Namen ja unterhalb und nicht oberhalb dieser Überschrift stehen. Ich halte daher an der sinnvollen Heuzeyschen Ergänzung *(sub)s(cripti)* fest.

Z. 2 Der Name Macius bzw. Magius (bei Κανατσούλης ist unser Magius Bictor die Nr. 860) begegnet in Philippi in 314/L396 (Lucius Magius Crescens) sowie in 430/L159 (*Lucius Magius Luci filius* und seine Tochter Magia Secunda).

Z. 3 Auf *Quintus Sedius Proclus pater* (bei Κανατσούλης die Nr. 1757) folgt in unserer Liste zwar noch ein Sedius Valens (Z. 4; bei Κανατσούλης die Nr. 1756), aber kein *Quintus Sedius Proclus filius* (weitere *Sedii* sind in Philippi nicht belegt); man kann daher vermuten, daß *pater* hier nicht in seiner eigentlichen Bedeutung vorliegt, sondern sich auf eine Funktion im *collegium* bezieht (etwa im Sinne von *patronus*; Hinweis der Kollegen Georg Schöllgen und Karl Leo Noethlichs im gemeinsam in Aachen im Wintersemester 1995/96 veranstalteten Seminar). Ein solcher Gebrauch des Wortes *pater* ist auch bei anderen Vereinigungen belegt (vgl. das Material im Art. *pater*, ThLL X,1, Sp. 679, Z. 71ff. und Sp. 681, Z. 25ff., wo unsere Inschrift allerdings nicht berücksichtigt ist). Auch in Silvanus-Inschriften begegnet gelegentlich ein *pater*. Nicht heranzuziehen ist allerdings die Grabinschrift CIL IX 3526, wo zwar *Ursio pater* im Zusammenhang eines *coll(egium) Silvani* genannt wird; da er aber neben *Successa mater* steht, wird es sich hier um die Eltern der verstorbenen Sklavin handeln, d.h. *pater* und *mater* sind hier nicht Bezeichnungen für Funktionen im *collegium*. Zwei Belege sind neueren Datums: AÉ 1944, 119 und AÉ 1967, 405. Die Diskussion der Organisation des Kultes (Band I, 110–112) wäre dann gegebenenfalls um den Funktionär *pater* zu ergänzen.

Z. 6 Ein Sklave namens Sulpicius begegnet in der Inschrift 394/L779 (*Sulpicius verna*). Bei Κανατσούλης wird im Suppl. Nr. 1765 unser Sulpicius zu einem „Sulp(icius) Quintus Anteros" (zu Anteros vgl. die *varia lectio* im Apparat zu Z. 6). M.E. haben wir es hier in Z. 6 jedoch mit zwei verschiedenen Personen zu tun, einem Quintus, dessen Name nicht erhalten ist, und unserem Publius Sulpicius; daher setze ich zwischen Sulpicius und Quintus ein Komma.

167/G005   **Diana-Relief des Βέρνας**

Χάϊδω Κουκούλη, ΑΔ 22 (1967) Β΄2 Χρονικά [1969], S. 422 mit Abb. πιν. 313α.
Jeanne Robert und Louis Robert, BÉ 1970, Nr. 382.
Collart/Ducrey, Nr. 20 (S. 51; Abb. 34 auf S. 52); auch S. 201–227.

Philippi: Akropolis. „Aujourd'hui dans la cour du Musée. Provenance indiquée: acropole."
„Cadre rectangulaire. Haut. 33 cm; larg. 29 cm; prof. 5 cm. Deux trous sont forés sur les angles supérieurs. Au-dessous du relief, inscription grecque de deux lignes. Haut. des lettres 4 cm" (S. 51).
Dia Nummer 388.389/1991.

> Βέρνας
> ἐπόησεν.

Bernas hat (das Relief samt der Inschrift) gemacht.

Collart/Ducrey: „L'unique inscription grecque de cette série … est une signature. Le nom Βέρνας est la transposition grecque du latin *verna*, esclave né à la maison; ce terme désigne le plus souvent les esclaves de l'administration impériale. On le rencontre rarement en grec comme nom propre. … Bien qu'aucun des personnages ci-dessus ne soit connu par ailleurs, et que les noms … ne soient pas remarquables en eux-mêmes, ils nous fournissent plusieurs indications sur les dédicants. Sauf Zipas, qui porte un nom thrace, … et Βέρνας, qui est hellénisé, ils semblent tous d'origine latine ou, du moins, ils ont tous des noms latins" (S. 221f).

168/L006   **Diana-Relief des Vatinius Valens**

Ch.[arles] Picard: Les dieux de la colonie de Philippes vers le Ier siècle de notre ère, d'après les ex-voto rupestres, RHR 86 (1922), S. 117–201; hier S. 169, Pl. VI, U.
AÉ 1923, 92.
Collart, S. 438, Anm. 1; S. 442 und Anm. 3.
AÉ 1939, 205.
Collart/Ducrey, Nr. 32 (S. 59–61; Abb. 45 und 46 auf S. 62); auch S. 201–227.

Philippi: Akropolis. „Secteur IV. Immédiatement au-dessus du mur intérieur, entre les cotes 95 et 100. Sur le même rocher que 33 et 130."
„Cadre surmonté d'un fronton. Haut. 30 cm; larg. 37 cm; prof. 1 cm; haut. du fronton 19 cm. Des traits incisés dessinent les rampants du fronton et trois acrotères. Au-dessous du relief, inscription latine de trois lignes. Haut. 15 cm; haut. des lettres 4 cm. Les premières lettres de la l. 2 et la moitié de la

l. 3 ont été entamées par le relief n° 33, situé au-dessous, et par conséquent postérieur. Plusieurs lettres sont endommagées à gauche. La l. 3 n'avait peut-être pas été gravée sur toute sa longueur; rien ne subsiste de sa première moitié; à droite, deux lettres au moins ont disparu. La surface du relief et de la partie gauche de l'inscription, demeurée à l'air libre, est très usée; à droite, le rocher est brisé" (S. 59–61).
1990 durch „moderne Künstler" verunstaltet; Inschrift nicht mehr sichtbar. Dia Nummer 286/1990.

> Deanae sacrum.
> [V]ạtinius Valens
> [. . .] s(ua) p(ecunia) p(osuit) l(ibens) a(nimo) s[ol(vit)].

2 Picard: VATINIVS. **3** Picard: . . . CLAS. AÉ 1939 irrtümlich: *h(oc) l(oco) v(otum) s(olvit).*

Der Diana ist es geweiht. Vatinius Valens . . . hat auf eigene Kosten (das Relief) aufgestellt und gerne (sein Gelübde?) erfüllt.

Relief für den Dominus Rincaleus   169/L007
von Lucius Accius Venustus

Ch.[arles] Picard: Les dieux de la colonie de Philippes vers le Ier siècle de notre ère, d'après les ex-voto rupestres, RHR 86 (1922), S. 117–201; hier S. 156–157, Pl. IV, M (reproduziert in Latomus 30 (1971), Pl. XXII, Abb. 12).
AÉ 1923, 89.
Gawril Kazarow: Un nouveau monument du Cavalier thrace, RAr 1937, 2, S. 39–42; hier S. 39f.
Collart, S. 425–427; Pl. LXXI, 2.
AÉ 1939, 201.
Ernest Will: Le relief cultuel gréco-romain, Paris 1955; hier S. 101.
Georgi Mihailov: À propos de la stèle du „captor Decebali" à Philippes, in: Mélanges helléniques offerts à Georges Daux, Paris 1974, S. 279–287; hier S. 282 mit Abb. 3.
Collart/Ducrey, Nr. 5 (S. 34; Abb. 14 auf S. 36); auch S. 197f.
Band I, S. 40 mit Anm. 26; S. 92, Anm. 1; S. 139 mit Anm. 30; S. 183, Anm. 3.

Philippi: Akropolis. „Secteur IV. Entre les cotes 115 et 120, sur un bloc de rocher détaché."
„Cadre surmonté d'un fronton dont les rampants sont doublés d'un trait incisé qui dessine à gauche un acrotère; trou circulaire foré au-dessus de l'angle gauche. Haut. 50 cm; larg. 60 cm; prof. 1 cm; haut. du fronton 15 cm. La surface est usée. Inscription latine de deux lignes au-dessous du cadre; haut. 17cm; haut. des lettres 5,5 cm (l. 1); 6 cm (l. 2)" (S. 34).

D(omino) Rinc(aleo) ex inp(erio)
L(ucius) Ac(cius) Venustus.

1 Picard: *D(eo) p(atrio) in(vi)c(to?) ex inpe(rio).* **2** Picard: *L. Ag(elius?) Venustus.*

Dem Dominus Rincaleus (hat es) Lucius Accius Venustus auf
Befehl (der Gottheit geweiht).

Z. 1 Der *Dominus Rincaleus* begegnet auch in 189/L026 (ebenfalls auf
der Akropolis) sowie in einer Weihinschrift aus Προσοτσάνη (516/L653).

170/L008   **Diana-Relief des Licinius Valens**

Ch.[arles] Picard: Les dieux de la colonie de Philippes vers le Ier siècle de notre
    ère, d'après les ex-voto rupestres, RHR 86 (1922), S. 117–201; hier S. 168.
Collart, S. 442 und Anm. 3; Pl. LXXV 3.
AÉ 1939, 204.
Collart/Ducrey, Nr. 97 (S. 120; Abb. 120 auf S. 120); auch S. 201–227.

Philippi: Akropolis. „Secteur IV. Entre les cotes 115 et 120.“
„Inscription latine de trois lignes. Haut. de la partie inscrite 18 cm; long. 31
cm; haut. des lettres 4 cm; interligne 2,5 cm. La gravure est soignée. Les A
de la ligne 1 sont dépourvus de barre transversale; points séparatifs entre
certains signes. Le rocher est parcouru par des fissures, dont l'une, en haut,
est plus profonde et plus large“ (S. 120).

Deanae
Licinius Va-
lens v(otum) s(olvit).

1 Picard: *Dianae.*

Der Deana hat Licinius Valens sein Gelübde erfüllt.

Z. 2 Ein Caius Licinius Valens begegnet auf der Mitgliederliste der Silvanusverehrer 163/L002 (Z. 39). Ob er derselbe Licinius Valens ist? Er ist
bei Κανατσούλης im Supplement als Nr. 1668 nachgetragen.

171/L009   **Diana-Relief des Zipas**

Collart, S. 442 und Anm. 3; Pl. LXXVIII 1.
AÉ 1939, 203.
Collart/Ducrey, Nr. 96 (S. 120; Abb. 119 auf S. 119); auch S. 201–227.

Philippi: Akropolis. „Secteur IV. Entre les cotes 115 et 120.“
„Partie inférieure d'un relief, presque entièrement détruit. Haut. 6 cm; larg.
29 cm; prof. 3 cm. Au-dessous, inscription latine de deux lignes; la gravure
est profonde et irrégulière; la surface est usée. Haut. 9 cm; long. 29 cm; haut.
des lettres 4 cm“ (S. 120).
Dia Nummer 282/1990.

> Deanae s(acrum).
> Zipas.

> Der Deana ist es geweiht. Zipas (hat es gemacht).

Collart/Ducrey, S. 222: „. . . signalons *Zipas*, dont l'origine thrace est manifeste; on le trouve souvent à Philippes ou dans ses environs immédiats.“

Griechisches Fragment   172/G010
Weihinschrift der Galgestia Primilla für Deana   173/L575

Léon Heuzey: Le panthéon des rochers de Philippes, RAr 11 (1865), S. 449–460;
   hier S. 456–458.
Heuzey/Daumet, Nr. 42 (S. 83–85); Pl. IV 1.
CIL III 1, Nr. 636.
Δήμιτσας, Nr. 943 (S. 728; 742).
W. Drexler: Art. Men, ALGM II 2 (1894–1897), Sp. 2687–2770; hier Sp. 2730.
Paul Perdrizet: Mên, BCH 20 (1896), S. 55–106; hier S. 76 mit Anm. 3.
Paul Perdrizet: Cultes et mythes du Pangée, Annales de l'est, publiées par la fa-
   culté des lettres de l'université de Nancy, 24e année, fascicule 1, Paris/Nancy
   1910; hier S. 86, Anm. 3.
Johann Baptist Keune, Art. Felsendenkmäler, PRE Suppl. III (1918), Sp. 482–491;
   hier Sp. 488, Nr. 50.
Ch.[arles] Picard: Les dieux de la colonie de Philippes vers le Ier siècle de notre
   ère, d'après les ex-voto rupestres, RHR 86 (1922), S. 117–201; hier S. 188–194.
SEG III (1927) 503.
Collart, S. 438–441; Pl. LXXVII 1–2.
Charles Picard: Sur l'iconographie de Bendis, in: Serta Kazaroviana I (1950), S.
   25–34; hier S. 31; Abb. 6.
Theodor Kraus: Hekate. Studien zu Wesen und Bild der Göttin in Kleinasien und
   Griechenland, Heidelberger kunstgeschichtliche Abhandlungen N.F. 5, Heidel-
   berg 1960, S. 75f.
Nezih Fıratlı: Les stèles funéraires de Byzance gréco-romaine. Avec l'édition et
   l'index commenté des épitaphes par Louis Robert, BAHI 15, Paris 1964, S. 153
   (L. Robert).
E.N. Lane: A Re-Study of the God Men. Part I: The Epigraphic and Sculptural
   Evidence, Berytus 15 (1964), S. 5–58; hier S. 11, Anm. 17.
E.N. Lane: Corpus monumentorum religionis dei Menis. I. The monuments and
   inscriptions, EPRO 19,1, Leiden 1971, S. 158–159; Pl. CII.

Collart/Ducrey, Nr. 149 (S. 169f.; Abb. 179 auf S. 167; Abb. 181 auf S. 168 und Abb. 182); auch S. 201–207.

Philippi: Akropolis. „Secteur III. Immédiatement à droite de 148, sur une autre face du même rocher."

„Cadre en relief. Haut. 85 cm; larg. 34 cm (haut), 39 cm (bas). Une fissure du rocher le traverse obliquement; une autre coupe l'angle supérieur droit. Sur la surface, soigneusement aplanie, se détachent divers motifs en relief, et deux inscriptions.

Représentations figurées: en bas à gauche, croissant tourné vers le haut. Haut. 15 cm; larg. 19 cm à 20 cm. Au-dessus du bord inférieur du croissant, étoile, partiellement détruite; deux branches sont encore visibles.

A droite, au tiers supérieur du relief, paire d'yeux. Haut. 5 cm; long. 12 cm. Au-dessous, croissant tourné vers le haut partiellement endommagé. Plus bas, paire d'yeux. Haut. 3 cm; long. 12 cm.

Inscriptions: à gauche, au-dessus du croissant, inscription grecque très endommagée et en grande partie effacée. Haut. 9 cm; haut. des lettres 2 cm" (Collart/Ducrey, S. 169).

Die Figur auf Relief Nr. 180 ist heute (1990) bis über das Knie mit Erde bedeckt; auf Relief 148/149 ist die Mondsichel und die lateinische Inschrift unter der Erde; die griechische darüber ist nicht zu erkennen (vgl. Abb. 181 bei Collart/Ducrey).

Dia Nummer 267/1990.

Collart/Ducrey:	**Picard:**	
..Ι..ΥΟΙ	Α ΙΟΣ	
Π... Α	Π ΥΟΣ	
... ΙΣΙϹ	ΕΙΣΙΩ	(Εἰσίων?)
.ΧΑΙΠΩΝϹΟΙΝΙΟΥ	ΧΑΡΙΤΩΝϹΙΟΝΙ	(Χαρίτων?)

Philippi: Akropolis. „A droite, au-dessous de la seconde paire d'yeux, inscription latine. Haut. 12 cm; larg. 14 cm; haut. des lettres 2,5 cm" (Collart/Ducrey, S. 170).

Galgest-
ia Primil-
la pro
filia Ḍẹ[a]n<a>e
5 v(otum) s(olvit) l(ibens) m(erito).

2f. Heuzey: *Primi-|la.* **4** Heuzey und Δήμιτσας: *filia ..ne* (Pl. 4,1 bei Heuzey: DANE). CIL: FILIA EVNE. Picard: LUNE. **5** Bei Δήμιτσας fehlt irrtümlich *l(ibens) m(erito).*

Galgestia Primilla hat für ihre Tochter der Deana das Gelübde gern verdientermaßen erfüllt.

Mit der Aufgabe der Lesart *Lune* in Z. 4 sind die älteren Interpretationen hinfällig (etwa Drexler: „Daß es sich um eine Weihinschrift an eine Mondgottheit für Hülfe bei einem Augenleiden handelt, ist anzunehmen", Sp. 2730; auch mit Men hat unser Relief nichts zu tun, vgl. E.N. Lane: A Re-Study of the God Men, S. 11, Anm. 17).

Diana-Relief des Rutilius Maximus   174/L011

Ch.[arles] Picard: Les dieux de la colonie de Philippes vers le Ier siècle de notre
ère, d'après les ex-voto rupestres, RHR 86 (1922), S. 117–201; hier S. 167f.; Pl.
V, T.
AÉ 1923, 91.
Collart, S. 432; S. 433, Anm. 2; S. 442 und Anm. 3; Pl. LXXII 1.
AÉ 1939, 202.
Collart/Ducrey, Nr. 8 (S. 37–39; Abb. 18 und 19 auf S. 40); auch S. 201–227.

Philippi: Akropolis. „Secteur III. Entre les cotes 115 et 120. 50 cm à l'E.
de 98, un peu plus haut, sur le même rocher" (Collart/Ducrey, S. 37).
„Cadre surmonté d'un fronton porté par deux pilastres limités extérieurement par un trait incisé. Haut. 34 cm; larg. 54 cm; prof. 2,5 cm; haut. du fronton 10 cm. A gauche, inscription latine de quatre lignes; haut. 19 cm; long. 26 cm; haut. des lettres 4 cm. Le relief est exécuté avec soin; il est en excellent état, en dépit d'un peu d'usure et de quelques éclats de la pierre sur une fente horizontale au milieu" (Collart/Ducrey, S. 39).
Dia Nummer 264–266/1990.

Diane
sacru(m).
Rutilius
Maximus.

Der Diana ist es geweiht. Rutilius Maximus (hat das Relief anfertigen lassen).

Z. 1 *Diane = Dianae* (Dativ).

„Bauinschrift" des Isispriesters Lucius Titonius Suavis   175/L012
II/III

Ch.[arles] Picard: Les dieux de la colonie de Philippes vers le Ier siècle de notre
ère, d'après les ex-voto rupestres, RHR 86 (1922), S. 117–201; hier S. 181 (Nr.
5); Pl. VI.
AÉ 1923, 93.

Paul Collart: Le Sanctuaire des Dieux Égyptiens à Philippes, BCH 53 (1929), S. 70–100; hier S. 81f., Nr. 5 (mit Abb.).
AÉ 1930 [1931] 48.
Collart, S. 447; Pl. LXXVIII 3.
Ladislaus Vidman [Hg.]: Sylloge inscriptionum religionis Isiacae et Sarapiacae, RVV 28, Berlin 1969; hier S. 54, Nr. 119.
Françoise Dunand: Le culte d'Isis dans le bassin oriental de la méditerranée. Vol. II: Le culte d'Isis en Grèce, EPRO 26, Leiden 1973, S. 197 mit Anm. 5.
Collart/Ducrey, Nr. 166 (S. 183–185; Abb. 202); auch S. 247.

Philippi: Akropolis. „Secteur III. Entre les cotes 120 et 125" (Collart/ Ducrey, S. 183).
„Rocher taillé de manière à former trois marches, aujourd'hui très usées, et portant une inscription latine de quatre lignes. Long. 70 cm; haut. des lettres 5–5,5 cm; intervalle entre les lignes 1–1,5 cm. La surface est usée, inégale, traversée de fissures. La gravure est négligée, par endroits détériorée" (Collart/Ducrey, S. 185).
Vidman weist darauf hin, daß nur vier Meter von dieser Inschrift entfernt in der Tat ein Stück dieser Treppe erhalten ist.
Collart bereits: „Inscriptions gravé sur un rocher à 4 m. de l'escalier rupestre qui conduisait au sanctuaire" (S. 81).
Dia Nummer 259–263/1990.

> L(ucius) Titonius Suavis
> sac(erdos) Isidis in sup(eriore) it(inere)
> petr(am) ex suo exsci[dit]
> et grad(us) fecit.

---

2   Picard liest INSU̱RIT und kommentiert: „Cette lecture ..." (S. 181, Anm. 6). Der von ihm R̤ gelesene Buchstabe ist jedoch gewiß ein P.   **3**   Picard: *excid[it]*.

Lucius Titonius Suavis, der Priester der Isis, hat auf dem obe-ren Weg auf eigene Kosten den Felsen herausgehauen und eine Treppe angelegt.

Z. 1 Zu Lucius Titonius Suavis vgl. die Inschrift aus Αγγίστα 581/L239. Daneben ist noch *eine* weitere lateinische Inschrift zu Ehren der Isis zu nennen – und zwar die des Quintus Mofius Euhemerus vom Neapolistor (132/L303); alle anderen Inschriften aus dem Isisheiligtum von Philippi sind griechisch (190/G299; 191/G300; 192/G301; 193/G302).
Z. 2 Zu den aus Philippi namentlich bekannten Priestern der ägyptischen Götter vgl. den Kommentar zu Z. 1 der Inschrift 193/G302.
Z. 3f. Hierzu ist die Inschrift des Publius Hostilius Philadelphus (164/L 001) zu vergleichen, der ebenfalls *petram excidit d(e) s(uo)*.

Griechisches Fragment   176/G013

Collart/Ducrey, Nr. 172 (S. 188; Abb. 205 auf S. 189) und S. 247.

Philippi: Akropolis. „Secteur III. Sur la cote 115. Au pied de la paroi de rocher, orienté vers l'E" (S. 188).
„Inscription grecque d'une ligne. Long. 64 cm; haut. des lettres 13 cm. La gravure est grossière et très négligée" (S. 188).
Dia Nummer 293.294/1990.

ΥΔΑΠΑ

Collart/Ducrey, S. 247: „On ne peut rien dire d'utile sur les n°s 171 (lettre *D*) ou 172 (graffite incompréhensible)."

Weihinschrift des *servus aquarius* Secundus   177/L014

Ch.[arles] Picard: Les dieux de la colonie de Philippes vers le Ier siècle de notre ère, d'après les ex-voto rupestres, RHR 86 (1922), S. 117–201; hier S. 122.
AÉ 1923, 87.
Collart, S. 394, Anm. 3.
Collart/Ducrey, Nr. 141 (S. 161–163; Abb. 173) und S. 238–240.
AÉ 1974 [1978] 588.
Band I, S. 133, Anm. 26; S. 139, Anm. 32; S. 143f.

Philippi: Akropolis. „Secteur II. Entre les cotes 115 et 120" (Collart/Ducrey, S. 161).
„Inscription latine de trois lignes. Haut. 35 cm; long. de la première ligne 73 cm; haut. des lettres 7,5 cm. La surface du rocher est usée; des fentes la traversent; plusieurs lettres sont partiellement effacées" (Collart/Ducrey, S. 161).
Dia Nummer 255–258/1990.

> I(ovi) O(ptimo) M(aximo) s(acrum). v(otum) i(ussu) de(i) f(ecit)
> s(ub) te(stimonio)
> 2 *vacat*   sac(erdotis)   *vacat*
> Sec(undus) col(oniae) ser(vus) aqu(arius), ite(m) vot(um) s(olvit).

3 Collart/Ducrey: IṬE

> Dem Iuppiter Optimus Maximus ist es geweiht. Secundus, der für die Wasserversorgung zuständige Sklave der Colonia (Philippi), hat auf Befehl des Gottes ein Gelübde abgelegt; der Priester war Zeuge. Desgleichen hat er das Gelübde auch erfüllt.

Z. 1 Eine Liste aller Weihinschriften für Iuppiter aus Philippi bei der Inschrift 223/L339 vom Forum.

Z. 3 Andere *servi aquarii* finden sich im Artikel *aquarius*, ThLL II, Sp. 366, Z. 70ff.

178/L015   **Weihinschrift für Iuppiter**

Léon Heuzey: Le panthéon des rochers de Philippes, RAr 11 (1865), S. 449–460; hier S. 455–456.
Heuzey/Daumet, Nr. 40 (S. 83).
CIL III 1, Nr. 637.
Δήμιτσας, Nr. 941 (S. 742).
Ch.[arles] Picard: Les dieux de la colonie de Philippes vers le Ier siècle de notre ère, d'après les ex-voto rupestres, RHR 86 (1922), S. 117–201; hier S. 122.
Collart, S. 394.
Collart/Ducrey, Nr. 142 (S. 163; Abb. 174) und S. 238–240.

Philippi: Akropolis. „Secteur II. Sanctuaire à l'autel, paroi N. Plan détaillé n° 2" (Collart/Ducrey, S. 163).
„Inscription latine d'une ligne. Long. 32 cm; haut. des lettres 10–12 cm. La gravure est profonde. La surface du rocher est poreuse" (Collart/Ducrey, S. 163).
Dia Nummer 228/1990.

I(ovi) O(ptimo) M(aximo).

Dem Iuppiter Optimus Maximus (ist es geweiht).

Eine Liste aller Weihinschriften für Iuppiter aus Philippi bei der Inschrift 223/L339 vom Forum.

179/G016   **Griechisches Fragment**

Heuzey/Daumet, Nr. 40 (S. 82).
Δήμιτσας, Nr. 928 (S. 732).
Ch.[arles] Picard: Les dieux de la colonie de Philippes vers le Ier siècle de notre ère, d'après les ex-voto rupestres, RHR 86 (1922), S. 117–201; hier S. 165.
Pierre Ducrey: Philippes. Reliefs rupestres, BCH 94 (1970), S. 809–811; hier S. 809, Abb. 1.
Collart/Ducrey, Nr. 167 (S. 185–186; Abb. 61 auf S. 74 und Abb. 203) und S. 247.

Philippi: Akropolis. „Sanctuaire à l'autel, paroi E., extrémité N. Plan détaillé n° 2" (Collart/Ducrey, S. 185).

„Cadre. Haut. 1,06 m; larg. 1,10 m. Inscription grecque, aujourd'hui mutilée, et auparavant déjà très effacée. ... Haut. des lettres 5 à 6 cm. Environ 36 lignes" (Collart/Ducrey, S. 186).
Dia Nummer 229.230/1990.

ΠΙΜΟΙ.. Ο.. Κολοφῶνος
οἱ Φίλιπποι Ε
ΥΛ.ΤΑΤΙΣ
ΥΜΕΡΩΝΑΛΕ .
5 ΤΑΣΤΡΟΣΙΦΗΣ
ΤΙΜΟΣΙΛΞΕΙΝΕΝ
ΛΕΠΙΣ .
ΠΠΠ.ΠΑΙΟΤΗ.Τ
ΔΟΜ.Ε.Υ ... ΜΕΙΝ
10 Ν..ΕΙΝ
ΑΠΟΛΛΩΝΑ ... ΕΝΙΝΑ
ΠΕΙ
ΩΝ......................
ΠΟΛΙΝ
15 ΝΤ..ΟΝ

Die z.T. etwas erratisch wirkenden Punkte sind aus Collart/Ducrey übernommen; sie dienen nicht dazu, die Zahl der fehlenden Buchstaben zu markieren, sondern sollen lediglich die Position der erhaltenen Buchstaben zueinander in etwa anzeigen.

Heuzey, S. 82: „... une inscription grecque de basse époque. La seconde, d'environ trente lignes, est la seule où l'on reconnaise quelques mots, qui semblent indiquer un acte public, plutôt qu'un momunent religieux."
Collart/Ducrey, S. 247: „Les inscriptions du sanctuaire à l'autel n°ˢ 167 et 168 étaient déjà très détériorées voici plus de cent ans lorsque Heuzey tenta de les lire. Ch. Avezou et Ch. Picard s'efforcèrent d'améliorer ces lectures en 1914. C'est le fac-similé de leurs notes que nous reproduisons".

Griechisches Fragment   180/G017

Heuzey/Daumet, Nr. 41 (S. 83).
Δήμιτσας, Nr. 942 (S. 742).
Collart/Ducrey, Nr. 169 (S. 187; keine Abbildung) und S. 247.

Philippi: Akropolis. „Sanctuaire à l'autel, paroi E. 1,50 m à droite de 167; 1 m plus haut" (Collart/Ducrey, S. 187).
„Inscription grecque, aujourd'hui disparue. Nous donnons ci-dessous des indications recueillies par Ch. Avezou et Ch. Picard en 1914. Haut. des lettres 4 cm; interligne 2,5 cm" (Collart/Ducrey, S. 187).

Dia Nummer 232.233.252–254/1990.

Die Inschrift ist mitnichten verschollen, wie Collart/Ducrey behaupten. Sie ist deutlich erkennbar, wenn auch schwer lesbar. Ich lese:

ΚΛΙϹΙΟϒϹ
ΜΑΙΝΟϒϹ
Π

1 Heuzey und Δήμιτσας: ΚΛΙϹΙΟϒϹ; Collart/Ducrey: ΚΛΠΟϒ. **2** Heuzey und Δήμιτσας: ΛΛΛΙΝΟϒϹ; Collart/Ducrey: ΜΑΙΝΟϒ. **3** Heuzey: ΙΛΓΠΜΑ. Δήμιτσας: Ι,ΓΠΜ⌒. Die Zeile fehlt bei Collart/Ducrey.

Heuzey, S. 83: „... l'autre [zu 178/L015], en caractères grecs de basse époque, mais très-effacée, ne permet aucune conjecture sérieuse; je crois cependant qu'il s'agit d'un voeu fait par un personnage nommé Caesius." Collart/Ducrey, S. 247: „Le n° 169 donnait sans doute le nom d'un dédicant."

181/L018   **Diana-Relief des Cassius Coronus**

Léon Heuzey: Le panthéon des rochers de Philippes, RAr 11 (1865), S. 449–460; hier S. 453–454.
Heuzey/Daumet, Nr. 37 (S. 81); Pl. IV 2.
CIL III 1, Nr. 635.
Δήμιτσας, Nr. 938 (S. 741).
A. Rapp: Art. Kotys, ALGM II (1890–1897), Sp. 1398–1403; hier Sp. 1399f.
Paul Perdrizet: Cultes et mythes du Pangée, Annales de l'est, publiées par la faculté des lettres de l'université de Nancy, 24ᵉ année, fascicule 1, Paris/Nancy 1910; hier S. 10, Anm. 4.
O. Gruppe: Griechische Mythologie und Religionsgeschichte, Band II, HKAW V 2, München 1906, S. 1555, Anm. 6.
Ch.[arles] Picard: Les dieux de la colonie de Philippes vers le Iᵉʳ siècle de notre ère, d'après les ex-voto rupestres, RHR 86 (1922), S. 117–201; hier S. 165f.; 195f. Pl. V, R.
AÉ 1923, 90.
Collart, S. 442, Anm. 2.
Collart/Ducrey, Nr. 49 (S. 73f.; Abb. 61 auf S. 74 und Abb. 62 auf S. 75) und S. 201–227.

Philippi: Akropolis. „Secteur II. Sanctuaire à l'autel. Plan détaillé n° 2" (Collart/Ducrey, S. 73).
„Cadre dont l'angle supérieur gauche est brisé. Haut. 49 cm; larg. 38 cm; prof. 4 cm. Au-dessous, inscription latine de deux lignes. Haut. 14 cm; haut. des lettres 5 cm. La surface est poreuse et usée; dans l'angle inférieur droit, la sculpture est demeurée inachevée; un bloc de rocher, déjà fissuré en 1914 ..., s'est détaché par la suite, mutilant l'inscription" (Collart/Ducrey, S. 73).

Dia Nummer 234.235.250/1990.

Cassi[us]
Coronu[s].

2 Die von Heuzey abhängigen Herausgeber (z. B. Mommsen und Δήμιτσας) lesen hier
nur COTO statt des *Coronus*. Die Abbildung bei Heuzey macht es jedoch wahrscheinlich,
daß wirklich dieses Relief gemeint ist. Picard: ΓΟRΟΝVM.

Cassius Coronus (hat das Relief geweiht).

Mit der falschen Lesart COTO erledigen sich auch die darauf basierenden
Interpretationen. So meint beispielsweise Rapp, daß sich aus der Beischrift
COTO die „Identität der thrakischen Kotys mit der Jägerin Artemis klar"
ergäbe (Sp. 1399) – von *Cotys* bzw. Kotys ist hier aber nicht die Rede.

Lateinisches Fragment   182/L019

Heuzey/Daumet, S. 82 (kein Text).
Collart/Ducrey, Nr. 168 (S. 186f.; Abb. 61 auf S. 74) und S. 247.

Philippi: Akropolis. „Sanctuaire à l'autel, paroi E., immédiatement à
droite de la Diane 49. Plan détaillé n° 2" (Collart/Ducrey, S. 186).
„Cadre brisé en haut. Haut. 97 cm; larg. 60 cm. Inscription latine aujourd'hui
illisible. Nous reproduisons ci-dessous la copie de Ch. Avezou et Ch. Picard,
exécutée en 1914. Environ 26 lignes" (Collart/Ducrey, S. 187).
Dia Nummer 229/1990.

```
              II... NIS
          INATI... IHIII
           IA....ANNI
    E - - - - - - - - - - - - - HIMIOMITI
5   LEI - - - - - - - - - - - - - - - NASI
               IRNA
               YMNO
                IAM
               OAIT
10          NOIIIIOPI
          IRNS SILENVS
             IVSNIO
             TIANVS
               LVS
15           PROCLVS
    IVERANUS - - - - - - - - - - - - IS
```

Die Striche bzw. Punkte sind aus Collart/Ducrey übernommen; sie sollen offenbar lediglich die Lage der erhaltenen Buchstaben zueinander kennzeichnen.

Collart/Ducrey, S. 247: „Les inscriptions du sanctuaire à l'autel n°s 167 et 168 étaient déjà très détériorées voici plus de cent ans lorsque Heuzey tenta de les lire. Ch. Avezou et Ch. Picard s'efforcèrent d'améliorer ces lectures en 1914. C'est le fac-similé de leurs notes que nous reproduisons."

183/L020   Diana-Relief des Marcus Aimilius Rufus

Léon Heuzey: Le panthéon des rochers de Philippes, RAr 11 (1865), S. 449–460; hier S. 454.
Heuzey/Daumet, Nr. 38 (S. 81).
CIL III 1, Nr. 634.
Δήμιτσας, Nr. 939 (S. 727; 741).
Ch.[arles] Picard: Les dieux de la colonie de Philippes vers le Ier siècle de notre ère, d'après les ex-voto rupestres, RHR 86 (1922), S. 117–201; hier S. 165, Anm. 2.
Collart, S. 442, Anm. 2.
Collart/Ducrey, Nr. 85 (S. 111f.; Abb. 108) und S. 201–227.

Philippi: Akropolis. „Secteur II. Sanctuaire à l'autel, paroi E. Plan détaillé n° 2" (Collart/Ducrey, S. 111).
„Partie inférieure d'un relief très abîmé; au-dessous, inscription latine de deux lignes. Haut. 22 cm; larg. 33 cm; prof. 3 cm; haut. de l'inscription 13 cm; haut. des lettres 4,2 cm–5 cm. La plus grande partie du relief a disparu. La surface du rocher est poreuse, et entachée à gauche de concrétions. De grandes fissures lacèrent l'inscription. La gravure des lettres est profonde, mais irrégulière" (Collart/Ducrey, S. 111).
Dia Nummer 131.251/1990.

> M(arci) Aimili
> Rufi.

1   Δήμιτσας: M.AIM.II

(Dies ist das Relief) des Marcus Aimilius Rufus.

Beachte: Hier liegt ein Fehler auf dem Plan von Collart/Ducrey vor. In Wirklichkeit verhält es sich mit der Lage der einzelnen Reliefs zueinander folgendermaßen:

> 169
49
> 168
> 85

Der Plan ist also verkehrt, was die Lage von 85 und 169 angeht.

Relief der Aelia Atena   184/L021

Léon Heuzey: Le panthéon des rochers de Philippes, RAr 11 (1865), S. 449–460;
hier S. 454–455.
Heuzey/Daumet, Nr. 39 (S. 81); Pl. IV 7.
CIL III 1, Nr. 642.
Δήμιτσας, Nr. 940 (S. 727; 741).
Paul Perdrizet: De quelques monuments figurés du culte d'Athéna Ergané, in:
Mélanges Perrot. Recueil de mémoires concernant l'archéologie classique, la
littérature et l'histoire anciennes dédié à Georges Perrot … . A l'occasion
du 50ᵉ anniversaire de son entrée à l'École normale supérieure, Paris 1903, S.
259–267; hier S. 263–264 mit Abb. 3.
Ch.[arles] Picard: Les dieux de la colonie de Philippes vers le Iᵉʳ siècle de notre
ère, d'après les ex-voto rupestres, RHR 86 (1922), S. 117–201; hier S. 124; S.
126–129.
Collart, S. 396–398; Pl. LXIII 2.
AÉ 1939, 194.
Collart/Ducrey, Nr. 135 (S. 157f.; Abb. 28 auf S. 47; 165 und 166 auf S. 156) und
S. 230–232.

Philippi: Akropolis. „Secteur II. Entre les cotes 120 et 125. Sur le même
rocher que les Dianes 15 et 16; 40 cm à l'O. de 15. Plan détaillé n° 1"
(Collart/Ducrey, S. 157).
„Cadre, brisé en haut et dans la partie supérieure droite. Haut. 36 cm; larg.
32 cm; prof. 2,5 cm. Au-dessous, inscription latine de deux lignes. Haut. 7
cm; haut. des lettres 2,2 cm. Une fente traverse obliquement l'inscription.
La surface est légèrement usée" (Collart/Ducrey, S. 157).
Dia Nummer 220–223/1990.

> Aelia Atena ex
> votum fecit.

1 Heuzey, Δήμιτσας, Picard: *aegia Atena* (?).   2 Heuzey, Δήμιτσας, Picard: [*viso*]
votum. 1990 ist das *votum* so gut wie nicht mehr zu erkennen.

Aelia Atena hat (das Relief) aufgrund eines Gelübdes gemacht.

Z. 1 Heuzey, S. 82 (in Verbindung mit der auf S. 81 beschriebenen Figur):
„Je ferai remarquer que le commencement des lignes étant un peu en retraite
sur le cadre du bas-relief, il y aurait assez de place pour supposer une lacune
de quelques lettres, qui permettrait de donner un complément régulier à la
préposition ex, en rétablissant la rocher serait alors tracée d'après une image
vue en songe, plutôt que sur un type consacré, ce qui expliquerait le caractère
singulier de cette représentation."
Geht man nur vom Text der Inschrift aus, so wird man Atena als *cognomen* der Aelia auffassen (so auch ThLL II, Sp. 1027, Z. 20f.). Eine andere

Interpretation schlägt Perdrizet vor: „*Atena*, sans *h* (intéressant détail de prononciation), au lieu de *Minervae*, est la transcription en lettres latines du datif grec Ἀθηνᾷ: la grec, à Philippes, n'avait pas disparu, tant s'en faut, devant le latin" (S. 264).

Diesen Vorschlag lehnen Collart/Ducrey ab mit dem Hinweis darauf, daß man in Philippi einen lateinischen bzw. latinisierten Götternamen – in unserm Fall also Minerva – erwarten würde (S. 231).

185/L022   **D**

Collart/Ducrey, Nr. 171 (S. 188; Abb. 204) und S. 247.

Philippi: Akropolis. „Secteur II. Entre les cotes 120 et 125. 2,50 m N.-O. de la Diane 43, sur le même massif de rochers. Plan détaillé n° 1" (S. 188). „Inscription (une lettre). Haut. 17 cm. La gravure est profonde et négligée" (S. 188).
Dia Nummer 213.214/1990.

D

„On ne peut rien dire d'utile sur les nᵒˢ 171 (Lettre *D*) ou 172 (graffite incompréhensible" (Collart/Ducrey, S. 247).

186/L023   **Weihinschrift für Iuppiter**

Collart, S. 394; Pl. LXXVIII 2.
AÉ 1939, 193.
Collart/Ducrey, Nr. 140 (S. 161; Abb. 172 auf S. 162) und S. 238–240.

Philippi: Akropolis. „Secteur I. Entre les cotes 110 et 115" (S. 161). „Inscription latine d'une ligne. Long. 97 cm; haut. des lettres 12 cm. La gravure est profonde" (S. 161).
Dia Nummer 197/1990.

I(ovi) O(ptimo) M(aximo) Ful(mini) Cons(ervatori).

1   1990 ist lediglich ION [*sic*] erkennbar.

Dem Iuppiter Optimus Maximus Fulmen, dem Erhalter.

Eine Liste aller Weihinschriften für Iuppiter aus Philippi bei der Inschrift 223/L339 vom Forum.

Collart und Ducrey machen darauf aufmerksam, daß es mehrere Möglichkeiten gibt, die Abkürzung FVL aufzulösen: „*Fulguri, Fulmini, Fulguratori,
Fulminanti, Fulminatori*. Notons qu'une inscription de Philippes porte une
dédicace analogue: *Iovi Fulm...*, qui a été restituée par l'éditeur en *Iovi
Fulm[ini]*" (S. 238). Bei der von Collart und Ducrey genannten Inschrift handelt es sich um 514/L246 aus Προσοτσάνη. Mittlerweile wurde aber nun noch
eine weitere Inschrift gefunden, auf der in Z. 2 *[F]ulmini* bzw. *[F]ulmin[i]*
steht (384/L615 aus Λυδία); damit spricht alles für *Fulmen*, zumal da keines
der anderen Epitheta in Philippi belegt ist.

„... *Conservateur*, n'est pas attestée à Philippes, mais elle apparât ailleurs" (S. 238).

Fragment   187/L024

Léon Heuzey: Le panthéon des rochers de Philippes, RAr 11 (1865), S. 449–460;
    hier S. 450 (ohne die Inschrift).
Heuzey/Daumet, (S. 79); Pl. III 2.
Δήμιτσας, S. 726.
Ch.[arles] Picard: Les dieux de la colonie de Philippes vers le Ier siècle de notre
    ère, d'après les ex-voto rupestres, RHR 86 (1922), S. 117–201; hier S. 137–139;
    Pl. III, I.
Gawril Kazarow: Art. Thrakische Religion, PRE VI AI (1936), Sp. 472–551; hier
    Sp. 494.
Collart, S. 421; im Tafelband Abb. Pl. LXIX 1.
Collart/Ducrey, Nr. 153 (S. 174f.; Abb. 188 und 189) und S. 243f.

Philippi: Akropolis. „Secteur I. Sur la cote 125" (Collart/Ducrey, S. 174).
„Cadre. Haut. 49 cm; larg. 45 cm; prof. 3 cm. Au-dessous, inscription de
deux lignes, en grande partie effacée; haut. des lettres 5 cm. La surface est
usée et poreuse" (Collart/Ducrey, S. 175).
Die in dem Rahmen dargestellte Figur (ein Mann ohne Bart) wird von Heuzey als die lokale Gestalt des Bacchus interpretiert (Heuzey 1865, S. 449ff.;
die Abb. S. 450 ohne die Inschrift).
Dia Nummer 193/1990.

```
    - - - I.O... - - -
    - - - - - - AIT - - -
```

Picard liest drei Zeilen:

```
P·ISO          M
      I    AIT
      O
```

Im Jahr 1990 ist die Inschrift nicht mehr zu erkennen. Die merkwürdige Mischung aus
Punkten und Strichen findet sich so bei Collart/Ducrey.

Heuzey: „... le Bacchus indigène associé étroitement aux exploitations mé-
tallurgiques de cette contrée" (S. 79).

188/G025   **Griechisches Fragment**

Heuzey/Daumet, S. 79.
Δήμιτσας, S. 726.
Ch.[arles] Picard: Les dieux de la colonie de Philippes vers le Ier siècle de notre
ère, d'après les ex-voto rupestres, RHR 86 (1922), S. 117–201; hier S. 139, Anm.
3.
SEG III (1929) 502.
Collart, S. 421, Anm. 4.
Collart/Ducrey, Nr. 170 (S. 187; Abb. 188 auf S. 174) und S. 243f.; S. 247.

Philippi: Akropolis. „Secteur I. Entre les cotes 120 et 125. 85 cm à l'E.
de la niche 173." „Inscription grecque de deux lignes, mutilée à droite; une
large fente la traverse. Haut. des lettres, 1re ligne 14 cm; 2e ligne 16 cm"
(Collart/Ducrey, S. 187).
Dia Nummer 191.192/1990.

ΜΗΔ
ΠΤΟΥ

1 Heuzey liest nur ΜΗ, Picard dagegen ΜΗΔ mit dem Ergänzungsvorschlag μηδ[ενὶ
ἐξέστω]. So auch im SEG.

Heuzey: „... derniers restes d'une inscription grecque qui paraît d'assez
basse époque." (S. 79). Heuzey verbindet die Inschrift mit dem darunterlie-
genden Fels-Relief: „... nous avons vraisemblablement ici une précieuse représentation du Bacchus thrace ..." (ebd.). Collart/Ducrey vermuten: „Les
lettres grecques ΜΗΔ/ΠΤΟΥ (170) marquaient peut-être le début d'une
interdiction religieuse, destirée à protéger les offrandes proches, niche (173)
ou bustè (153)" (S. 247).

189/L026   **Weihinschrift des Publius Rufrius Proculus**

Ch.[arles] Picard: Les dieux de la colonie de Philippes vers le Ier siècle de notre
ère, d'après les ex-voto rupestres, RHR 86 (1922), S. 117–201; hier S. 146–149;
Pl. IV, L (reproduziert in Latomus 30 (1971), Pl. XXII, Abb. 11).
AÉ 1923, 88.
Georges Seure: Le roi Rhésos et le Héros Chasseur, RPh 2 (1928), S. 106–139; hier
S. 125–127.
Gawril Kazarow: Art. Thrakische Religion, PRE VI AI (1936), Sp. 472–551; hier
Sp. 481.

Collart im Tafelband, Abb. Pl. LXX 3.

Ernest Will: Le relief cultuel gréco-romain, Paris 1955, S. 101.

Georgi Mihailov: À propos de la stèle du „captor Decebali" à Philippes, in: Mélanges helléniques offerts à Georges Daux, Paris 1974, S. 279–287; hier S. 282 mit Abb. 2.

Collart/Ducrey, Nr. 6 (S. 37; Abb. 15 auf S. 36) und S. 197f.

Band I, S. 39; S. 139, Anm. 30; S. 183, Anm. 3.

Philippi: Akropolis. „Secteur I. Sur la cote 130" (Collart/Ducrey, S. 37). „Cadre. Haut. 37 cm; larg. 45 cm; prof. 2 cm. Au-dessous, inscription latine de trois lignes; haut. 18 cm; long. 35 cm; haut. des lettres 3 cm. La surface est usée et légèrement poreuse; le relief est traversé horizontalement par une fente" (Collart/Ducrey, S. 37).

> Deo Magno Ri[ncal]e[o]
> P(ublius) Rufrius Proculus
> ex imperio.

1   Picard: *Re[g]e* „pour *Regi*". Seure: *Re[s]e* für *Resae,* Dativ zu *Resas* in Analogie zu *Diane = Dianae* in 174/L011.

Dem großen Gott Rincaleus weiht (das Relief) Publius Rufrius Proculus aufgrund des Befehls (des Gottes).

Z. 1 Rincaleus begegnet als *Dominus Rincaleus* auch in 169/L007 (Akropolis) sowie in einer Weihinschrift aus Προσοτσάνη (516/L653). Diese Belege sichern die hier vertretene Lesart in Z. 1, und es ist daher nicht erforderlich, auf die Spekulationen von Picard und Seure noch einzugehen.

Inschrift des Καλλίνιχος Καλλινείχου

Ch.[arles] Picard: Les dieux de la colonie de Philippes vers le Ier siècle de notre ère, d'après les ex-voto rupestres, RHR 86 (1922), S. 117–201; hier S. 181, Nr. 1 mit Abb.

Paul Collart: Le sanctuaire des dieux égyptiens à Philippes, BCH 53 (1929), S. 70–100; hier S. 76f., Nr. 1 mit Abb. 6.

BÉ 1930, S. 200, 1.

Ladislaus Vidman [Hg.]: Sylloge inscriptionum religionis Isiacae et Sarapiacae, RVV 28, Berlin 1969; hier S. 53, Nr. 115.

Françoise Dunand: Le culte d'Isis dans le bassin oriental de la méditerranée. Vol. II: Le culte d'Isis en Grèce, EPRO 26, Leiden 1973, S. 195 mit Anm. 4; S. 197 mit Anm. 4.

Charles Edson: Double Communities in Roman Macedonia, in: Μελετήματα στη μνήμη Βασιλείου Λαούρδα/Essays in Memory of Basil Laourdas, Thessaloniki 1975, S. 97–102; hier S. 102.

Θεόδωρος Χ. Σαρικάκης: Ρωμαῖοι Ἄρχοντες τῆς επαρχίας Μακεδονίας, Μέρος
Α´: Από της ιδρύσεως της επαρχίας μέχρι των χρόνων του Αυγούστου (148–27
π. Χ.), Μακεδονική Βιβλιοθήκη 36, Thessaloniki 1971; Μέρος Β´: Από του Αυγούστου μέχρι του Διοκλητιανού (27 π. Χ.–284 μ. Χ.), Μακεδονική Βιβλιοθήκη
51, Thessaloniki 1977; hier Β´, S. 128, Anm. 5.
Χάϊδω Κουκούλη-Χρυσανθάκη, ΑΔ 42 (1987) Β´2 Χρονικά [1992], S. 442.

Philippi, Heiligtum der Isis auf der Akropolis. Die Inschrift befand
sich 1990 noch *in situ*. Marmorbasis mit Inschrift auf der vorderen Seite (H.
0,75; B. 0,61; T. 0,58; H. der Buchstaben 0,03; Zeilenzwischenraum 0,03).
Dia Nummer 271.272.273/1990.

Πρεῖσκαν Φον-
τήιαν ὁ ἱερεὺς
τῆς Εἴσιδος
Καλλίνιχος Καλλινεί-
5 *vacat* κου. *vacat*

(Die Statue) der Prisca Fonteia (hat) der Priester der Isis, Kallinikos, (der Sohn) des Kallineikos, (aufgestellt).

Z. 1 „On sait que sur les monuments, les femmes ne portent point de
prénom. Peut-être Prisca Fonteia, dont la statue s'élevait sur cette base,
avait-elle un rapport de parenté avec L. Priscus, gouverneur de Macédoine,
qui, lors de l'invasion des Goths, en 250–251 ap. J.-C. livra Philippopolis aux
barbares et tenta de se faire nommer empereur avec leur aide. L'usage de
prendre comme surnom le gentilice de sa mère, de son grand-père maternel
ou de son père adoptif était déjà courant au IIIᵉ siècle; la date de notre
inscription est donc à peu près certaine" (Collart, S. 76f.). Σαρικάκης macht
sich die Identifikation Collarts nicht zu eigen (vgl. S. 128, Anm. 5).
     Z. 2 Zu den aus Philippi namentlich bekannten Priestern der ägyptischen
Götter vgl. den Kommentar zu Z. 1 der Inschrift 193/G302.
     Z. 4f. Zu Καλλίνιχος Καλλινείχου vgl. die folgende Inschrift 191/G300.
Die Datierung ins 3. Jahrhundert geht auf Collart und seine zu Z. 1 zitierte
Identifikation des Priscus mit L. Priscus zurück. Folgt man dieser Identifika-
tion nicht, könnte man auch früher datieren. Nach dem Urteil von Κουκούλη-
Χρυσανθάκη erlaubte die Form der Buchstaben auch μια πρωιμότερη από τον
3ο αι. μ. Χ. χρονολόγηση (S. 442).

191/G300   **Weihinschrift des Isispriesters Καλλίνειχος**
III

Ch.[arles] Picard: Les dieux de la colonie de Philippes vers le Iᵉʳ siècle de notre
     ère, d'après les ex-voto rupestres, RHR 86 (1922), S. 117–201; hier S. 181, Nr.
     2 mit Abb. 7.

Paul Collart: Le sanctuaire des dieux égyptiens à Philippes, BCH 53 (1929), S. 70–100; hier S. 77–79, Nr. 2 mit Abb. 7.

BÉ 1930, S. 200, 2.

Ladislaus Vidman [Hg.]: Sylloge inscriptionum religionis Isiacae et Sarapiacae, RVV 28, Berlin 1969; hier S. 53f., Nr. 116.

Françoise Dunand: Le culte d'Isis dans le bassin oriental de la méditerranée. Vol. II: Le culte d'Isis en Grèce, EPRO 26, Leiden 1973, S. 193 mit Anm. 5; S. 197 mit Anm. 4.

Charles Edson: Double Communities in Roman Macedonia, in: Μελετήματα στη μνήμη Βασιλείου Λαούρδα/Essays in Memory of Basil Laourdas, Thessaloniki 1975, S. 97–102; hier S. 102.

Χάϊδω Κουκούλη-Χρυσανθάκη, ΑΔ 42 (1987) Β΄2 Χρονικά [1992], S. 442 mit Abb. πιν. 255β.

Miltiade Hatzopoulos, BÉ 1993, Nr. 370 [a].

E.B. French: Archaeology in Greece 1993–94, AR 40 (1993–1994), S. 3–84; hier S. 62.

Philippi, Heiligtum der Isis auf der Akropolis. Marmorbasis, oben mit einem Zapfen für die Anbringung des Weihgeschenks versehen (ορθογώνιος τόρμος για την ένθεση της πλίνθου του αναθήματος mit den Maßen 0,23x0,18). Abmessungen (nach Κουκούλη-Χρυσανθάκη): H. 0,10; B. 0,32; D. 0,39 (abweichende Zahlen bei Collart). H. der Buchstaben 0,02–0,015; Zeilenzwischenraum 0,008.

Die jahrzehntelang verschollene Inschrift fand sich 1987 zufällig in Kavala wieder: Σε μπάζα που είχαν πεταχτεί στο ρέμα δίπλα στο 22ο Δημοτικό Σχολείο του Βύρωνος βρέθηκε από μαθητές του σχολείου μία μαρμάρινη ενεπίγραφη βάση αναθήματος (Κουκούλη-Χρυσανθάκη, S. 442). Κουκούλη-Χρυσανθάκη vermutet, daß die 1929 im Iseion in Philippi gefundene Inschrift nach der Gründung des Archäologischen Museums in Kavala im Jahr 1935 vom damaligen Επιμελητής Αρχαιοτήτων, Γεώργιος Μπακαλάκης, dorthin gebracht worden sein könnte. Bei der Plünderung des Museums während der Besatzungszeit sei sie aus dem Museum verschwunden. Heute erneut im Archäologischen Museum in Kavala (Inventarisierungsnummer Λ 1366).

> ῞Ωρῳ Ἀπόλλωνι Ἀρφοκράτῃ
> ὁ ἱερεὺς τῆς Εἴσιδος καὶ Σα-
> ράπιδος Καλλίνειχος
> Καλλινείχου.

1 Κουκούλη-Χρυσανθάκη: Ἀρφοκράτ[ηι].

Dem Horus, dem Apollon und dem Harpokrates (weiht es) der Priester der Isis und des Sarapis, Kallineikos, (der Sohn) des Kallineikos.

Z. 1 Vidman kommentiert: „Horus idem est atque Apollo et Harpocrates (Horus-Harpocrates est supra in n. 114 [aus Amphipolis]; Apollo-Horus-Harpocrates in titulo Neapolitano n. 496); Horus in interpretatione Graeca appellatur Apollo iam ab Herodoto II 144" (S. 53f.).

Z. 2 Zu den aus Philippi namentlich bekannten Priestern der ägyptischen Götter vgl. den Kommentar zu Z. 1 der Inschrift 193/G302.

Z. 3f. Derselbe Priester Καλλίνεικος Καλλινείκου begegnet auch in der vorigen Inschrift 190/G299 (dort allerdings als Καλλίνικος). In der vorliegenden Inschrift figuriert er als Priester τῆς Εἴσιδος καὶ Σαράπιδος, wohingegen er in 190/G299 lediglich ὁ ἱερεὺς τῆς Εἴσιδος genannt wird.

Edson bemerkt zu den beiden Καλλίνεικοι: „These men are Greeks, not Roman citizens, and they could be priests of a private religious association or of the public cult" (S. 102). Er sieht darin ein Indiz für „the continued existence of a Greek *polis* at Philippi after the founding of the Roman colony." Diese griechische πόλις war in jedem Fall „overshadowed by the great colony with its very numerous new settlers" (ebd.).

Die Datierung ins 3. Jahrhundert geht auf Collart und seine bei der vorigen Inschrift 190/G299 im Kommentar zu Z. 1 zitierte Identifikation des Priscus mit L. Priscus zurück. Folgt man dieser Identifikation nicht, könnte man beide Inschriften, die vorliegende und auch 190/G299, früher datieren. Nach dem Urteil von Κουκούλη-Χρυσανθάκη erlaubte die Form der Buchstaben in beiden Fällen auch μια πρωιμότερη από τον 3ο αι. μ. Χ. χρονολόγηση (S. 442).

192/G301   **Weihinschrift für die ägyptischen Götter**
II/III

Ch.[arles] Picard: Les dieux de la colonie de Philippes vers le Ier siècle de notre ère, d'après les ex-voto rupestres, RHR 86 (1922), S. 117–201; hier S. 181, Nr. 3.

Paul Collart: Le sanctuaire des dieux égyptiens à Philippes, BCH 53 (1929), S. 70–100; hier S. 79f., Nr. 3 (mit Abb. Nr. 8 auf S. 80).

BÉ 1930, S. 200, 3.

Ladislaus Vidman [Hg.]: Sylloge inscriptionum religionis Isiacae et Sarapiacae, RVV 28, Berlin 1969; hier S. 54, Nr. 117.

Françoise Dunand: Le culte d'Isis dans le bassin oriental de la méditerranée. Vol. II: Le culte d'Isis en Grèce, EPRO 26, Leiden 1973, S. 193 mit Anm. 4.

Philippi, Heiligtum der Isis auf der Akropolis. Weißer Marmor. H. 0,36; B. 0,142; H. der Buchstaben 0,025. 1990 nicht mehr *in situ*.

[... Ἀρ-]
[φοκρ]άτει,
[Εἴσι]δι
[κα]ὶ Σερά-

5 [πι]δι εὐ-
[ξά]μενος
[ἀ]νέθηκεν.

1 Vidman schlägt vor, "Ωρῳ zu ergänzen „ut supra in nn. 114, 116, nisi forte cogitandum est de nomine eius, qui titulum dedicavit (quae si ita sint, v. 2 patronymicum exspectaveris); aut συν–κρ]άτει?" (S. 54).

. . . dem Harpokrates, der Isis und dem Serapis hat es auf Grund eines Gelübdes geweiht.

Z. 1 Bemerkenswert findet Collart die Tatsache, daß Harpokrates hier an erster Stelle genannt ist (S. 80). Darauf hatte schon Picard hingewiesen (S. 181, Anm. 5).

Weihinschrift des Κάστωρ für die ägyptischen Götter   193/G302
II/III

Ch.[arles] Picard: Les dieux de la colonie de Philippes vers le Ier siècle de notre ère, d'après les ex-voto rupestres, RHR 86 (1922), S. 117–201; hier S. 181, Nr. 4 mit Zeichnung.
SEG III (1929) 504.
Paul Collart: Le sanctuaire des dieux égyptiens à Philippes, BCH 53 (1929), S. 70–100; hier S. 80f., Nr. 4 mit Zeichnung.
BÉ 1930, S. 200, [4].
Ladislaus Vidman [Hg.]: Sylloge inscriptionum religionis Isiacae et Sarapiacae, RVV 28, Berlin 1969; hier S. 54, Nr. 118.
Françoise Dunand: Le culte d'Isis dans le bassin oriental de la méditerranée. Vol. II: Le culte d'Isis en Grèce, EPRO 26, Leiden 1973, S. 195 mit Anm. 6; S. 197.

Philippi, Heiligtum der Isis auf der Akropolis. Marmor. H. 0,10; B. 0,14; D. 0,165. 1990 nicht mehr *in situ*.

Κάστωρ Ἀρ-
τεμιδώρου
ἱερητεύσας
θεοῖς.

Kastor, (der Sohn) des Artemidoros, der Priester der Götter, (hat es geweiht).

Z. 1 Kastor ist der dritte namentlich bekannte Priester der ägyptischen Götter in Philippi: Aus dem Heiligtum der Isis kennen wir Kallinikos (190/G 299 und 191/G300); den Weg zu diesem Heiligtum hat der Isispriester Lucius Titonius Suavis angelegt (175/L012), der uns auch aus der Inschrift 581/L239 bekannt ist. Möglicherweise haben wir in Κόϊντος Φλάβιος Ἑρμαδίων darüber hinaus auch noch einen ἀρχιερεύς der *cultores deorum Serapis et Isidis* (vgl. den Kommentar zu Z. 7 der Inschrift 311/G411).

Z. 3f. ἱερητεύω in der Bedeutung „Priester sein" kann sowohl mit Gen.
als auch mit Dat. konstruiert werden; es besteht also kein Grund, in θεοῖς (Z.
4) die Adressaten der Weihung zu sehen, die sich ja gewöhnlich zu Beginn
der Weihinschrift finden. Ebensowenig nötigt der Aor. dazu, den Κάστωρ
zur Zeit der Aufstellung der Weihinschrift als *Expriester* zu bezeichnen (wie
in BÉ 1930, S. 200).

194/L362   **Sarkophag des Mädchens Chreste**

Paul Collart: Inscriptions de Philippes, BCH 57 (1933), S. 313–379; hier S. 375f.,
    Nr. 31 mit Abb. 41.

Philippi: Akropolis. „... trouvée dans des carrières, au nord de la ville
antique; aujourd'hui au musée de Raktcha" (Collart, S. 375). Es handelt
sich um eine Platte eines Sarkophags.
Abmessungen: H. 0,42; L. 1,10; D. 0,11. H. der Buchstaben Z. 1: 0,08; Z. 2:
ca. 0,065; Z. 3: ca. 0,055.
Der Stein befindet sich heute (1992) im Museum in Kavala, im Garten (ohne
Inventarisierungsnummer).
Dia Nummer 125.126/1992.

    Chreste an(norum) VI h(ic) s(ita) e(st).
    Avincilius Chrestus
    fil(iae) b(ene) m(erenti) v(ivus) f(aciendum) c(uravit).

3   Collart will *v(otum)* ergänzen.

    Chreste, sechs Jahre alt, liegt hier begraben. Avincilius Chrestus
    hat (den Sarkophag) zu seinen Lebzeiten für seine wohlverdiente
    Tochter anfertigen lassen.

Z. 1 Weder Chreste noch Chrestus aus Z. 2 sind sonst in Philippi belegt.
Z. 2 Der Name Avincilius kommt sonst in Philippi nicht vor. Aber auch
außerhalb Philippis gibt es bislang nicht einen einzigen weiteren Beleg für
diesen Namen (Olli Salomies: Contacts between Italy, Macedonia and Asia
Minor during the Principate, in: Roman Onomastics in the Greek East.
Social and Political Aspects, hg. v. A.D. Rizakis, Μελετήματα 21, Athen
1996, S. 111–127; hier S. 117, Anm. 31).

Grenzstein einer Straße   195/G773

4. Jh. v. Chr.

Paul Collart: Inscriptions de Philippes, BCH 57 (1933), S. 313–379; hier S. 363–365, Nr. 23 mit Abb. 33.

Collart, S. 179 mit Anm. 4.

Charles Edson: The Location of Cellae and the Route of the Via Egnatia in Western Macedonia, CP 46 (1951), S. 1–16; hier S. 11f.

Hammond I, S. 56f.

John Paul Adams: Polybius, Pliny and the Via Egnatia, in: Philip II, Alexander the Great and the Macedonian Heritage, Washington 1982, S. 269–302; hier S. 272–274 (#1).

Philippi: Akropolis. „Grande borne dont la partie inférieure, destinée à être fichée en terre, a été sommairement dégrossie. La partie supérieure, taillée rectangulairement, porte sur la face antérieure une inscription grecque de 3 lignes; la surface de la pierre est soigneusement aplanie; cassure à l'angle supérieur droit" (Collart, S. 363).

Diese Inschrift wurde im Norden der Akropolis von Philippi gefunden: „Cette borne, trouvée près d'un col situé en arrière de l'acropole de Philippes, est à rapprocher d'un monument tout semblable vu par Heuzey en 1861 dans une maison de Drama; il est même fort probable qu'il s'agisse de la même pierre, qu'on aurait, depuis lors, déplacée. Le premier éditeur a supposé qu'elle aurait pu servir à empêcher la route d'empiéter sur une propriété privée. M. Louis Robert nous signale qu'elle devait marquer, plutôt que l'alignement d'une route, son point de départ, ce que confirment d'autres inscriptions présentant une rédaction semblable ou analogue" (Collart, S. 363f.; die Belege S. 364 mit Anm. 1–4).

Abmessungen nach Collart: H. 0,95; D. 0,175. Beschriebene Fläche: H. 0,33; B. 0,32. H. der Buchstaben ca. 0,06.

1990/91 im ersten Stock des Museums von Philippi (Inventarisierungsnummer Λ 76).

Dia Nummer 140.141/1990.

῎Ορος
τῆς ὁ-
δοῦ.

Grenze (Ende? Anfang?) der Straße.

Es gibt insgesamt drei Inschriften mit dem Text ὅρος τῆς ὁδοῦ im Territorium von Philippi, die vorliegende, eine von Heuzey in Drama gefundene (469/G089) und eine von Giannopoulos ebenda gefundene (470/G774). Zunächst ist daher die Frage zu klären, ob es sich dabei um drei, um zwei oder gar nur um einen einzigen Stein(e) handelt. Collart ist der Auffassung, daß die von ihm gefundene Inschrift mit der Heuzeyschen identisch ist (vgl.

o. bei der Beschreibung). Dagegen scheint ihm die Inschrift von Giannopoulos entgangen zu sein (jedenfalls äußert er sich zu ihr weder in seiner
Monographie noch im oben zitierten Aufsatz).

Die Collartsche Auffassung setzt voraus, daß der von Heuzey in Drama gefundene Stein zwischen der Mitte des 19. Jahrhunderts und der Zeit Collarts
von Drama nach Philippi gebracht wurde. Dies ist an sich nicht unmöglich,
da sehr viele antike Steine als Baumaterial neue Verwendung fanden und zu
diesem Zweck zum Teil über weite Strecken transportiert wurden. Dies ist
an mehreren Inschriften aus Philippi zu beobachten, die zunächst in der oder
um die antike Stadt gesehen wurden, sich später dann aber in Kavala wieder
fanden. Es ist mir allerdings kein Fall bekannt, wo ein Stein von Drama zu
den Ruinen von Philippi gebracht wurde – das Umgekehrte läge näher. Edsons Einwand hat Gewicht: „... it is not immediately evident how a large,
heavy, and, for the most part, roughly hewn marker could have found its way
the seventeen kilometers from Drama to a hill behind the citadel of Philippi
some distance east of the modern road. Moreover Heuzey's description of
the stone as »a small, flat stele« is hardly compatible with the marker found
at Philippi" (Edson, a.a.O., S. 16, Anm. 79).

Ähnlich argumentiert auch John Paul Adams: „... despite the well known
phenomenon of *pierres errantes*, it seems unlikely that a stone would be
carried from a house in an inhabited city to a rather inaccessible place in
uninhabited ruins" (a.a.O., S. 274).

Edson bezieht sodann auch die von Giannopoulos gefundene Inschrift (470/
G774) in eine Argumentation ein: „One may point out, however, that there
was certainly at least *one* early road marker seen at Drama. *If* Collart is correct in identifying the marker seen by Heuzey at Drama with that found at
Philippi, *then* it follows that this stone cannot be the same as that published
by Giannopoulos ..., for, aside from the difference in the line divisions, the
latter stone acted as a step in the stairway of a private house, and the roughly hewn marker found at Philippi would have been a very awkward stone for
such use and, which is decisive, shows no signs whatsoever of foot wear. But
if, on the contrary, we hold that the stone seen by Giannopoulos at Drama
was in fact that already reported by Heuzey and that Giannopoulos wrong-
ly indicated the line divisions, an unwarranted assumption, it still follows
that this marker can not be that found at Philippi because of the complete
absence of foot wear on the latter stone. Actually it seems to me highly
probable that Heuzey and Giannopoulos have reported different stones and
that neither is identical with the marker found at Philippi" (Edson, a.a.O.,
S. 16, Anm. 79).

Ich schließe mich der Auffassung Edsons und Adams' an und nehme drei
einschlägige Inschriften in diesen Katalog auf.

Die Datierung stammt von Robert (bei Collart, S. 365). Collart bemerkt
ergänzend: „Elle aurait pu se rapporter alors à une route reliant Philippes

à la mer, soit à l'époque de son fondateur, soit à l'époque plus ancienne de la colonie thasienne établie par Kallistratos à Krénides en 360" (ebd.).
Anders Edson: „The function of the stone was not to mark the edge of the road, but the point at which the road began. From the location of the find it appears probable that an old Macedonian road ran behind, that is, just to the east of, the citadel of Philippi. Philippi was later a station on the Via Egnatia, but there is no necessary reason to connect this marker with that road. Its location is perhaps more appropriate for a route running from Philippi to the ancient site at Drama" (Edson, S. 11).
Edson zufolge kann der Stein nicht aus der Zeit der thasischen Kolonie Krenides stammen: „... the stone cannot be disassociated from the two similar texts at Drama ... [469/G089 und 470/G774], and it is highly unlikely that Krenides controlled a point as far to the north as Drama" (Edson, a.a.O., S. 16, Anm. 76).

Christliches Graffito   196/G758

Ευτυχία Κουρκουτίδου-Νικολαΐδου: Η βασιλική του Μουσείου Φιλίππων. Τα βόρεια προκτίσματα, AEMΘ 3 (1989) [1992], S. 465–473; hier S. 468 mit Abb. 3. *SEG* XLII (1992) [1995] 622.

Philippi: Basilika beim Museum. Im Jahr 1989 wurde insbesondere der „tower of the screw" (so im englischen Resümee, S. 471; griechisch ο πύργος του κοχλία, vgl. S. 467f.) erforscht. Dieser enthielt zwei Treppen. Στο επίπεδο του πλατύσκαλου της κλίμακας Β, πάνω στο κονίαμα της εσωτερικής παρειάς του νότιου τοίχου του πύργου, σώζεται χάραγμα με μυστρί (Κουρκουτίδου-Νικολαΐδου, S. 468).

> Δομ[νίν]ου
> Μ[άρτυρος].

Zum Text bemerkt die Herausgeberin: Τα ίχνη από τα γράμματα που λείπουν στο όνομα κάνουν σχεδόν ασφαλή την ανάγνωση αυτή (S. 468).

... des Domninos, des Märtyrers.

Z. 1 Hinsichtlich der Identität des Märtyrers Domninos bemerkt die Herausgeberin: Από τους μάρτυρες που αναφέρονται στα αγιολογικά κείμενα με το όνομα Δομνίνος, νομίζω ότι ο αναφερόμενος στην επιγραφή των Φιλίππων πρέπει να ταυτιστεί με τον μάρτυρα της Θεσσαλονίκης, που μαρτύρησε επί Μαξιμιανού έξω από τις ανατολικές πύλες της πόλης και του οποίου η σύναξη ετελείτο στο ναό του αρχαγγέλου Μιχαήλ (S. 468). Läge es nicht näher, an einen Domninos aus Philippi zu denken?

Hinweis: Bei der Einordnung der Basilika Γ´ = Basilika beim Museum ist mir ein Fehler unterlaufen, der nun, da die laufenden Nummern für die Inschriften ein für allemal festgelegt sind, nicht mehr rückgängig gemacht werden kann. Eine Inschrift (196/G758) ist hier aufgenommen, eine weitere (162/G633) steht im Anschluß an die Inschriften aus der Basilika A. Beide stammen aber von ein und demselben Fundort.

Das Forum

Vgl. zur Lage o. Band I, Karte 8: Die Stadt Philippi (S. 75). Einzelne Gebäude werden nach den Nummern im Plan von Sève/Weber gekennzeichnet.

Lateinisches Fragment

197/L359

Paul Collart: Inscriptions de Philippes, BCH 57 (1933), S. 313–379; hier S. 370, Nr. 27 mit Abb. 37.
Bormann, S. 44, Nr. 8.

Philippi: Forum. Der Stein wurde gefunden „dans un mur d'époque tardive, dans la région de l'angle sud-ouest de la place" (Collart, S. 370).
„Angle supérieur gauche d'une grande base, portant encore, sur le bandeau du couronnement, les restes d'une inscription latine; il subsiste l'acrotère intacte, une partie de la mouluration supérieure, et les premières lettres de l'inscription qui était gravée au corps du monument" (Collart, S. 370).
Abmessungen: H. 0,50; B. 0,36; D. 0,29; H. der Buchstaben 0,045 (das F 0,06).

> flam(en) [...]
> fla[m(en) ...].

Priester ... Priester ...

Weihinschrift für das nach dem Brand wiederhergestellte Gebäude im Westen des Forums (*tabularium*)

198/L307

Paul Collart: Inscriptions de Philippes, BCH 56 (1932), S. 192–231; hier S. 200f., Nr. 2 (mit Abb. 6).
AÉ 1933 [1934] 82.
Paul Collart: Inscriptions de Philippes, BCH 57 (1933), S. 313–379; hier S. 320f., Nr. 3 (mit Abb. 7).
Collart, S. 340 mit Anm. 3.

Michel Sève: Nouveautés épigraphiques au forum de Philippes: Questions de méthode, in: Επιγραφές της Μακεδονίας/Inscriptions of Macedonia. Γ´ διεθνές συμπόσιο για τη Μακεδονία/Third International Symposium on Macedonia, Thessaloniki 1996, S. 173–183.

Philippi: Forum. Es handelt sich um das Gebäude neben dem West-Tempel. „Ce fragment a été trouvé dans un sondage en arrière du forum et à gauche du temple" (Collart 1932, S. 201). „Bloc d'architrave à trois bandeaux séparés par des moulurations décorées d'oves, perles, rais-de-coeur, palmettes, etc . . . , et portant une inscription latine de trois lignes. Brisé à gauche et à droite" (Collart 1932, S. 200).
Inventarisierungsnummer 1129.
Abmessungen: L. 1,00; H. 0,63; H. der Buchstaben Z. 1: 0,153; Z. 2: 0,076; Z. 3: 0,055.
Zu diesem 1932 beschriebenen Fragment gesellt sich ein zweites, welches die zunächst vorgeschlagene Lesung stützt: „Bloc d'entablement, en deux morceaux qui se raccordent, brisé à gauche et à droite. Le bandeau supérieur, assez endommagé, porte quelques lettres d'une inscription latine" (Collart 1933, S. 320).
Inventarisierungsnummer 1127.
Abmessungen: L. 1,58. H. der Buchstaben ungefähr 0,148.
Das 1933 beschriebene Fragment ergänzt das 1932 beschriebene: „Vers l' angle sud-ouest du forum, l'»édifice incendié«, reconstruit par D. Oppius, faisait pendant à la bibliothèque; la même décoration de l'entablement indique qu'il en est contemporain, et le bandeau inscrit est interrompu ici de même façon par un motif de feuillages sculptés. Ce nouveau fragment de la dédicace vient s'ajuster exactement à la gauche du bloc trouvé en 1930, et confirme la lecture que nous avions alors restituée, sans d'ailleurs y rien ajouter . . . " (Collart 1933, S. 320).
Dia Nummer 457.458.459.460/1991.

Ursprüngliche Ergänzung 1932:
[. . . Philippien?]sium C(aius) Op[pius? . . .]
    [. . . in]cendio consum[ptum . . .]
        [. . . re]stituit.

Mit dem neuen Fragment 1933:
[. . .] P[hilip]piensium C(aius) Op[pius. . .]
    [. . .] incendio consum[ptum . . .]
        [. . . re]stituit.

Aus in erster Linie architektonischen Gründen schlägt Sève folgende neue Lesung vor (vgl. auch 201/L305; 228/L331 und 233/L332):

[In ho]no[r(em) divinae domus et col(oniae) Iul(iae) Aug(ustae)] P[hilip]pien-
sium C(aius) Op[pius . . .]

[... in]cendio consum[ptum ...]
[... re]stituit.

... der Philipper, Caius Oppius ... durch den Brand vernichtet
... hat wieder errichtet.

Nach Sève diente dieses Gebäude als *tabularium* (vgl. S. 177 und die dort genannten älteren Arbeiten aus Sèves Feder). Nach Sève ist unser Caius Oppius
mit dem Stifter der Bibliothek (233/L332) verwandt oder sogar identisch.

Ehreninschrift für den König Caius Iulius Roemetalces   199/L309

1. Hälfte I

Paul Collart: Inscriptions de Philippes, BCH 56 (1932), S. 192–231; hier S. 202–
206, Nr. 4 (mit Abb. 9).
AÉ 1933 [1934] 84.
Collart, S. 253ff., S. 353 und Abb. Pl. XXXII 2.
Band I, S. 89, Anm. 15.

Philippi: Forum. „Cette pierre a été trouvée remployée dans le dallage du
forum, en bordure d'un caniveau, à gauche du temple; les lettres étaient sans
doute autrefois recouvertes par le premier degré de l'escalier qui conduisait
à celui-ci" (Collart, S. 203). „Bloc remployé, portant une inscription latine
de cinq lignes; la surface de la pierre est détériorée vers l'angle supérieur
droit; cassure à l'angle inférieur gauche" (Collart, S. 202).
Abmessungen: H. 0,66; L. 0,91; D. 0,095; H. der Buchstaben Z. 1 und Z. 2:
0,068; Z. 3: 0,045; Z. 4: 0,038; Zeilenzwischenraum 0,02.
Der Stein befindet sich vor dem bei 189/L307 beschriebenen Gebäude (Inventarisierungsnummer 418).
Dia Nummer 334/1990; 454.455/1991.

> C(aio) Iulio Roeme[talci]
> regi, regis Raescu[po-]
> ris f(ilio), M(arcus) Acculeius M(arci) f(ilius) Vol(tinia)
> amico bene merito
> 5 f(aciendum) c(uravit).

Für Caius Iulius Roemetalces, den König, den Sohn des Königs
Raescuporis, seinen wohlverdienten Freund, (hat) Marcus Acculeius, der Sohn des Marcus, aus der Tribus Voltinia, (die Inschrift) anfertigen lassen.

Z. 1 Es handelt sich um Caius Iulius Rhoimetalkes II (Ῥοιμητάλκης),
König von Thrakien 18–37/38, vgl. den Artikel Rhoimetalkes 2 im KP (IV
1423, Z. 38ff.) von Hans Volkmann.

Z. 2 Der Vater ist Rhaskuporis III (Ῥασκούπορις), König von Thrakien Anfang des 1. Jh.s, vgl. den Artikel im KP (Hans Volkmann: Art. Rhasku- poris 3, KP IV 1391, Z. 47ff.). Ein älterer Ῥησκούπορις (nach der Zählung des KP wäre das Rhaskuporis I) wird auf einer Grabinschrift aus Philippi aus dem Jahr 43/42 v. Chr. erwähnt (= 390/G571).

200/L310   **Ehreninschrift für Marcus Lollius**
nach 18
v. Chr.   *Paul Collart:* Inscriptions de Philippes, BCH 56 (1932), S. 192–231; hier S. 206–
           209,, Nr. 5 (mit Abb. 10).
           AÉ 1933 [1934] 85.
           Collart, S. 248ff., S. 353.
           Christian Habicht: Art. Voltinia, PRE Suppl. X (1965), Sp. 1113–1125; hier Sp.
           1124, Z. 24–38.
           Θεόδωρος Χ. Σαρικάκης: Ρωμαίοι Ἄρχοντες τῆς ἐπαρχίας Μακεδονίας, Μέρος Α΄:
           Ἀπό τῆς ἱδρύσεως τῆς ἐπαρχίας μέχρι τῶν χρόνων τοῦ Αὐγούστου (148–27 π. Χ.),
           Μακεδονική Βιβλιοθήκη 36, Thessaloniki 1971; Μέρος Β΄: Ἀπό τοῦ Αὐγούστου
           μέχρι τοῦ Διοκλητιανοῦ (27 π. Χ.–284 μ. Χ.), Μακεδονική Βιβλιοθήκη 51, Thes-
           saloniki 1977; hier Β΄ 26–28.

Philippi: Forum. Der Stein wurde links vom nordwestlichen Tempel gefun- den. „Grande base inscrite, coupée, retaillée et remployée sens dessus des- sous. La face actuellement supérieure porte en son centre un gros trou de scel- lement, avec canal de coulée. La face postérieure est lisse. Les faces latérales gauche et droite ont été repiquetées, mais on y distingue encore la trace de la partie supérieure des cadres qui les ornaient. Sur la face antérieure, le cou- ronnement a été grossièrement martelé; mais la partie supérieure du cadre mouluré qui contenait l'inscription est encore bien conservée; le bloc est scié au milieu de la deuxième ligne; les lettres conservées sont en parfait état. Le bloc est cassé en deux morceaux dans le sens de la hauteur" (Collart, S. 206).
Abmessungen: H. 0,65; L. 0,73; D. 0,69; H. der Buchstaben 0,078; Zeilen- zwischenraum 0,023.
1991 noch *in situ*, hinter der sitzenden Figur (Inventarisierungsnummer 413). Dia Nummer 336/1990.

          M(arco) Lollio
          M(arci) f(ilio) Volt(inia) [. . .]

          Dem Marcus Lollius, dem Sohn des Marcus, aus der Tribus Vol-
          tinia . . .

Der *homo novus* Marcus Lollius war Consul des Jahres 21 v. Chr. und amtierte 19 oder 18 v. Chr. als Proconsul von Macedonia (die Zeugnisse

bei Σαρικάκης, S. 26). Als General des Augustus war er auf verschiedenen
Kriegsschauplätzen tätig. Diese Ehreninschrift drückt den Dank der Philipper aus, die Lollius aus der Gefahr errettet hatte: „La victoire de M. Lollius
sur les Besses délivrait Philippes d'un péril imminent, et l'on imaginera volontiers qu'on ait voulu, dans la colonie, en commémorer le souvenir. Il est
donc vraisemblable que ce soit bien en l'honneur du proconsul de Macédoine
qu'ait été gravée notre inscription" (Collart, S. 208).

Z. 2 Zur seltenen Abkürzung VOLT vgl. den Kommentar zu 600/L229.

Bauinschrift des westlichen Tempels (*curia*)

Paul Collart: Inscriptions de Philippes, BCH 56 (1932), S. 192–231; hier S. 192ff.,
    Nr. 1 (mit Abb. 1–4 auf S. 193).
Collart, S. 341ff. und Abb. im Tafelband Pl. XXXII 1.
AÉ 1933 [1934] 80+81.
Θεόδωρος Χ. Σαρικάκης: Ρωμαίοι Άρχοντες της επαρχίας Μακεδονίας, Μέρος Α´:
    Από της ιδρύσεως της επαρχίας μέχρι των χρόνων του Αυγούστου (148–27 π. Χ.),
    Μακεδονική Βιβλιοθήκη 36, Thessaloniki 1971; Μέρος Β´: Από του Αυγούστου
    μέχρι του Διοκλητιανού (27 π. Χ.–284 μ. Χ.), Μακεδονική Βιβλιοθήκη 51, Thes-
    saloniki 1977; hier Β´ 173–175.
Michel Sève: Nouveautés épigraphiques au forum de Philippes: Questions de mé-
    thode, in: Επιγραφές της Μακεδονίας/Inscriptions of Macedonia. Γ´ διεθνές
    συμπόσιο για τη Μακεδονία/Third International Symposium on Macedonia,
    Thessaloniki 1996, S. 173–183.

Philippi: Forum: W-Tempel.

A „Deux grands blocs de corniche à denticules; l'un cassé en quatre morceaux qui se raccordent, brisé à gauche, mais ayant encore à droite une face
de joint; l'autre, qui lui faisait suite, d'un seul morceau, ayant à gauche une
face de joint, mais brisé à droite. Au front, inscription latine sur une ligne
(traces de couleur rouge au creux des lettres). Longueur conservée du premier bloc: 152 cm. du second: 163 cm. Hauteur des lettres: environ 12 cm."
(Collart, S. 192).
Die beiden Steine A1 und A2 liegen heute (1991) in beträchtlichem Abstand
vor dem W-Tempel auf dem Forum. A1 hat die Inventarisierungsnummer
750, A2 hat keine Nummer.

B „Deux grands blocs d'architrave à trois bandeaux; l'un présentant à
gauche une face de joint, mais brisé à droite; l'autre brisé à gauche, et
terminé à droite par un retour des trois bandeaux. Au front, inscription
latine de deux lignes, sur les deux bandeaux supérieurs (traces de couleur
rouge au creux des lettres). Longueur conservée du premier bloc: 237 cm.;
du second: 200 cm.; hauteur: 64 cm. Hauteur des lettres: 17,5 cm. . . . ; 12,5
cm. . . . " (Collart, S. 192–194).
Dia Nummer 332.333/1990; 451.452/1991.

A

[... in hono]rem divinae domus | et col(oniae) Iul(iae) Aug(ustae)
Phi[lipp(ensis) ...].

B

[... ex] voluntate sua a divo [A]ntonino ex epulis
2 [... curante C(aio) Modio Laeto Rufiniano, q(uaestore) pr(o)
p]r(aetore) provinc(iae) Maced(oniae) cura[tor]e r(ei)
p(ublicae) Philipp(ensium).

A1 Das *rem*, das bei Collart auf S. 194 noch fehlt, wurde später auf einem weiteren Fragment gefunden, vgl. S. 196, Anm. 1: „Les fouilles de 1932 ont livré un nouveau fragment
du premier bloc de la corniche, se raccordant aux précédents, et portant les lettres ...;
le bloc, encore incomplet à gauche, porte donc: ... *rem divinae domus*". **B2** Auch zu
dem *cura[tor]e* finden sich die Buchstaben AT auf einem separaten Fragment, vgl. Collart, S. 196, Anm. 2. Collart hat später seine Ergänzung modifiziert, vgl. seinen Aufsatz:
Inscriptions de Philippes, BCH 57 (1933), S. 313–379; hier S. 316, Anm. 2: „On devait
y lire alors *[... curante C. Modio Laeto Rufiniano q. pr. p]r. provinc. Maced., curatore
r. p. Philipp.*". Die Begründung liegt in der dort behandelten Weihinschrift für den östlichen Tempel (d.i. 228/L331). Ursprünglich hatte er: *[... ... leg(ato) pr(o) p]r(aetore)
provinc(iae) Maced(oniae).*
Aufgrund architektonischer Studien rekonstruiert Sève unseren fragmentarischen Text neu:
Er schlägt folgende Lesung vor:

a. Corniche
[In hono]rem divinae domus et col(oniae) Iul(iae) Aug(ustae) Phil[ipp(ensium)]
b. Architrave
[... ex] voluntate sua a divo [A]ntonino ex epulis
[... C(aio) Modio Laeto Rufiniano, q(uaestore) pr(o) p]r(aetore) provinc(iae)
Maced(oniae), curat[or]e r(ei) p(ublicae) Philipp(ensium).

[A] ... zu Ehren des Kaiserhauses und der *Colonia Iulia Augusta
Philippensis* ... [B1] ... freiwillig von dem vergöttlichten Anto-
ninus aus den Speisungen (?) ... [B2] ... unter der Aufsicht des
Caius Modius Laetus Rufinianus, des Quästors *pro praetore* der
Provinz Macedonia und Curators der *res publica* der Philipper.

„Nous avons ici les restes de la dédicace d'un grand temple corinthien, à deux
colonnes *in antis*, situé à l'angle septentrional de la place. Cet édifice a été
entièrement fouillé, et les éléments architecturaux nécessaires pour reconstituer l'ordre de la façade ont été découverts" (Collart, S. 194). Die Datierung
vom Herausgeber (vgl. insbesondere S. 196f.; auch die Monographie S. 342f.).
    Z. A1 „Le fragment de la première ligne de l'inscription conservé sur la
corniche nous donne un nouvel exemple épigraphique du titre officiel de la
colonie de Philippes, tel qu'il nous était connu déjà par un grand nombre
de monnaies d'époque impériale: Col. Iul. Aug. Phi[lip.], hors lesquelles il
ne s'était rencontré jusqu'ici que sur la dédicace à Isis Regina, découverte
à une porte de Philippes (*Colon. Iul. Aug. Philippiens* [= 132/L303]) ...;

nous l'avons encore retrouvé sur le forum même de la ville, à quelques pas de notre monument, sous la forme *Aug. Col. Philippiens*" (Collart, S. 199). Das früher von Heuzey vorgeschlagene *Victrix* ist demnach nicht Bestandteil der offiziellen Titulatur.

Z. B1 „Notons encore l'expression *ex epulis*, qui désigne probablement l'origine des sommes, destinées à l'édification du monument, et qui auraient été prélevées sur les fonds ordinairement consacrés aux repas publics (*epula*); ou peut-être indiquait elle que des repas publics avaient précédé la dédicace de l'édifice: on rencontre avec ce sens, dans les inscriptions, des formules analogues, sinon identiques" (S. 198f.).

Z. B2 Caius Modius Laetus Rufinianus amtierte als *quaestor pro praetore provinciae Macedoniae* und wird hier noch dazu als *curator rei publicae Philippensium* bezeichnet. Er begegnet in insgesamt fünf Inschriften von Philippi, ist aber sonst weder epigraphisch noch literarisch bezeugt (vgl. Σαρικάκης, S. 173f.). Die Inschriften aus Philippi wurden sämtlich bei den Ausgrabungen des Forums gefunden: 201/L305 (die vorliegende Inschrift), 228/L331 (O-Tempel), 229/L342 (O-Tempel), 230/L343 (O-Tempel), 232/L336 (O-Tempel).
Collart vertritt die Auffassung, unser Rufinianus sei zunächst *quaestor pro praetore* der Provinz Macedonia gewesen, und erst hernach *curator* in Philippi. Diese Auffassung wird von Σαρικάκης nicht geteilt: Aufgrund ähnlich gelagerter Fälle (die Belege S. 174, Anm. 2) ist vielmehr anzunehmen, daß Rufinianus ταυτοχρόνως ήσκεσε και τα δύο αξιώματα, τα οποία άλλωτε κοινόν χαρακτηριστικόν είχον την διαχείρισιν των οικονομικών προβλημάτων της επαρχίας Μακεδονίας, ως και της σπουδαιστέρας εν αυτή Ρωμαϊκής αποικίας των Φιλίππων (S. 174f.).
Zur Datierung vgl. die Monographie Collarts, S. 342f.
Nach Sève haben wir es bei diesem Tempel mit der *curia* zu tun, vgl. S. 173 und seine in diesem Aufsatz genannten älteren Arbeiten.

Ehreninschrift für Lucius Tatinius Cnosus　　　　202/L313
vor 96

Paul Collart: Inscriptions de Philippes, BCH 56 (1932), S. 192–231; hier S. 213–220, Nr. 8 mit Abb. 12 und 13.
AÉ 1933 [1934] 87.
Collart, S. 294.
Sarikakis, Nr. 188 (S. 455f.).
Valerie A. Maxfield: The Military Decorations of the Roman Army, London 1981, S. 210f.; S. 269.
Alfred von Domaszewski: Die Rangordnung des römischen Heeres. Einführung, Berichtigungen und Nachträge von Brian Dobson, BoJ.B 14, Köln/Wien, 3. Aufl. 1981, S. 21.22.24.78.79.295.
Bormann, S. 23.

Band I, S. 120; S. 149 mit Anm. 7.

Michel Sève: Philippes: une ville romaine en Grèce, in: L'espace grec. 150 ans de
fouilles de l'École française d'Athènes, Paris 1996, S. 89–94; hier S. 90.

Philippi: Forum: W-Tempel. „Grande base inscrite, dont la partie antérieure est intacte, mais dont le revers a été entièrement détruit, moulurée sur
trois faces. Moulure supérieure très riche, très proéminente; aux deux angles,
une palmette. Moulure inférieure simplement épannelée, très proéminente;
sur le devant, un reste d'enduit stuqué. Sur les deux faces latérales gauche
et droite, au corps, un cadre moulure, dont la partie postérieure est brisée.
Sur la face antérieure, un grand cadre moulure, avec une inscription latine
de 14 lignes" (Collart, S. 213).

Abmessungen: H. 1,35; B. 0,96; D. ungefähr 0,52; H. der Buchstaben Z.
1: 0,08; Z. 2: 0,04; Z. 14: 0,023; sonst 0,03. 1990 noch *in situ* (vor dem
westlichen Tempel). Inventarisierungsnummer 422.

Dia Nummer 314.315.316/1990; 461.462/1991.

L(ucio) Tatinio
L(uci) f(ilio) Vol(tinia) Cnoso,
militi cohortis IIII pr(aetoriae),
singulari et benef(iciario) trib(uni),
5 optioni, benef(iciario) pr(aefecti) pr(aetorio), evoc(ato)
Aug(usti), donis donato tor-
quibus, armillis, phaler(is),
corona aurea ⟦ab imp(eratore) Do-
mitiano Caes(are) Aug(usto) Germ(anico)⟧,
10 c(enturioni) cohor(tis) IV vigil(um), c(enturioni) stator(um),
c(enturioni) cohor(tis) XI urbanae,
veterani qui sub eo in vigilib(us)
militaver(unt) et honesta missione missi sunt.

8/9 *Damnatio memoriae.* Ist die von Collart (S. 218–219) begründete Ergänzung richtig,
so bildet das Todesjahr des Domitian (96) einen *terminus a quo,* denn die Rasur wäre
andernfalls nicht erforderlich gewesen. **10/11** Für *centurio* steht in Z. 10 und 11 das
Zeichen >.

Für Lucius Tatinius Cnosus, den Sohn des Lucius, aus der Tribus Voltinia, den Soldaten der vierten Prätorianerkohorte, den
singularis und den *beneficiarius tribuni,* [5] den Optio, den *beneficiarius praefecti praetorio,* den *evocatus* des Kaisers, der als
Auszeichnung Halsketten, Armspangen, Brustschmuck und einen
goldenen Kranz von dem Imperator Domitianus Caesar Augustus Germanicus erhalten hat, [10] den Centurio der vierten
Wachkohorte, den Centurio *statorum,* den Centurio der elften

städtischen Kohorte, (haben) die Veteranen, die unter ihm in der Wachkohorte (?) gedient haben und ehrenhaft entlassen worden sind, (die Inschrift gesetzt).

Z. 1 Eine weitere Inschrift des Lucius Tatinius Cnosus ist 203/L314. In Raktcha gefunden wurde das Fragment 093/L464, eine dritte Ehreninschrift für Lucius Tatinius Cnosus.

Z. 2 Ein anderer *miles* der *cohors IIII praetoria* ist Caius Sallustius Crescens (030/L523, Z. A21).

Z. 4f. Lucius Tatinius Cnosus war zunächst *beneficiarius tribuni*, sodann *beneficiarius praefecti praetorio*. Zum Rang des *beneficiarius* vgl. jetzt Yann Le Bohec: Art. Beneficiarii, DNP 2 (1997), Sp. 561: Es handelt sich „um Soldaten, die ihre Beförderung einem *beneficium* ihrer Vorgesetzten verdankten und von den *munera* befreit waren. Sie waren einem Offizier zugeordnet, in dessen Diensten sie rechtliche und finanzielle Funktionen ausübten, die eine gewisse Kompetenz erforderten." Der Artikel *beneficiarius* im Thesaurus (ThLL II 1878) ist unzureichend. Sachlich ist zu vergleichen Alfred von Domaszewski: Die Rangordnung des römischen Heeres. Einführung, Berichtigungen und Nachträge von Brian Dobson, BoJ.B 14, Köln/Wien [3]1981, S. 22 u.ö. (zu den *beneficiarii tribuni*) und S. 21 u.ö. (zu den *beneficiarii praefecti praetorio*). In dem Corpus der *beneficiarii* fehlt unsere Inschrift (Egon Schallmayer/Kordula Eibl/Joachim Ott/Gerhard Preuß/Esther Wittkopf: Corpus der griechischen und lateinischen Beneficiarier-Inschriften des Römischen Reiches. Der römische Weihebezirk von Osterburken I, Forschungen und Berichte zur Vor- und Frühgeschichte in Baden-Württemberg 40, Stuttgart 1990). Weitere *beneficiarii* begegnen in 429/L075, 617/L118 und in 719/L712. Sodann steigt Lucius Tatinius Cnosus zum Rang eines *evocatus Augusti* auf (vgl. dazu auch 617/L118 und die dort im Kommentar zu Z. 8 genannte Literatur).

Z. 6ff. Zu den Auszeichnungen des Tatinius vgl. Maxfield, S. 210f.

Z. 10 Für *stator* gibt Glare die Bedeutung: „An official servant of provincial governors acting as a messenger, later attached to the Emperor, army commanders, etc., with app. wider duties" (S. 1815). Bei den Belegen bietet Glare *miles statorum* (CIL V 6257), aber keinen *centurio statorum* (vgl. auch 203/L314, Z. 4f.).

Z. 11 Als *centurio* der *cohors XI urbana* ist Lucius Tatinius Cnosus nachzutragen bei Helmut Freis: Die cohortes urbanae, EpiSt 2, Köln/Graz 1967, S. 56 (doch vgl. a.a.O., S. 156, s.v. L. Tatinius Cnosus und S. 158, s.v. Cnosus!).

Weihinschrift des Lucius Tatinius Cnosus

Paul Collart: Inscriptions de Philippes, BCH 56 (1932), S. 192–231; hier S. 220–
   222, Nr. 9 mit Abb. 14.
AÉ 1933 [1934] 88.
Collart, S. 294.
Bormann, S. 53.
Band I, S. 120; S. 149 mit Anm. 8.

Philippi: Forum. „Base rectangulaire inscrite. La face postérieure est
plate; les trois autres faces latérales sont ornées, haut et bas, d'une simple
moulure. Sur la face antérieure est gravée une inscription latine de six lignes.
La face supérieure, assez grossièrement piquetée, porte un épi saillant, creusé
de deux trous d'encastrement; au-dessus de la face postérieure, un rebord de
même épaisseur conserve encore, près de l'angle droit, la marque d'attache
d'un objet de métal" (Collart, S. 220).
Abmessungen: H. 0,54; B. 0,43; D. 1,03. H. der Buchstaben Z. 1: 0,042; Z.
2: 0,028; Z. 3: 0,04; Z. 4–6: ungefähr 0,025. Zeilenzwischenraum Z. 1/2 und
2/3: 0,015; sonst 0,01.
Der Stein befindet sich heute im NW-Eck des Forums.
Dia Nummer 317.318/1990; 463.464/1991.

        Quieti Aug(ustae)
        col(oniae) Philippiens(is)
        L(ucius) Tatinius L(uci) f(ilius)
        Vol(tinia) Cnosus c(enturio) sta-
    5   torum sua pecu-
        nia posuit.

   4 Für *centurio* steht auf dem Stein das Zeichen >.

        Der Quies der *Colonia Augusta Philippiensis* hat Lucius Tatinius
        Cnosus, der Sohn des Lucius, aus der Tribus Voltinia, Centurio
        statorum, auf seine Kosten (diese Statue) aufgestellt.

   Z. 1 Material zu *quies* bietet Collart, S. 222, mit Anm. 3.
   Z. 3 Die Stationen der Karriere des Lucius Tatinius Cnosus sind in 202/
L313 im einzelnen aufgezählt.
   Z. 4/5 Zu *centurio statorum* vgl. 202/L313, Z. 10. „Cette base portait
une statue, dont les trous d'encastrement sont encore bien visibles sur la
face supérieure. L. Tatinius en avait fait graver l'inscription lorsqu'il était
centurion dans les *statores*; sans doute alors les vétérans qui avaient servi
sous ses ordres dans les Vigiles venaient-ils d'arriver à Philippes" (Collart,
S. 220f.).

Ehreninschrift für Lucius Domitius Haemon

Paul Collart: Inscriptions de Philippes, BCH 56 (1932), S. 192–231; hier S. 222f., Nr. 10 mit Abb. 15.

Philippi: Forum. Basis „en bordure du forum, et adossée à l'escalier qui donne accès au temple [im Nordwesten des Forums], près de laquelle elle a été trouvée" (Collart, S. 222f.).

„Bloc dont la face antérieure porte une inscription latine de deux lignes, incomplète a droite, et surmontée d'une moulure saillante. Faces sup. et inf. piquetées sans grand soin; faces latérales gauche et postérieure à trois bandeaux surmontés d'une moulure saillante; face latérale droite jointive. Cassure à l'angle supériéure gauche" (Collart, S. 222).

Abmessungen: H. 0,445; B. 0,96; D. 1,565; H. der Buchstaben Z. 1: 0,14; Z. 2: 0,105. Zeilenzwischenraum ungefähr 0,045.

Dia Nummer 319/1990; 465.466/1991.

> L(ucius) Domit[ius ...]
> Haemon[...]

1 Sollte man nicht [*io*] als Dativ und entsprechend (*ucio*) ergänzen? 2 Entsprechend müßte man dann hier *Haemon[i]* lesen.

Lucius Domitius ... Haemon ...

Z. 1 Das *nomen gentile* Domitius begegnet zehnmal in den Silvanusinschriften auf der Akropolis, doch nicht mit dem *cognomen* Haemon.

Weihinschrift für Marcus Aurelius Carinus

Collart, S. 314, Anm. 1; S. 361; S. 368, Anm. 4; S. 412; S. 518 und Abb. im Tafelband Pl. XLI 2.

Paul Collart: Inscriptions de Philippes, BCH 62 (1938), S. 409–432; hier S. 414–418, Nr. 5 mit Abb. Pl. XLIV 3.

AÉ 1939 [1940] 191.

Θεόδωρος Χ. Σαρικάκης: Ρωμαίοι Άρχοντες της επαρχίας Μακεδονίας, Μέρος Α´: Από της ιδρύσεως της επαρχίας μέχρι των χρόνων του Αυγούστου (148–27 π. Χ.), Μακεδονική Βιβλιοθήκη 36, Thessaloniki 1971; Μέρος Β´: Από του Αυγούστου μέχρι του Διοκλητιανού (27 π. Χ.–284 μ. Χ.), Μακεδονική Βιβλιοθήκη 51, Thessaloniki 1977; hier Β´ 135–136.

Philippi: Forum: An der Straße. „La base que nous publions ici fut retrouvée cimentée dans une assise d'un gros mur de soutènement qui recouvre en partie la chaussée du *decumanus maximus* de Philippes, au nord-ouest des constructions du forum. Sa présence y fut décelée par H. Ducoux, à la fin de la campagne de fouilles de 1934; elle suffit à indiquer la date très tardive du mur. On peut croire que le monument ainsi remployé avait été primitivement érigé, comme bien d'autres d'aspect analogue, sur le forum tout proche" (Collart, S. 415).

„Grande base de marbre local, en forme d'autel, richement moulurée haut et bas et portant sur la face antérieure une inscription de dix lignes contenue dans un cadre également mouluré. Les moulurations supérieure et inférieure se répétaient, en retour, sur les faces latérales, mais celles de gauche ont été ravalées. Le bloc est profondément fendu, de part en part, longitudinalement et latéralement, et les angles supérieure sont brisés" (Collart, S. 414).

Abmessungen: H. 1,62; B. 0,86 (ursprünglich ca. 0,98); D. 0,78 bzw. 1,02; 0,77; 0,62; beschriebene Fläche: 0,71x0,505; H. der Buchstaben Z. 1: 0,05; Z. 10: 0,038; sonst 0,04 bis 0,045; „gravure peu profonde, mais soignée; points séparatifs entre les mots (parfois omis)" (Collart, S. 414).

Der Stein befindet sich heute (1992) offenbar noch *in situ*, d.h. oberhalb der Via Egnatia in die Mauer (welche die moderne Straße von Kavala nach Drama stützt) verbaut – und zwar auf der Höhe des W-Brunnens, ziemlich genau in der Mitte desselben.

Dia Nummer 321.322.323.324/1992.

       M(arco) Aur(elio) Carino
       nobiliss(imo) Caes(ari),
       filio imp(eratoris) Caes(aris)
       M(arci) Aur(eli) Cari P(ii) F(elicis)
5   Invicti Aug(usti),
       Aur(elius) Nestor, v(ir) p(erfectissimus),
       praes(es) prov(inciae)
       Maced(oniae), dev(otus)
       num(ini) maiest(ati)q(ue)
10 *vacat* eius. *vacat*

    Für Marcus Aurelius Carinus, den edelsten Caesar, den Sohn des Imperator Caesar Marcus Aurelius Carus Pius Felix Invictus Augustus, (hat) Aurelius Nestor, *vir perfectissimus*, Praeses der Provinz Macedonia, Verehrer seiner (d.h. des Kaisers) Gottheit und seiner Maiestas, (die Inschrift gesetzt).

Zur Datierung vgl. Collart, S. 415. Er stellt die Inschrift zu den Ehreninschriften. Wegen der Zeilen 8–10 scheint es mir jedoch sachgemäßer, von einer Weihinschrift zu sprechen, da es hier offenbar weniger um eine Ehrung als um die kultische Verehrung des Kaisers geht.

    Z. 1 Carinus regierte von Juli 283 bis Juli 285 (Paasch Almar, S. 414).

Z. 3ff. Carus, hier mit seiner vollen Titulatur, September 282 bis Juli 283 (Paasch Almar, S. 414).

Z. 6f. Aurelius Nestor war von Oktober 282 bis Ende 283 *praeses proviniciae Macedoniae* (vgl. Σαριχάχης, S. 135). Der Titel *vir perfectissimus* zeigt, daß Aurelius Nestor dem Stand der Ritter zugehört (dazu vgl. den folgenden Kommentar Collarts).

„Pour comprendre l'importance du fait de trouver, sous Carus, à la tête de la Macédoine, province traditionnellement sénatoriale, un gouverneur de rang équestre, il faudrait retracer les vicissitudes de l'administration provinciale pendant la seconde moitié du IIIe siècle de notre ère" (Collart, S. 416). Collart weist besonders auf die Einfälle der Goten 267 und 269 mit ihren katastrophalen Folgen hin. „Il est donc probable que Gallien fut contraint par les événements de prendre, dès le début de son règne, une mesure générale qui réglait le sort de toutes les provinces de l'Empire. On peut croire que celle-ci consista, dans les provinces sénatoriales comme dans les provinces impériales, à remplacer les gouverneurs d'ordre sénatorial par des gouverneurs d'ordre équestre, portant le titre de *viri perfectissimi*, revêtus de pouvoirs civils et militaires, et nommés tout d'abord comme suppléants" (a.a.O., S. 417).

Diese Praxis wurde unter den Nachfolgern des Gallienus zwar revidiert; aber Carinus knüpft erneut daran an: „l'édit de Gallien reprend alors toute sa rigueur; les privilèges du Sénat sombrent définitivement, et les sénateurs, évincés des postes importants, administratifs ou militaires, ne jouent plus de rôle dans l'État" (a.a.O., S. 417). In diesem Zusammenhang ist auch der Titel *praeses* zu interpretieren: „le titre de *praeses* désignait ici, à l'instar des provinces impériales, le gouverneur de rang équestre qui avait succédé aux proconsuls" (a.a.O., S. 418).

Inschrift des Varinius Philocalus   206/L460

Collart, S. 368, Anm. 4.
Paul Collart: Inscriptions de Philippes, BCH 62 (1938), S. 409–432; hier S. 412, Nr. 3 mit Abb. 2.

Philippi: Forum: An der Straße. An der Hauptstraße, „à la hauteur du temple occidental du forum. Bloc de couronnement présentant un bandeau inscrit surmonté d'une mouluration proéminente. Faces latérales gauche et droite jointives" (Collart, S. 412).

Abmessungen: L. 1,10; H. 0,29; D. 0,24; H. der Buchstaben 0,08.

1990 noch *in situ.*

Dia Nummer 310/1990.

[... Va]rinius Philocal[us ...]

Das *nomen gentile* Varinius begegnet in Philippi des öfteren; das *cognomen* Philocalus dagegen ist bisher sonst noch nicht belegt.

207/L463   **Ehreninschrift für Licinia**
III

Collart, S. 368, Anm. 4.

Paul Collart: Inscriptions de Philippes, BCH 62 (1938), S. 409–432; hier S. 419f., Nr. 6 mit Abb. 3.

Philippi: Forum: An der Straße. An der Hauptstraße, „à la hauteur du temple occidental du forum. Petite base moulurée haut et bas sur quatre faces. La face supérieure présente une excavation peu profonde, de forme ovale" (Collart, S. 419).

Abmessungen: L. 0,96; H. 0,37; D. 0,59 bzw. 0,87; 0,16; 0,49. H. der Buchstaben 0,07 (das I am Schluß ist höher als die anderen Buchstaben); „points séparatifs" (Collart, S. 419).

1990 noch *in situ* (am westlichen Ende der ausgegrabenen Strecke der Via Egnatia).

Dia Nummer 312/1990.

Liciniae matri.

Der Mutter Licinia.

„Cette base n'a pas été découverte en place; elle gisait sens dessus dessous, lors du dégagement de la rue, en face d'une petite niche. On ne peut donc dire avec certitude si le monument dont elle faisait partie se trouvait à proximité. Notons que deux bases d'aspect analogue, portant, l'une, une dédicace à Jupiter [d.i. 223/L339], l'autre, une dédicace à la Victoire Germanique de Caracalla [d.i. 224/L340] ont été exhumées non loin de là, sur le forum, dans la région de la fontaine orientale. Cette comparaison, comme aussi le fait que la dédicace gravée ici: *Liciniae Matri,* n'est accompagnée d'aucune indication complémentaire, laissent supposer que le personnage à qui s'adressaient ces simples mots jouissait, à Philippes tout au moins, d'une certaine notoriété" (Collart, S. 419).

Das *nomen gentile* Licinius ist in Philippi inzwischen vielfach belegt (sowohl in publiziertem als auch in unpubliziertem Material). Auch Frauen namens Licinia sind inzwischen aufgetaucht. Nach wie vor gilt aber trotzdem die Feststellung Collarts, wonach hier nicht an eine Frau aus Philippi zu denken ist; dies macht der Charakter der Inschrift unmöglich: „Force est donc de recourir à une hypothèse et de chercher si quelque personnage notable a pu avoir sa statue érigée, sur notre base, près du forum de Philippes" (a.a.O., S. 420). Da sei an das Kaiserhaus zu denken. Nicht in Frage komme freilich Licinius (308–324), weil die Buchstaben unserer Inschrift auf das 3. Jahrhundert wiesen (Collart vergleicht die Buchstabenform mit der Inschrift 205/L462; a.a.O., S. 420, Anm. 2). Es liege daher näher, an die Familie des Valerianus (253–260) oder des Gallienus (253–268) zu denken; beide nämlich führen das *nomen gentile* Licinius.

Ehreninschrift für Hadrianus, den olympischen Gott, und für Sabina, die Iuno Coniugalis

208/L461
129/137

Collart, S. 314, Anm. 1; S. 395.412.512 mit Anm. 5 und Abb. im Tafelband Pl. XLII 2.
Paul Collart: Inscriptions de Philippes, BCH 62 (1938), S. 409–432; hier S. 412–414, Nr. 4 mit Abb. Pl. XLIV 2.
AÉ 1939 [1940] 190.
H.W. Benario: Iuno coniugalis Sabina, Liverpool Classical Monthly 5 (1980), S. 37–39.
AÉ 1984 [1987] 818.
Bormann, S. 54.
Band I, S. 120.

Philippi. „... sondage au sud de la route. Petite base présentant haut et bas une mouluration largement proéminente, demeurée épannelée; celle-ci se poursuivait en retour sur les faces latérales, mais elle a été ravalée à gauche complètement, ainsi qu'à droite en bas" (Collart, S. 412).
Abmessungen: H. 0,67; B. 0,33; D. 0,29; bzw. H. 0,29; D. 0,305. H. der Buchstaben Z. 1: 0,048; Z. 2 und 3: 0,036; Z. 4 und 5: 0,022.
„Gravure peu profonde et assez négligée" (Collart, S. 413).
Der Stein befindet sich heute im Museum im hinteren Innenhof unterhalb des Foyers (Inventarisierungsnummer Λ 702).
Dia Nummer 345.346/1991.

  Imp(eratori)
  Hadri[a]no
  Olympio
  et Iunoni Con-
5 iugali Sabina[e].

Dem Imperator Hadrian, dem olympischen (nämlich Iuppiter), und der Iuno Coniugalis Sabina.

Schon vorher war eine andere Ehreninschrift für Hadrian in der Basilika B gefunden worden (283/L372). Diese läßt sich auf 130/131 datieren. Die vorliegende Inschrift gehört Collart zufolge in etwa der gleichen Zeit an.

Z. 3 Das Epitheton *Olympius* bietet nach Collart einen sicheren *terminus post quem*; es wurde dem Hadrian im Jahr 129 in Athen verliehen (S. 413). Auch im benachbarten Thasos fand sich eine Grabinschrift für Hadrian Ὀλύμπιος (BCH 56 (1932), S. 285; vgl. zuletzt: O. Picard: Thasos dans le monde romain, in: The Greek Renaissance in the Roman Empire. Papers from the Tenth British Museum Classical Colloquium, BICS Suppl. 55, London 1989, S. 174–179; hier S. 175 mit Anm. 13).

Die neue Inschrift aus Alexandria Troas bietet ein etwas anderes Formular: *Imp(eratori) Hadriano Aug(usto) [I]ovi Olympio conservatori* heißt es dort (vgl. Stefanie Mühlenbrock: Hadrian in Alexandria Troas? Eine neue Inschrift, in: Forschungen zu Neandria und Alexandria Troas, Asia Minor Studien 11, Bonn 1994, S. 193–195; hier S. 194; Marijana Ricl hat diese Inschrift in ihre Sammlung: The Inscriptions of Alexandria Troas, IGSK 53, Bonn 1997 als Nummer 21 aufgenommen, geht aber im Kommentar nicht auf die Parallele aus Philippi ein).

Z. 4 Das bemerkenswerte Epitheton der Iuno, *Coniugalis*, wird bei Collart nicht kommentiert, obwohl es einmalig zu sein scheint: „Collart chose not to comment upon what strikes me as the most interesting aspect of this inscription, which may, indeed, be unique. This is the attributive *Coniugalis* given to Iuno, with whom Sabina is assimilated. I have not been able to find, either on epigraphic, numismatic or literary record, any other instance of the adjective linked with a divinity." (Benario, S. 37). Aus dem Epitheton *Coniugalis* will Benario Schlüsse auf das Verhältnis zwischen Hadrian und seiner Frau Sabina ziehen. Es sei nicht so schlecht gewesen, wie literarische Zeugnisse vermuten lassen könnten. „Such a dedication appearing at Philippi, and nowhere else, may be pure chance, for the city did not have a public cult of a goddess of marriage, or it may be an instance of extreme hyperbole to honour the emperor while he was in his beloved Greece. But may it not also have been a realistic and accurate indication of the recognition, by one distant city, of the very real affection that Hadrian and Sabina felt for one another, and of the honoured position, without taint and scandal, which she enjoyed?" (S. 39).

Z. 4f. Den *terminus ante quem* für diese Inschrift bildet der Tod der Sabina, der Frau des Hadrian (137 oder 138). „Doit-on croire que ces monuments [gemeint sind neben der vorliegenden Inschrift vor allem zwei Inschriften aus Thasos, a.a.O., S. 413 mit Anm. 6] furent érigés à l'occasion d'un voyage d'Hadrien dans la région? La question peut être posée, mais non résolue. Si, d'une part, la preuve des séjours qu'Hadrien fit en Macédoine et en Thrace est fournie par les monnaies qui portent la légende: *adventui Aug. Macedoniae s. c.* ou *adventui Aug. Thaciae s. c.* [statt *Thaciae* ist vermutlich *Thraciae* zu lesen], on ne saurait, d'autre part, inférer de la trouvaille d'une dédicace la présence de l'empereur dans une ville. Les deux inscriptions de Philippes, comme celle de Thasos, s'accorderaient bien avec l'hypothèse d'un voyage impérial en 132; mais la chronologie des voyages d'Hadrien est trop discutée pour qu'on puisse avec certitude établir ce rapport" (Collart, S. 414).

Ehreninschrift für Caius Fideius 209/L468

Paul Collart: Inscriptions de Philippes, BCH 62 (1938), S. 409–432; hier S. 431f., Nr. 11 mit Abb. 6.
Collart, S. 270.

Philippi: Bereich des Forums? „... sondage au sud de la route. Stèle à fronton, de marbre local, brisée en bas" (Collart, S. 431). „Gravure peu soignée; points séparatifs" (ebd.).
Abmessungen: H. 0,60 (0,41); B. 0,53 (0,48); D. 0,185. H. der Buchstaben Z. 1: 0,056; Z. 2: 0,048.
Der Stein mit der Inventarisierungsnummer Λ 1693 befindet sich heute (1991) im Museum in Philippi, im Hof hinter dem Foyer.
Dia Nummer 352/1991.

C(aio) Fideio C(ai) f(ilio)
co(n)sacrani.

Für Caius Fideius, den Sohn des Caius, (haben) die Kultgenossen (den Stein errichtet).

Z. 1 Zum Namen Fideius vgl. den Kommentar zu 220/L335.
Z. 2 „Ce monument, comme le précédent [d. i. 252/L467 vom Macellum], a été érigé par les membres d'une association religieuse: C. Fideius a été ainsi honoré par ses *co(n)sacrani*. Ce mot, d'un emploi plutôt rare, a une signification bien définie; c'est l'équivalent du grec συμμύσται, et il désigne la collectivité des fidèles unis pour participer à un même culte" (Collart, S. 431).

Lateinisches Fragment 210/L357

Paul Collart: Inscriptions de Philippes, BCH 57 (1933), S. 313–379; hier S. 368f., Nr. 25 mit Abb. 35.
AÉ 1934 [1935] 63.
Collart, S. 294, Anm. 2.
Fanoula Papazoglou: Quelques aspects de l'histoire de la province Macédoine, ANRW II 7.1 (1979), S. 302–369; hier S. 344f. mit Anm. 189.
Slobodan Dušanić: The Witnesses to the Early »Diplomata Militaria«, in: Sodalitas. Scritti A. Guarino, Neapel 1984, S. 271–286; hier S. 285.

Philippi: Forum: W-Brunnen. Der Stein wurde im Bassin des W-Brunnens gefunden (Collart, S. 370). „Deux fragments qui se raccordent, ayant appartenu au couronnement d'une grande base; il en subsiste ainsi la partie gauche, avec le départ de l'acrotère, et, sur le bandeau supérieur au-dessus de la mouluration, les restes d'une inscription latine" (Collart, S. 368). Abmessungen: H. 0,25; B. 0,52; D. 0,155. H. der Buchstaben 0,062. Der Stein ist anscheinend verschollen.

> Legio II A[diutrix ...]

> Die zweite Legion Adiutrix.

Man kann das A zu *Augusta* oder zu *Adiutrix* ergänzen. Wie Collart S. 368f. ausführt, liegt *Augusta* nicht nahe, da diese Legion nicht in unserer Gegend stationiert war. Diese *Legio Adiutrix* wurde im Jahr 70 gegründet und befand sich unter Domitian im Donauraum; „elle s'établit dès le IIe siècle à Aquincum, d'où elle participa à diverses campagnes, notamment à la guerre de Marc-Aurèle contre les Parthes et à l'expédition d'Asie de Caracalla. C'est donc plutôt le nom de celle-ci qu'on peut s'attendre à rencontrer sur une inscription de Philippes" (Collart, S. 369).

Die Ergänzung Collarts gewinnt an Wahrscheinlichkeit durch das Militärdiplom 705/L503 für einen Invaliden aus der zweiten Legion *Adiutrix Pia Fidelis*; dieses Militärdiplom weist die Namen von sieben Zeugen auf, von denen fünf ausdrücklich als Bewohner von Philippi bezeichnet werden (Z. 24–31; Papazoglou spricht S. 345, Anm. 189 irrtümlich von sechs Zeugen aus Philippi).

Ob man freilich einen direkten Zusammenhang zu den Siegen des Vespasian im Bürgerkrieg herstellen kann (Dušanić, S. 285: „The city of Philippi was proud of the successes of II Adiutrix and Classis Augusta Alexandrina in A. D. 69 ... "), mag dahingestellt bleiben.

211/L358   **Lateinisches Fragment**

Paul Collart: Inscriptions de Philippes, BCH 57 (1933), S. 313–379; hier S. 369f., Nr. 26 mit Abb. 36.
AÉ 1934 [1935] 64.
Collart, S. 294, Anm. 2.
Fanoula Papazoglou: Quelques aspects de l'histoire de la province Macédoine, ANRW II 7.1 (1979), S. 302–369; hier S. 344f. mit Anm. 189.
Slobodan Dušanić: The Witnesses to the Early »Diplomata Militaria«, in: Sodalitas. Scritti A. Guarino, Neapel 1984, S. 271–286; hier S. 285.

Philippi: Forum: W-Brunnen. Der Stein wurde im Bassin des W-Brunnens gefunden (Collart, S. 370). „Deux fragments ayant appartenu au couronnement d'une même base; il en subsiste ainsi la partie gauche, avec la plus

grande partie de l'acrotère, et une portion du bandeau supérieur qui portait, au-dessus de la mouluration, une inscription latine" (Collart, S. 369).
Abmessungen: Fragment I: H. 0,31; B. 0,25; D. 0,28. Fragment II: H. 0,17; B. 0,23; D. 0,10; H. der Buchstaben 0,052.
Der Stein ist anscheinend verschollen.

> Clas[sis Aug(usta) Alex]and[rina].

> Die Flotte Augusta Alexandrina.

„On ne peut guère hésiter à restituer ici, à l'aide de nos deux fragments, le nom de la flotte d'Egypte. Celle-ci avait son port d'attache à Alexandrie, et devait principalement assurer la sécurité des transports de blé: elle aurait pu, à ce titre, être chargée d'une mission en Macédoine. On l'occupait, en effet, à de tâches plus lointaines encore, puisqu'elle entretenait à Caesarea de Maurétaine (Cherchel) une station permanent" (Collart, S. 369f.).
Zu einem möglichen Zusammenhang mit Vespasian vgl. den Kommentar bei 210/L357.

Griechische Steinmetzzeichen   212/G768

II

Collart, S. 305 mit Anm. 2.
Band I, S. 82 mit Anm. 18.

Forum. Die bei Collart erwähnten Steinmetzzeichen finden sich an verschiedenen Stellen des Forums: „au forum, A, K, K, K, sur les degrés de l'escalier monumental qui borde la place, et Θ sur un bloc de corniche provenant d'un édifice du côté nord" (S. 305, Anm. 2).
Dia Nummer 198/1992; 81/1993 (ein A im NW-Eck am W-Ende des W-Brunnens); 95/1993 (zwei K im SW-Eck).

> A
> K
> K
> K
> Θ

Andere griechische Steinmetzzeichen finden sich in 147/G767 (Theater) und in 158/G492 (Basilika B).
„D'autre part, en dépit de la colonisation romaine et de la multiplication des textes latins, l'alphabet grec semble être demeuré plus familier que l'alphabet latin aux premiers habitants, alors réduits à une condition médiocre. Ainsi, sur des blocs ayant appartenu à des constructions romaines du IIe siècle, tant

au forum qu'au théâtre, les tailleurs de pierre avaient gravé, comme marques d'assemblage ou de tâcheron, des lettres grecques" (Collart, S. 305).

Auch auf den Platten, mit denen das Forum ausgelegt ist, finden sich derlei Steinmetzzeichen in großen Mengen (vor allem im südwestlichen Bereich). Da diese in der Literatur, soweit ich sehe, noch nirgendwo erwähnt sind, kann ich sie hier im einzelnen nicht anführen.

213/L347   **Weihinschrift des Lucius Decimius Bassus**
II

> *Paul Collart:* Inscriptions de Philippes, BCH 57 (1933), S. 313–379; hier S. 348f., Nr. 14 mit Abb. 22 und 23.
> *AÉ* 1934 [1935] 56.
> *Collart,* S. 346f. mit Anm. 1 auf S. 347.
> *Christian Habicht:* Art. Voltinia, PRE Suppl. X (1965), Sp. 1113–1125; hier Sp. 1124, Z. 8–23.
> *Band I,* S. 113, Anm. 81; S. 120; S. 148.

Philippi: Forum: W-Brunnen. Die Inschrift befindet sich am nördlichen Rand, westlich des βῆμα, vor dem Brunnen.

„Deux grandes dalles de marbre local, dressées de champ, qui s'ajustaient l'une à l'autre, et portaient sur la face antérieure, soigneusement travaillée, la fin d'une inscription latine de deux lignes. Il ne manque probablement à gauche qu'un seul bloc semblable.

1er bloc: Angle inférieur gauche brisé; faces latérales gauche et droite jointives; face postérieure brute; face supérieure piquetée, avec anathyrose sur le joint antérieur, et trous de crampons à gauche et à droite (les crampons sont encore en place). . . .

2er bloc: Cassure à l'angle intérieur droit: face latérale gauche jointive; face latérale droite travaillée pour ètre visible; face postérieure brute, sauf à l'extrémité droite où elle est travaillée pour recevoir un bloc à angle droit, avec anathyrose sur le joint; face supérieure piquetée, avec anathyrose sur la joint devant et à droite, et trous de crampons à gauche, et à droite pour lier le bloc en retour" (Collart, S. 318).

Abmessungen: Block I: L. 2,13; H. 0,74; D. ca. 0,33. Block II: L. 2,47; H. 0,74; D. ca. 0,25 (rechts 0,175). H. der Buchstaben Z. 1: 0,114; Z. 2: 0,0108. 1990 noch *in situ* (Inventarisierungsnummer 1493). Dia Nummer 323.324/1990.

> [. . . L(ucius) Decimiu]s L(uci) f(ilius) Vol(tinia) Bassus aed(ilis)
>   Philippis testamento sibi et L(ucio) Decimio L(uci)
>   f(ilio) Vol(tinia)
> 2 [q(uaestori) IIvir(o) Philippis patri(?) e]t C(aio) Decimio L(uci)
>   f(ilio) Vol(tinia) Maxsimo fratri fieri iussit H̵S̵ ((I)) ((I)) ((I)).

2 Die von Collart für den Anfang der Zeile vorgeschlagene Ergänzung ist zu lang. Aus Symmetriegründen muß die Zahl der Buchstaben hier reduziert werden: *Philippis* und/oder *patri* könnten gut fehlen.

Lucius Decimius Bassus, der Sohn des Lucius, aus der Tribus Voltinia, Ädil in Philippi, hat aufgrund seines Testaments für sich und für Lucius Decimius, den Sohn des Lucius, aus der Tribus Voltinia, den Quästor und Duumvir in Philippi, seinen Vater, und für Caius Decimius Maxsimus, den Sohn des Lucius, aus der Tribus Voltinia, seinen Bruder, (den Brunnen) erbauen lassen. (Der Preis betrug) 30.000 Sesterzen.

Zwei Ehreninschriften für den Ädil Decimius (Κανατσούλης, Nr. 373, S. 43) folgen unten: 216/L351 und 217/L348.

Eine Ehreninschrift für Lucius Decimius, den Sohn des Lucius, den Quästor und Duumvir von Philippi (Κανατσούλης, Nr. 372, S. 43), ist die folgende Nummer 214/L349.

Eine Ehreninschrift für Caius Decimius Maxumus (*sic*) ist 215/L350. Maximus ist bei Κανατσούλης als Nr. 375 (S. 43) aufgenommen.

Zur Familie der *Decimii* vgl. die Bemerkungen von Christian Habicht: „Eine Inschrift aus Ocriculum nennt *C. Decimius C. f. Volt. Priscus* (Epigraphica III [1941] 157 Nr. 4). Name und Tribus kehren wieder bei mehreren Mitgliedern einer Familie aus der zur V.[oltinia] gehörenden Kolonie Philippi (Ann. épigr. 1934, 56–60 [d.i. 213/L347; 217/L348; 214/L349; 215/L350; 216/L351]). Weiterhin ist aber durch Liv. XXII 24 ein aus Bovianum Vetus stammender *Numerius Decimius* als Kommandeur des samnitischen Aufgebots im römischen Heere des J. 217 v. Chr. bekannt, und seine Vaterstadt wurde nach dem Bundesgenossenkrieg eben der V.[oltinia] zugewiesen … . Daher kann Samnium, möglicherweise Bovianum, nicht nur die Heimat des in Ocriculum begegnenden Decimius sein, sondern auch die ursprüngliche Heimat der gleichnamigen Kolonisten von Philippi." (Christian Habicht, a.a.O., Sp. 1124, Z. 9–23).

Ein Freigelassener eines Mitglieds dieser Familie der *Decimii* ist in der Mitgliederliste der Silvanusverehrer verzeichnet (163/L002, Z. 43). Eine Decimia Persice begegnet in der Inschrift 728/L721, die vom jüdischen Friedhof in Thessaloniki stammt.

Ehreninschrift für Lucius Decimius   214/L349

II

Paul Collart: Inscriptions de Philippes, BCH 57 (1933), S. 313–379; hier S. 350f., Nr. 16 mit Abb. 25.
AÉ 1934 [1935] 58.
Collart, S. 347 mit Anm. 2 und Abb. im Tafelband Pl. XXXIX 1.
Band I, S. 120.

Philippi: Forum: W-Brunnen. Der Stein steht heute vor dem Brunnen (rechts neben 213/L347).

„Dalle dressée de champ et portant sur la face antérieure, soigneusement travaillée, une inscription latine de deux lignes. Faces latérales travaillées pour être visibles; face postérieure brute; face supérieure piquetée, avec des anathyroses sur trois côtés. L'arête antérieure droite est cassée sur toute la hauteur" (Collart, S. 350).

Abmessungen: L. 0,755; H. 0,735; D. 0,36; H. der Buchstaben Z. 1: 0,084; Z. 2: 0,058.

1990 noch *in situ* (Inventarisierungsnummer 449 bzw. 1491).

Dia Nummer 325/1990.

> L(ucio) Decimio L(uci) f̣(ilio)
> Vol(tinia), q(uaestori), Π̄vir(o).

1 Collart: [*f(ilio)*]; m.E. ist das I des F am Zeilenende deutlich zu erkennen.

Für Lucius Decimius, den Sohn des Lucius, aus der Tribus Voltinia, den Quästor und Duumvir.

Dieser Lucius Decimius begegnet auch in der Weihinschrift des W-Brunnens (213/L347); bei Κανατσούλης als Nr. 372 (S. 43) aufgenommen. Zur Familie der *Decimii* vgl. den Kommentar zur Inschrift 213/L347.

215/L350
II

Ehreninschrift für Caius Decimius Maxumus

Paul Collart: Inscriptions de Philippes, BCH 57 (1933), S. 313–379; hier S. 351f., Nr. 17 mit Abb. 26.

AÉ 1934 [1935] 59.

Collart, S. 347 mit Anm. 2.

Band I, S. 110, Anm. 69; S. 120.

Philippi: Forum: W-Brunnen. Der Stein steht heute vor dem Brunnen (rechts neben 214/L349).

„Dalle dressée de champ et portant sur la face antérieure, soigneusement travaillée, une inscription latine de deux lignes. Faces latérales travaillées pour être visibles; celle de gauche présente un petit redan à la partie postérieure; face postérieure brute, mais présentant, à gauche, une anathyrose sur le joint; face supérieure piquetée, avec des anathyroses sur trois côtés. La partie supérieure de l'arête antérieure droite est cassée; la surface de la pierre est légèrement endommagée à l'angle supérieure gauche" (Collart, S. 351).

Abmessungen: L. 0,755; H. 0,735; D. 0,365 (links) bzw. 0,30 (rechts). H. der Buchstaben Z. 1: 0,084; Z. 2: 0,06.

1990 noch *in situ* (Inventarisierungsnummer 450 bzw. 1490).
Dia Nummer 326/1990.

C(aio) Decimio L(uci) [f(ilio)]
Vol(tinia) Maxumo.

Für Caius Decimius Maxumus, den Sohn des Lucius, aus der
Tribus Voltinia.

Unser Decimius begegnet auch in der Weihinschrift für den W-Brunnen
(213/L347); dort allerdings als Maxsimus; bei Κανατσούλης als Nr. 375 (S.
43) aufgenommen. Zur Familie der *Decimii* vgl. den Kommentar zur Inschrift 213/L347.

Ehreninschrift für Lucius Decimius Bassus   216/L351
                                                 II

Paul Collart: Inscriptions de Philippes, BCH 57 (1933), S. 313–379; hier S. 352–
354, Nr. 18 mit Abb. 27.
AÉ 1934 [1935] 60.
Collart, S. 347 mit Anm. 2.
Band I, S. 120.

Philippi: Forum: W-Brunnen. Fundort anscheinend wie die vorigen. Ich
vermochte den Stein 1991 nicht zu finden; ob man mehr Erfolg hat, wenn
man nach kleinen Fragmenten (wie unten beschrieben) sucht?
„Fragment d'une mince plaque de marbre, cassé en quatre [im Original
irrtümlich qnatre] morceaux, portant les restes d'une inscription latine de
deux lignes. Cassé de toutes parts; seule une pètite portion du bord supérieur
est conservée" (Collart, S. 352).
Wie die Abbildung bei Collart zeigt, handelt es sich um vier zueinander
passende Fragmente mit den Buchstabengruppen ECI; MIO; BA; SSO·AE.
Abmessungen: H. 0,37; L. 0,38; D. 0,02; H. der Buchstaben Z. 1: 0,073; Z.
2: 0,06.

[L(ucio) D]ecimio [L(uci) f(ilio)]
[Vol(tinia)] Basso, ae[d(ili)].

Für Lucius Decimius Bassus, den Sohn des Lucius, aus der Tribus
Voltinia, den Ädil.

Der Ädil Decimius ist der Stifter des W-Brunnens, vgl. oben 213/L347; bei
Κανατσούλης als Nr. 373 (S. 43) aufgenommen.
Zur Familie der *Decimii* vgl. den Kommentar zur Inschrift 213/L347.

217/L348   **Ehreninschrift für Lucius Decimius Bassus**
II

Paul Collart: Inscriptions de Philippes, BCH 57 (1933), S. 313–379; hier S. 350,
    Nr. 15 mit Abb. 24.
AÉ 1934 [1935] 57.
Collart, S. 347 mit Anm. 2 und Abb. im Tafelband Pl. XXXIX 2.
Band I, S. 120.

Philippi: Forum: W-Brunnen. Der Stein befindet sich heute vor dem
Brunnen (rechts neben 215/L350).
„Dalle dressée de champ et portant sur [im Original irrtümlich snr] la face
antérieure, soigneusement travaillée, une inscription latine de deux lignes.
Faces latérales travaillées pour être visibles; celle de droite présente un pe-
tit redan à la partie postérieure; face postérieure brute, mais présentant, à
droite, une anathyrose sur le joint; face supérieure piquetée, avec des ana-
thyroses sur trois côtés" (Collart, S. 350).
Abmessungen: H. 0,735; B. 0,747; D. 0,315 (links) bzw. 0,36 (rechts). H. der
Buchstaben Z. 1: 0,08; Z. 2: 0,57.
1990 noch *in situ* (Inventarisierungsnummer 448 bzw. 1489).
Dia Nummer 327/1990; 479/1991.

> L(ucio) Decimio L(uci) f(ilio)
> Vol(tinia) Basso, aed(ili).

> Für Lucius Decimius Bassus, den Sohn des Lucius, aus der Tribus
> Voltinia, den Ädil.

Der Ädil Decimius ist der Stifter des W-Brunnens, vgl. oben 213/L347; bei
Κανατσούλης als Nr. 373 (S. 43) aufgenommen.
Zur Familie der *Decimii* vgl. den Kommentar zur Inschrift 213/L347.

218/L352   **Ehreninschrift für Caius Mucius Scaeva**
2. Hälfte II

Paul Collart: Inscriptions de Philippes, BCH 57 (1933), S. 313–379; hier S. 354,
    Nr. 19 (mit Abb. 28).
AÉ 1934 [1935] 61.
Collart, S. 347 mit Anm. 2 und Abb. im Tafelband Pl. XXXIX 4.
Sarikakis, Nr. 162 (S. 453).
Band I, S. 120.

Philippi: Forum: W-Brunnen. „Dalle dressée de champ, et portant sur la
face antérieure, soigneusement travaillée, une inscription latine de 6 lignes;
la surface de la pierre est détériorée par des concrétions" (Collart, S. 354).
Abmessungen: H. 0,825; B. 0,735; D. 0,22; H. der Buchstaben Z. 1: 0,072;
Z. 2: 0,058; Z. 3: 0,051; Z. 4: 0,045; Z. 5: 0,04; Z. 6: 0,05.

Der Stein befindet sich rechts im Anschluß an die Inschriften 213/L347; 214/L349; 215/L350; 217/L348.

1990 noch *in situ* (Inventarisierungsnummer 452 bzw. 1479).

Dia Nummer 328/1990; der Vergleich mit der Abb. bei Collart ergibt, daß der Stein inzwischen oben rechts beschädigt wurde, was zum Abbruch der letzten Buchstaben in den Zeilen 1–3 geführt hat; das abgebrochene Stück liegt (August 1991) hinter dem Stein auf dem Boden (Dia Nummer 481/1991).

> C(aio) Mucio Q(uinti) f(ilio) Fab(ia)
> Scaevae, primopilo
> leg(ionis) VI Ferratae, praef(ecto)
> c(o)hort(is), ex testamento
> 5 ipsius C(aius) Mucius C(ai) f(ilius) Fab(ia)
> Scaeva posuit.

Für Caius Mucius Scaeva, den Sohn des Quintus, aus der Tribus Fabia, den ranghöchsten Hauptmann der sechsten Legion Ferrata, den Präfekten der Kohorte, hat aufgrund seines Testaments Caius Mucius Scaeva, der Sohn des Caius, aus der Tribus Fabia, (die Inschrift) gesetzt.

Diese Inschrift ergibt zusammen mit der nächsten das folgende Bild: Quintus Mucius Scaeva hat zwei Söhne, den Publius Mucius aus der Tribus Voltinia, der Centurio und Duumvir in Philippi war, sowie den Caius Mucius Scaeva aus der Tribus Fabia. Dessen Sohn, Caius Mucius Scaeva (der Jüngere), setzt aufgrund des Testaments seines Vaters für diesen selbst die Inschrift 218/L352, für dessen Bruder, seinen Onkel Publius, die Inschrift 219/L353.

Ehreninschrift für Publius Mucius

219/L353
2. Hälfte II

Paul Collart: Inscriptions de Philippes, BCH 57 (1933), S. 313–379; hier S. 354–360, Nr. 20 mit Abb. 29.
AÉ 1934 [1935] 62.
Collart, S. 347 mit Anm. 2 und Abb. im Tafelband Pl. XXXIX 3.
Sarikakis, Nr. 161 (S. 453).
Band I, S. 120.

Philippi: Forum: W-Brunnen. „Dalle dressée de champ, et portant sur la face antérieure, soigneusement travaillée, une inscription latine de 5 lignes" (Collart, S. 354).
Abmessungen: H. 0,815; B. 0,75; D. 0,315 bis 0,295; H. der Buchstaben Z. 1: 0,072; Z. 2: 0,061; Z. 3: 0,05; Z. 4: 0,046; Z. 5: 0,04.

Der Stein steht rechts im Anschluß an 218/L352. 1990 noch *in situ* (Inventarisierungsnummer 1478).
Dia Nummer 329/1990.

> P(ublio) Mucio Q(uinti) f(ilio) Vol(tinia)
> c(enturioni) leg(ionis) V̄Ī Fer(ratae), ĪĪvir(o) i(ure) d(icundo)
> Philipp(is), ex testamento
> C(ai) Muci Q(uinti) f(ili) Fab(ia) Scaevae,
> 5 C(aius) Mucius C(ai) f(ilius) Scaeva posuit.

2 Für *centurioni* steht auf dem Stein das Zeichen >.

Für Publius Mucius, den Sohn des Quintus, aus der Tribus Voltinia, den Centurio der sechsten Legion Ferrata, den Duumvir *iure dicundo* in Philippi, hat aufgrund des Testaments des Caius Mucius Scaeva, des Sohnes des Quintus, aus der Tribus Fabia, Caius Mucius Scaeva, der Sohn des Caius, (die Inschrift) gesetzt.

Diese Inschrift ergibt zusammen mit der vorigen folgendes Bild: Quintus Mucius Scaeva hat zwei Söhne, den Publius Mucius aus der Tribus Voltinia, der Centurio und Duumvir in Philippi war, sowie den Caius Mucius Scaeva aus der Tribus Fabia. Dessen Sohn, Caius Mucius Scaeva (der Jüngere), setzt aufgrund des Testaments seines Vaters für diesen selbst die Inschrift 218/L352, für dessen Bruder, seinen Onkel Publius, die Inschrift 219/L353. „Tous deux avaient été officiers dans la *legio VI Ferrata* ... . Après avoir été *primipilus*, C. Mucius Scaeva obtint encore le commandement d'une cohorte auxiliaire, avec le grade de *praef(ectus) c(o)hortis*; P. Mucius, au contraire, ne dépassa pas celui de centurion, mais il devint ensuite *duumvir i(ure) d(icundo)* à Philippes ... " (Collart, S. 356f.).

220/L335   **Weihinschrift für das ionische Gebäude im Norden des Forums (neben dem βῆμα)**

Paul Collart: Inscriptions de Philippes, BCH 57 (1933), S. 313–379; hier S. 327, Nr. 5 mit Abb. 9.
Collart, S. 333 mit Anm. 1.

Philippi: Forum. Ionisches Gebäude (Nr. 4 im Plan von Sève/Weber). Der Stein befindet sich (1991) vor dem westlichen Rand des βῆμα. Die Inventarisierungsnummer ist schwer zu entziffern (1415?).
„Bloc d'architrave à trois bandeaux, surmontés d'une moulure; faces jointives à gauche et à droite. Sur les deux bandeaux supérieurs, fragment d'une inscription latine de deux lignes. L'angle supérieur gauche est brisé, et la

surface de la pierre est légèrement endommagée par places" (Collart, S. 327).
Abmessungen: L. 1,17; H. 0,33; H. der Buchstaben Z. 1: 0,065; Z. 2: 0,7.
Dia Nummer 472.473.474.480/1991.

> [...]s Tyrannus, T(itus) Gallius [...]
> [...] Hilario, C(aius) Fideius Philode[spotus? ...]

1 Heute allenfalls noch ṬGAḶḶIVṢ. **2** Heute *Fideius* und *Philode̦*.

... Tyrannus, Titus Gallius..., ... Hilario, Caius Fideius Philodes-
potus (oder Philodemus) ...

„Il ne subsiste de cette dédicace que des noms propres, tous nouveaux à
Philippes; le dernier cognomen, tronqué, peut être Philodemus ou Philodes-
potus" (Collart, S. 327).
    Z. 2 Der Name Fideius begegnet auch in 209/L468, aber nirgendwo sonst
(Olli Salomies: Contacts between Italy, Macedonia and Asia Minor during
the Principate, in: Roman Onomastics in the Greek East. Social and Political
Aspects, hg. v. A.D. Rizakis, Μελετήματα 21, Athen 1996, S. 111–127; hier
S. 117, Anm. 31).

Weihinschrift für ein Gebäude im Norden des Forums   221/L334
I

Paul Collart: Inscriptions de Philippes, BCH 57 (1933), S. 313–379; hier S. 321–
   326, Nr. 4 mit Abb. 8.
AÉ 1934 [1935] 50.
Collart, S. 351 mit Anm. 2.
Band I, S. 120.

Philippi: Forum: O-Brunnen. Der Stein befindet sich (1991) vor der
westlichen Hälfte des O-Brunnens; die Inventarisierungsnummer ist nicht
mehr zu entziffern.
„Bloc d'architrave à trois bandeaux surmontés d'une moulure, cassé en trois
morceaux; faces jointives à gauche et à droite. Au front, fragment d'une
inscription latine de trois lignes: la dernière est fort incomplète; vers la droite,
la surface de la pierre est endommagée" (Collart, S. 321).
„Ce bloc d'architrave, bien que cassé en trois morceaux, est complet: les faces
latérales gauche et droite sont jointives, et il subsiste, sur la face supérieure,
les trous des crampons qui l'unissaient aux blocs voisins; de ceux-ci, rien n'a
été retrouvé. Nous avons donc ici une portion de la dédicace d'un édifice
situé au centre du grand côté nord du forum, où le bloc a été découvert en
même temps que d'autres éléments de la superstructure" (Collart, S. 321f.).

Abmessungen: L. 1,96; H. 0,44. H. der Buchstaben Z. 1: 0,12; Z. 2: 0,09; Z. 3: 0,06.
Dia Nummer 480.489.490.491/1991.

> [... Burrenus ... f(ilius) Vol(tinia) Fi]rmus, trib(unus) mil(itum)
> [leg(ionis) I]III M[acedonicae ...]
> [praef(ectus) c(o)hor(tis) ...]orum, praef(ectus) nati[on]um,
> prae[f(ectus) ...]
> 3 ...s sui Q(uinti) Burren[i ... f(ili) Vol(tinia) Fir]mi p[...]

> Burrenus Firmus, der Sohn des ..., aus der Tribus Voltinia,
> Militärtribun der vierten Legion Macedonica ..., Präfekt der
> Cohorte ..., Präfekt der Nationen, Präfekt ..., ... des Quintus
> Burrenus Firmus, des Sohnes des ..., aus der Tribus Voltinia ...

„Bien qu'on n'en ait reconstitué qu'un seul bloc, il est possible d'y reconnaître encore une énumération des fonctions militaires d'une carrière équestre" (Collart, in seiner Monographie, S. 351).

Z. 1 Das *nomen gentile* Burrenus auch in einer Grabinschrift aus Seliani (046/L043) und in einer unpublizierten Inschrift. Burrena findet sich in 463/L122. Der Name Burrenus ist für Philippi spezifisch, vgl. O. Salomies: Contacts between Italy, Macedonia and Asia Minor during the Principate, in: Roman Onomastics in the Greek East. Social and Political Aspects, hg. v. A.D. Rizakis, Μελετήματα 21, Athen 1996, S. 111–127; hier S. 115.

Z. 2 Zum Titel *praefectus nationum* vgl. die ausführliche Diskussion bei Collart, S. 322ff. Der einschlägige Faszikel des ThLL ist mittlerweile erschienen (ThLL X 2, Fasc. IV [1985], Sp. 623–632); hier wird die vorliegende Inschrift, soweit ich sehe, jedoch nicht behandelt.

Z. 3 Ein Quintus Burrenus begegnet auch in der oben genannten unpublizierten Inschrift.

222/L354 Ehreninschrift für einen Crispus
I

Paul Collart: Inscriptions de Philippes, BCH 57 (1933), S. 313–379; hier S. 360–362, Nr. 21 mit Abb. 31.
Collart, S. 348 mit Anm. 3.
Michel Sève/Patrick Weber: Un monument honorifique au forum de Philippes, BCH 112 (1988), S. 467–479; hier S. 470 mit Anm. 4.

Philippi: Forum: O-Brunnen. „Bloc de marbre rectangulaire, portant sur la face antérieure une inscription latine de 5 lignes. La partie gauche et la partie postérieure sont brisées" (Collart, S. 360).
Abmessungen: H. 0,82; B. 0,59; D. 0,75; H. der Buchstaben Z. 1: 0,07; Z. 2: 0,06; Z. 3: 0,05; Z. 4 und 5: 0,045.

Der Stein befindet sich (1991) vor dem O-Brunnen, und zwar ziemlich genau in der Mitte (Inventarisierungsnummer 454).
Dia Nummer 484.485.486/1991.

    [...]turio
    [C(ai) f(ilio)] Vol(tinia) Crispo
    [M]aecia C(ai) f(ilia) Au-
    runcina Cala-
  5 viana fratri.

    ... für ... Crispus, den Sohn des Caius, aus der Tribus Voltinia, ihren Bruder, (hat) Maecia Auruncina Calaviana, die Tochter des Caius, (die Inschrift gesetzt).

Zur Datierung bemerkt Collart: „D'après l'écriture, et notamment d'après la forme caractéristique de l'E et de l'F, cette inscription serait d'une époque plutôt récente, pas antérieure, en tout cas, au IIe siècle" (S. 362). Diese Datierung läßt sich nicht halten, wie Sève/Weber begründen (S. 470, Anm. 4). Neben den „raisons paléographiques" ist es die Identifizierung unserer *Maecia Cai filia Auruncina Calaviana* mit der Stifterin des Monuments 226/L344, welches in das erste Jahrhundert datiert wird, die den Ausschlag gibt, auch die vorliegende Inschrift dem ersten Jahrhundert zuzuweisen.

Weihinschrift für Iuppiter   223/L339

Paul Collart: Inscriptions de Philippes, BCH 57 (1933), S. 313–379; hier S. 335f., Nr. 8 mit Abb. 14.
Collart, S. 393 mit Anm. 1.
Band I, S. 119.

Philippi: Forum: O-Brunnen. Die Inschrift befindet sich vor dem O-Brunnen, links neben 222/L354, wenn man mit dem Rücken zum Brunnen steht (so 1991). Inventarisierungsnummer 441.
Collart, S. 335: „Dimensions: Hauteur, 44 cm.; largeur 66 cm.; épais sur env. 65 cm.; hauteur du bandeau inscrit: 19 cm. Hauteur des lettres: 13 cm."
Dia Nummer 487/1991.

    Iovi ...

1 Vom ersten I ist (1991) nur noch die Spitze zu erkennen.

    Dem Iuppiter ...

Weihinschriften für Iuppiter finden sich in Philippi verschiedentlich: So vor allem auf der Akropolis (177/L014; 178/L015; 186/L023), sodann in Λυδία (384/L615), in Drama (473/L090), in Προσοτσάνη (514/L246) und in Πρώτη (588/L236).

224/L340
III; wohl 214

Weihinschrift für Victoria Germanica

Paul Collart: Inscriptions de Philippes, BCH 57 (1933), S. 313–379; hier S. 336–340, Nr. 9 mit Abb. 15.
AÉ 1934 [1935] 53.
Collart, S. 515 mit Anm. 4.

Philippi: Forum: O-Brunnen. Die Inschrift befindet sich vor dem O-Brunnen, links neben 223/L339, wenn man mit dem Rücken zum Brunnen steht (so 1991). Inventarisierungsnummer 442 bzw. 1337.
Collart, S. 336: „Dimensions: hauteur, 46 cm.; largeur, 141 cm. (au corps, 135 cm.); épaisseur, 58 cm.; hauteur du bandeau inscrit, 20,5 cm. – Hauteur des lettres: 11 cm. (l.1) et 6 cm. (l.2)."
Dia Nummer 22/1989.

    Victoriae Ger-
    manicae.

    Der Victoria Germanica (ist es geweiht).

Nach Collart ist diese Inschrift eine Folge des Sieges des Caracalla über die Germanen im Jahr 213 (S. 337). Sie wurde anläßlich der Orientreise des Caracalla im Jahr 214 errichtet (S. 338). Auch andere Funde aus der Umgebung von Philippi und aus Thasos hängen mit dieser Reise des Caracalla zusammen, so beispielsweise ein Milliarium aus Provista (CIL III 14207), sowie der Kopf des Caracalla aus Drama: „Enfin de Drama, sur le territoire même de la colonie de Philippes, provient une tête colossale, aujourd'hui au Louvre, représentant Caracalla" (S. 339).

225/L308

Weihinschrift für Mercurius

Paul Collart: Inscriptions de Philippes, BCH 56 (1932), S. 192–231; hier S. 201f., Nr. 3 (mit Abb. 7 und 8).
AÉ 1933 [1934] 83.
Paul Collart: Inscriptions de Philippes, BCH 57 (1933), S. 313–379; hier S. 335 (ohne Nummer, ohne Abb.).
Collart, S. 399 mit Anm. 1.
Band I, S. 119; S. 139 mit Anm. 33.

Philippi: Forum. „Cette inscription a été relevée en 1923 par MM. Char-
bonneaux et Chapouthier; elle a été trouvée par eux tout près de la route
Drama-Cavalla, sur un côté du forum où ils avaient pratiqué quelques sondages, mais qui n'a pas encore été complètement dégagé" (Collart, S. 202).
„Base inscrite, brisée en deux morceaux assez endommagés. Face postérieure
brute; sur la face supérieure, trous d'encastrement; dans les deux blocs subsiste, malgré les cassures, une petite portion de la face inférieure; les faces
latérales et la face antérieure portent en haut une moulure" (Collart, S. 201).
Abmessungen: H. 0,48; L. 0,69 bzw. 0,60. D. oben 0,59; D. unten 0,36. H.
der Buchstaben Z. 1: 0,12; Z. 2: 0,075; Zeilenzwischenraum 0,025.
Die Inschrift steht heute (1991) vor dem O-Brunnen und hat die Inventarisierungsnummer 417.
Dia Nummer 482.483/1991.

> [. . . M]ercurio
> sacr(um).

1 Collart: *[M]erc[u]rio*. **2** In der erstgenannten Publikation liest Collart *sac[r(um)]*.

Dem Merkur ist es geweiht.

Zur Verehrung des Mercurius in Philippi vgl. den Kommentar zu 094/L590.

Ehreninschrift für die Priesterinnen der Augusta   226/L344
I

Paul Collart: Inscriptions de Philippes, BCH 57 (1933), S. 313–379; hier S. 345–
348, Nr. 13 mit Abb. 19–21.
Collart, S. 335 mit Anm. 1.
Michel Sève/Patrick Weber: Un monument honorifique au forum de Philippes,
BCH 112 (1988), S. 467–479.
AÉ 1991, Nr. 1427.
Χάϊδω Κουκούλη-Χρυσανθάκη, ΑΔ 42 (1987) Β΄2 Χρονικά [1992], S. 444 (kein
Text!).
Bormann, S. 43f.
Band I, S. 40; S. 119; S. 139 mit Anm. 26.
Michel Sève: Le forum de Philippes, in: L'espace grec. 150 ans de fouilles de l'École
française d'Athènes, Paris 1996, S. 123–131; hier S. 127.

Philippi: Forum. „Restes d'un monument honorifique, formé de dalles inscrites dressées de champ sur une plinthe moulurée, elle-même reposant sur
un emmarchement" (Collart, S. 345). „Le monument auquel appartenait cette dalle [A] est situé à l'angle nord-est du forum; nous en avons ici la partie
droite, et le début de l'inscription était gravé sur d'autres dalles juxtaposées,
dressées sur la plinthe qui se poursuit à gauche. Peut-être les fragments sui-
vants en sont-ils les débris: non seulement ils ont été trouvés tout auprès,

mais les dimensions et la gravure des lettres sont semblables" (Collart, S. 346).

Fragment A: „Grande dalle encore en place, brisée à droite; à gauche, face jointive" (Collart, S. 346).

Abmessungen: H. 1,17; L. 1,26; D. ca. 0,23.; H. der Buchstaben Z. 1: 0,07; Z. 2: 0,064; Z. 3: 0,1 (gemeint ist offensichtlich das ECIT in Z. 4). Zeilenzwischenraum: Z. 1/2: 0,065; Z. 2–4: 0,282.

Dieser Stein befindet sich noch heute (1993) an der nordöstlichen Ecke des Forums und hat die Inventarisierungsnummer 444.

Fragment B: „Fragment brisé de tous côtés, portant sur la face antérieure les restes de deux lignes d'une inscription latine" (Collart, S. 346).

Abmessungen: H. 0,28; L. 0,48; D. ca. 0,13. H. der Buchstaben Z. 1: 0,072; Z. 2: 0,07; Zeilenzwischenraum: 0,059.

Fragment C: „Deux fragments qui se raccordent; face de joint à droite; ailleurs, brisés de tous côtés. Sur la face antérieure, restes de deux lignes d'une inscription latine" (Collart, S. 347).

Abmessungen: H. 0,18; L. 0,79; D. ca. 0,32. H. der Buchstaben 0,062; Zeilenzwischenraum 0,043.

Diese beiden Teile B und C sind heute verschollen. Dafür wurden im Jahr 1987 überraschend zwei neue Fragmente der Inschrift entdeckt: Ἕνα δεύτερο σημαντικό εὕρημα [der erste bedeutende Fund in diesem Jahr war die Grabinschrift mit der Synagoge] ὑπῆρξαν τὰ δύο θραύσματα μνημειακῆς ἐπιγραφῆς ποὺ μεταφέρθηκε ἀπό τὴν Κοινότητα τοῦ Δάτου στο Μουσείο Φιλίππων τὸ 1987. Τὴν προέλευση τῆς ἐπιγραφῆς ἀπό τιμητικό μνημεῖο τῆς ρωμαϊκῆς ἀγορᾶς ἐπεσήμανε ὁ Μ. Sève, στον ὁποῖο καὶ παραχωρήθηκε ἡ δημοσίευση ... (Χάϊδω Κουκούλη-Χρυσανθάκη, S. 444).

Die beiden großen Marmorplatten befinden sich im Hof des Museums, gleich wenn man hinaufkommt, rechts. Sie tragen die Inventarisierungsnummern Λ 1601 und Λ 1602. Sie werden bei Sève/Weber als **Fragment D** bezeichnet und wie folgt beschrieben: „Dalle de marbre inscrite complète en deux fragments ... . Face de joint à gauche et à droite. La pierre est très usée au centre; à gauche et à droite, trou de crapaudine: il est clair que la pierre a été remployée comme seuil, sans doute d'une petite chapelle. Les montants de la porte ont protégé l'inscription sur les bords de la plaque tandis que les pas ont effacé presque totalement l'inscription malgré la profondeur de la gravure." (Sève/Weber, S. 468).

Abmessungen: L. 3,70; H. 1,16; D. 0,19 bis 0,21; H. der Buchstaben Z. 1: 0,075; Z. 2: 0,07; Z. 3: 0,064; Zeilenzwischenraum Z. 1/2: 0,06; Z. 2/3: 0,055. Anders bei **Sève d:** H. der Buchstaben Z. 1: 0,075; Z. 2: 0,07; Z. 3: 0,055; Z. 4: 0,05; Zeilenzwischenraum Z. 1/2: 0,06; Z. 2/3: 0,055; Z. 3/4: 0,05. Schließlich **Sève f:** Z. 5: 0,10.

Dia Nummer 31.32/1989; 445–448/1991.

Sève a (vgl. Collart B und C):
[Iu]lia[e] | C(ai) f(iliae)
vac. Aurun|cinae
sacerdot|i divae
vac. Aug(ustae).
Sève b:
Iuliae [. . .] f(iliae)
Modiae
sacerd(oti) [divae Aug(ustae).]
Sève c:
[. . .]CVA|
[. . .]
Aug(ustae)
Sève d:
Maeciae C(ai) f(iliae)
Auruncinae
Calavianae sacer|d(oti)
divae Aug(ustae).
Sève e (vgl. Collart A):
Octaviae P(ubli) f(iliae)
Pollae.
Sève f:
Maecia C(ai) f(ilia) Auruncin[a Cal]aviana f|ecit.

(a) Für Iulia Auruncina, die Tochter des Caius, die Priesterin der vergöttlichten Augusta.
(b) Für Iulia Modia, die Tochter des . . . , die Priesterin der vergöttlichten Augusta.
(c) . . . der Augusta.
(d) Für Maecia Auruncina Calaviana, die Tochter des Caius, die Priesterin der vergöttlichten Augusta.
(e) Für Octavia Polla, die Tochter des Publius.
(f) Maecia Auruncina Calaviana, die Tochter des Caius, hat (das Monument) errichtet.

„Il's agit donc de la dédicace d'une base de statues pour une série de dames dont quatre étaient prêtresses de Livie" (Sève/Weber, S. 470). Im ursprünglichen Zustand handelte es sich wahrscheinlich um sieben Statuen, die auf dieser Basis ruhten (vgl. Plan A bei Sève/Weber); die linke und die rechte äußere Inschrift sind nicht erhalten. Die Stifterin des Monuments, Maecia Auruncina Calaviana, ist vermutlich mit der in 222/L354 genannten Dame identisch (Sève/Weber, S. 470).

227/L337   **Weihinschrift für Deana Lucifera**
von Quintus Stellius Vopiscus

Paul Collart: Inscriptions de Philippes, BCH 57 (1933), S. 313–379; hier S. 331–335, Nr. 7 mit Abb. 13.
AÉ 1934 [1935] 52.
Collart, S. 335 mit Anm. 1.
Band I, S. 39; S. 139, Anm. 24.

Philippi: Forum: O-Tempel. Gasse zur Linken des östlichen Tempels.
„Inscription latine de trois lignes gravée sur deux blocs de la seconde assise d'un gros mur de soutènement, dont la surface a été soigneusement ravalée. Nombreuses cassures à la partie supérieur. Cadre tracé à gauche et à droite" (Collart, S. 331).
Abmessungen: H. 0,55; Länge der Inschrift: 0,96; H. der Buchstaben: 0,09 (Z. 1); 0,055 (Z. 2); 0,045 (Z. 3).
Dia Nummer 501.502.503.504.505.506.507/1991.

> Ḍeanaẹ [Lu]ci[ferae]
> Q(uintus) S[t]ellius Q(uinti) [f(ilius)] V]ol(tinia) Vopiscus
> testamento fieri iussit.

1   Collart: *Deana[e Lu]ci[ferae].* Auf dem Stein heute *Ḍeanaẹ [Lu]cif[erae].*

Für Deana Lucifera hat Quintus Stellius Vopiscus, der Sohn des Quintus, aus der Tribus Voltinia, aufgrund seines Testaments (die Inschrift) anfertigen lassen.

     Z. 1 Collart weist S. 332f. darauf hin, daß *Diana Lucifera* häufig auf kaiserzeitlichen Münzen erscheint. Das Epitheton entspricht dem griechischen φωσφόρος.
     Z. 2 Bemerkenswerterweise ist es ein Mann, der zu Ehren der Diana die Inschrift errichtet.
Diana spielt in Philippi eine bedeutende Rolle; auf zahlreichen Felsreliefs der Akropolis ist sie abgebildet (vgl. Collart/Ducrey); auf dem Forum allerdings begegnet sie sonst nicht!

228/L331
161/175   **Weihinschrift des östlichen Tempels**

Paul Collart: Inscriptions de Philippes, BCH 57 (1933), S. 313–379; hier S. 313–316, Nr. 1 mit Abb. 1–4.
AÉ 1934 [1935] 48.
Collart, S. 342f.

Θεόδωρος Χ. Σαρικάκης: Ρωμαῖοι Ἄρχοντες τῆς επαρχίας Μακεδονίας, Μέρος Α´:
Ἀπό τῆς ιδρύσεως τῆς επαρχίας μέχρι των χρόνων του Αυγούστου (148–27 π. Χ.),
Μακεδονικὴ Βιβλιοθήκη 36, Thessaloniki 1971; Μέρος Β´: Ἀπό του Αυγούστου
μέχρι του Διοκλητιανού (27 π. Χ.–284 μ. Χ.), Μακεδονικὴ Βιβλιοθήκη 51, Thessaloniki 1977; hier Β´ 173–175.

Michel Sève: Nouveautés épigraphiques au forum de Philippes: Questions de méthode, in: Επιγραφές της Μακεδονίας/Inscriptions of Macedonia. Γ´ διεθνές συμπόσιο για τη Μακεδονία/Third International Symposium on Macedonia, Thessaloniki 1996, S. 173–183.

Philippi: Forum: O-Tempel. „Trois blocs d'architrave à trois bandeaux surmontés d'une moulure. Le premier, brisé à droite, présente à gauche une face jointive; le second est brisé à gauche et à droite; le troisième, brisé à gauche, présente à droite un retour de la mouluration. Sur les deux bandeaux supérieurs, restes d'une inscription latine de deux lignes" (Collart, S. 313).
Erster Block: L. 1,15. Zweiter Block: L. 1,80. Dritter Block: L. 1,02. H. 0,64.
H. der Buchstaben Z. 1: 0,15; Z. 2: 0,115.
1991 vor dem Tempel auf dem Forum.
Dia Nummer 508.509.510/1991.

> [...]ana Proba [ex v]ol[u]ntat[e ... resti]tuit. *folium*
> 2 [... C(aius) Modius Laetus Rufi]nianus, q(uaestor) pr(o) pr(aetore)
>   et curat[or r(ei) p(ublicae) Philipp(ensium) ...]

Sève ergänzt vor **1** *[In honorem divinae domus et col(oniae) Iul(iae) Aug(ustae) Philipp(ensium)]* in Analogie insbesondere zu 201/L305. **2** Sève hat ein neues Fragment CVR gefunden, welches er am Beginn der Zeile positioniert. Zwischen *voluntate* und *restituit* fügt Sève *sua* ein. Nach Sève endet der Text mit *Philipp(ensium)*.

... Proba hat es aufgrund des (letzten) Willens wieder errichtet.
... Caius Modius Laetus Rufinianus, Quästor *pro praetore* und
Curator der *res publica* der Philipper ...

„Ces trois blocs d'architrave inscrite sont tout ce qui subsiste de la dédicace d'un grand temple corinthien, à deux colonnes *in antis*, constituant, dans l'ensemble monumental du forum de Philippes, l'exact pendant du temple occidental qui lui faisait face de l'autre côté de la place" (Collart, S. 315).
Z. 2 Die Ergänzung des Namens Caius Modius Laetus Rufinianus erfolgt aufgrund der Inschriften 229/L342 und 230/L343, „trouvées dans le pronaos du même édifice" (Collart, S. 316).
Zur Datierung vgl. die Monographie Collarts, S. 342f.
Nach Sève dient dieser Tempel dem Kaiserkult (vgl. S. 173 mit Hinweis auf bislang unpubliziertes Material in Anm. 1).

229/L342   **Ehreninschrift für Caius Modius Laetus Rufinianus**
2. Hälfte II

Paul Collart: Inscriptions de Philippes, BCH 57 (1933), S. 313–379; hier S. 341f.,
   Nr. 11 mit Abb. 17.
AÉ 1934 [1935] 55.
Collart, S. 343ff.
Θεόδωρος Χ. Σαρικάκης: Ρωμαῖοι Ἄρχοντες τῆς επαρχίας Μακεδονίας, Μέρος Α΄:
   Ἀπό τῆς ἰδρύσεως τῆς επαρχίας μέχρι των χρόνων του Αυγούστου (148–27 π. Χ.),
   Μακεδονική Βιβλιοθήκη 36, Thessaloniki 1971; Μέρος Β΄: Ἀπό του Αυγούστου
   μέχρι του Διοκλητιανού (27 π. Χ.–284 μ. Χ.), Μακεδονική Βιβλιοθήκη 51, Thes-
   saloniki 1977; hier Β΄ 173–175.
Band I, S. 39.
Michel Sève: Le forum de Philippes, in: L'espace grec. 150 ans de fouilles de l'École
   française d'Athènes, Paris 1996, S. 123–131; hier S. 128.

Philippi: Forum: O-Tempel. „Grande base inscrite, moulurée sur trois
faces, dressée sur un socle rectangulaire; la face postérieure est brute. La
mouluration inférieure, largement traitée, est très proéminente; le corps est
légèrement pyramidant; la mouluration supérieure est proéminente et plus
[im Original versehentlich: plns] compliquée; acrotères aux angles du couronnement. Sur la face antérieure, cadre mouluré avec une inscription latine
de 9 lignes" (Collart, S. 341f.).
Abmessungen: H. 1,66; B. unten 0,87, oben 0,815; D. unten 0,79, oben 0,755;
Abmessungen des Rahmens: H. 0,67; B. 0,43. H. der Buchstaben: 0,07 (Z.
1); 0,065 (Z. 2); 0,05 (Z. 3); 0,047 (Z. 4); 0,043 (Z. 5); 0,046 (Z. 6); 0,055 (Z.
7); 0,046 (Z. 8) und 0,035 (Z. 9).
Der Stein befindet sich heute (1990) links vor der Cella des östlichen Tempels
(Inventarisierungsnummer 437).
Dia Nummer 337/1990.

       C(aio) Modio
       Laeto Ru-
       finiano, q(uaestori)
       pr(o) pr(aetore) provinc(iae)
    5 Maced(oniae), cur(atori)
       r(ei) p(ublicae) Phil(ippensium), cl(arissimo) v(iro),
       L(ucius) Velleius
       Velleianus
       amico b(ene) m(erenti).

6 Collart: *Phil(ippiensium).*

       Für Caius Modius Laetus Rufinianus, den Quästor *pro praetore*
       der Provinz Macedonia, den Curator der *res publica Philippen-*
       sium, den *vir clarissimus,* seinen wohlverdienten Freund, (hat)
       Lucius Velleius Velleianus (die Inschrift gesetzt).

Z. 1ff. Eine Liste aller Inschriften aus Philippi, auf denen Caius Modius Laetus Rufinianus begegnet, bei 201/L305 (W-Tempel), Kommentar zu Z. B2.

Z. 3ff. Zum *quaestor pro praetore* der Provinz Macedonia vgl. ebenfalls den Kommentar bei 201/L305.

Z. 6 Der Titel *vir clarissimus* weist den Caius Modius Laetus Rufinianus als Mitglied des *ordo senatorius* aus. Damit gehört er einer in Philippi überaus raren gesellschaftlichen Schicht an (vgl. seinen Kollegen Caius Iulius Maximus Mucianus in 240/L465 und dort den Kommentar zu Z. 3). Obwohl an der „qualité sénatoriale" (Collart, S. 344) des Caius Modius Laetus Rufinianus kein Zweifel möglich ist, sucht man ihn bei Halfmann vergeblich (Helmut Halfmann: Die Senatoren aus dem östlichen Teil des Imperium Romanum bis zum Ende des 2. Jahrhunderts n. Chr., Hyp. 58, Göttingen 1979); dieser behauptet S. 68 sogar ausdrücklich, Philippi habe nur eine senatorische Familie besessen. Das ist falsch.

Zur Funktion der beiden Ehreninschriften 229/L342 und 230/L343 bemerkt Collart: „Bien qu'elle ne soit pas expressément énoncée, la raison de ce double hommage ainsi rendu à un haut magistrat provincial et municipal se laisse aisément deviner; celui-ci était publiquement remercié d'avoir présidé à l'inauguration et sans doute à la construction des deux temples au front desquels était inscrit son nom" (Collart, in der Monographie, S. 344).

Ehreninschrift für Caius Modius Laetus Rufinianus

230/L343
2. Hälfte II

Paul Collart: Inscriptions de Philippes, BCH 57 (1933), S. 313–379; hier S. 342–345, Nr. 12 mit Abb. 18.

Collart, S. 344f.

Θεόδωρος Χ. Σαρικάκης: Ρωμαίοι Άρχοντες της επαρχίας Μακεδονίας, Μέρος Α΄: Από της ιδρύσεως της επαρχίας μέχρι των χρόνων του Αυγούστου (148–27 π. Χ.), Μακεδονική Βιβλιοθήκη 36, Thessaloniki 1971; Μέρος Β΄: Από του Αυγούστου μέχρι του Διοκλητιανού (27 π. Χ.–284 μ. Χ.), Μακεδονική Βιβλιοθήκη 51, Thessaloniki 1977; hier Β΄ 173–175.

Band I, S. 39.

Philippi: Forum: O-Tempel. „Grande base inscrite, moulurée sur trois faces, cassée en quatre morceaux qui se raccordent, retrouvés tout auprès du socle encore en place; la face postérieure est brute. Toute la partie inférieure manque; le corps est légèrement pyramidant; la mouluration superieure est proéminente; acrotères aux angles du couronnement. Sur la face antérieure, partie supérieure d'un cadre mouluré (il en manque un morceau à droite, et tout le bas), avec une inscription latine de 9 lignes; quelques lettres ont disparu dans les cassures" (Collart, S. 342).

Abmessungen: H. (erhalten) 1,26; B. oben 0,78; D. oben 0,74; Abmessungen des Rahmens: H. (erhalten) 0,68; B. 0,39. H. der Buchstaben: 0,075 (Z. 1);

0,057 (Z. 2); 0,05 (Z. 3); 0,041 (Z. 4); 0,039 (Z. 5); 0,04 (Z. 6); 0,056 (Z. 7); 0,05 (Z. 8) und 0,041 (Z. 9).
Der Stein befindet sich heute (1990) rechts vor der Cella des östlichen Tempels (Inventarisierungsnummer 438).
Dia Nummer 30/1989; 338.339/1990.

> C(aio) Modio
> Laeto Ru-
> finiano,
> q(uaestori) pr(o) pr(aetore) [p]rov(inciae)
> 5 Maced(oniae), cur(atori)
> r(ei) [p(ublicae)] Philip(pensium), cl(arissimo) v(iro),
> L(ucius) Velleius
> [V]elleianus
> amico b(ene) m(erenti).

6 Collart: *Philip(piensium)*.

Für Caius Modius Laetus Rufinianus, den Quästor *pro praetore* der Provinz Macedonia, den Curator der *res publica Philippensium*, den *vir clarissimus*, seinen wohlverdienten Freund, (hat) Lucius Velleius Velleianus (die Inschrift gesetzt).

Eine Liste aller Inschriften aus Philippi, auf denen Caius Modius Laetus Rufinianus begegnet, bei 201/L305 (W-Tempel), Kommentar zu Z. B2. Zu der vorliegenden Inschrift, die mit 229/L342 identisch ist, ist der Kommentar dort zu vergleichen.

231/L341   **Ehreninschrift für Faustina Augusta**
161/175

Paul Collart: Inscriptions de Philippes, BCH 57 (1933), S. 313–379; hier S. 340f., Nr. 10 mit Abb. 16.
AÉ 1934 [1935] 54.
Collart, S. 345 und Abb. im Tafelband Pl. XLII 4.

Philippi: Forum: O-Tempel. „Base rectangulaire, portant sur la face antérieure une inscription latine de trois lignes" (Collart, S. 340).
Die Inschrift befindet sich in der Cella des östlichen Tempels, an der hinteren Wand, rechts von der Mitte (Inventarisierungsnummer 443).
„Dimensions: hauteur, 24 cm.; largeur, 76 cm.; épaisseur, 60,5 cm. Hauteur des lettres: 4,8 cm. (l. 1); 4,3 cm. (l. 2); 3,7 cm. (l. 3)" (Collart, S. 340).
Dia Nummer 497.498/1991.

Faustinae Aug(ustae)
C(aius) Oppius Monta-
nus Iunior.

Für Faustina Augusta (hat) Caius Oppius Montanus Iunior (die
Inschrift anfertigen lassen).

Z. 1 Es handelt sich um die Gattin des Mark Aurel, die 175 gestorben
ist. Auch diese Inschrift läßt sich daher auf 161/175 datieren: „Des deux
impératrices ainsi nommées dans les inscriptions, la première de 138 à 140,
la seconde de 147 à 175 après J.-C., ce ne peut être que Faustine la Jeune,
femme de Marc-Aurèle, et non Faustine l'Aînée, femme d'Antonin le Pieux,
dont il s'agissait ici, puisque l'édifice dans lequel cette base avait été placée
n'était point encore achevé, nous l'avons vu, en 161 après J.-C. Mais, d'autre
part, notre inscription n'a pas été gravée plus tard que 175, car après sa mort
Faustine la Jeune n'est plus nommée, comme ici, sur les monuments *Faustina
Aug(usta)*, mais *diva Faustina Pia.*" (Collart in der Monographie, S. 345).

Z. 2f. Nach Sève hat unser Caius Oppius Montanus auch die Bibliothek
gestiftet (233/L332). Ein weiterer Caius Oppius, ein Verwandter des unsrigen oder gar er selbst, ist in der Inschrift 198/L307 genannt. S. jetzt auch
das neue Fragment 235a/L804.

Weihinschrift für den *Genius coloniae*   232/L336

2. Hälfte II

Paul Collart: Inscriptions de Philippes, BCH 57 (1933), S. 313–379; hier S. 327–
  331, Nr. 6 mit Abb. 10, 11 und 12.
AÉ 1934 [1935] 51.
Collart, S. 344f. mit Anm. 1 auf S. 345.
Θεόδωρος Χ. Σαρικάκης: Ρωμαίοι Ἄρχοντες τῆς ἐπαρχίας Μακεδονίας, Μέρος Α΄:
  Ἀπό τῆς ἱδρύσεως τῆς ἐπαρχίας μέχρι των χρόνων του Αυγούστου (148–27 π. Χ.),
  Μακεδονικὴ Βιβλιοθήκη 36, Thessaloniki 1971; Μέρος Β΄: Ἀπό του Αυγούστου
  μέχρι του Διοκλητιανού (27 π. Χ.–284 μ. Χ.), Μακεδονικὴ Βιβλιοθήκη 51, Thes-
  saloniki 1977; hier Β΄ 173–175.
Fanoula Papazoglou: Le territoire de la colonie de Philippes, BCH 106 (1982), S.
  89–106; hier S. 105f. mit Anm. 79.

Philippi: Forum: O-Tempel. „Trois fragments d'une grande base mou-
lurée à acrotères" (Collart, S. 327).
Zwei Fragmente befinden sich noch heute (1991) in der Cella des östlichen
Tempels, das dritte – etwas weiter entfernt gefundene – scheint verschollen.
Beide noch vorhandenen Steine haben die Inventarisierungsnummer 439.
Ein größerer Block enthält die Z. 11–12; er steht unmittelbar hinter der
Inschrift 231/L341 (zur Beschreibung siehe dort). Ein einzelnes Stück mit
den Buchstaben

LO
GPHI
PVBLI
SLAE

aus Z. 1–4 liegt ein Stück weit davor im NO-Eck der Cella. Ein drittes Fragment vermochte ich nicht zu finden.

Dia Nummer 499.500/1991.

Genio colo[niae]
Iul(iae) [Au]g(ustae) Phi[lipp(ensis)]
[et rei] publi[cae]
[C(aius) Modiu]s Laet[us]
5 [Rufinianus q(uaestor) pr(o)]
[pr(aetore) provinc(iae) Maced(oniae)]
[cur(ator) r(ei) p(ublicae) Philipp(ensium)]
[. . .]
[. . .]
10 [. . .]
[. . .] in ha[c aede]
[facie]ndam cur[avit].

Dem Genius der *Colonia Iulia Augusta Philippensis* und der *res publica* hat Caius Modius Laetus Rufinianus, Quästor *pro praetore* der Provinz Macedonia, Curator der *res publica* der Philipper, . . . in diesem Tempel anfertigen lassen.

Z. 3 Collart begründet seine Ergänzung folgendermaßen: „Notre restitution de la troisième ligne se justifie par des exemples analogues et correspond exactement aux lettres qui subsistent sur le fragment B, ainsi qu'au nombre de celles qui sont attendues à gauche et à droite" (S. 330). Papazoglou bemerkt dagegen, daß die von Collart angeführten vermeintlichen Analogien *genio coloniae et colonorum* und *genio coloniae et patriae suae* „montrent qu'il n'a pas compris la différence entre ces deux termes" (S. 106, Anm. 79). Das Problem besteht in der Aneinanderreihung von *colonia Iulia Augusta Philippensis* und *res publica*. Papazoglou ist der Auffassung, daß es sich hier nicht um Synonyma handle: „La mention juxtaposée de ces deux termes dans une dédicace de Philippes [sc. die vorliegende Inschrift] . . . s'oppose manifestement à une telle identification." (S. 105f.).

Papazoglou tritt in ihrem Aufsatz dafür ein, *colonia Iulia Augusta Philippensis* und *res publica* zu unterscheiden (vgl. auch den Kommentar zu 559/L152): „Car le terme de *colonia* s'applique à la collectivité des citoyens à pleins droits, aux *Philippenses*, c'est-à-dire aux colons, à leurs descendants et aux autochtones naturalisés et inscrits au nombre des colons, tandis que par *res publica* on désigne le domaine communal de la colonie, dont la population était composée d'éléments qui différaient par leur statut juridique et étaient organisés dans des communautés jouissant de certaines prérogatives." (S. 106).

Z. 4f. Eine Liste aller Inschriften aus Philippi, auf denen Caius Modius Laetus Rufinianus begegnet, bei 201/L305 (W-Tempel), Kommentar zu Z. B2.

„On notera surtout la forme très caratéristique de E, G et L, qui ne peut être antérieure à la deuxième moitié du IIe siècle" (Collart, S. 328).

Weihinschrift der Bibliothek   233/L332

Paul Collart: Inscriptions de Philippes, BCH 57 (1933), S. 313–379; hier S. 316–320, Nr. 2 mit Abb. 5 und 6.
AÉ 1934 [1935] 49.
Collart, S. 338f. mit Anm. 2.
Band I, S. 119; S. 148, Anm. 3; S. 256.
Michel Sève: Nouveautés épigraphiques au forum de Philippes: Questions de méthode, in: Επιγραφές της Μακεδονίας/Inscriptions of Macedonia. Γ´ διεθνές συμπόσιο για τη Μακεδονία/Third International Symposium on Macedonia, Thessaloniki 1996, S. 173–183; hier S. 176f.

Philippi: Forum: Bibliothek. „Neuf blocs d'un entablement dont les bandeaux sont séparés par des moulurations décorées d'oves, perles, rais-de-coeur, palmettes, etc. . Inscription latine de deux lignes gravée sur les deux bandeaux supérieurs. Les blocs I, II, III et IV se font suite; les autres sont isolés" (Collart, S. 316).

„Longueur d'un élément complet de l'entablement, de joint à joint (blocs I, II et III juxtaposés): 382 cm.; longueur conservée du bloc IV (face jointive à gauche): 95 cm.; du bloc V (face jointive à droite): 90 cm.; du bloc VI (brisé à g. et à dr.): 44 cm.; du bloc VII (face jointive à g.): 69 cm.; du bloc VIII (brisé à g. et à dr.): 75 cm.; du bloc IX (brisé à g. et à dr.): 80 cm. Hauteur d'un bloc complet: 69 cm." (ebd.). H. der Buchstaben Z. 1 ungefähr 0,14; Z. 2 ungefähr 0,075.

1991 vor dem Gebäude Nummer 18 (auf dem Plan von Weber/Sève). Inventarisierungsnummer 403 (vorhanden sind nur noch acht Fragmente).
Dia Nummer 516.517.518.519.520.521.522.523/1991.

Fragmente I, II, III und IV:

[...] in ho[n]orem div[i]nae do[mu]s et colo[niae Iul(iae)
                             Aug(ustae) Philipp(ensis) ...]
[...] Iunior [...]S[...]ONI[...] Optatus opus bybl[iothecae ...]
Fragment V:
[...]us
[...a] solo

Fragment VI:
[...]M C[...]
[...]
Fragment VII:
IA[...]
[...]
Fragment VIII:
[...]
[...]titus ep[...]
Fragment IX:
[...]
[...]vit.

---

1 Collart: *Philipp(iensium)*.
Aufgrund architektonischer Studien schlägt Sève folgende neue Rekonstruktion vor:

In ho[n]orem div[i]nae do[mu]s et colo[niae Iuliae Augus]tae P[hilippe]ns[iu]m
C(aius) [Oppius C(ai) f(ilius) Vol(tinia) Montanus]
Iunior [...]S[...]ONI[...] Optatus opus bybl[iothecae ...]vit.

... zu Ehren des Kaiserhauses und der *Colonia Iulia Augusta
Philippensis* (hat) ... Iunior ... Optatus das Werk der Bibliothek ...

Collart schreibt zur Datierung: „L'expression domus divine, qui n'est communément employée dans les inscriptiones que vers la fin du IIe siecle, est
un élément de datation s'accerdant bien avec l'architecture très décorée du
monument" (S. 317).
Zu dem bei Sève ergänzten Caius Oppius Montanus Iunior vgl. 231/L341.

234/L311   Lateinisches Fragment
III

Paul Collart: Inscriptions de Philippes, BCH 56 (1932), S. 192–231; hier S. 209,
Nr. 6 (keine Abb.).

Philippi: Forum. „Base sciée en deux pour ètre remployée, portant au
centre de sa face supérieure un trou de scellement, avec canal de coulée,
sur sa face latérale gauche un gros tenon de bardage, sur sa face antérieure,
ravalée, les restes de la partie inférieure d'un cadre et les deux dernières
lignes d'une inscription latine" (Collart, S. 209).
Abmessungen: H. 0,75; B. 0,675; D. 0,59; H. der Buchstaben 0,05.

ΛNO · PIOFEL   ΛNO Pio Fel(ici)
AVC   Aug(usti).

Collart bemerkt zu dieser Inschrift auf S. 209: „Sans doute le nom d'un des empereurs du IIIe siècle se lisait-il sur cette pierre; on sait en effet que ceux-ci prirent tous, à partir d'Héliogabal, les surnoms *Pius Felix Aug. L.*, qu'avaient déjà portés Commode et Caracalla".

Ehreninschrift für Kaiser Constantinus

Paul Collart: Inscriptions de Philippes, BCH 56 (1932), S. 192–231; hier S. 209–213, Nr. 7 mit Abb. 11.

AÉ 1933 [1934] 86.

Collart, S. 19 mit Anm. 1 und Abb. im Tafelband XLII 3.

Στυλιανός Πελεκανίδης: Συμπεράσματα από ανασκαφή του Οκταγώνου των Φιλίππων σχετικά με τα μνημεία και την τοπογραφία της πόλης, in: Η Καβάλα και η περιοχή της. Α΄ τοπικό συμπόσιο (18–20 Απριλίου 1977). Πρακτικά, ΙΜΧΑ 189, Thessaloniki 1980, S. 149–158; hier S. 150f.

Philippi: Forum. Den genauen Fundort gibt der Herausgeber nicht an. Vgl. schon die Kritik bei Πελεκανίδης: Δυστυχώς ο P. Collart δεν δίνει ακριβή περιγραφή τής αποκάλυψής της, ούτε αναφέρει τον τόπο και τις συνθήκες που βρέθηκε (S. 150).

„Grande dalle inscrite, brisée à gauche. Face postérieure piquetée sans soin; face supérieure portant, à droite, un trou de crampon; face latérale droite jointive; face inférieure cassée vers l'angle droit. La face antérieure porte une inscription latine de quatre lignes; elle a été entaillée d'une rigole circulaire, sur laquelle se greffe un embranchement vers l'angle inférieur gauche; le bloc a sans doute été remployé, peut-être comme pierre de pressoir" (Collart, S. 209).

Abmessungen: H. 0,94; B. 0,97; D. 0,20; H. der Buchstaben Z. 1–3: ungefähr 0,125; Z. 4: 0,09. Zeilenzwischenraum 0,045.

1991 ziemlich genau in der Mitte des Forums ganz in der Nähe der unpublizierten gigantischen Inschrift gefunden (Inventarisierungsnummer 808). Gleich daneben liegt ein Stein (Inventarisierungsnummer 825 bzw. 923), der in zwei Zeilen die Fortsetzung des von Collart beschriebenen Textes bietet (Z. 1 ONST; Z. 2 EM – das stimmt mit dem von Collart rekonstruierten Text überein). Daß es sich wirklich um die Fortsetzung der Collartschen Inschrift handelt, geht schon aus den Maßen hervor: H. der Buchstaben Z. 1: 0,12–0,125 (wie bei Z. 1 von Collart); Z. 2: ca. 0,12 (auch dies paßt genau). Die Maße des neuen Fragments: H. 0,54; B. 0,28–0,46; D. 0,20 (die Dicke stimmt genau mit der Dicke des von Collart beschriebenen Steins überein). Dia Nummer 533.534.535.536.537.539.540/1991.

> [... imp(eratorem)] Caes(arem) Fl(avium) Const[antinum ...]
> [...] Max(imum) Victo[r]em [...]
> [... c]onditorem [...]
> [... c]oloniae Phili[ppens(is) ...]

4 Collart: *Phili[ppiens(is) ...]*

> ... den Imperator Caesar Flavius Constantinus ... Maximus
> Victor ..., den Gründer ... der *Colonia Philippensis*, ...

Es könnte auch ein Sohn des Konstantin gemeint sein. Wahrscheinlicher aber ist es, daß Konstantin selbst gemeint ist. „L'empereur ... était très probablement Constantin-le-Grand; tout au moins, les titres qu'on peut ici reconstituer lui conviendraient-ils parfaitement ... " (Collart, S. 210). „Notre texte est certes trop fragmentaire pur qu'on puisse catégoriquement exclure l'hypothèse qu'il désignait quelque autre empereur que Constantin, notamment l'un de ses fils" (Collart, S. 212).

235a/L804   Ehreninschrift für Caius Oppius

Michel Sève: Philippes, BCH 113 (1989), S. 732–734.
Ders., ΑΔ 43 (1988) Β´2 Χρονικά [1993], S. 433–434.

Philippi: Forum. „On a enfin remarqué, et tenté de lire, une inscription passée jusqu'ici inaperçue. Elle était gravée sur le petit côté d' un long bloc (sans doute une base de statue équestre), remployé couché dans une sorte de grand abreuvoir construit à une date tardive sur le dallage, le côté inscrit constituant actuellement la face de joint vers l'intérieur du monument. Il s'agit d'une dédicace de 9 lignes de hauteur décroissante pour un C. Oppius, membre d'une grande famille de la colonie dont le nom apparaît au temple Est et peut-être au »monument incendié«, avec une riche carrière municipale. La lecture est rendue difficile par l'étroitesse de l'ouverture du joint, qui ne dépasse pas 6,5 cm on d'un côté, 1,5 cm de l'autre (c'est sur les lignes les plus petites que l'on a les vues les plus obliques), et par le poids du bloc qui interdit de le déplacer." (S. 732.734).

> [...] (Caio) Oppio [...]

> [...] für Caius Oppius [...]

Zu Caius Oppius vgl. den Kommentar bei 231/L341.

236/L316   Lateinisches Fragment

Paul Collart: Inscriptions de Philippes, BCH 56 (1932), S. 192–231; hier S. 223, Nr. 11 (keine Abb.).

Philippi: Forum. „Stèle brisée à droite et en bas, portant sur la face antérieure les restes d'une inscription latine de trois lignes" (Collart, S. 223).
Abmessungen: H. 0,60; B. 0,33; D. 0,255. H. der Buchstaben Z. 1: 0,065; Z.
2 und 3: 0,052. Zeilenzwischenraum ungefähr 0,02.

> L·PES
> SCA
> C·MV

Inschrift des Caius Sallustius Crispus   237/L317

Paul Collart: Inscriptions de Philippes, BCH 56 (1932), S. 192–231; hier S. 223f.,
   Nr. 12 (keine Abb.).

Philippi: Forum. „Stèle, brisée à droite, remployée dans un mur de blocage,
et portant les restes d'une inscription latine de trois lignes" (Collart, S. 223).
Abmessungen: H. 0,745. B. 0,40; D. 0,12. H. der Buchstaben Z. 1: 0,105; Z.
2: 0,062; Z. 3: 0,048. Zeilenzwischenraum 0,025 und 0,032.
Der Stein befindet sich heute (1992) noch *in situ*, verbaut in die südliche
Mauer.
Dia Nummer 192.193/1992.

> C(aius) Sal[lustius?]
> C(ai) f(ilius) Cris[pus]
> ex d(ecreto) d(ecurionum).

> Caius Sallustius Crispus, der Sohn des Caius, (hat) auf Beschluß
> des Rates (die Inschrift aufstellen lassen).

Es könnte durchweg auch der Dativ ergänzt werden, dann wäre es eine Ehreninschrift für Crispus!
   Z. 1 Sallustius auch in anderen Inschriften von Philippi, aber nicht mit
dem *cognomen* Crispus.
Vgl. zum Namen Sallustius den Kommentar zu 165/L003, Z. 10.

Lateinisches Fragment   238/L318

Paul Collart: Inscriptions de Philippes, BCH 56 (1932), S. 192–231; hier S. 224,
   Nr. 13 (keine Abb.).

Philippi. Den genauen Fundort gibt Collart nicht an.
„Fragment d'inscription, très brisé; une seule surface travaillée" (Collart, S.
224).
Abmessungen: H. der Buchstaben 0,032.

[...]

2 [...] dec(urio) q(uinquennalis) [...]

1 Reste von zwei Buchstaben nicht identifizierbar.

239/L319 Lateinisches Fragment

Paul Collart: Inscriptions de Philippes, BCH 56 (1932), S. 192–231; hier S. 224, Nr. 14 (keine Abb.).

Philippi. Den genauen Fundort gibt Collart nicht an.

„Fragment d'inscription, très brisé; une seule surface travaillée" (Collart, S. 224).

Abmessungen: H. 0,21; B. 0,26; H. der Buchstaben 0,042; Zeilenzwischenraum 0,025 und 0,021.

M
CAES
[...] dec(urio) q(uinquennalis) Ph[ilippis ...]
DIPPATẸ

240/L465 **Ehreninschrift für Caius Iulius Maximus Mucianus**
2. Hälfte II

Collart, S. 295 mit Abb. im Tafelband Pl. XL 3.
AÉ 1939, 184.
Paul Collart: Inscriptions de Philippes, BCH 62 (1938), S. 409–432; hier S. 421–428, Nr. 8 mit Abb. Pl. XLIV 1.
Κανατσούλης, Nr. 597.
Helmut Halfmann: Die Senatoren aus dem östlichen Teil des Imperium Romanum bis zum Ende des 2. Jahrhunderts n.Chr., Hyp. 58, Göttingen 1979, Nr. 117 (S. 191f.).
Michel Sève: Philippes: une ville romaine en Grèce, in: L'espace grec. 150 ans de fouilles de l'École française d'Athènes, Paris 1996, S. 89–94; hier S. 89f.

Philippi: Forum. Den genauen Fundort beschreibt Collart S. 422 wie folgt: „trouvé remployé dans un mur d'époque tardive à l'angle sud-est des bâtiments du forum".

„Grande base de marbre local, en forme d'autel, moulurée haut et bas sur trois faces. Mouluration supérieure soignée et ornée d'acrotères; mouluration inférieure demeurée simplement épannelée. Cassures à gauche, en haut et en bas. Face postérieure grossièrement piquetée. L'inscription, de treize lignes, est dépourvue de cadre" (Collart, S. 421f.).

Abmessungen: H. 1,655; B. (unten) 0,85; D. 0,77 bzw. H. 1,015; B. (oben) 0,65, (unten) 0,695; D. 0,675; H. der Buchstaben Z. 1: 0,07; Z. 2: 0,06; Z. 3: 0,052; Z. 4f.: 0,045; Z. 6f.12f.: 0,05; Z. 8f.11: 0,048; Z. 10: 0,065. „Gravure profonde, mais peu soignée. Points séparatifs entre les mots. Ligatures" (Collart, S. 422).
1991 an der SO-Ecke des Forums, vor dem Raum 18 (Sève/Weber). Inventarisierungsnummer 535.
Dia Nummer 511.512.513.514.515/1991.

> [C(aio)] Iul(io) C(ai) f(ilio) Vol(tinia)
> [M]aximo Muci-
> ano, viro cl(arissimo), la-
> toclavo hono-
> 5 [r]ato a divo Pio,
> [q(uaestori)] pr(o) pr(aetore) Ponto-Bithy(niae),
> [a]ed(ili) cerial(i), praet(ori)
> desig(nato), idem dec(urioni) Phil(ippis)
> et in provinc(ia) Thra(cia),
> 10 C(aius) Iul(ius) Teres, thra-
> carc(ha), pater sena-
> torum, fr(atri)
> l(oco) a(dsignato) d(ecreto) d(ecurionum).

1 Ich ergänze das *praenomen* in Anlehnung an die Grabinschrift 061/L050 aus Dikili-Tasch. **13** Collart irrtümlich: *l(oco) d(ato)*.

Für Caius Iulius Maximus Mucianus, den Sohn des Caius, aus der Tribus Voltinia, den *vir clarissimus*, mit dem breiten Purpurstreifen durch den vergöttlichten Pius geehrt, den Quästor *pro praetore* von Pontus und Bithynien, den für die Getreideversorgung zuständigen Ädil, den designierten Prätor, zugleich Decurio von Philippi und in der Provinz Thrakien, seinen Bruder, (hat) Caius Iulius Teres, der Thracarch, der Vater der Senatoren, an dem auf Beschluß des Rates bestimmten Ort (diese Inschrift aufstellen lassen).

Z. 1 Caius Iulius Maximus Mucianus und sein Bruder Caius Iulius Teres (Z. 10) sind in Philippi auch in anderen Inschriften bezeugt: „On en peut lire, en effet, le nom et les titres, mutilés, sur deux inscriptions, ou plus probablement sur deux copies de la même inscription prises, à Philippes même, la première par Jean Lascaris, en 1491 [d.i. 357/L120], la seconde par Léon Heuzey, en 1861 [d.i. 061/L050; vgl. zum Problem die Kommentare bei 061/L050 und 357/L120]" (Collart, S. 422). Caius Iulius Maximus Mucianus stammt ohne Zweifel aus Philippi (vgl. Collart, S. 423).

Z. 3 Der Titel *vir clarissimus* weist Caius Iulius Maximus Mucianus als
Mitglied des *ordo senatorius* aus. Der *latus clavus* war den Senatoren vorbehalten. Wie gleich die nächste Bemerkung (Z. 3f.) zeigt, ist ihm der *latus
clavus* von dem Kaiser Antoninus Pius verliehen worden. Damit hat er es aus
der Sicht von Philippi sehr weit gebracht, denn *viri clarissimi* sind in Philippi
rar: Epigraphisch bezeugt ist ansonsten nur Caius Modius Laetus Rufinianus, ebenfalls in der 2. Hälfte des 2. Jahrhunderts (229/L342 und 230/L343)
sowie (aus ungefähr derselben Zeit) Lucius Salvius Secundinus (386a/L839).
Erst aus christlicher Zeit (4. Jh.) stammt die Inschrift des *vir clarissimus*
Mauricius (111/L554; Basilika *extra muros*); ebenfalls aus christlicher Zeit
ist der λαμπρότατος Androneikos aus 125a/G802. Diese überschreiten den
zeitlichen Rahmen, den sich Halfmann in seiner Studie gesteckt hat; Caius
Modius Laetus Rufinianus dagegen wäre in jedem Fall auch bei Halfmann zu
berücksichtigen gewesen. Dieser nimmt jedoch lediglich unseren Caius Iulius
Maximus Mucianus in seine Liste auf (Halfmann, Nr. 117, S. 191f.).

Z. 6 Daß ein Bürger von Philippi *quaestor pro praetore* der Provinz Pontus und Bithynien war, ist bemerkenswert. „On sait quelles difficultés l'on a
rencontrées pour établir avec certitude à quelle date l'administration de cette
province passa du Sénat à l'empereur; notre inscription corrobore les raisons
qu'avait fournies déjà l'épigraphie pour placer ce transfert dans les premières
années du règne de Marc-Aurèle, quelle que soit par ailleurs l'interprétation
correcte du texte de l'*Histoire romaine* de Dion Cassius sur la foi duquel on
avait cru tout d'abord pouvoir le placer vers 135, c'est-à-dire sous le règne
d'Hadrien" (Collart, S. 423).

Z. 7 Später hat Caius Iulius Maximus Mucianus dann auch noch das Amt
des *aedilis cerialis* inne; wo, dazu sagt der Text nichts. Das Amt des Prätors
konnte er nicht mehr antreten, da er vorher starb (vgl. seine Grabinschrift
061/L050 aus Dikili-Tasch).

Z. 8f. Neben diesen provinzialen Ämtern hatte Caius Iulius Maximus
Mucianus auch städtische Ämter inne. So war er in Philippi selbst Decurio, „ainsi qu'en Thrace, dans une ou plusieurs cités dont le nom ne nous a
pas été rapporté" (Collart, S. 424). Hierbei kann man etwa an die *colonia
Claudia Aprensis* denken, zu der mehrfach Beziehungen aus Philippi bezeugt
sind (vgl. die bei dem Militärdiplom 705/L503 zu Z. 33 notierten Belege).

Z. 10 Völlig anders verlief die Karriere seines Bruders Caius Iulius Teres. Er trägt als *cognomen* den vielfach bezeugten thrakischen Namen Teres
(vgl. Detschew, s.v. Τήρης, S. 500–502; unser Teres hier S. 502 unter Ziffer
2). Sein Titel *thracarcha* ist in dieser Inschrift Collart zufolge zum ersten Mal
in lateinischer Sprache belegt (die oben gegebene Fassung von 061/L050, die
im wesentlichen auf der Überlieferung durch Kyriakos von Ancona beruht,
konnte Collart noch nicht berücksichtigen, da die Publikation durch L. Banti
erst später erfolgt ist; in 061/L050 begegnet dieser Titel ebenfalls in lateinischer Form; zum griechischen Material vgl. Collart, S. 424, Anm. 5). Collart
vergleicht dazu die im Osten geläufigen Titel Ἀσιάρχης, Βιθυνιάρχης, Γα-

λατάρχης κτλ. Bemerkenswert ist der Tatbestand, daß der *thracarcha* Caius Iulius Teres dem κοινόν der Thraker angehört, obwohl er offenbar aus Philippi stammt.

Z. 11f. Der Titel *pater senatorum* ist in Philippi bisher noch nicht belegt. Trotzdem kann kein Zweifel daran bestehen, daß es sich um eine lokale Würde handelt (d.h. *pater senatorum = pater decurionum*, wie nach dem in Philippi sonst üblichen Sprachgebrauch eigentlich zu erwarten wäre). Vgl. das bei Collart diskutierte Material (S. 427f. mit Anm. 6).

Z. 13 „En assignant, par une décision officielle, une place à notre monument (l. 13), les décurions de Philippes rendaient hommage à deux des leurs, dont la carrière, dans des directions différentes, avait grandement illustré la colonie" (Collart, S. 427–428).

Die Inschrift wird von Collart in das 2. Jh. datiert: „Notre inscription peut être datée, avec une approximation satisfaissante, des premières années du règne de Marc-Aurèle. En effet, s'il est avéré, par son texte même, qu'elle ne fut gravée qu'après la mort d'Antonin le Pieux, ici qualifié de *divus*, c'est encore de la faveur de ce prince que le personnage honoré par elle avait obtenu la dignité sénatoriale et peut-être ses premières fonctions. Ainsi notre monument serait contemporain des grandes constructions du forum de Philippes, où il avait été placé; par ses dimensions un peu prétentieuses, il s'harmonisait bien avec elles" (Collart, S. 423).

Inschrift eines *pontifex, flamen divi Augusti*   241/L466

Collart, S. 262 und 265.
AÉ 1939, 188.
Paul Collart: Inscriptions de Philippes, BCH 62 (1938), S. 409–432; hier S. 428, Nr. 9 (ohne Abb.).

Philippi: Forum. Den genauen Fundort gibt Collart nicht an.
„Fragment, brisé de toutes parts, et portant les restes de quatre lignes d'une inscription. ... Gravure soignée; points séparatifs; traces de couleur rouge au fond des lettres" (Collart, S. 428).
Abmessungen: H. 0,19; B. 0,31; H. der Buchstaben Z. 2 und 3: 0,03; Z. 4: 0,042.

> [... pont]if(ex), flamen [divi]
> Augusti, IIvi[r i(ure) d(icundo)],
> [qui]nq(uennalis) II
> [...] cum [...]

> ... Pontifex, Priester des göttlichen Augustus, Duumvir *iure dicundo*, zweimal (Duumvir) *quinquennalis,* ...

Z. 1   Collart weist hin auf einen weiteren *pontifex* aus Philippi in der Inschrift CIL III 650 (= 001/L027, aus Kavala). Bei jener Inschrift sind im Kommentar alle *flamines* aus Philippi verzeichnet.

242/L355   **Ehreninschrift für Varinia Ingenua**
I

Paul Collart: Inscriptions de Philippes, BCH 57 (1933), S. 313–379; hier S. 362f., Nr. 22 mit Abb. 32.
Collart, S. 354 mit Anm. 2.

Philippi: Forum. Südöstliche Ecke, wiederverwendet beim Bau der Treppe, die das Forum nach Süden hin begrenzt.
1991 noch *in situ* (Inventarisierungsnummer 455).
„Dimensions: hauteur, 78 cm.; épaisseur, 29 cm.; largeur de la marche, 30 cm. ±. Hauteur des lettres: 8 (l. 1); 6 (l. 2); 7 (l. 3); 5 (l. 4); 4,5 (l. 5); et 5 cm. (l. 6). Ligature: N = ni (l. 3)" (Collart, BCH-Aufsatz, S. 362).
Dia Nummer 525.526.527/1991.

> [Va]riniae
> M(arci) f(iliae) Ingenuae,
> [-] Marronius
> [...]iens Betuedus
> 5 [...]onianus
> [sor]ori.

Für Varinia Ingenua, die Tochter des Marcus, seine Schwester, (hat) ... Marronius ... Betuedus ... (die Inschrift gesetzt).

Wenn die Inschrift im 2. Jahrhundert beim Bau der Treppe wiederverwendet wurde, darf vermutet werden, daß sie aus dem 1. Jahrhundert stammt.
Z. 3   Ein Marronius Mestula in 391/L616 (dort alle Belege).
Z. 4   Zwei *Betuedi* in dem Militärdiplom aus Kavala (030/L523, Z. A24 und A25).

243/L747   **Fragment einer monumentalen Inschrift**
I

Collart, S. 354.

Philippi: Forum. Die Inschrift befindet sich nahe bei der südöstlichen Ecke des Forums, oberhalb der vorigen, „dans le stylobate". Es handelt sich dabei um „un fragment d'inscription monumentale dont les moulures ont été

ravalées" (Collart, S. 354). „La pierre a été retaillée et la surface en est grossièrement piquetée; la bande inscrite a échappé au revalement" (Collart,
a.a.O., Anm. 3).
Dia Nummer Σ203/1991; 335/1992; 118/1993.

[...]EM D[...]

Grabinschrift für Gavius Secundus   244/L361

Paul Collart: Inscriptions de Philippes, BCH 57 (1933), S. 313–379; hier S. 373f.,
Nr. 29 mit Abb. 39.

Philippi: Forum. Südöstliche Ecke. Sarkophag mit Relief des thrakischen
Reiters.

Gavius Secun-
dus an(norum) XX h(ic) s(itus) e(st).

Gavius Secundus, zwanzig Jahre alt, liegt hier begraben.

Das Macellum

Vgl. zur Lage o. Band I, Karte 8: Die Stadt Philippi (S. 75; das Macellum liegt zwischen dem Forum und der Basilika B).

245/L598   Fragment einer Ehreninschrift

Δημήτριος Ι. Λαζαρίδης, ΑΔ 17 (1961/62) Β΄ Χρονικά [1963], S. 239 (ohne Abb.).
Georges Daux: Chronique des fouilles es découvertes archéologiques en Grèce en
    1961, BCH 86 (1962), S. 629–975; hier S. 826.

Philippi: Westlich des Macellum. Δυτικώς της Εμπορικής Αγοράς και
εις απόστασιν 4,60 μ. απ' αυτής, απεκαλύφθη ο ανατολικός τοίχος της πα-
λαίστρας, ωκοδομημένος δια μεγάλων πλίνθων μαρμάρου, επιμελούς κατασκευής, ως και η γωνία της προσόψεως της οικοδομής. Προ του κτηρίου, επί
της οδού, ανευρέθη τμήμα θριγκού, το οποίον έφερε άλλοτε τιμητικήν επιγραφήν (Λαζαρίδης, S. 239).
Ich bekam keine Genehmigung, den Stein selbst zu studieren (Υπουργείο
Πολιτισμού – Εφορεία προϊστορικών και κλασσικών αρχαιοτήτων Καβάλας,
Aktenzeichen 2558, 20. August 1992); dies ist, zieht man die Brisanz des
vorliegenden Textes in Betracht, freilich auch nicht verwunderlich.

M

246/G599   Weihinschrift für Ἀπόλλων Κωμαῖος und Ἄρτεμις
2. Hälfte 4.
Jh. v. Chr.   *Georges Daux:* Chronique des fouilles es découvertes archéologiques en Grèce en
    1961, BCH 86 (1962), S. 629–975; hier S. 826.
Δημήτριος Ι. Λαζαρίδης, ΑΔ 17 (1961/62) Β΄ Χρονικά [1963], S. 239 (ohne Abb.).
Δημήτριος Ι. Λαζαρίδης, ΑΔ 18 (1963) Β΄2 Χρονικά [1965], S. 255 mit Abb. auf
    Tafel 283α.
Louis Robert: Εὔλαιος, ἱστορία καὶ ἀνθρωπωνυμία, Επιστημονική Επετηρίς της Φι-
    λοσοφικής Σχολής του Πανεπιστημίου Αθηνών 1962–63, S. 519–529 (Nachdr. in:
    ders.: Opera minora selecta II, Épigraphie et antiquités grecques, Amsterdam
    1969, S. 977–987).
BÉ 1964, Nr. 262.
SEG XXIV (1969) 620.

Band I, S. 45f. mit Anm. 143; S. 93 mit Anm. 4.
Φίλιπποι-Führer, S. 25, Abb. 18.

Philippi: Östlich des Macellum. Ἀνατολικῶς τῆς Ἀγορᾶς [gemeint ist
die Ἐμπορική Ἀγορά] απεκαλύφθη τμήμα της προσόψεως κτηρίου ρωμαϊκών
χρόνων, ευρισκομένου πιθανώς εις την θέσιν οικοδομής ελληνιστικής εποχής,
καθόσον εις την ΒΔ γωνίαν του κτηρίου, απεκαλύφθη *in situ* ενεπίγραφον
βάθρον. Τούτο αποτελείται εκ δύο πλίνθων μαρμάρου, επί των οποίων τετράπλευρος βάσις (διαστ. 0,97 Χ 0,57 Χ 0,48) ειργασμένη εκ των τριών
πλευρών αυτής, φέρουσα άνω και κάτω αργόν κυμάτιον, λίαν επιμελούς εργασίας. Επί της πρός την οδόν στενής πλευράς της βάσεως είναι κεχαραγμένη
η ... επιγραφή (Λαζαρίδης, S. 239).
Ich bekam keine Genehmigung, den Stein selbst zu studieren (Ὑπουργείο
Πολιτισμού – Εφορεία προϊστορικών και κλασσικών αρχαιοτήτων Καβάλας,
Aktenzeichen 2558, 20. August 1992).

> Διόδοτος Ἐπιγένου[ς]
> Ἀπόλλωνι Κωμαίω[ι]
> καὶ Ἀρτέμιδι.

Diodotos, (der Sohn) des Epigenes, (weiht es) dem Apollon Ko-
maios und der Artemis.

Datierung vom Herausgeber (Γράμματα β´ ημίσεως του 4ου π. Χ. αιώνος
[ebd.]). Robert gibt einen etwas anderen Zeitraum an: „Elle date de la fin
du IVe siècle ou du haut IIIe siècle" (S. 527 = 985).
In Thasos ist ein gleichnamiges Fest belegt, die Κωμαῖα (François Salviat:
Une nouvelle loi thasienne: Institutions judiciaires et fêtes religieuses a la fin
du IVe siècle av. J.-C., BCH 82 (1958), S. 193–267; hier S. 261–263).

Das Spiel des Metzgers Johannes   247/G561
IV/V

Jacques Coupry: Un joueur de marelle au marché de Philippes, BCH 70 (1946), S.
     102–105.
BÉ 1948, Nr. 107.
Feissel, Nr. 229 (S. 193f.).
Band I, S. 241.

Philippi: Macellum. „Inscription gravée dans les cases d'un jeu de marelle
circulaire (diam. 1m), au marché de Philippes (le *macellum* d'après une
dédicace latine), sur le dallage du grand hall Nord" (Feissel).
Im September 1991 *in situ* gefunden. Die Buchstaben sind zum Teil kaum
mehr erkennbar, da viele Leute darüberlaufen, weil der Stein Teil des Weges
ist, der vom Forum zur Basilika B führt.

Dia Nummer Σ310.311.312/1991.

† Ἰωάννου
† μαγίρου.

Die Inschrift ist kreisförmig angeordnet, Ἰωάννου steht im äußeren Kreis, μαγίρου im inneren.
2 Coupry liest μαγ[ί]ρου, doch trotz des deutlich schlechteren Erhaltungszustands der Inschrift im Jahr 1991 meine ich, das ι eindeutig ausmachen zu können.

(Das Spiel) des Metzgers Johannes.

Coupry verweist (S. 104) zur Erklärung auf Artemidor: οἱ δὲ ἐν τῇ ἀγορᾷ μάγειροι οἱ τὰ κρέα κατακόπτοντες καὶ πιπράσκοντες (Artemidor: *Onirocriticon* III 56). Vorliegender „boucher" ist freilich gleichzeitig „joueur de marelle" (S. 105).

248/G435   **Ehreninschrift für Ἰούνιος Πόντιος Πρόκλος**

Jacques Coupry/Michel Feyel: Inscriptions de Philippes, BCH 60 (1936), S. 37–58;
   hier S. 43–46, Nr. 2 mit Abb. 4.
Collart, S. 289, Anm. 4; S. 312, Anm. 3.
AÉ 1937 [1938] 47.
BÉ 1938, Nr. 217, 2.

Philippi: Macellum. „Grande base en marbre local, moulurée sur trois faces; la face postérieure est brute. Sur la face antérieure, au couronnement, reliefs représentant des animaux courants ...; au milieu, l'inscription est gravée dans un cadre mouluré" (Coupry/Feyel, S. 43).
Abmessungen: H. 1,65; B. 0,63; D. 0,67; beschriebene Fläche: H. 0,68; B. 0,43; H. der Buchstaben Z. 1–5: 0,045; Z. 6–8: 0,04; Z. 9: 0,085; Zeilenzwischenraum Z. 1–8: 0,05 bis 0,056.
1989 wieder (früher im Museum Kavala, vgl. Coupry/Feyel, S. 37) *in situ* (Inventarisierungsnummer 307).
Dia Nummer 21/1989.

Ἀγαθῇ τύχῃ.   νὸς πραγμα-
τὸν κράτιστον   τευτὴς τὸν
Ἰούνιον Πόντι-   ἴδιον πάτρωνα
ον Πρόκλον   ψ(ηφίσματι) β(ουλῆς).
5 νέον Πυθια-

Glück auf! Den besten Iunius Pontius Proclus *iunior*, seinen eigenen Patron, (ehrt) Pythianos, der Gutsverwalter, auf Beschluß des Rates.

Z. 3 Ein Freigelassener der Familie des Pontius Novus namens Gamicus wird in 585/L408 erwähnt. Ein weiterer Pontius in dem Militärdiplom 705/L503: Marcus Pontius Pudens.

Z. 6f. Zum Begriff πραγματευτής vgl. den Kommentar bei 022/G220 aus Kavala. πάτρων ist natürlich die griechische „Umschrift" des lateinischen *patronus* (vgl. LSJ 1349).

Z. 9 In dem ψ(ηφίσματι) β(ουλῆς) sieht Collart eine „transcription littérale du latin *d(ecreto) d(ecurionum)*" (S. 312, Anm. 3; vgl. auch Coupry/Feyel, S. 45, die in Anm. 4 von einer „équivalence" sprechen).

Mensura-Inschrift der *aediles* Marcus Cornelius Niger und Publius Valerius Niger   249/L373

P. Lemerle: Inscriptions latines et grecques de Philippes, BCH 58 (1934), S. 448–483; hier S. 457–461, Nr. 3 mit Abb. 2 und mit Abb. auf Pl. VIII.
AÉ 1935 [1936] 49.
Collart, S. 363; S. 411f.
Bormann, S. 52f.
Band I, S. 83 mit Anm. 21; S. 220, Anm. 8.

Philippi: Macellum. Gefunden einige Meter im Norden der Basilika B, verbaut in eine sehr späte Mauer. „La pierre, dont la face inscrite était tournée vers l'intérieur, a de ce fait un peu souffert: des traces de ciment cachent une partie de la ligne 2, les premières et dernières lettres des lignes 1 et 6 sont endommagées ... . La moulure qui, sur les quatre faces, court au bas de la stèle est intacte, mais la ligne de denticules qui couronnait la pierre est brisée en plusieurs endroits" (Lemerle, S. 457).
„La gravure est peu profonde, surtout aux lignes 6 et 7. La face supérieure de la stèle porte des trous de scellement disposés comme le montre la fig. 2. Cf. pl. VIII." (ebd.).
Abmessungen: H. 0,97; B. 0,73; beschriebene Fläche: H. 0,63; B. 0,60; H. der Buchstaben: 0,045; 0,030; 0,035; 0,035; 0,025; 0,025; 0,025. Zeilenabstand: 0,025; 0,020; 0,020; 0,020; 0,10; 0,025.
Der Stein steht heute, wenn man vom Forum her kommt, im zweiten Raum rechts von 248/G435. Inventarisierungsnummer 473.
Dia Nummer 548.549.550.551.553/1991.

> Aequitatem Augusti
> *vacat* et Mensuras *vacat*
> M(arcus) Cornelius P(ubli) f(ilius) Vol(tinia) Niger,
> P(ublius) Valerius P(ubli) f(ilius) Vol(tinia) Niger
> 5 aed(iles) d(e) s(ua) p(ecunia) f(aciendas) c(uraverunt).
> in id opus coiectum est ex mensuris
> iniquis aeris p(ondo) XXXXIIII.

> Die Aequitas des Augustus und die Maße haben Marcus Corne-
> lius Niger, der Sohn des Publius, aus der Tribus Voltinia, und
> Publius Valerius Niger, der Sohn des Publius, aus der Tribus Vol-
> tinia, die Ädilen, auf eigene Kosten herstellen lassen. In diesem
> Werk sind 44 Pfund Bronze aus falschen Maßen zusammenge-
> bracht (d.h. vermutlich: eingeschmolzen) worden.

In AÉ wird zum Vergleich die Inschrift CIL XI 6375 herangezogen.

Z. 1 Im ThLL wird *aequitas* (Bd. I, Sp. 1013–1017) von *Aequitas* als
Göttin (Sp. 1017, Z. 3–17) unterschieden. Im letzteren Artikel findet sich Z.
9 ein Beleg für *Aequitas Augusti*; ein weiterer Beleg bei Glare (S. 67, s.v.
aequitas 5). Gegen die Interpretation der *Aequitas Augusti* hat sich Collart
(S. 411f.) ausgesprochen; wir haben hier den Akkusativ und nicht den zu
erwarteten Dativ: „une dédicace à des allégories divinisées se fût sans doute
exprimée par un datif" (Collart, S. 412, Anm. 1). Unentschlossen äußert sich
Bormann: „Auch wenn man sich dieser Erklärung anschließen mag . . . " (S.
53).

Z. 2 Für die Maße sind die Ädilen zuständig: „Les édiles municipaux,
comme ceux de Rome, avaient dans leurs attributions la *cura annonae*, et
par suite la police des marchés et la vérification des poids et mesures: c'est
à ce titre qu'agissent les deux édiles de Philippes. D'une part ils ont fait
graver, à leurs frais, la stèle qui nous est conservée. D'autre part, sur la
stèle, ils ont fait placer des instruments ou des étalons de mesures, qui ont
été fabriqués avec le produit, soit de la confiscation des mesures fausses, soit
des amendes infligées aux fraudeurs" (Lemerle, S. 457).
Ist die Hypostasierung der *aequitas* auch anderwärts belegt (s.o. zu Z. 1),
fehlt es doch an Parallelen für die *Mensurae*: „Quant au mot *mensurae*, peut-
être employé pour personnifier et diviniser l'exactitude des mesures, c'est
à ma connaissance la première fois qu'il se recontrerait avec cette valeur"
(Lemerle, S. 458). Im Artikel *mensura* (ThLL VIII, Sp. 758–770) vermag ich
weder diesen noch einen vergleichbaren Beleg zu finden.

Z. 6f. „La deuxième partie de l'inscription . . . se rapporte aux objets qui
étaient exposés sur la stèle, et que désigne le mot *opus*. Nous ne savons rien
de cet *opus*, si ce n'est qu'il s'agissait évidemment d'instruments ou d'étalons
de mesures que les édiles avaient fait fabriquer pour servir de modèles ou de
moyens de contrôle, qu'ils étaient en bronze . . . , et qu'ils étaient fixés sur la
face supérieure de la stèle dans la cavité et au moyen des trous de scellement
encore visibles. Je croirais volontiers que l'on avait une balance en bronze et
un jeu de poids, le socle de la balance reposant dans la cavité ménagée sur
la stèle (et fixé au moyen de tenons dont les logements subsistent), tandis
que la table des poids était fixée sur le devant, au moyen des trois trous de
scellement alignés devant la cavité" (Lemerle, S. 458–460; vgl. auch die S.
460 angeführten Parallelen).

„Les édiles avaient le droit de saisir les poids et mesures reconnus inexacts: il est évident que le produit des objets ainsi confisqués, et qu'on envoyait à la fonte après les avoir brisés, était employé à quelque oeuvre utile. Les deux édiles de Philippes, au cours d'une vérification des poids et mesures faite chez les vendeurs du marché en avaient confisqué un certain nombre qui formaient ensemble 44 livres de bronze, avec lesquelles ils firent fabriquer les mesures exactes fixées sur la stèle" (Lemerle, S. 461).

Weihinschrift für Mercurius von Sextus Satrius Pudens   250/L374

P. Lemerle: Inscriptions latines et grecques de Philippes, BCH 58 (1934), S. 448–483; hier S. 461–463, Nr. 4 mit Abb. 3.
AÉ 1935 [1936] 50.
Collart, S. 363; S. 399 mit Anm. 1.
Bormann, S. 51f.
Band I, S. 139 mit Anm. 33.

Philippi: Macellum. „Stèle trouvée au même endroit que la précédente [d.i. 249/L373]. Le fronton, qui était orné d'acrotères, est mutilé. La pierre est brisée et incomplète en bas: sous la l. 6 subsiste la barre horizontale d'une lettre qui atteste qu'il y avait certainement au moins une septième ligne" (Lemerle, S. 461).
Abmessungen: H. 0,65; B. 0,44; D. 0,30. H. der Buchstaben: 0,045; 0,040; 0,040; 0,035; 0,035; 0,030. Zeilenabstand 0,020.
Der Stein steht heute, wenn man vom Forum her kommt, im zweiten Raum rechts von 248/G435, wenn man zur Tür hereinkommt, links. Inventarisierungsnummer 474.
Dia Nummer 215.216/1991.

> Mercurio
> Aug(usto) sacr(um).
> Sex(tus) Satrius C(ai) f(ilius)
> Vol(tinia) Pudens
> 5 [. . .] Philipp(ensis?)
> [. . .]PIS INI
> [. . .]D

5 Lemerle: „Philippensis (ou Philippensium)" (S. 462). Collart: *[aed.(ilis)] Philipp(is).*

> Dem Mercurius Augustus ist es geweiht. Sextus Satrius Pudens,
> der Sohn des Caius, aus der Tribus Voltinia, . . . in Philippi . . .

Z. 1f. Mercurius begegnet in Philippi auch auf anderen Inschriften, allerdings nirgendwo als Mercurius Augustus (vgl. Lemerle, S. 462f.; zur Verehrung des Mercurius in Philippi vgl. den Kommentar zu 094/L590).

„On sait que le culte du Mercurius Augustus est en étroite relation avec le culte de l'Empereur, et cela depuis l'époque d'Auguste: l'inscription doit donc être rapprochée des autres monuments qui témoignent, à Philippes, du développement pris par le culte impérial" (Lemerle, S. 463).

Auch Bormann möchte hier einen Zusammenhang mit dem Kaiserkult herstellen: „Die Heilswirkung des Augustus wird für Handel und Austausch auf dem Markt bemüht" (S. 51).

Z. 3f. Sextus Satrius Pudens begegnet in Philippi sonst nicht. Lemerle verweist S. 462, Anm. 1, auf eine von Collart im Jahr 1934 gefundene Inschrift, die das *nomen gentile* Satrius enthält. Ich habe jedoch keine Publikation dieser Inschrift ausfindig machen können.

Z. 5 Bormann nimmt Collarts Ergänzung von Z. 5 auf (so S. 33, Anm. 16; nicht in dem S. 51 gebotenen Text der Inschrift) und macht Satrius zum *aedilis*: „. . . der mit einiger Sicherheit Aedil der Stadt Philippi war" (S. 52). Die Collartsche Ergänzung *[aed(ilis)]* ist aber nicht mehr als ein Vorschlag.

251/L375   Weihinschrift für Fortuna und den Genius des Marktes

P. Lemerle: Inscriptions latines et grecques de Philippes, BCH 58 (1934), S. 448–483; hier S. 463f., Nr. 5 mit Abb. 4.
AÉ 1935 [1936] 51.
Bormann, S. 32 mit Anm. 15.
Band I, S. 83, Anm. 21.

Philippi: Macellum. „Stèle trouvée au même endroit que les n°s 3 [d.i. 249/L373] et 4 [d.i. 250/L374], en très bon état" (Lemerle, S. 463). Abmessungen: H. 0,72; B. 0,45; D. 0,38; H. der Buchstaben Z. 1: 0,06; Z. 2: 0,055; Z. 3–6: 0,05.
Der Stein steht heute, wenn man vom Forum her kommt, im zweiten Raum rechts von 248/G435, neben der Inschrift 249/L373. Inventarisierungsnummer 475.
Dia Nummer 29/1989; 552/1992.

> Fortunae
> et Genio
> macelli
> C(aius) Mucius
> 5 Mucianus
> d(e) s(uo) f(aciendum) c(uravit).

Für Fortuna und den Genius des Marktes hat Caius Mucius Mucianus (die Inschrift) auf eigene Kosten anfertigen lassen.

Z. 4 Das *nomen gentile* Mucius ist in Philippi häufig.
Lemerle weist darauf hin, daß die Inschrift keinerlei Schwierigkeiten biete: „L'intérêt en surtout [im Original versehentlich: surtont] topographique: trouvée à côté d'une dédicace à Mercure et d'une inscription concernant les poids et mesures, elle fait peuser que nous sommes là très près de l'emplacement du marché ou d'un des marchés de Philippes." (S. 464).

Ehreninschrift für Lucius Valerius Priscus

252/L467
II/III

Collart, S. 262; S. 383 mit Anm. 2; S. 447, Nr. 8; S. 453; Abb. im Tafelband Pl. LXXXI 2.
Paul Collart: Inscriptions de Philippes, BCH 62 (1938), S. 409–432; hier S. 428–431, Nr. 10 mit Abb. 5.
AÉ 1939 [1940] 185.
Ladislaus Vidman [Hg.]: Sylloge inscriptionum religionis Isiacae et Sarapiacae, RVV 28, Berlin 1969; hier S. 55f., Nr. 122.
Francoise Dunand: Le culte d'Isis dans le bassin oriental de la mediterranée. Vol. II: Le culte d'Isis en Grèce, EPRO 26, Leiden 1973, S. 193 mit Anm. 4; S. 195.
Bormann, S. 59f.
Band I, S. 151 mit Anm. 21.

Philippi: Macellum. „Partie supérieure d'une grande base de marbre local, en forme d'autel. Couronnement mouluré, aux angles en forme d'acrotères, et orné, en son milieu, d'un disque en bas-relief. Le même profil, simplement épannelé, se répète en retour sur les faces latérales. Au corps, partie supérieure d'un cadre mouluré contenant les huit premières lignes d'une inscription. La partie postérieure de la pierre a été brisée" (Collart, S. 428f.). Abmessungen: H. 1,10; B. 0,95; D. 0,26–0,53. Das beschriebene Feld: H. 0,61; B. 0,50; H. der Buchstaben 0,05–0,052.

„Gravure peu profonde; points séparatifs; un certain nombre de lettres ont une hauteur réduite" (Collart, S. 429).

> L(ucio) Valerio L(uci) fil(io)
> Volt(inia) Prisco,
> orn(amentis) dec(urionatus) hon(orato),
> dec(urioni), irenar(chae), IIvi-
> 5 r(o) iur(e) d(icundo), munera-
> rio, cultores
> deor(um) Serapis [et]
> Isidis.

Für Lucius Valerius Priscus, den Sohn des Lucius, aus der Tribus Voltinia, mit den *ornamenta* eines Ratsherrn geehrt, Ratsherr, Irenarch, Duumvir *iure dicundo*, Veranstalter von Spielen, (haben) die Verehrer der Götter Serapis und Isis (die Inschrift gesetzt).

„Bien que cette pierre soit, en bas, mutilée, l'inscription qu'elle porte est complète; tout au plus pourrait-il manquer une indication accessoire, telle que *l(oco) a(dsignato) dec(reto) dec(urionum)*. Le monument était érigé en bonne place, dans un lieu fréquenté de la ville, tout près des constructions de marché" (Collart, S. 429).

Z. 2 Zur seltenen Abkürzung VOLT vgl. den Kommentar zu 600/L229.

Z. 3 Zu *ornamentis decurionatus honoratus* vgl. 001/L027 aus Kavala (dort die weiteren Belege).

Z. 4 Ein weiterer *irenarches* in dem Fragment 120/L618 aus Κρηνίδες (das Collart noch nicht kennen konnte). Er kommentiert: „En effet, si les fonctions qu'il désigne sont bien connues (on sait que les pouvoirs de l'irénarque s'étendaient d'ordinaire à une assez vaste région, sans doute ici à tout le territoire de la colonie), on est quelque peu surpris de le rencontrer à Philippes, où l'on n'en connaît pas d'autre exemple [mittlerweile überholt, vgl. den oben angeführten Beleg aus Κρηνίδες]. L'irénarchie, institution répandue en Égypte et plus encore en Asie Mineure, n'est presque jamais mentionnée ailleurs. On doit voir ici un nouvel indice des rapports fréquents et faciles que Philippes entretenait avec l'Orient, par l'intermédiaire de la Via Egnatia et de son embranchement maritime de Néapolis à Alexandrie de Troade" (Collart, S. 430).

Z. 5 Ein anderer *munerarius* aus Philippi in 721/L714 (gefunden in Thessaloniki). Weitere *munerarii* aus Philippi sind Caius Vibius Florus in 493/L 113 (in Drama gefunden) und Varinius Macedo in 253/L447 (ebenfalls aus dem Macellum). Aus Philippi selbst soll die Grabinschrift des *munerarius* Publius Marius Valens stammen (395/L780).

Z. 6–8 Zu den *cultores deorum Serapis et Isidis* sind zwei andere Inschriften zu vergleichen: Die Ehreninschrift für Κοίντος Φλάβιος Ἑρμαδίων von den θρησκευτέ (d.h. θρησκευταί) τοῦ Σέραπι (307/L410 aus der Basilika B) und die Ehreninschrift für dessen Sohn (offenbar von dem gleichen Verein; 311/L411, ebenfalls aus der Basilika B).

Collart datiert die Inschrift auf das Ende des zweiten oder auf den Anfang des dritten Jahrhunderts (S. 431).

Ehreninschrift für Varinius Macedo   253/L447

Paul Lemerle: Nouvelles inscriptions latines de Philippes, BCH 61 (1937), S. 410–420; hier S. 413f., Nr. 6 (mit Abb.).
AÉ 1938 [1939] 52.

Philippi: Macellum. „Stèle trouvée sur l'emplacement du marché, au sud du forum; elle est retaillée à gauche, mutilée en haut et à droite" (Lemerle, S. 413).
Abmessungen: H. 1,025; L. 0,67; D. 0,08; H. der Buchstaben 0,08–0,05.

> [- Varin]io [- f(ilio)]
> [V(oltinia) M]acedo[ni],
> [aed(ili)], q(uaestori), IIvir(o) i(ure) d(icundo) Ph[ilip-]
> [pis], munerari[o II].
> 5 [pup]illae Vari[niae]
> [M]acedonia et Pro[cula]
> [p]atri ex testa(mento) eius [f(aciendum) c(uraverunt)].

3 Lemerle: Zahl mit Überstrich, auf der Photographie undeutlich.

Für ... Varinius Macedo, den Sohn des ..., aus der Tribus Voltinia, den Ädil, den Quästor, den Duumvir *iure dicundo* in Philippi, der zweimal Spiele gestiftet hat. Die Mündel Varinia Macedonia und Varinia Procula haben (den Stein) für ihren Vater aufgrund seines Testaments setzen lassen.

Z. 1 Der Name Varinius begegnet in Philippi recht häufig: *M(arcus) Varinius M(arci) f(ilius) Philippicus* in 062/L112; M(arcus) Varinius Chresimus in 163/L002, Z. 14; ein [Va]rinius Philocal[us] auf dem Forum in 206/L460; Marcus Varinius Sphaerus in 284/L380; ein Kind Varinius Sosias in 411/L259; ein Freigelassener Marcus Varinius Celer in 440/L080; ein Varinius Celer in 441/L081; daneben mehrere Frauen mit Namen Varinia. Dunant/Pouilloux identifizieren unseren Varinius mit dem in ihrer Nr. 185 siebenfach genannten Marcus Varinius (Christiane Dunant/Jean Pouilloux: Recherches sur l'histoire et les cultes de Thasos. II. De 196 avant J.-C. jusqu'à la fin de l'Antiquité, Études Thasiennes V, Paris 1957; S. 76–82; hier S. 80). Falls diese Identifikation zuträfe, könnte man unsere Inschrift ins erste Jahrhundert datieren.

Z. 2 Macedo ist in Philippi bisher nicht belegt.

Z. 3 Ein anderer *munerarius* aus Philippi ist Caius Vibius Florus in 493/L113 (in Drama gefunden). Aus dem Macellum stammt die Inschrift 252/L467 (dort weitere Belege für *munerarii*).

254/L442   **Ehreninschrift für Antoninus Pius**
  II

Paul Lemerle: Nouvelles inscriptions latines de Philippes, BCH 61 (1937), S. 410–
420; hier S. 410–412, Nr. 1 mit Zeichnung.

Philippi, im Süden des Forums. „Deux fragments trouvés sur la terrasse
au-dessus du forum, dans la fouille de la basilique chrétienne" (Lemerle, S.
410).
Das rechte Fragment (vgl. Abb. 1 bei Lemerle, S. 411) befindet sich heute
(1992) im Lapidarium der Basilika A (*sic*!; ohne Inventarisierungsnummer).
Fragment 1: H. 0,23; B. 0,34; D. 0,165.
Fragment 2: H. 0,53; B. 0,34; D. 0,165.
Dia Nummer 232/1991; 302/1992.

> [Imp(eratori) Caesari,]
> [divi Hadriani Aug(usti)]
> filio, d[ivi Traiani]
> Parthic[i nep(oti), di]vi
> 5 [Nervae pro]nepoti,
> [T(ito) Aelio Had]riano
> [Antonino Au]g(usto) Pio,
> [pon(tifici) max(imo), tr]ib(unicia) pot(estate),
> [co(n)s(uli) de]sig(nato).

Das rechte Fragment im heutigen Zustand:

> NEPOTI
> RIANO
> G PIO
> IB POT
> SIG *vacat*

Dem Imperator Caesar, dem Sohn des vergöttlichten Hadrianus
Augustus, dem Enkel des vergöttlichten Traianus Parthicus, [5]
dem Urenkel des vergöttlichten Nerva, Titus Aelius Hadrianus
Antoninus Augustus Pius, dem Pontifex Maximus, versehen mit
der tribunizischen Gewalt, dem designierten Consul.

Lemerle datiert die Inschrift zwischen „25 février 138" und „10 décembre
138" (S. 411).

255/L443   **Weihinschrift auf Befehl der Isis**

Paul Lemerle: Nouvelles inscriptions latines de Philippes, BCH 61 (1937), S. 410–
420; hier S. 412, Nr. 2 (ohne Abb.).

Ladislaus Vidman [Hg.]: Sylloge inscriptionum religionis Isiacae et Sarapiacae, RVV 28, Berlin 1969; hier S. 57, Nr. 126.

Philippi, im Süden des Forums (wie 254/L442).
Abmessungen: L. 0,26; H. 0,30; D. 0,10; H. der Buchstaben 0,06; Zeilenabstand 0,025.

[…]MPISID
[…]VBIOR
  […]VM

Vidman liest:
[ex] imp(erio) Isid[is]
VBIOR
VM
[…]

… auf Befehl der Isis …

Dies ist die zweite der insgesamt zwölf bei Vidman aus Philippi aufgenommenen Isis-Inschriften, die Collart nicht bietet (Vidman 125 = 506/G252 ist keine Isis-Inschrift!).

Ehreninschrift für einen Sexvir Augustalis   256/L444

Paul Lemerle: Nouvelles inscriptions latines de Philippes, BCH 61 (1937), S. 410–420; hier S. 412, Nr. 3 (keine Abb.).
Bormann, S. 46 (mit falscher Übersetzung).

Philippi, im Süden des Forums (wie 254/L442).
Abmessungen: L. 0,75; H. 0,35; H. der Buchstaben 0,06.

[…]ERO suo VIvir(o) A[ugustali …]

seinem …, dem Sexvir Augustalis …

Z. 1 Zu den *sexviri Augustales* in Philippi vgl. den Kommentar bei 037/L037.

Ehreninschrift für einen Duumvir   257/L445

Paul Lemerle: Nouvelles inscriptions latines de Philippes, BCH 61 (1937), S. 410–420; hier S. 413, Nr. 4 (keine Abb.).

Philippi, im Süden des Forums (wie 254/L442).
Abmessungen: L. 1,35; H. 0,77; D. 0,22; H. der Buchstaben 0,21; 0,11; Zeilenabstand 0,07.

[Loco] publice [dato d(ecreto) d(ecurionum)]
[...]gnatio Apro [...]
[...] IIvir(o) cur(atori) [r(ei) p(ublicae) Phil(ippensium) ...]

1 Die Ergänzung versuchsweise in Anlehnung an 717/L710 vom jüdischen Friedhof in Thessaloniki. **2** Lemerle bietet *[E]gnatius* an.

(Auf Beschluß des Rates an dem) auf Staatskosten (zugewiesenen Ort hat ...) für ...gnatius Aper ... , den Duumvir, den Curator der *res publica* der Philipper (die Inschrift anfertigen lassen).

258/L446   **Lateinische Grabinschrift**

Paul Lemerle: Nouvelles inscriptions latines de Philippes, BCH 61 (1937), S. 410–420; hier S. 413, Nr. 5 (keine Abb.).

Philippi, im Süden des Forums (wie 254/L442).
Abmessungen: H. 0,33; B. 0,245; D. 0,13; H. der Buchstaben 0,28.

Tu, qui pra[e-]
teriens st[as],
spectan[s]
mortis m[o-]
5 nimentum
[...]EVM[...]

Du, der du im Vorübergehen stehen bleibst, siehst das Grabmal (das Erinnerungszeichen an den Tod).

Die Basilika B

Zur Lage vgl. o. Band I, Karte 8: Die Stadt Philippi (S. 75).

Fragment einer lateinischen Grabinschrift
259/L392

P. Lemerle: Inscriptions latines et grecques de Philippes, BCH 58 (1934), S. 448–
483; hier S. 478f., Nr. 22 (ohne Abb.).

Philippi: Basilika B, im Westen des Narthex. Der Stein befindet sich
heute (1991) im Atrium der Kirche (Inventarisierungsnummer 492). Wenn
man den Narthex der Basilika B durch die südliche Tür verläßt und über die
Quermauer in den tiefer gelegenen Teil der Palästra geht (im SO-Eck dieses
Raums).
Abmessungen: L. 1,58; B. 0,52; D. 0,14; H. der Buchstaben 0,09; 0,08; 0,07.
Dia Nummer Σ351.352/1991.

> [... s]ibi et Marroni[ae ...]
> [... e]ṭ Helici filio iuveni i[...]
> *vacat* vivos *vacat* fecit. *vacat*

1 Lemerle: *Marron[iae]*. 3 Lemerle: *vacat* vivos *folium* fecit *folium vacat*.

... hat für sich und für Marronia ... und für seinen jugendlichen
Sohn Helix ... zu seinen Lebzeiten (die Inschrift) gemacht.

Grabinschrift des Lucius Publicius Restitutus
260/L389

P. Lemerle: Inscriptions latines et grecques de Philippes, BCH 58 (1934), S. 448–
483; hier S. 478, Nr. 19 (keine Abb.).

Philippi: Basilika B. Einen genaueren Fundort gibt Lemerle nicht an.
Der Stein befindet sich heute im Atrium (vgl. die Beschreibung bei 259/
L392), an der O-Wand, links neben zwei unpublizierten Thrakischen Reitern
(eine Inventarisierungsnummer ist nicht zu finden).
Abmessungen: H. 0,65; L. 2,00; D. 0,14; H. der Buchstaben 0,13; 0,09; 0,11.
Dia Nummer Σ357.358.359.360/1991.

[L(ucius?)] Publicius Restitutus
annor(um) XVIIII h(ic) s(itus) e(st).
Tatinia Spatale.

Lucius Publicius Restitutus, neunzehn Jahre alt, liegt hier begraben. Tatinia Spatale (hat die Inschrift setzen lassen).

261/L384   **Grabstein für Italicus Paetus und Valeria**
Zeit des

Trajan   *P. Lemerle:* Inscriptions latines et grecques de Philippes, BCH 58 (1934), S. 448–
483; hier S. 475, Nr. 14 (mit Abb. 12).

Philippi: Basilika B, im Westen des Narthex. Der Stein befindet sich
im Atrium der Kirche, rechts unterhalb des zentralen Zugangs vom Narthex
aus gesehen. Inventarisierungsnummer 484.
Abmessungen: L. 0,94; H. 0,66; D. 0,13; H. der Buchstaben: 0,12; 0,095; 0,08;
0,07.
Dia Nummer Σ364.

> [...] Italicus Paet[us]
> [...] sibi et Valeriae [...]
> [...] f(aciendum) c(uravit). in ea arca ali[ud corpus si quis]
> 4   [posuerit quam] q(ui) s(upra) s(cripti) s(unt), dabit fisc[o dena-
> rios ...]

1 Lemerle: *Pae[tus?]*. **4** Lemerle möchte nach *posuerit* post *excessum* bzw. *post obitum
eorum* bzw. *al[ium si quis posuerit q(uam)] q(ui)* ... ergänzen.

... Italicus Paetus (hat) für sich und für Valeria ... (den Stein)
anfertigen lassen. Wenn einer in dieses Grab eine andere Leiche
gelegt hat, als diejenigen, die oben geschrieben sind, soll er dem
Fiscus ... (Denare Strafe) bezahlen.

„La forme des lettres date l'inscription de l'époque trajane" (Lemerle, S.
475).

262/L393   **Fragment einer lateinischen Grabinschrift**

P. Lemerle: Inscriptions latines et grecques de Philippes, BCH 58 (1934), S. 448–
483; hier S. 479, Nr. 23 (ohne Abb.).

Philippi: Basilika B, im Westen des Narthex. Der Stein befindet sich heute (1991) im Atrium der Kirche, links vor dem vorigen (261/L384). Inventarisierungsnummer 493.
Abmessungen: H. 0,28; B. 0,42; D. 0,22; H. der Buchstaben 0,07; 0,06; 0,055.
Dia Nummer Σ363/1991.

> ann(orum) XLV [...]
> Marron[ius?]
> Victor [...]
> [mari?]to [...]

Auf dem Stein heute nur noch:

> ạnn(orum) XLУ
> MARROṆ
> Victor

Datierung unbestimmt: „gravure grossière, époque tardive" (Lemerle, S. 479).

Fragment einer griechischen Grabstele   263/G062

Heuzey/Daumet, Nr. 45 (S. 93).
A. Παπαδόπουλος Κεραμεύς: Ἀρχαιότητες καὶ ἐπιγραφαί τῆς Θράκης συλλεγεῖσαι κατά τὸ ἔτος 1885· προσετέθησαν καὶ τινες ἐπιγραφαί τῆς Μακεδονίας, in: Ὁ ἐν Κωνσταντινουπόλει Ἑλληνικός Φιλολογικός Σύλλογος. Σύγγραμμα Περιοδικόν 17 (1882–83), Παράρτημα, Konstantinopel 1886, S. 65–113; hier S. 113.
Δήμιτσας, Nr. 944 (S. 742).
J. Arthur R. Munro: Epigraphical Notes from Eastern Macedonia and Thrace, JHS 16 (1896), S. 313–322; hier S. 317, Nr. 13.
A. Salač: Inscriptions du Pangée, de la région Drama-Cavalla et de Philippes, BCH 47 (1923), S. 49–96; hier S. 87f. (Nr. 6[a]).
P. Lemerle: Inscriptions latines et grecques de Philippes, BCH 59 (1935), S. 126–164; hier S. 127, Anm. 1.

Philippi: Basilika B, Narthex. Die genaue Lage beschreibt Lemerle wie folgt: „remployé dans la construction du narthex et visible par suite de la dégradation du mur (mur Ouest, formant pilier entre deux ouvertures; face extérieur" (S. 127, Anm. 1).
Die Maße des Steins zur Zeit von Lemerle: H. 1,20; B. 0,22; D. 0,71; H. der Buchstaben 0,07. Zur Zeit von Παπαδόπουλος Κεραμεύς waren die Maße noch H. 1,90; B. 0,25.
Der Stein ist heute (1991) noch *in situ,* und zwar vom Atrium aus gesehen nördlich des zentralen Eingangs zum Narthex, im südlichen Pfeiler des Bogens.
Dia Nummer Σ366.367.368.369/1991.

Heuzey: Munro:

[. . .]A   [. . .]A
[. . .]ΔIA   [. . .]ΔIA
[. . .]A   [. . .]A
[. . .]OΣ   [. . .]K
5 [. . .]TH   [. . .]Σ
[. . .]MX   [. . .]OΣ
                [. . .]ΣTH
                [. . .]M X

Im Jahr 1885 hat Παπαδόπουλος Κεραμεύς die Inschrift im von Munro wiedergegebenen Zustand (doch ohne Z. 3) gesehen. Zur Zeit von Salač waren nur die letzten vier Zeilen übrig. Lemerle stellt fest, daß die ersten drei Zeilen – die Munro noch gelesen hat – mittlerweile fehlen. In diesem Zustand ist die Inschrift noch heute (1991). **7** Lemerle: Σ·TH. **8** Es ist wohl μ(νήμης) χ(άριν) zu verstehen (Lemerle).

264/L398   **Fragment der Grabinschrift des Tiberius Claudius**

P. Lemerle: Inscriptions latines et grecques de Philippes, BCH 58 (1934), S. 448–483; hier S. 480, Nr. 28 (ohne Abb.).

Philippi: Basilika B, im Westen des Narthex. Der Stein befindet sich heute (1991) im Atrium, links neben der zentralen Tür, die vom Atrium in den Narthex führt. Inventarisierungsnummer 498.
Abmessungen: L. 1,35; H. 0,45; D. 0,15; H. der Buchstaben 0,155; 0,110.
Dia Nummer Σ376.377/1991.

Ti(berius) Claudius Ti(beri) [fil(ius)]
[. . .]erianus ann(orum) [. . .]

Tiberius Claudius . . . , der Sohn des Tiberius, . . . Jahre alt, (liegt hier begraben).

„Le cognomen est sans doute Celerianus ou Valerianus, l'apex supérieur d'un *l* étant encore visible sur la pierre." (Lemerle, S. 480).

265/G417   **Fragment einer griechischen Grabinschrift**

P. Lemerle: Inscriptions latines et grecques de Philippes, BCH 59 (1935), S. 126–164; hier S. 153, Nr. 47 (ohne Abb.).

Philippi: Basilika B. Heute im Atrium, unterhalb des erhaltenen Bogens mit der Konche (Inventarisierungsnummer 296).
Abmessungen: L. 0,88; H. 0,62; D. 0,15; H. der Buchstaben Z. 1: 0,09; Z. 2–4: 0,07.
Dia Nummer Σ381.382/1991.

[...]τιος ἑαυτῷ
[...]τῳ καὶ τῇ γλυ[κυτάτῃ συμβίῳ]
[... καὶ τοῖς τέ]κνοις, ὃς ἂν δὲ αἴτ[ερον καταθῇ]
[δώσει προστίμ]ου τῇ πόλι ✕ (ἑκατὸν μυριάδες), δ[ηλάτορι ...]

1 Lemerle liest ἑαυτῶ. **3** Lemerle liest [τέκ]νοις. Doch das K ist deutlich zu erkennen.
4 Lemerle: [δώσει προστίμ]ου τῇ πόλι ✕ ρμα΄. Der letzte Buchstabe ist ein Λ oder Δ. Ein A ist unmöglich, da kein Querstrich zu erkennen ist (der Querstrich ist in der Zeile darüber in beiden Fällen deutlich sichtbar). Auf dem Stein steht außerdem nicht ρμ, wie Lemerle anscheinend annimmt, sondern M̄.

... für sich selbst und für seine allerliebste Frau und seine Kinder. Wer aber eine andere (Leiche hier) niederlegt, soll an die Stadt 1.000.000 Denare Strafe zahlen, dem, der es anzeigt, (soll er ... zahlen).

Z. 4 Zu den δηλάτωρ-Belegen aus Philippi vgl. die Liste bei 022/G220 aus Kavala.

Grabinschrift für Βασίλια   266/G422

P. Lemerle: Inscriptions latines et grecques de Philippes, BCH 59 (1935), S. 126–164; hier S. 156, Nr. 52 mit Abb. 10.

Philippi: Basilika B, im Westen des Narthex. „Stèle brisée en deux morceaux qui se raccordent, trouvée à l'Ouest du narthex (elle servait de couvercle à une tombe)" (Lemerle, S. 156).
Abmessungen: H. 1,60; B. 0,58; D. 0,15; H. der Buchstaben Z. 1: 0,075; Z. 2: 0,070; Z. 3 und 4: 0,055.
Der Stein befindet sich heute im Atrium, an der mittleren Wand, im Norden. Inventarisierungsnummer 301.
Dia Nummer Σ385.386/1991.

Οὐαρίνιος
Καρποφόρος
Βασιλίᾳ τῇ μητρὶ
μν(ήμης) χά(ριν).

Vorhanden ist nur noch Z. 3–4. **3** Lemerle: τῇ.

Varinius Karpophorus (hat die Inschrift) für seine Mutter Basilia
der Erinnerung halber (aufstellen lassen).

Z. 1 In Philippi begegnet Οὐαρίνιος sonst in dieser griechischen Form
nicht. Allerdings ist auf dem jüdischen Friedhof in Thessaloniki – auf dem
viele Inschriften aus Philippi gefunden wurden – 1943 eine griechische Inschrift gefunden worden, auf der eine Οὐαρινία Εὐποσία begegnet. (Die Inschrift fehlt bei Edson, IG X 2,1. Sie ist abgedruckt bei B. Καλλιπολίτης/Δ.
Λαζαρίδης: Αρχαίαι επιγραφαί Θεσσαλονίκης, Thessaloniki 1946, hier Καλλιπολίτης, Nr. 4 = S. 10f.)

267/G416   Fragment einer griechischen Grabinschrift

P. Lemerle: Inscriptions latines et grecques de Philippes, BCH 59 (1935), S. 126–
164; hier S. 152f., Nr. 46 mit Abb. 7.

Philippi: Basilika B. Der Stein befindet sich heute (1991) im Atrium, links
neben der vorigen Inschrift 266/G422. Inventarisierungsnummer 295.
Abmessungen: L. 1,15; H. 0,82; D. 0,09; H. der Buchstaben 0,085.
Dia Nummer Σ395 (nicht photographierbar).

> [...]ΟϹ · Κ[...]
> [ἐποίησε]ν ἑαυτῷ κ[αὶ]
> [...]γενου ακα[...]
> [...]ω καὶ Πείσω[νι]
> 5 [ὃς ἂν δὲ ἕτε]ρον πτῶμα καταθ[ῇ,]
> [δώσει προστίμ]ου τῇ πόλ[ει ...]

2 Vielleicht κα[ὶ].

... hat es für sich und für ... und für Peison gemacht. Wer aber
eine andere Leiche niederlegt, der soll der Stadt ... (Denare)
Strafe bezahlen.

268/G428   Grabinschrift der Θεοδώρα
IV/V

P. Lemerle: Inscriptions latines et grecques de Philippes, BCH 59 (1935), S. 126–
164; hier S. 161, Nr. 58 mit Abb. 16.
AÉ 1936 [1937] 49.

Lemerle, S. 102, Nr. 2.
Feissel, S. 206f., Nr. 246 (Tafel 58).
Band I, S. 241.

Philippi: Basilika B, im Westen des Narthex. „Stèle brisée en bas, endommagée sur les bords; trouvée à l'Ouest du narthex" (Lemerle, S. 161). „En tête de l'inscription une croix, maintenant effacée (ou martelée?), était flanquée de deux feuilles de lierre" (ebd.).
Abmessungen: H. 0,40; B. 0,48; D. 0,10. H. der Buchstaben 0,035.
Der Stein befindet sich heute (1991) im Atrium, im nordöstlichen Eck, links neben einer anscheinend unpublizierten lateinischen christlichen Inschrift. Inventarisierungsnummer nicht vorhanden.
Dia Nummer Σ402.403/1991.

†

   Ἐνθάδε κῖτε
   ἡ δούλη τοῦ θ(εο)ῦ
   Θεοδώρα γα<μ>ητὴ
   Ἀγρυκίου κεντυ-
5 ῥίωνος.

Das Kreuz ist heute kaum mehr zu erkennen. **2** Lemerle gibt: θεοῦ. Auf dem Stein: Θ͞Υ. **3** Lemerle: ΑΝΤΙ. AÉ: ANTI (?). Lemerle (in der Monographie): γαμητή. Feissel: γαμητή. **5** Lemerle: ῥίωνος.

Hier liegt Theodora, die Dienerin Gottes, die Frau des Agrykios (*sic?*), des Centurio.

Z. 3 Θεοδώρα begegnet sonst in den Inschriften von Philippi nicht. „La variante γαμητή, pour γαμετή, est enregistrée par LS7, *Suppl.*, s.v. On peut ajouter notament, près de Philippes, trois exemples en Thrace ... . Il s'agit là, du moins en Thrace, non pas d'un doublet morphologique mais d'une variante phonétique, indice parmi d'autres de l'équivalence ε/η contrairement à l'itacisme courant" (Feissel, S. 207).
Z. 4 Ἀγρύκιος = Ἀγροίκος, vgl. Feissel im Kommentar zur Stelle (S. 207): „Ce dérivé de l'adjectif ἄγροικος est parfaitement grec".
Datierung nach Feissel.

Grabinschrift des Marcus Naevius Messianus   269/L390
und seiner Frau

P. Lemerle: Inscriptions latines et grecques de Philippes, BCH 58 (1934), S. 448–483; hier S. 478, Nr. 20 (keine Abb.).

Philippi: Basilika B, im Westen des Narthex. Der Stein befindet sich heute (1991) im Atrium, links oberhalb von 268/G428 (siehe dort). Inventarisierungsnummer 490.
Abmessungen: L. 2,10; H. 0,60; D. 0,13; H. der Buchstaben 0,20; 0,115; 0,155.
Dia Nummer Σ405.405a/1991.

> M(arcus) Naevius M(arci) f(ilius) V[ol(tinia)]
> Messianus ann(orum)　*vacat* vivos si[bi et]
> [-a]rroniae Cleopatr[ae f(aciendum) c(uravit).]

2　Lemerle: *[M]essianus.* Hinter dem *ann(orum)* ist Platz für mindestens drei Buchstaben; es sollte die Zahl wohl nach dem Ableben des Marcus Naevius Messianus eingefügt werden.
3　Lemerle schlägt *Marroniae* bzw. *Varroniae* vor.

> Marcus Naevius Messianus, der Sohn des Marcus, aus der Tribus Voltinia, ... Jahre alt, hat zu seinen Lebzeiten für sich und für ... Cleopatra (die Inschrift) anfertigen lassen.

Z. 1　Eine Liste aller *Naevii* aus Philippi bei 042/L115.
Z. 3　Zum Namen Varronius vgl. den Kommentar zu 455/L083.

270/L387　　　　**Grabinschrift für das Kind Caius Annius Fuscus**

P. Lemerle: Inscriptions latines et grecques de Philippes, BCH 58 (1934), S. 448–483; hier S. 477, Nr. 17 mit Abb. 13.

Philippi: Basilika B, im Westen des Narthex. Die Inschrift befindet sich heute (1991) im Atrium, gegenüber der zentralen Tür, die vom Narthex in das Atrium führt, etwas nach links versetzt. Inventarisierungsnummer 487.
Abmessungen: L. 2,05; B. 0,54; D. 0,135; H. der Buchstaben 0,095; 0,075; 0,075.
Dia Nummer Σ411/1991.

> C(aius) Annius Fuscus an(norum) VIII h(ic) s(itus) e(st).
> Annia C(ai) f(ilia) Secunda filio et sibi et
> [M(anio)] Cassio M(ani) l(iberto) Secundo viro v(iva) d(e) s(uo)
> f(aciendum) c(uravit)

3　Lemerle: *v(otum)* statt *v(iva).* Sinn?

> Caius Annius Fuscus, acht Jahre alt, liegt hier begraben. Annia Secunda, die Tochter des Caius, hat (die Inschrift) für ihren Sohn und für sich selbst und für ihren Mann Manius Secundus, den

Freigelassenen des Manius, zu ihren Lebzeiten auf eigene Kosten anfertigen lassen.

Z. 1 Zum *cognomen* Fuscus vgl. den Kommentar bei 163/L002, Z. 28.

Grabinschrift eines Capito und seiner Frau   271/L397

P. Lemerle: Inscriptions latines et grecques de Philippes, BCH 58 (1934), S. 448–483; hier S. 480, Nr. 27 (ohne Abb.).

Philippi: Basilika B, im Westen des Narthex. Die Inschrift (auf zwei Blöcken) befindet sich heute (1991) im Atrium, links neben 270/L387 (siehe dort). Inventarisierungsnummer 497. Davor liegt ein Fragment (ebenfalls mit der Inventarisierungsnummer 497) mit nur einem Buchstaben. Handelt es sich um ein Stück dieser Inschrift? Es ist vermutlich ein D.
Abmessungen: L. 1,53; H. 0,90; D. 0,15; H. der Buchstaben 0,125; 0,10; 0,09.
Dia Nummer Σ412.413/1991.

> [...] Vol(tinia) Capito sibi et
> [...] C(ai) f(iliae) Primigeniae uxori
> d(e) s(uo) f(aciendum) c(uravit).

> ... Capito, aus der Tribus Voltinia, hat für sich selbst und für seine Frau ... Primigenia, die Tochter des Caius, auf eigene Kosten (die Inschrift) anfertigen lassen.

Grabinschrift der Atilia Nymphe   272/L388

P. Lemerle: Inscriptions latines et grecques de Philippes, BCH 58 (1934), S. 448–483; hier S. 477f., Nr. 18, keine Abb.

Philippi: Basilika B, im Westen des Narthex. Der Stein befindet sich heute (1991) im Atrium; links neben 271/L397 (siehe dort) folgt zunächst ein offenbar unpubliziertes lateinisches Fragment mit der Inventarisierungsnummer 962, links daneben dann die vorliegende Inschrift (Inventarisierungsnummer 488).
Abmessungen: L. 0,59; H. 0,34; D. 0,10.
Dia Nummer Σ415/1991.

Atilia Nymphe
annor(um) $\overline{\text{XXII}}$
h(ic) s(ita) e(st).

Atilia Nymphe, zweiundzwanzig Jahre alt, liegt hier begraben.

273/G413   **Griechische Grabinschrift für Αὐρηλία Μοντάνα**

P. Lemerle: Inscriptions latines et grecques de Philippes, BCH 59 (1935), S. 126–164; hier S. 151f., Nr. 43 mit Abb. 6.
Charles Edson: Double Communities in Roman Macedonia, in: Μελετήματα στη μνήμη Βασιλείου Λαούρδα/Essays in Memory of Basil Laourdas, Thessaloniki 1975, S. 97–102; hier S. 102 mit Anm. 24.
Band I, S. 117 mit Anm. 11.

Philippi: Basilika B (Palästra). „Pierre brisée à gauche et à droite, probablement complète en haut; trouvée au Sud du narthex, remployée pour former un des côtés d'une tombe grossière" (Lemerle, S. 151).
Abmessungen: L. 1,50; H. 0,57; D. 0,15; H. der Buchstaben 0,06.
Die Inschrift befindet sich heute im Süden des Atriums, rechts von dem Weg, der zu der Treppe der Latrinen führt.
Dia Nummer Σ417.418/1991.

[. . .]ρίδης κατεσκεύα[σεν ἑαυτῷ καὶ]
[. . . τῇ ἰδίᾳ σ]υμβίῳ Αὐρ(ηλίᾳ) Μοντάνᾳ καὶ τ[οῖς τέκνοις]
[. . .]φίλε τύμβον ἔθηκα ἄλλο τι γινώσκων [. . .]
[. . .]CA δὲ ἕτερον τολμήσι ἐνθάδε νέκυν [καταθεῖναι]
5   [χωρὶς τ]ῶν προγεγραμμένον δώσι προστίμου [τῇ τῶν]
[Φιλιππέω]ν κολονίᾳ ✳ (πεντήκοντα) μυ(ριάδες).

4 Von dem C ist heute nichts mehr zu erkennen.   **6** Auf dem Stein: Ṇ̈.

... hat für sich und für Aurelia Montana, seine eigene Frau, und für die Kinder ... [Z. 3 verstehe ich nicht]. Wer es aber wagen wird, hier einen anderen Toten niederzulegen außer denen, die vorher geschrieben stehen, der soll Strafe zahlen der Kolonie der Philipper (in Höhe) von 500.000 Denaren.

Z. 2 Eine Αὐρηλία Μοντάνα begegnet auch in der Grabinschrift 734/G749 vom jüdischen Friedhof in Thessaloniki.
Z. 3 „La troisième ligne, dont la mutilation empêche de bien saisir le sens, s'adressait au passant" (Lemerle, S. 151f.).
Z. 4 τολμήσι = τολμήσει = τολμήσῃ.

Z. 5 τῶν προγεγραμμένον = τῶν προγεγραμμένων und δώσι = δώσει.
Die Ergänzung [χωρὶς τ]ῶν προγεγραμμένων nehme ich nach der Parallele 734/G749 vom jüdischen Friedhof in Thessaloniki vor.

Z. 6 κολονίᾳ = κολωνίᾳ. Edson macht darauf aufmerksam, daß das Formular in Philippi normalerweise τῇ πόλει vorsieht; unser τῇ κολωνίᾳ ist die
Ausnahme von der Regel. Vgl. dazu den Sprachgebrauch in 711/G736 sowie
die Diskussion in Band I, S. 160 mit Anm. 5.

Das Ṃ interpretiere ich so, daß MY für (μυ)ριάδες steht; dann gilt MA
= 10.000, MB = 20.000 usw., also: MN = 500.000 (vgl. etwa A.G. Woodhead: The Study of Greek Inscriptions, Cambridge ²1981, S. 111; Margherita
Guarducci: L'epigrafia greca dalle origini al tardo Impero, Rom 1987, S. 86).

Grabinschrift des Κυριακός und der Νικάνδρα   274/G430
                                                     IV/V

P. Lemerle: Inscriptions latines et grecques de Philippes, BCH 59 (1935), S. 126–
   164; hier S. 162, Nr. 60 (ohne Abb.).
Lemerle, S. 102, Nr. 4.
Feissel, Nr. 243, S. 205 (Tafel 57).
Band I, S. 241.

Philippi: Basilika B, im Westen des Narthex. „Stèle arrondie en haut,
brisée en bas: trouvée au même endroit que la précédente [275/G429]. ...
En haut de la stèle, une croix partage en deux les deux premières lignes"
(Lemerle, S. 162).
Der Stein befindet sich heute nicht mehr im Bereich der Basilika B, son-
dern in dem Lapidarium beim Wächterhäuschen (ohne Inventarisierungs-
nummer).
Abmessungen: H. 0,30; B. 0,36; D. 0,08; H. der Buchstaben 0,04–0,06.
Dia Nummer Σ185/1991.

   Κοιμητή-
   ριον Κυρια-
   κοῦ καὶ Νικ[ά-]
   νδρας.

1 Lemerle: Κοιμη[τή-. Heute nur noch: Κοιμητ[ή-]. **2** Heute: Κυρι[α-]. **3** Heute:
Νικ[ά-]. **4** Lemerle: γο[ρος.

   Grab („Schlafzimmer") des Kyriakos und der Nikandra.

Z. 1 Zu dem spezifisch christlichen Wort κοιμητήριον vgl. den Kommentar bei 077/G067.

Z. 2f. Der Name Κυριακός begegnet in Philippi auch in der (ebenfalls christlichen) Inschrift 071/G437 aus Dikili-Tasch.
Datierung von Feissel.

275/G429   Grabinschrift der Ἀλεξάνδρα
V/VI

> *P. Lemerle:* Inscriptions latines et grecques de Philippes, BCH 59 (1935), S. 126–
> 164; hier S. 161f., Nr. 59 (ohne Abb.).
> *Lemerle,* S. 102, Nr. 3.
> *Feissel,* Nr. 244 (S. 206).
> *Band I,* S. 241.

Philippi: Basilika B, im Westen des Narthex. „Stèle brisée en bas, trouvée à l'Ouest du narthex. ... Une croix à branches inégales occupe toute la hauteur de la pierre et partage les lignes en deux. Gravure très irrégulière" (Lemerle, S. 161).
Abmessungen: H. 0,27; B. 0,40; D. 0,065; H. der Buchstaben 0,03 bis 0,06.
Schon Feissel vermochte diese Inschrift nicht mehr zu finden; sie ist offenbar verschollen.

> Κοιμητ(ήριον)
> Ἀλεξάν-
> δρας κ(αὶ) Γλ[υ-]
> κέρ[ας].

2 Feissel: Ἀλεξά(ν)-. **3** Lemerle: καί. **4** Text nach Lemerle. Feissel: κερ[ίου?] mit der Bemerkung: „on ne peut exclure Γλυκερία ..., ou Γλυκέριος, si les défunts sont mari et femme" (S. 206).

> Grab („Schlafzimmer") der Alexandra und der/des Glyker...

Z. 1 Zu dem spezifisch christlichen Wort κοιμητήριον vgl. den Kommentar bei 077/G067.
Datierung von Feissel.

276/L376   Grabinschrift eines Sexvir Augustalis

> *P. Lemerle:* Inscriptions latines et grecques de Philippes, BCH 58 (1934), S. 448–
> 483; hier S. 464f., Nr. 6 mit Abb. 5.
> *AÉ* 1935 [1936] 52.
> *Collart,* S. 269.
> *Bormann,* S. 46.

Philippi: Basilika B, Atrium. „Sous l'inscription se trouvait un relief du cavalier thrace dont il ne reste que la partie supérieure" (Lemerle, S. 464). Abmessungen: L. 0,63; H. 0,17; D. 0,10; H. der Buchstaben 0,055.

> [...] sexvir Aug(ustalis) h(ic) s(itus) e(st).

> ..., Sexvir Augustalis, liegt hier begraben.

„... témoignage de l'existénce, à Philippes, de cet *ordo Augustalium* qui constitua dans les provinces, entre *l'ordo decurionum* et la plèbe, une classe moyenne où les affranchir riches avaient accès, et dont on a pu comparer le rôle et l'importance à ceux qu'avait à Rome l'ordre équestre" (Lemerle, S. 465). Eine Liste der *sexviri Augustales* aus Philippi bietet der Kommentar zu 037/L037.

Grabinschrift für das Kind Caius Vibius Trophimus   277/L385

P. Lemerle: Inscriptions latines et grecques de Philippes, BCH 58 (1934), S. 448–483; hier S. 475, Nr. 15 (ohne Abb.).

Philippi: Basilika B, im Westen des Narthex.
Abmessungen: L. 0,95; B. 0,52; D. 0,09; H. der Buchstaben 0,07; 0,06; 0,045; 0,004; 0,008.

> *vacat* D(is) M(anibus). *vacat*
> [...] Vibius Trophimus
> [si]bi et C(aio) Vibio Trophimo
> [...] ann(orum) III mens(ium) VIII d(ierum) XII.
> 5 *vacat* h(ic) s(itus) e(st). *vacat*

> Den Totengöttern. ... Vibius Trophimus (hat die Inschrift) für sich selbst und für Caius Vibius Trophimus, drei Jahre, acht Monate und zwölf Tage alt, (anfertigen lassen). Dieser (Sohn) liegt hier begraben.

„Le père avait fait faire la tombe pour son jeune fils, en se réservant d'y être lui-même plus tard inhumé. Ce ne fut pas le cas, et l'épitaphe du père est peut-être n° 16 [278/L386]" (Lemerle, S. 475).

Z. 1 Die Liste aller *Dis-Manibus*-Inschriften aus Philippi findet sich im Kommentar zu 092/G496 aus Κρηνίδης.

Z. 2 Eine Liste aller *Vibii* aus Philippi im Kommentar zu 058/L047 aus Dikili-Tasch.

278/L386   ## Fragment einer lateinischen Grabinschrift

P. Lemerle: Inscriptions latines et grecques de Philippes, BCH 58 (1934), S. 448–
483; hier S. 475, Nr. 16 (keine Abb.).

Philippi: Basilika B, im Westen des Narthex.
Abmessungen: L. 0,98; H. 0,53; D. 0,11; H. der Buchstaben 0,11; 0,09.

> [Tro]phimus Vib[ius?]
> [. . .]r an(norum) L h(ic) s(itus) [e(st).]

> … Trophimus Vibius, fünfzig Jahre alt, liegt hier begraben.

Z. 1   Eine Liste aller *Vibii* aus Philippi im Kommentar zu 058/L047 aus
Dikili-Tasch. Unser Trophimus Vibius ist Lemerle zufolge mit dem Vibius
Trophimus in 277/L385 identisch (s. dort).

279/L401   ## Inschrift der Iuvenca

P. Lemerle: Inscriptions latines et grecques de Philippes, BCH 58 (1934), S. 448–
483; hier S. 481, Nr. 31 (keine Abb.).

Philippi: Basilika B, im Westen des Narthex.
Abmessungen: L. 1,10; H. 0,65; D. 0,105; H. der Buchstaben 0,10; 0,08.

> [. . .]fia Iuvenca
> viva f(aciendum) c(uravit).

> … Iuvenca hat (die Inschrift) zu ihren Lebzeiten anfertigen las-
> sen.

Z. 1 Solin/Salomies erwägen [Mo]fia (S. 121, s.v. Mofius).

280/G415   ## Fragment einer griechischen Grabinschrift

P. Lemerle: Inscriptions latines et grecques de Philippes, BCH 59 (1935), S. 126–
164; hier S. 152, Nr. 45 (ohne Abb.).

Philippi: Basilika B, im Westen des Narthex.
Abmessungen: L. 1,85; H. 0,45; D. 0,11 H. der Buchstaben 0,08.

> [. . .]ΤΕΙ[. . .]
> [χωρὶς τῶν προ]γεγραμμένων δώσι τῇ πόλι προστε[ίμου]
>   ✳ ,α´ καὶ δηλάτορι ✳ φ´.

2 Lemerle nur: τῶν προ] ... τῇ.

(... wer aber eine andere Leiche) als die oben geschriebenen
(in das Grab legt), soll der Stadt 1000 Denare und dem, der es
anzeigt, 500 Denare Strafe zahlen.

Z. 2 Die Ergänzung zu χωρὶς τῶν προγεγραμμένων nach der Parallele
734/G749 vom jüdischen Friedhof in Thessaloniki.

Z. 3 ͵α΄ = 1000, φ΄ = 500. Die Stadt bekommt also doppelt soviel wie der
delator. Zu den δηλάτωρ-Belegen aus Philippi vgl. die Liste bei der Inschrift
022/G220 aus Kavala.

Vgl. den Kommentar zu der Inschrift 133/G441 vom Neapolistor (Z. 9–10).

Ehreninschrift für Vespasianus   281/L371
                                                   78/79

P. Lemerle: Inscriptions latines et grecques de Philippes, BCH 58 (1934), S. 448–
   483; hier S. 449–454, Nr. 1b mit Abb. auf Pl. VII.
AÉ 1935 [1936] 47.
Collart, S. 314, Anm. 1.

Philippi: Basilika B. „Provient d'une grande dalle inscrite romaine qui a
été débitée et retaillée pour remploi dans la basilique. Dans l'etat actuel on
a deux pierres, l'une ... composée de cinq fragments, l'autre ... de quatre fragments qui se raccordent. Tous les fragments ont été trouvés dans la
partie centrale du transept. Les deux pierres elles-mêmes se complètent, la
seconde venant à la gauche de la première ... " (Lemerle, S. 449f.) Ursprünglich handelte es sich um einen Stein mit L. 3,00; H. 0,90. Die aktuellen Maße
sind folgende: rechter Stein (= 282/L370): L. 0,92; H. 0,76; D. 0,16; linker
Stein (= 281/L371): L. 0,94; H. 0,90; D. 0,16. H. der Buchstaben rechter
Stein (= 282/L370) 0,090; 0,065; 0,053; 0,065; 0,053; 0,065; 0,053. Zeilenzwischenräume: 0,059; 0,033; 0,032; 0,032; 0,110; 0,032; 0,1103. H. der Buchstaben linker Stein (= 281/L371): 0,095; 0,070; 0,050; 0,070; 0,050; 0,065;
Zeilenzwischenräume: [0,095]; 0,050; 0,030; 0,030; 0,030; 0,030; [0,250].
Der Stein befindet sich heute (1991) im Lapidarium, d.h. in dem Bereich
des Narthex der Basilika B, der bis auf das Niveau der früheren Straße
ausgegraben worden ist (vgl. bei Λαζαρίδης Plan 15, Ziffer 5). Inventarisierungsnummer 471.
Dia Nummer Σ264.265.266/1991.

Imp(erator) Caesar
Vespasianus
Augustus trib(uniciae) pot(estatis) X̄,
imp(erator) Titus Caesar

5 Augusti f(ilius) trib(uniciae) pot(estatis) $\overline{VIII}$
pub(lice) d(ecreto) d(ecurionum).

1 Das I am Anfang fehlt heute. **3** Heute: *Aug[u]stus.* **4** Heute: *[imp(erator)] Titus.*

Der Imperator Caesar Vespasianus Augustus, zum zehnten Male
Inhaber der tribunizischen Gewalt, (und) der Imperator Titus
Caesar, der Sohn des Augustus, zum achten Male Inhaber der
tribunizischen Gewalt. Auf öffentliche Kosten (wurde das Monument) auf Beschluß des Rates (aufgestellt).

Z. 2 Vespasianus begegnet auch in den Militärdiplomen 030/L523 aus
Kavala und 705/L503 aus Moesien, in einer Grabinschrift (aus Rom; 756/
L701) sowie in einer Inschrift aus Thasos (711/G736). Ein *flamen divi Ves-
pasiani* ist in einer Inschrift aus Kavala (004/L030) und in einer Inschrift
aus Thessaloniki (719/L712) bezeugt.
Z. 4 Titus dagegen begegnet in den Inschriften von Philippi nur an dieser
Stelle; auch ein *flamen* des Titus ist nicht bezeugt.
Die Datierung ergibt sich wie folgt: Der *terminus a quo* ist wegen des *tri-
buniciae potestatis X* (in Z. 3) der 1. Juli 78; *terminus ad quem* ist der Tod
des Vespasianus am 23. Juni 79.

282/L370
36/37

Ehreninschrift für Tiberius

P. Lemerle: Inscriptions latines et grecques de Philippes, BCH 58 (1934), S. 448–
    483; hier S. 449–454, Nr. 1a mit Abb. auf Pl. VII.
AÉ 1935 [1936] 47.
Collart, S. 314, Anm. 1.
Pantelis M. Nigdelis: Kalendarium Caesianum: Zum kaiserlichen Patrimonium in
    der Provinz Makedonien, ZPE 104 (1994), S. 118–128; hier S. 119 mit Anm. 5.
Bormann, S. 198 (in Unkenntnis der Ergänzung des Schlusses aus AÉ 1935).

Philippi: Basilika B. Die Inschrift besteht aus zwei Blöcken: Der eine Stein
befindet sich heute (1991) im Lapidarium, d.h. in dem Bereich des Narthex
der Basilika B, der bis auf das Niveau der früheren Straße ausgegraben
worden ist (vgl. bei Λαζαρίδης Plan 15, Ziffer 5). Dieser Stein enthält auch
die Inschrift 281/L371. Inventarisierungsnummer 471.
Der andere Stein mit der rechten Hälfte der Inschrift (Inventarisierungsnummer 470) steht heute an dem SO-Pfeiler der Basilika B (an der O-Seite).
Abmessungen siehe bei 281/L371.
Dia Nummer Σ267.270.271.272.273/1991.

A[...]
Ti(berius) C[aesa]r divi Augusti f(ilius)

divi [Iuli] n(epos), trib(uniciae) potes[t(atis)] $\overline{\text{XXXIIX}}$,
Dru[sus] Caesar Ti(beri) Aug(usti) f(ilius),
5 divi [Aug(usti) n(epos)], divi Iuli pro[n(epos)], tr(ibuniciae)
                                    pot(estatis) II
Cad[m]us, Atimetus, Marti[alis],
C(ai) Iuli [A]ugusti liberti, mo(numentum) ḍ(e) [s(uo)]
[f(aciendum) c(uraverunt)].

5 Zahl bei Lemerle mit Überstrich. **6** *Cad[m]us* nach AÉ. **7** Ergänzung am Schluß
nach AÉ. Allerdings paßt das FC keinesfalls mehr in Z. 7 (so der Vorschlag in AÉ, wo
fälschlich *curavit* ergänzt wird).
Von dem linken Teil der Inschrift ist heute noch vorhanden:

A
TIC
DIVI
DRV
5 DIVIA
CAḌ
CIVL

... Tiberius Caesar, der Sohn des vergöttlichten Augustus, der
Enkel des vergöttlichten Iulius, zum achtunddreißigsten Male In-
haber der tribunizischen Gewalt, Drusus Caesar, der Sohn des
Tiberius Augustus, der Enkel des vergöttlichten Augustus, der
Urenkel des vergöttlichten Iulius, zum zweiten Male Inhaber der
tribunizischen Gewalt.
Cadmus, Atimetus und Martialis, die Freigelassenen des Caius
Iulius Augustus, haben das Monument auf ihre eigenen Kosten
anfertigen lassen.

Bormann weist S. 198f. darauf hin, daß diese Inschrift für die Interpretation von Phil 4,22 (οἱ ἐκ τῆς Καίσαρος οἰκίας) von Interesse ist: „Hier sind
drei Kaisersklaven, also Mitglieder der *familia Caesaris*, erwähnt, die nun
als Freigelassene des Augustus zu dessen Klientel zählen. Diese lassen gemeinschaftlich eine Inschrift herstellen, bzw. treten gemeinsam unter dem
Sammelnamen der *Augusti liberti* auf, hier in der ausführlichen Form *C(ai)
Iuli Augusti liberti*". „Wir haben also im Abstand von etwa zwei Jahrzehn-
ten zum Wirken des Paulus in Philippi den Beleg für eine Gruppe aus drei
kaiserlichen Freigelassenen, die sich zur Erstellung einer Inschrift zusam-
menschließen" (ebd.). Weitere Mitglieder der *familia Caesaris* sind in Philippi bisher nicht aufgetaucht.

283/L372   **Weihinschrift für Hadrianus**
130/131

P. Lemerle: Inscriptions latines et grecques de Philippes, BCH 58 (1934), S. 448–
483; hier S. 454–456, Nr. 2 mit Abb. 1.
AÉ 1935 [1936] 48.
Collart, S. 314, Anm. 1; S. 512 mit Anm. 6.
Paul Collart: Inscriptions de Philippes, BCH 62 (1938), S. 409–432; hier S. 413
mit Anm. 1.

Philippi: Basilika B. „Stèle reployée dans la construction du pilier S.O.
. . . . La face inscrite n'est pas apparente de l'exterieur . . . ." (Lemerle, S.
454).
Abmessungen: H. 1,55; B. 0,95; D. 0,88. Die beschriebene Fläche: H. 0,87;
B. 0,72; H. der Buchstaben 0,080; 0,072; 0,062; 0,062; 0,062; 0,062; 0,058;
0,058; 0,058; 0,058. Zeilenzwischenraum 0,018; 0,018; 0,018; 0,015; 0,016;
0,016; 0,016; 0,018; 0,050.

> Imp(eratori) Caesari,
> divi Traiani
> Parthici fil(io),
> divi Nervae
> 5 nepoti, Traiano
> Hadriano Aug(usto),
> pontifici max(imo),
> tribunic(iae) pot(estatis) $\overline{XV}$,
> co(n)s(uli) $\overline{III}$, p(atri) p(atriae),
> 10 publice dec(reto) dec(urionum).

9 Lemerle: *Cos(uli).*

> Dem Imperator Caesar Traianus Hadrianus Augustus, dem Sohn
> des vergöttlichten Traianus Parthicus, dem Enkel des vergött-
> lichten Nerva, dem Pontifex Maximus, zum fünfzehnten Male
> Inhaber der tribunizischen Gewalt, zum dritten Mal Konsul, Va-
> ter des Vaterlandes, auf öffentliche Kosten gemäß dem Beschluß
> der Ratsherren.

Eine andere Ehreninschrift für Hadrianus ist 208/L461 vom Forum.
Datierung: „C'est en 119 qu'Hadrien a pris pour la troisième fois le titre de consul. La quinzième puissance tribunice d'Hadrien commence le 10
décembre 130 et prend fin le 9 décembre 131: c'est donc entre ces deux dates
que l'inscription a été gravée" (Lemerle, S. 455f.).

Grabstein des Marcus Varinius Sphaerus   284/L380

P. Lemerle: Inscriptions latines et grecques de Philippes, BCH 58 (1934), S. 448–
483; hier S. 474, Nr. 10 mit Abb. 10.

Philippi: Basilika B. „Stèle remployée dans la construction de la basilique
comme claveau et retailée; ... la pierre est brisée en deux morceaux qui se
raccordent ... " (Lemerle, S. 474).
Erhalten sind heute (1991) nur die beiden letzten Zeilen des zweiten Steins.
Sie liegen an der S-Mauer der Basilika B, etwa auf der Höhe der Mitte
zwischen dem W- und dem O-Pfeiler. Inventarisierungsnummer fehlt.
H. der Buchstaben 0,075; 0,055; 0,050; 0,045; 0,045.
Dia Nummer Σ322/1991.

M(arco) Varinio
[S]phaero an(norum) L
[...] Severo fil(io) an(norum) [...]
[...] Secunda
5 [vir]o et fil(io) d(e) s(uo) f(aciendum) c(uravit).

5 Auf dem Stein wohl *[vi]ṛo.*

Dem Marcus Varinius Sphaerus, fünfzig Jahre alt, und dem Sohn
... Severus, ... Jahre alt, ihrem Mann und ihrem Sohn, hat
Secunda auf eigene Kosten (die Inschrift) anfertigen lassen.

Griechische Namensliste   285/G579
3. Jh. v. Chr.

P. Lemerle: Inscriptions latines et grecques de Philippes, BCH 59 (1935), S. 126–
164; hier S. 127, Anm. 1.
Louis Robert: Inscriptions grecques, Istros. Revue roumaine d'archéologie et
d'histoire ancienne 2 (1935/36), S. 1–20; hier S. 17.

Philippi: Basilika B. Den genauen Fundort gibt Lemerle nicht an.
„Brisé sur les quatre côtés; plus grande hauteur et largeur, 0 m. 12; hauteur
des lettres, de 0,012 à 0,015. Il reste les traces de 7 lignes de texte" (Lemerle,
S. 127, Anm. 1).

[...]ΑΡΧΟΥ[...]
[...]ΣΟΛΝΟΣ[...]
[Π]υθέα [...]
[Στ]ρατάρχου [...]
5 [...]ΣΤΙΜΑΙΟΥ[...]

[Θ]αρσύν[οντος]
[...]ΣB[...]

Alle Ergänzungen von Robert, a.a.O., S. 17. **3** Lemerle: ΥΟΕΑ. Robert: „une lettre a été mal lue, il y a, *theta* et je retrouverais le génitif de [Π]υθέας" (ebd.).

... Sohn des Pytheas ..., Sohn des Stratarchos ..., Sohn des Tharsynon ...

„M. Roussel veut bien me dire que, d'après l'écriture, il date du IIIe siècle avant J.-C. ce fragment, où il croit voir les restes d'une liste de noms propres" (Lemerle, ebd.).

286/L395   Grabinschrift des Caius Allius Fortunatus für seine Frau

P. Lemerle: Inscriptions latines et grecques de Philippes, BCH 58 (1934), S. 448–483; hier S. 479, Nr. 25 (ohne Abb.).

Philippi: Basilika B: Narthex. Abmessungen: L. 2,00; H. 0,50; D. 0,15; H. der Buchstaben 0,105; 0,110; 0,070.
Der Stein befindet sich heute (1991) im Lapidarium, an der SW-Ecke des Raumes, links neben 290/G421. Inventarisierungsnummer 495 (in zwei Teilen).
Dia Nummer Σ250.251|252|253/1991.

[...]A[...]A Urania
ann(orum) L h(ic) s(ita) e(st).
C(aius) Allius Fortunatus
4 [ux]ori piissimae et sibi et suis v(ivus) f(aciendum) c(uravit).

1 Heute nur noch ỤRANIA zu erkennen. **4** Lemerle: *v(otum).* Sinn?

... Urania, fünfzig Jahre alt, liegt hier begraben. Caius Allius Fortunatus hat (die Inschrift) für seine liebste Frau und für sich selbst und für die Seinigen zu seinen Lebzeiten anfertigen lassen.

287/L378   Grabinschrift des *choragiarius* Marcus Numisius Valens

P. Lemerle: Inscriptions latines et grecques de Philippes, BCH 58 (1934), S. 448–483; hier S. 471f., Nr. 8 mit Abb. 8.
AÉ 1935 [1936] 54.

Collart, S. 273; S. 379f.
Band I, S. 121 mit Anm. 7.

Philippi: Basilika B: Narthex. „Partie supérieure d'une dalle funéraire (trouvée dans le narthex)" (Lemerle, S. 471).
Abmessungen: L. 2,00; H. (erhalten) 0,37; D. 0,13; H. der Buchstaben 0,075.
Der Stein befindet sich heute (1991) im Lapidarium, links neben der vorigen Inschrift 286/L395 (an der S-Mauer). Inventarisierungsnummer nicht auffindbar.
Dia Nummer Σ258.259.260/1991.

M(arcus) Numisius Valens choragiarius
sibi et Marciae Oce[...]

Marcus Numisius Valens, der Choragiarius, (hat die Inschrift)
für sich selbst und für Marcia ..., (seine Frau), aufstellen lassen.

Z. 1 Glare (S. 311, s.v. *choragiarius*) gibt als Bedeutung „a supplier of stage properties" und zitiert als Beleg eine Inschrift aus Eporedia, auf die schon Lemerle, S. 472, hinweist: *A(ulo) Titio A(uli) l(iberto) Bellico V̄Ivir(o) Augustali choragiario* (CIL V 6795), nicht aber den vorliegenden Text. Im Unterschied zum ThLL (III, Sp. 1016, Z. 39f.) hätte er unseren Text aber schon berücksichtigen können.
Collart möchte in Analogie zu Titus Uttiedius Venerianus, den *officialis* (476/L092 aus Drama), auch unseren *choragiarius* als städtischen Funktionär betrachten: „l'exemple de l'épitaphe de Drama nous autorise à voir, là aussi, la mention d'une fonction officielle" (Collart, S. 273).
Die letzte einschlägige Arbeit (Hartmut Leppin: Histrionen. Untersuchungen zur sozialen Stellung von Bühnenkünstlern im Westen des Römischen Reiches zur Zeit der Republik und des Principats, Antiquitas, Reihe I, 41, Bonn 1992) geht auf die *choragiarii* nicht ein (das Stichwort fehlt im Register).
Zwei weitere Inschriften sind für das Theater in Philippi von Interesse: 476/L092 aus Drama, die Grabinschrift des Schauspielers Titus Uttiedius Venerianus, der zuletzt *promisthota* (s. den Kommentar zur Stelle) war; sowie 713/G752 aus der Gegend von Serres, wo zwei weitere προμισθωθαί vorkommen (die vielleicht auch für die Aufführungen in Philippi tätig waren, vgl. den Kommentar).

Grabinschrift für Oppia Prima und Oppius Felix   288/L381

P. Lemerle: Inscriptions latines et grecques de Philippes, BCH 58 (1934), S. 448–483; hier S. 474, Nr. 11 mit Abb. 11.

Philippi: Basilika B: Narthex.
Abmessungen: H. 1,00; B. 0,48; D. 0,09; H. der Buchstaben Z. 1: 0,072; Z. 8: 0,052.
Der Stein befindet sich heute (1991) im Lapidarium, unmittelbar westlich von dem erhaltenen Bogen (rechts neben 301/G414). Inventarisierungsnummer nicht vorhanden.
Dia Nummer 555.556.557/1991.

> Oppia Prima
> an(norum) LXX,
> Oppius Felix
> an(norum) XL h(ic) s(iti) s(unt).
> 5 Oppius Ro-
> manus aviae
> et adfini d(e) s(uo) v(ivus)
> f(aciendum) c(uravit).

7 Lemerle: *v(otum)*. Sinn?

Oppia Prima, siebzig Jahre alt, und Oppius Felix, vierzig Jahre alt, sind hier begraben. Oppius Romanus hat (die Inschrift) für seine Großmutter und für seinen Verwandten auf eigene Kosten zu seinen Lebzeiten anfertigen lassen.

289/L383   **Fragment einer lateinischen Grabinschrift**

P. Lemerle: Inscriptions latines et grecques de Philippes, BCH 58 (1934), S. 448–483; hier S. 474f., Nr. 13 (ohne Abb.).

Philippi: Basilika B: Narthex.
Abmessungen: L. 1,44; H. 0,85; D. 0,14; H. der Buchstaben 0,155; 0,135; 0,120; 0,110.
Der Stein befindet sich heute (1991) im Lapidarium, rechts vor der vorigen Inschrift 288/L381. Inventarisierungsnummer 483.
Dia Nummer 558/1991.

> [C]laudia Cleo[patra h(ic) s(ita) e(st).]
> [V]alerius Euhelpi[dus V̄Ivir Augu-]
> [s]tal(is) uxori suae et sibi. [si alium in]
> ea arca [a]liqui posụ[erit, dabit]
> 5 [r(ei) p(ublicae) Phi]lip(pensium) ✶ [...]

Die Lemerlesche Rekonstruktion leidet darunter, daß in Z. 1 und Z. 2 zu Beginn jeweils ein Buchstabe ergänzt werden, in Z. 4 aber um die 10. Diese Aufteilung ist schwer nachvollziehbar. Ich ergänze daher zu Beginn von Z. 1 und Z. 2 mit Lemerle einen Buchstaben, in Z. 3 ebenfalls nur einen. Z. 5 beginnt, wie der Stein zeigt, mit einem *vacat*, dann ergänze ich in der Lücke R.P.PHI.
1 Die Ergänzung am Ende von Z. 1 ist syntaktisch sinnvoll (Lemerle hat nur *Cleo[patra!)* und ergibt eine syntaktische Gestalt, wenn man auch in den folgenden Zeilen entsprechend ergänzt. **2** Lemerle: *Evhelp[idus]*. Das $\overline{VI}vir$ *Augustal* setzt die Abkürzung AUGUSTAL voraus. Diese ist möglich, wie das Material in ThLL II, Sp. 1406–1407 zeigt (Sp. 1406, Z. 15.25.47.63; Sp. 1407, Z. 13.37 ist AUGUSTAL im Zusammenhang $\overline{VI}vir$ *Augustal* belegt). **3** Heute: *ux[o]r[i s]uae*. Lemerle: *sib[i]*. **4** Lemerle schlägt alternativ *aliud corpus pos[uerit]* vor. **5** Lemerle schlägt alternativ *dare debebit* vor. Auf dem Stein anscheinend ✕ Ī (Sinn?).

Claudia Cleopatra ist hier begraben. Valerius Euhelpidus, der Sexvir Augustalis, hat (die Grabinschrift) für seine Frau und für sich selbst (anfertigen lassen). Wenn einer einen andern in diesen Sarg gelegt hat, soll er der *res publica Philippensium* ... Denare (Strafe) zahlen.

Z. 2f. Falls meine Rekonstruktion zuträfe (wie anders könnte man das TAL in Z. 3 komplettieren?), hätten wir hier einen weiteren Sexvir Augustalis (vgl. den Kommentar in 037/L037).

Z. 5 Das *dabit rei publicae Philippensium* ist gleichbedeutend mit *dabit fisco* o.ä.: „Dans la formule sépulcrale mentionnant l'amende qui devrait être versée en cas de violation de la sépulture »*dabit reipublicae Phil(ippensium) ...*«, le terme désigne le trésor public de la colonie" (Fanoula Papazoglou: Le territoire de la colonie de Philippes, BCH 106 (1982), S. 89–106; hier S. 106, Anm. 80).

Grabinschrift für Σαλλουβία Σεκουνδεῖνα   290/G421

II

P. Lemerle: Inscriptions latines et grecques de Philippes, BCH 59 (1935), S. 126–164; hier S. 155f., Nr. 51 mit Abb. 9.
Margherita Guarducci: Epigrafia Greca I. Caratteri e storia della disciplina. La scrittura greca dalle origini all'età imperiale, Rom 1967, S. 386f.

Philippi: Basilika B: Narthex. „Deux fragments d'une très grande inscription, trouvés dans le narthex. Les deux fragments se raccordent à peu près, ne laissant entre eux à la première ligne qu'une très petite lacune" (Lemerle, S. 155).
Abmessungen: L. 2,30; H. (erhalten) 0,85; D. 0,175. H. der Buchstaben Z. 1: 0,18; Z. 2: 0,14; Z. 3: 0,11; Z. 4: 0,08.
Die Inschrift befindet sich heute (1991) im Lapidarium, links neben 298/L394 (vgl. dort). Inventarisierungsnummer 300 (in zwei Fragmenten).

Dia Nummer Σ228.229.230.231.232.233/1991.

> Σαλλουβ[ί]ᾳ Σεκουν-
> δείνῃ τῇ πο[θεινοτ]άτῃ
> συμβίῳ Σέξ(τος) Κασκ[έλιος …]
> *vacat* τος. *vacat*

2 Lemerle: δείνῃ τῇ πο[θεινοτ]άτῃ. Guarducci: πο[θεινο]τάτῃ.   **3** Lemerle: συμβίῳ. Guarducci: Κασκ[έλλιος –].

Für Salluvia Secundina, seine schmerzlichst vermißte Frau, (hat) Sextus Cascellius … (die Inschrift gemacht).

Z. 1 Der Name Salluvia begegnet sonst in Philippi nicht. Unsere Salluvia Secundina ist bei Κανατσούλης offenbar übersehen. Secundina sonst nur noch in der Inschrift 732/L725 vom jüdischen Friedhof in Thessaloniki: Vineia Secundina.

Z. 3 Das *nomen gentile* Cascel(l)ius (vgl. ThLL Suppl. Nomina propria latina II, Sp. 224f.) begegnet sonst in Philippi nicht. Unser Cascel(l)ius ist bei Κανατσούλης übersehen.

Z. 4 Das -τος bildet den Schluß des *cognomen* des Sextus Cascel(l)ius; es ist nicht mehr rekonstruierbar.

Die Datierung ist von Guarducci („forse del II secolo d. Cr.“, a.a.O., S. 386).

291/G419   **Griechische Inschrift des Lucius Amvivius Pollio**

P. Lemerle: Inscriptions latines et grecques de Philippes, BCH 59 (1935), S. 126–164; hier S. 154, Nr. 49 (ohne Abb.).

Louis Robert: Inscriptions grecques, Istros. Revue roumaine d'archéologie et d'histoire ancienne 2 (1935/36), S. 1–20; hier S. 16, Anm. 5.

Philippi: Basilika B: Narthex. Der Stein befindet sich heute (1991) im Lapidarium, links neben den (anscheinend unpublizierten) Inventarisierungsnummern 995 und 999. Er besteht aus zwei Fragmenten (keine Inventarisierungsnummer).

„Pierre brisée en trois fragments qui se raccordent (trouvés dans le narthex). Ensemble incomplet à gauche, à droite et en bas" (Lemerle, S. 154).

Abmessungen: L. 1,38; H. 0,45; D. 0,15; H. der Buchstaben Z. 1: 0,09; Z. 2: 0,08.

Dia Nummer Σ219.220.221/1991.

> Λ(ούκιος) Ἀμβείβιος Πωλλί[ων?]
> [Αὐ]ρηλία Ἱεροκλε[ία?].

Heute ist folgendes übrig:

ΛΑΜΒΕΙΒΙΟΣΠΩ...
...ΗΛΙΑΙΕΡΟΚΛΕ...

Lucius Amvivius Pollio, Aurelia Hierokleia.

Z. 1   Die Transkription Pollio = Πωλλίων „est tout à fait normale et attesté par une foule d'exemples" (Robert, a.a.O., S. 16, Anm. 5).

Grabinschrift des ἀναγνώστης Ἀρεσίας und seiner Frau   292/G427
V/VI

P. Lemerle: Inscriptions latines et grecques de Philippes, BCH 59 (1935), S. 126–164; hier S. 160f., Nr. 57 mit Abb. 15.
Lemerle, S. 101, Nr. 1.
AÉ 1936 [1937] 48.
Feissel, Nr. 242, S. 205 (Tafel 57).
Band I, S. 241.

Philippi: Basilika B: Narthex. „Stèle trouvée dans le narthex" (Lemerle, S. 160).
Abmessungen: H. 0,93; B. 0,67; D. 0,10; H. der Buchstaben 0,04 bis 0,05.
Der Stein befindet sich heute (1991) nicht mehr im Narthex, sondern in der Kirche selbst, ca. fünf Meter von dem NO-Pfeiler weiter in Richtung NO (ganz in der Nähe von 308/G432). Inventarisierungsnummer fehlt.
Dia Nummer Σ317/1991; 450.451/1992.

> † Κοιμητήρι[ον]
> διαφέροντα
> Ἀρεσίου τοῦ εὐ-
> λαβεστάτου
> 5 ἀναγνώστου καὶ
> τῆς συνβίου αὐτοῦ.

1 Lemerle gibt ursprünglich: κοιμητήρι[α]. Feissel zieht κοιμητήρι[ον] vor (so auch Lemerle in seiner Monographie).   **2** Feissel: διαφέροντα.

Grab („Schlafzimmer") gehörend dem sehr gottesfürchtigen Lektor Aresias und seiner Frau.

Z. 1   Zu dem spezifisch christlichen Wort κοιμητήριον vgl. den Kommentar bei 077/G067. Lemerle zählt 292/G427 zu „six inscriptions chrétiénnes" und betont „que, pas plus que les inscriptions païennes, elles n'ont été trouvées en place" „... il ne s'en est trouvé aucune [tombe] dont un indice certain permît d'affirmer qu'elle [basilique] était chrétienne" (S. 160). Die Datierung von Feissel.

293/G431   Grabinschrift des Πέτρος
V/VI

P. *Lemerle:* Inscriptions latines et grecques de Philippes, BCH 59 (1935), S. 126–
164; hier S. 162f., Nr. 61 (ohne Abb.).
Lemerle, S. 102, Nr. 5.
Feissel, Nr. 245, S. 206 (Tafel 58).
Band I, S. 241.

Philippi: Basilika B: Narthex. „Stèle brisée en haut, trouvée dans le
narthex. ... Une croix à branches inégales occupe toutes la hauteur de la
stèle et partage les lignes en deux" (Lemerle, S. 162).
Abmessungen: H. 0,50; B. 0,40; D. 0,13; H. der Buchstaben 0,04.
Der Stein befindet sich heute (1991) im Lapidarium (vor der W-Mauer)
unmittelbar unterhalb des Bogens (d.h. in der NW-Ecke des Lapidariums)
und hat keine Inventarisierungsnummer.
Dia Nummer Σ207.207a.207b.207c/1991.

[Κοι]μη-
[τή]ριον
Πέτρου
ΔΥΓΑ †

4 Lemerle: ΔΥΓΑ. Auf dem Stein: ΔΥΓΑ †.

Grab („Schlafzimmer") des Petros ...

Z. 1 Zu dem spezifisch christlichen Wort κοιμητήριον vgl. den Kommentar bei 077/G067.
Z. 3 Zum christlichen Namen Petrus in Philippi und in Makedonien vgl.
den Kommentar zur Inschrift 324/G560 aus dem Oktogon.
Datierung von Feissel.

294/L406   Lateinisches Fragment

P. *Lemerle:* Inscriptions latines et grecques de Philippes, BCH 58 (1934), S. 448–
483; hier S. 482, Nr. 36 (ohne Abb.).
Lemerle, S. 51, Anm. 3.
Band I, S. 244.

Philippi: Basilika B: Narthex.
Abmessungen: L. 0,68; H. 0,44. H. der Buchstaben 0,065.
Der Stein befindet sich heute (1991) im Lapidarium, an der O-Wand. Inven-
tarisierungsnummer 506.
Dia Nummer Σ284/1991.

[...] Epaphraṇ [...]

Es handelt sich um den Akkusativ „du nom d'esclave ou d'affranchi Epaphra" (Lemerle, S. 482). Dies ist wohl eine Kurzform des Namens Epaphroditus (Ἐπαφρόδιτος), der auch in Philippi belegt ist (in 425/L284 aus Ἅγιος Αθανάσιος; zu dem aus dem Philipperbrief bekannten Christen gleichen Namens siehe dort). Auf den Zusammenhang mit dem Ἐπαφρόδιτος des Philipperbriefes weist Lemerle in seiner Monographie vorsichtig hin: „Ce fragment méritait d'être signalé ici, mais il va de soi qu'il serait vain d'en prétendre tirer une conclusion" (S. 51, Anm. 3).

Fragment einer lateinischen Grabinschrift   295/L407

P. Lemerle: Inscriptions latines et grecques de Philippes, BCH 58 (1934), S. 448–483; hier S. 482, Nr. 37 (keine Abb.).

Philippi: Basilika B: Narthex. An der südlichen Tür des Narthex. Abmessungen: H. 0,79; B. 0,44; D. 0,08. H. der Buchstaben 0,055. Der Stein befindet sich heute (1991) im Museum Philippi (Inventarisierungsnummer fehlt) und zwar im Hof unterhalb des Gartens. Dia Nummer 395.396/1991.

> [...]D
> [...]V   P
> in agr(o) p(edes) XX
> in fr(onte) p(edes) XXX.

2   Von dem V ist nur noch die Spitze vorhanden.

(Die Grabanlage mißt) in der Tiefe zwanzig Fuß, in der Breite dreißig Fuß.

Z. 2   Vielleicht ist am Ende *v(ivus) p(osuit)* oder ähnlich zu lesen. Dies würde jedenfalls zu einer Grabinschrift gut passen.
Z. 3f.   Interessant ist die Reihenfolge, zuerst *in agro*, dann *in fronte*. Normalerweise ist dies in Philippi umgekehrt.

Metrische Grabinschrift eines Tierkämpfers   296/G412

III

P. Lemerle: Inscriptions latines et grecques de Philippes, BCH 59 (1935), S. 126–164; hier S. 148–151, Nr. 42 mit Abb. auf Pl. V.
AÉ 1936 [1937] 47.

Collart, S. 236, Anm. 1; S. 382f. mit Anm. 2.

Louis Robert: Les gladiateurs dans l'orient grec, BEHE.H 278, Paris 1940, S. 86f. (Nr. 25).

Lemerle, S. 9 mit Anm. 1.

Werner Peek [Hg.]: Griechische Vers-Inschriften. Bd. I: Grab-Epigramme, Berlin 1955, Nr. 1045 (S. 294f.).

Jeanne Robert und Louis Robert, BÉ 1959, Nr. 244.

Winfried Elliger: Paulus in Griechenland. Philippi, Thessaloniki, Athen, Korinth, SBS 92/93, Stuttgart 1978 (Nachdr. 1987), S. 32f.

Bormann, S. 65.

Philippi: Basilika B: Narthex. „... trouvée à plat sur le seuil de la porte Sud du narthex" (Lemerle, S. 148).

„Grande dalle, brisée en plusieurs morceaux ..., la face inscrite vers le bas. La pierre est mutilée légèrement à droite et à gauche, plus gravement en haut et en bas. On voit encore huit lignes de texte: de la première, il ne subsiste que la partie inférieure d'une vingtaine de lettres, et il est impossible de restituer rien de certain (peut-être, à la fin: ... ωσας· καὶ πολλοὺς. .); à la deuxième ligne il ne doit manquer que trois à quatre lettres au début, autant à la fin; les autres lignes sont entières" (ebd.).

„A gauche et en bas, des reliefs assez grossiers ont été sculptés avant que l'inscription ne fût gravée; a gauche, cavalier galopant vers un arbre autour duquel semble enroulé un serpent; en bas, deux scènes distinctes: un homme qui semble complètement nu lutte avec un épieu contre une bête féroce (lionne?) cependant qu'une autre bête à grande crinière (lion?) est derrière lui prête à bondir; je ne distingue pas ce que représente l'autre scène, très mutilée" (ebd.).

Abmessungen: H. 0,66; B. 1,55; H. der Buchstaben 0,04; Zeilenabstand 0,015–0,03. Zahlreiche Ligaturen.

Der größte Teil der Inschrift befindet sich heute im Museum in Philippi (auf der Terrasse oberhalb des Hofs); rechts fehlt mittlerweile ein beträchtliches Stück des Steins. Inventarisierungsnummer Λ 62 (?).

Von dem rechts fehlenden Stück (zur Bruchstelle vgl. die Tafel V bei Lemerle) haben sich zwei Fragmente im Lapidarium bei dem Wächterhäuschen wieder gefunden. Fragment 1 (Dia Nummer Σ108/1991) bietet Teile von Z. 2–5, Fragment 2 (Dia Nummer Σ103.104.106/1991) Teile von Z. 5–8 und das obere Stück des rechten Reliefs.

Dia Nummern: Der Stein im Museum: 370/1991; 53.54.55.56.57.58.59.60.61/1992. Das erste Fragment im Lapidarium (mit Relief): 206.Σ103–106/1991. Das zweite Fragment im Lapidarium: Σ108/1991.

> [...]
> [ἐπιτάγμ]ατι τούτων πράξεις ἐτέλεσσα εὐσήμου δὲ γένους καὶ
> ⟨   ⟩ ἐνδ[όξου].
>
> ἠράσθη δὲ ἑτέρων τις ἀνὴρ κἀγὼ πάνυ τούτου.
> δαίμων δέ με κέλευσε θανεῖν κλυτῆς ἐπὶ γαίης,

5 κτίσματος Φιλίπποιο καὶ Αὐγούστου βασιλῆος,
εὐστεφίης τειχῶν· ἔλιπον φάος τὸ γλυκὺ κόσμου.
εἰ δ' ἕτερον κατάθοι τις ἀνὴρ ἐμῷ ἐνὶ τύνβῳ, δώσι
τῷ ταμείῳ ✕ ͵β΄ προστίμου.

1 Die Buchstabenreste in dieser Zeile sind nur teilweise identifizierbar (vgl. o. die Beschreibung Lemerles). Peek erwägt: [...]ώσας καὶ πολλοὺς [...]. **2** Ergänzung erwogen bei Lemerle. Peek liest am Anfang ἄτω. **2ff.** Das oben beschriebene **Fragment 1** bietet von Z. 2–5:

Z. 2: ... μου δὲ γέν...
Z. 3: ... νυ τούτου
Z. 4: ... ν κλυτῆς ἐπὶ ...
Z. 5: ... του βασ...

4 Peek: μ' ἐκέλευσε. **5ff.** Das **Fragment 2** bietet von Z. 5–8:

Z. 5: ... βασιληο...
Z. 6: ... γλυκὺ κόσμου.
Z. 7: ... τύνβῳ, δώσι
Z. 8: ... προστίμου.

6 Peek: εὐστεφίη στείχων. **7** Lemerle: τύμβῳ. Auf dem oben beschriebenen Fragment 2 steht m.E. eindeutig: τύνβῳ. **8** Lemerle: λβ΄. Robert liest β΄ und versteht ͵β΄ mit dem folgenden Kommentar: „δηνάρια λβ, ed. On ne peut avoir: 32 deniers. En réalité, il n'y a pas un *lambda* et un *bêta* liés, mais, accolé au *bêta*, une barre oblique indiquant le millier: 2.000 deniers" (S. 88). Die Robertsche Lesart ist ohne Zweifel richtig; auf dem Stein ist ein klarer „Aufstrich" vor dem B zu erkennen, fast so deutlich wie auf Nr. 154 der Inschriften von Alexandria Troas, den Marijana Ricl, IGSK 53, S. 154 abbildet (dort Z. 3, ebenfalls vor einem B).

[2] ... in deren Auftrag habe ich – aus hervorragend berühmter Familie – mein Schicksal vollendet. [3] Es mag ein Mann an anderen Dingen Gefallen finden – aber ich (finde) gar sehr (Gefallen) an diesem (sc. meinem Beruf). [4] Ein Dämon hat mir befohlen, auf berühmtem Boden zu sterben, [5] in einer Gründung des Philipp und des Kaisers Augustus, [6] gutbekränzt mit Mauern. Ich habe das süße Licht der Welt zurückgelassen. [7] Wenn aber ein Mann einen anderen in mein Grab legt, soll er der Stadtkasse zweitausend Denare Strafe bezahlen.

Lemerle meint, aus den Reliefs Schlüsse auf den Beruf des Verstorbenen ziehen zu können. Der Thrakische Reiter erlaube solche Schlüsse freilich nicht. „Mais la scène figurée en bas, et où un personnage qui est sans doute le défunt lui-même lutte avec un épieu contre des bêtes féroces, laisse penser que l'épitaphe peut être celle d'un chasseur, – non pas un chasseur pratiquant la chasse pour son plaisir, mais un professionnel des *venationes*. Plusieurs indices, à Philippes même, donnent à cette hypothèse beaucoup de vraisemblance. M. Salač a publié une inscription latine d'un citoyen de la colonie, qui avait fait les frais de combats de gladiateurs et de *venationes* [es handelt sich um die Inschrift 087/L265]. M. Chapouthier a trouvé, en fouillant le théâtre, une inscription qu'il date du IIe ou du IIIe siècle, mentionnant une association des amis de la chasse, φιλοκυνηγῶν στέμμα, et il a bien établi qu'il s'agit des jeux du cirque [d. i. die Inschrift 144/G298]. Enfin l'étude du théâtre de Philippes a montré qu'à l'époque romaine il a été remanié en vue des jeux du cirque, l'orchestra ayant été aménagée au IIe siècle en arène. Je noterai en terminant que, si notre hypothèse est exacte, elle explique que le personnage semble se justifier ou s'excuser du métier qu'il a exercé, et n'ait pas trouvé superflu de spécifier qu'il était de famille honorable" (S. 150f.). Eine weitere Parallele bietet die Grabinschrift aus Trita 603/G652.

Z. 2 „Le sens exact des premiers mots nous échappe; on peut penser à une expression comme ἐπιτάγ]ματι τούτων, par laquelle le défunt indiquait comment il avait été amené à choisir ou à exercer son métier. Les mots πράξεις ἐτέλεσσα doivent-ils être interprétés d'une façon générale, »j'ai accompli ma destinée«, ou bien πράξεις est-il une allusion plus concrète à la profession du personnage?" (Lemerle, S. 149).

Z. 3 „J'interprète ainsi cet hexamètre: »un autre a pu trouver son plaisir à d'autres choses, moi c'est à cela que j'ai trouvé le mien«, chacun est libre de prendre son plaisir où il le trouve. C'est encore une manière d'excuse du défunt pour le métier qu'il a exercé de son vivant" (ebd.).

Z. 4 Lemerle vermutet, daß der Verstorbene nicht aus Philippi stammte, „et peut-être même n'était-il à Philippes que de passage" (ebd.).

Z. 5 Φιλίπποιο = Φιλίππου; -οιο (wie -ου aus -ojo entstanden) ist die ältere Form des Genitivs, die auch später in der Dichtung noch gebräuchlich war.

297/L391
II

Grabinschrift der Varronia Quinta

P. Lemerle: Inscriptions latines et grecques de Philippes, BCH 58 (1934), S. 448–483; hier S. 478, Nr. 21 (ohne Abb.).

Philippi: Basilika B: Mittelschiff. „Fragment de dalle funéraire (brisé en deux morceaux qui se raccordent), incomplet à gauche et en bas; trouvé dans le nef centrale" (Lemerle, S. 478).
Abmessungen: L. 2.68; H. 0,68; D. 0,18; H. der Buchstaben 0,170; 0,100; 0,140.

Varronia Quinta
ann(orum) XXX h(ic) s(ita) e(st).
[. . .]us Tertu[llus . . .].

---

3 „La restitution Tertullus est à peu près certaime: la partie supérieure des deux *l* et un apex du *u* subsistent sur la pierre" (Lemerle, S. 478).

Varronia Quinta, dreißig Jahre alt, liegt hier begraben. ... Tertullus (hat die Inschrift zu seinen Lebzeiten auf eigene Kosten anfertigen lassen).

Z. 1 Zum Namen Varronius vgl. den Kommentar zu 455/L083.
In bezug auf die Datierung bemerkt Lemerle: „la forme des caractères date l'inscription de l'époque trajane ou antonine" (S. 478).

Fragment einer lateinischen Grabinschrift   298/L394

P. Lemerle: Inscriptions latines et grecques de Philippes, BCH 58 (1934), S. 448–483; hier S. 479, Nr. 24 (ohne Abb.).

Philippi: Basilika B, im Schiff der Kirche. „Fragment de dalle (brisè en trois morceaux se raccordant) incomplet à gauche, en bas et à droite; trouvé dans la nef" (Lemerle, S. 479).
Abmessungen: L. 2,20; H. 0,38; D. 0,125; H. der Buchstaben 0,150; 0,105.
Der Stein befindet sich heute (1991) im Lapidarium; hinter 291/G419 kommt Inventarisierungsnummer 991 (anscheinend unpubliziert), dann die vorliegende Inschrift 218/L394 mit der Inventarisierungsnummer 494 (in drei Teilen).
Dia Nummer Σ222|223|224.225/1991.

> [. . .]sidia Vitalis an(norum) X[. . .]
> *vacat* h(ic) s(ita) e(st). *vacat*

1 Heute *Viṭalis.*

... Vitalis, ... Jahre alt, liegt hier begraben.

Z. 1 Alle Belege für den Namen Vitalis in Philippi bei der Inschrift 416/L166 aus Μαυρολεύκη.

Lateinisches Fragment   299/L399
1. Jh. v. Chr.
oder I

P. Lemerle: Inscriptions latines et grecques de Philippes, BCH 58 (1934), S. 448–483; hier S. 480, Nr. 29 (ohne Abb.).
Fanoula Papazoglou: La population des colonies romaines en Macédoine, ŽAnt 40 (1990), S. 111–124; hier S. 117, Anm. 16.

Philippi: Basilika B, im Schiff der Kirche. „Fragment de dalle (brisè en trois morceaux qui se raccordant) incomplet à gauche et en bas; trouvé dans la nef" (Lemerle, S. 480).

Abmessungen: L. 2,00; H. 0,30; D. 0,17; H. der Buchstaben 0,24.
Der Stein befindet sich heute (1991) im Lapidarium, vor der S-Hälfte der
O-Mauer. Inventarisierungsnummer 499 (drei Teile).
Dia Nummer Σ274|275|276/1991.

> Sex(tus) Pacilius Sex(ti) f(ilius).

1 Das E von SEX an der Fuge fehlt heute.

Sextus Pacilius, der Sohn des Sextus.

Z. 1 Der Name Pacilius begegnet in Philippi sonst nicht, aber in Kyzikos (vgl. Olli Salomies: Contacts between Italy, Macedonia and Asia Minor
during the Principate, in: Roman Onomastics in the Greek East. Social and
Political Aspects, hg. v. A.D. Rizakis, Μελετήματα 21, Athen 1996, S. 111–
127; hier S. 126) – ein Befund, der für die Salomiessche These von besonders
engen Beziehungen zwischen Kyzikos und Makedonien spricht.
Papazoglou weist darauf hin, daß hier das *cognomen* fehlt (ähnlich auch in
418/L266). Beide Inschriften „datent sans doute des premières années de la
colonie" (S. 117, Anm. 16).

300/L402   **Fragment einer lateinischen Grabinschrift**

P. Lemerle: Inscriptions latines et grecques de Philippes, BCH 58 (1934), S. 448–
483; hier S. 481, Nr. 32 (ohne Abb.).

Philippi: Basilika B, im Schiff der Kirche. „Trois fragments d'une dalle
funéraire, trouvés dans la nef; deux des fragments se raccordent et forment
la partie gauche de l'inscription ...; le troisième fragment vient à droite
..., mais une lacune de plusieurs lettres le sépare des fragments de gauche.
L'ensemble conservé est douc incomplet à gauche et à droite, avec une lacune
au milieu" (Lemerle, S. 481). Abmessungen: linker Teil: H. 0,57; B. 0,84; D.
0,135; rechter Teil: H. 0,60; B. 0,82. H. der Buchstaben 0,12; 0,10; 0,08.
Der Stein befindet sich heute (1991) im Lapidarium, unmittelbar vor 290/
G421 (siehe oben). Inventarisierungsnummer 502 (zwei Teile).
Dia Nummer Σ247.248|249/1991.

> [...]pius Hel[...] h(ic) s(itus) e(st).
> [V]aleria St(ati) f(ilia) [...]na marito
> *vacat* et sibi d(e) [s(uo)] f(aciendum) c(uravit).]

2 Heute: LERIA.   3 Diese Zeile fehlt heute.

... liegt hier begraben. Valeria ..., die Tochter des Statius, hat (die Inschrift) für ihren Mann und für sich selbst auf eigene Kosten anfertigen lassen.

Fragment einer griechische Grabinschrift   301/G414

P. Lemerle: Inscriptions latines et grecques de Philippes, BCH 59 (1935), S. 126–164; hier S. 152, Nr. 44 (ohne Abb.).
Band I, S. 117, Anm. 11.

Philippi: Basilika B, im Schiff der Kirche. „Pierre brisée en haut et à droite; mouluration à gauche et en bas. Trouvée parmi les tombes de la nef centrale" (Lemerle, S. 152).
Der Stein befindet sich heute im Lapidarium, unmittelbar westlich von dem erhaltenen Bogen. Inventarisierungsnummer 293.
Abmessungen: L. 0,75; H. 0,41; D. 0,12; Höhe der Buchstaben Z. 2+3: 0,06.
Dia Nummer 554/1991.

> IOAN[...]
> ἤ τις δὲ ἕτερος [... δώσει τῇ τῶν]
> Φιλλιππέων [*sic*] πό[λει ...]

... Wenn aber ein anderer (eine Leiche hier niederlegt), soll er der Stadt der Philipper (... Denare Strafe zahlen).

Z. 3 Man beachte die interessante orthographische Variante Φιλλιππέων.

Grabinschrift für Ἰούλιος, den *praeco* aus Philadelphia   302/G423

P. Lemerle: Inscriptions latines et grecques de Philippes, BCH 59 (1935), S. 126–164; hier S. 156–158, Nr. 53 mit Abb. 11.
Louis Robert: Inscriptions grecques, Istros. Revue roumaine d'archéologie et d'histoire ancienne 2 (1935/36), S. 1–20; hier S. 17.
Collart, S. 271 mit Anm. 1; S. 304 mit Anm. 4.
BÉ 1938, Nr. 219.
Κανατσούλης, Nr. 568.
Band I, S. 91; S. 237.

Philippi: Basilika B, im S-Schiff der Kirche. „Stèle trouvée parmi les tombes de la nef Sud (où elle était remployée). ... A droite un espace rectangulaire, cerné d'un double trait, a été réservé: il pouvait être destiné à une peinture, dont il n'y a aucune trace. Gravure très peu profonde" (Lemerle, S. 156f.).

Abmessungen: H. 1,12; B. 0,41; D. 0,10. Höhe der Buchstaben Z. 1–3: 0,05; Z. 4–6: 0,03; Z. 7: 0,04. Der Stein befindet sich heute im Lapidarium, an der S-Wand des Raumes. Inventarisierungsnummer 302. Die Schrift ist kaum zu lesen, von einer Photographie ganz zu schweigen. Dia Nummer Σ263/1991.

> Θαλλοῦσα
> Ἰουλίῳ πραί-
> κωνι Φιλα-
> δελφηνῷ
> 5 ἐποίησε
> μνήμης
> χάριν.

2 Lemerle: Ἰουλίω.   4 Lemerle: δελφηνῶ.

Thallousa hat (die Stele) für Iulius, den Herold aus Philadelphia, der Erinnerung halber gemacht.

Z. 1 Der Name Θαλλοῦσα begegnet in den Inschriften von Philippi sonst nicht. Der Name ist überhaupt recht selten (in den auf der PHI-CD-ROM #6 gespeicherten griechischen Inschriften finden sich 22 Belege). Unsere Θαλλοῦσα fehlt bei Κανατσούλης.

Z. 2f. Lemerle will das πραίκωνι als Name verstehen, so daß der Verstorbene dann also Ἰούλιος Πραίκων geheißen hätte: „Sur la transcription en grec du latin *praeco*, cf. Meinersmann, *Die lateinischen Namen ... in den griechischen Papyri*, s.v. πραικωνι et πρεκονων. Il ne me semble pas qu'on puisse interpréter le mot ici autrement que comme un nom propre" (Lemerle, a.a.O., S. 158).

Diese Interpretation Lemerles wird kritisiert von Robert: „Pour moi, je n'aperçois pas ce qui peut engager à voir dans πραίκωνι un nom propre. Iulius était évidemment un crieur public, un héraut" (Robert, a.a.O., S. 17); zu den Aufgaben eines *praeco* s. unten.

Robert fährt fort: „L'éditeur considère aussi comme un nom propre Φιλαδελφηνός. Tenant sans doute Ἰούλιος pour le *praenomen*, Φιλαδελφηνός pour le *cognomen*, il se sera cru obligé de retrouver le *nomen* dans Πραίκων. Mais on a un individu, appelé du seul nom Ἰούλιος, comme sa femme, Θαλλοῦσα, qui est *praeco* et originaire de Philadelphie de Lydie" (ebd.). Der Interpretation von Robert schließt sich Collart an (a.a.O., S. 271 und 304).

Zur griechischen Transkription des lateinischen *praeco* vgl. jetzt den Art. *praeco* im ThLL (Band X 2, Sp. 495–500; hier Sp. 495, Z. 26.36) sowie Herbert Hofmann: Die lateinischen Wörter im Griechischen bis 600 n. Chr.,

Erweiterte Fassung einer Inaugural-Dissertation in der philosophischen Fakultät II (Sprach- und Literaturwissenschaften) der Friedrich-Alexander-Universität Erlangen-Nürnberg, Erlangen 1989, S. 340f., s.v. πραίκων. Zu den Funktionen des *praeco* vgl. den Artikel von Karl Schneider (PRE XXII 1 (1953), Sp. 1193–1199), der ein durchaus differenziertes Bild vermittelt: Es muß sich demnach keineswegs um einen Funktionsträger der Stadt Philippi gehandelt haben. Einen Eindruck von der Vielfalt der Beschäftigungsmöglichkeiten für *praecones* vermittelt etwa eine Szene aus den Metamorphosen des Apuleius. In II 21 erzählt ein gewisser Thelyphron, er habe auf dem Marktplatz von Larissa in Thessalien *procerum quendam senem* gesehen, der mit lauter Stimme ausrief (*praedicabat*), daß ein Wächter gesucht werde. Wie sich in II 23 zeigt (*his cognitis animum meum conmasculo et ilico accedens praeconem: „clamare“ inquam „iam desine. adest custos paratus, cedo praemium“*, heißt es in 23,1), ist dieser *praeco* für eine Frau tätig, die die Leiche ihres Mannes bewachen lassen will (vgl. 23,3) – ein freischaffender Ausrufer also, der gewiß nicht bei der Stadt Larissa angestellt ist. In einem anderen Fall spricht derselbe Apuleius dann präzise von einem *praeco publicus* (II 2,4).

In jedem Fall bietet die vorliegende Inschrift einen weiteren Beleg für die Gräzisierung lateinischer Wörter, die in Philippi so häufig anzutreffen ist.

Grabinschrift für Ἀντίπατρος   303/G424

P. Lemerle: Inscriptions latines et grecques de Philippes, BCH 59 (1935), S. 126–164; hier S. 158, Nr. 54 mit Abb. 12.

Louis Robert: Inscriptions grecques, Istros. Revue roumaine d'archéologie et d'histoire ancienne 2 (1935/36), S. 1–20; hier S. 17.

Philippi: Basilika B, Gräber im südlichen Schiff. „Stèle brisée en haut, trouvée au même endroit que la précédente [302/G423]. ... Gravure très peu profonde. Le relief représente, à gauche, une femme assise, la tête voilée d'une étoffe dont elle écarte un pan avec la main gauche: elle tend la main droite à un personnage qui, à droite, est représenté étendu sur un lit, le buste soulevé sur le coude gauche" (Lemerle, S. 158).
Abmessungen: H. 1,18; B. 0,36; D. 0,10; Höhe der Buchstaben 0,02 bis 0,03. Dia Nummer 386/1991.

Ἀντίπατρος
Τιμοδήμου
ἥρως.
Ἀρμένα Σωτᾶ.

Der Stein ist heute (1991) stark beschädigt. Z. 4 fehlt ganz, in Z. 1 fehlt das A am Anfang, in Z. 2 fehlen TI am Anfang und Υ am Schluß, in Z. 3 ist das Σ fast ganz weggebrochen.
4 Lemerle: Ἀρμεναϲωτα. Text nach Robert.

Antipatros, (der Sohn) des Timodemos, der Heros. Armena, die
Tochter des Sotas, (hat die Stele anfertigen lassen).

Alle vier genannten Personen, Ἀντίπατρος, Τιμόδημος, Ἀρμένα und Σωτᾶς,
fehlen bei Κανατσούλης.

304/G425   Grabinschrift für Ξενοδίκη

P. Lemerle: Inscriptions latines et grecques de Philippes, BCH 59 (1935), S. 126–
164; hier S. 159, Nr. 55 mit Abb. 13.
Louis Robert: Inscriptions grecques, Istros. Revue roumaine d'archéologie et
d'histoire ancienne 2 (1935/36), S. 1–20; hier S. 17.

Philippi: Basilika B: Gräber im südlichen Schiff. „Stèle brisée en haut,
trouvée au même endroit que les précédentes [302/G423 und 303/G424]. ...
Gravure très peu profonde. Le relief, dont la moitié supérieure a disparu,
représentait à gauche une femme assise, devant qui se tenait, à droite, un
autre personnage féminin debout" (Lemerle, S. 159).
Abmessungen: H. 1,05; B. 0,42; D. 0,095; Höhe der Buchstaben 0,02.
Der Stein befindet sich heute (1991) im Museum in Philippi (auf der Terrasse; Inventarisierungsnummer fehlt).
Dia Nummer 371/1991.

Ξενοδίκη Φιλίππου
ἡρώϊσσα.

1   Robert: „Si la photographie [sc. bei Lemerle] ne trompe pas, la pierre porte Φιλίστου,
avec un *sigma* carré. Le nom Ξενολίκη est impossible, je crois, à expliquer; il faut corriger
une légère erreur du lapicide et écrire: Ξενοδίκη" (S. 17). Ich folge Robert und lese (gegen
Lemerle) Ξενοδίκη (vielleicht ist auf dem Stein in der Tat ein Δ und kein Λ). Die Lesart
Φιλίππου ist gegen Robert festzuhalten (auf dem Stein ohne Zweifel ΠΠ).

Xenodike, (die Tochter) des Philippos, die „Heroissa".

Z. 2 Es ist mir nicht gelungen, ein weibliches Pendant zu „Heros" im
Deutschen zu finden („Heroine" kommt ersichtlich nicht in Frage!).

305/G426   Grabinschrift für Κρατῖνος

P. Lemerle: Inscriptions latines et grecques de Philippes, BCH 59 (1935), S. 126–
164; hier S. 159, Nr. 56 mit Abb. 14.

Philippi: Basilika B, Gräber im südlichen Schiff. „Stèle trouvée au même endroit que les précédentes [302/G423, 303/G424, 304/G425]. ... Gravure très peu profonde. Le relief, d'exécution médiocre, représente un cavalier se dirigeant à droite vers un autel; au-dessus de l'autel, un arbre autour duquel est enroulé un serpent" (Lemerle, S. 159). Abmessungen: H. 0,75; B. 0,37; D. 0,11; Höhe der Buchstaben 0,025.

> Κρατῖνος Νουμηνίου
> ἥρως.

Kratinos, (der Sohn) des Numenios, der Heros.

Z. 1 Νουμήνιος begegnet auch auf einem Sarkophag aus Drama (506a/ G838: Πριμιγένιος Νουμηνίου ἀπελεύθερος).

Ehreninschrift für einen Κλωδιανός   306/G409
                                                          III

P. Lemerle: Inscriptions latines et grecques de Philippes, BCH 59 (1935), S. 126–164; hier S. 131–140, Nr. 39, mit Abb. 2 und 3.
AÉ 1936 [1937] 44.
BÉ 1936, S. 371.
Collart, S. 295; S. 312 mit Anm. 3.
Charles Edson: Double Communities in Roman Macedonia, in: Μελετήματα στη μνήμη Βασιλείου Λαούρδα/Essays in Memory of Basil Laourdas, Thessaloniki 1975, S. 97–102; hier S. 102.
Band I, S. 149.

Philippi: Basilika B. „Stèle remployée dans la construction du pilier N.E. (environ 10 mètres au dessus du sol, au niveau des tribunes) et en partie retaillée. La face inscrite est à l'intérieur du pilier et tournée vers le bas: aucune lettre n'apparaissait et l'aspect seul du bloc a fait penser que ce pouvait être une stèle. Il a été nécessaire d'entailler le bloc du dessous et de désagréger le ciment qui scellait les deux pierres, pour lire et dessiner l'inscription" (Lemerle, S. 131).
„Une moulure encadre l'inscription, dont la gravure est très soignée" (Lemerle, ebd.).
Abmessungen: H. 1,80; B. 0,85; Höhe der Buchstaben 0,045.

> [...]ον   ὁ δῆμος ἐκ τῶν
> Κλωδιανὸν   ἰδίων ἀντὶ τῆς
> ἀπὸ ἐπιτρόπων εἰς ἑαυτὸν εὐ-
> τῶν ἐν Μουσείῳ εργεσίας.
> 5 σειτουμένων

Den ... Clodianus, einen der (kaiserlichen) Procuratoren, mit dem Privileg der „Speisung" im Museum, ehrt das Volk auf eigene Kosten für die ihm (sc. dem Volk) erwiesene Wohltat.

Z. 3 Das griechische ἐπίτροπος entspricht dem lateinischen *procurator*. „L'expression ἀπὸ ἐπιτρόπων est une traduction du latin *ex procuratoribus*, et il s'agit certainement des procurateurs impériaux" (Lemerle, S. 138). Die Konstruktion ἀπὸ ἐπιτρόπων τῶν ἐν Μουσείῳ σειτουμένων ist nicht eindeutig, da man das τῶν ἐν Μουσείῳ σειτουμένων entweder als Näherbestimmung des ἀπὸ ἐπιτρόπων auffassen kann (gemeint wäre dann ein solcher Procurator, der das Vorrecht der „Speisung" im Museum genießt) oder als einen neuen Titel, vgl. dazu Lemerle: „L'absence de καί entre les deux titres est insolite, mais non pas inadmissible dans les inscriptions grecques de cette époque, dont la rédaction peut être influencée par celle des inscriptions latines, où les divers titres ou fonctions d'un même personnage sont juxtaposés sans conjonction de coordination" (S. 138).

Z. 4 Interessant ist die Frage, welches μουσεῖον hier gemeint sein könnte. Das in Alexandria? Oder gab es ein μουσεῖον in Philippi? Vgl. den Kommentar von Lemerle. „»Il n'est pas impossible« que le personnage ait été un des procurateurs chargés par les empereurs romains de contrôler l'administration du Musée d'Alexandrie" (AÉ, a.a.O., S. 15). Aber auch in Ephesos gab es im zweiten Jahrhundert ein μουσεῖον, wie inschriftlich bezeugt ist (so z.B. οἱ περὶ τὸ Μουσεῖον παιδευταί ..., zuerst veröffentlicht von J. Keil: Ärzteinschriften von Ephesos, JöAI 8 (1905), S. 128–138; hier S. 135): „Es gab also im zweiten Jahrhundert in Ephesos ein Museion, dessen Organisation, wie die verwandter Anstalten, dem berühmten alexandrinischen Institute nachgebildet war und das vorwiegend wissenschaftlichen Zwecken diente." (Keil, S. 135f.).

Collart entscheidet sich für das μουσεῖον in Alexandria; er sieht in dem hier Geehrten „un procurateur impérial, pensionnaire du Musée d'Alexandrie" (S. 295).

Z. 5 σειτουμένων = σιτουμένων, zu σιτέω, „ich speise". Lemerle kommentiert wie folgt: „Les syssities sont en effet bien connues au Musée d'Alexandrie, où les deux privilèges essentiels des membres sont la σίτησις et l'ἀτέλεια, parfois mentionnées ensemble, comme dans l'inscription de Rome citée plus haut [d.i. OGIS II 714, von Lemerle S. 134 zitiert: Μάρκος Αὐρήλιος Ἀσκληπιάδην Ἀλεξανδρέα ... νεωκόρον τοῦ μεγάλου Σαράπιδος καὶ τῶν ἐν τῷ Μουσείῳ σειτουμένων ἀτελῶν φιλοσόφων]. Mais le privilège de la σίτησις n'indique pas nécessairement que celui qui en bénéficie réside au Musée." (Lemerle, S. 137). Es geht dabei freilich nicht nur um das Essen: „Ce serait une faveur bien médiocre, en regard des privilèges considérables qui leur sont accordés en même temps. On croira plutôt que cette »pension égyptienne« a pu être, dans certaines circonstances au moins, une pension en argent, destinée à dédommager ceux qui, ne résidant pas au Musée, n'en avaient pas les avantages matériels" (Lemerle, S. 138). **Z. 6f.** Collart (S. 312) sieht in der Formulierung ὁ δῆμος ἐκ τῶν ἰδίων kein Problem; man könnte sie aber auch als Indiz für die Existenz einer griechischen πόλις neben der römischen *colonia* werten, wie Edson erwägt (vgl. Edson, S. 102; zitiert oben im Kommentar zu 191/G300). Die Datierung stammt von Lemerle (a.a.O., S. 132).

Ehreninschrift für Κόιντος Φλάβιος Ἑρμαδίων   307/G410
III

P. Lemerle: Inscriptions latines et grecques de Philippes, BCH 59 (1935), S. 126–164; hier S. 140–147, Nr. 40 mit Abb. 4.

AÉ 1936 [1937] 45.

Collart, S. 447, Nr. 9.

Ladislaus Vidman [Hg.]: Sylloge inscriptionum religionis Isiacae et Sarapiacae, RVV 28, Berlin 1969; hier S. 56, Nr. 123.

Bormann, S. 60.

Band I, S. 151, Anm. 21.

Philippi: Basilika B. „Cette inscription est gravée sur une stèle remployée dans les assises supérieures du pilier N.-E.; elle a été découverte dans les mêmes conditions que la précédente [= 306/G409] et non loin d'elle" (Lemerle, S. 140).

Abmessungen: H. 1,61; B. 0,85; D. 0,83; Höhe der Buchstaben 0,045; Zeilenzwischenraum 0,02.

> Ἀγαθῇ τύχῃ.
> Κ(όιντον) Φλάβιον Ἑρ-
> μαδίωνα τὸν
> ἀξιολογώτα-
> 5 [το]ν οἱ θρησκευ-
> [τὲ] τοῦ Σέραπι
> [τὸ]ν εὐεργέτην
> [μνή]μης χάριν.

5/6 Lemerle, AÉ: θρησκευ-|τέ. Collart, Vidman: θρησκευ-|ταί.

Glück auf! Für Quintus Flavius Hermadion, den *vir eminentissimus*, ihren Wohltäter, der Erinnerung halber. Die Anhänger des Serapis.

Z. 2f. Lemerle hält (S. 143, Anm. 3) den Namen Ἑρμαδίων für „rare". Doch vgl. Robert: „le nom grec Ἑρμαδίων n'est nullement rare" (Louis

Robert: Inscriptions grecques, Istros. Revue roumaine d'archéologie et d'
histoire ancienne 2 (1935/36), S. 1–20; hier S. 16, Anm. 5).

Z. 4f. Mason hält ἀξιολογώτατος anscheinend für synonym mit dem ge-
bräuchlicheren ἐξοχώτατος (= *eminentissimus*), vgl. S. 23, s.v.
Derselbe Quintus Flavius Hermadion begegnet auch in einer Ehreninschrift
für seinen gleichnamigen Sohn (311/G411); dort wird er als κράτιστος (=
vir egregius) und als Gymnasiarch und Archiereus bezeichnet.

Z. 5f. Zu den θρησκευταί vgl. die unten folgende Inschrift 311/G411 sowie
die Inschrift 252/L467 vom Macellum: *cultores deorum Serapis et Isidis.*
Lemerle zur Datierung: „au milieu du IIIe siècle" (S. 147).

308/G432
V/VI
     Grabinschrift des Φιλοκύριος und der Εὐτυχιανή

P. Lemerle: Inscriptions latines et grecques de Philippes, BCH 59 (1935), S. 126–
    164; hier S. 163, Nr. 62 (ohne Abb.).
Lemerle, S. 102, Nr. 6.
Feissel, Nr. 249, S. 209 (Tafel 59).
Band I, S. 241.

Philippi: Basilika B. Den genauen Fundort gibt Lemerle nicht an: „trouvé
à l'interieur de la basilique" (S. 163). Es handelt sich um ein Fragment „d'un
bloc d'architecture remployé comme stèle funeraire, trou de scellement vers
le centre . . . . Aucun ornement. Gravure extrêmement grossière" (ebd.).
Abmessungen: H. 0,55; B. 0,30; D. 0,11; Höhe der Buchstaben 0,02 bis 0,05.
Der Stein befindet sich heute (1991) etwa sieben Meter im O des NO-Pfeilers
der Basilika B. Eine Inventarisierungsnummer ist nicht zu finden. (In der
Nähe ist die Inschrift 292/G427.)
Dia Nummer Σ316/1991.

      Μεμόριον
      Φιλοκυρί-
      ου καὶ Εὐ-
      τυχιανῆς.

1   Das N am Schluß ist so gut wie gar nicht mehr vorhanden.

Grab des Philokyrios und der Eutychiane.

Z. 2 Der Name Philokyrios begegnet auch noch in einer anderen christlichen Inschrift aus Philippi (123/G483 aus Κρηνίδες: Οικόπεδο Παυλίδη).
Datierung von Feissel.

Ehreninschrift für Βαίβιος Οὐαλέριος Φίρμος

G. Perrot: Daton, Néopolis, les ruines de Philippes, RAr N.S. 1,2 (1860), S. 45–52.67–77; hier S. 70.

Heuzey/Daumet, Nr. 43 (S. 92).

Δήμιτσας, Nr. 927 (S. 731f.).

Σταύρος Μερτζίδης: Οι Φίλιπποι, Έρευναι και μελέται χωρογραφικαί υπό αρχαιολογικήν, γεωγραφικήν, ιστορικήν, θρησκευτικήν και εθνολογικήν έποψιν, Konstantinopel 1897, S. 128f. (Nr. 17).

Paul Perdrizet: Inscriptions de Philippes: Les Rosalies, BCH 24 (1900), S. 299–325; hier S. 314.

J. Strzygowski: Die Ruine von Philippi, ByZ 11 (1902), S. 473–490; hier S. 489.

Γεώργιος Χατζηκυριακού: Σκέψεις και εντυπώσεις εκ περιοδείας ανά την Μακεδονίαν (1905–1906), ΙΜΧΑ 58, Thessaloniki ²1962 (1. Aufl. 1906), S. 78f.

Κωνστ. Γ. Ζησίου: Έρευναι των εν Μακεδονία Χριστιανικών μνημείων, ΠΑΕ 1913 [1914], S. 119–251; hier S. 207.

Ευάγγελος Γ. Στράτης: Η Δράμα και η Δράβησκος. Ιστορική και αρχαιολογική μελέτη, Serres 1923 (?), S. 10 (Nr. 8).

P. Lemerle: Inscriptions latines et grecques de Philippes, BCH 59 (1935), S. 126–164; hier S. 127–131, Nr. 38 (mit Abb. 1).

AÉ 1936 [1937] 43.

Collart, S. 312 mit Anm. 3.

Charles Edson: Double Communities in Roman Macedonia, in: Μελετήματα στη μνήμη Βασιλείου Λαούρδα/Essays in Memory of Basil Laourdas, Thessaloniki 1975, S. 97–102; hier S. 102.

Fanoula Papazoglou: Le territoire de la colonie de Philippes, BCH 106 (1982), S. 89–106; hier S. 104, Anm. 68.

Band I, S. 149, Anm. 5; S. 178.

Philippi: Basilika B. „Bloc remployé dans la construction du pilier S.E. et retrouvé au pied de ce pilier. Il porte sur une face, celle qui était apparente, un chapiteau d'ante sculpté, du type habituel des chapiteaux de la basilique (cette circonstance a permis de replacer le bloc avec certitude à sa place primitive, sur le pilier); la face opposée, qui se trouvait prise dans la construction du pilier et masquée, porte l'inscription" (Lemerle, S. 127f.). Abmessungen: H. 1,39; B. 0,895; D. 0,80. Beschriebene Fläche: H. 0,61; B. 0,60. Höhe der Buchstaben Z. 1: 0,065; Z. 2–5: 0,055.

Zu Beginn des Jahrhunderts befand sich der Stein in Drama, vgl. die einleitende Bemerkung bei Ζησίου: Εν Δράμα δε αναγιγνώσκομεν επί μαρμαρίνης πλακός εν τη αυλή του Διοικητηρίου την επιγραφήν ... . Der Stein befindet sich heute (1991) *in situ,* d.h. oben auf der Plattform des beschriebenen Pfeilers. Das bedeutet, daß der Stein irgendwann vor dem Besuch von Ζησίου von Philippi nach Drama transportiert wurde, um später dann aus Drama wieder an seinen angestammten Platz zurückgebracht zu werden.

Dia Nummer Σ313.314.315.334.335a.335b/1991.

Βαίβιον Οὐ-
αλέριον Φίρμον,
τὸν κράτιστον,
ὁ δῆμος ἐκ τῶν
5 *vacat* ἰδίων. *vacat*

1 Μερτζίδης liest irrtümlich Βλίβιον. Auf dem Stein steht ohne Zweifel A und nicht Λ.
5 Χατζηκυριακού: ἰδίων. *vacat* V. In der Tat findet sich auf dem Stein ein V, allerdings
unmittelbar nach dem IΔIΩN und offenbar nicht als ursprünglicher Bestandteil des Textes.

Den Baebius Valerius Firmus, den *vir egregius*, (ehrt) das Volk
auf eigene Kosten.

Μερτζίδης hat eine abwegige Interpretation dieser Inschrift vorgetragen: „il
formule l'hypothèse que l'édifice où elle se trouve était un temple élevé aux
frais des Philippiens en l'honneur de Οὐαλέριος Φίρμος!" (Lemerle, S. 128,
Anm. 3).
Bei Μερτζίδης liest man S. 129 (als Frage!): Μήπως το κτίριον τούτο του
»Διρεκλέρ« όπερ ο Bellon περιέργαψεν ως ναόν του Κλαυδίου κα ο Daumet
ως λουτρώνα, ήτο ναός τις γινόμενος προς τιμήν του Βλιβίου [*sic*] Οὐαλερίου
Φίρμου δι' εξόδων των Φιλιππησίων;
Z. 1f. „Es scheint durchaus möglich, daß dieser Baebius Valerius Firmus
identisch ist mit dem Valerius Firmus, der 246 und 247 n.Chr. (Juni 246
und März 247) Praefectus Aegypti war [Beleg in Anm. 4: Nach den Am-
herstpapyri II 72.81]. Die Inschrift in Philippi würde dann früher und der
Mann danach Procurator der Provinz Macedonien gewesen sein." (Eugen
Bornemann bei Strzygowski, S. 489). „Mais un papyrus latin d'Oxyrinchos
[nämlich Nr. 720] a entre temps fait connaître le nom complet du préfet
d'Égypte, Claudius Valerius Firmus. On ne peut donc plus songer à identifier avec lui notre personnage . . . " (Lemerle, S. 130).
Z. 2 Φίρμος begegnet in dieser griechischen Gestalt in Philippi sonst
nicht. Aber in einer griechischen Inschrift, die 1943 auf dem jüdischen Friedhof in Thessaloniki gefunden wurde, kommt ein Φίρμος Φίρμου τοῦ Κοΐντου
vor (Β. Καλλιπολίτης/Δ. Λαζαρίδης: Αρχαίαι επιγραφαί Θεσσαλονίκης, Thessaloniki 1946; hier Καλλιπολίτης, Nr. 6, S. 12f.). Edson hat diese Inschrift
nicht in IG X 2,1 aufgenommen; sie könnte aus Philippi stammen, wie so
viele andere auf diesem Friedhof gefundene Inschriften.
Edson berichtet in seinem Aufsatz von 1975 von einer Mitteilung von T.J.
Caddoux, wonach dieser 1953 von einer Inschrift Kunde erhalten habe, die
möglicherweise unsern Βαίβιος Οὐαλέριος Φίρμος erwähnte (S. 102).
Z. 3 Zu dem Epitheton ὁ κράτιστος bemerkt Lemerle: „Cette expression traduit parfois, concurremment avec λαμπρότατος, l'épithète *clarissimus*,
réservée à l'ordre sénatorial. Mais en règle habituelle elle traduit le titre
vir egregius, que portent les personnages de l'ordre équestre, et plus particulièrement, au moins depuis Hadrien, les procurateurs de rang moyen

et inférieur. Notre personnage devait être l'un de ceux-ci, et la langue de l'inscription aussi bien que le type de l'écriture font penser qu'il vivait au IIIᵉ siècle de notre ère" (S. 130f.).

Z. 4f. Zu einer möglichen Interpretation der Formulierung ὁ δῆμος ἐκ τῶν ἰδίων im Hinblick auf eine weiter bestehende griechische πόλις vgl. Edson, S. 102 (oben bei 306/G409 näher erläutert).

„Par une curieuse rencontre, cette inscription en l'honneur d'un Romain est écrite en grec. Elle appartient évidemment à l'époque où la langue grecque finit par reprendre le dessus sur le latin, même dans les villes romaines de ces provinces. N'avons-nous pas vu le rhéteur Himérius, sous le règne de Julien, féliciter publiquement les Philippiens de l'atticisme de leur langage? Cette marque d'une date assez basse s'accorde bien du reste avec le caractère d'architecture de l'édifice au milieu duquel est placée l'inscription de Bæbius. L'épithète qui accompagne le nom propre n'est pas une flatterie banale, mais un titre consacré par l'étiquette des derniers siècle de l'empire romain, correspondant probablement à celui de *perfectissmus vir*, et désignant un personnage de rang équestre. Une inscription de Mégare donne la même épithète à un fonctionnaire impérial qui s'intitule ἐπίτροπος τῶν Σεβαστῶν." (Heuzey, S. 92).

Grabinschrift des Numerius Caesius Optatus und anderer   310/L487

Γεώργιος Χατζηκυριακού: Σκέψεις και εντυπώσεις εκ περιοδείας ανά την Μακεδονίαν (1905–1906), IMXA 58, Thessaloniki ²1962 (1. Aufl. 1906), S. 79.

Philippi. Χατζηκυριακού publiziert die Inschrift des Βαίβιος (309/G060) und fährt dann fort: Και η ετέρα Λατινική [sc. επιγραφή] επί επιτυμβίου μαρμαρίνης στήλης ύψους 1,50 μέτρ., πλάτους 0,65 μ. και πάχους 0,25 μ. Ταύτην υπέδειξεν ημίν χωρικός αποκειμένην εν τινι αγρώ εντός της σωζομένης εν ερειπίοις περιοχής της πόλεως. Επί μιάς πλευράς αυτής εις το μέσον υπάρχει ανάγλυφον απεξυσμένον, μόλις διακρινόμενον, παριστών ασθενή ή νεκρόν επί κλίνης και παρ' αυτώ γυναίκα κλαίουσαν. Άνωθεν δε φέρει το εξής Λατινικόν επίγραμμα ... [= A] (S. 79).
Unterhalb des Reliefs die zweite Inschrift (B).

   A
   N(umerius) Caesius Opta-
   tus, Villia Secun-
   da uxor prima
   LIB Italio LIB
 5 N(umerius) Caesius Cerdo I
   B
   N(umerius) Caesius Priscus,

Prisca uxor, N(umerius) Caesius
Comilianus, N(umerius) Caesius
Urbanus, Caesia N(umeri) <f(ilia)>
5 Saturnina.

B4 Χατζηκυριακού liest CAESIA · N · E · (aber das E ergibt keinen rechten Sinn!).

[A] Numerius Caesius Optatus, Villia Secunda, seine erste Frau,
... (?) ... Numerius Caesius Cerdo ... (sind hier begraben).
[B] Numerius Caesius Priscus, seine Frau Prisca, Numerius Caesius Comilianus, Numerius Caesius Urbanus, Caesia Saturnina,
die Tochter des Numerius, (sind hier begraben).

Z. A1 Das (überhaupt seltene) *praenomen* Numerius kommt in Philippi
sonst nirgendwo vor.
Das *nomen gentile* Caesius begegnet in Philippi sonst nur noch im Namen
des Großgrundbesitzers Caesius Victor (432/L163 und 525/L104).
Z. A5 Eine Liste der Belegstellen für das *cognomen* Cerdo bei 152/L686
aus dem Theater.

311/G411
III

Ehreninschrift für Κόιντος Φλάβιος Ἑρμαδίων

P. Lemerle: Inscriptions latines et grecques de Philippes, BCH 59 (1935), S. 126–
164; hier S. 140–147, Nr. 41 mit Abb. 5.
AÉ 1936 [1937] 46.
Collart, S. 448, Nr. 10.
Ladislaus Vidman [Hg.]: Sylloge inscriptionum religionis Isiacae et Sarapiacae,
RVV 28, Berlin 1969; hier S. 56, Nr. 124.
Françoise Dunant: Le culte d'Isis dans le bassin oriental de la méditerranée. Vol.
II: Le culte d'Isis en Grèce, EPRO 26, Leiden 1973, S. 191 mit Anm. 2; S. 195.
Bormann, S. 60.
Band I, S. 133, Anm. 26; S. 145; S. 151, Anm. 21.

Philippi: Basilika B. „Cette pierre a été remployée dans la construction
du pilier S.-E. (en grande partie écroulé) au pied duquel elle a été trouvée"
(Lemerle, S. 141).
Abmessungen: H. 0,97; B. 0,44; D. 0,44; Höhe der Buchstaben 0,035–0,040;
Zeilenabstand 0,013.
Der Stein befindet sich heute (1991) noch *in situ*, d.h. auf der Plattform des
genannten Pfeilers, direkt neben 309/G060 (vgl. oben).
Dia Nummer Σ313.315.332.333a.333b.333c.333d/1991.

Κό(ιντον) Φλάβιον Ἑρ-
μαδίωνα υἱὸν

Κο(ΐντου) Φλαβίου
Ἑρμαδίωνος
5 τοῦ κρα(τίστου), γυμνα-
σιάρχου καὶ
ἀρχιερέως,
οἱ θρησκευ-
τὲ τὸν ἴδιον
10 ἀγωνοθέτην
τῶν μεγάλων
Ἀσκληπείων.

6 Lemerle: κα(ί). Das Iota ist auf dem Stein deutlich zu erkennen

Den Quintus Flavius Hermadion, den Sohn des Quintus Flavius
Hermadion, des *vir egregius*, des Gymnasiarchen und Oberprie-
sters, den Spielgeber der großen Asklepieien, (ehren) die Anhänger (des Serapis).

307/G410 und 311/G411 stammen beide von demselben Verein, dessen vollen Namen die erste Inschrift bietet: θρησκευταὶ τοῦ Σέραπι (zum Genitiv
vgl. Lemerle, S. 142, Anm. 1 und Vidman, Nr. 283). Dabei ist θρησκευταί
die Übersetzung des lateinischen *cultores*. Feyel hat im Süden des Forums
eine Inschrift gefunden, in der *cultores deorum Serapis et Isidis* erwähnt
werden (252/L467). Beide Geehrte heißen Quintus Flavius Hermadio (bzw.
Hermadion), 307/G410 ist der Vater, 311/G411 der Sohn. Der Vater wird
in 307/G410 ἀξιολογώτατος genannt, hier dagegen κράτιστος = *vir egregius*
(Mason, S. 64, s.v.), vgl. auch Luk 1,3.
„C'est seulement, à vrai dire, le type de l'écriture – dennée assez incertaine –
qui fait penser que le personnage de la première inscription est le père, cette
inscription paraissant nettement plus ancienne. Cela n'a d'ailleurs aucune
importance, et l'essentiel est que l'un des textes nous donne le nom du
college, l'autre les titres des personnages." (Lemerle, S. 143, Anm. 4).
Vidman meint: „Est sine dubio eques (*vir egregius*, vide v. 5) et sacerdos
cultus imperatorum (v. 6) qui magna Asclepiea edidit" (S. 56).
Z. 5f. Γυμνασίαρχης kann eine Funktion im Verein oder auch im Kult
bezeichnen (vgl. Lemerle, S. 144, Anm. 4).
Z. 7 Ähnlich verhält es sich mit ἀρχιερεύς. Lemerle ist der Auffassung,
unser Freund sei ἀρχιερεύς des Kaiserkultes von Philippi (ebenso AÉ, a.a.O.,
S. 15). Dem schließt sich Collart (S. 453) aber nicht an: er denkt an den
Club der Isis-Verehrer, die einen ἀρχιερεύς haben. Darauf nimmt dann auch
Κανατσούλης, S. 53, Anm. 4 Bezug.
Dunant möchte den ἀρχιερεύς dann wieder auf den Kaiserkult beziehen (Q.
Flavius Hermadion „est ... probablement grand-prêtre du culte imperial",

um auf diese Weise auch hier (vgl. 132/L303, Kommentar zu Z. 2f.) einen Zusammenhang zwischen Isisverehrung und Kaiserkult herzustellen (Dunant, S. 191 mit Anm. 3).

Noch weiter geht Bormann, der aus dieser Inschrift sowie 307/G410 schließt, „daß der Kaiserkult, wie er in Philippi praktiziert wurde, sich zunehmend gegenüber anderen Kulten öffnete und eine integrative Wirkung entfaltete" (Bormann, S. 60). Das geht sehr viel zu weit: 307/G410 enthält *keinen* Hinweis auf den Kaiserkult: das (strittige) ἀρχιερεύς dieser Inschrift kann so weitgehende Hypothesen keineswegs tragen.

M.E. ist beides möglich: ἀρχιερεύς im Kaiserkult oder im Kult der ägyptischen Götter (deren Priester sonst in Philippi allerdings nie ἀρχιερεύς heißen, vgl. den Kommentar zu Z. 1 der Inschrift 193/G302, der eine Liste aller namentlich bekannten Priester der ägyptischen Götter aus Philippi bietet).

Z. 8f. „Le associations dites θρησκευταί sont rare et d'époque tardive" (Lemerle, S. 142).

Z. 10 ἀγωνοθέτης findet sich sonst in Philippi nicht (aber in Serres: Δήμιτσας 811 = Καφτανζής 15 hat einen dreifachen ἀγωνοθέτης!).

Z. 12 Das Fest der Serapisanhänger ist nach Asklepios benannt. Zur Gleichsetzung von Serapis und Asklepios vgl. Cicero: *De divinatione* II 123 und Ilse Becher: Augustus und der Kult der ägyptischen Götter, Klio 67 (1985), S. 61–64; hier S. 63.

Datierung: „au milieu du III[e] siècle." (Lemerle, S. 147).

312/L578   **Fragment einer lateinischen Inschrift**

A. Salač: Inscriptions du Pangée, de la région Drama-Cavalla et de Philippes, BCH 47 (1923), S. 49–96; hier S. 88 (Nr. 6[b]).

Philippi: Basilika B. „... dans les décombres, près du cippe de Baebius [= 309/G060]. Pierre quadrangulaire, moulurée sur trois faces, brisée en bas" (Salač, S. 88).

Abmessungen: H. 0,88; B. 0,72; D. 0,49; Höhe der Buchstaben 0,08–0,055; Zeilenzwischenraum 0,025.

Der Stein liegt an der S-Mauer der Basilika B, ca. zehn Meter im SO des SW-Pfeilers (Inventarisierungsnummer 187).

Dia Nummer Σ320.321/1991; 672.673/1992.

CIVI[...]
QVA[...]
TOQ
CVR
5 R·P·PHI[...]   r(es) p(ublica) Phi(lippensium)
RIOI

2 Salač liest QVAR.   **5** Salač liest R·P·PHIL.   **6** Diese Zeile fehlt bei Salač.

Salač zufolge handelt es sich um eine „inscription honorifique ou funéraire" (ebd.).

Grabinschrift der Cassia Gemella und des   313/L382
Marcus Antonius Alexander

P. Lemerle: Inscriptions latines et grecques de Philippes, BCH 58 (1934), S. 448–
483; hier S. 474, Nr. 12 (ohne Abb.).

Philippi: Basilika B. „Dalle brisée en deux morceaux qui se raccordent;
légèrement retaillée à droite et en bas, mais complète; trouvée dans la chapelle Sud" (Lemerle, S. 474). Der Stein befindet sich heute (1991) an der
Wand derselben, neben 316/L400 (siehe unten).
Abmessungen: L. 2,15; H. 0,80; D. 0,13; Höhe der Buchstaben 0,140; 0,105;
0,140; 0,115.
Dia Nummer Σ324|325/1991.

> Cassia C(ai) f(ilia) Gemella an(norum)
> *vacat* XXXV *vacat*
> M(arcus) Antonius M(arci) fil(ius) Vol(tinia)
> Alexander an(norum) XXV h(ic) s(iti) s(unt).

Cassia Gemella, die Tochter des Caius, fünfunddreißig Jahre alt,
und Marcus Antonius Alexander, der Sohn des Marcus, aus der
Tribus Voltinia, fünfundzwanzig Jahre alt, sind hier begraben.

Z. 1 Zum Namen Cassia vgl. die Liste bei 156/L564.
Z. 3 Unser Marcus Antonius Alexander dürfte ein Nachkomme eines Sied-
lers sein, der im Jahr 30 v. Chr. bei der Neugründung durch Augustus in
Philippi ansässig wurde. Wie Dio Cassius berichtet (LI 4,6: τοὺς γὰρ δήμους
τοὺς ἐν τῇ Ἰταλίᾳ τοὺς τὰ τοῦ Ἀντωνίου φρονήσαντας ἐξοικίσας τοῖς μὲν
στρατιώταις τάς τε πόλεις καὶ τὰ χωρία αὐτῶν ἐχαρίσατο, ἐκείνων δὲ δὴ τοῖς
μὲν πλείοσι τό τε Δυρράχιον καὶ τοὺς Φιλίππους ἄλλα τε ἐποικεῖν ἀντέδωκε,
τοῖς δὲ λοιποῖς ἀργύριον ἀντὶ τῆς χώρας τὸ μὲν ἔνειμε τὸ δ' ὑπέσχετο) sie-
delte Augustus insbesondere Anhänger des Antonius aus Italien in Philippi an, die er dort vertrieb, um Platz für seine Veteranen zu schaffen. Das
gleiche Phänomen kann man auch in der *Colonia Iulia Augusta Cassandrensis* studieren (vgl. dazu Δημήτρης Κ. Σαμσάρης: Η ρωμαϊκή αποικία της
Κασσάνδρειας (Colonia Iulia Augusta Cassandrensis), Δωδώνη 16,1 (1987),
S. 353–437; hier S. 358).

Weitere *Antonii* in Philippi sind Marcus Antonius Bassus (356/L142 aus dem westlichen Friedhof von Philippi); Marcus Antonius Rufus (ebd.); Marcus Antonius Macer und dessen gleichnamiger Vater aus 396/L781 (durch Kyriakos von Ancona bezeugt); Marcus Antonius Rufus und Caius Antonius Rufus (in 700/L738; 701/L739; 702/L740; 703/L741 aus Alexandria Troas) und schließlich Lucius Antonius aus 711/L736 (Thasos), der allerdings nicht aus Philippi stammt!

314/L396   **Grabinschrift der Vellaea Ingenua**

P. Lemerle: Inscriptions latines et grecques de Philippes, BCH 58 (1934), S. 448–483; hier S. 479f., Nr. 26 (ohne Abb.).

Philippi: Basilika B. „Dalle retaillée à droite, brisée en bas; trouvée dans la chapelle Sud" (Lemerle, S. 479). Der Stein befindet sich heute (1991) an der südlichen Mauer derselben, gleich rechts, wenn man zur Tür hereinkommt. Inventarisierungsnummer 496.
Abmessungen: L. 2,00; H. 0,55; D. 0,14; Höhe der Buchstaben 0,135; 0,105; 0,09.
Dia Nummer Σ326/1991.

> Vellaea C(ai) fil(ia) Ingen[ua]
> ann(orum) XXX h(ic) s(ita) [e(st)].
> L(ucius) Magius Crescens uxori piis[simae].

> Vellaea Ingenua, die Tochter des Caius, dreißig Jahre alt, ist hier begraben. Lucius Magius Crescens (hat die Inschrift) für seine sehr liebe Frau (anfertigen lassen).

Z. 3 Eine Liste der in Philippi bezeugten *Magii* bei 166/L004 (Zeile 2).

315/G420   **Grabinschrift des Πούπλιος Κορνήλιος**

P. Lemerle: Inscriptions latines et grecques de Philippes, BCH 59 (1935), S. 126–164; hier S. 155, Nr. 50 (ohne Abb.).

Philippi: Basilika B. „Deux fragments qui se raccordent pas, trouvées dans la chapelle Sud" (Lemerle, S. 155). Der Stein befindet sich heute an der S-Mauer, links neben 314/L396. Inventarisierungsnummer 299.
Abmessungen: L. (Fragment 1): 0,70; L. (Fragment 2): 0,40; D. 064; H. der Buchstaben 0,06.
Dia Nummer Σ327/1991.

Π(ούπλιος) Κορνήλιος Ι | [...]ạνός ἔτ(ων) Π[...]

Vorhanden ist heute nur das linke Fragment.

Publius Cornelius ... anus, ... Jahre alt ...

Grabinschrift des Publius Publicius   316/L400

P. Lemerle: Inscriptions latines et grecques de Philippes, BCH 58 (1934), S. 448–
483; hier S. 480f., Nr. 30 (ohne Abb.).

Philippi: Basilika B. „Dalle brisée à gauche, en bas et à droite; trouvée
dans la chapelle Sud" (Lemerle, S. 480). Der Stein befindet sich heute (1991)
in situ, d.h., wenn man durch die Tür kommt, gleich links. Inventarisierungsnummer 500. Abmessungen: L. 1,55; H. 0,60; D. 0,125; Höhe der Buchstaben
0,140; 0,10; 0,085.
Dia Nummer Σ323/1991.

> P(ublius) Publicius P(ubli) f(ilius) Vo[l(tinia) ...]
> ctus an(norum) LXX et Cor[...]
> Ninnarus an(norum) XXX[...]
> [...]ẠṚÇẸ[...]

Publius Publicius ... ctus, der Sohn des Publius, aus der Tribus
Voltinia, siebzig Jahre alt, und Cor... Ninnarus, ... Jahre alt,
(sind hier begraben). ...

Lateinisches Fragment   317/L405

P. Lemerle: Inscriptions latines et grecques de Philippes, BCH 58 (1934), S. 448–
483; hier S. 482, Nr. 35 (keine Abb.).

Philippi: Basilika B. „Petit fragment, ... trouvé dans la chapelle Sud"
(Lemerle, S. 482).
Abmessungen: L. 0,60; H. 0,50. Höhe der Buchstaben 0,16.

> [... Phi]lippica [...]

Das *cognomen* Philippicus begegnet in Philippi des öfteren.

318/L404   **Fragment einer lateinischen Grabinschrift**

P. Lemerle: Inscriptions latines et grecques de Philippes, BCH 58 (1934), S. 448–
483; hier S. 482, Nr. 34 (ohne Abb.).

Philippi: Basilika B. Südliches „Baptisterium". „L'inscription que
portait la dalle a été ravalée pour faire place à une décoration byzantine
de travail grossier: une croix aux quatre branches égales, flanquée à droite
et à gauche de deux motifs très stylisés (feuillage?). Le relief byzantin est
peu profond et laisse apparaître, notamment sur les bords, des traces des
lettres latines" (Lemerle, S. 482).
Abmessungen: L. 1,40; H. 0,61; D. 0,13.
Der Stein befindet sich heute, wenn man durch die Nord-Tür hereinkommt,
gleich rechts. Die Inventarisierungsnummer ist nicht zu entziffern.
Dia Nummer Σ328/1991.

> [...] Vibia Aril[ia? ...]
> [...] an(norum) L[...]LA[...]
> OII[...]IV
> [...] et sibi [...]

2 Heute nur N statt AN. Lemerle bietet das LA am Schluß der Zeile nicht. **3** Fehlt
bei Lemerle.

> Vibia Arilia, ... Jahre alt ... ; N.N. hat für sich selbst und für
> ...

Z. 1 Eine andere Vibia, *Vibia C(ai) l(iberta) Piruzir*, in 392/L624 (die
Liste aller Inschriften mit dem Namen Vibius bzw. Vibia in Philippi bei
058/L047 aus Dikili-Tasch).

319/G418   **Grabinschrift für Δημήτριος Προυσαέους ἀπὸ Ὑπίου**

P. Lemerle: Inscriptions latines et grecques de Philippes, BCH 59 (1935), S. 126–
164; hier S. 153f., Nr. 48 mit Abb. 8.
Καντασούλης, Nr. 1591 und 1726.
Georges Daux: Notes de lecture, BCH 101 (1977), S. 329–351; hier S. 346f., Nr. 7.
Jeanne Robert und Louis Robert, BÉ 1978, Nr. 305.
Louis Robert: A travers l'Asie Mineure. Poètes et prosateurs, monnaies grecques,
voyageurs et géographie, BEFAR 239, Athen/Paris 1980; hier S. 79f.

Philippi: Basilika B. Südliches „Baptisterium". Die Inschrift befindet
sich auf zwei Blöcken, deren erster gleich rechts neben der W-Tür liegt, wenn
man hereinkommt (so gut wie unphotographierbar; enthält die Z. 3). Links

daneben liegt der zweite Block (an der S-Mauer), der die Zeilen 1–2 enthält (gut lesbar). Inventarisierungsnummer 297. Abmessungen: L. 1,85; H. 0,66; D. 0,15; Höhe der Buchstaben 0,08; 0,075; 0,065. Dia Nummer Σ329.330/1991.

[Δ]ημήτριος Παπίου Προυσαέους ἀπὸ
['Υπ]ίου ἐτ(ῶν) ξε'. Δημήτριος καὶ Παπεὶς
πατρὶ ἐποίησαν.

2 Lemerle: ἔτ(ων).

Demetrios, der Sohn des Papios, aus Prusias *ad Hypium*, 65 Jahre alt (liegt hier begraben). Demetrios und Papeis haben (die Inschrift) für ihren Vater errichtet.

Z. 1 Derselbe Δημήτριος Προυσαέους begegnet auch in 073/G294 (aus Dikili-Tasch), allerdings als Δημήτριος Προυσαεύς (Z. 2f.). Dort handelt es sich um die Grabinschrift für die Frau des Δημήτριος (der Name wird nicht genannt).
Zur Form Προυσαέους vgl. Robert, S. 80, Anm. 489 (Robert bevorzugt Προυσαεούς); „... la double apparition de l'ethnique Προυσαεύς au lieu du correct Προυσιεύς est à attribuer, plutôt qu'à une incorrection du lapicide ...", à une confusion entre les deux ethniques de Prousa et de Prousias née dans la famille alors expatriée" (S. 80).
Δημήτριος stammt nicht aus Prusa *ad Olympum*, sondern aus Prusias *ad Hypium*; vgl. zu dieser Stadt Louis Robert: Le Fleuve Hypios dans les Argonautiques et le territoire de Prusias vu par les voyageurs, a.a.O., S. 11–128. Nach Robert gibt es sowohl einen Fluß als auch einen Berg namens Hypios (S. 11). Der Fluß Hypios ist mit dem heutigen Milan-See bzw. Melen-See identisch (S. 19).
Zur Lage von Berg, Fluß und Stadt vgl. die Karte bei Robert auf S. 17. Zur Formulierung Προυσιεὺς ἀπὸ 'Υπίου vgl. schließlich S. 77 mit Anm. 471.
Z. 2 Zum Namen Παπείς vgl. Daux, S. 346f. mit den Bemerkungen von Jeanne Robert und Louis Robert in BÉ 1978, Nr. 305. Damit ist die von Κανατσούλης vertretene Auffassung (Nr. 1726), wonach Παπείς die Tochter des verstorbenen Δημήτριος wäre, hinfällig: Παπείς ist kein Mädchenname.

Lateinische Grabinschrift für ein Kind   320/L403

P. Lemerle: Inscriptions latines et grecques de Philippes, BCH 58 (1934), S. 448–483; hier S. 482, Nr. 33 (ohne Abb.).

Philippi: Basilika B. „Fragment de dalle funéraire, trouvé dans le »baptistère« Sud" (Lemerle, S. 482).
Der Stein befindet sich heute (1991) links neben 319/G418 (siehe dort).
Inventarisierungsnummer 503.
Abmessungen: L. 1,33; H. 0,44; 0,12; Höhe der Buchstaben 0,085; 0,09.
Dia Nummer Σ331/1991.

> [...] an(norum) XI m(ensium) II h(ic) s(ita) e(s)t.
> [...]IA Secunda filiae [...]
> [...]OATA M(arco) Servilio Ianuario [...]

2 Lemerle: A.   3 Lemerle: ATA.

> ... elf Jahre, zwei Monate alt, liegt hier begraben.
> ... Secunda für ihre Tochter ...
> ... für Marcus Servilius Ianuarius ...

Z. 3 Ein Caius Servilius begegnet auf einer anscheinend unpublizierten Inschrift, die im Lapidarium am Wächterhaus aufbewahrt wird.

321/L377   **Grabinschrift des Dendrophorus Marcus Velleius
und seiner Frau Velleia Primigenia**

P. Lemerle: Inscriptions latines et grecques de Philippes, BCH 58 (1934), S. 448–483; hier S. 466–471, Nr. 7 mit Abb. 7.
AÉ 1935 [1936] 53.
Collart, S. 270; S. 456 mit Anm. 2.
Bormann, S. 55f. (mit erratischer Textwiedergabe).

Philippi: Basilika B. Bei den Gräbern des südlichen „Baptisteriums".
„Fragment de dalle funéraire, brisé sur les quatre côtés" (Lemerle, S. 466).
Der Stein befindet sich heute (1991) an der S-Wand des genannten Baptisteriums. Inventarisierungsnummer 477.
Abmessung: L. 1,71; H. 0,61; D. 0,16; Höhe der Buchstaben Z. 2: 0,13; Z. 3: 0,11.
Dia Nummer Σ342.343/1991.

> [M(arcus) V]elleius M(arci) l(ibertus) [...]
> [... dendrop]horus Aug(ustalis) an(norum) L
> [sibi et V]elleiae Primigeniae u[xori]
> [...] eius   *vacat*

4 Lemerle: VS.

Marcus Velleius, der Freigelassene des Marcus, der Dendrophorus, der Augustalis, fünfzig Jahre alt, (hat) für sich und für Velleia Primigenia, seine … Frau (den Grabstein aufgestellt).

Z. 2 Das Wort *dendrophorus* weist auf den Kult der Kybele: Diese In-
schrift „indique l'existence à Philippes d'un collège consacré au culte de
Cybèle et dévoué en même temps au culte impérial" (Collart, S. 270). Zum
Kult der Kybele in Philippi vgl. den Kommentar bei 054/L045 (Dikili-
Tasch).
Problematisch ist die Kombination von *dendrophorus* und *Augustalis*, für
die Lemerle nur drei Parallelen beizubringen vermochte, zwei aus Lyon (CIL
XIII 1961 und 2026), eine aus Amsoldingen (CIL XIII 5153). „Si les den-
drophores peuvent être parfois appelés *augustales*, c'est sans doute que dans
certains cas ils pouvaient faire réellement partie de l'*ordo augustalium*, et cela vraisemblablement parce qu'ils étaient alors, d'une manière qu'on ne peut
préciser, associés au culte de l'empereur." (Lemerle, S. 469). Dem schließt
sich Bormann im wesentlichen an (S. 56, Anm. 138 wird bei ihm Lemerle unzutreffend referiert, da dieser die These, bei dem „Dendrophorus Augustalis"
handle es sich „um eine Art kaiserlichen Oberförsters", gerade ablehnt).
Augustales begegnen in Philippi nur noch im Theater (vgl. 145/L763); ansonsten ist immer von *sexviri Augustales* die Rede (vgl. den Kommentar zu
037/L037).

Grabinschrift des Velleius Plato   322/L379

P. Lemerle: Inscriptions latines et grecques de Philippes, BCH 58 (1934), S. 448–
   483; hier S. 472–474, Nr. 9 mit Abb. 9.
AÉ 1935 [1936] 55.

Philippi: Basilika B, im südlichen „Baptisterium". „Dalle funéraire
retaillée sur les côtés en bas" (Lemerle, S. 472).
Der Stein befindet sich heute (1991), wenn man durch die N-Tür hereinkommt, gleich links an die N-Wand gelehnt. Inventarisierungsnummer 479.
Abmessungen: L. 2,11; H. 0,63; D. 0,13; Höhe der Buchstaben 0,150; 0,110;
0,125; 0,100.
Dia Nummer Σ345.346/1991.

> Ċ(aius) Velleius Plato dec(urio)
> *vacat*? Philipp(is) *vacat* sibi et *vacat*
> C(aio) Velleio C(ai) f(ilio) Vol(tinia) Platoṇ[i]
> ỊṾ[-]Ọ medico an(norum) XXXVI h(ic) s(itus) e(st).

---

1 Lemerle stellt *Caius* bzw. *Lucius* zur Wahl. Auf dem Stein steht m.E. ein C, da der
untere Rest des Buchstabens leicht gerundet ist (vgl. das C in Z. 3 und die L in Z. 2!)

4 Lemerle: [...] *medico.* Die Ergänzungen von Lemerle ergeben eine etwas eigenartige Syntax!

> Caius Velleius Plato, Ratsherr in Philippi, (hat) für sich und für Caius Velleius Plato, den Sohn des Caius, aus der Tribus Voltinia, den Arzt, (verstorben) im Alter von sechsunddreißig Jahren – er ist hier begraben – (die Inschrift machen lassen).

Z. 2 Lemerle will den Abstand zwischen PHILIPP und SIBI so erklären: „Le premier personnage, qui a fait graver la stèle de son vivant, avait ménagè à la deuxième ligne, après »Philipp(is)«, un espace où, après sa mort, on devait graver son âge" (S. 472). Auch wenn man das für möglich hält, ist damit die eigenartige Syntax noch nicht hinlänglich erklärt.

Z. 4 Dies ist der zweite epigraphisch bezeugte *medicus* aus Philippi (vgl. 132/L303 vom Neapolistor: *Quintus Mofius Euhemerus, medicus*). Unser Plato war möglicherweise Augenarzt (man kann in Z. 4 ergänzen *[o]cul̤[a]-r̤(io)*, also *oculario medico*).

322a/G790   **Inschriften auf einem Kreuz**

D.I. Pallas: Une petite recherche dans le diaconicon de la basilique B de Philippes, BZ 53 (1960), S. 328–332; hier S. 332 (keine Abbildung).
Fehlt bei *Feissel.*

Philippi: Basilika B: Diakonikon. Pallas unternahm im Dezember 1959 eine Nachgrabung im Diakonikon mit dem Ziel, eine Kontroverse mit Lemerle zu entscheiden (vgl. Pallas, S. 328f.). Er grub in dem rechteckigen Bereich, der in Lemerles Tafelband auf Pl. XLV im vorherigen Zustand abgebildet ist; in der Tiefe von ca. 1,10 fand er „une petite croix en alliage d'argent et de cuivre, portant sur une face l'inscription ΦΩC ZΩH et sur l'autre l'inscription K(ύρι)E BOHΘ៑H TON ΦOPOYNTA. Hauteur: 0,035 m." (S. 332).

Seite A
φῶς ζωή
Seite B
K(ύρι)ε, βοήθῃ τὸν φοροῦντα.

Seite A
Licht Leben
Seite B
Herr, hilf dem, der (dieses Kreuz) trägt.

Seite B βοήθη steht für die Imperativform βοήθει wie in dem Graffiti des Petros aus dem Oktogon (324/G560).

Zur Formel gibt Pallas die folgenden Hinweise: „C'est une formule qui provient de l'epigraphie des amulettes magiques, cf. V. Latyšev, Etjudi po vizantijskoj epigrafik, Viz. Vrem. 6 (1899) pp. 341 ss. Pour d'autres exemples sue des objets magiques voir C. Bonner, Studies in Magical Amulets (Oxford 1950) pp. 215. 219 sq. no. 26119 et aussi p. 307; V. Laurent, Amulettes byzantines et formulaires magiques, B. Z. 43 (1950) 303. Dans le domaine de l'epigraphie chrétienne ce formulaire s'est inspiré du langage ecclésiastique. Comparez dans l'Euchologe la prière pour des maisons tentées par des esprits malins: τῶν τὴν σημείωσιν τοῦ φοβεροῦ κατὰ δαιμόνων τροπαίου, τοῦ σταυροῦ σου φορούντων (J. Goar, Εὐχολόγιον [Venise 1730] p. 570)." (S. 332, Anm. 19).

Anhaltspunkte zur Datierung der Inschrift gibt es nicht.

Lateinisches Fragment   323/L145

CIL   III, Suppl. 2, Nr. 12315.

Philippi: Basilika B. „... litteris aevi labentis, Philippis e regione basilicae q. d. ad viam" (ebd.).

TRETONVM PVD

Grabinschrift eines Soldaten   323a/L842

Collart, S. 261 mit Anm. 1; S. 294.
AÉ 1939, 186.
Sarikakis, Nr. 241 (S. 460).

Philippi: Direkler. Genauere Angaben macht Collart leider nicht.

    [...]s L(uci) f(ilius) Vol(tinia)
    [... mil(es)] c(o)ho(rtis) X pr(aetoriae) [...]

    ... der Sohn des Lucius, aus der Tribus Voltinia, ... Soldat der zehnten Prätorianerkohorte ...

Z. 2 Die *cohors X praetoria* begegnet sonst in Philippi nicht.

323b/L843   Lateinisches Fragment

Collart, S. 268 mit Anm. 1.
AÉ 1939, 189.

Philippi: Direkler. Genauere Angaben macht Collart leider nicht.

[...] ornam(entis) I[Iviral(ibus) hon(oratus) ...]

...mit den *ornamenta* eines Duumvir geehrt ...

Die Ergänzung *IIviralibus* in Analogie zu 617/L118, Z. 15 (etliche weitere
Belege bietet der einschlägige Artikel *duumviralis,* ThLL V 1, Sp. 2315,
Z. 64ff.). Möglich wäre auch *IIviraliciis* wie in 001/L027, doch nennt der
ThLL im einschlägigen Artikel *duumviralicius* (V 1, Sp. 2315, Z. 31f.) keinen
weiteren Beleg.

Das Oktogon, die neuen Grabungen
und das übrige Stadtgebiet

Zur Lage vgl. o. Band I, Karte 8: Die Stadt Philippi (S. 75).

Graffito des Petros

324/G560
VI?

Στυλιανός Πελεκανίδης: Ανασκαφαί Οκταγώνου Φιλίππων, ΠΑΕ 1960 [1966], S.
76–94; hier S. 93 mit Abb. Πιν. 73α.
Jeanne Robert und Louis Robert, BÉ 1967, Nr. 364.
Feissel, Nr. 228, S. 193 (Tafel 53).
Band I, S. 241.

Philippi: Oktogon: Stoa. Επί του ακραίου προς Βορράν τμήματος του
δυτικού στυλοβάτου μεταξύ της τελευταίας βάσεως κίονος και του πεσσού,
εις ὃν απολήγει ούτος, απεκαλύφθη χαρακτή δι' αιχμηρού οργάνου η επιγραφή
(Πελεκανίδης, a.a.O., S. 93).
Dia Nummer Σ36.37/1991; 149.150/1992.

> Κ(ύρι)ε, βοήθη τοῦ δούλου σου
> *vacat* Πέτρου, ἀμήν. *vacat*

1 Auf dem Stein $\overline{KE}$.

Herr, hilf deinem Knecht Petrus, Amen.

Z. 1 βοήθη steht für den Imperativ βοήθει wie in der Inschrift 322a/G790
auf dem Kreuz aus dem Diakonikon der Basilika B.

Z. 2 Der christliche Name Petrus ist in Makedonien nicht eben häufig
(vgl. dazu den Index der Namen bei Feissel, S. 256, s.v. Πέτρος, der außer den
beiden Menschen aus Philippi nur zwei weitere Belege für ganz Makedonien
bietet). Der andere Petrus aus Philippi in der Inschrift 293/G431 aus dem
Narthex der Basilika B.

325/G751   Griechisches Fragment

Στυλιανός Πελεκανίδης: Ανασκαφή Φιλίππων, ΠΑΕ 1974 [1976], S. 65–72; hier S.
    68 (keine Abb.).
SEG XXVI (1976/77) [1979] 731.

Philippi: Oktogon. Nördlich des Atriums befindet sich eine Gruppe von
Räumen, deren westlichster von Πελεκανίδης als Raum I bezeichnet wird.
Dieser Raum I weist drei Türen auf. Die westliche Tür führt auf die Querstra-
ße, die den Oktogonkomplex vom Forum trennt. Τῆς εἰσόδου ταύτης διατη-
ρεῖται κατά χώραν τμῆμα μόνον του μαρμαρίνου ουδού εκ δευτέρας χρήσεως,
φέροντος εγχάρακτον επιγραφήν ... και στηριζομένου επί εξ αργολιθοδομής
υποδομής, ύψους 0.28 μ. (Πελεκανίδης, S. 68).

    Ἀντιγέν[ης]
    Antigenes.

Der Name Antigenes ist in Philippi sonst nicht belegt. Auch für Makedonien
sucht man bei Κανατσούλης vergeblich nach einem Träger dieses Namens.
Da der Stein in zweiter Verwendung als Türschwelle dient, ist die Inschrift
jedenfalls älter als der Oktogonkomplex.

326/G512   Tragbare Sonnenuhr mit Inschrift
250/350

Γεώργιος Γούναρης: Χάλκινο φορητό ηλιακό ωρολόγιο από τους Φιλίππους, ΑΕ
    1978 [1980], S. 181–191.
SEG XXX (1980) [1983] 585.
Φίλιπποι-Führer, S. 90, Abb. 78.

Philippi: Oktogon. Die Sonnenuhr wurde bei den Ausgrabungen des Oktogons im Jahr 1965 gefunden. Το όργανο βρέθηκε στην υπόνομο, που από
τον υπαίθριο χώρο της δεξαμενής και των παιδικών τάφων, ΒΑ. του δαχ-
τυλίου του Οκταγώνου, παροχέτευε τα νερά στο μεγάλο και κεντρικό υπόνομο
της Παρόδου Α΄ (Γούναρης, S. 181; zu der Fundstelle vgl. Στυλιανός Πελεκανίδης: Ανασκαφή Φιλίππων, ΠΑΕ 1975 [1977], S. 91–102; hier παρένθ. πιν.
Γ΄).
Es handelt sich um einen Ring aus Bronze (Durchmesser 7,25cm), der als
Sonnenuhr benutzt wurde. Innerhalb des äußeren Ringes sind zwei weitere
bewegliche Ringe angebracht, deren äußerer aus zwei unverbundenen halben
Ringen besteht, auf denen die Inschriften eingeritzt sind (vgl. die Abb. bei
Γούναρης, πιν. 53).
Ὅταν βρέθηκε, καθώς ήταν οξειδωμένο, έμοιαζε, όπως αναφέραμε, με δαχ-
τύλιο που διαμετρικά έφερε δυό κρίκους για ανάρτηση ... . Μετά τον προσ-

εκτικό καθαρισμό του διαπιστώθηκε, ότι έτσι όπως βρέθηκε ήταν σε κατάσταση »αποθηκεύσεως«, σε θέση δηλ. κατάλληλη για τη διαφύλαξη και μεταφορά του και ότι το αποτελούσαν τρεις και όχι ένας δακτύλιοι (Γούναρης, S. 181f.).

A (auf dem oberen Halbring):
Οὐιένν(ης) με´
Ἰανο(υάριος) Φεβρ<ου>άρ(ιος) Μάρτιος Ἀπρίλιος Μάϊος Ἰούν(ιος)
Ἰούλ(ιος) Αὔγου(στος) Σεπτέμ(βριος) Ὀκτώβρ(ιος) Νοέμ(βριος)
Δε(κέμβριος)
Ῥώμης μαγ´
5 Ἰούν(ιος) Μάϊος Ἀπρίλιος Μάρτιος Φεβρ<ου>άρ(ιος) Ἰανο(υάριος)
Δε(κέμβριος) Νοέμ(βριος) Ὀκτώβρ(ιος) Σεπτέμ(βριος)
Αὔγου(στος) Ἰούλ(ιος)
B (auf dem unteren Halbring):
Ἀλεξαν(δρείας) μ(οῖραι) λα´
Ἰούν(ιος) Μάϊος Ἀπρίλιος Μάρτιος Φεβρ<ου>άρ(ιος) Ἰανό(υάριος)
Δε(κέμβριος) Νοέμ(βριος) Ὀκτώβρ(ιος) Σεπτέμ(βριος) Αὔγου(στος)
Ἰούλ(ιος)
Ῥόδου μ(οῖραι) λς´
5 Ἰανό(υάριος) Φεβρ<ου>άρ(ιος) Μάρτιος Ἀπρίλιος Μάϊος Ἰούν(ιος)
Ἰούλ(ιος) Αὔγου(στος) Σεπτέμ(βριος) Ὀκτώβρ(ιος) Νοέμ(βριος)
Δε(κέμβριος)

B1 Γούναρης: ΑΛΕΞΑΝ(ΔΡΕΙC).

A (auf dem oberen Halbring): (Der Breitengrad) von Vienne (beträgt) 45°. Januar Februar März April Mai Juni Juli August September Oktober November Dezember. (Der Breitengrad) von Rom (beträgt) 41° und 1/3´. Juni Mai April März Februar Januar Dezember November Oktober September August Juli.

B (auf dem unteren Halbring): Der Breitengrad von Alexandria (beträgt) 31°. Juni Mai April März Februar Januar Dezember November Oktober September August Juli. Der Breitengrad von Rhodos (beträgt) 36°. Januar Februar März April Mai Juni Juli August September Oktober November Dezember.

Das Gerät ist bisher ohne Analogie. Was die Möglichkeiten der Benutzung und die sonstigen Einzelheiten angeht, verweise ich auf den Aufsatz von Γούναρης. Er sagt zusammenfassend: Από όσα σημειώσαμε μέχρι τώρα καταλήγουμε στο συμπέρασμα, ότι το όργανο των Φιλίππων είναι ένα μοναδικό στο είδος του, όσο γνωρίζομε μέχρι τώρα, ηλιακό ωρολόγιο, που μπορεί όμως να χρησιμοποιηθεί και για κατά προσέγγιση μετρήσεις γεωγραφικών πλατών, αζιμουθίων και ζενιθίας αποστάσεως αστέρων (S. 186).

Z. A1 Vienne: Gemeint ist die Stadt in Gallien, deren exakten Breitengrad Γούναρης mit 45° 31´ angibt (S. 182, Anm. 1).

Z. A2 Die lateinischen Monatsnamen werden im Wörterbuch von LSJ ziemlich stiefmütterlich behandelt; es finden sich lediglich Μάρτιος (S. 1081), Μάϊος (S. 1073), Ἰούλιος (allerdings nicht als Name eines Monats: S. 832), Αὔγουστος (S. 274f.), Σεπτέμβριος (S. 1591). Dies ist umso verwunderlicher, als auch die nicht aufgenommenen Monate nicht nur epigraphisch, sondern auch literarisch bezeugt sind, so etwa Ἰανουάριος (vgl. Ivars Avotins: On the Greek of the Novels of Justinian. A Supplement to Liddell-Scott-Jones together with Observations on the Influence of Latin on Legal Greek, Altertumswissenschaftliche Texte und Studien 21, Hildesheim/Zürich/New York 1992, S. 105, s.v.), Ἀπρίλλιος [sic] (Avotins, S. 31, s.v.), Ἰούνιος (Avotins, S. 110, s.v.), Ὀκτώβριος (Avotins, S. 152, s.v.). Zur Verwendung des julianischen Kalenders als Kriterium für die Datierung des Objekts vgl. unten.

Z. A4 Rom: Der exakte Breitengrad der Stadt Rom ist 41° 54´.

Z. B1 Alexandria: Der exakte Breitengrad von Alexandria ist 31° 12´, vgl. Γούναρης, S. 184, Anm. 1. Zu μ = μ(οῖραι) s. gleich.

Z. B4 Rhodos: Der exakte Breitengrad von Rhodos ist 36° 26´ vgl. Γούναρης, S. 184, Anm. 1. Im Unterschied zu den Angaben in Z. A1 und A4 ist das griechische M hier und in Z. B1 nicht als Zahlzeichen verwendet (μ´ = 40), sondern als Abkürzung für μοῖραι (im Sinne von „degree, in astron. and geog. sense", vgl. LSJ, S. 1140f., s.v. μοῖρα; hier S. 1141, I5 und Γούναρης, S. 184).

Die Datierung des Objekts erweist sich als schwierig. Γούναρης betrachtet den Bau der Basilika des Paulus als *terminus post quem*, allerdings als *terminus post quem* nicht für die Herstellung des Objekts, οπωσδήποτε όμως για την πτώση του μέσα στον αγωγό (S. 188). Nach der Mitte des vierten Jahrhunderts wäre die Uhr demnach in den Abwasserkanal gefallen. Die Verwendung des julianischen Kalenders trägt zur Datierung nichts bei, da dieser sich schon seit der Mitte des zweiten Jahrhunderts in Thessaloniki nachweisen läßt (vgl. Γεώργιος Γούναρης: Αι εορταστικαί επιγραφαί του τρούλλου του Αγ. Γεωργίου (Rotonda) Θεσσαλονίκης, Μακεδονικά 12 (1972), S. 244 mit Anm. 4). Das einzige brauchbare Kriterium sind die Formen der Buchstaben, die Γούναρης zu einer Datierung in den Zeitraum zwischen 250 und 350 n. Chr. führen (S. 191).

327/G478
Mitte 3. Jh.
v. Chr.

Grabinschrift des Εὐηφένης

Δημήτριος Λαζαρίδης, ΑΔ 19 (1964) Β´3 Χρονικά [1967], S. 373f.
SEG XXIV (1969) 621 (mit falscher Zeilenaufteilung).
S. Pelekanidis: Kultprobleme im Apostel-Paulus-Oktogon von Philippi im Zusammenhang mit einem älteren Heroenkult, in: Atti del IX Congresso Internazionale di Archeologia Cristiana, Vol. II, Rom 1978, S. 393–397; hier S. 395f.

Γεώργιος Γ. Γούναρης: Το Βαλανείο και τα Βόρεια Προσκτίσματα του Οκταγώνου των Φιλίππων, Βιβλιοθήκη της εν Αθήναις Αρχαιολογικής Εταιρείας 112, Athen 1990, S. 56.
Φίλιπποι-Führer, S. 54.
Band I, S. 18f.

Philippi: Kammergrab im Oktogonbereich. Die Inschrift befindet sich auf einem kistenförmigen Grab in dem Kammergrab, das Λαζαρίδης ohne das Wissen des Ausgräbers des Oktogon, Πελεκανίδης, im Jahr 1964 ausgegraben hat (Γούναρης, S. 55, Anm. 178).
Höhe der Buchstaben 0,33–0,38 (nach Λαζαρίδης).
Leider bekam ich keine Genehmigung, diesen Stein selbst in Augenschein zu nehmen. Die 12η Εφορεία Βυζαντινών Αρχαιοτήτων teilte mir mit, hier handele es sich um eine der Nummern οι οποίες είναι πρόσφατα ευρήματα και μελετώνται από τους ανασκαφείς των (Schreiben vom 15. April 1992). Nun kritisiert man dergleichen Entscheidungen genauso wenig wie ein Gerichtsurteil. Es mag aber in diesem Fall als angebracht erscheinen, die besondere Stringenz dieser Begründung in bezug auf zwei Punkte zu unterstreichen. Hier wie anderswo handelt es sich um πρόσφατα ευρήματα, brandaktuell insofern, als das Kammergrab im Jahr 1964 – mithin vor mehr als 30 Jahren! – ausgegraben wurde. Das Studium der Funde ist Privileg des Ausgräbers; der hochverdiente Δημήτριος Λαζαρίδης ist allerdings schon im Jahre 1984 gestorben (bzw. 1985: die Angaben differieren, vgl. Μνημή Δ. Λαζαρίδη: Πόλις και χώρα στην αρχαία Μακεδονία και Θράκη. Πρακτικά Αρχαιρλογικού Συνεδρίου, Καβάλα 9–11 Μαΐου 1986, Ελληνογαλλικές Έρευνες 1, Thessaloniki 1990, S. IX [1984] und S. X [1985]). *Difficile est satiram non scribere.*

 Εὐηφένης
 Ἐξηκέστου
 [...]ΝΟΣ

---

3 Fehlt bei Γούναρης. Λαζαρίδης sagt dazu, die Lesung des einen Wortes sei schwierig. Die endgültige Publikation steht noch aus.

Euephenes, (der Sohn) des Exekestos ...

Z. 1 „Dieser Name erscheint auch in einem Verzeichnis der Mysten des Kabiren-Heiligtums von Samothrake. Aller Wahrscheinlichkeit nach wird dieselbe Person auf einer vom Demos der Thasioten gestifteten Gedächtnis-Stele genannt. Der Vater des Toten oder ein unmittelbarer Vorfahre des Exekestos wird ferner in einer Inschrift angeführt, die sich unter dem römischen Pflaster des Forums fand, das an das Heroon angrenzt. Diese Person muss so bekannt gewesen sein, dass nicht wie üblich der Vatersname angegeben wird" (Pelekanidis, a.a.O., S. 395f.). Von den drei von Πελεκανίδης hier genannten Texten ist bisher m.W. erst einer publiziert (711a/G811 aus Thasos). Dort wird aber nicht der Name Εὐηφένης, sondern der seines Vaters Ἐξήκεστος genannt (Z. 2).

„Ich halte es für höchst wahrscheinlich, dass die Beziehung des Toten zu irgendeinem Mysterienkult und seine Abkunft aus einer vornehmen Familie von Philippi dazu beigetragen haben, dass er zum Heros erhoben und im Zentrum der Stadt beigesetzt wurde, wo gewöhnlich die Stadtgründer bestattet werden, oder die Heroen, die als Stadtgründer verehrt werden" (Pelekanidis, a.a.O., S. 396).

Im Φίλιπποι-Führer wird die Inschrift samt dem Grab neuerdings erst in das 2. Jh. v. Chr. datiert (S. 54). Hier wird auch auf eine unpublizierte Inschrift aus Philippi hingewiesen: Είναι πολύ πιθανό ο νεκρός να ταυτίζεται με τον Ευηφένη Εξηκέστου, ο οποίος σε επιγραφή των Φιλίππων εμφανίζεται ως μύστης των Καβειρίων μυστηρίων του ιερού της Σαμοθράκης (ebd.). Die hier als υπό έκδοση angekündigte Monographie von Λαζαρίδης mit dem Titel Μακεδονικός τάφος Φιλίππων ist bis heute nicht erschienen.

328/G473   **Inschrift des Πρίσκος**
IV

Στυλιανός Πελεκανίδης: Ανασκαφή Φιλίππων, ΠΑΕ 1976 [1978], S. 115–129; hier S. 129 mit Abb. 91α.
SEG XXVI (1976/77) 732.
Jeanne Robert und Louis Robert, BÉ 1977, Nr. 284 [b].
Jeanne Robert und Louis Robert, BÉ 1979, Nr. 276.
Χαράλαμπος Μπαρκιρζής, ΑΔ 31 (1976) Β´2 Χρονικά [1984], S. 330.
SEG XXXIV (1984) [1987] 671.
Στυλιανός Πελεκανίδης: Οι Φίλιπποι και τα χριστιανικά μνημεία τους, in: Μακεδονία-Θεσσαλονίκη. Αφιέρωμα τεσσαρακονταετηρίδος [sc. Εταιρείας Μακεδονικών Σπουδών], Thessaloniki 1980, S. 101–125; hier S. 109f. mit Abb. 4.
Feissel, Nr. 227, S. 192f.
E. Πελεκανίδου/Α. Μέντζος: Οκτάγωνο Φιλίππων. Πρώτα συμπεράσματα μετά τις νεότερες έρευνες, in: Μνήμη Δ. Λαζαρίδη: Πόλις και χώρα στην αρχαία Μακεδονία και Θράκη. Πρακτικά Αρχαιολογικού Συνεδρίου, Καβάλα 9–11 Μαΐου 1986, Ελληνογαλλικές Έρευνες 1, Thessaloniki 1990, S. 597–607; hier S. 600.
Band I, S. 241.
Kara Hattersley-Smith: The Early Christian Churches of Macedonia and their Patrons, in: Bosphorus: Essays in Honour of Cyril Mango = ByF 21 (1995), S. 229–234; hier S. 230.

Philippi: Basilika des Paulus. Mosaik in der sogenannten (vgl. den Kommentar zur folgenden Inschrift 329/G472) Basilika des Paulus (4. Jh.), dem Vorgängerbau des Oktogon A. Das Gebäude zerfällt in zwei Räume, die beide mit einem Fußbodenmosaik ausgestattet sind. Beide Mosaike sind mit einer Inschrift versehen (die vorliegende, 328/G473, und die folgende, 329/G472). Höhe der Buchstaben 0,12.

Χριστέ, βωήθι τõ δούλου σου Πρίσκου σὺν παντὶ τοῦ οἴκου αὐτοῦ.

Jeanne Robert und Louis Robert (BÉ 1979) irrtümlich τῦ statt τõ. Πελεκανίδης 1976 [1978] sowie Jeanne Robert und Louis Robert (BÉ 1979) irrtümlich [σ]ὺν statt σὺν.

Christus, hilf deinem Knecht Priscus mit seinem ganzen Haus.

„On remarque le mélange de datifs et de génitifs d'une part après βοηθεῖν ..., d'autre part après σύν (cf. LSJ, s.v. et, entre autres, MAMA I, 193; 208; 212; 217)" (Feissel, S. 193). βωήθι steht für die Imperativform βοήθει.

„Priskos and his family ... presumably donated the mosaic" (Hattersley-Smith, S. 230).

Stifterinschrift des Bischofs Πορφύριος   329/G472
IV

Στυλιανός Πελεκανίδης: Ανασκαφή Φιλίππων, ΠΑΕ 1975 [1977], S. 91–102; hier S. 98–102 mit Abb. auf Tafel 93.

SEG XXVII (1977) [1980] 304.

Jeanne Robert und Louis Robert, BÉ 1977, Nr. 284 [a].

Στυλιανός Πελεκανίδης: Οι Φίλιπποι και τα χριστιανικά μνημεία τους, in: Μακεδονία-Θεσσαλονίκη. Αφιέρωμα τεσσαρακονταετηρίδος [sc. Εταιρείας Μακεδονικών Σπουδών], Thessaloniki 1980, S. 101–125; hier S. 108–110 mit Abb. 3.

Χαράλαμπος Μπακιρτζής: Έκθεση παλαιοχριστιανικών αρχαιοτήτων στο Μουσείο Φιλίππων, AAA 13 (1980) [1981/82], S. 90–98, mit Photographien.

Feissel, Nr. 226, S. 192 (Tafel 53).

Valerie Abrahamsen: Bishop Porphyrios and the City of Philippi in the Early Fourth Century, VigChr 43 (1989), S. 80–85.

E. Πελεκανίδου/Α. Μέντζος: Οκτάγωνο Φιλίππων. Πρώτα συμπεράσματα μετά τις νεότερες έρευνες, in: Μνήμη Δ. Λαζαρίδη: Πόλις και χώρα στην αρχαία Μακεδονία και Θράκη. Πρακτικά Αρχαιολογικού Συνεδρίου, Καβάλα 9–11 Μαΐου 1986, Ελληνογαλλικές Έρευνες 1, Thessaloniki 1990, S. 597–607; hier S. 600.

Φίλιπποι-Führer, S. 14, Abb. 10.

Band I, S. 19 mit Anm. 56; S. 90; S. 241.

Kara Hattersley-Smith: The Early Christian Churches of Macedonia and their Patrons, in: Bosphorus: Essays in Honour of Cyril Mango = ByF 21 (1995), S. 229–234; hier S. 230.

Philippi: Basilika des Paulus. Mosaik in der sogenannten (vgl. unten den Kommentar zu Z. 2) Basilika des Paulus (4. Jh.), dem Vorgängerbau des Oktogon A. Das Gebäude zerfällt in zwei Räume, die beide mit einem Fußbodenmosaik ausgestattet sind. Beide Mosaike sind mit einer Inschrift versehen (die vorliegende, 329/G472, und die vorige, 328/G473).

Κατά την ανατολικήν πλευράν του ... ψηφιδωτού, το εξωτερικόν πλαίσιον των τεμνομένων οκταγώνων εναλλάσσεται με στενήν ταινίαν εξ αστραγάλου ..., ήτις διακόπτεται υπό διώτου δέλτου (*tabula ansata*) μετ' επιγραφής ... . Ex

του σημείου ενώσεως των ώτων μετά της δέλτου εκφύονται λοξώς τέσσαρα
φύλλα κισσού πληρούντα την σχηματιζομένην τριγωνικήν επιφάνειαν (Πελεχανίδης, ΠΑΕ 1975, S. 101).
Αι λέξεις *Πορφύριος επίσκοπος, Παύλου* και η βραχυγραφία *ΧΡΩ* απεδόθησαν
δια χρυσών ψηφίδων· η πρόθεσις *εν* δι' ερυθρών· όλαι αι άλλαι λέξεις δια φαιών
(ebd.).
Abmessungen: beschriebene Fläche H. 0,33; L. 0,875; Höhe der Buchstaben
0,09. Die Inschrift befindet sich jetzt im Museum in Philippi, im unteren
Stockwerk, wo die christlichen Exponate ausgestellt sind; *in situ* findet sich
eine Kopie.
Dia Nummer 202/1990; 34.35/1992 (das Original im Museum).

Πο[ρφύ]ριος επίσκο-
πος τη[ν κ]έντησιν τῆς βασιλικῆ-
ς Παύλο[υ επ]οίησεν εν Χρ(ιστ)ῷ.

1   SEG: Πορ[φύ]ριος.

Porphyrios, der Bischof, hat in Christus das Mosaik der Basilika
des Paulus gemacht.

Z. 1   Der Bischof Porphyrios ist auch sonst bekannt (zu ihm vgl. Lemerle,
S. 270); er nahm an der Synode in Serdica (342/343) teil.
Z. 2   Dieses erste Kirchengebäude hat sich bei den Ausgrabungen nicht
als Basilika erwiesen. Das Wort βασιλική muß daher an dieser Stelle in einem
weiteren Sinne verstanden werden. Vgl. dazu die einschlägigen Bemerkungen von Πελεκανίδης: ... εκ των ανασκαφικών δεδομένων δεν βεβαιούται
η μορφή του ναού ως βασιλικής. Ο όρος »βασιλική« ενταύθα έχει την γε-
νικήν έννοιαν, την οποίαν και κατά τους πρώιμους χριστιανικούς χρόνους,
δηλούσα την εκκλησίαν γενικώς, τον ευκτήριον οίκον, το κυριακόν, το *domi-
nicium* κλπ. (Στυλιανός Πελεκανίδης: Ανασκαφή Φιλίππων, ΠΑΕ 1976 [1978],
S. 115–129; hier S. 124). In den folgenden Veröffentlichungen bezeichnen Πελεκανίδης und seine Schüler dieses erste Kirchengebäude daher in der Regel
nicht mehr als „Basilika", sondern als ευκτήριος οίκος, vgl. beispielsweise
Πελεκανίδου/Μέντζος, a.a.O., *passim*.
Z. 3   Welcher Paulus hier gemeint sein könnte, ist umstritten; Πελεκανίδης denkt an den Apostel Paulus, vgl. ΠΑΕ 1975, S. 101f. Man kann aber
auch einen gleichnamigen Märtyrer in Philippi selbst vermuten (so Γούναρης
in seiner Monographie, S. 56f.).

Griechisches Fragment   330/G774

Στυλιανός Πελεκανίδης: Ανασκαφή Φιλίππων, ΠΑΕ 1976 [1978], S. 115–129; hier S. 126.

Oktogon. Im zentralen Raum des Oktogon wurden im Zuge von Nachgrabungen im Jahr 1976 verschiedene Schnitte angelegt (vgl. Abb. 2 bei Πελεκανίδης, S. 125). Schnitt Γ verlief 3,80m nördlich des südlichen Stylobats. Επί σπαράγματος τοιχογραφίας επιγραφή δι' ακιδογραφήματος εξ ης διετηρήθησαν και τα γράμματα ... ICKO[... (Πελεκανίδης, S. 126).

[...]ICKO[...]

Griechische Mosaikinschrift   330a/G791
                                              IV

Γεώργιος Γούναρης/Γεώργιος Βελένης: Ανασκαφή Φιλίππων 1991–1992, Εγνατία 3 (1991–1992) [1994], S. 257–280; hier S. 262 mit Abb. 9 auf S. 277.
Γεώργιος Γούναρης/Γεώργιος Βελένης: Πανεπιστημιακή ανασκαφή Φιλίππων 1991, ΑΕΜΘ 5 (1991) [1994], S. 409–424; hier S. 415 mit Abb. 11 auf S. 424.
Anne Pariente: Chronique des fouilles et découvertes archéologiques en Grèce en 1993, BCH 118 (1994), S. 695–866; hier S. 768.
AÉ 1995, Nr. 1393.
SEG XLIV (1994) [1997] 548.

Philippi: Vierte *insula: triclinium.* Zur Zählung der *insulae* vgl. die Erläuterung bei der folgenden Inschrift 331/L778.
Bei den Ausgrabungen der vierten *insula* kam ein Raum zutage, der mittlerweile als *triclinium* interpretiert wird (vgl. den Plan 2 auf S. 259 bei Γούναρης/Βελένης und die Erläuterungen S. 262f.). Hier fand man im September 1991 unmittelbar hinter der Türschwelle eine Mosaikinschrift aus der 2. Hälfte des 4. Jahrhunderts. Προς την εποχή αυτή μας οδηγούν και οι χαρακτήρες των γραμμάτων της ψηφιδωτής επιγραφής, η οποία είναι γραμμένη σε tabula ansata (μήκ. 1,10 μ., πλάτ. 0,52 μ.) μπροστά στην είσοδο του δωματίου και η οποία δυστυχώς είναι πολύ κατεστραμμένη (Γούναρης/Βελένης, S. 262).
Dia Nummer Σ78a.79.80.81.82.83.84/1991.

Τῷ [ε]ὐτυχεῖ
Ι̣[- - - -]ΝΤΙ
Τ̣Ι̣[- - - -]Ξ̣ΤΗ
τ̣ῆς ο̣ἰκίας.

2 Γούναρης/Βελένης lesen das I am Anfang nicht.   3 Γούναρης/Βελένης lesen am Schluß der Zeile nur TH.   4 Γούναρης/Βελένης: [- - - -] ΚΙΑC.

Dem glücklichen ... des Hauses.

331/L778   **Lateinische Grabinschrift**

Unpubliziert. (Für die Erlaubnis, dieses *ineditum* in meinen Katalog aufzunehmen, danke ich Herrn Professor Dr. Γεώργιος Γούναρης auch an dieser Stelle herzlich.)

Philippi: Vierte *insula*. Die Zählung der *insulae* beginnt beim Forum und schreitet nach O fort: Die erste *insula* entspricht dem späteren Atrium des Oktogon, die zweite dem von Γούναρης publizierten Bad, die dritte dem Episkopeion, die vierte dem von Γούναρης 1988/1990/1991/1992 freigelegten Wohngebäude (vgl. Band I, S. 24). Hier wurde am 27. August 1992 die lateinische Grabinschrift gefunden, die in zweiter Verwendung als Baumaterial diente. Sie war in die westliche Wand des Gartenbereichs verbaut. Inventarisierungsnummer 516/92.
Dia Nummer 584.585.586/1992.

> In fr(onte) p(edes) X,
> in agr(o) p(edes) X[X].

2 Der Stein ist links komplett, rechts fehlt ein Buchstabe. Die Analogie der sehr vielen *in-fronte/in-agro*-Inschriften aus Philippi legt die Ergänzung zu XX nahe.

(Die Grabanlage mißt) zehn Fuß in der Breite, zwanzig Fuß in der Tiefe.

331a/G792   **Amphorenstempel**
4. Jh. v. Chr.

Γεώργιος Γούναρης/Γεώργιος Βελένης: Ανασκαφή Φιλίππων 1991–1992, Εγνατία 3 (1991–1992) [1994], S. 257–280; hier S. 264.
Γεώργιος Γούναρης/Γεώργιος Βελένης: Πανεπιστημιακή ανασκαφή Φιλίππων 1991, ΑΕΜΘ 5 (1991) [1994], S. 409–424; hier S. 416.
Anne Pariente: Chronique des fouilles et découvertes archéologiques en Grèce en 1993, BCH 118 (1994), S. 695–866; hier S. 768.
SEG XLIV (1994) [1997] 549.

Philippi: Πάροδος Γ΄. Zwischen der vierten und der fünften *insula* (vgl. 331/L778 und Band I 24) verläuft die Πάροδος Γ΄, die 1991 untersucht wurde. Dabei kam auch der Henkel einer Amphore aus Thasos zutage: Από τα ευρήματα της οδού, εκτός από τα λίγα και αρκετά διαβρωμένα χάλκινα νομίσματα που εντάσσονται στην περίοδο ανάμεσα στο 330 και τον 7ο αι., θα πρέπει να σημειώσουμε και τη λαβή ενός θασίτικου αμφορέα με την επιγραφή ΘΑΣΙΩΝ ΑΡΙΣΤΟΔΙΚΟΥ αριστερά και δεξιά από ένα κηρύκιο. (Γούναρης/Βελένης, S. 264).
Dia-Nummer Σ236.237.238/1991.

Θασίων
Ἀριστοδίκου.

Z. 2 Το όνομα Αριστόδικος είναι γνωστό από δεκαπέντε τουλάχιστον δι-
αφορετικές σφραγίδες θασίτικων αμφορέων. Η γραφή του Σ ως Ξ μηνοειδούς
ανάγεται κατά τους Bon στο τέλος του 5ου αι., ενώ το όνομα Αριστόδικος
απαντά κυρίως σε σφραγίσματα του 4ου π.Χ. αι. και μέχρι το 300 π.Χ. (Γού-
ναρης/Βελένης, S. 264; vgl. Anne-Marie Bon/Antoine Bon: Les timbres amphoriques de Thasos, Études Thasiennes IV, Paris 1957, S. 125–128 und
Michel Debidour: Réflexions sur les timbres amphoriques thasiens, in: Thasiaca, BCH Suppl. 5, Athen/Paris 1979, S. 310f.).

Weihinschrift für Liber und Libera   332/L777

Unpubliziert. (Für die Erlaubnis, dieses *ineditum* in meinen Katalog aufzunehmen,
   danke ich Herrn Professor Dr. Γεώργιος Γούναρης auch an dieser Stelle herzlich.)
Band I, S. 102.

Philippi: Fünfte *insula*. Zur Zählung der *insulae* vgl. 331/L778 und Band
I 24. Von der fünften *insula* wurden 1993 größere Teile ausgegraben. Im
Abschnitt O 7 wurde am 23. September 1993 ein kleiner Altar gefunden (H.
0,16 bis 0,13; B. 0,12 bis 0,095), der unten abgebrochen ist. Drei Zeilen der
Inschrift sind noch erhalten (Höhe der Buchstaben ca. 0,016 bis ca. 0,006).
Dia Nummer 71.72.73.74/1993.

Ex imper(io).
[L]ib[e]ro et̩
[Libe]r̩a[e]
[. . .]

Auf Befehl (der Gottheit). Dem Liber und der Libera (hat N.N.
den Altar geweiht).

Diese Inschrift stammt vielleicht aus dem Heiligtum für Liber und Libera bei
dem Haus mit Bad, vgl. die parallelen Texte 338/L333, 339/L338, 340/L589,
341/L267, 342/L292. Außerdem begegnen Liber und Libera in 094/L590 aus
Raktcha und in 500/L254 aus Drama.

Grabinschrift des *actor* Fortunatus   333/L268

A. Salač: Inscriptions du Pangée, de la région Drama-Cavalla et de Philippes,
   BCH 47 (1923), S. 49–96; hier S. 88 (Nr. 7).

Philippi: Im SW der Basilika B. „... dans un champ au S.-O., cippe quadrangulaire, mouluré en haut et en bas, moulures abattues; en deux fragments" (Salač, S. 88).
Abmessungen: H. 1,28; B. 0,59; D. 0,35; Höhe der Buchstaben 0,07; Zeilenzwischenraum 0,04.

> Fortun[atus S-]
> aiari Germ(ani)
> actor an(norum) X[L?]
> IА̣İ·İА̣İI̥F̣
> 5   P·CEI

> Fortunatus, der Gutsverwalter des Saiarus Germanus, vierzig Jahre alt. ...

Z. 1 Fortunatus als *cognomen* ist in Philippi des öfteren belegt.

Z. 2 Der von Salač rekonstruierte Name Saiarus ist in Philippi nicht bezeugt. Das *cognomen* Germanus ist in Philippi recht selten.

Z. 3 *actor* entspricht dem griechischen πραγματευτής, „Gutsverwalter". Die Belege aus Philippi sind gesammelt bei der Inschrift 022/G220 aus Kavala.

334/G327   **Grabinschrift des Ἀνδρόνεικος**

P. Collart/P. Devambez: Voyage dans la région du Strymon, BCH 55 (1931), S. 171–206; hier Nr. 14, S. 200f., mit Abb. 14.

Philippi: Im NW der Basilika B. „... dans le champ d'Emmanuel Vandoulakis, au nord-ouest de la basilique de Dirékler. Fragment de stèle funéraire inscrite, avec un reste de couronne" (Collart/Devambez, S. 200). Weißer Marmor.
Abmessungen: H. 0,55; B. 0,98; D. 0,15; Höhe der Buchstaben Z. 1 und 2: ungefähr 0,10; Z. 3: 0,075. Zeilenzwischenraum 0,06.

> [... Ἀν]δρόνεικο[ς]
> [...] ἐτῶν ξζ´
> [...]πος.

> ... Andronikos, (der Sohn des ...), siebenundsechzig Jahre alt,
> ...

Fragment einer griechischen Grabinschrift   335/G328

P. Collart/P. Devambez: Voyage dans la région du Strymon, BCH 55 (1931), S. 171–206; hier Nr. 15, S. 201, mit Abb. 15.

Philippi: Im NW der Basilika B. Auf demselben Feld wie 334/G327 gefunden (siehe dort). Weißer Marmor.
Abmessungen: H. 0,57; B. 0,90; D. 0,115. Höhe der Buchstaben Z. 1: 0,09; Z. 2, 3 und 4: 0,06–0,075. Zeilenzwischenraum 0,04–0,055.

[…]ος […]
[…]ι Φιλίπ[π…]
[…] τῷ ἰδίῳ π[ατρὶ …]
[μν]είας χάρι[ν].

1   Auf dem Stein OC·

(N.N. hat die Inschrift für) Philippos (?), seinen eigenen Vater, der Erinnerung halber (anfertigen lassen).

Z. 2 Das ΦΙΛΙΠ kann man entweder zu einem Dativ Φιλίππῳ („dem Philippos", so in der Übersetzung) oder zu einem Genitiv Φιλίππου („dem N.N., dem Sohn des Philippos") ergänzen. Eine Form von Φιλιππεύς dagegen ist unwahrscheinlich, da man eine solche nicht im Territorium der Stadt selbst erwartet (anders läge der Fall, wenn der Verstorbene fern der Heimat beerdigt wäre).

Grabinschrift für Titus Flavius Proculus und Kinder   336/L323

Paul Collart: Inscriptions de Philippes, BCH 56 (1932), S. 192–231; hier S. 226, Nr. 18 (ohne Abb.).

Philippi. „… ville basse, dans un champ, près du moulin. Plaque de marbre, portant une inscription latine de deux lignes, brisée en haut, en bas et à droite; face jointive à gauche" (Collart, S. 226).
Abmessungen: H. 0,38; B. 1,85; D. 0,11. Höhe der Buchstaben Z. 1: 0,10; Z. 2: 0,08. Zeilenzwischenraum 0,05.

[…] et Proculae filis et Ṭ(ito) Flavi[o …]
[… Pro]culo viro viva f(aciendum) c(uravit).

… und den Söhnen der Procula, und ihrem Mann, dem Titus Flavius Proculus, (aus der Tribus …,) hat N.N. (die Inschrift) zu ihren Lebzeiten anfertigen lassen.

Proculus und Procula sind in Philippi mehrere Male bezeugt; auch Flavius ist durchaus geläufig.

337/G439 Grabinschrift des Αὐρήλιος Ποσιδώνις
III

Jacques Coupry/Michel Feyel: Inscriptions de Philippes, BCH 60 (1936), S. 37–58; hier S. 57f., Nr. 6 mit Abb. 8.

Philippi: Haus mit Bad im Süden der Basilika B. Es handelt sich um die Anlage südlich der Basilika B, die man früher als Thermen bezeichnete. „... trouvée, non en place, dans les Thermes de Philippes" und zwar: „Dans l'hypocauste", wie S. 57, Anm. 1 bei Coupry/Feyel präzisiert wird. „Stèle large de 0 m. 51, épaisse de 0 m. 15, surmontée d'un fronton large de 0 m. 55, haut de 0 m. 30 (plus 0 m. 10 env. qui manque), avec bandeau en relief accosté de volutes; brisée en bas; marbre local gris clair" (Coupry/Feyel, S. 57). Höhe der Buchstaben 0,04–0,05; Zeilenzwischenraum 0,07.

> Αὐρ(ήλιος) Ποσιδώνις
> κατεσκεύασεν
> τοῦτο τὸ ἀγγῖον ἑ-
> [αυτῷ ...]

1 Coupry/Feyel: Ποσιδωνίς. **3f.** Coupry/Feyel: ἑ|αυτῇ.

Aurelius Posidonis hat dieses Grab für sich selbst (und für N.N. errichtet).

Z. 1 Der Name Ποσιδώνις ist überaus selten. Auf der PHI-CD-ROM #6 finden sich für den Nominativ Ποσιδώνις lediglich zwei Belege!
Z. 3 ἀγγῖον = ἀγγεῖον bezeichnet hier die Grabstätte. In der Inschrift 734/G749 aus dem jüdischen Friedhof von Thessaloniki begegnet ἀνγεῖον (dort ist ein Sarkophag gemeint).
Datierung von Coupry, S. 58.

338/L333 Weihinschrift für Liber, Libera und Hercules von Caius Valerius Fortunatus und seiner Frau Marronia Eutychia

Pierre Aupert/Paola Bottini: Philippes. I. L'édifice avec bain dans la zone AT.BE 55.63, BCH 103 (1979), S. 619–627; hier S. 624, Abb. 12 (kein Text).
Collart, S. 414 mit Anm. 1 (die von Collart ebd. in Aussicht gestellte Publikation ist nicht erschienen); Abb. Pl. 68,1.
AÉ 1939 [1940] 196.
Band I, S. 102; S. 138 mit Anm. 15.

Philippi: Haus mit Bad im Süden der Basilika B. „Des inscriptions découvertes lors de la première fouille une seule nous est conservée: celle qui avait été laissée sur place par M. Feyel, une dédicace à Liber et Libera (fig. 12)" (Aupert/Bottini, S. 624). Weitere Angaben fehlen. Ich bekam keine Genehmigung, die Inschrift selbst zu studieren (Ὑπουργείο Πολιτισμού – Εφορεία προϊστορικών και κλασσικών αρχαιοτήτων Καβάλας, Aktenzeichen 2558, 20. August 1992).

> Lib(ero) et Lib(erae)
> Herc(uli) sac(rum).
> C(aius) Valer(ius)
> Fortuna-
> 5 tus cum
> Marroni-
> a Eutych[ia]
> ux[ore].

7 Collart: *Eutyci/[a]*.

Dem Liber und der Libera (und) dem Hercules ist es geweiht.
Caius Valerius Fortunatus mit seiner Frau Marronia Eutychia.

Collart vermutet, daß sich hier ein Heiligtum befunden hat: Die Inschriften „sont un indice presque certain de la présence en cet endroit d'un sanctuaire" (S. 414). „Sous la partie nord-ouest des bâtiments de thermes [d.i. das oben genannte Haus mit Bad], où la plupart de nos inscriptions ont été trouvées, subsistent les substructions d'un édifice antérieur qui pourrait être le sanctuaire de Liber, Libera et Hercule" (S. 414, Anm. 4).
Z. 1f. Inhaltlich ist zu vergleichen die Inschrift 500/L254 (aus Drama), wo ebenfalls eine Weihinschrift an Liber, Libera und Hercules vorliegt, sowie die folgenden Inschriften 339/L338 und 340/L589. Liber und Libera (ohne Hercules) begegnen auf einer Weihinschrift aus Raktcha (094/L590) sowie auf der neu gefundenen Inschrift von der fünften *insula* (332/L777). Unlängst wurde eine weitere Weihinschrift für Liber Pater aus Drama (501c/L809) publiziert.
Z. 3–7 Dasselbe Ehepaar begegnet auch in 407/L157. Ein Marronius Mestula in 391/L616 (dort alle Belege).

Weihinschrift für Liber, Libera und Hercules   339/L338
von Pomponia Hilara

Collart, S. 414, Anm. 1 (die von Collart ebd. in Aussicht gestellte Publikation ist nicht erschienen); Abb. Pl. 68, 2.

AÉ 1939 [1940] 195.
Band I, S. 102; S. 138 mit Anm. 15.

Philippi: Haus mit Bad im Süden der Basilika B. Fundumstände und Beschreibung des Steines fehlen, vgl. zur Geschichte der nicht erfolgten Publikation den zu 338/L333 genannten Aufsatz; demnach ist der Stein heute verschollen.

> Ex imperio
> Liberi et Liberae
> et Herculis.
> nequis nequ-
> 5 eve velit faciem
> tangere, nesi
> siqui imperat-
> um fueret.
> ex imperio
> 10 Pomponia
> Hilara posuit.

Auf Befehl des Liber und der Libera und des Hercules. Und niemand möge die *facies* berühren, es sei denn, daß es befohlen worden ist Auf Befehl (der Gottheiten) hat Pomponia Hilara es aufgestellt.

Z. 2 Die Liste der übrigen Belege für Liber, Libera und Hercules aus Philippi im Kommentar zur vorigen Inschrift 338/L333.

Z. 4 *nequis = ne quis,* vgl. Glare, s.v. ne[1], S. 1162.

Z. 4f. Zu lesen ist vermutlich *ne quis neque {ve} velit faciem tangere* (Diplographie des VE!).

Z. 6 *nesi = nisi.*

340/L589   **Weihinschrift für Liber, Libera und Hercules**
                            vom *thiasus Maenadum*

Collart, S. 368, Anm. 1; S. 414, Anm. 1 (der für BCH 61 (1937) angekündigte
    Aufsatz ist offenbar nicht erschienen); Abb. Pl. 68,3.
AÉ 1939 [1940] 192.
Band I, S. 102; S. 138 mit Anm. 15; S. 150 mit Anm. 18.

Philippi: Haus mit Bad im Süden der Basilika B. Collart bietet keine näheren Angaben.

Lib(ero) et Lib(erae) et Herc(uli).
thiasus Maenad(um)
regianar(um) aq-
[ua]m induxit [p(ecunia) s(ua)].

2 Collart, AÉ ergänzen zu *Maenad(arum)*.

Dem Liber und der Libera und dem Hercules (ist es geweiht).
Der Thiasus der Mänaden hat auf eigene Kosten das Wasser
hineingeleitet (d.h. die Wasserleitung errichtet).

Z. 1 Die Liste der übrigen Belege für Liber, Libera und Hercules aus
Philippi im Kommentar zur Inschrift 338/L333.

Z. 2 Die lateinische Form *thiasus* kommt in Philippi auch vor in der Inschrift 095/L346 aus Raktcha (dort eine vollständige Liste aller Belege). Vgl.
Glare, s.v. *thiasus* 2 (S. 1938): „A kind of *collegium*, esp. one devoted to the
cult of Bacchus." *Maenas* wird bei Glare (s.v., S. 1060) erklärt als: „A female
votary of Bacchus, Bacchante, maenad."

Z. 3 Das Adjektiv *regianus* fehlt bei Glare. Aber auch bei Souter sucht
man es vergeblich. Dem Redaktor von AÉ war es trotzdem keinen Kommentar wert. Ich habe es in der Übersetzung weggelassen, da mir die Bedeutung
nicht deutlich ist. Soll damit dieser *thiasus* von Mänaden von anderen *thiasi*
unterschieden werden?

Weihinschrift der Salvia Pisidia für Liber Pater   341/L267

Collart, S. 415, Anm. 4 (der für BCH 61 (1937) angekündigte Aufsatz ist offenbar
nicht erschienen).
AÉ 1939 [1940] 198.
Band I, S. 102; S. 138 mit Anm. 15.

Philippi: Haus mit Bad im Süden der Basilika B. Nähere Angaben
fehlen.

Salvia
Pisidia
Lib(ero)
Pat(ri) MN.

Im AÉ heißt es zu Zeile **3** „*Lib(ero) Pat(ri)*; la suite est inexpliquée." (S. 68). **4** Bei
Collart ist das N am Schluß hochgestellt.

Salvia Pisidia (weiht) dem Liber Pater 1.000 Sesterzen.

Z. 2 „*Pisidius*, an interesting nomen attested in three inscriptions from Philippi . . . , may originate in N. Italy, for it is known from inscriptions from Comum and Altinum, whereas there are otherwise only instances at Rome (*CIL* VI) and a solitary one at Carales in Sardinia (*CIL* X 7691)" (Olli Salomies: Contacts between Italy, Macedonia and Asia Minor during the Principate, in: Roman Onomastics in the Greek East. Social and Political Aspects, hg. v. A.D. Rizakis, Μελετήματα 21, Athen 1996, S. 111–127; hier S. 123). Die von Salomies genannten Belege aus Philippi sind AÉ 1939, 198 = die hier vorliegende Inschrift 341/L267; AÉ 1939, 199 = 342/L292 sowie BCH 47 (1923), S. 73 Nr. 29 = 504/L250. Darüber hinaus kann man nun noch 126/L613 sowie eine unpublizierte Inschrift aus dem Museum in Kavala anführen.

Z. 3f. Eine Liste aller Belege für Liber Pater aus Philippi bei der folgenden Inschrift 342/L292.

Z. 4 MN steht vermutlich für *milia nummum*, d.h. 1.000 Sesterzen, vgl. Glare, s.v. *nummus* 3a (S. 1204). Anders Portefaix, die 1000 *denarii* angibt (Lilian Portefaix: Sisters Rejoice. Paul's Letter to the Philippians and Luke-Acts as Seen by First-century Philippian Women, CB.NT 20, Uppsala 1988, S. 101). 1.000 *sestertii* sind 250 *denarii*; diese Summe läge durchaus im Rahmen dessen, was in vergleichbaren Inschriften aus Philippi an Summen genannt wird.

342/L292　　　**Weihinschrift der Pisidia Helpis für Liber Pater**

Collart, S. 415, Anm. 4 (der für BCH 61 (1937) angekündigte Aufsatz ist offenbar nicht erschienen).
AÉ 1939 [1940] 199.
Band I, S. 102; S. 138 mit Anm. 15.

Philippi: Haus mit Bad im Süden der Basilika B. Nähere Angaben fehlen.

> Pisidia
> Helpis
> L(ibero) P(atri) v(otum) s(olvit)
> l(ibens) a(nimo).

Pisidia Helpis hat dem Liber Pater ihr Gelübde mit Vergnügen erfüllt.

Z. 1 Zu Pisidia vgl. den Kommentar zur vorigen Inschrift (341/L267, Z. 2).

Z. 3 Die übrigen Belege für Liber Pater aus Philippi sind: Die obige Inschrift 341/L267, die Inschrift 408/L345 aus Καλαμπάκι, die Inschriften

524/L103 und 525/L104 aus Χαριτωμένη, eine unpublizierte Inschrift (Museum Philippi; Inventarisierungsnummer Λ 210) sowie eine bei Collart lediglich genannte, nicht aber publizierte Inschrift: „En outre, un petit autel, qui porte les restes d'une inscription de cinq lignes, tres détériorée, a sans doute la même origine" (S. 415, Anm. 4), schließlich das Militärdiplom 705/L503 aus Moesien (Z. 21). Bei den Ausgrabungen im Theater kam 1998 eine weitere (unpublizierte) Weihinschrift für *Liber* und *Libera* zutage.

Fragment eines Straßenschildes   343/G440

Jacques Coupry/Michel Feyel: Inscriptions de Philippes, BCH 60 (1936), S. 37–58;
    hier S. 58, Nr. 7 (ohne Abb.).
Band I, S. 86 mit Anm. 3.

Philippi: Haus mit Bad im Süden der Basilika B. „Borne d'un travail très grossier, trouvée au même endroit, ayant la forme d'un retangle surmonté d'un triangle" (Coupry/Feyel).
Abmessungen: H. 0,60; B. des genannten Rechtecks 0,30 bis 0,35; max. D. 0,09; Höhe der Buchstaben 0,04–0,05; Zeilenabstand 0,06.

Π
ΟΡΟϹ   ὅρος
ΤΑΥΡ
ΠΛΕ   πλέ(θρα)
Δ   δ΄.

... Grenze ... vier Plethren.

Z. 4 In lateinischer Gestalt begegnet *plethra* in dem Testament aus dem heutigen Dorf Φίλιπποι (045/L042, Z. 7) und in einer Inschrift aus Doxato (446/L079). Als Längenmaß bezeichnet das πλέθρον 100 Fuß; als Flächenmaß bezeichnet es ein Maß von 10.000 Quadratfuß (LSJ, S. 1414, s.v. πλέθρον II 1), oder es entspricht dem lateinischen *iugerum* (a.a.O., II 2).

Inschrift für den *actor* Priscianus (?)   344/L449

Paul Lemerle: Nouvelles inscriptions latines de Philippes, BCH 61 (1937), S. 410–
    420; hier S. 415, Nr. 8 mit Abb.
Collart, S. 289, Anm. 4.
AÉ 1938 [1930] 54.

Philippi: Byzantinische Mauer (Turm im Süden). „Stèle remployée dans une tour de la muraille byzantine, au Sud. Elle est brisée en deux: le

morceau supérieur seul, lui-même mutilé en haut, est inscrit" (Lemerle, S. 415).
Abmessungen: B. 0,67; D. 0,28; Höhe der Buchstaben 0,06 bis 0,035.

[...]
Lurianae act-
ori Priscian(o)
Bassus Ant-
igoni amico
5 b(ene) m(erenti) f(aciendum) c(uravit).

Für N.N. Priscianus, den Gutsverwalter der lurianischen Güter, seinen wohlverdienten Freund, hat Bassus, (der Sklave) des Antigonus, (die Inschrift) anfertigen lassen.

„Nous n'avons plus le nom de celui en l'honneur de qui la stèle fut élevée: ce devait être un esclave, intendant des domaines de *Luriana*." (Lemerle, S. 415).

Z. 1 Das Wort *Luriana* „dérive du gentilice *Lurius*", sagt Lemerle (S. 415, Anm. 1). Dieses *gentilicium* kommt in Philippi sonst nirgendwo vor.

Z. 2f. *actor* entspricht dem griechischen πραγματευτής, „Gutsverwalter". Die Belege aus Philippi sind gesammelt im Kommentar zu 022/G220 aus Kavala.

Z. 3 „Quant au nom du personnage qui fit graver la stèle, il faut peut-être l'interpréter ainsi: Bassus, esclave d'Antigonus, autrefois esclave de Priscus" (Lemerle, S. 415, Anm. 1). Der Name Antigonus ist sonst in Philippi nicht bezeugt.
Diese Erklärung Lemerles leuchtet mir nicht ein: Der vorgestellte Genitiv *Prisciani* wäre überaus seltsam. Es liegt näher, einen Dativ zu ergänzen, und das *Priscian(o)* dann zum Namen des Geehrten zu ziehen. Beispiele aus Philippi: *Vibia C(ai) l(iberta) Piruzir* (392/L624); *Pisidiae G(ai) l(ibertae) Iucundae* (504/L250); *Sal(vio) Pompullio Sal(vi) l(iberto) Chiloni* (635/L033); dementsprechend in diesem Fall dann: „Für N.N. Priscianus, den Gutsverwalter der lurianischen Güter ... "

345/L450   **Grabinschrift für Marcus Aurelius Tertius**

Paul Lemerle: Nouvelles inscriptions latines de Philippes, BCH 61 (1937), S. 410–420; hier S. 415f., Nr. 9 mit Abb.

Philippi: Byzantinische Mauer (Turm im Osten). „Stèle brisée en trois morceaux, remployée dans une tour de la muraille byzantine, à l'Est." (Lemerle, S. 415). Oberhalb der Inschrift befindet sich ein Relief: „Le relief mesure 0 m. 33 x 0 m. 33: banquet funèbre, avec un homme couché, une femme assise, deux enfants de part et d'autre." (Lemerle, S. 415).

Abmessungen: H. 1,86; B. 0,49; Höhe der Buchstaben 0,045 bis 0,034 (Lemerle gibt a.a.O. irrtümlich: „0 m. 45 à 0 m. 34").

Heute im Museum in Philippi, links oben auf der Terrasse (Inventarisierungsnummer nicht erkennbar).

Dia Nummer 368/1991; 665.666.667/1992.

> M(arcus) Aurelius Sp(uri) f(ilius)
> Tertius h(ic) s(itus) est.
> Vivia T(iti) l(iberta) Hilara
> sibi et suo f(aciendum) c(uravit).

Marcus Aurelius Tertius, der Sohn des Spurius, liegt hier begraben. Vivia Hilara, die Freigelassene des Titus, hat (die Inschrift) für sich selbst und für ihren (Mann) anfertigen lassen.

Z. 1 „Le défunt était enfant naturel, comme l'indique l'expression *Sp(urii) f(ilius)*" (Lemerle, S. 415).

Z. 3 „La femme qui a fait graver la stèle était une esclave nommée *Hilara*, affranchie par *Titus Vibius*. On remarquera la formule concise *et suo*: elle traduit les liens qui unissaient Hilara à un compagnon qu'elle n'eût su nommer, peut-être, *maritus*" (Lemerle, S. 415).

Grabinschrift für Gaius Dadas 346/L061

Heuzey/Daumet, Nr. 44 (S. 93).
CIL III 1, Nr. 676.
A. Παπαδόπουλος Κεραμεύς: Ἀρχαιότητες καὶ ἐπιγραφαί τῆς Θράκης συλλεγεῖσαι κατὰ τὸ ἔτος 1885· προσετέθησαν καὶ τινες ἐπιγραφαί τῆς Μακεδονίας, in: Ο εν Κωνσταντινουπόλει Ἑλληνικός Φιλολογικός Σύλλογος. Σύγγραμμα Περιοδικόν 17 (1882–83), Παράρτημα, Konstantinopel 1886, S. 65–113; hier S. 113.
Δήμιτσας, Nr. 944 (S. 742).

Philippi: Stadtmauer. „Enceinte de Philippes. Sur une épaisse plaque de marbre" (Heuzey, S. 93). Zur Zeit von Παπαδόπουλος Κεραμεύς (1885) waren nur noch zwei kleine Bruchstücke der Inschrift vorhanden (S. 113).

> Philipp[...]
> Taurioni[...]
> et Gaio Dada [...]
> et Procu[l]ae TA[...]
> 5 sorori et Philippi [...]
> Gaio filio SICLAIIA[...]

fuerat Gaius moriens m[andaverat]
viva faciendum c[uravit].

1 Δήμιτσας ergänzt *Philipp[us.* **3** Heuzey: *et Gaio Dad[as].* Δήμιτσας: *et Gaio Dad(a).*
4 Heuzey: *Procu.ae.* Δήμιτσας: *et Procu(l)a e(t)ta.* **6** CIL: SIGw IIA. Δήμιτσας: *filio sig...* **7** Heuzey: *moriensa.* Δήμιτσας liest statt *fuerat: verat(us).*

... und für Gaius Dadas und für Procula ..., die Schwester, und
... den Sohn des Gaius, ... Gaius hatte im Sterben den Auftrag
gegeben ... sie hat zu ihren Lebzeiten (den Stein) anfertigen
lassen.

„Il s'agit d'un monument qu'une femme consacre de son vivant à pluiseurs
de ses proches, conformément aux dernières volontés de l'un d'eux nommé
Gaius. Or son fils porte justement le nom de *Gaius*, précédé d'un autre
nom qui paraît être un dérivé de *Philippus.* Ces deux noms paraissent lui
venir séparément des deux personnages mentionnés en tête de l'inscription:
l'un est *Gaius Dad[as]*, qui serait son père, et l'autre *Philip[pus] Taurio,*
que je supposerais être son grand-père maternel. En effet les lettres TA,
qui viennent après le nom de *Procula*, sœur de la mère de Gaius, semblent
être le commencement d'un surnom de femme dérivé de la même racine que
Taurio." (Heuzey, S. 93).

347/L143   **Lateinisches Fragment**

CIL III, Suppl. 2, Nr. 12313.

Philippi: Stadtmauer. „Philippis in moenibus." (ebd.)

NIBVS ·
AE·SECVN

348/G356   **Dekret für einen εὐεργέτης der Stadt**
2. Jh. v. Chr.

Paul Collart: Inscriptions de Philippes, BCH 57 (1933), S. 313–379; hier S. 365–
     368, Nr. 24 mit Abb 34.
BÉ 1936, S. 371.
Collart, S. 180 mit Abb. Pl. XXVII 4.
Miltiade B. Hatzopoulos: Les épigraphistes français en Macedoine, in: Actes du
     Colloque international du centenaire de l'Année Épigraphique, Paris 1990, S.
     220.
Miltiade B. Hatzopoulos: Décret pour un bienfaiteur de la cité de Philippes, BCH
     117 (1993), S. 315–326.

Miltiade Hatzopoulos, BÉ 1994, Nr. 435.
M.B. Hatzopoulos: Macedonian Institutions under the Kings, Bd. II: Epigraphic
Appendix, Μελετήματα 22, Athen 1996, Nr. 37 (S. 55f.).

Philippi. „Fragment de marbre brisé de tous cotés, trouvé au bord du
chemin turc au-dessus du forum, et portant encore les restes de 6 lignes
d'une inscription grecque" (Collart, S. 365).
Abmessungen: H. 0,175; B. 0,32; Höhe der Buchstaben ungefähr 0,017.
Collart beurteilt die Inschrift in der *editio princeps* so: „Notre inscription est
un des trés rares documents relatifs á l'histoire de Philippes entre le mort
de son fondateur, Philippe de Macédoine, et l'établissement de la colonie
romaine, après la bataille de 42 avant J.-C.; c'est en quoi elle est digne
l'intérêt" (Collart, S. 368). Deshalb hat er sich sogleich des Rates von Louis
Robert bedient, um eine Rekonstruktion des wichtigen Textes vorzuschlagen
(Collart, S. 366).
Mittlerweile hat Hatzopoulos der Inschrift eine eigene Studie gewidmet. Er
legt eine grundlegend verbesserte Rezension des Textes vor, die auf den Aufzeichnungen von Charles Edson beruht: „la découverte dans les dossiers de
Ch. Edson de six autres fragments du même décret, aujourd'hui disparus
sans qu'ils aient jamais été publiés. Cette découverte, outre les renseignements précieux qu'elle nous fournit sur les institutions et l'histoire de Philippes à l'époque hellénistique, présente aussi un intérêt méthodologique, car
le texte qui apparaît maintenant presque dans son intégralité offre une con-
firmation éclatante des restitutions et de l'interprétation proposées jadis par
L. Robert" (Hatzopoulos, S. 316).
„Le 18 avril 1938, au Musée de Kavala, Edson copia, mesura, photographia
le fragment publié par Collart et en prit trois estampages. Sa description,
qui est un peu différente et un peu plus détaillée que celle de Collart, et
sa copie, présentant quelques lettres ou parties de lettres supplémentaires
à la fin de la première et de la dernière ligne ..., confirment plus qu'elles
ne modifient l'édition du savant suisse. Mais quatre jours plus tard, lors de
sa visite du site de Philippes, Edson copia, photographia et estampa dans
la maison du gardien six fragments d'inscription, numérotés de *b* à *g*, qui
faisaient partie du même document que le fragment publié par Collart et
conservé au Musée de Kavala." (Hatzopoulos, S. 317f.).
Ich gehe in diesem besonderen Fall daher so vor, daß ich im folgenden den
Text von Hatzopoulos drucke und Collarts Rezension in den Apparat verweise: Die Textbasis der Hatzopoulosschen Rezension ist ungleich breiter als
die der Collartschen (vgl. nur die Abbildungen bei Collart, S. 365, und bei
Hatzopoulos, S. 317!).

[Γνώμη τῆ]ς ἐκκλη[σίας· ἐπ]ειδὴ ΡΙΤ[- -], πρόξενος ὢ[ν]
τῆς πόλεως, εὔγ[ους] ὢν (διατελεῖ) διὰ παντὸς τῆι πόλει κα[ὶ]
π[οιεῖ] ὅ τι δύνατ[αι ἀγ]αθὸν κατὰ δύναμι[ν κ]αὶ νῦν ἀ-
[ξιούντων] αὐτὸν τῶν ἀρχόντων ὑπὲρ τ[ῶν εἰς τ]ὴν ἐγ[ε-]

5 [στῶσαν] χ[ρ]είαν ἐπήγγ[ελ]ται δανείσειν [ἀργύρι]ον ἄτ[ο-]
  [κον κα]ὶ ε[ὔ]νουν αὐτὸν ὁ[μολογεῖ τῶι δή]μωι, δ[εδόχθαι τῆι ἐκ-]
  [κλησίαι ἐ]παινέσαι τ[ε ...]
  [...] ΑΑΝΠ [...]
  [... τῆ]ς τῶν χρημάτ[ων ...]
10 ἐπιμελεία[ς· στῆσαι δὲ τὸ ψήφ]ισμα τὸ δόξ[αν τοὺς ἄρ-]
  χοντας ἔ[ναντι τοῦ βουλευτ]ηρίου· ὅ τι δ[ὲ ἀνάλωμα εἰς]
  τὴν ἀναγ[ραφὴν δοῦναι τὸν ταμία]ν.

Collart hatte vorgeschlagen:
1 [... ἐπ]ειδὴ Ῥ[...]; vgl. Hatzopoulos 1996: [ἐπ]εὶ Δηρίτα[ς]
2 [ἀνὴρ ἀγαθὸς *vel*: εὔνους] ὢν διὰ παντὸς [...] (*vel*: [ὑπάρχ]ων διὰ παντὸς)
3 [... ποιεῖ τι ἀγ]αθὸν κατὰ δύναμι[ν τὴν αὐτοῦ]
4 [παρακληθεὶς (*vel*: ἀξιωθεὶς) δὲ ὑπὸ τῶ]ν ἀρχόντων ὑπὲρ τ[...]
5 [... ἐπήνγελ]ται (*vel*: [ἐπαγγέλλε]ται) δανείσειν [...]
6 [...]ια

Beschluß der Volksversammlung: Da Rhit..., Gastfreund der
Stadt (Philippi), nicht aufhört, der Stadt fortwährend wohlgesonnen zu sein, und, wo er kann, Gutes tut nach Vermögen, und
sich jetzt – nachdem ihn die Archonten ersucht hatten in bezug
auf die gegenwärtige Notlage – bereiterklärt hat, zinslos Silber
zu leihen, und verspricht, sich dem Volk wohlgesonnen zu erweisen, hat es die Volksversammlung für gut befunden, (ihn) zu
belobigen ... [9] ... in bezug auf die Verwaltung der Gelder
...; (die Volksversammlung hat es weiter für gut befunden,) daß
die Archonten den gefaßten Beschluß gegenüber dem Rathaus
aufstellen sollen und daß der Schatzmeister die Kosten für die
Niederschrift tragen soll.

Es existiert nur eine kleine Zahl von Inschriften aus der hellenistischen Zeit,
„qui puissent nous renseigner sur les institutions de la cité pendant cette
période. Notre décret confirme l'impression qui se dégage des documents déjà
connus, à savoir que Philippes présentait tous les traits caractéristiques d'une
cité grecque" (Hatzopoulos, S. 319). Hatzopoulos verweist hier insbesondere
auf den Text aus Kos (754/G707), wo vielfach von der πόλις (τὴμ πόλιν
τὴν Φιλίππων u.ä.) die Rede ist, wie auch in Z. 2 unserer Inschrift. Was die
Datierung angeht, so präzisiert Hatzopoulos die These Roberts (bei Collart,
S. 368: 2. Jh. v. Chr.): „C'est donc probablement dans la 1ʳᵉ moitié du IIᵉ
s. et peut-être plus précisément aux environs de sa troisième décennie qu'il
faudrait situer le nouveau décret de Philippes" (Hatzopoulos, S. 321, vgl. die
Argumentation aufgrund der Buchstabenformen, S. 320f.).
     Z. 1 Der Begriff ἐκκλησία kommt sonst in den Inschriften von Philippi
in diesem Sinne nicht vor (die christlichen verwenden es ersichtlich anders!);
die einzige Ausnahme aus hellenistischer Zeit ist das in Kos gefundene Dekret 754/G707. Schon daran kann man ablesen, wie wenig Material aus der

hellenistischen Zeit in Philippi bisher zutage gekommen ist. Die ἐκκλησία ist das beschlußfassende (vgl. Z. 10 τὸ ψήφισμα τὸ δόξαν) Organ des Volkes (vgl. Z. 6 ὁ δῆμος). Daneben muß es auch eine βουλή gegeben haben, die unser ψήφισμα jedoch nicht erwähnt. Immerhin wird ihr Tagungsort, das βουλευτήριον, in Z. 11 genannt (vgl. Hatzopoulos, S. 319f.). Leider ist es bisher nicht möglich, den Namen ΡΙΤ zu ergänzen, vgl. Hatzopoulos, S. 319 sowie S. 325f. (wo sich auch die Erwägung findet, zu <K>ρίτ[ων] zu ergänzen). Auffallend ist das Fehlen des Vaternamens und der Herkunft. (Neuerdings liest Hatzopoulos jedoch Δηρίτα[ς].)

Von Interesse ist schließlich noch der Status des πρόξενος. „Le bienfaiteur de la cité n'était pas un citoyen, mais un étranger qui avait déjà reçu cette distinction, sans doute en reconnaissance de bienfaits passés. Les attestations de proxènes sont extrêmement rares en Macédoine." (Hatzopoulos, S. 324). Aus Philippi selbst führt Hatzopoulos 685/M668 an, wo προξένους allerdings lediglich in einer Ergänzung Roberts vorkommt. Umgekehrt begegnen Philipper als πρόξενοι in 745/G782.

Hatzopoulos hat fälschlich πρόξενος ὤν (ähnlich Z. 2).

Z. 4 Mit den ἄρχοντες werden hier die leitenden Beamten erstmals erwähnt (vgl. auch Z. 10f. sowie den ταμίας in Z. 12). Lukas verwendet in Apg 16,19 im Zusammenhang mit Philippi ebenfalls οἱ ἄρχοντες, doch befinden wir uns hier natürlich längst in römischer und nicht mehr in hellenistischer Zeit (vgl. dazu o. Band I 193–197). Vergleichbar ist in chronologischer wie sachlicher Hinsicht dagegen die Asylie-Urkunde aus Kos (754/G707), wo *ein* ἄρχων begegnet (Z. 51 und 52). Die Frage ist, ob wir aus der unterschiedlichen Anzahl der Archonten auf eine Entwicklung der Verfassung Philippis schließen können oder ob der Befund anders erklärt werden muß (etwa so, daß in 754/G707 der ἄρχων ἐπώνυμος gemeint wäre, vgl. Hatzopoulos, S. 320).

Z. 5 Gern wüßte man Näheres hinsichtlich der ἐνεστῶσα χρεία – handelt es sich um eine Finanzknappheit? Eine Hungersnot? (Vgl. dazu das hellenistische Ehrendekret aus Gazoros, 543/G480, und die Ausführungen von Hatzopoulos, S. 325.)

Z. 10 Zu ψήφισμα vgl. o. Z. 1 γνώμη. Sachlich ist in beiden Fällen ein und dasselbe gemeint, der vorliegende Beschluß der Volksversammlung.

Z. 10f. Zu den ἄρχοντες vgl. o. Z. 4.

Z. 11 Auch das hier erwähnte βουλευτήριον gehört zu den Attributen einer hellenistischen Stadt. Gern wüßte man Genaueres über den Fundort und die Fundumstände der Inschrift. Falls sie *in situ* gefunden wäre, könnte man mit Hilfe der in dieser Zeile gegebenen Informationen die Lage des βουλευτήριον erschließen.

Z. 12 Der ταμίας („Schatzmeister") ist der Verwalter der Staatskasse, modern gesprochen: der Finanzminister (entsprechend dem römischen *quaestor*). Die letzte Bestimmung legt mithin der Staatskasse die Kosten für die Einmeißelung des Beschlusses und die Aufstellung des Steines auf. Zum

ταμίας vgl. 754/G707, Z. 49, wo dieselbe Formulierung gebraucht wird wie
hier: δοῦναι τὸν ταμίαν (ähnlich auch in Z. 52).

349/G161
202

Weihinschrift der Πενταπολεῖται

Jacques Roger: L'enceinte basse de Philippes, BCH 62 (1938), S. 20–41; hier S.
37–41 mit Abb. auf Tafel XIV.
BÉ 1939, Nr. 179.
AÉ 1939 [1940] 40.
Charles Edson: Notes on the Thracian *Phoros*, CP 42 (1947), S. 88–105; hier S.
94–96.
BÉ 1948, Nr. 101.
Δημήτριος Κ. Σαμσάρης: Ἱστορικὴ γεωγραφία τῆς Ἀνατολικῆς Μακεδονίας κατὰ
τὴν ἀρχαιότητα, Μακεδονικὴ Βιβλιοθήκη 49, Thessaloniki 1976; hier S. 131.
Chrissoula Veligianni: Ein hellenistisches Ehrendekret aus Gazoros (Ostmakedo-
nien), ZPE 51 (1983), S. 105–114; hier S. 114.
Δημήτριος Σαμσάρης: Τοπογραφικὰ προβλήματα τῆς ἐπικράτειας τῆς ρωμαϊκῆς ἀπ-
οικίας τῶν Φιλίππων. Τὰ πολίσματα Ἀγγίτης καὶ Ἀδριανούπολη, in: Ἀρχαία Μα-
κεδονία IV, Thessaloniki 1986, S. 541–548; wieder abgedruckt in: ders.: Ἔρευνες
στὴν ἱστορία, τὴν τοπογραφία καὶ τὶς λατρεῖες τῶν ρωμαϊκῶν ἐπαρχίων Μακε-
δονίας καὶ Θράκης, Thessaloniki 1984, S. 31–41; hier S. 36–41.
BÉ 1984, Nr. 259.
Papazoglou, S. 358.
Band I, S. 65.
Chrissoula Veligianni: Gazoros und sein Umland. Polis und Komai, Klio 77 (1995),
S. 139–148; hier S. 144.
M.B. Hatzopoulos: Macedonian Institutions under the Kings. Band I: A Historical
and Epigraphic Study, Μελετήματα 22, Athen 1996, S. 57–62.

Philippi: W-Tor. Das von Roger und anderen „Krenides-Tor" genannte
Tor ist das nach W (dem heutigen Λυδία) hin gelegene. Es wurde seinerzeit
so genannt, weil es in der Nähe von Quellen liegt, vgl. etwa Pl. VIII in BCH
62 (1938). Da inzwischen das damals Raktcha genannte Dorf, das im O liegt,
Krenides heißt, besteht die Gefahr der Verwechslung dieses Tors mit dem
Neapolistor. Ich wähle daher im Unterschied zu den französischen Gelehrten
die eindeutige Bezeichnung W-Tor bzw. Amphipolis-Tor (zur Lage vgl. o.
Band I, S. 75, Karte 8).
„La dédicace impériale dont le texte suit a été trouvée remployée dans la
maçonnerie qui fermait le couloir latéral Sud de la porte de Crénidès" (Roger,
S. 37). „Base ordinaire, de gros marbre local. La partie inférieure conserve
sur trois faces une moulure simple et assez grossière; il devait en exister une
à la partie supérieure aussi, mais qu'on a fait sauter, sans doute, pour faire
entrer la pierre dans la maçonnerie, de même qu'au côté inférieur gauche. Un
éclat détaché du bloc, dans le haut, a emporté quelques lettres. La gravure
est très profonde; mais la pierre est très usée sur le côté gauche, comme si
elle avait servi quelque temps de seuil. La face supérieure, très abîmée, n'a
pas conservé de traces particulières" (Roger, S. 37).

Abmessungen: H. 1,27; (beschrieben:) 0,81; B. unten 0,70; (beschrieben:) 0,52. D. 0,46 (oben 0,38). Höhe der Buchstaben 0,033 (Z. 1–2), 0,02 (am Schluß); Zeilenabstand (am Anfang) 0,009. Ligaturen. Die Inschrift befindet sich heute im Hof vor dem Haupteingang des Museums, an der rechten Seite (Inventarisierungsnummer Λ 331). Dia Nummer 289.290.291/1991; 354.355.356.357/1992.

  Αὐτοκράτορι Καίσαρι Σε-
  [β]αστῷ Εὐσεβεῖ Ἀνεική-
  [τ]ῳ Λ(ουκίῳ) Σεπτιμίῳ Σεουήρῳ
  [Π]ερτίνακι, θεοῦ Μ(άρκου) υἱῷ, θεοῦ
5 [Κομ]μόδου ἀδελφῷ, θεοῦ
  [Ἀντω]νείνου ἐγγόνῳ, θεῶν
  [Ἀδρια]νοῦ καὶ Τραιανοῦ ἀπ-
  [ογόνῳ], καὶ Αὐτοκράτορι Καίσ-
  [αρι Σεβα]στῷ Μ(άρκῳ) Αὐρηλίῳ Ἀντω-
10 [νείνῳ], Αὐτοκράτορος Καίσα-
  [ρος] Σεουήρου Περτίνακος
  [υἱῷ], θεοῦ Κομμόδου ἀδελ-
  [φιδεῖ], θεοῦ Μ(άρκου) ἐγγόνῳ, θεῶν
  [Ἀ]ντωνείνου Ἀδριανοῦ
15 [Τραια]νοῦ ἀπογόνῳ, καὶ Ἰου-
  [λίᾳ] Δόμνᾳ Σεβαστῇ, Μητρὶ
  [κάστρ]ων, οἱ Πενταπολεῖται
  [Σ]ιρραῖοι, Ἀδριανοπολεῖται,
  Βεργᾶοι, Σκιμβέρτιοι, Γαζώριοι
20 *vacat* τὴν θυσίαν *vacat*.

Das obere linke Stück der Inschrift fehlt heute. Man kann nur noch lesen: **1** [Αὐτοκ]ράτο-ρι und **2** [βα]στῷ. **3** Heute rechts beschädigt: das Ω am Schluß fehlt. **4** Heute rechts beschädigt: das ΟΥ am Schluß fehlt. Roger: ὑιῶ. **5** Heute rechts beschädigt: das ΟΥ am Schluß fehlt. **6** Heute rechts beschädigt: das ΩΝ am Schluß fehlt. **7** Heute rechts beschädigt: das ΑΠ am Schluß fehlt. **8** Heute rechts beschädigt: das ϹΑ am Schluß fehlt. **12** Roger: ὑιῶ. **18** Roger liest [...]οι und denkt an Σίρραοι (vgl. S. 41). AÉ: ... οι. Edson: [Σ]ιρραῖοι. Hatzopoulos plädiert für [Τρ]αγίλιοι, wobei Τ und Ρ in Ligatur stehen (S. 62, Anm. 1). Die Edsonsche Lesart ist ihmzufolge gänzlich ausgeschlossen. *Non muto.* **19** Roger, AÉ: [Β]έ[ρ]γαοι. Text nach Edson.

Für den Imperator Caesar Augustus Pius Invictus Lucius Septimius Severus Pertinax, den Sohn des göttlichen Marcus, den Bruder des göttlichen [5] Commodus, den Enkel des göttlichen Antoninus, den Nachkommen der göttlichen Hadrian und Traian, und für den Imperator Caesar Augustus Marcus Aurelius Antoninus, [10] den Sohn des Imperator Caesar Severus Pertinax, den Neffen des göttlichen Commodus, den Enkel des göttlichen Marcus, den Nachkommen der göttlichen Antoninus, Hadrian [15]

und Traian, und für Iulia Domna Augusta, die Mutter der Lager,
(haben) die Pentapoliten, die Bewohner von Serres, Hadrianopolis, Berge, Skimbertos (?) und Gazoros das Opfer (dargebracht).

Die Stele gedenkt einer θυσία (Z. 20) von einem Bund von fünf Städten
(οἱ Πενταπολεῖται, Z. 17) zu Ehren des Kaisers Septimius Severus (193–211;
Z. 1–8), seines Sohnes Caracalla (211–217; Z. 8–15) und seiner Frau Iulia
Domna (Z. 15–17).

Z. 1–8   Die Titulatur des Septimius Severus bietet Möglichkeiten der
Datierung. Roger weist auf den Titel *Invictus* hin (Z. 2f.: Ἀνεικήτῳ), der
dem Kaiser nach dem Krieg gegen die Parther verliehen wurde (198); damit
ist die Inschrift nach 198 anzusetzen (zur exakten Datierung auf das Jahr
202 vgl. unten am Schluß des Kommentars).

Z. 17   Inwieweit man hier andere Inschriften aus Gazoros heranziehen
kann, um das Πενταπολεῖται zu erhellen, ist die Frage. Σαμσάρης etwa verweist auf die hellenistische Inschrift 543/G480 und postuliert eine Kontinuität über ein halbes Jahrtausend: Ίσως στην αρχαιότητα ο σκόπος της
[sc. des Fünf-Städte-Bundes] ήταν πολιτικός και αργότερα στα χρόνια της
ρωμαϊοκρατίας κατέληξε ένας μάλλον θρησκευτικός δεσμός (Γεωγραφία, S.
131).

Diese Interpretation scheitert aber schon allein an der Tatsache, daß in
543/G480 von einer Πεντάπολις gar keine Rede ist; vielmehr heißt es dort
lediglich: ἔδοξεν Γαζ[ωρίοις] κ[α]ὶ ταῖς συ[νκ]υρούσαις κώμαις (Z. 15f.). Daß
damit die Mitglieder einer Πεντάπολις gemeint sein könnten, käme nieman-
dem in den Sinn, der nur den Text der Inschrift 543/G480 liest.

Übrigens teilt auch Papazoglou diese Auffassung nicht: „La supposition [sie
nimmt hier Bezug auf BÉ 1984, Nr. 259, wo diese These ebenfalls diskutiert
wird] ne me semble pas probable. Les membres de la Pentapolis étaient des
poleis égales en droit à Gazôros" (S. 473 im Nachtrag zu S. 383, Anm. 49).

Plausibel erscheint die Annahme Veligiannis, die eine Entwicklung von der
hellenistischen Zeit (543/G480) bis in die Kaiserzeit (unser Text) annimmt:
Erst am Schluß dieser Entwicklung erreichten „die Komen den Rang von
Städten" und erhielten „volles Recht", so daß sie eine „Sympolitie" mit Gazoros eingehen konnten (Veligianni 1995, S. 144). Eine Kontinuität besteht
demnach insofern, als „in hellenistischer und römischer Zeit die führende
Rolle von Gazoros im politisch-administrativen Bereich den Komen und Poleis gegenüber" besteht (ebd.).

Z. 18   Die Reihenfolge der fünf Städte ist nicht ohne weiteres einsichtig.
Sie beruht jedenfalls nicht auf geographischen Gesichtspunkten, denn die
beiden zuerst genannten Städte Serres und Hadrianopolis bezeichnen den
nordwestlichen und nordöstlichen Extrempunkt dieser Πεντάπολις.

Die Lage von Serres ist identisch mit der des heutigen Ortes gleichen Namens und bedarf daher keiner weiteren Diskussion (vgl. Papazoglou, S. 379–
381; zu unserer Inschrift S. 380). Schwieriger ist dagegen das epigraphisch

nur hier belegte Hadrianopolis (die von Papazoglou herangezogene Inschrift Μακεδονικά 9 (1969), S. 176 mit πιν. 81β, wo sie Ἁδρια[νο|πολ]είτης lesen möchte [S. 409, Anm. 175] ist mehr als unsicher: Da der Stein rechts und links beschädigt ist, stellt ihre Ergänzung nicht mehr als eine Möglichkeit dar. Viel vorsichtiger urteilt Πέτσας [Χρονικά Αρχαιολογικά 1966–1967, Μακεδονικά 9 (1969), S. 176, Nr. 90]: Από ευρήματα ρωμαϊκών χρόνων αξιοσημείωτο το θραύσμα επιγραφής, που σώζει το όνομα του Αδριανού και της Εδέσσης). Wäre – wie Hatzopoulos erwägt (vgl. den Apparat zu Z. 18) – statt Σιρραῖοι vielmehr Τραγίλιοι zu lesen, so blieben diese Erwägungen davon im Prinzip unberührt (Tragilos liegt zwar jenseits des Strymon, aber keineswegs näher bei Gazoros als Serres).

Den neueren Untersuchungen von Σαμσάρης zufolge ist dieses Hadrianopolis beim heutigen Αδριανή (im Nomos Drama, einige Kilometer östlich von Χωριστή) zu suchen. Die Stelle war schon im ersten Jahrtausend v. Chr. besiedelt. Es handelte sich um eine σημαντική θρακική πόλη με ισχυρή ακρόπολη (Σαμσάρης, Έρευνες, S. 40), die schon vor dem 5. Jh. v. Chr. verlassen wurde. An der Stelle dieser thrakischen Siedlung wurde in römischer Zeit erneut ein Ort angelegt, που στην εποχή του Αδριανού έχει πια το μέγεθος μιας μικρής πόλης και ονομάζεται »Αδριανούπολη« (ebd.). Dieser Ort Ἁδριανούπολις gehörte zum Territorium der römischen Kolonie Philippi (Σαμσάρης, a.a.O., S. 41).

Papazoglou akzeptiert diese Identifizierung des antiken Ἁδριανούπολις mit dem heutigen Αδριανή, zieht daraus jedoch ganz andere Schlüsse (S. 408f.); ihrzufolge handelt es sich hier nämlich um eine „communauté grecque autonome" (ebd.). Dies ist m.E. beim gegenwärtigen Stand der epigraphischen Daten pure Spekulation. Aus der vorliegenden Inschrift kann man das jedenfalls nicht folgern, und andere Belege für Hadrianopolis liegen bislang nicht vor.

Z. 19   Die Βεργαῖοι sind die Einwohner der Stadt Βέργη auf der westlichen Seite des Strymon (vgl. Papazoglou, S. 355–359). Das Argument Papazoglous: „Si Bergè était située à l'Ouest du Strymon, il serait plus difficile d'expliquer son incorporation à la Pentapolis" (S. 358) leuchtet überhaupt nicht ein. Denn ganz gleich, ob man Βέργη westlich oder östlich des Strymon lokalisiert: es liegt in jedem Fall näher bei Γάζωρος als Ἁδριανούπολις und Serres aus Z. 18.

Im übrigen zeigt die Inschrift der almopianischen Göttin aus dem Pangaiongebirge (602/G647), daß dergleichen „religiöse" Zusammenschlüsse durchaus überregional organisiert sein konnten: dort werden neben den Σερωηνί, den Einwohnern von Serres, auch Εὐπόρω, Leute aus Euporos/Euporia, ebenfalls am Unterlauf des Strymon gelegen, genannt (vgl. den Kommentar zur Stelle); beide Orte liegen außerhalb des Territoriums von Philippi – der Priester der almopianischen Göttin aber residierte in Philippi.

So spricht alles dafür, daß auch in der vorliegenden Inschrift Orte aus dem Territorium der Kolonie Philippi (jedenfalls Hadrianopolis und eventuell Gazoros) neben solchen außerhalb des Territoriums (Serres und Βέργη) stehen. Wären alle fünf genannten Orte unabhängig von Philippi, wie Papazoglou will, welchen Grund könnte es dann geben, diese Inschrift ausgerechnet in Philippi aufzustellen?

Die Σκιμβέρτιοι sind neu und lassen sich in keiner Weise einordnen. Roger bemerkt: „... on serait tenté de rapprocher le nom d'un vicus dont les deux premières lettres seulement sont conservées dans une inscription trouvée à proximité de Koumbalitsa, à l'ouest de Drama [d.i. 519/L245]: *vicani Sc...* (cf. aussi, dans le même texte, Zcambu...). Mais les rapprochements de ce genre sont ici un jeu très incertain" (Roger, S. 40).

Die Γαζώριοι sind die Bewohner von Γάζωρος (vgl. Papazoglou, S. 389–385). Über die Frage, in welchem Verhältnis Γάζωρος zu der römischen Kolonie Philippi steht, braucht an dieser Stelle nicht diskutiert zu werden.

Die genaue Datierung auf das Jahr 202 gewinnt Roger folgendermaßen: „Il semble que ces cinq villes, à Philippes, soient allées au devant de l'empereur. Elles ont dû envoyer là-bas leurs représentants accomplir la cérémonie votive, et élever la base commémorative, parce qu'elles se trouvaient elles-mêmes loin de la grande voie de circulation régionale. On sait l'importance qu'avaient la Thrace et la Macédoine aux yeux de Septime Sévère, et l'activité qu'il y montra. Sans doute, la dédicace eut-elle lieu lors d'un voyage de l'empereur en Thrace, à son retour de la guerre parthique et de Syrie. Cela nous permettrait de la dater exactement des premiers mois de l'année 202" (Roger, S. 41).

350/L448   Grabinschrift für Gnaeus Velleius Ursus, *actor coloniae*

Paul Lemerle: Nouvelles inscriptions latines de Philippes, BCH 61 (1937), S. 410–420; hier S. 414, Nr. 7 mit Abb.
Collart, S. 271 mit Anm. 4.
AÉ 1938 [1939] 53.

Philippi, auf einem Feld südlich der Stadtmauer. „Dans un champ, au sud de l'enceinte. Stèle moulurée sur trois faces (moulure ravalée devant et à droite), retaillée en vue d'un remploi" (Lemerle, S. 414).
Abmessungen: H. 1,23; D. 0,56; B. des beschriebenen Teils 0,59; H. der Buchstaben 0,07; 0,063; 0,053.
Der Stein befindet sich heute (1992) im Museum in Philippi, im Hof, und zwar im fußballplatzartigen Gelände. Keine Inventarisierungsnummer.
Dia Nummer 433/1991; 663.664/1992.

> Gn(aeo) Velleio
> Urso acto-
> ri col(oniae) an(norum) XLII
> cultores Cupidi-
> 5 n[is ...]

Dem Gnaeus Velleius Ursus, dem Gutsverwalter (der Ländereien) der Kolonie, (verstorben) im Alter von 42 Jahren, (haben) die Verehrer der Cupido (die Inschrift gesetzt).

„L'intérêt de ce texte est de nous donner deux titres nouveaux. Les *cultores Cupidinis* ne figuraient pas encore parmi les nombreux collèges religieux connus à Philippes. Quant au titre d'*actor coloniae*, il est à rapprocher des titres connus *actor rei publicae, municipii, civitatis*: il s'agit d'un représentant de la colonie, chargé soit simplement d'en administrer le patrimoine, soit plus particulièrement d'en défendre les intérêts dans une contestation, un arbitrage, un procès. Dans le premier cas, le rôle peut être confié à un esclave public. Dans le second, il s'agit d'un *munus* qui paraît bien en assimiler le titulaire aux magistrats municipaux: il ne peut convenir qu'à un homme libre, comme l'est notre personnage" (Lemerle, S. 414).

Z. 2f. Bei den sonstigen Belegen für *actor* in Philippi (sie sind gesammelt im Kommentar zu 022/G220 aus Kavala) entspricht *actor* dem griechischen πραγματευτής, „Gutsverwalter".

Lateinisches Fragment   351/L065

Heuzey/Daumet, Nr. 48 (S. 94).
CIL III 2, Nr. 6115.
Δήμιτσας, Nr. 947 (S. 743).

Philippi, im Süden der Stadtmauer „Vers Philibedjik" (Heuzey, S. 94). Zur Lage des verlassenen türkischen Dorfes im Süden der Stadtmauer vgl. Plan A im Tafelband Heuzeys.

Decimus.

„... ont été trouvées dans le voisinage immédiat de la ville antique en dehors de son enceinte" (Heuzey, S. 93).

Der westliche Friedhof

Zum westlichen Friedhof vgl. die Diskussion o. Band I, S. 67–73 und die Karten 7 (S. 68) und 8 (S. 75).

352/L064   Grabinschrift eines Priscus für eine weibliche Angehörige

Heuzey/Daumet, Nr. 47 (S. 94).
CIL III 1, Nr. 677.
Δήμιτσας, Nr. 946 (S. 743).
Band I, S. 72.

Philippi: Westlicher Friedhof. „Faubourg occidental de Philippes" (Heuzey, S. 94). D.h. beim heutigen Λυδία.

> Vol(tinia) Priscus
> [d]ulcissimae

2 Die Zeile fehlt bei Δήμιτσας.

> . . . Priscus, aus der Tribus Voltinia, für seine sehr liebe . . .

Es handelt sich offenbar um eine Grabinschrift des Priscus für seine Mutter, seine Frau oder eine Tochter.
„. . . une preuve de plus du classement de la colonie de Philippes dans la tribu Voltinia" (Heuzey, S. 94).

353/G068   Inschrift des Lektors Ἀνδρέας
V/VI?

Heuzey/Daumet, Nr. 51 (S. 96).
Δήμιτσας, Nr. 972 (S. 753).
Lemerle, S. 91f.
Feissel, Nr. 225 (S. 191f.).
Band I, S. 241.

Philippi: Westlicher Friedhof. „Faubourg occidental de Philippes". „Sur un fragment de corniche" (Heuzey, S. 96). Die Ortslage entspricht dem heutigen Λύδια. Feissel zufolge ist der Stein heute verschwunden.

Ἀνδρέας ἐλάχ(ιστος) ἀναγν(ώστης) εἰς (δ)ό(ξ)αν (θ)[εοῦ ...].

1 Heuzey/Daumet und Lemerle: εἰς ἄθωαν ε... . Text nach Feissel.

Andreas, der allergeringste Lektor, Gott zu Ehren ...

Ist die Lesart Heuzeys zutreffend, handelt es sich um eine Grabinschrift; ist
die Lesart Feissels korrekt, dann liegt eine Weihinschrift vor.
Z. 1 Zur christlichen Verwendung des Wortes ἀναγνώστης vgl. den Artikel im Wörterbuch von Lampe (S. 99f.) sowie Lemerle, S. 91.

Grabinschrift des Freigelassenen Caius Sempronius Fructus Eutychianus

354/L324

Paul Collart: Inscriptions de Philippes, BCH 56 (1932), S. 192–231; hier S. 228–
230, Nr. 20 mit Abb. 18.
Band I, S. 71, Anm. 62.

Philippi: Westliche Nekropole. „Cippe funéraire, rectangulaire, mouluré
haut et bas. La face antérieure, qui n'a rien conservé de cette mouluration,
est également brisée à gauche et à droite sur toute sa hauteur; elle porte les
restes d'une inscription latine de dix lignes" (Collart, S. 228).
Abmessungen: H. 1,14; B. 0,52; D. 0,40. H. der Buchstaben Z. 1: 0,07; Z. 2:
0,06; Z. 3 und 4: 0,045; Z. 6: 0,055; Z. 5 und 7–10: 0,04. Zeilenzwischenraum
0,02–0,035.

[C(aius) S]emp[ro-]
[ni]us Fru[ctus]
C(ai) lib(ertus) pat[ris]
[Eu]tychian[us]
5 [a]n(norum) LXXX h(ic) s(itus) [e(st).]
[C(aius) S]empro[nius]
[Sa]turnin[us]
[Re]stitutu[s ...]
[... R]estitut[...]
10 [... p]iiss(imo) [...]

Caius Sempronius Fructus Eutychianus, der Freigelassene des
Vaters Caius, (verstorben im Alter) von achtzig Jahren, ist hier
begraben. Caius Sempronius Saturninus Restitutus ... für den
sehr lieben ...

„On sait qu'un affranchi qui avait porté deux noms comme esclave les conservait, comme *cognomina*; celui dont nous avons ici l'épitaphe se serait donc appelé primitivement Fructus Eutychianus, ce qui indique qu'avant de servir un Sempronius, il avait appartenu à un Eutyches, nom très fréquent à Philippes. Ce monument lui a été élevé, semble-t-il, par le fils de son ancien maître, et sans doute par d'autres personnages, nommés dans les dernières lignes de l'inscription." (S. 229).

355/G325   Grabinschrift für Δημοσθένης

Paul Collart: Inscriptions de Philippes, BCH 56 (1932), S. 192–231; hier S. 230f., Nr. 21 mit Abb. 19.
Band I, S. 71, Anm. 62.

Philippi: Westliche Nekropole. „Cippe funéraire, brisé en haut et à droite, mouluré en bas. Face postérieure dégrossie seulement; faces latérales lisses; sur la face antérieure, reste d'un bas-relief, dans un cadre, et inscription grecque de cinq lignes" (Collart, S. 230).
„La bas-relief, très mutilé, figuré sur cette stèle, représentait un cavalier; on distingue encore, dans l'angle inférieur gauche du cadre, l'arrière-train d'un cheval galopant vers la droite, et les jambes du personnage qui le montait. Au-dessous est gravée la fin d'une inscription funéraire dont le début se lisait sans doute sur la partie supérieure de la stèle, plus haut que le relief" (Collart, S. 230f.).
Abmessungen: H. 0,92; B. 0,63; D. 0,52. Relief H. 0,17; H. der Buchstaben ungefähr 0,05. Zeilenzwischenraum ungefähr 0,02.
Der Stein befindet sich heute (1991) im Hof des Museums von Philippi, in dem fußballplatzartigen Bereich, der zur Straße Καβάλα-Δράμα hin liegt. Inventarisierungsnummer nicht zu entdecken.
Dia Nummer 432/1991.

[...]
καὶ Φλ(αβία) Μέστ[α]
Δημοσθένε[ι τέ-]
κνῳ γλυκυ[τάτῳ]
5 μνείας χά-
vacat ριν. *vacat*

N.N. (Name des Vaters des verstorbenen Demosthenes) und Flavia Mesta (haben die Inschrift errichtet) für Demosthenes, ihr sehr liebes Kind, der Erinnerung halber.

Z. 2 Μέστα ist ein weiblicher thrakischer Name, vgl. Detschew, S. 297, s.v. Μεστας. Unsere Flavia Mesta ist bei Κανατσούλης nicht berücksichtigt.

Z. 3 Unser Demosthenes fehlt bei Κανατσούλης (der übrigens keinen einzigen Mann dieses Namens aufzuweisen hat).

Grabinschrift des Marcus Antonius Bassus   356/L142

Th. Homolle: Nouvelles et Correspondance, BCH 17 (1893), S. 624–641; hier S. 634.

Δήμιτσας, Nr. 873 (S. 709).

Paul Perdrizet: Voyage dans la Macédoine première [III], BCH 21 (1897), S. 514–543; hier S. 532.

CIL III, Suppl. 2, Nr. 12312.

C. Fredrich: Aus Philippi und Umgebung, MDAI.A 33 (1908), S. 39–46; hier S. 39.

CIL III, Suppl. 2, Nr. 13705 und 14206⁸.

Band I, S. 72, Anm. 67.

Philippi: Westliche Nekropole. Homolle: „A gauche de la route de Cavalla. Couvercle de sarcophage."

„... operculum arcae longum m. 1.63, latum 0.85, rep. extra Philippos ad viam Dramam versus a. 1892, est in oppido inferiore ad septentrionem" (CIL, Nr. 12312).

Fredrich gibt die folgenden Abmessungen: L. 1,64; B. 0,92; T. 0,21 (im Giebel 0,33); H. der Buchstaben 0,08; 0,065 und 0,035; Zeilenzwischenraum 0,03 und 0,025.

Zur Zeit von Fredrich bereits in Kavala. Heute (1990) im Garten des Museums von Kavala (Inventarisierungsnummer Λ 277).

Dia Nummer 88.89.90/1990.

M(arcus) Antonius Bassus
an(norum) LXX h(ic) s(itus) e(st). M(arcus) Antonius Rufus
patri v(ivus) f(aciendum) c(uravit).

1/2 Perdrizet hat zweimal fälschlich *Antoninus*. **2** Homolle liest irrtümlich IXX (auf dem Stein steht eindeutig LXX!). **3** Homolle hat nur PATRIV; Perdrizet ebenfalls.

Marcus Antonius Bassus, siebzig Jahre alt, ist hier begraben.
Marcus Antonius Rufus hat zu seinen Lebzeiten (die Inschrift)
für seinen Vater errichten lassen.

Z. 1 Eine Liste aller *Antonii* aus Philippi bei 313/L382 aus der Basilika B. Es handelt sich hier (wie auch bei dem Marcus Antonius Alexander in 313/L382) wohl um Familien, die im Zuge der zweiten Gründung der Kolonie durch Augustus aus Italien nach Philippi kamen (vgl. die einschlägige Stelle aus Dio Cassius, die bei 313/L382 aufgeführt ist).

Z. 2 Ein Marcus Antonius Rufus auch in den Inschriften 700/L738; 701/L739; 702/L740; 703/L741 aus Alexandria Troas.

357/L120   **Ehreninschrift für Caius Iulius Maximus Mucianus**
II

Theodor Mommsen, Ephemeris Epigraphica V (1884) 217.
Δήμιτσας, Nr. 961 (S. 748).
CIL III, Suppl. 1, Nr. 7339.
Collart, S. 296f.

Philippi. Die Herkunft des Steins läßt sich nicht genauer angeben, da der Text nur durch Constantinus Lascaris (Codex Vaticanus 1412, f. 2) überliefert ist (vgl. Mommsen, Ephemeris, S. 79).

[C(aius) Iul(ius) C(ai) f(ilius) Vol(tinia)]
[Maximus Mucianus,]
[vir cl(arissimus),]
[latoclavo honoratus a] divo Pio,
5 q(uaestor) pr(o) [pr(aetore)] per provinciam Pontum et Bith(y)niam,
aedilis cer(i)a(li)s, praetor designatus,
item de(curio) Philipp(is) et in provincia Thracia.
Iulius Teres fratri piissimo.

Die Ergänzung der Z. 1–3 nach der parallelen Inschrift vom Forum (dazu s. unten). Die Ergänzung der übrigen Zeilen schon bei den früheren Herausgebern: von mir nach der parallelen Inschrift vom Forum modifiziert.

Caius Iulius Maximus Mucianus, der Sohn des Caius, aus der Tribus Voltinia, der *vir clarissimus,* mit dem breiten Purpurstreifen durch den vergöttlichten Pius geehrt, Quästor *pro praetore* der Provinz Pontus und Bithynien, der für die Getreideversorgung zuständige Ädil, der designierte Prätor, zugleich Ratsherr von Philippi und in der Provinz Thrakien. Iulius Teres (hat das Monument) für seinen sehr lieben Bruder (errichten lassen).

Der Sarkophag des hier geehrten Caius Iulius Maximus ist in 061/L050 aus Dikili-Tasch erhalten. Eine der vorliegenden Inschrift überaus ähnliche Ehreninschrift wurde auf dem Forum in den dreißiger Jahren gefunden. Die vorliegende Inschrift kann mit der Grabinschrift ersichtlich nicht identisch sein; aber auch die Identität mit der auf dem Forum gefundenen Ehreninschrift 240/L465 ist auszuschließen:

(1) Der Geehrte wird in der Inschrift vom Forum im Dativ genannt, hier dagegen im Nominativ.

(2) Die bekleideten Ämter sind der Sache nach identisch, aber nicht im Wortlaut; so heißt es in 240/L465: *[q(uaestori)] pr(o) pr(aetore) Ponto-Bithy(niae)*, hier dagegen: *q(uaestor) pr(o) [pr(aetore)] per provinciam Pontum et Bith(y)niam*.

(3) Die Titel des Iulius Teres fehlen hier (vgl. 240/L465: *thracarc(ha), pater senatorum)*.

Lateinisches Fragment   358/L069

Heuzey/Daumet, Nr. 52 (S. 117).
CIL III 1, Nr. 688.
Δήμιτσας, Nr. 948 (S. 743).
Band I, S. 72.

Philippi: Im Westen der Stadtmauer. „Prairies à l'ouest de Philippes. Sur un tombeau en forme d'autel" (Heuzey, S. 117). Heuzey fand den Stein offenbar nahe der *Via Egnatia*, zwischen der Stadt und dem Bogenmonument (»arc de Kiémer«, vgl. o. Band I, Karte 7 auf S. 68).

```
[... C]erdo Rasci[...]
[...]NIO.EXVLC[...]
vixit an(nos)
[...] XX.M[...]
[...]MI.FIL[...]
[...]OSV[...]
```

1 Heuzey: *erdo Rasci*. *Δήμιτσας*: ΞRDORASCII. **3** Heuzey: *vixitai*. **4** *Δήμιτσας*: IXX.M.

„On y reconnaît une formule funéraire, accompagnée de noms propres ou de qualifications, difficiles à restituer dans l'état de mutilation du monument" (Heuzey, S. 117).

Weihinschrift für Ἀπόλλων   359/G434
Anf. 3. Jh.
v. Chr.

Jacques Coupry/Michel Feyel: Inscriptions de Philippes, BCH 60 (1936), S. 37–58; hier S. 37f., Nr. 1 mit Abb. 1.
Collart, S. 182f. mit Anm. 5.
BÉ 1938, Nr. 217 [1].

Philippi: Im Westen des Forums. „Le bloc a été trouvé remployé comme pierre tombale dans un cimetière groupé autour d'une petite église byzantine, située à 40 m. au sud de la route Drama-Cavalla et à 200 m. à l'ouest du Forum; cette chapelle a été très sommairement fouillée en mai 1934" (Coupry/Feyel, S. 37, Anm. 3). Leider ist diese byzantinische Kapelle auf der Karte von Heuzey („Plan de Environs de Philippes", im Tafelband: Plan A) nicht verzeichnet. Sollte damit die Kirche gemeint sein, deren Reste noch heute unweit des von mir so genannten dritten Stadttores (vgl. o. Band I, Karte 8 auf S. 75) noch vorhanden sind, dann wäre die vorliegende Inschrift hier falsch eingeordnet (man hätte sie in diesem Falle eher zwischen 333/L268 und 334/G327 einordnen sollen).

Der Stein wurde ins Museum nach Kavala geschafft: „Cette inscription, comme toutes celles que nous publions, sauf notre n° 6, est actuellement au musée de Cavalla" (S. 37).

„Marbre local cassé de toutes parts; la seule partie intacte est celle qui porte l'inscription, de sorte que rien n'indique la forme ni l'usage primitifs du bloc" (ebd.).

Abmessungen: H. (maximal) 0,165; L. (maximal) 0,665; D. (maximal) 0,42. H. der Buchstaben 0,025; Zeilenzwischenraum 0,027.

  ΟΙΣ
  ΙΣ Ἀπόλλωνι.

Zur Datierung bemerken die Herausgeber: „La forme des lettres indique une date élevée: le Π, le Σ, l'Ο pourraient appartenir au IV extsuperscripte siècle avant notre ère, mais l'Ω très fermé, ainsi que les petits *apices*, sont plutôt du siècle suivant; on pourrait proposer, à titre d'hypothèse, le début du III extsuperscripte siècle" (S. 38). Die Inschrift wurde seinerzeit als „la plus ancienne inscr. retrouvée à Philippes" bezeichnet (BÉ).

360/G436   **Stele des πρεσβύτερος Αὐρήλιος Καπίτων**
262 bzw. 379

Jacques Coupry/Michel Feyel: Inscriptions de Philippes, BCH 60 (1936), S. 37–58; hier S. 47–52, Nr. 3 mit Abb. 5.
AÉ 1937 [1938] 48.
Collart, S. 308, Anm. 4 und S. 469, Anm. 1.
BÉ 1938, Nr. 217 (3).
Lemerle, S. 94–101.
Β. Καλλιπολίτης/Δ. Λαζαρίδης: Αρχαίαι επιγραφαί Θεσσαλονίκης, Thessaloniki 1946, S. 12.
H. Leclercq: Art. Presbyter, DACL 14,2 (1948), Sp. 1717–1721; hier Sp. 1717f., Nr. 1 mit Abb. 10508.
Marcus N. Tod: The Macedonian Era Reconsidered, in: Studies Presented to David Moore Robinson on His Seventieth Birthday, Bd. II, Saint Louis 1953, S. 382–397; hier S. 390, Nr. 188.

Κανατσούλης, Nr. 238; 296; 453.

Margherita Guarducci: Epigrafia Greca IV. Epigrafi sacre pagane e cristiane, Rom 1978, S. 355–356.

Feissel, Nr. 233, S. 197f. (Tafel 54).

Band I, S. 41; S. 242.

Philippi: Im Westen des Forums. Bei der 359/G434 beschriebenen byzantinischen Kapelle gefunden. „Stèle en marbre local" (Coupry/Feyel, a.a. O., S. 47). „Remployée, à ce qu'il semble, comme pierre tombale dans le cimetière, certainement très tardif, qui se trouvait derrière le chevet de la petite église" (ebd., Anm. 1). „Un rinceau (feuilles de lierre) et une moulure déterminent un rectangle (haut. 0 m. 63; larg. 0 m. 52) qui contient l'inscription." (ebd.).

Abmessungen: H. 0,85; B. 0,70; D. 0,25; H. der Buchstaben 0,04; Zeilenzwischenraum 0,05–0,07.

Αὐρ(ήλιος) Καπίτων πρεσβύ(τερος)
νέος τῆς καθολει-
κῆς ἐκ<κ>λησίας ἀνέ-
στησα τὴν στή-
5 λην ταύτην τοῖς
ἰδίοις γωνεῦσιν
καὶ τῇ εἰδίᾳ συνβίῳ
Βεβίᾳ Παύλᾳ καὶ
τῷ γλυκυτάτῳ
10 μου υἱῷ Ἐλπιδίῳ
υ΄ κὲ δέκα. *vacat*

(Ich), Aurelius Capiton, neuer Presbyter der katholischen Kirche, habe diese Stele für meine eigenen Eltern und für meine eigene Frau Baebia Paula und für meinen liebsten Sohn Elpidios (im Jahr) 410 aufgestellt.

Z. 1 Ein Αὐρήλιος Καπίτων begegnet auch auf einer der 1943 auf dem jüdischen Friedhof in Thessaloniki gefundenen Inschriften (B. Καλλιπολίτης/ Δ. Λαζαρίδης: Αρχαίαι επιγραφαί Θεσσαλονίκης, Thessaloniki 1946; hier Καλλιπολίτης, Nr. 6, S. 12). Edson hat diese Inschrift nicht in IG X 2,1 aufgenommen, offenbar weil er der Auffassung war, daß sie nicht aus Thessaloniki stammt.

Z. 1f. πρεσβύ(τερος) νέος, „neuer Presbyter"? „Nous ne connaissons point d'autre exemple de l'expression curieuse πρεσβύ(τερος) νέος; il est possible qu'elle signifie simplement »prêtre nouveau, nouvellement promu«" (Coupry/Feyel, S. 47f.). Anders Leclercq: „On pourrait également supposer qu'Aurelius Capiton était venu d'une secte hérétique au christianisme et que, pour cette raison il se paraît de son titre *nouvellement* acquis de »prêtre de l'Église catholique« " (a.a.O., Sp. 1717f.).

Z. 6 γωνεῦσιν = γονεῦσιν.

Z. 8 Βεβίᾳ – korrekt geschrieben: Βαιβίᾳ – ist Dativ zu Βαίβια, das dem lateinischen Baebia entspricht.

Z. 11 Daß hier in der Tat eine Datierung vorliegt, wird heute nicht mehr in Frage gestellt. Damit haben wir in diesem Text die einzige datierte christliche Inschrift aus Philippi. Umstritten ist freilich, wie diese Zahl zu interpretieren ist. Erschwert wird die Beurteilung des Sachverhalts dadurch, daß die einzelnen Autoren sich zu diesem Problem häufig ohne Berücksichtigung ihrer Vorgänger geäußert haben.

Die ersten Herausgeber datieren nach der makedonischen Ära und kommen damit auf 262/63 n. Chr.; diesen Vorschlag unterstützt Collart: „Les éditeurs ont reconnu dans la dernière ligne l'énoncé d'une date, qui correspondrait à l'année 262/3 de notre ère . . ., ce qui s'accorde bien avec le caractère de l'écriture ainsi qu'avec le formulaire encore païen de cette épitaphe et les noms romains que portent le dédicant et son épouse. Ils ont noté, aussi, qu'à cette époque, la politique libérale instaurée par Gallien, et poursuivie par ses successeurs, venait d'accorder au culte chrétien des facilités nouvelles" (Collart, S. 469, Anm. 1).

Dieser Datierung haben die Herausgeber der AÉ widersprochen: „contrairement à l'opinion des auteurs . . ., il doit s'agir de l'ère de la colonie (381 ap. J.-C.)" (AÉ, a.a.O., S. 19). Dieser Auffassung schließt sich auch Lemerle an. Die von den ersten Herausgebern der vorliegenden Inschrift ins Feld geführten paläographischen Kriterien seien zweifelhaft („le critère paléographique à lui seul risque, à cette époque, d'être plus trompeur qu'utile", Lemerle, S. 95; vgl. auch Anm. 3). Lemerle untersucht sodann die Belege für den Begriff καθολικὴ ἐκκλησία (S. 95–101) und kommt zu dem Ergebnis: „En ce qui concerne notre inscription, la conséquence est évidente: il est impossible de dater de 262, pour la raison que la paléographie ne s'y opposerait point, cette inscription que la paléographie n'empêche pas davantage de placer au IV extsuperscripte siècle. La date de 410ne peut pas être interprétée en partant de l'ère macédonienne de 148. Au contraire, on obtient une date satisfaisante à tous points de vue, si l'on prend pour point de départ l'ère coloniale dont P. Perdrizet, puis de façon plus précise J. Carcopino, ont cru pouvoir affirmer l'existence: l'inscription date de 381, elle est un des premiers témoins de l'emploi officiel d'ἐκκλησία καθολική, elle prend place dans une série bien définie. Du même coup, on devra reviser les conclusions auxquelles on avait cru récemment arriver, pour la chronologie des inscriptions de Philippes: il paraît désormais établi que celles-ci ont pu employer une autre ère que celle de 148, et il y a toutes raisons de penser que c'est bien l'ère coloniale de 30 a. C." (Lemerle, S. 101). So auch Feissel, der 379 n. Chr. errechnet.

Ohne Kenntnis der Argumentation von Lemerle nimmt Marcus N. Tod 1953 wie folgt zu diesem Problem Stellung: „The problem is a difficult one, but in my view the solution of Coupry and Feyel is probably right (cf. P. Collart, *Philippes*, 308 n. 4)" (Marcus N. Tod, a.a.O., S. 390).

Margherita Guarducci schließlich bezieht sich weder auf die Einwände Lemerles noch auf Tod. Das Fehlen von Lemerle ist besonders bedauerlich, wählt sie diese Inschrift aus Philippi doch gerade aus folgendem Grund aus: „la stele sepolcrale dedicata dal presbitero filippese Aurelio Kapiton alla sua famiglia, con interessante epigrafe che contiene un antico ricordo della Chiesa cattolica (262/3)" (Guarducci, S. 354f.) – da hätte eine Auseinandersetzung mit der Argumentation Lemerles nun auf keinen Fall fehlen dürfen! Bezüglich der Datierung führt sie beide Möglichkeiten an und fährt dann fort: „Ma, come giustamente osservarono gli editori del nostro testo [d.h. Coupry/Feyel], l'esame dei caratteri epigrafici induce ad escludere la seconda alternativa [381 nach ihrer Rechnung] ed è invece decisamente favorevole alla prima [262]" (Guarducci, S. 356).

Weihinschrift für die Dioskuren   361/L606
II

Χάϊδω Κουκούλη, ΑΔ 25 (1970) Β´2 Χρονικά [1973], S. 399 mit Abb. auf Tafel 334β (kein Text).

Gefunden im Westen des Forums. Το πλέον ενδιαφέρον μεταξύ των τυχαίων ευρημάτων της περιοχής Φιλίππων, υπήρξεν αποτετμημένον ανάγλυφον Διοσκούρων, ευρεθέν προς Δ. της Ρωμαϊκής Αγοράς και χρονολογούμενον εις τον 2ον μ.Χ. αι. ... . Η λατρεία των Διοσκούρων εις Φιλίππους μαρτυρείται πιθανώς και εις εν ανάγλυφον των βράχων της ακροπόλεως. Εις το νέον ανάγλυφον χαρακτηριστική είναι η ανάμειξις στοιχείων των παραστάσεων Διοσκούρων μετά στοιχείων του εικονογραφικού τύπου του Θρακός ιππέως (Κουκούλη, S. 399; für das Felsrelief bezieht sich Κουκούλη auf Collart, S. 400). Die zitierte Beschreibung des Fundorts stimmt nicht unbedingt mit der Bildunterschrift zu πιν. 334β überein, wo es heißt: Αναθηματικόν ανάγλυφον Διοσκούρων εκ του δυτικού νεκροταφείου.

Heute im Museum in Philippi (Inventarisierungsnummer Λ 211).

Ich bekam keine Genehmigung, den Stein selbst zu studieren (Υπουργείο Πολιτισμού – Εφορεία προϊστορικών και κλασσικών αρχαιοτήτων Καβάλας, Aktenzeichen 2558, 20. August 1992).

[...]
[...]Ị·V̄·Ṣ

Lateinisches Fragment   362/L276

A. Salač: Inscriptions du Pangée, de la région Drama-Cavalla et de Philippes, BCH 47 (1923), S. 49–96; hier S. 91 (Nr. 15).

Philippi: „moulin Kaïlé". „Marbre brisé" (Salač, S. 91).
Abmessungen: H. 0,19; L. 0,25; Buchstaben H. 0,055.

ITARC·

363/L277   Lateinisches Fragment

A. Salač: Inscriptions du Pangée, de la région Drama-Cavalla et de Philippes,
     BCH 47 (1923), S. 49–96; hier S. 91 (Nr. 16).

Philippi: „près du moulin". „... dans la maison en ruines dite maison
de Wix, marbre encastré" (Salač, S. 91).
Abmessungen: H. 0,20; B. 0,36; D. 0,14; H. der Buchstaben 0,035; Zeilenzwischenraum 0,035.

     [c]ultor(es?)
     sub cur(atoribus *oder* curatore) L·R[...]

     Z. 1 Salač verweist auf den Kult des Mars Ultor in Philippi.

364/L278   Fragment

A. Salač: Inscriptions du Pangée, de la région Drama-Cavalla et de Philippes,
     BCH 47 (1923), S. 49–96; hier S. 91 (Nr. 17).

Philippi: An der (zu 363/L277) beschriebenen Stelle. „... dans les
ruines du hangar; marbre brisé de trois côtés" (Salač, S. 91).
Abmessungen: H. 0,21; B. 0,72; D. 0,75; H. der Buchstaben 0,115; Zeilenzwischenraum 0,035.

     QCMIANÇ
     [...]Ọ[...]

Handelt es sich wirklich um eine lateinische Inschrift?

365/G279   Griechisches Fragment

A. Salač: Inscriptions du Pangée, de la région Drama-Cavalla et de Philippes,
     BCH 47 (1923), S. 49–96; hier S. 92 (Nr. 18).

Philippi: An der (zu 363/L277) beschriebenen Stelle. „... marbre
encastré dans le mur" (Salač, S. 92).
Abmessungen: H. 0,145; B. 0,38; H. der Buchstaben 0,08.

ἔνεχ[α] *oder* ἔνεχ[εν]

Salač vermutet, es könne sich um ein Fragment „d'inscription funéraire"
handeln (ebd.).

Lateinisches Fragment 366/L280

A. Salač: Inscriptions du Pangée, de la région Drama-Cavalla et de Philippes,
BCH 47 (1923), S. 49–96; hier S. 92 (Nr. 19).

Philippi: Im Westen der Stadtmauer. „... à dix minutes de là, vers
Drama, dans un petit cimetière turc; fragment de stèle de marbre remployé
pour un tombeau turc, et qui faisait bord droit" (Salač, S. 92).
Abmessungen: H. 0,60; B. 0,21; D. 0,12; H. der Buchstaben 0,07; Zeilenzwischenraum 0,065.

VS
VS
ISE

Fragment einer lateinischen Grabinschrift 367/L281

A. Salač: Inscriptions du Pangée, de la région Drama-Cavalla et de Philippes,
BCH 47 (1923), S. 49–96; hier S. 92 (Nr. 20).

Philippi: Fundort wie 366/L280. „... plaque de marbre remployée" (Salač, S. 92).
Abmessungen: H. 0,27; B. (soweit sichtbar) 0,60; D. 0,105; H. der Buchstaben
0,10; Zeilenzwischenraum 0,095.

X   H
VS   uxor

„Fragment d'une inscription funéraire" (Salač, S. 92).

Griechische (christliche?) Inschrift 368/G180

Le Bas, Nr. 1440.
CIG, Nr. 8691; vgl. Nr. 2010.
Δήμιτσας, Nr. 932 (S. 734).

Philippi. Δήμιτσας bringt keine näheren Angaben zur Herkunft.

[...]CONBOΥ[...]
[ὁ] ἐκ θεοῦ ἄρχον [Π-]
[αγ]ανὸς ἀπέστιλε[ν Ἤ-]
[σβ]ουλον τὸν Καυχα-
5 [ν]ὸν δόσας αὐτὸν φοσᾶ[το-]
[ν] τακτὸν[...]OΥBOΛA[...]
[...]ANK·TOΛKANAOIΛAKO
[...]OBRON κ[έ] ὁ Καυχανὸς
[...]τοὺς Σμολεανοὺ[ς ...]

Δήμιτσας vermutet, daß es sich um eine christliche Inschrift handelt.

369/G181　　　　**Fragment einer griechische Grabinschrift**

Le Bas, Nr. 1441.
Δήμιτσας, Nr. 933 (S. 735).
Band I, S. 131, Anm. 19; S. 223.

Philippi. Aus welcher Gegend des Gebiets von Philippi diese Inschrift stammt, gibt Le Bas nicht an.

[...]
[... ἔτη] ΑΒ μῆνας γ΄ ἡμέρας [...]
[...]ANAT καὶ εἰς τοῦτο OHKΣION
[ἀν]τίγραφον. ὡς εἴ τις τολμήσει ἀνοῖξα[ι]
5 OΛI ἐκτὸς ἐμοῦ ἢ ὀστέων μοῦ τι [... δώσει προστίμου
τῇ πόλει ✗]
,αφ΄ *folium* ΣTA τοῦτο [...]
[...]H συμβίῳ ΣIK

(Hier liegt ... begraben, ... Jahre, ...) Monate, drei Tage alt. ... ... eine Abschrift (liegt im Archiv der Stadt). Wenn aber einer es wagen wird, (das Grab) zu öffnen ... außer mir, oder meine Knochen (zu entfernen), der muß der Stadt 1500 Denare Strafe bezahlen ... der Ehefrau ...

370/L182　　　　**Grabinschrift für Philetius**

Le Bas, Nr. 1439.
Δήμιτσας, Nr. 965 (S. 749).

Philippi. Zuerst von Le Bas ohne genaue Angabe des Fundortes publiziert.

> Phileti[us?]
> v[i]xi[t] ann(os) XXIIII.
> L(ucius) Pacius Doax et
> Pacia Fucidia
> 5 filio piissimo b(ene) m(erenti) f(ecerunt).
> et S. et S. P. Q. eor(um?).
> in fr(onte) p(edes) VII, in agr(o) p(edes) VI.

Philetius lebte vierundzwanzig Jahre. Lucius Pacius Doax und Pacia Fucidia haben (den Stein) für ihren überaus lieben und wohlverdienten Sohn gesetzt. ... (Die Grabanlage mißt) sieben Fuß in der Breite, sechs Fuß in der Tiefe.

Griechisches Fragment 371/G185

M[αργαρίτης] Γ. Δήμιτσας: Της εν Μακεδονία Ηδωνίδος ανέκδοτοι επιγραφαί τρεις, Παρνασσός. Σύγγραμμα περιοδικόν 5 (1881), S. 222–226; hier S. 225. Δήμιτσας, Nr. 1008 (S. 778).

Philippi. Aus welcher Gegend von Philippi diese Inschrift stammt, vermochte schon Δήμιτσας nicht mehr festzustellen. Er schreibt: εις ποίον όμως μέρος ευρέθη, ουδόλως αναφέρει ο αποστείλας μοι αυτήν. Πιθανώτατα δε εν τω αυτώ μέρει, ήτοι εν Δεκελί Τάτζ (S. 778).

> Τ(ίτος) Φ(λάβιος) Λερμ[...]
> μνείας χά[ριν]
> φίλους ΣΥ[...]
> τὰς ΤΗΚ[...]
> ΚΕΝΕΥΝ[...]

1 Vielleicht sollte man besser Τ(ίτος) Φλ(άβιος) Ἑρμ[...] lesen?

Titus Flavius Lerm... um der Erinnerung willen ... die Freunde
...

Lateinisches Fragment 372/L178

CIL III, Suppl. 2, Nr. 14406e.

Philippi. Aus welcher Gegend von Philippi diese Inschrift stammt, vermochte schon Mommsen nicht präzis anzugeben: „in ruderibus Philipporum rep.".

in sinistr(am)
quot si QVINT
NEM arborem I
sive alium mort[...]

... auf der linken Seite ... den Baum ... oder einen anderen
...

Mommsen weist hin auf Siculus Flaccus, p. 143 Lachmann: *si arbores finales
observabuntur, videndum erit quae sint arborum genera.*

373/L269   Grabstele des Marronius Zosimus und seiner Frau

A. Salač: Inscriptions du Pangée, de la région Drama-Cavalla et de Philippes,
BCH 47 (1923), S. 49–96; hier S. 88f. (Nr. 8).

Philippi. Eine genauere Angabe des Fundorts fehlt bei Salač, der zweierlei
zu dieser Inschrift anmerkt: „Je n'ai aucune indication exacte sur l'endroit
où se trouvait cette inscription, qui a été aussi copiée et estampée en 1899
par M. Perdrizet, et depuis par M. Polygnote Clonaris" (S. 88, Anm. 2);
und: „M. P. Perdrizet reprendra le commentaire de cette inscription" (S. 88,
Anm. 3) – einen Kommentar Perdrizets zu dieser Inschrift vermochte ich
nicht ausfindig zu machen.
„Stèle funéraire à fronton, brisée en bas" (Salač, S. 88).
Abmessungen: H. 0,74; B. 0,475; D. 0,13; beschriebene Fläche: H. 0,42; B.
0,44; H. der Buchstaben 0,065–0,04. Zeilenzwischenraum 0,03.

Marron(ius)
Zosimus
et Marron(ia)
Veneria h(ic) s(iti) s(unt).
5   [cult?]ores
[...]

Marronius Zosimus und Marronia Veneria sind hier begraben.
Die Verehrer (Name der Gottheit im Genitiv, sowie: haben die
Inschrift auf ihre Kosten anfertigen lassen).

Z. 1 Ein Marronius Mestula in 391/L616 (dort eine Liste aller Belege aus
Philippi).

Griechisches Fragment   374/G271

A. Salač: Inscriptions du Pangée, de la région Drama-Cavalla et de Philippes,
    BCH 47 (1923), S. 49–96; hier S. 89 (Nr. 10).

Philippi. Der Fundort wird bei Salač nicht angegeben.
Abmessungen: H. 0,165; B. 0,13; H. der Buchstaben 0,03.

    NΔPI
    PI

Lateinisches Fragment   375/L125

S. Reinach: Inscriptions latines de Macédoine, BCH 8 (1884), S. 47–50; hier S. 48,
    Nr. IV.
Theodor Mommsen, Ephemeris Epigraphica V (1884) 1433.
Δήμιτσας, Nr. 963 (S. 749).
CIL III, Suppl. 1, Nr. 7345.

Philippi. „... in pavimento viae" (CIL, Nr. 7345).

    ON aed[ilis]
    OS Valer(ius)
    [l]iberis ca[rissimis].

Reinach gibt keine Ergänzungen.

    ..., der Ädil, ... Valerius ..., für seine sehr lieben Kinder.

Lateinisches Fragment   376/L364

Paul Collart: Inscriptions de Philippes, BCH 57 (1933), S. 313–379; hier S. 376f.,
    Nr. 33 (keine Abb.).

Philippi. Der genaue Fundort wird bei Collart nicht angegeben.
„Partie inférieure d'un cippe mouluré, trouvé dans un champ; aujourd'hui
au musée de Raktcha. La pierre a été retaillée pour être utilisée comme
mortier; il ne subsiste que les deux dernières lignes d'une épitàphe latine et
la partie inférieure du cadre" (Collart, S. 376).
Abmessungen: H. 0,37; B. 0,53; D. 0,29; Höhe der Buchstaben 0,04 (Z. 1);
0,035 (Z. 2).

    [...] Cae[t]roni M(arcus)
    et C(aius) matri.

(..., der Tochter) des Caetronus, ihrer Mutter, (haben) Marcus und Caius (die Inschrift errichtet).

377/L365 ## Lateinisches Fragment einer Grabinschrift

Paul Collart: Inscriptions de Philippes, BCH 57 (1933), S. 313–379; hier S. 377, Nr. 34 (keine Abb.).
AÉ 1934 [1935] 65.
Sarikakis, Nr. 227 (S. 459).
Helmut Freis: Die cohortes urbanae, EpiSt 2, Köln/Graz 1967, S. 56.

Philippi. Der genaue Fundort wird bei Collart nicht angegeben.
„Fragment de marbre brisé de tous côtés, trouvé dans un champ; aujourd'hui au musée de Raktcha" (Collart, S. 377).
Abmessungen: H. 0,32; B. 0,45; D. 0,11; H. der Buchstaben 0,04 bis 0,08.

[-]i Sp[...]
Iusto mil(iti)
coh(ortis) XI ur[b(anae)]
Iulia M[...]

(Für...) Iustus..., den Soldaten der elften städtischen Kohorte, (hat) Iulia... (die Inschrift errichten lassen).

Z. 3 Soldaten der *cohors XI urbana* begegnen in Philippi auch sonst, so der *centurio* L. Tatinius Cnosus (202/L313, Z. 11) und der Veteran C. Valerius Ulpianus (719/L712, Z. 2).

378/L366 ## Lateinische Grabinschrift

Paul Collart: Inscriptions de Philippes, BCH 57 (1933), S. 313–379; hier S. 377f., Nr. 35 (keine Abb.).

Philippi. Der genaue Fundort wird bei Collart nicht angegeben.
„Fragment de marbre, brisé de tous côtés, trouvé dans un champ; aujourd'hui au musée de Raktcha" (Collart, S. 377).
Abmessungen: H. 0,28; B. 0,26; D. 0,08; Buchstaben H. 0,03.

[... S]ecunda
[... an(norum)] XXV, Vari[nius]
[...] Tarsa an(norum) XL
[...] at sepul[crum].

... Secunda, fünfundzwanzig Jahre alt, und Varinius ... Tarsa,
vierzig Jahre alt, ... und das Grab.

Z. 3 Tarsa ist ein männlicher thrakischer Name, vgl. Detschew, S. 492ff.,
s.v. Ταρσας, wo unser Tarsa allerdings nicht verzeichnet ist.

Lateinische Grabinschrift   379/L368

Paul Collart: Inscriptions de Philippes, BCH 57 (1933), S. 313–379; hier S. 378f.,
Nr. 37 mit Abb. 42.
Collart, im Tafelband, Pl. 68,4.

Philippi. Der genaue Fundort wird bei Collart nicht angegeben.
„Borne funéraire, trouvée dans un champ, aujourd'hui au musée de Rakt-
cha" (Collart, S. 378).
Abmessungen: H. 0,34; B. 0,33; D. 0,13. Höhe der Buchstaben 0,045 (Z. 1
und Z. 3) bzw. 0,03 (Z. 2 und Z. 4).
Heute (1991) im Museum in Philippi (im Magazin; keine Inventarisierungs-
nummer).
Dia Nummer Σ157/1991.

> In f(ronte) p(edes) XII
> -XI
> in a(gro) p(edes) XII-X
> VI.

1 Das I am Anfang fehlt heute.   4 Heute abgebrochen.

(Die Grabanlage mißt) zwölf bis elf Fuß in der Breite, zwölf bis
sechzehn Fuß in der Tiefe.

Grabinschrift der Δημητρία   379a/G800
4. Jh. v. Chr.

Φίλιπποι-Führer, S. 74, Abb. 58 (kein Text).
M.B. Hatzopoulos, BÉ 1997, Nr. 412 (1).

Philippi. Den genauen Fundort geben Μπακιρτζής und Κουκούλη im Füh-
rer leider nicht an.
Der Stein befindet sich heute im Museum von Philippi (Inventarisierungs-
nummer Λ 726).
Επιτύμβια ενεπίγραφη στήλη της ΔΗΜΗΤΡΙΑΣ ΔΙΟΝΥΣΙΟΥ (Φίλιπποι-
Führer, S. 74).

Δημητρία
Διονυσίωυ
[-]ρακλετις.

Demetria, (die Tochter) des Dionysios, aus Heraklea (?).

Η επιτύμβια στήλη σχετίζεται πιθανότατα με τους πρώτους αποίχους της θα-
σιακής αποιχίας εφ' όσον είναι γραμμένη στο παριανό αλφάβητο, το οποίο
χρησιμοποιούσαν οι Θάσιοι ως άποιχοι της άρου. Μέσα του 4ου αι. π.Χ.
(Φίλιπποι-Führer, S. 74).
Die Verwendung des parischen Alphabets kann man an Z. 2 erkennen, wo
in Διονυσίωυ für Omikron Ω steht. Zum parischen Alphabet in Thasos vgl.
Margherita Guarducci: L'epigrafia greca dalle origini al tardo Impero, Rom
1987, S. 246, zu den Buchstabenformen im einzelnen bei Guarducci Allegato
I.
  Z. 1   Der Frauenname Δημητρία ist sehr häufig (vgl. etwa die Inschriften
aus Attika). In Philippi allerdings kommt er sonst nicht vor.
  Z. 3   Man könnte zu [Ἡ]ρακλῆτις ergänzen (so auch Hatzopoulos).

380/L457   **Fragment einer lateinischen Grabinschrift**

Paul Lemerle: Nouvelles inscriptions latines de Philippes, BCH 61 (1937), S. 410–
    420; hier S. 419, Nr. 16.

Philippi. In der näheren Umgebung (Genaueres gibt Lemerle nicht an).
Abmessungen: H. 0,36; B. 0,43; D. 0,12; H. der Buchstaben gibt Lemerle
nicht an.
Der Stein (ohne Inventarisierungsnummer) befindet sich heute (1992) im
Bereich der Basilika A, in dem Lapidarium an der W-Seite der Kirche.
Dia Nummer 231/1991; 301/1992.

  In fr(onte) p(edes) VIII,
  in ag(ro) p(edes) VIII.

  (Die Grabanlage mißt) acht Fuß in der Breite, acht Fuß in der
  Tiefe.

381/L456   **Grabinschrift für Caius Acutus Glaucus**

Paul Lemerle: Nouvelles inscriptions latines de Philippes, BCH 61 (1937), S. 410–
    420; hier S. 419, Nr. 15.

Philippi. In der näheren Umgebung (Genaueres gibt Lemerle nicht an).
Abmessungen: H. 0,40; B. 0,29; D. 0,09; Höhe der Buchstaben gibt Lemerle
nicht an.
Der Stein (ohne Inventarisierungsnummer) befindet sich heute (1991) im
Bereich der Basilika A, unmittelbar links vor der Tür zum „Gefängnis des
Paulus".
Dia Nummer 222.223.224/1991.

C(ai) Acuti
Glauci.
in f(ronte) p(edes) XII,
in a(gro) p(edes) XII.

1 Heute: *Acuti.*   4 Heute: *[i]n a(gro) [p(edes) XII].*

(Grab) des Caius Acutus Glaucus. (Die Grabanlage mißt) zwölf
Fuß in der Breite, zwölf Fuß in der Tiefe.

Grabinschrift des Σίμων aus Smyrna   381a/G787
III

Φίλιπποι-Führer, S. 85, Abb. 72.
Band I, S. 91 (dort als „unpublizierte Inschrift aus dem Museum Philippi" be-
zeichnet).
M.B. Hatzopoulos, BÉ 1997, Nr. 412 (2).

Philippi. Der Stein steht im Hof des Museums von Philippi. Bezüglich des
Fundortes machen die Verfasser der oben genannten Publikation leider keine
näheren Angaben. Da es sich um einen Grabstein handelt, könnte es sich
um einen Fund aus einem der Friedhöfe handeln. Maße werden leider nicht
angegeben.

Σίμων
Σμυρναῖ-
ο   *vacat*   ς.

Simon, der Smyrnäer.

Z. 1 Aus dem Namen Σίμων ziehen die Verfasser weitreichende Schlüsse:
Ο Σίμων, πιθανότατα εβραϊκής καταγωνής, είναι μέτοικος των Φιλίππων από
την εβραϊκή παροικία στη Σμύρνη της Μικράς Ασίας. Από πρόσφατο εύρημα
έχει τεκμηριωθεί η ύπαρξη εβραϊκής συναγωγής στους Φιλίππους του 3ου αι.
μ. Χ. (Μουσείο Φιλίππων Λ 1776). So erfreut der geneigte Leser ist, auf diese
beiläufige Weise zu erfahren, daß die Verfasser den noch immer unpublizierten Stein, der die Synagoge erwähnt, nunmehr ins 3. Jh. zu datieren

geneigt sind [inzwischen ist der Stein publiziert, vgl. unten 387a/G813], so wenig wird man der kühnen Hypothese zustimmen, daß wir es in Simon mit einem Menschen jüdischer Herkunft zu tun haben. Bekanntlich kann man Simon sowohl griechisch als auch hebräisch herleiten (vgl. Martin Goodman: Babatha's Story, JRS 81 [1991], S. 169–175; hier S. 175), und schon ein Gesprächspartner des Sokrates im 5. Jh. v. Chr., dessen Werkstatt mittlerweile auch archäologisch Furore gemacht hat, hörte auf den Namen Simon (vgl. Aelian: Varia historia II,1; zur Werkstatt des Simon in Athen vgl. Dorothy Burr Thompson: The House of Simon the Shoemaker, Archaeology 13 (1960), S. 234–240).

Z. 2 Der Stein ist interessant, weil er eine Verbindung zwischen Philippi und Smyrna herstellt (die christlichen Gemeinden von Philippi und Smyrna hatten ja mindestens zur Zeit des Polykarp gewisse Verbindungen, vgl. o. Band I 206–228). Auf einen onomastischen Beleg für Verbindungen zwischen Philippi und Smyrna weist Olli Salomies hin: Der in und um Philippi in publizierten (vgl. den Index) und unpublizierten Inschriften häufig begegnende Name *Velleius* ist neuerdings auch „in an inscription ... in Smyrna (*I. Smyrna* II 2 p. 359f. no. xix)" aufgetaucht (Olli Salomies: Contacts between Italy, Macedonia and Asia Minor during the Principate, in: Roman Onomastics in the Greek East. Social and Political Aspects, hg. v. A.D. Rizakis, Μελετήματα 21, Athen 1996, S. 111–127; hier S. 126), was dafür spricht, daß „members of a certain *gens* had moved from Macedonia to Asia Minor" (Salomies, a.a.O., S. 125).

Die Datierung ins 3. Jh. n. Chr. stammt von Κουκούλη und Μπακιρτζής im Φίλιπποι-Führer.

382/L455   **Grabinschrift für das Kind Gaius Ogulnius**

Paul Lemerle: Nouvelles inscriptions latines de Philippes, BCH 61 (1937), S. 410–420; hier S. 419, Nr. 14.

Sarakatchanes, westlich von Philippi. „Stèle grossière remployée dans un four du campement du Sarakatchanes, à l'Ouest de Philippes" (Lemerle, S. 419).

Abmessungen: H. 0,85; B. 0,43; D. 0,09. Die Buchstabenhöhe gibt Lemerle nicht an.

> G(aius) Ogul-
> nius M(arci) f(ilius)
> an(norum) VII h(ic) s(itus) e(st).

Gaius Ogulnius, der Sohn des Marcus, sieben Jahre alt, liegt hier begraben.

Öllämpchen

Χάϊδω Κουκούλη-Χρυσανθάκη, ΑΔ 30 (1975) Β΄2 Χρονικά [1983], S. 285 mit Abb. auf Tafel 193γ (kein Text).

Λυδία: Οικόπεδο Γ. Κούτρα (αριθ. κληροτεμαχίου 182). Με αφορμή τη διάνοιξη θεμελίων για την ανέγερση οικοδομής βρέθηκαν έξι κεραμοσκεπείς καλυβίτες και έξι λακκοειδείς καλυμμένοι με αδρές πλάκες και πέτρες. Σε ορισμένους από τους τελευταίους διαπιστώθηκε και η ύπαρξη πλακών όρθιων στα πλάγια του τάφου. Προσανατολισμός καθορισμένος δεν υπήρχε. Οι νεκροί θάβονταν σε οριζόντια θέση με τεντωμένα τα σκέλη. Από τα ελάχιστα κτερίσματα που βρέθηκαν στους τάφους – αγγεία πήλινα και γυάλινα και νομίσματα – οι περισσότεροι τάφοι χρονολογούνται στον 1ο και 2ο αι. μ. Χ. (Κουκούλη, S. 285).

Ich bekam keine Genehmigung, das Öllämpchen selbst zu studieren (Υπουργείο Πολιτισμού – Εφορεία προϊστορικών και κλασσικών αρχαιοτήτων Καβάλας, Aktenzeichen 2558, 20. August 1992).

Fronto.

Ein Fronto aus Philippi in 026/L123 (Oppius Fronto); ein weiterer in 743/L734 (*Publius Insumennius Fronto, IIvir*).

Weihinschrift für Iuppiter Fulmen

Χάϊδω Κουκούλη-Χρυσανθάκη, ΑΔ 30 (1975) Β΄2 Χρονικά [1983], S. 285f. mit Abb. auf Tafel 193ε.

Λυδία. Zufallsfund aus Λυδία, und zwar νότια της εθνικής οδού Καβάλας-Δράμας; heute im Museum von Philippi, im Hof hinter der Foyer (Inventarisierungsnummer Λ 1258 [so ΑΔ]; auf dem Stein: Λ 1333).
Μάρμαρο γκρίζο χονδρόκοκκο. Διαστάσεις: πλ. κάτω 0,24, ύψ. 0,45. πάχ. 0,23 μ. Ύψ. γραμμάτων 0,04, διάστιχα 0,02 μ.
Dia Nummer 330.331/1991; 670.671/1992.

   [I]ovi
   [F]ulminị
   munus. Ṭ(itus)
   Olusius
5 Modestus.

---

2 Κουκούλη-Χρυσανθάκη: *[F]ulmin[i]*. **3** Ich lese hinter dem *munus* noch ein T: MVNVST (fehlt bei Κουκούλη-Χρυσανθάκη). **5** Auf dem Stein: ṂODESTVS.

Weihgeschenk für Iuppiter Fulmen. Titus Olusius Modestus (hat
es gestiftet).

Zu Iuppiter Fulmen in Philippi Stadt und Land vgl. Collart, S. 393f. Vgl.
auch 514/L246 aus Προσοστάνη und 186/L023 von der Akropolis.

Z. 4 Olusius ist in Philippi bisher nicht belegt. Es könnte sich um einen
thrakischen Namen handeln, vgl. Detschew, S. 341, s.v. Ὀλο-.

Z. 5 Modestus ist in Philippi bisher noch nicht belegt.

Lateinische Grabinschrift

AΔ 43 (1988) Β΄2 Χρονικά [1993], S. 441f.
Band I, S. 73.
Sandrine Huber/Yannis Varalis: Chronique des fouilles et découvertes archéolo-
giques en Grèce en 1994, BCH 119 (1995), S. 843–1057; hier S. 972.

Im Westen von Λυδία. An der Trasse der Via Egnatia, zwischen der
Brücke über den Fluß außerhalb des Amphipolistores und dem Bogenmonument (Kiëmer), wurden 1988 zufällig die Grundmauern eines Gebäudes aus
römischer Zeit entdeckt (Einzelheiten im AΔ, S. 441).
In dessen Umgebung fanden sich zwei Inschriften: diese und die folgende
384b/L175. Ἀπότμημα ὁροθετικῆς στήλης με τοξωτή ἐπίστεψη mit den Maßen 0,34 x 0,44 x 0,10 (ebd.). Eine Inventarisierungsnummer wird nicht
angegeben.

In fronte
p(edes) XX.

(Das Grabgrundstück mißt) in der Breite 20 Fuß.

Zur Bedeutung dieses Fundes vgl. oben in Band I, S. 84ff.

Lateinische Grabinschrift

AΔ 43 (1988) Β΄2 Χρονικά [1993], S. 441f.
Band I, S. 73.
Sandrine Huber/Yannis Varalis: Chronique des fouilles et découvertes archéolo-
giques en Grèce en 1994, BCH 119 (1995), S. 843–1057; hier S. 972.

Im Westen von Λυδία. An der Trasse der Via Egnatia, zwischen der
Brücke über den Fluß außerhalb des Amphipolistores und dem Bogenmonument (Kiëmer), wurden 1988 zufällig die Grundmauern eines Gebäudes aus
römischer Zeit entdeckt (Einzelheiten im AΔ, S. 441).

In dessen Umgebung fanden sich zwei Inschriften: diese und die vorige 384a/ L174. Ορθογώνια λεκανίδα, διαστ. 0,60 x 0,44 x 0,35 μ., με επεξεργασμένες τις τρεις από τις τέσσερις όψεις. Στην κυρία όψη η επιγραφή ... (ΑΔ, S. 442).

Dis Manibus.

Den Manen.

Zur Bedeutung dieses Fundes vgl. oben in Band I, S. 84ff.

Lateinische Grabinschrift   385/L369

Paul Collart: Inscriptions de Philippes, BCH 57 (1933), S. 313–379; hier S. 379,
   Nr. 38 mit Abb. 43.
Band I, S. 72.

Philippi. „Borne funéraire trouvée dans un champ, au nord-ouest de Philippes" (Collart, S. 379).
Abmessungen: H. 0,50; B. 0,37; D. 0,16. Höhe der Buchstaben 0,047.
Der Stein befindet sich heute (1991) im Museum Philippi (Inventarisierungsnummer Λ 689), und zwar im Hof unterhalb des Gartens. Die Inschrift ist an der rechten Seite beschädigt, aber gerade noch lesbar.
Dia Nummer 394/1991.

> In f(ronte) p(edes) XLIV,
> in ag(ro) p(edes) XXVI.

(Die Grabanlage mißt) vierundvierzig Fuß in der Breite, sechsundzwanzig Fuß in der Tiefe.

Z. 1 Die Maßzahl *in fronte pedes XLIV* begegnet sonst in Philippi nicht. Es handelt sich um ein für Philippis Verhältnisse recht ansehnliches Grundstück.
Z. 2 Auch *in agro pedes XXVI* sind in Philippi sonst nicht belegt.

Sarkophag für Freunde des Marcus Annius Therizon   386/L454

Paul Lemerle: Nouvelles inscriptions latines de Philippes, BCH 61 (1937), S. 410–
   420; hier S. 419, Nr. 13.
Band I, S. 72.

Λυδία: Parkplatz vor dem Kapellenbereich. „Ce sarcophage a été dégagé par la drague qui creusait un canal entre le village de Madjiar et le site de Philippes, à environ 200 m. à l'ouest de l'enceinte" (Lemerle, S. 419, Anm. 1).
Abmessungen: L. 2,17; B. 1,03; H. 0,72. Höhe der Buchstaben 0,10 bis 0,086.
Dia Nummer 163.165|166|167.202.203/1991.

> M(arcus) Annius Therizon Ulpio   *vacat*
> *vacat*   Zosimo an(norum) L h(ic) s(i)to   *vacat*
> [- - - -^{10}- - - -] amicis de s(u)o f(aciendum) c(uravit).

Marcus Annius Therizon hat für Ulpius Zosimus, fünfzig Jahre, der hier begraben liegt, (und für ...), seine Freunde, (den Sarkophag) auf eigene Kosten herstellen lassen.

„Le martelage de la l. 3 s'explique par le fait que le sarcophage, préparé pour deux personnes, comme l'indique le pluriel *amicis*, n'a servi que pour l'une d'elles. On notera le curieux procédé qui, deux fois, indique la désinence: S·TO = *sito*, SO = *suo*" (Lemerle, S. 419).

386a/L839
II

Ehreninschrift für Lucius Salvius Secundinus

Χάϊδω Κουκούλη-Χρυσανθάκη, ΑΔ 29 (1973–1974) Β΄ 3 Χρονικά [1980], S. 786 (kein Text, kein Bild).
Thomas Schäfer: Imperii insignia: Sella curulis und fasces. Zur Repräsentation römischer Magistrate, MDAI(R) 29, Mainz 1989, S. 261, Nr. 15 mit Abb. Taf. 34,1–2 und 35,1.
AÉ 1992, Nr. 1527.

Λυδία. Στήν περιοχή του Νέου Βαπτιστηρίου της κοινότητος Λυδίας συνεχίστηκε με τη συνεργασία της αρχαιολόγου Αλκμήνης Σταυρίδη, ως επιστημονικής βοηθού, η ανασκαφή που είχε αρχίσει το καλοκαίρι του 1970 η Επιμελήτρια Αρχαιοτήτων Μαίρη Σιγανίδου. Συμπληρώθηκε σε ορισμένα σημεία η ανασκαφή της θόλου και των άλλων ταφικών μνημείων, που είχαν βρεθεί στην τομή του 1970, και βρέθηκαν ορισμένα θραύσματα αρχιτεκτονικών γλυπτών, που προέρχονται κυρίως από τη θόλο, και άλλα επιτύμβια μνημεία (ΑΔ, S. 786).
Χάϊδω Κουκούλη-Χρυσανθάκη berichtet ΑΔ 30 (1975) Β΄ 2 Χρονικά [1983], S. 285 vom Fortgang der Arbeit in diesem Abschnitt; die ελάχιστα όστρακα stammen aus der römischen Zeit (1./2. Jh.).
Der Stein, der die Form eines Altars hat, steht in dem annähernd runden ausgegrabenen Bereich.
Abmessungen: H. 1,80; B. 1,00; T. 0,87. Die H. der Buchstaben wird bei Schäfer nicht angegeben.

Auf der Vorderseite befindet sich die Inschrift. „Auf der rechten Nebenseite erscheint in flachem Relief eine Sella curulis" (Schäfer, S. 261). „Die linke Nebenseite zeigt ... ein Rutenbündel, das nur als breiter, undifferenzierter Stab wiedergegeben ist, an dessen unterem Drittel ein nach rechts weisendes Beil befestigt ist" (ebd.).

    L(ucio) Salvio
    Secundino
    Secundi filio
    Quirina, quaest(ori)
5 urbano, adlecto
    inter aedilicios ab
    imp(eratore) Antonino Aug(usto),
    praetori urbano, le-
    gato pro praetore
10 provinciae Asiae,
    Petrusidia Augurina
    uxor faciendum curavit.

Für Lucius Salvius Secundinus, den Sohn des Secundus, aus der Tribus Quirina, den *quaestor urbanus*, unter die Aedilicier aufgenommen vom Imperator Antoninus Augustus, *praetor urbanus*, *legatus pro praetore* der Provinz Asia, hat Petrusidia Augurina, seine Frau, (die Inschrift) anfertigen lassen.

Z. 1 Eine Liste aller *Salvii* bei 635/L033.

Z. 4 Unser Salvius ist nicht ursprünglich ein Bürger von Philippi gewesen, wie die Tribusangabe *Quirina* zeigt. Als Bürger von Philippi hätte er der *tribus Voltinia* angehört. Schäfer zufolge stammt er „sicher aus Italien, wenn nicht sogar aus Rom" (S. 261).

Z. 4ff. Zudem ist unser Salvius Mitglied des Senats, wie aus den von ihm bekleideten Ämtern hervorgeht. Damit bereichert dieser Stein die Liste der senatorischen Familien in Philippi (vgl. dazu den Kommentar zu 240/L465, Z. 3, wo alle Senatoren aus Philippi aufgezählt sind).

Z. 5ff. „Für den homo novus bestanden zwei Möglichkeiten, Mitglied des Senatorenstandes zu werden: die Verleihung des latus clavus durch den Kaiser – seit Caligula, vorher die Bekleidung der Quästur als erstes Staatsamt; eine zweite Möglichkeit bot zunächst unter Claudius und Vespasian, dauernd seit Domitian die adlectio. Die adlectio war eine besondere Auszeichnung, da sie einen jungen Senator noch vor Erreichen des gesetzlichen Mindestalters oder einen Ritter – oft in fortgeschrittenem Alter – in eine bestimmte senatorische Rangklasse einreihen konnte." (Helmut Halfmann: Die Senatoren aus dem östlichen Teil des Imperium Romanum bis zum Ende des 2. Jahrhunderts n. Chr., Hyp. 58, Göttingen 1979, S. 82).

Z. 8 Die Karriere des Salvius wurde dadurch offenbar noch weiter be-
schleunigt, und er bekleidete das Amt des *praetor urbanus*.

Z. 8ff. Als *legatus pro praetore* der Provinz Asia könnte er auch dort
epigraphische Spuren hinterlassen haben.

Zur Datierung bemerkt Schäfer: „Das Todesdatum des Secundinus und die
Errichtung des Grabaltars durch seine Frau Petrusidia Augurina dürften in
die 50er oder 60er Jahre des 2. Jhs. n. Chr. fallen" (S. 261).

<table>
<tr><td>387/G628
hellenistisch</td><td>Grabinschrift der Κλεομοιρίς</td></tr>
</table>

Χάϊδω Κουκούλη-Χρυσανθάκη, ΑΔ 34 (1979) Β΄2 Χρονικά [1987], S. 331 mit Abb.
auf Tafel 144δ.

H.W. Catling: Archaeology in Greece 1987–88, AR 34 (1987–88), S. 3–85; hier S.
55.

SEG XXXVIII (1988) [1991] 660, vgl. auch XLIII (1993) [1997] 450.

Miltiade Hatzopoulos, BÉ 1989, Nr. 474 [b].

Μακεδόνες, οι Έλληνες του Βορρά. Περιοδοχή Έκθεση 11.3.1994–19.6.1994, Fo-
rum-Landesmuseum, Hannover, Athen 1994, Nr. 360 (S. 278), mit Abb. ebd.

Φίλιπποι-Führer, S. 8, Abb. 5.

Λυδία. Στο χωριό Λυδία όπου τοποθετείται η ανατολική [so irrtümlich im
Text; muß natürlich δυτική heißen!] νεκρόπολη της αρχαίας πόλης των Φιλ-
ίππων βρέθηκε τυχαία μια στήλη πρώιμων ελληνιστικών χρόνων (Κουκούλη-
Χρυσανθάκη, S. 331).

Heute im Museum in Philippi im ersten Stock (Inventarisierungsnummer Λ
1405).

Abmessungen: H. 0,68; B. (oben) 0,32; B. (unten) 0,33; D. 0,10; H. der
Buchstaben 0,025; Zeilenzwischenraum 0,02.

Ich bekam keine Genehmigung, den Stein selbst zu studieren (Υπουργείο
Πολιτισμού – Εφορεία προϊστορικών και κλασσικών αρχαιοτήτων Καβάλας,
Aktenzeichen 2558, 20. August 1992).

>   Κλεομοιρίς
>   Ἑρμίππō
>   γυνὴ
>   Ἡγησιδίκου.

Kleomoiris, (die Tochter) des Hermippos, die Frau des Hegesidi-
kos.

Z. 2 Ἑρμίππō = Ἑρμίππου, also die Tochter des Hermippos (Genitiv Singular auf -ō).

Z. 4 Der Name ist selten. Die Suche im TLG #C ergibt nur einen Beleg
(Anthologia Graeca VI 155,4).

Η ελληνιστική αυτή στήλη έρχεται να προστεθεί στα ελάχιστα παραδείγματα επιτύμβιων στηλών κλασικών και ελληνιστικών χρόνων που έχουμε από τους Φιλίππους και τα οποία προέρχονται από την ανατολική νεκρόπολη των Φιλίππων (Κουκούλη-Χρυσανθάκη, S. 331). Was die Datierung angeht, plädiert Hatzopoulos (BÉ 1989, Nr. 474 [b]) für die vorhellenistische Phase: „milieu du IVe s. a.C. plutôt qu'époque hellénistique".

Die συναγωγή von Philippi auf einer Grabinschrift   387a/G813

III/IV

Χάϊδω Κουκούλη-Χρυσανθάκη, ΑΔ 42 (1987) Β΄2 Χρονικά [1992], S. 444 (kein Text!).

Miltiade Hatzopoulos, BÉ 1993, Nr. 370 [b] (kein Text!).
Band I, S. 231–234.

Chaido Koukouli-Chrysantaki: Colonia Iulia Augusta Philippensis, in: Philippi at the Time of Paul and after His Death, Harrisburg 1998, S. 5–35; hier S. 28–35 (mit Abb. Plate XI).

Philippi: Westlicher Friedhof. Ιδιαίτερο ενδιαφέρον παρουσιάζει ενεπίγραφη επιτύμβια στήλη υστερορωμαϊκών χρόνων ..., στην οποία βεβαιώνεται η ύπαρξη συναγωγής στη ρωμαϊκή αποικία των Φιλίππων και για την οποία θα ακολουθήσει χωριστή δημοσίευση (S. 444). Nähere Angaben zur Herkunft der Inschrift liegen nicht vor.

Die Inschrift wurde vermutlich im Jahr 1987 gefunden. In dem zitierten Band berichtet die Vf.in zwar von Funden sowohl des Jahres 1986 als auch des Jahres 1987, die Folge der genannten Inventarisierungsnummern spricht aber mit hoher Wahrscheinlichkeit für 1987.

1988 gibt die Herausgeberin als Inventarisierungsnummer Λ 1529 an und fügt die folgenden Maße hinzu: H. 0,90; B. oben 0,70; B. unten 0,58; D. 0,10–0,15; Buchstaben H. 0,03–0,055. (S. 28).

 Φ(λάβιος) Νικόστρα(τος)
 Αὐρ(ήλιος) Ὀξυχόλιος
 ἑαυτῶ κατεσκεύ-
 βασα τὸ χαμωσό-
5 ρον τούτω· ὃς ἂν δὲ
 ἑτέρων νέκυν καταθέ-
 σε δώσι προστείμου τῇ συναγωγῇ Ж (ἑκατὸν μυριάδες).

Leider geht die Herausgeberin nicht auf die Unterschiede ein, die hinsichtlich der Buchstabenformen zwischen Z. 1 einerseits und Z. 2–8 andrerseits bestehen. Das deutlichste Beispiel ist das letzte A in Z. 1, das eher wie ein Δ aussieht, wohingegen alle A in Z. 2–8 völlig »normal« sind (vgl. Plate XI der *editio princeps*). Dasselbe gilt für das Omikron in Νικόστρα(τος), dessen Form sich von allen anderen Omikrons in Z. 2–8 sehr deutlich unterscheidet. Ähnlich verhält es sich mit dem C in Νικόστρα(τος), doch ist der Unterschied hier nicht *ganz* so augenfällig. Diese Beobachtungen führen zu dem Ergebnis, daß Z. 1 von anderer Hand ist als Z. 2–8. Vielleicht kann man es so ausdrücken: In Z. 1 ist der Lehrling am Werk, der noch viel üben muß, bis er an seine Gesellenprüfung denken kann; Z. 2–8 dagegen sind von einem Meister seines Fachs.

1 Koukouli gibt: *folium* ΝΙΚΟΣΤΡΑΤΟ(Σ). Am Anfang der Zeile ist m.E. Φ *plus* Abkürzungszeichen S zu lesen (wenn auch etwas ungelenk, vgl. oben!). Die Zeile endet ohne Zweifel mit einem A. Wo Koukouli noch ein ΤΟ hernimmt, kann man ihrer Photographie (Plate XI) jedenfalls nicht recht entnehmen.

> Ich, Flavius Nikostratos Aurelius Oxycholios, habe für mich selbst dieses Grab errichtet. Wer aber einen anderen Toten hier niederlegt, der soll der Synagoge 1.000.000 Denare Strafe zahlen.

Z. 2 Der Name Ὀξυχόλιος begegnet mehrfach in Inschriften aus Aphrodisias (so CIJ 756d; mehrere Belege in der neuen Inschrift aus Aphrodisias) und in einer Inschrift aus Odessos. Edson bietet (IG X 2,1) für Thessaloniki keinen Beleg.

Z. 6 Man würde hier eigentlich ἕτερον νέκυν erwarten (so beispielsweise in der Inschrift 273/G413, Z. 4). Vielleicht sollte man daher im Text ἕτερον lesen, da ω und ο hier auch sonst durcheinandergeworfen werden: In Z. 3 steht ἑαυτὸ statt ἑαυτῷ; in Z. 5 steht τούτῳ statt τοῦτο.

Z. 6/7 καταθέσε = καταθήσει. Klassisch wäre hier ein Konjunktiv mit ἄν zu erwarten, in dieser späten Zeit tritt dafür aber oft das Futur ein – zuweilen (wie hier) sogar auch mit ἄν konstruiert; vgl. hierzu die Konstruktionen in 613/G228, Z. 3ff. (mit dem Kommentar z.St.); 631/G582, Z. 3ff. sowie 632/G583, Z. 3ff.

Z. 7/8 Eine christliche Abwandlung der paganen Formel bietet 103/G 546, Z. 7f.: „... soll Gott Rechenschaft ablegen ...“; ebenso bei 613/G228, Z. 4f.; 631/G582, Z. 5 sowie 632/G583, Z. 4f. Die jüdische Version δώσει πρόστειμον τῇ συναγωγῇ oder ähnlich findet sich auch auf anderen jüdischen Inschriften, so z.B. CIJ 799; an die κατοικία der Juden soll gezahlt werden CIJ 775; τῷ λαῷ τῶν Ἰουδαίων heißt es CIJ 776.

Z. 8 Die Summe von 1.000.000 Denaren entspricht der späten Zeit. Dieselbe Summe möglicherweise in der Inschrift 265/G417, Z. 4 (doch vgl. dort!).

388/L566   **Weihinschrift für Neptun und die Dioskuren**

Paul Lemerle: Chronique des fouilles et découvertes archéologiques en Grèce en 1938, BCH 62 (1938), S. 443–483; hier S. 476 mit Abb. 30 auf S. 475.
AÉ 1939 [1940] 44.
Band I, S. 72; S. 89 mit Anm. 15; S. 139 mit Anm. 34.

Philippi: Im Westen der Stadtmauer. Die Inschrift wurde 1937 von Lemerle in Philippi kopiert. Hohe Marmorbasis, gefunden im Westen, au-

ßerhalb der Stadtmauer. „Haute base de marbre, dégagée par la drague qui creusait un canal d'asséchement à l'Ouest de la ville, hors de l'enceinte" (Lemerle, S. 476).
Abmessungen: H. 1,18; B. unten 0,58, oben 0,53.

Neptuno deo et
sacris Dioscuris
ex visu
Dinis Def-
5 cila nauta
et C(aius) Rasinius
Valens d(e) s(uo) f(aciendum) c(uraverunt).

Dem Gott Neptun und den heiligen Dioskuren haben Dinis Def-cila, der Seemann, und Caius Rasinius Valens aufgrund einer Er-scheinung (des Gottes bzw. der Götter) auf eigene Kosten (die Inschrift) anfertigen lassen.

Z. 4 ThLL Suppl. III erwähnt Sp. 155, Z. 77 einen *dux Thracum* namens Dinis, vgl. Tacitus Ann. IV 50 (im Jahr 26). Detschew (S. 137f., s.v. Dines etc.) erwähnt diese Inschrift nicht. Defcila ist offenbar ein neuer thrakischer Name (fehlt bei Detschew). Κανατσούλης hat unseren Dinis Defcila ebenfalls übersehen.

Z. 6f. Unser Caius Rasinius Valens fehlt bei Κανατσούλης. Ein anderer Rasinius (?) in 154/L600 aus dem Theater (Z. 6).

Hinweis: Ein Rasinianus begegnet in dem Militärdiplom 705/L503, Z. 20. Der Name Rasinius ist selten, wie Salomies zeigt; er ist „both at Philippi ... and somewhere in Mysia (*SEG* 39 [1989] 1338)" bezeugt (Olli Salomies: Contacts between Italy, Macedonia and Asia Minor during the Principate, in: Roman Onomastics in the Greek East. Social and Political Aspects, hg. v. A.D. Rizakis, Μελετήματα 21, Athen 1996, S. 111–127; hier S. 126).

Grabinschrift des Lucius Calventius Bassus 389/L605
I

Giancarlo Susini: Una nuova iscrizione legionaria a Filippi, Epigraphica 28 (1966) [1967], S. 147f.
AÉ 1968 [1970] 466.
Band I, S. 129 mit Anm. 10.

Philippi. Eine genaue Angabe hinsichtlich des Fundortes und der Fund-umstände läßt sich der Publikation nicht entnehmen.
„Si tratta di una stele in pietra calcarea bianca, con acroteri troncopirami-dali ed un frontoncino aguzzo – scheggiato alla sommità – decorato da una

cornice che contiene il disegno, in rilievo, di un fiorone a quattro petali. Una altra cornice, composta di una duplice modanatura, riquadra lo specchio epigrafico, nel quale l'iscrizione è incisa con caratteri di buona età imperiale" (Susini, S. 147f.).

Heute (1993) befindet sich die Inschrift im Museum von Kavala, Inventarisierungsnummer Λ 558.

Abmessungen: H. 1,38; B. 0,72; D. 0,13; H. der Buchstaben 0,09.

Dia Nummer 44.45.46.47.47a/1993.

> L(ucius) Calventi-
> us L(uci) f(ilius) Pol(lia)
> Bassus do-
> mo Epored(ia),
> 5 optio leg(ionis) X̄Ī,
> an(norum) XL, stip(endiorum) X,
> h(ic) s(itus) e(st).

2 Susini gibt irrtümlich *C(ai) f(ilius)*.   **5** Das X̄Ī im Unterschied zu den folgenden Zahlen mit Überstrich.

> Lucius Calventius Bassus, der Sohn des Lucius, aus der Tribus Pollia, aus Eporedia stammend, Optio der elften Legion, vierzig Jahre alt, mit zehn Dienstjahren, liegt hier begraben.

Z. 1 Das *nomen gentile* Calventius (vgl. ThLL Supplementum: Nomina propria latina II, Sp. 106f. mit der Bemerkung Sp. 106, Z. 77: nomen frequens in Gallia Cisalpina, alibi rarius) ist in Philippi bisher noch nicht belegt. Sarikakis hat unsern Calventius übersehen, obgleich er es doch immerhin zum *optio* gebracht hat!

Z. 2 Die *tribus* Pollia begegnet in den Inschriften aus Philippi bisher noch nicht.

Z. 3 Das *cognomen* Bassus kommt in Philippi gelegentlich vor. Die Kolonie Eporedia (heute Ivrea) liegt in *Gallia Cisalpina*, und zwar in der *regio XI* (Hammond, Atlas, Karte 15: Bb).

Z. 5 Die *legio XI* mit dem Beinamen *Claudia pia fidelis* ist in Philippi sonst nicht bezeugt. „La legione cui appartenne *Calventius* fu di stanza in Dalmazia sino a Nerone, e di quel tempo è il ricordo di un altro legionario eporediese, poi a *Vindonissa* sino alla fine del I secolo, indi – dopo una breve sosta in Pannonia – nella Mesia inferiore. Può darsi che *Calventius* sia morto a Filippi proprio in quest'ultimo periodo" (Susini, S. 148).

Aus Salona stammt die Grabinschrift des Caius Fulvius (710/L692) aus Philippi, der ebenfalls in der elften Legion diente.

Grabinschrift des Δριωζίγης

390/G571
43/42 v. Chr.

Χάϊδω Κουκούλη-Χρυσανθάκη, ΑΔ 31 (1976) Β΄2 Χρονικά [1984], S. 301.303 mit
    Abb. auf Tafel 243δ.
SEG XXXIV (1984) [1987] 665.
M.B. Hatzopoulos, BÉ 1987, Nr. 713.
Miltiade B. Hatzopoulos: Décret pour un bienfaiteur de la cité de Philippes, BCH
    117 (1993), S. 315–326; hier S. 325f. mit Anm. 51.
Χ. *Βελεγιάννη:* Αφιέρωση στον Ποσειδώνα από Θράκα στην Ανατολική Μακεδονία,
    Τεκμήρια Γ΄ (1997), S. 152–164; hier S. 161 mit Anm. 51.

Philippi. Gedenktafel aus Schiefer aus dem Jahr 43/42 v. Chr. Der genaue
Fundort wird nicht angegeben.
Abmessungen: H. 0,75; B. 0,50; D. 0,075.
Heute im Hof des Archäologischen Museums von Philippi (Inventarisierungs-
nummer Λ 1341).
Dia Nummer 210/1990 (gesamt); 211/1990 (1. Hälfte: Z. 1–5); 212/1990 (2.
Hälfte: Z. 6–10).

```
    Ἔτους
    ε΄ καὶ ρ΄
    Περιτίου
    Δριωζίγης
5   Ῥηβουκέν-
    θου Πολγην-
    ὸ[ς] τελευτή-
    σας πα[ρὰ] Ῥησκού-
    πορι τῶι βασι-
10  λῖ. ἥρως, χαῖρε.
```

6f. Es ist möglicherweise Α statt Λ zu lesen, also: Ποαγην-|ό[ς].

Im Jahre 105, im Monat Peritios, verstarb Drioziges, der Sohn
des Rheboukenthos, der Polgenas, an der Seite des Königs Rheskouporis. Heros, sei gegrüßt!

Z. 1–2 ε΄ καὶ ρ΄ = 105 = 43/42 v. Chr. (makedonische Ära).
Z. 3 Περίτιος ist der vierte Monat des makedonischen Jahres (vgl. Kalléris
II 1, S. 563).
Z. 4 Der Name Δριωζίγης ist noch nicht belegt.
Z. 5 Πολγηνός (falls so zu lesen) ist Ethnikon: ... το όνομα Πολγηνός
νομίζω ότι είναι τοπωνυμικό εθνικό, δεν είναι ωστόσο βέβαιο αν σχετίζεται με
τα Πόγλα της Μ. Ασίας (Κουκούλη, S. 303). Daß es sich bei dem Πολγηνός
um ein Ethnikon handelt, steht außer Zweifel (vgl. etwa 509a/G806). Ob
dieses Ethnikon allerdings auf eine κώμη im Gebiet von Philippi verweist
(vgl. Βελεγιάννη, S. 161), ist die Frage.

Z. 8f. Ῥησκούπορις, Prinz der Sapaioi, der 48 v. Chr. in Pharsalos auf Seite des Pompeius und 42 v. Chr. in Philippi auf republikanischer Seite kämpfte. Vgl. Dio Cassius 47,25,2 und Walbank in FS Bengtson, S. 139f. Ein späterer Rhaskuporis begegnet in 199/L309, vgl. den Kommentar z.St.

391/L616   # Sarkophag des Marronius Mestula und der Tatinia Eniceni

Χάϊδω Κουκούλη-Χρυσανθάκη, ΑΔ 30 (1975) Β΄2 Χρονικά [1983], S. 286 mit Abb. auf Tafel 193στ.

Umgebung von Philippi. Den genauen Fundort gibt Κουκούλη-Χρυσανθάκη nicht an. Heute im Museum von Philippi (Inventarisierungsnummer Λ 1262 laut ΑΔ; auf dem Stein Λ 1315), gleich, wenn man die Treppe vom Parkplatz hochkommt, links. Doch Vorsicht: Dieser Deckel liegt nicht auf dem zugehörigen Sarkophag (= 524/L103)!

Ενεπίγραφο αετωματικό κάλυμμα σαρκοφάγου. Στη μια πλευρά του καλύμματος σώζεται η επιγραφή... Διαστάσεις: μήκ. 2,53, πλ. 1,30, ύψ. στο κέντρο του αετώματος 0,25 μ. Ύψ. γραμμάτων: α΄ στίχος 0,10, β΄ στίχος 0,09, διάστιχο 0,083, γ΄ στίχος 0,065, διάστιχο 0,045 μ. (Κουκούλη-Χρυσανθάκη, S. 286).

Dia Nummer 442–444/1991.

Marronius Mestula an(norum) LXXII h(ic) s(itus) e(st).
Postumius Firmus patri b(ene) m(erenti) v(ivus) f(aciendum)
                                   c(uravit). et
     Tatinia Eniceni an(norum) L h(ic) s(ita) e(st).

2   Bei Κουκούλη-Χρυσανθάκη fehlt irrtümlich das *et* am Schluß der Zeile.

Marronius Mestula, zweiundsiebzig Jahre alt, liegt hier begraben. Postumius Firmus hat zu Lebzeiten für seinen wohlverdienten Vater (den Sarkophag) anfertigen lassen. Auch Tatinia Eniceni, fünfzig Jahre alt, liegt hier begraben.

Z. 1 Marronius/Marronia ist 407/L157 (Marronia Eutychia; vgl. 338/ L333); 714/L111 (Publius Marronius und seine Tochter Marronia Firmia); 242/L355 (Marronius); 373/L269 (Marronius Zosimus und Marronia Veneris) belegt. Mestula dagegen kommt in Philippi bislang nicht vor.

Z. 2 Postumius gelegentlich in Philippi (z.B. 037/L037). Firmus begegnet in Philippi, wie überall, recht häufig.

Z. 3 Eine Tatinia Spatale in 260/L389; eine Tatinia Galatia in 445/L134. Eniceni in Philippi bisher nicht belegt. Möglicherweise liegt hier ein Genitiv vor: *Enicenus* vermochte ich jedoch nirgends nachzuweisen.

Grabinschrift der Vibia Piruzir   392/L624

Χάϊδω Κουκούλη-Χρυσανθάκη, ΑΔ 33 (1978) Β΄1 Χρονικά [1985], S. 292 (keine
   Abb.).
Band I, S. 89 mit Anm. 15.

Philippi. Den genauen Fundort gibt Κουκούλη-Χρυσανθάκη nicht an. Heute
im Hof des Museums von Philippi (Inventarisierungsnummer Λ 1323).
Επάνω τμήμα ενεπίγραφης επιτύμβιας στήλης mit den Maßen H. 0,84; B.
(unten) 0,46; B. (oben) 0,44; D. 0,19; H. der Buchstaben 0,08; 0,07; 0,05.
Dia Nummer 417/1991.

> Vibia C(ai) l(iberta)
> Piruzir
> vix(it) ann(os) LXX.
> Vibius Paris
> 5 fil(ius) s(ua) p(ecunia) f(aciendum) c(uravit).

1 Κουκούλη-Χρυσανθάκη: *Vibia G(aia) L(iberta)?* – Sinn? **5** Κουκούλη-Χρυσανθάκη:
s(ua) p.(rocurione). Sinn?? (Kavaliotisches Latein . . .).

Vibia Piruzir, die Freigelassene des Caius, lebte siebzig Jahre.
Vibius Paris, ihr Sohn, hat (den Stein) aus eigenen Mitteln anfertigen lassen.

Die berühmteste Vibius-Inschrift ist die aus Κρηνίδες (058/L047). Dort auch
eine Liste aller einschlägigen Inschriften aus Philippi. Eine Vibia Aril[ia?] in
318/L404.
  Z. 2 Piruzir ist ein neuer thrakischer Name (fehlt bei Detschew).
  Z. 4 Detschew zufolge (S. 358, s.v. Παρις) ist auch Paris ein thrakischer
Name, der „durch den Einfluß des homerischen Epos auch in Griechenland
üblich geworden" ist (ebd.).

Grabinschrift des Lucius Vetidius   393/L625

Χάϊδω Κουκούλη-Χρυσανθάκη, ΑΔ 33 (1978) Β΄1 Χρονικά [1985], S. 292 (keine
   Abb.).

Philippi. Den genauen Fundort gibt Κουκούλη-Χρυσανθάκη nicht an. Heute
im Hof des Museums von Philippi (Inventarisierungsnummer Λ 1310).
Επιτύμβια ενεπίγραφη στήλη με καμπύλη απόληξη και έμβολο συμφυές mit
den Maßen H. 0,70; B. (unten) 1,18; B. (oben) 1,12; D. 0,755; H. der Buchstaben 0,09; 0,06; 0,05 (die Zahlen scheinen z.T. nicht korrekt zu sein).
Dia Nummer 317.318/1991.

L(uci) Vetidi.
in fronte
ped(es) $\overline{\text{XVI}}$
in agro
5 ped(es) $\overline{\text{XVIIII}}$.

5 Κουκούλη-Χρυσανθάκη irrtümlich: XVIII.

(Grab des) Lucius Vetidius. (Die Grabanlage mißt) sechzehn Fuß
in der Breite, neunzehn Fuß in der Tiefe.

Z. 1 Ein Turpilius Vetidius begegnet in 026/L123 (aus Kavala); ein Caius
Vetidius Rasinianus in dem Militärdiplom 705/L503.

394/L779   **Grabinschrift der Sulpicia Pribata**

Paul Lemerle: Nouvelles inscriptions latines de Philippes, BCH 61 (1937), S. 410–
420; hier S. 415, Anm. 2 (keine Abb.).

Philippi. Eine genauere Angabe der Herkunft fehlt bei Lemerle, der den
Stein nicht selbst gesehen hat und daher auch keine Beschreibung geben
kann: Er sammelt S. 415, Anm. 2, Belege für die Verwendung von B statt V
und bemerkt in diesem Zusammenhang: „Un autre exemple de la confusion
fréquente entre B et V est donné à Philippes par un texte que je n'ai pas
vu, mais dont on m'a communiqué la copie suivante, qui parait fidèle".

Sulpicia Pribata
an(norum) XV h(ic) s(ita) e(st). Sulpicius
verna fil(iae) dulcis(simae)
v(ivus) f(aciendum) c(uravit).

Sulpicia Pribata, fünfzehn Jahre alt, ist hier begraben. Sulpicius,
der im Haus geborene Sklave, hat zu seinen Lebzeiten für seine
liebste Tochter (die Inschrift) anfertigen lassen.

Z. 1 Der Name Sulpicia begegnet auf den veröffentlichten Inschriften aus
Philippi sonst nicht. Ebenso fehlt Pribata nicht nur in dieser Schreibung –
auch Privata kommt nirgendwo vor. Unsere Sulpicia Pribata ist bei Κανατσούλης offenbar übersehen worden.
Z. 2 Das *nomen gentilicium* Sulpicius findet sich in der Inschrift 166/
L004 (Publius Sulpicius). Unser *verna* fehlt in der Prosopographie von Κανατσούλης.

Grabinschrift des Publius Marius Valens   395/L780
nach 161

Luisa Banti: Iscrizioni di Filippi copiate da Ciriaco Anconitano nel codice Vatica-
no latino 10672, Annuario della R. Scuola Archeologica di Atene e delle Missioni
Italiane in Oriente NS 1–2 (1939–1940), S. 213–220; hier S. 214; S. 218ff.
AÉ 1948 [1949] 21.
Bormann, S. 44.

Philippi. Die Inschrift wurde im 15. Jahrhundert von Kyriakos von Ancona
in Philippi gesehen: „Et in alio marmoreo tumulo ingenti" (Banti, S. 214).

P(ublius) Marius P(ubli) f(ilius) Vol(tinia) Valens or(namentis)
dec(urionatus) hon(oratus), aed(ilis), id(em) Philipp(is) decurio,
                                                        flamen
divi Antonini Pii, $\overline{\text{II}}$vir, mun(erarius).

2 Statt *id(em)* schlägt AÉ 1948 *i(ure) d(icundo)* vor. Das entspricht dem Formular von
Philippi jedoch nicht.

Publius Marius Valens, der Sohn des Publius, aus der Tribus Vol-
tinia, mit den *ornamenta* eines Ratsherrn geehrt, Ädil, zugleich
Ratsherr in Philippi, Priester des vergöttlichten Antoninus Pius,
Duumvir, der Spiele gestiftet hat.

Z. 1 Das *nomen gentile* Marius begegnet in Philippi bisher noch an keiner Stelle. Unser Publius Marius Valens bei Κανατσούλης als Nr. 882 (S.
95). Zu *ornamentis decurionatus honoratus* vgl. die Liste im Kommentar zu
001/L027 aus Kavala.

Z. 2f. Ein *flamen divi Antonini Pii* ist in den publizierten Inschriften von
Philippi bisher noch nicht bezeugt (zur Liste der übrigen *flamines* vgl. den
Kommentar zu 001/L027 aus Kavala).

Z. 3 *munerarius* begegnet sowohl auf publizierten als auch auf unpublizierten Inschriften aus Philippi des öfteren. Vgl. dazu den Kommentar zu
252/L467 vom Macellum.

Grabinschrift des Marcus Antonius Macer   396/L781

Luisa Banti: Iscrizioni di Filippi copiate da Ciriaco Anconitano nel codice Vatica-
no latino 10672, Annuario della R. Scuola Archeologica di Atene e delle Missioni
Italiane in Oriente NS 1–2 (1939–1940), S. 213–220; hier S. 214; S. 219.
AÉ 1948 [1949] 22.

Philippi. Die Inschrift wurde im 15. Jahrhundert von Kyriakos von Ancona
in Philippi gesehen: „in alio marmoreo sepulchro" (Banti, S. 214).

M(arcus) Antonius M(arci) fil(ius) Vol(tinia) Macer, orn(amentis)
dec(urionatus) hon(oratus), q(uaestor), sibi et Cassiae Vale-
ntiae filiae.

Marcus Antonius Macer, der Sohn des Marcus, aus der Tribus
Voltinia, mit den *ornamenta* eines Ratsherrn geehrt, Quästor,
(hat) für sich selbst und für seine Tochter Cassia Valentia (die
Inschrift anfertigen lassen).

Z. 1 Eine Liste aller *Antonii*, die in den Inschriften von Philippi begegnen,
bei 313/L382 aus der Basilika B.

Das *cognomen* Macer begegnet bisher nur in der Inschrift des Bithus aus Χαριτωμένη (524/L103): *Bithus, Tauzigis fil(ius), qui et Macer.* Unser Marcus
Antonius bei Κανατσούλης als Nr. 147 (S. 21).

Z. 1f. Zur Formel *ornamentis decurionatus honoratus* vgl. den Kommentar bei 001/L027 aus Kavala.

Z. 2 Frauen namens Cassia begegnen in den Inschriften aus Philippi des
öfteren; Valentia dagegen kommt in Philippi sonst nicht vor. Unsere Cassia
Valentia bei Κανατσούλης als Nr. 697 (S. 75).

397/G753   **Grabinschrift des Πυρουλας und seiner Familie**

V. Beševliev: Epigrafski prinosi, Sofia 1952, Nr. 8 (S. 13f.) mit Abb. Pl. IV.
SEG XV (1958) 417.

Philippi. Über den genauen Fundort kann man dem SEG nichts entnehmen.
Der Stein wurde (1917?) aus Philippi nach Sofia geschafft, wo er sich „nunc"
(also 1952 bzw. 1958) im Museum befindet (Inventarisierungsnummer 5761).
Marmorstele mit Relief, auf dem ein Mann, eine Frau und ein Kind dargestellt sind.

Abmessungen: H. 0,69; B. 0,46; D. 0,10; H. der Buchstaben 0,01–0,02.

> Πυρουλας ἑαυτῷ καὶ γυ-
> ναικὶ καὶ τέκνῳ ζῶν.

Pyroulas (hat die Stele) für sich selbst und für seine Frau und
für sein Kind zu seinen Lebzeiten (gemacht).

Z. 1 Πυρουλας ist ein nicht ungewöhnlicher thrakischer Name, vgl. Detschew, S. 386, s.v. Πυρουλας (wo unsere Inschrift allerdings nicht verzeichnet
ist). In Philippi kommt der Name bisher jedoch nicht vor.

Von Καλαμών bis Αδριανή

Zur Lage vgl. o. Bd. I, Karte 2 (S. 50f.), Nr. 10 (Καλαμών) bis Nr. 18 (Αδριανή).

Grabinschrift des Quintus Iunius Valens 398/L070

Heuzey/Daumet, Nr. 53 (S. 121).
CIL III 1, Nr. 671.
Δήμιτσας, Nr. 949 (S. 743f.).

Καλαμών. „Ferme de Bochônos. Sur une urne cinéraire en forme de coffre"
(Heuzey, S. 121).

> Quintus Iunius
> Valens h(ic) s(itus) e(st) an(norum)
> LV.

Quintus Iunius Valens, 55 Jahre alt, liegt hier begraben.

Lateinisches Fragment 399/L071

Heuzey/Daumet, Nr. 54 (S. 121).
CIL III 2, Nr. 6117.
Δήμιτσας, Nr. 950 (S. 744).

Καλαμών. In derselben Gegend wie 398/L070 (Heuzey, S. 121).

> IQINEA
> OSSDN

1 Δήμιτσας: IQINEA.   2 Δήμιτσας: ccDN.

Lateinisches Fragment 400/L059

Heuzey/Daumet, Nr. 54 (S. 121).
CIL III 2, Nr. 6118.
Δήμιτσας, Nr. 951 (S. 744).

Καλαμών. In derselben Gegend wie 398/L070 (Heuzey, S. 121).

NAM·Γ.
FCV

401/L188   **Lateinisches Fragment**

Heuzey/Daumet, Nr. 54 (S. 121).
CIL III 2, Nr. 6119.
Δήμιτσας, Nr. 952 (S. 744).

Καλαμών. „Ferme de Bochônos. ... Fragments" (Heuzey, S. 121).

VS·I
TΛ

1   Δήμιτσας: VSI.

402/L257   **Grabinschrift für Valeria Eucarpia**
403/G576   **Griechisches Fragment**

A. Salač: Inscriptions du Pangée, de la région Drama-Cavalla et de Philippes, BCH 47 (1923), S. 49–96; hier S. 78 (Nr. 38).

Καλαμών. Bochonos-tchiflik (das ist das heutige Καλαμών), bei der Muhle. Stele aus weißem Marmor, vorne mit einer Rose mit vier Blättern verziert. Abmessungen: H. 1,65; B. 0,52; Fläche der Inschrift 0,52x0,17; H. der Buchstaben 0,08–0,04; Zeilenzwischenräume 0,03–0,02.

> Valeria
> Eucarpia
> ann(orum) XXVII.
> Valeria A[ma-]
> 5   stris filia[e]
> dulc(issimae) v(iva) f(aciendum) c(uravit).

Valeria Eucarpia, siebenundzwanzig Jahre alt, (liegt hier begraben). Valeria Amastris hat zu ihren Lebzeiten für ihre liebste Tochter (den Stein) anfertigen lassen.

Außerdem finden sich auf diesem Stein Spuren einer griechischen Zeile: „Sur la face latérale droite, vestiges d'une ligne en lettres grecques; les dernières sont encore lisibles" (Salač, S. 78).

ΦΙΛΙΠ

Ehreninschrift für den Rhetor Λούκιος Μέμμιος   404/G688

Franz Cumont: Notices épigraphiques. V. Inscriptions de Macédoine, Revue de
l'instruction publique en Belgique 41 (1898), S. 328–340; hier S. 335f., Nr. 12.
Paul Perdrizet: Voyage dans la Macédoine première [IV], BCH 22 (1898), S. 335–
353; hier S. 349f., Anm. 2.

Καλαμπάκι. „Place du village. Fragment d'une plaque de marbre blanc"
(Cumont, S. 335).
Abmessungen: H. 0,64; L. 0,32.
Keine der Inschriften aus Καλαμπάκι vermochte ich bei meinem Besuch am
1. September 1992 zu finden (aber zwei neue und offenbar noch nicht publi-
zierte!).

> Λ(ούχιον) Μέμ[μι-]
> ον Οὐελλ[ε-]
> ῖον Μάξιμο[ν]
> τὸν ἄριστον μ[... καὶ]
> 5 ῥήτορ[α] ΟΤΜΝΑ

1 Cumont: Λ(ούχιον) Μέμ[μιον . . .]. Text nach Perdrizet. **2** Cumont: ονουελλο[ν]. Text
nach Perdrizet. **3** Cumont: ιον Μάξιμον. Text nach Perdrizet. **4** Perdrizet: ἄριστον
. . .

(Zur Übersetzung vgl. die folgende Nummer.)

Z. 1 „Ce Memmius orateur ne paraît pas être connu" (Cumont, S. 336).
Z. 2 „Les *Velleii* semblent avoir été nombrèux dans la colonie; le célèbre
inscription de la confrérie de Sylvain [d.i. die Inschrift 163/L002 von der
Akropolis] en mentionne deux" (Perdrizet, S. 350, Anm. 2). Perdrizet weist
auf die Grabinschrift eines Caius Velleius Apellatus aus Amphipolis (Heuzey, Nr. 100, S. 171) hin: Γαίου Οὐελλ[είου] Ἀπελλάτου τοῦ Δημητρίου τοῦ
Διβρέους.

Griechisches Fragment einer Ehreninschrift   405/G689

Franz Cumont: Notices épigraphiques. V. Inscriptions de Macédoine, Revue de
l'instruction publique en Belgique 41 (1898), S. 328–340; hier S. 336, Nr. 13.
Paul Perdrizet: Voyage dans la Macédoine première [IV], BCH 22 (1898), S. 335–
353; hier S. 349f., Anm. 2.

Καλαμπάκι. „Chez un paysan. Fragment de marbre blanc" (Cumont, S.
336).
Abmessungen: H. 0,33; L. 0,53.

[...]
τατος δῆμος [... τῆς]
εἰς ἑαυτὸν εὐνο[ίας καὶ ...]
ας καὶ πίστεως ΟΣ[... ἕ-]
5 [ν]εκα.

4 Cumont gibt πίστεος.

„Leurs dimensions empêchent de supposer que les deux morceaux précédents [d.h. die Inschriften 404/G688 und 405/G689] appartiennent au même monument" (Cumont, S. 336).
Perdrizet greift diese Vermutung auf: „Est-il bien sûr que celui-ci ne soit pas la suite de l'autre? Si vraiment il l'était, on aurait Λ. Μέμμιον Οὐελλεῖον Μάξιμον, τὸν ἄριστον ..., ὁ σεμνότατος δῆμος τῆς εἰς ἑαυτὸν εὐνοίας καὶ πίστεως ἕνεκα" (Perdrizet, S. 350, Anm. 2).
Demnach wären 404/G688 und 405/G689 zusammen wie folgt zu übersetzen:

> Den Lucius Memmius Velleius Maximus, den besten ..., den Redner ..., (ehrt) das ehrwürdige Volk seines ihm bewiesenen Wohlwollens und seiner Zuverlässigkeit wegen.

406/L156　　　Lateinisches Fragment (des Maximus?)

Franz Cumont: Notices épigraphiques. V. Inscriptions de Macédoine, Revue de l'instruction publique en Belgique 41 (1898), S. 328–340; hier S. 336, Nr. 15.
CIL III, Suppl. 2, Nr. 14206[11].

Καλαμπάκι. „Dans le cimetière musulman. Pierre funéraire enfoncée dans le sol" (Cumont, S. 336).
Abmessungen: H. mehr als 1,60; B. 0,40; H. der Buchstaben 0,10; „écartés de 25 cent." (Cumont, S. 336).

[Ma]ximu[s]

„C'est évidemment un fragment d'architrave avec un bout de dédicace" (Cumont, S. 336).

407/L157　　　Weihinschrift des Caius Valerius Fortunatus
und seiner Frau

Franz Cumont: Notices épigraphiques. V. Inscriptions de Macédoine, Revue de l'instruction publique en Belgique 41 (1898), S. 328–340; hier S. 336, Nr. 14.
CIL III, Suppl. 2, Nr. 14206[12].

Καλαμπάκι. „Dans la cour du *tchiflik* de Mustapha-bey, fils de Tahir-pacha. Piédestal de marbre blanc, brisé du bas" (Cumont, S. 336).
Abmessungen: H. 0,81; L. 0,28.

> C(aius) Valer(ius)
> Fortun[a]-
> tus cum
> Marronia
> 5 Eutychia
> uxore sua
> v(otum) s(olvit) l(ibens) a(nimo).
> idem dedi-
> cavit su[b]
> 10 sac(erdote) Tit[io]
> Symph[oro].

Caius Valerius Fortunatus hat zusammen mit seiner Frau Marronia Eutychia das Gelübde gern erfüllt. Derselbe hat (es) geweiht unter dem Priester Titius Symphorus.

Dasselbe Ehepaar begegnet auch in der Weihinschrift für Liber, Libera und Hercules 338/L333.
Z. 4 Ein Marronius begegnet in 391/616 (dort alle Belege aus Philippi).

Weihinschrift für Liber Pater   408/L345

Collart, S. 415, Anm. 4 (der für BCH 61 (1937) angekündigte Aufsatz ist offenbar nicht erschienen).
AÉ 1939, 200.
Band I, S. 102 mit Anm. 35.

Καλαμπάκι. Nähere Angaben macht Collart nicht.

> L(ibero) Patri Deo Opt(imo)
> Care[-]is Dioscu-
> ridis v(otum) s(olvit) l(ibens) a(nimo).

Dem Liber Pater, dem besten Gott (?) hat Care[-]is, (der Sohn) des Dioscurides, sein Gelübde gern erfüllt.

Z. 1 Die übrigen Belege für Liber Pater sind bei der Inschrift 342/L292 aus dem Haus mit Bad im Süden der Basilika B aufgelistet.

409/L172   ## Grabinschrift für Caius Valerius Priscus

Franz Cumont: Notices épigraphiques. V. Inscriptions de Macédoine, Revue de
l'instruction publique en Belgique 41 (1898), S. 328–340; hier S. 337, Nr. 17.
CIL III, Suppl. 2, Nr. 14206²⁷.
A. Salač: Inscriptions du Pangée, de la région Drama-Cavalla et de Philippes,
BCH 47 (1923), S. 49–96; hier S. 79 (bei Nr. 42).

Καλαμπάκι. Cumont zufolge handelt es sich um einen Sarkophag „déposé
près d'un puits situé à côté du même cimetière" (S. 337); gemeint ist damit
der „cimetière musulman" (S. 336).
Abmessungen: L. 2,10; H. 0,46; B. 1,00.

C(aio) Valerio C(ai) f(ilio) Prisco fil(io)
Serrana Sex(ti) f(ilia) Secunda viva f(aciendum) c(uravit).

1 CIL: *Prisco m[ar]i[to]*. Cumont: *Prisco m[arito et sibi?]*. Salač: „A la fin de la première
ligne j'ai pu discerner les traits I IL; au lieu de la lecture proposée dans le *Corpus m[ar]i[to]*,
je lis *fil[io]*" (S. 79).

Für Caius Valerius Priscus, den Sohn des Caius, ihren Sohn, hat
Serrana Secunda, die Tochter des Sextus, zu ihren Lebzeiten (den
Stein) anfertigen lassen.

410/G258   ## Grabinschrift des ἀρκάρις Ἰούλιος Εὐτυχής

Franz Cumont: Notices épigraphiques. V. Inscriptions de Macédoine, Revue de
l'instruction publique en Belgique 41 (1898), S. 328–340; hier S. 336f., Nr. 16.
A. Salač: Inscriptions du Pangée, de la région Drama-Cavalla et de Philippes,
BCH 47 (1923), S. 49–96; hier S. 78 (Nr. 39).
SEG II (1924) 421.
Band I, S. IX; S. 86 mit Anm. 4.

Καλαμπάκι: Türkischer Friedhof. Weißer Marmor, wiederverwendet als
Grabstein eines türkischen Grabes. Wahrscheinlich Teil eines Sarkophags.
Abmessungen: L. 2,58, H. 0,67; D. 0,12; H. der Buchstaben 0,12 und 0,11;
Zeilenzwischenraum 0,07.

Ἰούλιος Εὐτυχὴς ἀρκάρις ἀργεν-
ταρίων ἐνθάδε κεῖτε.

1 Cumont: ΕΥΤΥΧΙΓ; der Rest stimmt überein; das Stück davor damals offenbar „fiché
en terre" (S. 336). SEG: Εὐτύχης. 2 Cumont: Das ΤΑΡΙΩ fehlt.

Iulius Eutyches, der Kassierer der Silberhändler, liegt hier begraben.

Salač kommentiert: „Inscription funéraire d'un affranchi qui était caissier
de la corporation des changeurs, ou plus probablement, des fabricants ou
marchands d'argenterie: cf. Pauly-Wissowa, *s.v. argentarii*" (S. 78).
Z. 1 Das Wort ἀρκάρις fehlt bei LSJ, auch im Supplement. Bei LSJ findet sich lediglich ἀρκάριος = *arcarius* (S. 241). Der ThLL erklärt *arcarius*
als „qui ad arcam i. pecuniam pertinet" (II, Sp. 438, Z. 46). Das zugehöri-
ge Substantiv *arcarius* wird mit ὁ ἐπὶ τῆς δημοσίας τραπέζης, τραπεζίτης
umschrieben (ebd., Z. 51). Dieses Wort wird in der Vulgata für Erastus
gebraucht (*arcarius civitatis* = οἰκονόμος τῆς πόλεως, Röm 16,23).

Sarkophag des Kindes Varinius Sosias   411/L259

A. Salač: Inscriptions du Pangée, de la région Drama-Cavalla et de Philippes,
  BCH 47 (1923), S. 49–96; hier S. 78f. (Nr. 40).

Καλαμπάκι. Im Hof des Hauses von Ibrahim Fedoula, damals bewohnt von
Yannakis Manoulakis, einem Flüchtling aus Thrakien.
Sarkophag aus weißem Marmor.
Abmessungen: H. 0,45; L. 1,10; B. 0,56; H. der Buchstaben 0,095–0,055;
Zeilenzwischenraum 0,045 und 0,02.

> Varin(ius) Sosias an(norum) II
> h(ic) s(itus) e(st). Varin(ius) Zosas fil(io)
> dulciss(imo) f(aciendum) c(uravit).

> Varinius Sosias, (verstorben) im Alter von zwei Jahren, liegt hier
> begraben. Varinius Zosas hat für seinen liebsten Sohn (den Sar-
> kophag) anfertigen lassen.

Lateinisches Fragment   412/L260

A. Salač: Inscriptions du Pangée, de la région Drama-Cavalla et de Philippes,
  BCH 47 (1923), S. 49–96; hier S. 79 (Nr. 41).
Collart, S. 269.
Bormann, S. 46.

Καλαμπάκι: Brunnen der αγορά. Platte aus Marmor.
Abmessungen: H. 1,75; B. 1,07; D. 0,155; H. der Buchstaben 0,095–0,065;
Zeilenzwischenraum 0,065 und 0,075.
„La troisième ligne est entaillée par un cintre" (Salač, S. 79).

[... VI]vir August(alis)
[...]AE M(arcus) Scandilius
[...] con(iugi?) *vacat* IAM

..., der Sexvir Augustalis ..., ... Marcus Scandilius ... für seine
Frau (?) ...

Z. 1 Zu den *sexviri Augustales* vgl. den Kommentar zu 037/L037.

413/G261   **Griechisches Fragment**

A. Salač: Inscriptions du Pangée, de la région Drama-Cavalla et de Philippes,
BCH 47 (1923), S. 49–96; hier S. 79 (Nr. 42).
SEG II (1924) 422.

Καλαμπάκι: Brunnen der αγορά. Sarkophag aus weißem Marmor.
Abmessungen: L. 1,27; B. 0,63–0,67; H. 0,36. H. der Buchstaben 0,11.

Ἀρχελ *vacat* άου?

... des Archelaos ...

414/L433   **Milliarium des Traianus**
   112

Paul Collart: Une réfection de la „Via Egnatia" sous Trajan, BCH 59 (1935), S.
395–415; hier S. 403–407, Nr. 1 mit Abb. Pl. XXVI 1.
AÉ 1936 [1937] 51.
Collart, S. 497, Anm. 1 und Abb. im Tafelband Pl. XXXV 3.
Charles Edson: The Location of Cellae and the Route of the Via Egnatia in We-
stern Macedonia, CP 46 (1951), S. 1–16; hier S. 5.
E. Mary Smallwood: Documents Illustrating the Principates of Nerva, Trajan, and
Hadrian, Cambridge 1966, Nr. 415 (S. 135).
Χάϊδω Κουκούλη-Χρυσανθάκη: Via Egnatia – Ακόντισμα, ΑΑΑ 5 (1972), S. 474–
485; hier S. 477.
Firmin O'Sullivan: The Egnatian Way, Newton Abbot/Harrisburg 1972; hier S.
146, Nr. 10.
Paul Collart: Les milliaires de la Via Egnatia, BCH 100 (1976), S. 177–200; hier
S. 190f.; S. 198.
Fanoula Papazoglou: Le territoire de la colonie de Philippes, BCH 106 (1982), S.
89–106; hier S. 93 mit Anm. 19.
Χάϊδω Κουκούλη-Χρυσανθάκη, ΑΔ 42 (1987) Β΄2 Χρονικά [1992], S. 451.
John Paul Adams: Trajan and Macedonian Highways, in: Αρχαία Μακεδονία V 1.
Ανακοινώσεις κατά το πέμπτο διεθνές συμπόσιο, Θεσσαλονίκη, 10–15 Οκτωβρίου
1989, Band 1, ΙΜΧΑ 240, Thessaloniki 1993, S. 29–39; hier S. 33ff.

AÉ 1993, Nr. 1401.

E.B. French: Archaeology in Greece 1993–94, AR 40 (1993–1994), S. 3–84; hier S. 60.

Band I, S. 157, Anm. 11.

Καλαμπάκι. „Ce monument se trouvait dans le village de Kalambaki, à une dizaine de kilomètres au nord-ouest de Philippes, lorsque je l'ai vu, en 1934, au cours d'une excursion faite en compagnie de mon ami Michel Feyel qui a bien voulu m'en abandonner la publication. Il y avait été apporté d'un champ voisin, situé au sud de la commune de Boriani (Haghios-Athanasios), entre Kalambaki et Philippes, par des paysans qui s'en servaient comme rouleau, ce qui explique l'usure de la pierre et l'émoussement de l'arête inférieure dans lequel a disparu la dernière ligne de l'inscription" (Collart, S. 403f.). „Tambour de marbre d'une colonne milliaire, presque exactement cylindrique, présentant au milieu des faces supérieure et inférieure un gros trou de tenon, et portant une inscription latine de 11 lignes dont la dernière n'est plus lisible et dont les deux précédentes sont entamées par une cassure. Seule la partie inscrite de la pierre a été soigneusement polie; la partie postérieure, au contraire, est demeurée rugueuse; toute la surface est assez usée" (Collart, S. 403).

Abmessungen: H. 0,92; Durchmesser oben 0,47; Durchmesser unten 0,48; H. der Buchstaben 0,07; 0,06; 0,055; 0,05; 0,047; 0,05; 0,048; 0,048; 0,044; 0,04. „Gravure bien marquée et assez épaisse. Ligatures . . . " (Collart, ebd.).

Μέσα στην Κοινότητα του Καλαμπακίου βρέθηκε σε αυλή σπιτιού το θεωρούμενο ως χαμένο milliarium της Via Egnatia που αναφέρεται σε επισκευή της Εγνατίας οδού από τον Τραϊανό, το οποίο είχε δημοσιεύσει ο P. Collart . . . (Χάιδω Κουκούλη-Χρυσανθάκη, ΑΔ 42 (1987) Β´2 Χρονικά [1992], S. 451).

Der Stein befand sich früher im Museum von Philippi (Inventarisierungsnummer Λ 1605); jetzt (1999) im Museum in Drama.

Dia Nummer 449.450/1991.

    Imp(erator) Caes(ar) divi
    Nervae f(ilius) Nerva
    Traianus Aug(ustus), Germ(anicus),
    Dac(icus), p(ontifex) m(aximus), trib(unicia) p(otestate) $\overline{\text{XVI}}$,
                      imp(erator) $\overline{\text{VI}}$,
5 co(n)s(ul) $\overline{\text{VI}}$, [p(ater) p(atriae), vi]am a Dyrrachi(o)
    usque Acontisma per
    provinciam Macedoniam
    longa intermissione neglectam
    restitue[nd]am curavit.
10 *vacat* a Dyr[r(achio) m(ilia)] p(assuum) *vacat*
    [CCCLXI. . .]

4 Die beiden Zahlen mit Überstrich (bei Collart ohne). **5** Die Zahl mit Überstrich (bei Collart ohne). **11** Adams, a.a.O., S. 37: „If the stone found at Kalambaki, some 10 km. west of Philippi, was *in situ*, then the distance from Dyrrachium should have been represented by a number between 361 and 364. One may suggest, then, that the Roman letters [CCCLXI- -] originally appeared in line 10 and should be restored to the text. Recent inspection of the stone (October 10, 1989) indicates that the letter P is visible, and thus the line should read: A DYR[R.M.]P[CCCLXI- -]". Daß der Buchstabe P eindeutig zu erkennen ist, leidet keinen Zweifel. Auch die Ergänzung der Entfernung von Dyrrachium ist sinnvoll; allerdings nicht in Z. 10, wie Adams will: Vor dem A DYR stand mit Sicherheit nie etwas; nach dem M P aber genausowenig. D.h. die von Adams postulierte Zahl gehört in die (nicht mehr vorhandene) Z. 11. Zum Fehlen der letzten Zeile s. Collart, S. 404.

> Der Imperator Caesar Nerva Traianus Augustus, der Sohn des vergöttlichten Nerva, Germanicus, Dacicus, Pontifex Maximus, zum sechzehnten Mal mit der tribunizischen Gewalt ausgestattet, zum sechsten Mal Imperator, zum sechsten Mal Konsul, Vater des Vaterlandes, hat dafür gesorgt, daß die Straße durch die Provinz Macedonia von Dyrrachium bis Akontisma, die lange Zeit vernachlässigt worden war, wiederhergestellt wurde. Von Dyrrachium 361 (oder 362 oder 363 oder 364) Meilen.

Dieses Milliarium ist nach 023/L262 und 034/LG630 das letzte aus dem Territorium von Philippi (genauer gesagt: das letzte der aus dem Territorium von Philippi *veröffentlichten* Millarien, denn gefunden wurden natürlich mehr als diese drei, vgl. etwa die neuen Funde, die 1989 in Stadtnähe gemacht wurden [ΑΔ 44 (1989) Β´2 Χρονικά [1995], S. 374]: ein Milliarium aus den Jahren 238–249 n. Chr. [Inv. Nr. Λ 1771] und eines aus der Zeit 253–259 n. Chr. [Inv. Nr. Λ 1770]).
Dieses Milliarium ist ein Pendant zu 715/L771 aus Thessaloniki.

Z. 3 Den Beinamen Germanicus erhielt Traianus im Jahr 97.

Z. 4 Den Beinamen Dacicus erhielt Traianus Ende 102. Pontifex Maximus wurde er 98 (*pater patriae* im selben Jahr). Zum sechsten Mal *imperator* war Traianus im Jahr 106, die tribunizische Gewalt wurde ihm am 10. Dezember 111 zum sechzehnten Mal verliehen (Collart, S. 404).

Z. 5 Das sechste Konsulat des Traianus begann am 1. Januar 112 (Collart, S. 404), woraus sich die Datierung des vorliegenden Milliariums ergibt, da dem Traianus am 9. Dezember 112 zum siebzehnten Mal die tribunizische Gewalt verliehen wurde (vgl. Z. 4; Collart, ebd.): Unsere Inschrift fällt demnach zwischen den 1. Januar 112 und den 9. Dezember 112.

Z. 6 Akontisma liegt ebenfalls an der Via Egnatia, und zwar neun Meilen östlich von Kavala, außerhalb des Territoriums von Philippi (zur Lage von Akontisma vgl. o. Band I, S. 57, Anm. 16; dort wurde inzwischen ein weiteres Milliarium gefunden, vgl. Χάϊδω Κουκούλη-Χρυσανθάκη: Via Egnatia – Ακόντισμα, AAA 5 (1972), S. 474–485; jetzt im Museum in Kavala, Inventarisierungsnummer Λ 716). Papazoglou interpretiert diese Inschrift als weiteren Beleg dafür, daß Akontisma der letzte Ort innerhalb der Provinz Macedonia war. D.h. zwischen Akontisma und Topeiros ist die Grenze zwischen den Provinzen Macedonia und Thracia anzusetzen: „La frontière thraco-macédonienne passait par conséquent entre Akontisma et Topeiros"; auch zwei Itinerare bezeichnen Akontisma als letzte Station der Via Egnatia in der Provinz Macedonia (Papazoglou, a.a.O., S. 93 mit Anm. 19).

Z. 10f. „La distance était comptée de Dyrrachium. On regrettera que le nombre de milles, qui en eût donné une appréciation officielle et rigoureusement datée, ait disparu" (Collart, S. 405; zum Problem der differierenden Angaben in den literarischen Zeugnissen vgl. Collart, S. 405f.).

Fragment einer griechischen Grabinschrift   415/G577

A. Salač: Inscriptions du Pangée, de la région Drama-Cavalla et de Philippes, BCH 47 (1923), S. 49-96; hier S. 78 (bei Nr. 39).

Καλαμπάκι: Türkischer Friedhof. Eine genauere Beschreibung des Steins bietet Salač nicht.

... ἐὰν δὲ ἔται[ρ]ον πτῶμα ...

Wenn aber einer (es wagen wird), eine andere Leiche (in dieses Grab zu legen, soll er ... Strafe bezahlen).

Z. 1 ἔταιρον = ἔτερον.

Grabinschrift des Sklaven Vitalis   416/L166
II/III

Franz Cumont: Notices épigraphiques. V. Inscriptions de Macédoine, Revue de l'instruction publique en Belgique 41 (1898), S. 328–340; hier S. 332f., Nr. 8.

Adolf de Ceuleneer: Tabernae Aprianae, Revue de l'instruction publique en Belgique 42 (1899), S. 102–104.

Paul Perdrizet: Trois inscriptions latines de Roumélie, BCH 24 (1900), S. 542–552; hier Nr. 2 (S. 544–547).

CIL III, Suppl. 2, Nr. 14206[21].

Paul Perdrizet: Sur l'action institoire, REA 4 (1902), S. 199f.

ILS 7479.

Collart, S. 502, Anm. 1.

Δημήτριος Κ. Σαμσάρης: Ιστορική γεωγραφία της Ανατολικής Μακεδονίας κατά την αρχαιότητα, Μακεδονική Βιβλιοθήκη 49, Thessaloniki 1976, S. 143f.

Leonhard Schumacher: Römische Inschriften. Lateinisch/Deutsch, Stuttgart 1990, Nr. 218 (S. 280f.).

Werner Eck/Johannes Heinrichs: Sklaven und Freigelassene in der Gesellschaft der römischen Kaiserzeit, TzF 61, Darmstadt 1993, Nr. 93 (S. 70f.).

Jane F. Gardner: Being a Roman Citizen, London und New York 1993, S. 59f.
Band I, S. 143.

Μαυρολεύκη. Die Inschrift stammt aus Karrakavak (= Μαυρολεύκη), zwei Stunden südlich von Drama. „Plaque de calcaire ..., autrefois chez Hadji Halil-effendi, maintenant posée près de la fontaine du village. Sur la surface irrégulière de la pierre, sous un dessin grossier, on lit en caractères mal gravés l'epitaphe ...“ (Cumont, S. 332).
„L'inscription est gravée assez mal sur une grande feuille de schiste .... L'emploi seul de la pierre suffirait à faire deviner l'humble condition du défunt, dans un pays où le marbre est si commun et d'un usage à peu près général, taillé en cippe ou en sarcophage, pour les tombes des riches ou des gens aisés“ (Perdrizet, S. 545).
Abmessungen: L. 2,00; B. 0,68; D. 0,05 (nach Cumont).
Nach Auskunft des für die Kirche des Dorfes zuständigen Küsters (ἐπίτροπος) am 1. September 1992 existierte der Stein jedenfalls im Dorf nicht mehr.

> Vitalis C(ai) Lavi Fausti
> ser(vus), idem f(ilius), verna domo
> natus, hic situs est. vixit
> annos XVI. institor tabernas
> 5   Aprianas a populo acceptus,
> idem ab dibus ereptus. rogo
> vos, viatores, si quid minus
> dedi me<n>sura, ut patri meo adicere<m>,
> ignoscatis; rogo per superos
> 10   et inferos, ut patrem et matre<m>
> commendatos <h>abeatis.
> *vacat* et vale! *vacat*

2 Perdrizet und Collart (S. 502, Anm. 1) lesen *domi.* **5** Perdrizet und Collart lesen *ab.* **6** Gardner statt *dibus: diis.* Schumacher läßt nach *dibus* fälschlicherweise eine neue Zeile beginnen (so auch Eck/Heinrichs; vermutlich nach Dessau, ILS). **11** Perdrizet liest *habeatis.*

Vitalis, Sklave des Caius Lavius Faustus, zugleich (dessen) Sohn, als Sklave im Haus geboren, ist hier bestattet. Er lebte sechzehn Jahre; als Geschäftsführer der Gaststätte „(Zur Stadt) [5] Apri“ war er beim Volk beliebt, aber von den Göttern wurde er (aus dem Leben) gerissen. Ich bitte euch, Wanderer, wenn ich etwas weniger abgemessen habe, damit ich es meinem Vater zukommen ließ, möget ihr verzeihen; ich bitte euch bei den oberirdischen [10] und unterirdischen Göttern, laßt euch meinen Vater und meine Mutter empfohlen sein. Und lebe wohl!

„Die bemerkenswerte Grabinschrift bezeichnet den Verstorbenen als Sklaven und (natürlichen) Sohn des Lavius Faustus, der den Laden des Aprius – falls es sich um einen Personennamen handelt – vermutlich gepachtet
hatte. Die Mutter wird nicht beim Namen genannt, doch muß sie jedenfalls zum Zeitpunkt der Geburt des Vitalis unfreien Standes gewesen sein
... " (Schumacher, S. 281).

Z. 1 Der Name Vitalis begegnet in Philippi auch in einer Grabinschrift
aus der Basilika B (298/L394; hier Name einer Frau!). Vgl. auch die Inschrift
622/G635 aus Kipia (Βειτάλες). Lavius ist in Philippi bisher nicht belegt.

Z. 4 Das Wort *institor* bedeutet „Krämer, Hausierer"; der ThLL erklärt:
„fere i. q. mercator tabernae vel cuilibet negotiationi praepositus, taberna-
rius sim." (ThLL VII 1, Sp. 1986, Z. 6f.; die epigraphischen Belege werden
in dem Artikel *institutor* leider sehr stiefmütterlich behandelt, unsere Inschrift kommt überhaupt nicht vor). Da unser Vitalis auf Rechnung seines
Vaters und Herrn tätig ist (vgl. Z. 8), kann er nicht selbst Eigentümer des
Ladens, sondern allenfalls „Geschäftsführer" gewesen sein. Die Übersetzung
„Verkäufer", die auf Schumacher zurückgeht, läßt eine genauere Bestimmung
offen.

„Landbesitzer bauten sehr häufig auf ihren an Straßen grenzenden Grund-
stücken Schenken und Herbergen, die ihre Freigelassenen oder Sklaven für
ihre Rechnung verwalteten; und dies war eine sehr vorteilhafte Verwertung
des Bodens" (Ludwig Friedlaender: Darstellungen aus der Sittengeschichte
Roms in der Zeit von Augustus bis zum Ausgang der Antonine, 10. Aufl.
v. Georg Wissowa, Bd. I, Leipzig 1922, S. 348). Unser Vitalis ist also kein
Einzelfall. Zur rechtlichen Seite vgl. auch den bei Eck/Heinrichs als Nr. 92
(S. 69f.) abgedruckten Text Gaius: inst. 4,70–71.

Z. 4f. Nach CIL ist der Akkusativ *tabernas Aprianas* im Sinne eines Genitivs *tabernae Aprianae* zu verstehen. Die Frage ist dann: Was ist unter
Aprianus zu verstehen? Cumont hatte 1898 behauptet: „*aprianas* est un
mot inconnu" (S. 333), wurde aber sogleich von de Ceuleneer eines Besseren
belehrt: „D'abord le mot *aprianus* n'est pas un mot inconnu, comme le sup-
pose M. Cumont" (S. 102). De Ceuleneer verweist auf die *ala Apriana*, die
nach einem Aper benannt sei (ebd.), gibt aber zu, daß diese nichts mit der
taberna Apriana zu tun hat. Hier handle es sich vielmehr um das Adjektiv
zu Apri, „ville fort connue dans l'antiquité" (S. 103).
Unabhängig von de Ceuleneer und ungefähr gleichzeitig mit ihm hat auch
Perdrizet diesen Zusammenhang hergestellt: Die Inschrift CIL III 386 (=
700/L738; 701/L739; 702/L740; 703/L741) weise auf einen Zusammenhang
zwischen Apri und Philippi hin. „Il est naturel qu'une auberge près de Philippes ait pris pour enseigne: »A la ville d'Apri«[.] Ces *tabernæ* des grands che-
mins de l'Empire, dont quelques unes, placées d'une façon particulièrement
favorable, sont devenues des villes (par ex. Rheinzabern dans le Palatinat,
ou notre Saverne), avaient des noms et des enseignes, comme nos auberges
et nos hôtels" (Perdrizet, S. 546). Für diese These könnte man auch die of-

fenbar regen Beziehungen zwischen der *Colonia Iulia Augusta Philippensis* und der ebenfalls an der Via Egnatia gelegenen *Colonia Claudia Aprensis* anführen, vgl. das Militärdiplom 705/L503 und das dort im Kommentar zu Z. 33 angeführte weitere Material.

Dieser Auffassung hat sich Collart angeschlossen (S. 502, Anm. 1), wohingegen Σαμσάρης zwar beim heutigen Μαυρολεύκη das antike *Ad Duodecim* lokalisiert, dieses jedoch mit Apri identifiziert. Demnach wäre hier ein zweites Apri anzunehmen: O Collart, υπολογίζοντας την απόσταση αυτή, τοποθετεί σωστά το σταθμό κοντά στη σημ. Μαυρολεύκη Δράμας, στη θέση του ρωμ. χωριού Apri, του οποίου το όνομα μας είναι γνωστό από μιά λατινική επιτύμβια επιγραφή και η υπαρξή του επιβεβαιώνεται απ' τα διάφορα αρχαιολογικά ευρήματα (επιγραφές, αρχιτεκτονικά μέλη κλπ.) του βρέθηκαν εκεί (S. 143f.).

Hier kommen zwei bereits von Hammond in seiner Rezension des Buches von Σαμσάρης gerügte Eigenschaften des Verfassers zum Tragen: Erstens tendiere Σαμσάρης dazu, „to make *ex cathedra* statements" (N.G.L. Hammond: Rez. Samsaris, JHL 101 (1981), S. 201) – er postuliert ein römisches Dorf Apri –, zweitens „he tends to pull names such as Cercine down into his area" (ebd.). Man vermißt jegliche Auseinandersetzung mit der Position von Perdrizet und Collart.

Eine dritte weder von Perdrizet noch von Σαμσάρης ins Kalkül gezogene Interpretation des Wortes *Aprianus* setzt die Schumachersche Übersetzung „war als Verkäufer im Laden des Aprius" voraus. Diese Interpretation hätte den Vorteil, daß sie nicht mit weiteren Hypothesen belastet ist. Ihr haben sich auch Eck/Heinrichs (S. 71) angeschlossen: „Die Benennung des Ladens erfolgt vielleicht nach dem Besitzer oder ehemaligen Erbauer, einem Aprius oder Aper."

Ohne auf die Auffassung von Σαμσάρης einzugehen, nimmt Πολυχρονίδου-Λουκοπούλου (Λουΐζα Πολυχρονίδου-Λουκοπούλου: Colonia Claudia Aprensis: Μια ρωμαϊκή αποικία στη νοτιοανατολική Θράκη, in: Μνήμη Δ. Λαζαρίδη. Πόλις και χώρα στην αρχαία Μακεδονία και Θράκη. Πρακτικά Αρχαιολογικού Συνεδρίου, Καβάλα 9–11 Μαΐου 1986, Ελληνογαλλικές Έρευνες 1, Thessaloniki 1990, S. 701–715) unsere Inschrift wieder für die *Colonia Claudia Aprensis* in Thrakien in Anspruch.

Was die in der Umgebung gefundenen Inschriften anbelangt, so zählt Collart die folgenden auf: „deux fragments d'inscriptions, l'une grecque, antérieure à la colonisation romaine ... [d.i. die Inschrift Philipps V., 532/G640], l'autre latine, funéraire, d'assez basse époque (P. Collart, *BCH*, LXI, 1937, en préparation [dieser hier wie anderwärts von Collart angekündigte Aufsatz ist nicht erschienen]); un disque astronomique en bronze, portant une grande inscription latine [hier kündigt Collart eine Publikation noch nicht einmal an; soweit ich sehe, ist diese Inschrift ein halbes Jahrhundert später noch immer nicht publiziert!]" (Collart, S. 502, Anm. 1).

Die ungefähre Datierung auf II/III stammt von Perdrizet (1902, S. 199).

Weihinschrift für Dionysos   417/G221

52 bzw. 168

Paul Perdrizet: Inscriptions de Philippes: Les Rosalies, BCH 24 (1900), S. 299–323; hier S. 317.

Marcus N. Tod: The Macedonian Era II, ABSA 24 (1919–1921), S. 54–67; hier S. 57, Nr. 42.

Collart, S. 415 mit Anm. 6.

Δημήτριος Κ. Σαμσάρης: Ιστορική γεωγραφία της Ανατολικής Μακεδονίας κατά την αρχαιότητα, Μακεδονική Βιβλιοθήκη 49, Thessaloniki 1976, S. 170 mit Anm. 7.

Fanoula Papazoglou: Le territoire de la colonie de Philippes, BCH 106 (1982), S. 89–106; hier S. 105 mit Anm. 77.

Papazoglou, S. 409 mit Anm. 177.

Band I, S. 102 mit Anm. 36.

M.B. Hatzopoulos: Macedonian Institutions under the Kings. Band I: A Historical and Epigraphic Study, Μελετήματα 22, Athen 1996, S. 72.

Χ. Βελεγιάννη: Αφιέρωση στον Ποσειδώνα από Θράκα στην Ανατολική Μακεδονία, Τεκμήρια Γ´ (1997), S. 152–164; hier S. 162 mit Anm. 53.

Κουδούνια (= Mousga, südlich von Drama). „Dédicace copiée en 1899 au djami de *Mousga,* village de mohadjirs venus de Bulgarie, entre Karakavak et Drama. Stèle de marbre blanc, écornée à la partie supérieure, à droite et à gauche" (Perdrizet, S. 317).

```
   ['Έτ]ους σ´ [...]
   [Βῖ]θυς Βέρβου Ἰολ-
   [λ]ίτης καὶ υοί·
   Βῖθυς Ζιπαίβου
 5 Ἰολλίτης καὶ υοί·
   Διονύσῳ [...]
   οἰῳ καὶ Τριπολί-
   vac. ταις vac.
   vac. στοάν. vac.
```

1   Papazoglou: σ..´.

Im Jahre 200 (oder: zweihundertund...). Bithys, (der Sohn) des Berbos, der Iollites, und seine Söhne (und) Bithys, (der Sohn) des Zipaibes, der Iollites, und seine Söhne (weihen) dem Dionysos ... und den Tripolitanern die Stoa.

Z. 1 σ´ = 200, d.h. 52 nach der makedonischen Ära, bzw. 168 nach der Ära von Aktium.

Z. 2 Βιθυς ist ein sehr häufiger thrakischer Name, vgl. Detschew, S. 66ff. Βερβος bzw. Βερβης dagegen sucht man bei Detschew vergeblich. Er scheint diesen Namen nicht für thrakisch zu halten. Griechisch ist er aber auch nicht;

auf der CD-ROM #D des TLG sucht man nach diesem Namen ebenso vergeblich wie auf der PHI-CD-ROM #6. Auch lateinisch ist er offenbar nicht,
vgl. ThLL II, Sp. 1922 – Fehlanzeige! Unser Βιθυς Βερβου bei Κανατσούλης
als Nr. 320 (S. 37).

Z. 2f. Nach Σαμσάρης verbirgt sich hinter dem Ἰολλίτης (vgl. auch unten
in Z. 5) der Name eines Ortes: Ἰ ο λ λ ῖ τ α ι καί Τ ρ ι π ο λ ῖ τ α ι. Θα πρέπει να
κατοικούσαν στην περιοχή της Δράμας (a.a.O., S. 170). Papazoglou fragt:
„S'agirait-il d'une association religieuse de trois communes voisines dont les
Iollitai aurait été l'un des membres? Ou plutôt d'une ville grecque portant,
comme tant d'autres, le nom de *Tripolis*? N'aurions-nous pas peut-être dans
cette dénomination le nom de la localité antique de Drama que l'on identifie
à tort, me semble-t-il, avec Draveskos?" (Papazoglou, S. 105, Anm. 77).
Es ist schlechterdings nirgendwo ein Beleg für das Wort Ἰολλίτης zu finden;
auf der TLG-CD-ROM #D ebensowenig wie auf der PHI-CD-ROM #6.
Handelt es sich vielleicht um Funktionäre im Kult des Dionysos?
Zuletzt tritt Βεληγιάννη wieder dafür ein, in dem Ἰολλίτης ein Ethnikon zu
sehen, dem ein gleichnamiges Dorf korrespondiere (S. 161 mit Anm. 53).

Z. 4 Der thrakische Name Ζιπαιβης ist hier das erste Mal bezeugt vgl.
Detschew, S. 189, s.v. Ζιπαιβης. Unser Bithys bei Κανατσούλης als Nr. 323
(S. 38).

Z. 6 Eine hellenistische Weihinschrift für Dionysos im Heiligtum dieses
Gottes in Drama (499/G189).

Z. 7f. Hatzopoulos vergleicht die Tripolitai mit den Pentapolitai aus 349/
G161 (S. 72).

418/L266   **Sextus Volcasius, ein Mann der ersten Stunde**

Zeit des
Augustus
     A. Salač: Inscriptions du Pangée, de la région Drama-Cavalla et de Philippes,
       BCH 47 (1923), S. 49–96; hier S. 87 (Nr. 5).
AÉ 1924, 55.
Paul Collart: Inscriptions de Philippes, BCH 57 (1933), S. 313–379; hier S. 358ff.
       mit Abb. 30.
Collart, S. 233f.; Abb. im Tafelband, Pl. XXXVI 2.
Κανατσούλης, Nr. 1100 (S. 121).
Sarikakis, Nr. 219 (S. 458).
Giancarlo Susini: Una nuova iscrizione legionaria a Filippi, Epigraphica 28 (1966)
       [1967], S. 147f.; hier S. 148.
Fanoula Papazoglou: La population des colonies romaines en Macédoine, ŽAnt 40
       (1990), S. 111–124; hier S. 117, Anm. 16.
Bormann, S. 20f.
Band I, S. 129 mit Anm. 11.

Κεφαλάρι (Bounar-Baschi). „. . . en face du Karacol" (Salač, S. 87).
Abmessungen: H. 1,36; B. 0,47; D. 0,13; H. der Buchstaben 0,06 und 0,055;

Zeilenzwischenraum 0,015.
Heute im Museum Καβάλα, Inventarisierungsnummer Λ 651.
Dia Nummer 38.39/1993.

> Sex(to) Volcasio
> L(uci) f(ilio) Vol(tinia) leg(ionis)
> XXVIII domo
> Pisis.

Dem Sextus Volcasius, dem Sohn des Lucius, aus der Tribus
Voltinia, von der achtundzwanzigsten Legion, aus Pisa.

Z. 1 „Volcasius est un nom rare" (Salač, ebd.); auch in Philippi begegnet
der Name nirgendwo sonst. Salač weist auf eine Parallele in Pisa selbst (vgl.
Z. 4) hin: CIL XI 1472. Ein Λεύκιος Οὐολκάσιος Λευκίου Ἀμύντας begegnet
in der Gegend von Edessa (= Καναϛϲούλης, Nr. 1099, S. 121).

Z. 2 Papazoglou weist auf das (seltene) Fehlen des *cognomen* hin (vgl.
auch 299/L399): „Ces inscriptions datent sans doute des premières années de
la colonie" (S. 117, Anm. 16). Pisa (vgl. Z. 4) gehört zur *tribus Galeria* (vgl.
Kubitschek, S. 87, s.v. *Pisae*). Also scheint Volcasius einer der Kolonisten
des Octavian in Philippi gewesen zu sein, da er jetzt der *tribus Voltinia*
angehört.

Z. 3f. „L'inscription est complète, l'écriture assez belle; d'après le numéro
de la légion, l'inscription date de l'époque d'Auguste; à partir de la bataille
d'Actium, il n'existait plus de légion XXVIII. Nous savons que la ville de
Philippes fut agrandie après la bataille livrée sur son territoire en 42 av.
J.-C., et de nouveau après la bataille d'Actium (31 av. J.-C.)" (Salač, ebd.).

Fragment einer lateinischen Grabinschrift   419/L282

A. Salač: Inscriptions du Pangée, de la région Drama-Cavalla et de Philippes,
    BCH 47 (1923), S. 49–96; hier S. 92 (Nr. 21).

Κεφαλάρι (Bounar-Baschi): Türkischer Friedhof. Marmor.
Abmessungen: H. 0,25; B. 1,53; D. 0,23; H. der Buchstaben 0,10.
Nach Auskunft von Bewohnern von Ἄνω Κεφαλάρι (27. August 1992) wurde
der türkische Friedhof zerstört und ist jetzt überbaut; die Inschrift muß
daher als verschollen gelten.

> marito piiss(imo) et sibi

... ihrem überaus lieben Mann und für sich selbst (hat ... die
Inschrift errichtet).

420/L363   Fragment einer lateinischen Grabinschrift

Paul Collart: Inscriptions de Philippes, BCH 57 (1933), S. 313–379; hier S. 376, Nr. 32 (keine Abb.).

Κεφαλάρι (Bounar-Baschi). „Plaque de sarcophage remployée comme pont sur le canal du moulin de Kydoniès, à Bounar-Bachi, au nord de Philippes" (Collart, S. 376).
Der Stein war bei meinem Besuch in Άνω Κεφαλάρι am 27. August 1992 nicht mehr aufzufinden.

> [...]onia Eutichia [f]il(io) [...]
> [...] et sibi v(iva) f(aciendum) c(uravit).

2 Collart will *v(otum)* ergänzen.

Eutichia hat für ihren Sohn und für sich selbst zu ihren Lebzeiten (die Inschrift) anfertigen lassen.

421/G770   Der Pithos des Andreas
IV/V

Ευτυχία Κουρκουτίδου-Νικολαΐδου: Ληνοί εις τας πηγάς Βοϊράνης, ΑΕ 1973 Χρονικά, S. 36–49; hier S. 39 mit Anm. 1.
Band I, S. 30 mit Anm. 87; S. 242.

Άγιος Αθανάσιος. Die Fundstelle ist im Norden des Dorfes Κάτω Κεφαλάρι, östlich von Άγιος Αθανάσιος (vgl. Plan 1 auf S. 37 bei Κουρκουτίδου-Νικολαΐδου): Κατά το έτος 1971 απεκαλύφθη εις αγρόν πλησίον των πηγών Βοϊράνης (Μπουνάρ-μπασί) ενδιαφέρον κτηριακόν συγκρότημα υστερορωμαϊκής και παλαιοχριστιανικής περιόδου (a.a.O., S. 36). Dabei wurden verschiedene Weinkeltern gefunden (vgl. Abb. 3, S. 39): Ο πίθος της δεξαμενής Α δεν είχε κάλυμμα. Ευρέθη κεκαλυμμένος δια τεμαχίων πίθων, εξ ων έν είχε χάραγμα ☧ ΑΝΔΡΕΟΥ (S. 38f.).

☧ Ἀνδρέου.

Des Andreas.

Το μονόγραμμα ☧, διαδεδομένον κυρίως εις την Ανατολήν, εμφανίζεται, ευρύτερον από του τέλους του 4ου αιώνος και το α΄ ήμισυ του 5ου αι., bemerkt Κουρκουτίδου-Νικολαΐδου, a.a.O., S. 39, Anm. 1 (hier auch weitere Literatur).

Griechisches Fragment   422/G072

Heuzey/Daumet, Nr. 55 (S. 122).
CIL III 2, Nr. 6116.
Δήμιτσας, Nr. 953 (S. 744).

Ἅγιος Ἀθανάσιος. „Boriani. Sur une frise. Lettres monumentales" (Heuzey,
S. 122).

ΟΝΟΗΝ

Δήμιτσας spricht von griechischen Buchstaben (... φέρον μεγάλα ελληνικά
γράμματα), Mommsen dagegen scheint die Inschrift für lateinisch zu halten.
„Parmi les nombreuses stèles musulmanes qui forment comme une forêt aux
approches du village, se trouve d'abord une longue pièce de frise, portant
quelques lettres grecques de grande dimension, qui paraissent être la fin d'un
nom propre de femme" (Heuzey, S. 121).

Grabinschrift eines Aemilius   423/L073

Heuzey/Daumet, Nr. 56 (S. 122).
CIL III 1, Nr. 644.
Δήμιτσας, Nr. 954 (S. 744).
Sarikakis, Nr. 17 (S. 441).

Ἅγιος Ἀθανάσιος. „Boriani ... cimetière de la mosquée. Fragment" (Heuzey, S. 122).

[A]emilius
f(ilius) MILIT tesse[rarius]
[cor]nuc(ularius) praef(ecti) c[ohortis].

1 Heuzey: LMILIVS. Δήμιτσας: *L. (Ae)milius.* 2 CIL: *tesse[rarius ann ...].* 3 CIL:
[cor]nuc·praef·c[oh. ann...]. Δήμιτσας: *Nuc[ularius] Praef.*

„Au commencement de la deuxième ligne, la lettre F est bien loin de tout
nom propre pour se lire *f(ilius).* L'abréviation MILIT., qui vient ensuite,
représente plutôt les mots *militia, militare,* que les cas obliques de *miles.*
Pour la troisième ligne, je ne puis que me ranger à l'opinion émise par M.
Mommsen, lorsqu'il a pris copie de cette inscription pour le *Corpus* de Berlin;
il me proposait de lire *[cor]nuc(ularius),* pour *cornicularius.* Le personnage
ici mentionné aurait donc été corniculaire d'un préfet de cohorte, *praef(ecti)
c[ohortis].* Les inscriptions placent le grade de corniculaire au-dessus de celui
de tesséraire. Immédiatement après cette ligne, est sculpté un ornement
semblable à un nœud debandelettes, qui montre que c'était la dernière"
(Heuzey, S. 122).

424/L283   **Fragment einer lateinischen Grabinschrift**

A. *Salač:* Inscriptions du Pangée, de la région Drama-Cavalla et de Philippes, BCH 47 (1923), S. 49–96; hier S. 92 (Nr. 22).

Ἅγιος Ἀθανάσιος. Brunnen der Moschee. Vermauerter Marmorblock. Abmessungen: L. 0,80; H. 0,27; H. der Buchstaben 0,04.

In f(ronte) p(edes) XVI, in agr(o) p(edes) XV.

(Die Grabanlage mißt) sechzehn Fuß in der Breite, fünfzehn Fuß in der Tiefe.

425/L284   **Lateinisches Fragment**

A. *Salač:* Inscriptions du Pangée, de la région Drama-Cavalla et de Philippes, BCH 47 (1923), S. 49–96; hier S. 92 (Nr. 23).
Band I, S. 244.

Ἅγιος Ἀθανάσιος. Im Haus des Hadji Ali Mehmet. Marmor, „complet en haut".
Abmessungen: L. 1,16; H. 0,42; D. 0,13; H. der Buchstaben 0,14 und 0,13; Zeilenzwischenraum 0,055. Apices.

> [E]paphrodit[us?]
> ÇIORVM·PRIS

Z. 1 Ein Christ aus Philippi heißt ebenfalls Ἐπαφρόδιτος, vgl. Phil 2,25; 4,18. Der Name ist in Philippi sonst nur noch in der Kurzform Epaphra belegt und zwar in 294/L406 aus der Basilika B (im Akkusativ: *Epaphran*).

Z. 2 Schwierig ist es, eine plausible Ergänzung für *-ciorum* vorzuschlagen. In den Inschriften von Philippi begegnet *-ciorum* nur an dieser Stelle. In der lateinischen Literatur (PHI-CD-ROM #5.3) fand ich die folgenden Belege: *aedificiorum, sociorum, betaciorum, maleficiorium, mendaciorum, officiorum, iudiciorum, patriciorum, dediticiorum, artificiorum, beneficiorum, sauciorum, auspiciorum, sacrificiorum, Rosciorum, Fabriciorum, Lyciorum, suppliciorum, noviciorum, sodaliciorum, consciorum, amiciorum, Deciorum, Muciorum, Porciorum, commenticiorum, conviciorum, armoraciorum.* Läßt man das unsicher gelesene Ç weg, so hätte man in Philippi die Analogien *Notariorum, Pannoniorum, stipendiorum, voluntariorum.* Aber wie vereinbart sich das mit den *Pris-?* Man könnte an den Namen Priscus denken, dann stört der Genitiv Plural davor. Eine befriedigende Lösung vermag ich nicht zu finden.

Fragment einer griechischen Grabinschrift   426/G285

A. Salač: Inscriptions du Pangée, de la région Drama-Cavalla et de Philippes,
BCH 47 (1923), S. 49–96; hier S. 93 (Nr. 24).
SEG II (1924) 427.

Ἅγιος Ἀθανάσιος. In einem türkischen Haus. Platte aus Marmor am Brun-
nen (in zwei Stücken).
Abmessungen: H. 0,36; L. 0,81 und 0,68; D. 0,17; H. der Buchstaben 0,14;
Zeilenzwischenraum 0,06.

[Π]αράμονος ἑ[αυτῷ]
[κατε]σκεύασεν καὶ τῇ . . .

2 SEG ergänzt [ἰδίᾳ | συμβίῳ . . .].

Paramonos hat (die Grabanlage) für sich selbst und für (seine
Frau?) anfertigen lassen.

Fragment einer lateinischen Inschrift   427/L286

A. Salač: Inscriptions du Pangée, de la région Drama-Cavalla et de Philippes,
BCH 47 (1923), S. 49–96; hier S. 93 (Nr. 25).

Ἅγιος Ἀθανάσιος. Im türkischen Friedhof. Marmor.
Abmessungen: H. 0,17; L. (sichtbar) 1,48; D. 0,14; Zeilenzwischenraum 0,04.

Cassius Ch[. . .]
[. . .]

2 Die Buchstaben sind nicht identifizierbar.

Inschrift zu Ehren der Ancharia Fausta   428/L074
I

Heuzey/Daumet, Nr. 57 (S. 123).
CIL III 1, Nr. 665.
Δήμιτσας, Nr. 955 (S. 745).

Ἅγιος Ἀθανάσιος. „Boriani. Sur une stèle à figures" (Heuzey, S. 123). Stele
aus Marmor mit zwei Reliefs und einer Inschrift. Oben ist eine Frau dargestellt (vermutlich die in Z. 1 der Inschrift genannte Ancharia Fausta). Danach folgt Z. 2 der Inschrift. Zwischen Z. 1 und Z. 2 ein weiteres Relief, das

ein Begräbnismahl darstellt. Fünf Personen sitzen um einen runden Tisch mit Früchten (das Mahl nähert sich also dem Ende). Zwei davon sind Frauen, deren eine ein kleines Kind auf den Knien hat. Die drei anderen Personen liegen zu Tisch. Es handelt sich um einen Mann (vermutlich den in Z. 2f. genannten Ancharius Myro) und zwei weitere Frauen. Aus *vivos* (statt *vivus*) in Z. 9 will Heuzey schließen, daß es sich um eine Inschrift aus dem ersten Jahrhundert der Kaiserzeit handelt.

> Anchariae Faustae.
> Anchari-
> us Myro sibi et
> Larisiae C(ai) f(iliae) Secun-
> 5   dae et Anchariae P(ubli) f(iliae)
> Iucundae <et> filiae <suae> et
> Anchariae Specula[e]
> et Venusto lib(ertis) vivos
> *vacat*   fecit.   *vacat*

6   Heuzey: *Iucundae filiae et.*

Für Ancharia Fausta. Ancharius Myro hat für sich und für Larisia Secunda, die Tochter des Caius, und für Ancharia Iucunda, die Tochter des Publius, und für seine Tochter und für seine Freigelassenen Ancharia Specula und Venustus zu seinen Lebzeiten (die Inschrift) anfertigen lassen.

429/L075   **Grabinschrift des Lucius Iunius Maximus**

Heuzey/Daumet, Nr. 58 (S. 124).
CIL III 1, Nr. 645.
Δήμιτσας, Nr. 956 (S. 746).
Jos. Wilhelm Kubitschek: Imperium Romanum tributim discriptum, Prag 1889 (Nachdr. in der Reihe Studia Historica, Band 121, Rom 1972), S. 25, s.v. Neapolis.
Sarikakis, Nr. 151 (S. 452) und Nr. 18 (S. 441).

Άγιος Αθανάσιος. „Près de Boriani. Sur une stèle de marbre" (Heuzey, S. 124).

> D(is) M(anibus)
> L(uci) Iuni Maxi-
> mi Me(cia) Neapol[i]
> c(o)ho(rtis) III, benef(iciari)

5 praefectoru[m]
 pr(aetorio), an(norum) XXXIII,
 h(ic) s(iti) curantib(us)
 Albio Vero mil(ite)
 et Diogan(te) lib(erto).

4 CIL: *cho(rtis) III, benef(iciarii).* **5** CIL: *prefectoru(m).* **6** CIL: XXXIIII. **7** CIL: *Curantib(us).* **9** CIL: *et Dio... lib(erto).*

Den Totengöttern des Lucius Iunius Maximus, aus der Tribus M(a)ecia, aus Neapolis, (Soldat) der dritten Kohorte, *beneficiarius* der Prätorianerpräfekten, dreiunddreißig Jahre alt, der hier begraben liegt aufgrund der Fürsorge des Soldaten Albius Verus und des Freigelassenen Diogantes.

Z. 1 Die Liste aller *Dis-Manibus*-Inschriften aus Philippi findet sich im Kommentar zu 092/G496 aus Κρηνίδες.

Z. 3 Sarikakis gibt in seiner Prosopographie (unter Nr. 151 auf S. 452) an, unser Lucius Iunius Maximus stamme aus „Neapo(lis) (Macedoniae)"; dies ist nicht der Fall, wie die Tribusangabe Maecia zeigt. Denn Neapolis in Italien gehört zur Tribus Maecia, nicht aber der Hafen von Philippi, wo die Tribus Voltinia zu erwarten wäre. Vgl. Kubitschek, S. 25.

Z. 4ff. Lucius Iunius Maximus war *beneficiarius praefectorum praetorio.* Zu den *beneficiarii* vgl. den Kommentar zu 202/L313. Auch diese Inschrift fehlt in dem dort zitierten Corpus von Egon Schallmayer u.a.

Inschrift der Magia Secunda

430/L159
II

Héron de Villefosse: [ohne Titel], BSNAF 1897, S. 350–352.
Franz Cumont: Notices épigraphiques. V. Inscriptions de Macédoine, Revue de l'instruction publique en Belgique 41 (1898), S. 328–340; hier S. 338, Nr. 20.
CIL III, Suppl. 2, Nr. 14206[14].
Sarikakis, Nr. 158 (S. 453).
Band I, S. 220, Anm. 8.

Ἅγιος Αθανάσιος. „Dans la cour d'une maison turque abandonnée, près du puits. Bloc de pierre calcaire ... . A la partie supérieure se trouve un bas relief effacé, au-dessous l'inscription que voici est gravée en beaux caractères" (Cumont, S. 338).
Abmessungen: H. 1,29; L. 0,73; D. 0,22. H. der Buchstaben 0,06.

 Magia L(uci) f(ilia) Se[c]u-
 nda sibi et C(aio) A[e-]
 lio C(ai) l(iberto) Philarg[yro],

viro suo, et L(ucio) Magi[o]

5 L(uci) f(ilio), vet(erano) leg(ionis) XIII, patri
suo, et M(arco) Vesonio
M(arci) f(ilio) Repentino, fratri suo, et Aniniae
Ęlpidi. viva sibi et [. . .]

1 Der Gewährsmann bei Héron de Villefosse liest am Schluß SI (S. 352). **2f.** Héron de Villefosse will *et Ca[eci-]lio* lesen. In Z. 3 liest er (irrtümlich?) *C. f(ilio)*. **3** Cumont: *P[hil]argio*. Der Gewährsmann bei Héron de Villefosse liest PIHARCI. **4** Der Gewährsmann bei Héron de Villefosse liest am Schluß I MAG. **5** Der Gewährsmann bei Héron de Villefosse bietet am Anfang LEVET. **6** Der Gewährsmann bei Héron de Villefosse bietet am Anfang II.APIDI. Héron de Villefose selbst schlägt vor: *[Hel]pidi* und ergänzt Z. 10: *[suis fecit]*.

Magia Secunda, die Tochter des Lucius, für sich und für Caius Aelius Philargyrus, den Freigelassenen des Caius, ihren Mann, und für Lucius Magius, den Sohn des Lucius, den Veteranen der dreizehnten Legion, ihren Vater, und für Marcus Vesonius Repentinus, den Sohn des Marcus, ihren Bruder, und für Aninia Elpis. Zu ihren Lebzeiten hat sie für sich und (die Ihrigen die Inschrift anfertigen lassen).

Z. 3 Der Name Philargyros ist aufschlußreich.

Z. 4 Eine Liste aller *Magii* in Philippi findet sich bei 166/L004 (Zeile 2).

Z. 5 „La légion XIII se trouvait en Dacie depuis la conquête de cette province par Trajan" (Cumont, S. 338). Die *legio XIII Gemina* begegnet auch in 135/GL452, Z. 3 (dort im Kommentar eine Liste aller Vorkommen dieser Legion). Cumont datiert die Inschrift in das 2. Jh.

Z. 6 Ein anderer Marcus Vesonius in 154/L600 aus dem Theater; ansonsten begegnet dieses *nomen gentile* in Philippi nicht.

431/L459   **Fragment einer lateinischen Inschrift**

Paul Collart: Inscriptions de Philippes, BCH 62 (1938), S. 409–432; hier S. 411f., Nr. 2 (ohne Abb.).

Ἅγιος Ἀθανάσιος. Zum Fundort vgl. unten den Kommentar.
„Bloc d'entablement à deux bandeaux surmontés d'une mouluration proéminente; brisé à gauche et à droite" (Collart, S. 411).
Abmessungen: H. 0,26; L. 0,99; D. 0,32; H. der Buchstaben 0,15.

[. . . pr]o salut[e . . .]

. . . zum Heil . . .

„Le village de Boriani occupe sans doute l'emplacement d'un *vicus* romain, car il a livré déjà un grand nombre de pierres travaillées ou inscrites. Celle que nous publions ici provient d'un champ, situé à quelques centaines de mètres vers le sud, où les paysans affirment que l'on trouve des blocs antiques en grande quantité. Nous pensons donc qu'elle appartenait à un monument qui s'élevait à cette place même plutôt qu'à un édifice de Philippes d'où elle aurait été apportée" (Collart, S. 412).

Ehreninschrift des Niger für Abrocoma Caesius Victor   432/L163
                                                                II

Paul Perdrizet: Voyage dans la Macédoine première [III], BCH 21 (1897), S. 514–543; hier S. 530f., Nr. 1.
CIL III, Suppl. 2, Nr. 14206[18].
Collart, S. 289 mit Anm. 4.
Pantelis M. Nigdelis: Kalendarium Caesianum: Zum kaiserlichen Patrimonium in der Provinz Makedonien, ZPE 104 (1994), S. 118–128; hier S. 126f.

Κύρια. „Cippe quadrangulaire" (Perdrizet, S. 530), gefunden in einem Fried-hof 7km südlich von Χωριστή: „dans les champs entre Boiran et Krifla, est un cimetière musulman abandonné, dont les pierres tombales ont été faites, pour la plupart, avec les débris d'une nécropole antique. On y trouve des fragments d'ἡρῷα ..., des morceaux de sarcophages, des cippes. ... La pier-re est le marbre blanc de Thasos. Les inscriptions sont latines, du IIe siècle de l'empire. Quelques-uns de ces débris étaient enfoncés dans la terre, et je regrette de n'avoir pu les faire dégager" (Perdrizet, S. 529f.).
Perdrizet weist darauf hin, daß die Steine nicht aus Philippi hierhin gebracht worden sind: „Il est invraisemblable que ces pierres aient été apportées d'une des nécropoles de Philippes: la plus voisine, celle du Nord, est à plus de 10 km. de là. On doit croire que ce sont des débris du cimetière d'un des nombreux *vici* de la colonie" (Perdrizet, S. 530).
Abmessungen: H. 1,00; B. oben 0,60; D. 0,50 (Abb. bei Perdrizet, S. 530).

> Abrocomae
> Caesi Victori[s]
> Niger actor.

Für Abrocoma, (den Sklaven) des Caesius Victor, (hat) Niger, der Gutsverwalter, (den Stein aufstellen lassen).

Z. 1 Abrocoma = Ἀβροκόμας ist als Name auch in anderen lateinischen Inschriften bezeugt, vgl. ThLL I, Sp. 136, Z. 69–71. Perdrizet hält ihn für einen „nom perse" (S. 531).
Z. 2 Das *nomen gentile* Caesius begegnet in Philippi sonst nur noch in der Inschrift 310/L487. Caesius Victor ist als Großgrundbesitzer aus der

Inschrift 525/L104 aus Χαριτωμένη bekannt: „C'était quelque grand propriétaire de la colonie, possédant des fermes très éloignées les unes des autres. Encore aujourd'hui, la plus grande partie de la terre, dans cette partie
de la Macédoine, est en grandes fermes, en *tchifliks*, appartenant aux beys,
ou aux gens qui les achètent des beys ruinés" (Perdrizet, S. 530f.).
Eine neue Inschrift aus Thessaloniki veranlaßt Nigdelis zu interessanten Ver-
mutungen, die die Bedeutung des Besitzes des Caesius Victor unterstreichen:
„Es scheint also folglich der Schluß berechtigt, daß Caesius Victor oder einer
seiner Nachkommen der letzte Eigentümer des Besitzes war, der in *kalendarium Caesianum* überging" (S. 126). Dieses ist Nigdelis zufolge das erste
inschriftlich bezeugte kaiserliche Besitztum in Makedonien überhaupt (S.
119); seine Grundlage wären die Ländereien des Caesius Victor aus Philippi
gewesen.

Z. 3 *actor* entspricht dem griechischen πραγματευτής, „Gutsverwalter".
Die Belege aus Philippi sind gesammelt im Kommentar zu 022/G220 aus
Kavala. Auch in der genannten Inschrift 525/L104 begegnet ein (*servus*)
actor des Caesius Victor. Es liegt daher die Vermutung nahe, daß auch
Niger ein *actor* des Caesius Victor ist. Vermutlich war auch Niger Sklave.
„En tout cas, c'était un esclavage assez tolérable et qui n'empêchait pas
de jouir des biens de la fortune, puisque Niger faisait pour Abrocomas la
dépense d'un beau cippe de marbre blanc, et que Lucius avait pu faire une
fondation pieuse de plus de cent deniers" (Perdrizet, S. 531). „Les fermes de
la colonie étaient cultivées par des esclaves, commandés par un esclave-chef,
l'*actor*." (Perdrizet, S. 531, Anm. 1).

433/L160   **Inschrift des Titus Flavius und der Flavia Macrina**
II

Paul Perdrizet: Voyage dans la Macédoine première [III], BCH 21 (1897), S. 514–
543; hier S. 531, Nr. 2.
CIL III, Suppl. 2, Nr. 14206[15].

Κύρια. Zum Fundort und den Fundumständen vgl. die Beschreibung bei
432/L163: „Cippe exactement de même forme et de mêmes dimensions que
le précédent [432/L163]" (Perdrizet, S. 531). „Grandes lettres rongées de
mousse." (S. 531).

    T(itus) Flavius
    T(iti) f(ilius) Vol(tinia),
    dec(urio) Phi[lipp(is)],
    [...]
 5 Flavia Macr[i]-
    na filia.

---

3 Perdrizet liest: *P[hilip](pensium)*.

Titus Flavius, der Sohn des Titus, aus der Tribus Voltinia, Decurio in Philippi ... . Flavia Macrina, seine Tochter.

Datierung nach Perdrizet (vgl. S. 530).

Lateinisches Fragment   434/L167
                                                     II

Paul Perdrizet: Voyage dans la Macédoine première [III], BCH 21 (1897), S. 514–543; hier S. 532, Nr. 3.
CIL III, Suppl. 2, Nr. 14206[22].

Κύρια. Zum Fundort und zu den Fundumständen vgl. oben bei 432/L163.
„Fragment d'architrave d'héroon. Lettres effacées" (Perdrizet, S. 532).

TRANVSCON

Datierung nach Perdrizet (vgl. S. 530).

Lateinisches Fragment   435/L168
                                                     II

Paul Perdrizet: Voyage dans la Macédoine première [III], BCH 21 (1897), S. 514–543; hier S. 532, Nr. 4.
CIL III, Suppl. 2, Nr. 14206[23].

Κύρια. Zum Fundort und zu den Fundumständen vgl. oben bei 432/L163.
„Fragment d'une inscription monumentale. Haut. des lettres 0$^{m.}$19. Beaux caractères du IIe siècle" (Perdrizet, S. 532).

RREN

„Sans doute faut-il reconnaître ici le nom *Burrenus*, ou *Burrena*, qui semble avoir été fréquent dans la colonie" (Perdrizet, S. 532).

Fragment einer lateinischen Bauinschrift   436/L458
                                                     II

Collart, S. 239 mit Abb. im Tafelband Pl. XXXII 3.
AÉ 1939, 183.
Paul Collart: Inscriptions de Philippes, BCH 62 (1938), S. 409–432; hier S. 409–411, Nr. 1 mit Abb. 1.
Fanoula Papazoglou: Le territoire de la colonie de Philippes, BCH 106 (1982), S. 89–106; hier S. 106 mit Anm. 80.

Kiria-Vathykhori. „Bloc d'entablement, en marbre de Philippes, où se trouvent réunies une architrave inscrite à trois bandeaux et une frise dont la mouluration a été partiellement ravalée. Les mêmes éléments se répètent, en retour, sur la face latérale de gauche. Face latérale droite jointive. La face inférieure présente, à gauche, un trou de tenon, trace de l'ajustement du bloc sur son support" (Collart, S. 409f.).

Abmessungen: H. 0,58; L. 1,24; D. 0,16; H. der Buchstaben Z. 1: 0,065; Z. 2: 0,06. „Points séparatifs entre les mots" (Collart, S. 410).

> [r(es) p]ublica col(oniae) Iul(iae) Aug(ustae) P[hilipp(ensis) ...
> sub curatione ..., q(uaestoris)]
> *vacat*　pr(o) pr(aetore) et cur[atoris r(ei) p(ublicae) Phil(ippen-
> sis) ...]

1　Collart ergänzt den Nominativ *col(onia) Iul(ia)* etc. (vgl. den Kommentar).

Die *res publica* der *Colonia Iulia Augusta Philippensis* (hat) unter der Aufsicht des ..., des Quästors *pro praetore* und Curators der *res publica Philippensis* (das Bauwerk errichtet).

„Il n'est pas possible de restituer le sens complet de l'inscription qui courait sur les deux bandeaux supérieurs de cette architrave. Si le retour de la mouluration permet d'affirmer que nous en avons ici, intégralement, la partie gauche, nous ignorons le nombre des blocs qui manquent, sur la droite. Du moins les dimensions de celui qui nous a été conservé permettent-elles de dire qu'il s'agissait là d'un assez petit monument: ni la longueur et la hauteur de la pierre, ni la grandeur des lettres qui y sont gravées n'approchent des dimensions correspondantes des blocs appartenant aux grands édifices du forum de Philippes, par exemple" (Collart, S. 410).

Z. 1 Papazoglou ist im Gegensatz zu Collart der Auffassung, daß das *colonia Iulia Augusta Philippensis* im Genitiv stehen muß, da es nicht synonym mit *res publica* ist. Vgl. dazu den Kommentar bei 232/L336 vom Forum, wo *colonia Iulia Augusta Philippensis* und *res publica* in ein und derselben Inschrift mit *et* verbunden nebeneinander stehen.

Der Titel *quaestor pro praetore* verweist auf eine Funktion in der Provinz Macedonia. Daneben hatte der in dieser Bauinschrift Genannte auch noch das städtische Amt eines Curators inne.

Die Titulatur (vgl. dazu die Angaben bei Collart, S. 411, Anm. 3) sowie „la manière dont est travaillé notre bloc" (Collart, S. 411) führen zu einer Datierung in die zweite Hälfte des zweiten Jahrhunderts.

Beschluß über den Verkauf von Wein   437/L076

Heuzey/Daumet, Nr. 59 (S. 126).
CIL III 1, Nr. 661.
Δήμιτσας, Nr. 1040 (S. 789f.).
Band I, S. 79 mit Anm. 5.

Doxato. „Dans l'escalier d'une maison turque" (Heuzey, S. 126).

```
 1  [...]VIA
    [...]IIV IS
    [...]S[... pla]cuit vican[is]
    [...]N uti ex IIO
 5  [...]BIM VIVI [...]em catapho[ran]
    [...]unt reddere
    [...]IIIES·OMONOIT·
    A[...]IMOCAIM·RED
    [...]ebit quidqui[d]
10  [...]IVR quod si qui[s]
    [...]v <f>e<r>et duplum
    [...]T quod sequ[i]tor
    [... ac]cipiet reli[quum]
    [...]VA [vic]anos sequ[i]tor
15  [... pla]cuit vicanis
    [... ut] qui emeret·SL
    [...a vi]canis vinum HO\
    [...]RE·PRAESEO[-] DE
    [...]OIIVAT periculo eo-
20  vacat  rum  vacat
```

3 CIL: A VIT VICAN. **4** CIL: S NVTI. **11** Auf dem Stein anscheinend SEPET.
Heuzey: *infe[r]et duplum.*

Aus der Formulierung *[plac]uit vican[is]* geht hervor, daß es sich hier um ein
Psephisma handelt, das in einem Dorf aus dem Gebiet von Philippi gefaßt
worden ist. Leider kann man der Inschrift nicht mehr entnehmen, welches
der Gegenstand dieses Psephisma gewesen ist. Heuzey äußert die Vermutung, daß die Bewohner dieses Dorfes zur Erleichterung des Weinvertriebes
gewisse Verpflichtungen auf sich nahmen; diese waren günstig für die Händ-
ler, die ihnen die Weine abkaufen kamen. In jedem Fall handelt es sich um
ein wichtiges Dokument, insofern es zeigt, daß das bei Δοξάτο gelegene römische Dorf, obgleich der Kolonie Philippi zugehörig, doch eine in gewissem
Rahmen eigenständige Verwaltung hatte.

438/L077   **Inschrift für einen Flaccus**

Heuzey/Daumet, Nr. 60 (S. 127).
CIL III 1, Nr. 653.
Δήμιτσας, Nr. 1041 (S. 790).
Collart, S. 262.
Paul Perdrizet: Inscriptions de Philippes: Les Rosalies, BCH 24 (1900), S. 299–
323; hier S. 311, Anm. 2.

Doxato: Ἅγιος Ἀθανάσιος. „Dans le pavé de l'église. Sur une pierre provenant d'une construction" (Heuzey, S. 127).
„Ces lignes, gravées en très-beaux caractères, se développaient primitivement
sur deux plaques de marbre, juxtaposées et appareillées dans une construction. L'une des pierres ayant disparu, l'inscription se trouve coupée par le
milieu, et nous n'en avons plus que la seconde moitié" (Heuzey, ebd.).

> [... V]ol(tinia) Flacco, q(uaestori) $\overline{II}$,
> [aedili, IIviro iu]re dic(undo) Philippis,
> [...] ex codicillis eius testa-
> [menti sicut fieri] iussit arbitratu
> 5 [... S]aturnini, C(ai) Semproni SA.

1 Heuzey: Zahl mit Überstrich. **2** Heuzey möchte *vir(o) aedil(i)* ergänzen und das *viro*
mit dem II aus Zeile 1 zusammennehmen. Collart liest *q II | [viro iu]re dicundo* etc. Dafür
ist links zu viel Platz. Der oben im Text gebotene Mittelweg zwischen Heuzey und Collart
ist m.E. angemessen.

> Für ... Flaccus, aus der Tribus Voltinia, zweimal Quästor, Ädil
> und Duumvir *iure dicundo* in Philippi ... aufgrund der Zusätze
> seines Testamentes hat er angeordnet, daß es so geschehen solle
> nach der schiedsrichterlichen Entscheidung des ... Saturninus
> und des Caius Sempronius.

Z. 1f. Es liegt näher, das II im Sinne von *bis* zu verstehen und in Z.
2 nicht *vir(o)* zu ergänzen, wie Heuzey vorschlägt. Flaccus war zweimal
quaestor, sodann *aedilis* und schließlich *duumvir iure dicundo*. Unser Flaccus
bei Κανατσούλης als Nr. 1459 (S. 166).
Z. 3f. Zu *fieri iussit arbitratu* vgl. die Inschrift 154/L600 aus dem Theater.
Z. 5 Hinter dem SA fehlt nichts (vgl. Heuzeys Rekonstruktion). Ob man
SA als *sa(cerdotis)* auflösen soll? Ein Freigelassener des Caius Sempronius
begegnet in 354/L324.

Im Elysium

Heuzey/Daumet, Nr. 61 (S. 128).

CIL III 1, Nr. 686.

Α. Παπαδόπουλος Κεραμεύς: Ἀρχαιότητες καὶ ἐπιγραφαί τῆς Θράκης συλλεγεῖσαι κατὰ τὸ ἔτος 1885· προσετέθησαν καὶ τινες ἐπιγραφαί τῆς Μακεδονίας, in: Ο ἐν Κωνσταντινουπόλει Ἑλληνικός Φιλολογικός Σύλλογος. Σύγγραμμα Περιοδικόν 17 (1882–83), Παράρτημα, Konstantinopel 1886, S. 65–113; hier S. 110.

Carmina latina epigraphica, hg. v. Franz Bücheler, Leipzig 1895/1897 (Nachdr. Amsterdam 1964); hier Band 2, Nr. 1233 (S. 577–579).

Δήμιτσας, Nr. 1042+1043 (S. 791–793).

Paul Perdrizet: Inscriptions de Philippes: Les Rosalies, BCH 24 (1900), S. 299–323; hier S. 318f.

Paul Perdrizet: Cultes et mythes du Pangée, Annales de l'est, publiées par la faculté des lettres de l'université de Nancy, 24ᵉ année, fascicule 1, Paris/Nancy 1910; hier S. 98ff.

Franz Joseph Dölger: Zur Frage der religiösen Tätowierung im thrakischen Dionysoskult. „*Bromio signatae mystides*" in einer Grabinschrift des dritten Jahrhunderts n. Chr., Antike und Christentum 2 (1930), S. 107–116.

A.J. Festugière: Les mystères de Dionysos, RB 44 (1935), S. 192–211.366–396 (Nachdr. in: ders.: Études de religion grecque et hellénistique, Paris 1972, S. 13–63; hier S. 30).

Collart, S. 419ff.

Wilhelm Vollgraff: Remarques sur une épitaphe latine de Philippes en Macédoine, in: Hommages à Joseph Bidez et à Franz Cumont, CollLat 2, Brüssel o. J., S. 353–373.

Adrien Bruhl: Liber Pater. Origine et expansion du culte dionysiaque à Rome et dans la monde romain, BEFAR 175, Paris 1953, S. 314.

Martin P. Nilsson: The Dionysiac Mysteries of the Hellenistic and Roman Age, Lund 1957, S. 130f.

Martin P. Nilsson: Geschichte der griechischen Religion. Zweiter Band: Die hellenistische und römische Zeit, HAW V 2, München ²1961, S. 367 mit Anm. 1.

Heinz Günter Horn: Mysteriensymbolik auf dem Kölner Dionysosmosaik, Bonn 1972, S. 20.

Siegrid Düll: Götter auf makedonischen Grabstelen, in: Μελετήματα στη μνήμη Βασιλείου Λαούρδα/Essays in Memory of Basil Laourdas, Thessaloniki 1975, S. 115–135; hier S. 130 mit Anm. 77.

Walter Burkert: Ancient Mystery Cults, Carl Newell Jackson Lectures, Cambridge/Mass. und London 1987, S. 23 mit Anm. 61.

Lilian Portefaix: Sisters Rejoice. Paul's Letter to the Philippians and Luke-Acts as Seen by First-century Philippian Women, CB.NT 20, Uppsala 1988, S. 105f.

Reinhold Merkelbach: Die Hirten des Dionysos. Die Dionysos-Mysterien der römischen Kaiserzeit und der bukolische Roman des Longus, Stuttgart 1988, S. 89.

Band I, S. 42 mit Anm. 133; S. 102f. mit Anm. 37; S. 106f.

Doxato. Ἅγιος Ἀθανάσιος. Laut Inschrift an der W-Seite der Kirche stammt diese aus dem Jahr 1867, der Turm dagegen (auch im W) von 1893. Τὸ μάρμαρον μήκους 1,82, πλάτ. 0,49 εὕρηται ἔμπροσθεν τῆς ἀριστερᾶς πυλίδος του ιερού βήματος της εκκλησίας αγ. Αθανασίου. Η επιγραφή πολλάκις της ημέρας πατουμένη εφθάρη ικανώς. Αι τέσσαρες πρώται γραμμαί καλύπτονται εκατέρωθεν υπό το τέμπλον, μάλιστα δε εν τη 2 γραμμή τα στοιχεία esTDIVis κατεστράφησαν παντελώς διά τετραγώνου μικρού λαξεύματος εξεπίτηδες γενομένου υπό του στήσαντος το τέμπλον. Παμπόλλων δε στοιχείων (και τούτων τα πλείονα) ίχνη μόνον διακρίνονται. Εκ του ιδιογράφου μου σημειώ την ακόλουθον ανάγνωσιν εν II γρ. 6 MYSTIDISΛTSE (Παπαδόπουλος Κεραμεύς, S. 110) – das war der Zustand im November 1885 (zum Datum vgl. a.a.O., S. 108).

Dia Nummer 681–688/1992.

1

Si dolor in[f]rac[tu]m potuit conve[ll]ere [p]ectus
    [H]ercu[le]um, cur me flere tamen pigeat?
nam velut Aeacid[a]e laudavit corpus A[chillis]
    clarus Homerus, item non tua laus similis.
5 te sortita Paphon pulc[h]ro minus ore notabat
    diva, set in toto cor[d]e plicata inerat.
sobria quippe tua pollebat pectore virtus
    non aetate minor, n[e]c minor inde loco.
nec mihi per validos rapio te morte dolores,
10   quamvis aequanimo dat, puer, ut lacrimem.
[... cr]uciamur volnere victi

2

    et reparatus item vivis in Elysiis.
sic placitum est divis a[l]terna vivere forma
    qui bene de supero [l]umine sit meritus;
15 quae tibi castifico promisit munera cursu
    olim iussa deo simplicitas facilis.
nunc seu te Bromio signatae mystidis AISE (?)
    florigero in prato congreg[at] in satyrum;
sive canistriferae possunt sibi Naidis a[e]qu[um,]
20   qui ducibus taedis agmina festa trahas.
sis quo[d]cunque, puer, quo te tua protulit aetas,
    dummodo [...]

Der *textus receptus* beruht weder auf der *editio princeps* von Heuzey noch auf der Mommsenschen Rezension im CIL, sondern auf der Büchelerschen Fassung in den *Carmina latina epigraphica*, die ihrerseits von Konjekturen geprägt ist. Die von Bücheler abhängigen Autoren werden im Apparat daher nicht namentlich verzeichnet. **1** CIL: *in[f]ractum* und *convellere*. **2** CIL: *Herculium*. **3** CIL: *Λ[c]hilli[i]*. **5** CIL: *pulchro*. **7** Heuzey, CIL, Bücheler, Dölger: *tuo*. **8** CIL: *[i]oco*. **9** Bücheler: *hec*. CIL, Bücheler: *rapto*. **10** Δήμιτσας: *lacrimen*. **11** Bücheler, Dölger, Nilsson: *[tu placidus, dum nos cr]uciamur*. CIL: *su[lc]amur*. **13** CIL, Bücheler: *a[e]terna vivere for[ma]*. Perdrizet: *aeterna*. **14** CIL: *lumine*. Perdrizet, Bücheler: *numine*. **15** Δήμιτσας: *pomisit numera* (vermutlich Druckfehler). **17** Παπαδόπουλος Κεραμεύς will ΛTSE lesen

(m. E. noch heute eindeutig widerlegbar!). CIL: *mystides at se*. Nilsson (Konjektur): *ad se*. **18** CIL: *congreg[em uti] Satyrum*. Bücheler: *congregi*. Nilsson: *florigere ... congregant*. **19** CIL, Bücheler: *poscunt sibi Naïdes aequ[e]*. Nilsson: *Naides*. **21** Δήμιτσας: *quo[d]cumque*. **22** Dölger: *dum mode (pro meritis arva beata volas)*.

Übersetzung von Dölger (a.a.O., S. 108)

1

Wenn der Schmerz zu erschüttern vermochte
Des Herkules Brust, die niemand bezwang,
Warum sollte nicht weinen auch ich,
Wer wird's mir verdenken?
Wie einen Sproß aus Äakus Haus
Pries die Gestalt des Achilles
Einst der berühmte Homer:
Gleiches Lob ist nicht für dich.
5 Dich hat die Göttin von Paphos
Nicht so gezeichnet mit schönem Gesicht –
Aber die ganze Seele dein
Zierte heimlich die himmlische Schönheit:
Rein sproßte die Tugend
In deiner Brust,
Nicht minder wie deine Jugend,
Nicht kleiner als dein Geschlecht.
Dies und der große Schmerz,
Den dein Tod mir verursacht',
10 Bringt mich, Knabe, zum Weinen –
Trotz meinem Gleichmut.
Wir härmen und quälen uns ab,
Von der Wunde besiegt –

2

Du aber lebst, in Ruhe verklärt,
Auf der Elysischen Au.
So war es der Ratschluß der Götter,
Daß fortlebe in ewiger Form,
Der so hohes Verdienst sich erwarb
Um die himmlische Gottheit:
15 Gnaden, die dir verhieß
In dem keuschen Lauf dieses Lebens
Die Einfalt,
Die einst der Gott dir befahl.
Ob dich nun des Bromius
Heilige Mystenschar
Zu sich ruft in den Kreis der Satyre

Auf blumiger Au,
Oder mit ihrem Korb die Naiaden
Zu sich winken in ähnlicher Art,
20 Um im Glanze der Fackeln
Den frohen Festzug zu führen:
Sei doch Knabe, was immer,
Wozu dich dein Alter bestimmt hat,
Wenn du nur, wie du's verdienst,
Im Gefilde der Seligen wohnst.

Heuzey datiert die Inschrift aufgrund der Buchstabenform in das 3. Jh. n.
Chr. (S. 129).
Für eine angemessene Kommentierung dieser wichtigen Inschrift ist hier
nicht genügend Raum; vgl. einstweilen meine Bemerkungen in Band I, S.
105–107. Ich hoffe, darauf in anderem Zusammenhang eingehender zu sprechen zu kommen.

Z. 13 Zu *alterna forma* bzw. *aeterna forma* vgl. μορφῇ θεοῦ (Phil 2,6)
und μορφῇ δούλου (Phil 2,7). „Les mots *lumine* et *alterna* doivent être
préférés, comme plus voisins des linéaments restés sur la pierre." (Heuzey, S.
130, Anm. 1).

Z. 15f. Mommsen schlägt vor, die Zeilen 15-16 folgendermaßen zu verstehen: „quae munera (ut in campis Elysiis viveres) castifico cursu (propter
vitam quam caste degebas) olim promisit iussa deo (deorum iussu) simplicitas facilis (simplicitas non austera animi tui)".
simplices = ἀκέραιοι (Phil 2,15).

Z. 17 „Une difficulté de lecture empêche seulement de savoir de quelle
manière intervient dans cette transformation le personnage féminin, désigné
par les termes ambigus de *signata mystis*: celle qui, parmi les initiées, est
marquée du signe sacré, ou plutôt celle qui porte sur ses lèvres le sceau des
mystères, probablement l'*hiérophantide*; peut-être même la déesse qui est
aux Enfers l'initiée par excellence, c'est-à-dire Proserpine" (Heuzey, S. 130).
„Da *Bromios* ein geläufiger Name für Dionysos ist, so sind die *Bromio
signatae mystides* Frauen, die in die Mysterien des Dionysos eingeweiht
sind" (Dölger, a.a.O., S. 110). Dölger diskutiert ausführlich die Frage, wie
das *signatae* zu verstehen ist. Einerseits kann es „im übertragenen Sinne
gemeint sein, also dem Bromius zugesiegelt als sein Eigentum. Dies käme
auf den Sinn von *signatae* = Geweihte oder Eingeweihte hinaus und würde
dann nur eine Verstärkung des *mystides*" (ebd.). Andrerseits könnte man an
eine Tätowierung denken: „Schon H e r o d o t [V 6] sagt uns, daß es bei den
Thrakern als vornehm galt, tätowiert zu sein, nicht tätowiert zu sein aber
als Zeichen einer niedrigen Herkunft" (ebd.). Wie Dölger zeigt, kam diese
Tätowierung bei Männern wie auch bei Frauen vor (S. 111f.). Trotzdem ist
Dölger zufolge hier nicht an eine Tätowierung zu denken: „Die vorgeführten
Bilder mit Mänaden haben uns wohl Tätowierungen in reichem Maße be-

zeugt, aber keine Tätowierung, die wir als eigentliche religiöse Tätowierung im Sinne einer Gottesweihe verstehen können" (a.a.O., S. 115f.; im Original gesperrt).

Inschrift des Freigelassenen Marcus Varinius Celer   440/L080
I

Heuzey/Daumet, Nr. 63 (S. 135).
CIL III 1, Nr. 682.
A. *Παπαδόπουλος Κεραμεύς:* Ἀρχαιότητες καὶ ἐπιγραφαί τῆς Θράκης συλλεγεῖσαι κατὰ τὸ ἔτος 1885· προσετέθησαν καὶ τινες ἐπιγραφαί τῆς Μακεδονίας, in: Ὁ ἐν Κωνσταντινουπόλει Ἑλληνικός Φιλολογικός Σύλλογος. Σύγγραμμα Περιοδικόν 17 (1882–83), Παράρτημα, Konstantinopel 1886, S. 65–113; hier S. 110.
Δήμιτσας, Nr. 1045 (S. 794f.).
CIL III Suppl. 1, Nr. 7338.
Paul Collart: Monuments thraces de la région de Philippes, in: Serta Kazaroviana. Commentationes gratulatoriae Gabrielo Kazarov septuagenario oblatae A. D. XVII. Kal. Nov. MCMXLIV, Pars prima, Bulletin de l'institut archéologique bulgare 16, Serdicae 1950, S. 7–16; hier S. 8f. (Nr. 1) mit Abb. 1.

Doxato: Ἅγιος Ἀθανάσιος. Πλάξ (ὕψ. 1,45· πλ. 0,71) ἐστρωμένη ἐντός τῆς ἐκκλησίας, παρά τήν ἀριστεράν πυλίδα τοῦ ἱεροῦ βήματος. Ὑπό τήν ἐπιγραφήν ἱππεύς θρᾶξ, οὗ ἔμπροσθεν βωμός καί δένδρον περιειλιγμένον ὑπό ὄφεως (Παπαδόπουλος Κεραμεύς, S. 110).
Abmessungen (nach Collart, S. 8): H. 1,37; B. 0,69; D. 0,20; H. der Buchstaben 0,075; 0,065; 0,056; 0,05; 0,05; 0,05; 0,05. Das Relief: H. 0,34; B. 0,46.
Zur Zeit von Collart befand sich die Inschrift noch „à côté de l'église" (S. 8). Bei meinem Besuch der Kirche Ἅγιος Ἀθανάσιος am 31. August 1992 vermochte ich den Stein jedoch nicht ausfindig zu machen (der zuständige Pfarrer wußte nichts über seinen Verbleib zu sagen).

> M(arcus) Varinius
> M(arci) l(ibertus) Celer sibi
> et Variniae Ma-
> ritae uxori et Pri-
> 5 migeniae et Pyral-
> idi fili(i)s et genero
> [C *bzw.* F]urio Alcimo vivos f(aciendum) c(uravit).

Der Erhaltungszustand zur Zeit von Collart war deutlich schlechter (jeweils nur noch das Ende der Zeile; vgl. auch seine Abb.).
3 Collart liest *Variniae ma-|ritae.* **5** CIL (682): PYRAL. CIL (7338): MICENIAE·ET· PYPAL. Gegen Heuzey ist auf dem Stein eindeutig PYRAL|IDI zu lesen (so auch Collart; vgl. seine Abb.). **6** CIL (7338): NDI·FIAIS EF GENERO. **7** CIL (682): V[I]RIO· ALCIMO. CIL (7338): ·NO·ALCIMO·V·IVOS·IC.

Marcus Varinius Celer, der Freigelassene des Marcus, hat zu Lebzeiten für sich und für seine Frau Varinia Marita und für seine
Kinder Primigenia und Pyralis und für seinen Schwiegersohn Cu-
rius (bzw. Furius) Alcimus (den Stein) anfertigen lassen.

Heuzey datiert die Inschrift in das 1. Jh. n. Chr. und gibt dafür die folgenden
Gründe an: die gute Arbeit des Reliefs; die Benutzung der alten Orthographie (*vivos* statt *vivus*).
Nach Heuzey ist diese Inschrift der Nummer 428/L074 aus Μπόριανι vergleichbar.

441/L081   **Inschrift des Varinius Celer**

Heuzey/Daumet, Nr. 64 (S. 135).
CIL III 1, Nr. 683.
Δήμιτσας, Nr. 1046 (S. 795).

Doxato: Ἅγιος Αθανάσιος? „Dans le mur de l'église." „Sur une stèle à
fronton" (Heuzey, S. 135).

> [...] Varinius
> [Ce]ler an(norum) LV
> [h(ic)] s(itus) e(st).
> [...]OFESBI
> 5 [fa]c(iendum) cura(vit).
> [...]RF

3 CIL: S F.   **4** CIL: OFESI I. Δήμιτσας: [*fa*]c(*iendum*).   **6** CIL: R F. Δήμιτσας:
cura(*vit*).

Varinius Celer, fünfundfünfzig Jahre alt, liegt hier begraben. ...
hat es anfertigen lassen.

„L'inscription ... prouve l'existence d'une sépulture de famille" (in Verbindung mit 440/L080; Heuzey, S. 135).

442/L082   **Lateinisches Fragment**

Heuzey/Daumet, Nr. 65/66 (S. 136).
CIL III 1, Nr. 700.
Δήμιτσας, Nr. 1047 (S. 795).

Doxato: Ἅγιος Ἀθανάσιος? In der Mauer der Kirche.

ỊCILIOPILA

1 CIL: CILIO·PILA. Δήμιτσας: I CILIOPILA.

Grabinschrift der Opetreia Salva   443/L186

Heuzey/Daumet, Nr. 65/66 (S. 136).
CIL III 1, Nr. 674.
A. *Παπαδόπουλος Κεραμεύς:* Αρχαιότητες και επιγραφαί της Θράκης συλλεγείσαι κατά το έτος 1885· προσετέθησαν και τινες επιγραφαί της Μακεδονίας, in: Ο εν Κωνσταντινουπόλει Ελληνικός Φιλολογικός Σύλλογος. Σύγγραμμα Περιοδικόν 17 (1882–83), Παράρτημα, Konstantinopel 1886, S. 65–113; hier S. 110.
Δήμιτσας, Nr. 1048 (S. 795).

Doxato: Ἅγιος Ἀθανάσιος. In der Mauer der Kirche ὑπεράνω μιᾶς θύρας (Παπαδόπουλος Κεραμεύς, S. 110). Es handelt sich um eine Inschrift entlang einer Schmuckleiste. In der Mitte befindet sich ein Relief, das eine Frau darstellt, die ihre Hände im Gebetsgestus ausbreitet.
Παπαδόπουλος Κεραμεύς beschreibt den Stein ein wenig anders: Ἐπὶ ἀναγλύφου ἐκτισμένου ἔξωθεν, ὑπεράνω μιᾶς θύρας τῆς αὐτῆς ἐκκλησίας .... Τὸ ἀνάγλυφον (ἐντὸς νύμφης) παριστᾷ γυναῖκα ὀρθίαν φέρουσαν χιτῶνα ἀνοικτὸν καὶ μετὰ πτυχῶν, εἰς τὸ μέσον ζώνην καὶ κρατοῦσαν ἐν τῇ ἀριστερᾷ πινάκιον (S. 110).
Maße: H. 0,49; B. 0,43 (Παπαδόπουλος Κεραμεύς).
Der Stein befindet sich heute im Hof des Museum von Philippi (unterhalb des Foyers) und trägt die Inventarisierungsnummer Λ 86.
Dia Nummer 337.338/1991.

> Opetreia Salv[a]
> an(norum) [...]
> h(ic) s(ita) [e(st)].

1 Heuzey, CIL: OPETREIA SALΨ. Δήμιτσας: OPETREIASΨ.   **2/3** CIL: AN. Dann Leerzeile. Dann: HS.

Opetreia Salva, ... Jahre alt, liegt hier begraben.

Z. 1 Das *nomen gentile* Opetreius begegnet (ebenfalls in Δοξάτο) in 449/L131: *G(aius) Opetreius MAR[...].*

444/L187 Fragment

Heuzey/Daumet, Nr. 65/66 (S. 136).
CIL III 1, Nr. 701.
Δήμιτσας, Nr. 1049 (S. 795).

Doxato: Ἅγιος Ἀθανάσιος? In der Mauer der Kirche.

AN

1 CIL fügt eine Zeile 2 hinzu: ODVI.

445/L134 Inschrift der Tatinia Galatia

Α. *Παπαδόπουλος Κεραμεύς:* Αρχαιότητες και επιγραφαί της Θράκης συλλεγείσαι κατά το έτος 1885· προσετέθησαν και τινες επιγραφαί της Μακεδονίας, in: Ο εν Κωνσταντινουπόλει Ελληνικός Φιλολογικός Σύλλογος. Σύγγραμμα Περιοδικόν 17 (1882–83), Παράρτημα, Konstantinopel 1886, S. 65–113; hier S. 111.
CIL III, Suppl. 1, Nr. 7354.

Doxato: Ἅγιος Ἀθανάσιος. Επί τεμαχίου εκτισμένου επί του περιτειχίσματος της αυλής του ναού του αγίου Αθανασίου, αντικρύ της κεντρικής τούτου πύλης. Ὕψ. 0,24· πλ. 0,57 (Παπαδόπουλος Κεραμεύς, S. 111).
Bei meinem Besuch der Kirche Ἅγιος Ἀθανάσιος am 31. August 1992 vermochte ich den Stein nicht ausfindig zu machen (der zuständige Pfarrer wußte nichts über seinen Verbleib zu sagen).

VIII h(ic) s(itus *oder* -ita) [e(st)].
et Tatinia Galatia.

... acht (?) (Jahre alt), liegt hier begraben. Und Tatinia Galatia
...

446/L079 Grenzstein der Octavia Maximilla

Heuzey/Daumet, Nr. 62 (S. 134).
CIL III 1, Nr. 673.
Δήμιτσας, Nr. 1044 (S. 793f.).
Band I, S. 86, Anm. 3.

Doxato. „Dans une maison. Sur une pierre rectangulaire" (Heuzey, S. 134).

Plethra tria.
Octavia L(uci) fil(ia)
Maximil[l]a, filia et
herens, fac(iendum) cur(avit).

3 CIL: MAXIMIL[I]A.

Drei Plethren. – Octavia Maximilla, die Tochter des Lucius, hat
als seine Tochter und seine Erbin (die Inschrift) anfertigen lassen.

Z. 1 Das verwendete Maß πλέθρα τρία zeigt, daß es sich hier nicht um
eine Grabinschrift handelt; vielmehr diente dieser Stein offenbar als eine Art
Grenzstein. Das hier verwendete Maß ist ein griechisches (ein Plethron ist
gleich hundert Fuß). Bemerkenswert ist der Sachverhalt, daß das griechische
Maß in einer lateinischen Inschrift verwendet wird. Da die Inschrift zu dem
Zweck aufgestellt worden ist, daß sie von allen gelesen und verstanden würde,
ist anzunehmen, daß diese Maßeinheit allgemein gebräuchlich war. Daraus
kann man schließen, daß bei der Gründung der Kolonie ein substantieller
griechischer Bevölkerungsteil vorhanden war, der auch griechisch blieb und
nicht römisch wurde.
Eine Liste aller Vorkommen von *plethron*/πλέθρον findet sich bei der Inschrift 343/G440 aus dem Haus mit Bad im Süden der Basilika B.

Lateinisches Fragment   447/L128

A. *Παπαδόπουλος Κεραμεύς:* Ἀρχαιότητες καὶ ἐπιγραφαί τῆς Θράκης συλλεγεῖσαι
    κατὰ τὸ ἔτος 1885· προσετέθησαν καὶ τινες ἐπιγραφαί τῆς Μακεδονίας, in: Ὁ ἐν
    Κωνσταντινουπόλει Ἑλληνικός Φιλολογικός Σύλλογος. Σύγγραμμα Περιοδικόν
    17 (1882–83), Παράρτημα, Konstantinopel 1886, S. 65–113; hier S. 111.
CIL III, Suppl. 1, Nr. 7348.

Doxato. Ἐπί τεμαχίου μαρμάρου ἐκτισμένου ἄνωθεν τῆς θύρας του καταστήματος Δημητρίου Τζήνου. Τά στοιχεῖά εἰσι μέγιστα (Παπαδόπουλος Κεραμεύς, S. 111).

> [...]TFE T(iti) f(ilius) Vol(tinia) SA[...]
> [...] sibi et Flaviae C[...].

1 CIL: T F[L] statt TFE.   2 CIL: FLAVIA[E].

... der Sohn des Titus, aus der Tribus Voltinia, ... (hat) für
sich und für Flavia ... (den Stein anfertigen lassen).

448/L130   Grab des Kindes Lucius Octavius Salvius

A. *Παπαδόπουλος Κεραμεύς:* Άρχαιότητες καὶ ἐπιγραφαί τῆς Θράκης συλλεγεῖσαι
κατά τὸ ἔτος 1885· προσετέθησαν καὶ τινες ἐπιγραφαί τῆς Μακεδονίας, in: Ο εν
Κωνσταντινουπόλει Ἑλληνικός Φιλολογικός Σύλλογος. Σύγγραμμα Περιοδικόν
17 (1882–83), Παράρτημα, Konstantinopel 1886, S. 65–113; hier S. 111.
CIL III, Suppl. 1, Nr. 7350.

Doxato. Ἐπὶ πλακὸς ἐντετειχισμένης παρὰ τὴν θύραν τοῦ προαυλίου τῆς
οἰκίας Χατζῆ Βασιλείου. Ὕψ. 0,35· πλ. 0,24· (ἔκτυπον) (S. 111).

> L(ucius) Oc[tavius]
> L(uci) f(ilius) Vol(tinia) Sa[lvius]
> ann(os) V h(ic) s(itus) [e(st). ... Oc-]
> tav[i]us Salv[ius]
> 5 et Agathẹ [f(ilio) infeli-]
> cissimo
> ḷocus sẹp(ulturae) [datus d(ecreto) d(ecurionum)].

5 *Agathẹ* gegen CIL, denn ein E kann man bei Παπαδόπουλος Κεραμεύς – dem einzigen Gewährsmann – gewiß nicht mit Sicherheit lesen. 7 Παπαδόπουλος Κεραμεύς hat
IOCVS.SIP. CIL: [*l*]*ocus s*[*e*]*p*.

Lucius Octavius Salvius, der Sohn des Lucius, aus der Tribus
Voltinia, fünf Jahre alt, liegt hier begraben. Octavius Salvius und
Agathe (haben) für ihren unglücklichsten Sohn (das Begräbnis
ausgerichtet), nachdem der Platz für das Begräbnis durch ein
Dekret des Stadtrates zur Verfügung gestellt worden ist.

Z. 2 Eine Liste aller *Salvii* aus Philippi bei 635/L033.

Z. 5 Agathe sonst in Philippi nur in einer christlichen Inschrift in griechischer Form (κυμιτίριον διαφέροντα Ἀγάθης διακώνου κτλ., 115/G766 aus
der östlichen Nekropole) belegt.

Z. 7 Zu *locus datus decreto decurionum* vgl. ThLL VII 2, Sp. 1580, Z. 36.

449/L131   Inschrift des Gaius Opetreius

A. *Παπαδόπουλος Κεραμεύς:* Άρχαιότητες καὶ ἐπιγραφαί τῆς Θράκης συλλεγεῖσαι
κατά τὸ ἔτος 1885· προσετέθησαν καὶ τινες ἐπιγραφαί τῆς Μακεδονίας, in: Ο εν
Κωνσταντινουπόλει Ἑλληνικός Φιλολογικός Σύλλογος. Σύγγραμμα Περιοδικόν
17 (1882–83), Παράρτημα, Konstantinopel 1886, S. 65–113; hier S. 111.
CIL III, Suppl. 1, Nr. 7351.

Doxato. ... τεμάχιον αναγλύφου παριστώντος άνδρα όρθιον, φέροντα βραχύν
χιτώνα και κρατούντα τη αριστερά το άκρον του αναπεπταμένου μανδύου

του. Πρός δεξιάν αυτού, εν τη κάτω γωνία, δύο οπώραι, η μεν μήλον, η δε σύκον (Παπαδόπουλος Κεραμεύς, S. 111). Unter dem Relief befindet sich die Inschrift.

G(aius) Opetreius MAR[. . .]

Z. 1 Der Name Opetreius begegnet in Philippi nur noch ein weiteres Mal, ebenfalls in Δοξάτο: Opetreia Salva (443/L186).

Lateinisches Fragment 450/L136

A. *Παπαδόπουλος Κεραμεύς:* Αρχαιότητες και επιγραφαί της Θράκης συλλεγείσαι κατά το έτος 1885· προσετέθησαν και τινες επιγραφαί της Μακεδονίας, in: Ο εν Κωνσταντινουπόλει Ελληνικός Φιλολογικός Σύλλογος. Σύγγραμμα Περιοδικόν 17 (1882–83), Παράρτημα, Konstantinopel 1886, S. 65–113; hier S. 110f.
CIL III, Suppl. 1, Nr. 7356.

Doxato. Επί μαρμάρου χρησιμεύοντος ως βαθμίδος του καταστήματος Στεφάνου Γεωργίου. Ύψ. 0,40· πλ. 1,30· παχ. 0,16 (Παπαδόπουλος Κεραμεύς, S. 110f.).

```
ANN   vacat   X
PPVIΓIVSI
```

Weihinschrift der Valeria Severa 451/L158

Franz Cumont: Notices épigraphiques. V. Inscriptions de Macédoine, Revue de l'instruction publique en Belgique 41 (1898), S. 328–340; hier S. 337, Nr. 18.
Paul Perdrizet: Voyage dans la Macédoine première [IV], BCH 22 (1898), S. 335–353; hier S. 345–348.
CIL III, Suppl. 2, Nr. 14206[13].
A. Salač: Inscriptions du Pangée, de la région Drama-Cavalla et de Philippes, BCH 47 (1923), S. 49–96; hier S. 76f.
Collart, S. 443 mit Anm. 2.
Papazoglou, S. 382.
Band I, S. 139, Anm. 24; S. 145.

Doxato. „Autel de marbre blanc . . . ; soutient une poutre dans la grange d'un *tchiflik* à l'est du village. J'ai transcrit l'inscription à la lueur d'une chandelle" (Cumont, S. 337).
„M. L. Renaudin a retrouvé aussi en 1920, à Doxato, la partie inférieure de la base en marbre blanc que M. F. Cumont avait vue entière en 1898, dans une grange du village et qu'il avait copiée »à la chandelle«. M. P. Perdrizet a repris ce texte, complétant et rectifiant la copie et la transcription de M. F.

Cumont, sans avoir revu la pierre. Malheureusement, les catastrophes qu'a subies la petite ville de Doxato, notamment en 1912 où elle fut totalement ruinée par les Bulgares, et en 1915–1919 où elle fut à nouveau dévastée alors qu'elle se relevait de ses ruines, ont eu pour effet de détruire la partie supérieure de ce document. La grange où il était encastré a été brûlée; à l'endroit où elle s'élevait est maintenant un jardin. Les propriétaires du terrain ont rangé les marbres extraits de la construction de long d'une maison voisine. Ils ont ainsi sauvé le reste d'un texte important, mais dont il ne subsiste plus que les trois dernières lignes, encore en partie brisées" (Salač, a.a.O., S. 76f.).

Abmessungen nach Cumont: H. mehr als 0,90; B. 0,33.

Abmessungen zur Zeit von Salač: „La base, large de 0^m35, haute de 0^m70, repose sur un socle mouluré de 0^m22 du hauteur. Ép. 0^m33 au corps, 0^m42 au socle." (S. 77, Anm. 1).

> Valeria
> Severa an-
> tistes Dean<a>e
> Caszoriae p[e-]
> 5 titu a sanct[is-]
> simo ordine
> et decreto d-
> [ec(urionum)] imaginem [p(ecunia) s-]
> ua si<b>i et Atiar[i]o
> 10 Acm<a>eo nepot(i)
> suo l(ibens) p(osuit).

In Cumonts *editio princeps* herrscht eine bedauerliche Konfusion: Die Abschrift des Steins umfaßt elf Zeilen, die Umschrift hingegen lediglich zehn (Z. 8 der Abschrift ist in der Umschrift ausgelassen)!

Für den Schluß der Inschrift bietet die Lesung von L. Remaudins, der den Stein als letzter 1920 gesehen hat (vgl. Salač, S. 76f.), einen völlig anderen Text. Da der Stein nicht mehr auffindbar ist und kein Photo existiert, fällt die Entscheidung nicht leicht.

3 Perdrizet gibt Cumont: *tistes Deane*, schlägt vor: *tistes Deanae*. **4f.** Cumont liest *Caszoria Epi-|titu(a)*. **5f.** Perdrizet gibt Cumont: *titu(a) a sancti-|simo*. **7** Perdrizet schlägt vor, *et* in *ex* zu emendieren. Cumont: *decreto* ... **8** Das *imaginem* nach Perdrizet. Auf dem Stein IONIACINENE (so Perdrizet) bzw. INIACINENE (so CIL) bzw. IOINIACINENE (so Cumont). **9** Perdrizet: *ua*. Laut CIL auf dem Stein: M; ähnlich Cumont: MA in Ligatur. CIL gibt: *si[b]i*. Nach Perdrizet und Cumont auf dem Stein: SIPI. **9-11** Salač schlägt nach der Lesung Remaudins die folgende Rekonstruktion vor:

> P(ubli) f(ilio) e[t Atiario]
> [A]cmeo ne[poti]
> suo p(onendum) c(uravit).

11 Collart: *suo p(onendam) c(uravit)*.

Valeria Severa, die Oberpriesterin der Deana Caszoria, hat auf Bitte des allerheiligsten Standes und nach Anweisung der Rats-

herren auf eigene Kosten das Bild (der Deana?) für sich und für
ihren Enkel Atiarius Acmaeus gern aufgestellt.

Z. 3f. Die Artemis Gazoria ist auch anderwärts bezeugt, vgl. die bei Papazoglou (S. 382) gesammelten Belege.

Z. 5f. *Sanctissimus ordo* ist schwer zu erklären. Im Wörterbuch von Glare
findet sich weder s.v. *ordo* noch s.v. *sanctus* etwas Ähnliches. Es muß sich
doch offenbar um eine Gruppe von Leuten handeln, die etwas mit der Diana-
Verehrung zu tun hat; denn wegen des gleich folgenden *decreto decurionum*
kann jedenfalls nicht der Rat der *colonia* gemeint sein. Im ThLL IX 2, Sp.
951-965 finde ich auch nichts Passendes.

Z. 9 Zum *nomen* Atiarius – es ist für Philippi charakteristisch – vgl. den
Kommentar zu 588/L236.

Ehreninschrift der *colonia* für das Kaiserhaus   452/L164

I

Franz Cumont: Notices épigraphiques. V. Inscriptions de Macédoine, Revue de
     l'instruction publique en Belgique 41 (1898), S. 328–340; hier S. 337f., Nr. 19.
CIL III, Suppl. 2, Nr. 14206[19].
A. Salač: Inscriptions du Pangée, de la région Drama-Cavalla et de Philippes,
     BCH 47 (1923), S. 49–96; hier S. 76 (Nr. 36).
Collart, S. 274, Anm. 1.

Doxato: In den Ruinen des Hauses von Tchior Ilias. Rechteckiger
Block aus weißem Marmor.
Abmessungen: H. 0,62; B. 0,60; H. der Buchstaben: 0,11; 0,08; 0,07; 0,06;
Zeilenzwischenräume 0,05; 0,045; 0,03.

> Liberis
> et nepotib(us)
> Aug(usti) felic(is)
> col(onia) Philipp(ensium).

Den Kindern und Enkeln des glücklichen Augustus (weiht) die
Kolonie der Philipper (diese Inschrift).

Der Text von Cumont (dem CIL folgt) ist durch Salač überholt und wird
daher hier nicht mehr berücksichtigt. Collart, S. 274, Anm. 1 scheint Salač
übersehen zu haben. Auch Bormann, der doch so großes Gewicht auf den
Kaiserkult in Philippi legt, geht auf diese interessante Inschrift an keiner
Stelle ein.

453/L256   ## Grabinschrift des Scribonius Valens

A. Salač: Inscriptions du Pangée, de la région Drama-Cavalla et de Philippes, BCH 47 (1923), S. 49–96; hier S. 77f. (Nr. 37).

Doxato: In den Ruinen des Hauses von Tchior Ilias, „au puits".
Platte aus weißem Marmor.
Abmessungen: H. 1,81; B. 0,545; D. (sichtbar) 0,22; H. der Buchstaben 0,065–0,03; Zeilenzwischenräume 0,02. Die Fläche zerfällt in drei Teile: Der erste Abschnitt (H. 0,475) enthält die Z. 1; der zweite Abschnitt (H. 0,315) besteht aus einem Relief, auf welchem der Thrakische Reiter dargestellt ist; im dritten Abschnitt (H. 0,27) folgen dann die Z. 2–5.

> SCR
> Scrib[onio ...]
> Vol(tinia) Va(lenti) [...]
> [... an]nor(um) $\overline{\text{X}}$ [...]
> 5   [... pa]ter.

4   Das Zahlzeichen mit Überstrich.

... für ... Scribonius Valens, aus der Tribus Voltinia, ... zehn Jahre alt ..., (hat ...,) der Vater, (die Inschrift anfertigen lassen).

454/L287   ## Fragment einer lateinischen Grabinschrift

A. Salač: Inscriptions du Pangée, de la région Drama-Cavalla et de Philippes, BCH 47 (1923), S. 49–96; hier S. 93 (Nr. 26).

Doxato: Im türkischen Friedhof. Abmessungen: H. 0,365; L. 2,18; D. 0,16; H. der Buchstaben 0,10; Zeilenzwischenraum 0,07.

> [V]ergiliae Daphnidi mat[ri]
> dulciss[imae] an(norum). *vacat* Oppi M(a)crian(us)
> et Hyginus parentibu(s) f(aciendum) c(uraverunt).

... der Vergilia Daphne, ihrer allerliebsten Mutter, ... Jahre alt. Die *Oppii* Macrianus und Hyginus haben (die Inschrift) für ihre Eltern anfertigen lassen.

Sarkophag der Varronia (oder Marronia) Damalis   455/L083

Heuzey/Daumet, Nr. 67 (S. 136).
CIL III 1, Nr. 655.
Δήμιτσας, Nr. 1050 (S. 136).
Franz Cumont: Notices épigraphiques. V. Inscriptions de Macédoine, Revue de
l'instruction publique en Belgique 41 (1898), S. 328–340; hier S. 335, Nr. 11.
CIL III, Suppl. 2, Nr. 14206[16].
Collart, S. 268.
Bormann, S. 45.

Doxato. „Aux environs de Doxato" (Heuzey, S. 136); „a Boriani meridiem
versus in coemeterio Turcico q. d. Phtelia" (CIL). Nach Papazoglou, Index
S. 482, ist Boriani identisch mit dem Αγ. Αθανάσιος bei Doxato. Vgl. ihre
Karte Nr. 18 (S. 386).
Cumont zufolge allerdings „sur la route de Drama à Kalambaka" (S. 335).

> [...]
> [... V?]arroniae Damalidi uxori et
> [...]urretiae Philippicae socrae h(ic) [s(itae)]
> [...] IIIIIIvir Aug(ustalis)

2 Cumont: Ar//////////LDAMAII DEV. Man kann auch [*M*]*arroniae* ergänzen (vgl.
Collart und Bormann). **3** Collart ergänzt zu: *Curretiae.* CIL: SOCRAE·[FE]C. Cumont
liest am Ende nur SOCRA, das er zu *Socra*[*tes*] ergänzt. **4** Heuzey liest: *sevir au-*
g(ustalis).

Für Varronia Damalis, seine Frau, und für ... Philippica, seine Schwiegermutter, die hier begraben ist, (hat) ..., der Sexvir
Augustalis, (den Sarkophag anfertigen lassen).

Z. 2 Der Name Varronius begegnet in Philippi auch in 269/L390 und
in 297/L391. Ansonsten ist er offenbar nur in Pergamon bezeugt (vgl. Olli
Salomies: Contacts between Italy, Macedonia and Asia Minor during the
Principate, in: Roman Onomastics in the Greek East. Social and Political
Aspects, hg. v. A.D. Rizakis, Μελετήματα 21, Athen 1996, S. 111–127; hier
S. 126).
Z. 3 Die Ergänzung ist sinnvoll: Zum Zeitpunkt, als der Sexvir Augustalis
den Sarkophag anfertigen läßt, ist die Schwiegermutter Philippica bereits
tot (und mithin die erste Leiche, die in dem Sarkophag bestattet wird),
wohingegen er selbst und seine Frau Damalis noch am Leben sind.
Z. 4 Zu den *sexviri Augustales* in Philippi vgl. den Kommentar bei 037/
L037.

456/G084 **Grabinschrift für Τάρσας**

Léon Heuzey: Le sanctuaire de Bacchus Tasibastenus dans le canton de Zikhna (en Thrace), CRAI 1868, S. 219–231; hier S. 224f.
Heuzey/Daumet, Nr. 68 (S. 137f.).
Σταύρος Μερτζίδης: Αι χώραι του παρελθόντος και αι εσφαλμέναι τοποθετήσεις των. Έρευναι και μελέται τοπογραφικαί υπό αρχαιολογικό-γεωγραφικό-ιστορικήν έποψιν, Athen 1885, Nr. 20, S. 46f.
Α. Παπαδόπουλος Κεραμεύς: Αρχαιότητες και επιγραφαί της Θράκης συλλεγείσαι κατά το έτος 1885· προσετέθησαν και τινες επιγραφαί της Μακεδονίας, in: Ο εν Κωνσταντινουπόλει Ελληνικός Φιλολογικός Σύλλογος. Σύγγραμμα Περιοδικόν 17 (1882–83), Παράρτημα, Konstantinopel 1886, S. 65–113; hier S. 112.
Δήμιτσας, Nr. 1051 (S. 796f.). (Irrtümlich ein zweites Mal nach Μερτζίδης: Nr. 1082, S. 815.)
Paul Perdrizet: Voyage dans la Macédoine première [III], BCH 21 (1897), S. 514–543; hier S. 529, Anm. 1.
A. Salač: Inscriptions du Pangée, de la région Drama-Cavalla et de Philippes, BCH 47 (1923), S. 49–96; hier S. 75f., Nr. 34.
Collart, S. 286 mit Anm. 7.
Papazoglou, S. 411 mit Anm. 197.
Band I, S. 89, Anm. 16.
Χ. Βελεγιάννη: Αφιέρωση στον Ποσειδώνα από Θράκα στην Ανατολική Μακεδονία, Τεκμήρια Γ´ (1997), S. 152–164; hier S. 161 mit Anm. 54.

Χωριστή. Παπαδόπουλος Κεραμεύς zitiert Heuzey: „Dans l'église. Sur une stèle de pierre décorée de grossiers bas-reliefs" (Heuzey, S. 137) und fährt dann fort: Ἡ στήλη αὕτη τετράπλευρος οὖσα (ὕψ. 1,70· πλ. 0,53· πάχ. 0,27) ἐντετείχισται ἔξωθεν τῆς τελευταίας πρὸς δ. πυλίδος τῆς ἐκκλησίας τῶν Εἰσοδίων, οὕτως ὥστε ἀποτελεῖ ἀκριβῶς τὴν ἑτέραν τῶν παραστάδων αὐτῆς. Ἀνακριβὲς ἐπίσης, ὅτι μεταξὺ τῶν στίχων 3–4 ὑπάρχει »cavalier lançant le javelot«. Ἡ ἐπιγραφὴ δὲν εἶνε κεχωρισμένη, ἀλλ' ἄνωθεν αὐτῆς ὑπάρχουσι δύο στέγαι (étages), ὧν ἡ μὲν πρώτη (ἡ ἀνωτέρω) παρίστησιν ἐντὸς τετραγώνου σχήματος τὸν θρᾶκα ἱππέα συνοδευόμενον ὑπὸ κυνὸς καὶ ἔμπροσθεν αὐτοῦ δένδρον καὶ κάπρον, ἡ δὲ ἑτέρα τρεῖς προτομὰς ἀνδρικάς, παριστώσας ἀναμφιβόλως τοὺς ἐν τῇ ἐπιγραφῇ ἀναφερομένους (S. 112).

Τὸ οὐσιωδέστερον δὲ λάθος ἐγένετο ἐν τῇ 2 γραμμῇ, ἔνθα ὁ Heuzey ἀνέγνω *Οχρῖνος* καὶ *Promptus* ἀντὶ ΒΗϹΠΡΟΠΤΟϹ ΟΥΡΙΝΟϹ κτλ. Τὸ μὲν πρῶτον ὄνομα ἀναγνωστέον *Βήσπροπτος,* τὸ δὲ δεύτερον ἐγένετο ἀφορμὴ κακῆς γραφῆς γεωγραφικοῦ ὀνόματος.

Παπαδόπουλος Κεραμεύς zitiert Heuzey, S. 138: „Le mot Οχρῖνος, qu'il faut peut-être écrire Ὀχρηνός, a tout l'aspect d'un adjectif géographique, analogue à Δατηνός, que nous trouvons aussi sous la forme Δατῖνος. Cet éthnique prouverait l'existence d'une antique bourgade, nommée probablement *Okhra,* qui s'élevait sans doute sur l'emplacement de Tchaltadja ... . Pour le nom géographique, *Okhra,* on pourait citer le sommet d'*Ocra* dans les Alpes Carniques et le mot *ocris* qui voulait dire *montagne* dans les dialectes de l'Italie centrale, si la situation du village moderne sur des buttes de terre ne s'accordait mieux peut-être avec le sens du mot grec ὤχρα, qui désigne cette terre jaune que nous appelons de l'ocre" und fährt dann fort: Δυστυχῶς πᾶσα ἡ ἐτυμολογικὴ αὕτη ἔρευνα, εἰσχωρήσασα καὶ ἐν τοῖς τοῦ *Dumont* Mon. et inscript. fig. de la Thrace (σ. 67), ἐκμηδενίζεται διὰ τῆς πραγματικῆς γραφῆς ΟΥΡΙΝΟΣ. Ὅτι δὲ τοῦτο τοπικὸν εἶνε ἐπίθετον, φαίνεταί μοι ἀναμφισβήτητον· ἀλλ' ἂν ἐφαρμόζηται εἰς τὴν θέσιν Τσατάλτσας ἀδυνατῶ ν' ἀποφανθῶ, οὐδεμιᾶς πρὸς τοῦτο βεβαίας ἢ καὶ πιθανῆς ἀποδείξεως προκειμένης.

> Τάρσας Βύζου Βρό-
> βης (?) Προυπτοσουρη-
> νός ἔτων π´.
> Βύζος καὶ Βείθυς
> 5 καὶ Τάρσας πατρὶ
> καὶ μητρὶ Μελγίδ[ι]
> γνησίοις μνήμης
> χάριν ἐποίησαν.

1 Am Schluß liest Heuzey: BP. Μερτζίδης: B. Παπαδόπουλος Κεραμεύς: ΒΒ (= δὶς Βύζου). Text nach Salač. 2 Am Anfang liest Heuzey: ΒΕΣ. Μερτζίδης: ΒΡCΠΡΟΠΤΟΣ ΤΟΣ. Heuzey (1868) erwägt: *Promptus*. Am Schluß liest er: ΟΧΡΙ. 2/3 Salač: ΒΗΣ Προυπτοσουρη|νός. Παπαδόπουλος Κεραμεύς: ΒΗΣΠΡΟΠΤΟΣ ΟΥΡΙΝΟΣ, d.h. Βήσπροπτος. 3 Μερτζίδης: πυ´. 4 Μερτζίδης: ΒΕΙΟΥΣ. 5 Μερτζίδης: ΤΑ ΒCΛΕΙ. 6 Μερτζίδης: ΜΕΛΕΙΔ. Hinter ΜΕΛΓΙΔ findet sich nicht die Spur eines weiteren Buchstabens. Παπαδόπουλος Κεραμεύς plädiert daher für καὶ τῇ μητρὶ Μελγίδ und kommentiert: τὸ ὄνομα δὲ τοῦτο εἶνε πάντως ξενικόν. 8 Heuzey: ἐποί[η]σ[α]ν. Μερτζίδης: ΕΠΟΙΗΣΕΝ. Berichtigt nach Perdrizet, a.a.O., S. 529, Anm. 1. Am Schluß liest er ΕΠΟΗC///N = ἐπόησαν.

Tarsas, (der Sohn) des Byzos, Brobes (?), der Prouptosourener, (gestorben) im Alter von achtzig Jahren. Byzos und Beithys und Tarsas haben (die Inschrift) für ihren Vater und ihre Mutter Melgis, ihre leiblichen (Eltern), der Erinnerung halber machen lassen.

„C'est une stèle de pierre, portant une inscription grecque de mauvaise époque, et décorée de bas-reliefs plus grossiers encore. Les noms propres qui y sont gravés conservent, à la terminaison près, une forme toute barbare" (Heuzey, S. 137).

Z. 1 Τάρσας ist ein gängiger thrakischer Name, vgl. Detschew, S. 492–494. Βύζος ist sogar literarisch belegt (Detschew, S. 95).

Z. 1f. Unerklärt bleibt das Βρόβης. Handelt es sich um einen weiteren Namen? Collart hält Βρόβης für einen thrakischen Namen (S. 286, Anm. 7), ohne sich zur Frage der Syntax zu äußern.

Z. 2 Papazoglou und Βελεγιάννη plädieren für die schon von Salač vorgeschlagene Lesart Προυπτοσουρηνός und interpretieren das Wort als Ethnikon, welchem eine κώμη analogen Namens korrespondiere (Papazoglou, S. 411 mit Anm. 197; Βελεγιάννη, S. 161 mit Anm. 54).

Z. 4 Zu Βύζος vgl. o. Z. 1. Βεῖθυς ist ein sehr verbreiteter thrakischer Name (vgl. Detschew, S. 66–68: „einer der häufigsten thrakischen" Personennamen, „für welchen sich mehr als 300 Belege anführen lassen"; Detschew bringt daher nur eine Auswahl).

Z. 6 Für den weiblichen thrakischen Namen Μελγίς führt Detschew (S. 292) nur die vorliegende Inschrift als Beleg an.

457/L085   **Fragment einer lateinischen Sarkophaginschrift**

Heuzey/Daumet, Nr. 69 (S. 139).
CIL III 1, Nr. 663[a].
Α. *Παπαδόπουλος Κεραμεύς:* Ἀρχαιότητες καὶ ἐπιγραφαί τῆς Θράκης συλλεγεῖσαι κατὰ τὸ ἔτος 1885· προσετέθησαν καὶ τινες ἐπιγραφαί τῆς Μακεδονίας, in: Ὁ ἐν Κωνσταντινουπόλει Ἑλληνικός Φιλολογικός Σύλλογος. Σύγγραμμα Περιοδικόν 17 (1882–83), Παράρτημα, Konstantinopel 1886, S. 65–113; hier S. 111.
Δήμιτσας, Nr. 1052 (S. 797).

Χωριστή. Παπαδόπουλος Κεραμεύς schreibt S. 111: Ὁ κ. Heuzey σημειοῖ τρεῖς ἐπιγραφὰς ἐν τῷ χωρίῳ τούτῳ μετὰ πληροφοριῶν προδιδουσῶν ὅτι δὲν ἐπεσκέφθη ἴσως τὴν Τσατάλτσαν. Οὕτως ἐν ἀριθ. 69 (σελ. 139 = C.I.L., ἀριθ. 663) λέγει· »Tchaltadja. Dans une maison. Fragment«. Καὶ πάλιν »ce minime fragment, débris d'une plaque de sarcophage«. Τοὐναντίον, ἡ ἐπιγραφὴ αὕτη ἐγκεχάρακται ἐπὶ μιᾶς τῶν δύο μακρῶν πλευρῶν ἐντελοῦς σαρκοφάγου μήκους 2ᵘ, 10 ἑκ., κατακειμένου ἐν τῇ αὐλῇ τῆς οἰκίας τοῦ Κωνσταντίνου Καπουτζῆ. Ἡ ἐπιγραφὴ λοιπὸν εἶνε ἐντελής.

> [. . .] r(ei) p(ublicae) Phil(ippensium) ✗ D.

(. . . der soll) der *res publica Philippensium* 500 Denare (Strafe zahlen).

Das *dabit rei publicae Philippensium* ist gleichbedeutend mit *dabit fisco* o.ä.: „Dans la formule sépulcrale mentionnant l'amende qui devrait être versée en cas de violation de la sépulture »*dabit reipublicae Phil(ippensium) . . .*«, le terme désigne le trésor public de la colonie" (Fanoula Papazoglou: Le territoire de la colonie de Philippes, BCH 106 (1982), S. 89–106; hier S. 106, Anm. 80).

Lateinisches Fragment 458/L086

Heuzey/Daumet, Nr. 70 (S. 139).
CIL III 1, Nr. 663[c].
A. *Παπαδόπουλος Κεραμεύς:* Ἀρχαιότητες καὶ ἐπιγραφαί τῆς Θράκης συλλεγεῖσαι
κατὰ τὸ ἔτος 1885· προσετέθησαν καὶ τινες ἐπιγραφαί τῆς Μακεδονίας, in: Ὁ ἐν
Κωνσταντινουπόλει Ἑλληνικός Φιλολογικός Σύλλογος. Σύγγραμμα Περιοδικόν
17 (1882–83), Παράρτημα, Konstantinopel 1886, S. 65–113; hier S. 111.
Δήμιτσας, Nr. 70 (S. 139).

Χωριστή. „Tchaltadja. Fragments" (Heuzey, S. 139). Mommsen vermutet,
es handle sich vielleicht um ein weiteres Fragment der Inschrift 457/L085:
„... eiusdem arcae fortasse" (CIL, a.a.O., S. 124). Παπαδόπουλος Κεραμεύς
hat im November 1885 dieses Fragment nicht finden können.

POL
VI

Griechisches Fragment 459/G087

Heuzey/Daumet, Nr. 71 (S. 139).
A. *Παπαδόπουλος Κεραμεύς:* Ἀρχαιότητες καὶ ἐπιγραφαί τῆς Θράκης συλλεγεῖσαι
κατὰ τὸ ἔτος 1885· προσετέθησαν καὶ τινες ἐπιγραφαί τῆς Μακεδονίας, in: Ὁ ἐν
Κωνσταντινουπόλει Ἑλληνικός Φιλολογικός Σύλλογος. Σύγγραμμα Περιοδικόν
17 (1882–83), Παράρτημα, Konstantinopel 1886, S. 65–113; hier S. 111f.
Th. Homolle: Nouvelles et Correspondance, BCH 17 (1893), S. 624–641; hier S.
634.
Δήμιτσας, Nr. 1054 (S. 797) und Nr. 1103 (S. 822).
Paul Perdrizet: Voyage dans la Macédoine première [III], BCH 21 (1897), S. 514–
543; hier S. 529, Anm. 1.

Χωριστή. Fragment. Marmor.
Maße nach Παπαδόπουλος Κεραμεύς: μῆκ. 0,90· ὕψ. 0,30 (S. 111).
Benutzt ὡς βαθμίδος τοῦ κονακίου τοῦ ἐν Τζατάλτζα τσιφλικίου Ραχοὺτ-μπέη
(S. 112).

Συντρόφ[ῳ ... ηκι...]
Εὐτυχία θήκην Β

1 *Δήμιτσας:* Συντρόφῳ. Παπαδόπουλος Κεραμεύς: Συντρόφου. 2 Παπαδόπουλος Κεραμεύς am Schluß Ε. 3 *Δήμιτσας* fügt hinzu 460/L088: ΡΥΙΣ. *Δήμιτσας* faßt irrtümlich
unter Nr. 1054 auf S. 797 die Inschriften 459/G087 und 460/L088 zu einem Text zusammen und bietet 459/G087 dann nach einem andern Gewährsmann separat als Nr. 1103 auf
S. 822, ohne die Doppelung zu bemerken. Als Nr. 1103 bietet *Δήμιτσας* folgenden Text:

Σύντροφον Ληκυ...
Εὐτυχία θηκην β...

Ähnlich Homolle, der allerdings in Z. 2: ΕΥΤΧΙΑΘΗΚΗΝΒ. gibt.

Z. 2 Εὐτυχία begegnet in Philippi sonst nicht. Der Name kommt auf einer Marmorplatte vor, die 1943 auf dem jüdischen Friedhof von Thessaloniki gefunden wurde (B. Καλλιπολίτης/Δ. Λαζαρίδης: Αρχαίαι επιγραφαί Θεσσαλονίκης, Thessaloniki 1946; hier Καλλιπολίτης Nr. 8 = S. 14f.). Edson hat diese Nummer nicht in IG X 2,1 aufgenommen, offenbar in der Annahme, sie stamme nicht aus Thessaloniki; positive Gründe, sie den Inschriften von Philippi zuzuweisen, vermag ich nicht zu finden. Dort begegnet Ἐφηβικὸς Εὐτυχίας und Αὐρη(λία) Εὐτυχία Ἐφηβικοῦ.

460/L088   Lateinisches Fragment

Heuzey/Daumet, Nr. 72 (S. 139).
CIL III 1, Nr. 663[b].
Α. *Παπαδόπουλος Κεραμεύς:* Αρχαιότητες και επιγραφαί της Θράκης συλλεγείσαι κατά το έτος 1885· προσετέθησαν και τινες επιγραφαί της Μακεδονίας, in: Ο εν Κωνσταντινουπόλει Ελληνικός Φιλολογικός Σύλλογος. Σύγγραμμα Περιοδικόν 17 (1882–83), Παράρτημα, Konstantinopel 1886, S. 65–113; hier S. 112.
Δήμιτσας, Nr. 1054 (S. 797).

Χωριστή. „Tchaltadja. Fragments" (Heuzey, S. 139).
Mommsen vermutet, es handle sich vielleicht um ein weiteres Fragment der Inschrift 457/L085: „... eiusdem arcae fortasse" (CIL, a.a.O., S. 124). Das stimmt gewiß nicht, da 457/L085 gar kein Fragment ist (s. dort). Hier handelt es sich um eine Marmorplatte, die außen an der Tür in die Mauer des 459/G087 beschriebenen Gebäudes eingemauert ist. Τὰ στοιχεῖα μέγιστα καὶ ὁραιὰ ὄντα ἔχουσιν ὧδε· PVFO· δὲν εἶνε δὲ δύσκολον ν'ἀναγνωρίσωμεν ὧδε τὴν δοτικὴν RVFO. Τὰ ἄνω ἄκρα τῶν στοιχείων, κεκομμένα ὄντα, ὑποτιθέασιν ὅτι ἐνταῦθα ἔληγε μεγάλη λατινικὴ ἐπιγραφή.
Vgl. 461/L170 und die Bemerkung von Perdrizet zu dieser Inschrift, wonach 460/L088 = 461/L170. Aus Παπαδόπουλος Κεραμεύς geht eindeutig hervor, daß 460/L088 nichts mit 459/G087 zu tun hat!

Rufo

1 CIL: I·VIC. Δήμιτσας: PΥIC. Heuzey: PVIC.

461/L170   Lateinisches Fragment

Paul Perdrizet: Voyage dans la Macédoine première [III], BCH 21 (1897), S. 514–543; hier S. 528, Nr. 2.
CIL III, Suppl. 2, Nr. 14206[25].

Χωριστή. Nach CIL „litteris altis cm. 14 distantibus inter se cm. 20. Tschataldja, *tchiflik de Khablib-bey*". Blauer Marmor.
Abmessungen fehlen.

PVFC

Perdrizet ist der Auffassung 461/L170 = 460/L088: „C'est, je pense, le n° 72 de M. Heuzey." Diese Vermutung ist plausibel.

Inschrift des Βείθυς   462/G222

Paul Perdrizet: Voyage dans la Macédoine première [III], BCH 21 (1897), S. 514–543; hier S. 528f., Nr. 3.

Χωριστή. „Tchataldja. ... Dans la cheminée d'une maison turque, près du djami; fragment d'épitaphe brisé de toutes parts. Lu à la lorgnette" (Perdrizet, S. 528).

[B]είθυς
CIΛΔ
ΝΔΕΤΙ
CI-IT

1 Perdrizet gibt ΕΙΘΥ und ergänzt zu Βείθυς (mit Verweis auf 456/G084).

Sarkophag des Naevius Symphorus und der Burrena Nice   463/L122

Σταύρος Μερτζίδης: Αι χώραι του παρελθόντος και αι εσφαλμέναι τοποθετήσεις των. Έρευναι και μελέται τοπογραφικαί υπό αρχαιολογικό-γεωγραφικό-ιστορικήν έποψιν, Athen 1885, Nr. 21, S. 47.
A. *Παπαδόπουλος Κεραμεύς:* Αρχαιότητες και επιγραφαί της Θράκης συλλεγείσαι κατά το έτος 1885· προσετέθησαν και τινες επιγραφαί της Μακεδονίας, in: Ο εν Κωνσταντινουπόλει Ελληνικός Φιλολογικός Σύλλογος. Σύγγραμμα Περιοδικόν 17 (1882–83), Παράρτημα, Konstantinopel 1886, S. 65–113; hier S. 112f.
Δήμιτσας, Nr. 1083 (S. 815).
Paul Perdrizet: Voyage dans la Macédoine première [III], BCH 21 (1897), S. 514–543; hier S. 529, Nr. 4.
CIL III, Suppl. 1, Nr. 7341.
CIL III, Suppl. 2, Nr. 14206[7].
A. *Salač:* Inscriptions du Pangée, de la région Drama-Cavalla et de Philippes, BCH 47 (1923), S. 49–96; hier S. 75, Anm. 3.
Collart, S. 269.
Bormann, S. 45 (mit sehr fehlerhaftem Text).

Χωριστή. Friedhof παρά τον ἅγιον Γεώργιον (Παπαδόπουλος Κεραμεύς, S. 112). Es handelt sich um einen Sarkophag mit L. 1,70. Salač bietet a.a.O., S. 75, Anm. 3 die folgende Beschreibung: „(couvercle d'un sarcophage) sur la colline Haghios Georgios". Da befindet sich der Stein heute (1992) noch. Abmessungen (nach Salač): L. 1,68; B. 0,85; H. der Buchstaben 0,075; Zeilenzwischenraum 0,025.
Heute (1992) ist nur noch der Deckel des Sarkophags erhalten; das rechte Stück ist weggebrochen.
Dia Nummer 139–143/1992.

> Naevius Symphorus V̅I̅vir Aug(ustalis) annos XL,
> Burrena Nice annos XXX h(ic) s(iti) s(unt). Naevia
> Sympherusa parentib(us) f̣(aciendum) c(uravit).

Μερτζίδης ist im Apparat nicht berücksichtigt.
1 Salač gibt: AVG·AV XL. Παπαδόπουλος Κεραμεύς gibt: *an. XI.* Heute nur noch: [S]YMPHOR̦[fehlt]. **2** Heute: Ḥ(ic) [...]. **3** CIL III, Suppl. 1: [fe]c(it). Παπαδόπουλος Κεραμεύς: PAPENTIBIC = *parentibi c(arissimis)*. Näherliegend scheint mir die Auflösung *parentib(us) f(aciendum) c(uravit)*. Heute: PARENTIB[us ...]. Perdrizet und Salač: FC, also: *f(aciendum) c(uravit)*.

Naevius Symphorus, Sexvir Augustalis, vierzig Jahre alt, und Burrena Nice, dreißig Jahre alt, liegen hier begraben. Naevia Sympherusa hat (den Stein) für ihre Eltern anfertigen lassen.

Z. 1 Zu den *sexviri Augustales* vgl. den Kommentar zu 037/L037.
Z. 2 Zum *nomen gentile* Burrenus vgl. den Kommentar zu 046/L043.
Eine andere Naevia, Naevia Musa, in 042/L115 (dort auch die Belege für Naevius).

464/L126   **Lateinisches Fragment**

A. *Παπαδόπουλος Κεραμεύς:* Ἀρχαιότητες καὶ ἐπιγραφαί τῆς Θράκης συλλεγεῖσαι κατά τὸ ἔτος 1885· προσετέθησαν καὶ τινες ἐπιγραφαί τῆς Μακεδονίας, in: Ὁ ἐν Κωνσταντινουπόλει Ἑλληνικός Φιλολογικός Σύλλογος. Σύγγραμμα Περιοδικόν 17 (1882–83), Παράρτημα, Konstantinopel 1886, S. 65–113; hier S. 112.
CIL III, Suppl. 1, Nr. 7346.

Χωριστή. Ἕτερον τεμάχιον εὗρον κἀγὼ ἐν τῇ αὐλῇ τῆς οἰκίας Γεωργίου Τσόγγα (Παπαδόπουλος Κεραμεύς, S. 112).
Abmessungen: H. 0,30; B. 0,77.

> [...]A sibi et Clodia[e]

... für sich selbst und für Clodia ...

Lateinisches Fragment   465/L169

Paul Perdrizet: Voyage dans la Macédoine première [III], BCH 21 (1897), S. 514–543; hier S. 528, Nr. 1.
CIL III, Suppl. 2, Nr. 14206[24].

Χωριστή. „Dans le cimitière turc, près du djami. Marbre blanc. Grandes lettres" (Perdrizet, S. 528).

ILDVICI

Fragment einer lateinischen Inschrift   466/L255

A. Salač: Inscriptions du Pangée, de la région Drama-Cavalla et de Philippes, BCH 47 (1923), S. 49–96; hier S. 76 (Nr. 35).

Χωριστή. In der Gartenmauer des Hauses von Thomas Toliou. Rechteckiger Block aus gelblichem Marmor.
Abmessungen: H. 0,40; B. 0,39; H. der Buchstaben 0,07–0,055; 0,05; Zeilenzwischenraum 0,035; 0,025.

[C]aesar
Aug(usti) f(ilius)
[. . .]I·F

... Caesar, der Sohn des Augustus, ...

Fragment einer griechischen Inschrift   467/G588

A. Παπαδόπουλος Κεραμεύς: Αρχαιότητες και επιγραφαί της Θράκης συλλεγείσαι κατά το έτος 1885· προσετέθησαν και τινες επιγραφαί της Μακεδονίας, in: Ο εν Κωνσταντινουπόλει Ελληνικός Φιλολογικός Σύλλογος. Σύγγραμμα Περιοδικόν 17 (1882–83), Παράρτημα, Konstantinopel 1886, S. 65–113; hier S. 113.

Αδριανή. Edrenetjik (heute Αδριανή, im Osten von Χωριστή).
Παπαδόπουλος Κεραμεύς ist der Auffassung, daß der türkische Name des Ortes υποκρύπτει πιθανώς την ενταύθα ύπαρξιν αρχαίας αγνώστου πολίχνης, τετιμημένης τω ονόματι του αυτοκράτορος Αδριανού. Das Alter der Siedlung wird bestätigt durch eine Suche nach Steinen im Jahr 1884; diese sollten für den Bau der Kirche des Heiligen Nikolaus verwendet werden: εξεχώσθησαν πάμπολλα ενεπίγραφα μάρμαρα, άτινα οι λιθοξόοι αποξέσαντες εχρησιμοποίησαν ως παραστάδας των θυρών και των παραθύρων του ναού. Die Bewohner des Ortes berichteten ότι περί τα τεσσαράκοντα μάρμαρα έφερον

γράμματα φραγκικά. Παπαδόπουλος Κεραμεύς selbst aber fand nur μικράν λάρνακα εις το γνωστόν εκεί πηγάδι, φέρουσαν επί μιάς πλευράς την λέξιν ΤΟ-ΠΟΣ εν ἧ σμηασία απαντώμεν ταύτην εν αρχαίαις χριστιανικαίς επιτυμβίοις επιγραφαίς (S. 113).

ΤΟΠΟΣ

Die Inschriften aus Drama

Vgl. zur Lage o. Band I, Karte 2: Das Territorium der *Colonia Iulia Augusta Philippensis* (S. 50f.).

Weihinschrift für Kybele   468/G179

E.M. Cousinéry: Voyage dans la Macédoine II, Paris 1831, S. 15.
CIG, Nr. 2951 (nach Collart, S. 455, Anm. 1 muß es korrekt heißen: CIG II 2010c, p. 995); *non vidi.*
Le Bas, Nr. 1433 (nach Collart, ebd., muß es korrekt heißen: Ph. Le Bas: Voyage archéologique en Grèce et en Asia Mineure, Band I, Teil II, S. 332, Nr. 1433); *non vidi.*
Δήμιτσας, Nr. 931 (S. 734).
Collart, S. 455, Anm. 1.

Drama/Philippi. Erstpublikation von Cousinéry; diesem zufolge in einem Dorf an der Straße von Drama nach Philippi gefunden („Le jour suivant, nous partîmes pour Philippi, dont les ruines sont à trois lieues de distance de Drame. En côtoyant toujours les montagnes, nous trouvâmes un petit village habité par des Turcs et par des Grecs, où nous copiâmes une inscription grecque, qui annonce le culte qu'on y rendait à Cybèle ... "; Bd. II, S. 14f.).

Μητέρα θεῶν Κλ(αύδιος)
Πρόκουλος καὶ Οὐλπία
Μελτίνη καθιέρωσε.

Der Mutter der Götter haben Claudius Proculus und Ulpia Meltine (die Inschrift) geweiht.

Z. 1 Das lateinische Pendant zu μήτηρ θεῶν, *mater deorum*, begegnet in 054/L045 aus Dikili-Tasch. Zum Kult der Kybele in Philippi vgl. den Kommentar zu jener Inschrift.

Z. 2 Κλαύδιος Πρόκουλος ist bei Κανατσούλης im Supplement als Nr. 1649 nachgetragen; seine Frau ebd. Nr. 1721.

Z. 3 Nachdem es sich um zwei Personen handelt, würde man die Form καθιέρωσαν erwarten.

469/G089   Grenzstein einer Straße
4. Jh. v. Chr.

Heuzey/Daumet, Nr. 73 (S. 143).
Δήμιτσας, Nr. 1016 (S. 783).
Paul Collart: Inscriptions de Philippes, BCH 57 (1933), S. 313–379; hier S. 363–365, Nr. 23 mit Abb. 33.
BÉ 1936, S. 371.
Collart, S. 179 mit Anm. 4.
Charles Edson: The Location of Cellae and the Route of the Via Egnatia in Western Macedonia, CP 46 (1951), S. 1–16; hier S. 11f.
Hammond I, S. 56f.
John Paul Adams: Polybius, Pliny, and the Via Egnatia, in: Philip II, Alexander the Great and the Macedonian Heritage, Washington 1982, S. 269–302; hier S. 272ff. (#2).

Drama. „Dans une maison. Sur une petite stèle plate" (Heuzey, S. 143).
Nach Collart stammt eine gleichlautende Inschrift (nämlich 195/G773) aus Philippi: „Cette borne, trouvée près d'un col situé en arrière de l'acropole de Philippes, est à rapprocher d'un monument tout semblable vu par Heuzey en 1861 dans une maison de Drama; il est même fort probable qu'il s'agisse de la même pierre, qu'on aurait, depuis lors, déplacée. Le premier éditeur a supposé qu'elle aurait pu servir à empêcher la route d'empiéter sur une propriété privée. M. Louis Robert nous signale qu'elle devait marquer, plutôt que l'alignement d'une route, son point de départ, ce que confirment d'autres inscriptions présentant une rédaction semblable ou analogue" (Collart, S. 363f.; die Belege S. 364 mit Anm. 1–4).
Im Gegensatz zu Collart bin ich mit Edson der Auffassung, daß es sich um verschiedene Steine handelt. Zur Begründung vgl. den Kommentar zu 195/G773 von der Akropolis.

      Ὅρος
      τῆς ὁ-
      δοῦ.

Grenze (Ende? Anfang?) der Straße.

Zu dieser Inschrift vgl. die gleichlautende Inschrift 195/G773 von der Akropolis und die folgende Nummer 470/G774. „It is apparent that this text is to be dated to the same period as that found at Philippi, that is, to the third or fourth centuries B.C." (Edson, a.a.O., S. 12).
Heuzey datiert nach Art der „lettres grecques": „bien qu'elles soient de grande dimension, elles ont conservé toute la simplicité du beau type hellénique; on est donc autorisé à faire remonter cette inscription jusqu'au temps de l'autonomie de la Macédoine, ou tout au moins jusqu'à l'époque antérieure à la fondation de la colonie de Philippes." (S. 143).

Grenzstein einer Straße

Th. Homolle: Nouvelles et Correspondance, BCH 17 (1893), S. 624–641; hier S. 633.

Paul Collart: Inscriptions de Philippes, BCH 57 (1933), S. 313–379; hier S. 363–365, Nr. 23 mit Abb. 33.

BÉ 1936, S. 371.

Charles Edson: The Location of Cellae and the Route of the Via Egnatia in Western Macedonia, CP 46 (1951), S. 1–16; hier S. 12.

Hammond I, S. 56f.

John Paul Adams: Polybius, Pliny, and the Via Egnatia, in: Philip II, Alexander the Great and the Macedonian Heritage, Washington 1982, S. 269–302; hier S. 272ff. (#3).

Drama. Nach Giannopoulos, dem Gewährsmann Homolles, gefunden im Haus des Pantelaki Pantzidis (wie die Inschriften 471/L151 und 472/L150; Homolle, a.a.O., S. 633).

Homolle: „Marbre blanc, formant marche d'escalier" (S. 633).

῎Ορος
τῆς
ὁδοῦ.

Grenze (Ende? Anfang?) der Straße.

Zu dieser Inschrift sind die beiden gleichlautenden Texte 195/G773 von der Akropolis und 469/G089 aus Drama zu vergleichen. Im Gegensatz zu diesen beiden Texten ist hier jedoch die Zeilenabteilung eine andere (dort Z. 2f.: τῆς ὁ-|δοῦ).

Dies ist einer der Gründe dafür, daß es sich in der Tat um verschiedene Steine handelt. Vgl. zur Begründung im einzelnen den Kommentar zu 195/G773 von der Akropolis.

Zur Datierung bemerkt Edson: „It is probably to be dated to the same general period as the other two texts" (S. 12).

„These three roadmarkers [195/G773; 469/G089; 470/G774] are to be taken as evidence for a road system in eastern Macedonia during the time of the monarchy. The creation of this road system in the plain of Drama-Philippi, the ancient Daton, is probably to be associated with the extensive works of reclamation in the region of Philippi which were undertaken after the conquest of the area by Philip II and which are attested by the high authority of Theophrastus. It is curious that the markers should have survived. The probable explanation is that, unlike the early milestones, they did not become obsolete when the Romans established their own methods of mensuration but could continue to function as simple markers which indicated the points at which the roads left inhabited places. They are humble documents, but, together with the milestone of the Kirli Derven defile, they are evidence for the existing road system which the Romans found in 148 B.C., when they undertook the direct administration of the province of Macedonia" (Edson, a.a.O., S. 12). Wie Edson zieht auch Adams die drei Inschriften als Beleg für ein Straßensystem unter Philipp und Alexander heran.

471/L151   Lateinisches Fragment

Th. Homolle: Nouvelles et Correspondance, BCH 17 (1893), S. 624–641; hier S. 633.
Δήμιτσας, Nr. 1092 (S. 819f.).
CIL III, Suppl. 2, Nr. 13708³.
CIL III, Suppl. 2, Nr. 14206⁹.

Drama. „... in aedibus Pantélaki Pantazidis" (CIL, Nr. 13708³). Homolle teilt mit: „devant l'escalier" (S. 633). Vgl. auch die folgende Inschrift 472/L150.

     IVSI

472/L150   Lateinisches Fragment

Th. Homolle: Nouvelles et Correspondance, BCH 17 (1893), S. 624–641; hier S. 633.
Δήμιτσας, Nr. 1093 (S. 819f.).
CIL III, Suppl. 2, Nr. 13708².
CIL III, Suppl. 2, Nr. 14206⁹.

Drama. „... in aedibus prope konak" (CIL, Nr. 13708²). Gefunden ἐν τῇ οἰκίᾳ τοῦ Π. Πανταζίδου, ἐδημοσιεύθησαν ἐν τῇ Ἑβδομ. Ἐπιθεωρήσει τοῦ Νεολόγου Κων/λεως (17 Μαΐου 1892. ἀρ. 30 σελ. 476) ὑπὸ τοῦ Ν. Ι. Ἰαννοπούλου (Δήμιτσας, S. 819f.). Nach Homolle „dans l'escalier" (S. 633).

     OVINT

Diese Inschrift ist möglicherweise identisch mit 489/L098.

473/L090   **Weihinschrift des Marcus Valerius Priscus**

Heuzey/Daumet, Nr. 74 (S. 144).
CIL III 1, Nr. 638.
Δήμιτσας, Nr. 1071 (S. 784).
Collart, S. 393 mit Anm. 2.

Drama. „A la métropole. Sur un petit autel" aus weißem Marmor (Heuzey, S. 144).
Abmessungen: H. 0,28; B. 0,27.

I(ovi) O(ptimo) M(aximo)
M(arcus) Valerius C(ai)
f(ilius) Priscus v(otum) s(olvit) l(ibens) m(erito).

2   CIL: *Valerius S C.* Dazu im Apparat: „alteram s puto esse delendam".

Dem Iuppiter Optimus Maximus hat Marcus Valerius Priscus, der Sohn des Caius, sein Gelübde gern (und) verdientermaßen erfüllt.

„Plusieurs dédicaces à Jupiter, trouvées à Philippes même et dans divers villages des envirous, montreut que le culte de ce dieu était répondu sur tout le territoire de la colonie" (Collart, S. 393). Zu nennen sind hier 177/L014, 178/L015 und 186/L023 von der Akropolis in Philippi (in allen Fällen *Iovi Optimo Maximo*) sowie eine Reihe weiterer Inschriften, in denen *Iuppiter* ohne *Optimus Maximus* begegnet (sie sind bei 223/L335 im Kommentar verzeichnet).

Weihinschrift für Minerva Augusta   474/L091

G. Perrot: Daton, Néopolis, les ruines de Philippes, RAr N.S. 1,2 (1860), S. 45–52.67–77; hier S. 73.
Heuzey/Daumet, Nr. 75 (S. 144).
CIL III 1, Nr. 640.
Σταύρος Μερτζίδης: Αι χώραι του παρελθόντος και αι εσφαλμέναι τοποθετήσεις των. Έρευναι και μελέται τοπογραφικαί υπό αρχαιολογικό-γεωγραφικό-ιστορικήν έποψιν, Athen 1885, Nr. 16, S. 33.
Α. Παπαδόπουλος Κεραμεύς: Αρχαιότητες και επιγραφαί της Θράκης συλλεγείσαι κατά το έτος 1885· προσετέθησαν δαν τινες επιγραφαί της Μακεδονίας, in: Ο εν Κωνσταντινουπόλει Ελληνικός Φιλολογικός Σύλλογος. Σύγγραμμα Περιοδικόν 17 (1882–83), Παράρτημα, Konstantinopel 1886, S. 65–113; hier S. 109.
Δήμιτσας, Nr. 1018 (S. 784); 1078 (S. 813f.); 1097 (S. 820).
Νικ. Ι. Γιαννόπουλος: Ανέκδοτοι αρχαίαι επιγραφαί Δράμας, Νεολόγου. Εβδομαδιαία επιθεώρησις, πολιτική, φιλολογική και επιστημονική, Konstantinopel, 19. April 1892, S. 410, Nr. α´.
Charles Picard: Les dieux de la colonie de Philippes vers le Ier siècle de notre ère, d'après les ex-voto rupestres, RHR 86 (1922), S. 117–201; hier S. 130.
A. Salač: Inscriptions du Pangée, de la région Drama-Cavalla et de Philippes, BCH 47 (1923), S. 49–96; hier S. 75.
Ευάγγελος Γ. Στράτης: Η Δράμα και η Δράβησκος. Ιστορική και αρχαιολογική μελέτη, Serres 1923 (?), S. 9, Nr. 4 mit Abb. 3 (Photographie!).

Collart, S. 396 mit Anm. 4.

V. Beševliev/G. Mihailov: Starini iz Belomorieto, I. Antični nadpisi i trakijski konici, Belomorski Pregled 1 (1942), S. 318–347; hier Nr. 31 (S. 331 mit Abb.
17).

Band I, S. 139, Anm. 25; S. 178.

Drama. „A la métropole. . . . Sur un autre autel" (Heuzey, S. 144). Zur Zeit
von Στράτης (1923) εν τω περιβόλω του Διοικητηρίου (S. 8f.). Heute (1999)
im Museum in Drama (Inventarisierungsnummer Λ 4).
Abmessungen: H. 0,69; B. 0,57.

> Minervae Aug(ustae) m[e]d(icae) sacr(um).
> L(ucius) Volussius Valen[s]
> et Volussianus f(ecerunt).

1 Nach Παπαδόπουλος Κεραμεύς ist Z. 1 zu lesen: ////MINERVAE · AVG · I · SACR.
Γιαννόπουλος: MINERVA·D AVG·ET·SACRA. Die Zeile fehlt bei Μερτζίδης und Στράτης
(auf dessen Photographie ist die Zeile allerdings deutlich zu erkennen, wenn auch im
einzelnen schwer zu entziffern). Perrot: AVG SACER am Ende. CIL: AVG SACR. Salač
hält dafür, daß für *me[e]d(icae)* nicht genug Platz vorhanden ist: „Il est probable qu'il faut
lire simplement Minervae Aug(ustae) sacr(um)" (S. 75); so auch Beševliev/Mihailov ohne
Diskussion. **2** Perrot: FVOLVSIANVS VALENS. CIL: *Valens.* Μερτζίδης und Στράτης:
LVOLVS TVS VALIN (bei Στράτης ohne das L am Anfang). **3** Perrot: VOLVSIANVS E
(*sic*). Μερτζίδης: FIVOLVSS IAIVVSE[. . .]. Γιαννόπουλος am Schluß E statt F. Στράτης
hat das F am Schluß nicht, obwohl es auf seiner Photographie zu erkennen ist.

> Der Minerva Augusta, der Ärztin, ist es geweiht. Lucius Volus-
> sius Valens und Volussianus haben (es) gemacht.

Ein Teil dieser Inschrift ist auch unter den Fälschungen des Μερτζίδης (Nr.
16), ihm folgend Δήμιτσας 1078, S. 813f., der allerdings nicht bemerkt, daß
1078 = 1018. Δήμιτσας bringt die Inschrift mit leichten Modifikationen dann
noch ein drittes Mal, unter Nr. 1097 (S. 820). Hier folgt er Γιαννόπουλος,
dessen Lesarten im Apparat berücksichtigt sind!
Zur Verehrung der Minerva in Philippi vgl. Collart, S. 395–398 sowie unsere
Inschrift 519/L245.

475/L177
II

Hadrian und die Grenzen von Philippi

CIL III, Suppl. 2, Nr. 14406d.

Ευάγγελος Γ. Στράτης: Η Δράμα και η Δράβησκος. Ιστορική και αρχαιολογική
μελέτη, Serres 1923 (?), S. 10 (Nr. 5β) mit Abb. 5β (Photographie; links ist
517/L176 abgebildet, rechts, auf dem Kopf stehend, 475/L177).

A. Salač: Inscriptions du Pangée, de la région Drama-Cavalla et de Philippes,
BCH 47 (1923), S. 49–96; hier S. 74, Anm. zu Nr. 31.

Drama? „in ruderibus Philipporum rep.". Salač: „autel de marbre blanc".

Abmessungen: H. 0,93; H. der beschriebenen Fläche 0,62; H. der Buchstaben 0,067–0,045; Zeilenzwischenraum 0,035–0,02.

Zur Zeit von Στράτης (1923) in Drama, εν τω περιβόλω του Διοικητηρίου (S. 8 und S. 10).

> Ex auctor(itate)
> imp(eratoris) Caes(aris)
> Hadriani Aug(usti)
> fines derect(i)
> 5 [int]er pop(ulum) Phil(ippensem) [et]
> her(edes) SPAN

1 Στράτης gibt: AVCTO. **3** Στράτης hat nur HADRIANI. **4** Στράτης: INDERECT. **5** Στράτης: POP·PHILI. Ergänzung von Mommsen mit Hinweis auf 559/L152. **6** Στράτης: ER..SPA. **7** Στράτης fügt diese Zeile hinzu: CVINDYS·F·R· (auf der Photographie allerdings nicht zu erkennen). **8** Στράτης fügt diese Zeile hinzu: ·F·C (auf der Photographie nicht zu erkennen).

Auf Geheiß des Imperator Caesar Hadrianus Augustus sind die Grenzen zwischen dem Volk der Philipper und den Erben des ... festgelegt worden.

Z. 4 *fines derecti* auch in 601/L230 aus Podochori und 559/L152 aus Neo Souli zur westlichen Markierung des Territoriums von Philippi.

Inschrift des Schauspielers T. Uttiedius Venerianus   476/L092
I

Léon Heuzey, BSNAF 1867, S. 134–140.
Theodor Mommsen: Schauspielerinschrift von Philippi, Hermes 3 (1869), S. 461–465.
Heuzey/Daumet, Nr. 76 (S. 145–148).
Σταύρος Μερτζίδης: Αι χώραι του παρελθόντος και αι εσφαλμέναι τοποθετήσεις των. Έρευναι και μελέται τοπογραφικαί υπό αρχαιολογικό-γεωγραφικό-ιστορικήν έποψιν, Athen 1885, Nr. 14, S. 31f.
Α. Παπαδόπουλος Κεραμεύς: Αρχαιότητες και επιγραφαί της Θράκης συλλεγείσαι κατά το έτος 1885· προσετέθησαν και τινες επιγραφαί της Μακεδονίας, in: Ο εν Κωνσταντινουπόλει Ελληνικός Φιλολογικός Σύλλογος. Σύγγραμμα Περιοδικόν 17 (1882–83), Παράρτημα, Konstantinopel 1886, S. 65–113; hier S. 110.
CIL III 2, Nr. 6113.
Theodor Mommsen: Schauspielerinschrift von Philippi, Hermes 17 (1882), S. 495f.
Theodor Mommsen, Ephemeris Epigraphica V (1884) 216.
CIL III, Suppl. 1, Nr. 7343.
Δήμιτσας, Nr. 1021 (S. 785–787).

ILS 5208.

W. Liebenam: Städteverwaltung im römischen Kaiserreiche, Leipzig 1900 (Nachdr. in der Reihe Studia Historica, Band 44, Rom 1967), S. 277, Anm. 4; S. 376 mit Anm. 4.

Ευάγγελος Γ. Στράτης: Η Δράμα και η Δράβησκος. Ιστορική και αρχαιολογική μελέτη, Serres 1923 (?), S. 10 mit Abb. 2.

Paul Collart: Le théâtre de Philippes, BCH 52 (1928), S. 74–124; hier S. 117f. *Collart,* S. 272f.; S. 379f.

Mario Bonaria: Mimorum Romanorum fragmenta. Fasciculus posterior: Fasti mimici et pantomimici, Università di Genova. Facoltà di Lettere, Pubblicazioni dell'Istituto di Filologia Classica 5,2, Genua 1956, S. 149 und S. 185, Nr. 1153. *Mario Bonaria:* Art. T. Uttiedius Venerianus, PRE Suppl. X (1965), Sp. 1152, Z. 11–18.

Georgi Mihailov: Inscriptions de la Thrace égéenne, Philologia (Sofia) 6 (1980), S. 3–19; hier S. 12f., bei Nr. 33.

Hartmut Leppin: Histrionen. Untersuchungen zur sozialen Stellung von Bühnenkünstlern im Westen des Römischen Reiches zur Zeit der Republik und des Principats, Antiquitas, Reihe I, 41, Bonn 1992; hier S. 55 mit Anm. 27; S. 58, Anm. 38; S. 90, Anm. 20.

Band I, S. 14 mit Anm. 39; S. 121; S. 142f.; S. 178.

Drama: Ναός Παμμεγίστων Ταξιαρχών. „L'inscription est gravée en beaux et larges caractères, sur une plaque de marbre blanc, qui doit avoir formé la face principale d'un sarcophage" (Heuzey 1867, S. 135).
Μάρμαρον τετραγώνου παραλληλογράμμου σχήματος (μήκους 2,20· ύψους 0,75) εστρωμένον έσωθεν της προαυλίου θύρας της εκκλησίας των Ταξιαρχών (Παπαδόπουλος Κεραμεύς, S. 110).

> T(itus) Uttiedius Venerianus,
> archimim(us) latinus et of<f>i-
> cialis an(nos) XXXVII, promisthota an(nos)
> XVIII, vixit an(nos) LXXV, vivos sibi et
> 5 Alfen<a>e Saturninae coniugi suae be-
> ne de se meritae.
> Alfena Saturnina an(norum) LI.
> h(aec) a(rca) h(eredem) n(on) s(equitur).

Diese Inschrift wurde von Μερτζίδης der besseren Tarnung wegen unter die von ihm gefälschten Inschriften eingestreut (Nr. 14, S. 31f.). Seine Lesarten werden hier nicht berücksichtigt. Der Text folgt der korrigierten Fassung Mommsens: „Von der Schauspielerinschrift, welche in dem makedonischen Philippi von Heuzey aufgefunden und nach diesem in dieser Zeitschrift Bd. III S. 461 so wie im C.I.L. III 6113 veröffentlicht worden ist, haben jetzt die Herren Elter und Hülsen eine um 400 Jahre ältere und vollständige Abschrift aufgefunden. Sie rührt von Constantinus Lascaris her und findet sich in der vaticanischen Handschrift 1412 unter Notizen über eine von diesem Gelehrten für die Mediceer unternommene Handschriftenreise nach Griechenland." (Mommsen 1882, S. 495).
8 Collart: *H.[m.]h.n.s.* Mommsen: „Z. 8 scheint A verlesen für M; *h(ic) a(ger)* wäre möglich, aber ich weiss dafür keinen Beleg" (Mommsen 1882, S. 495) – *arca* scheint ihm nicht in den Sinn gekommen zu sein; was läge näher, wo es sich doch um einen Sarkophag

handelt? Zudem existieren allein in Philippi für diese Formel zwei Belege: 716/L709 bietet in Z. 7: *haec arca heredem [non sequitur]*; 723/L716 hat in Z. 4f.: *haec arca heredem non sequitur*. Daher löse ich die Abkürzung *h. a. h. n. s.* sowohl in 724/L717 als auch im hier vorliegenden Fall in analoger Weise auf.

Titus Uttiedius Venerianus, siebenunddreißig Jahre lang lateinischer Hauptdarsteller im Mimus und Angestellter (der Stadt Philippi), achtzehn Jahre Promisthota, lebte fünfundsiebzig Jahre. (Er hat) zu seinen Lebzeiten für sich selbst und seine um ihn sehr verdiente Frau Alfena Saturnina (den Sarkophag anfertigen lassen). Alfena Saturnina, einundfünfzig Jahre alt. Dieser Sarkophag geht nicht auf den Erben über.

Z. 1 Das *nomen gentilicium* Uttiedius begegnet sonst in Philippi nicht (Κανατσούλης hat unseren Uttiedius als Nr. 1102, sonst aber keinen weiteren Menschen dieses Namens); zur Herkunft des Namens aus Umbrien vgl. Olli Salomies: Contacts between Italy, Macedonia and Asia Minor during the Principate, in: Roman Onomastics in the Greek East. Social and Political Aspects, hg. v. A.D. Rizakis, Μελετήματα 21, Athen 1996, S. 111–127; hier S. 121.

Das *cognomen* Venerianus dagegen kommt in Philippi einige wenige Male vor.

Z. 2ff. Interessant ist die Beobachtung Heuzeys: „Notre artiste dramatique rend compte de ses services avec le même soin et dans la même forme qu'un vétéran des légions énumérant ses grades et ses années de campagne" (Heuzey 1867, S. 137).

Z. 2 „Der *archimimus* ist hinreichend bekannt. Diese Benennung, wie *amphitheatrum* und andere ähnliche vielmehr lateinisch als griechisch und durchaus dem späteren römischen Bühnenwesen angehörig, steht im Gegensatz sowohl zu *comoedus*, dem komischen Schauspieler, wie zu *pantomimus*, dem Tänzer und bezeichnet den Schauspieler, der in dem *mimus*, der Posse die Hauptrollen spielt. Auf Inschriften sind *archimimi* wie *archimimae* nicht selten; insbesondere erscheint in dem Verzeichnis derjenigen, die bei den merkwürdigen im J. 212 von den Stadtsoldaten in Rom gegebenen Aufführungen mitwirkten, der *archimimus* schlechthin und der *archimimus Graecus*. Dass jener der *archimimus Latinus* ist, versteht sich; es ist in der Ordnung, dass derselbe in Italien schlechtweg *archimimus* genannt wird, während unsere dem griechischen Sprachgebiet angehörende Inschrift den Beisatz ausdrückt." (Mommsen 1869, S. 462.)

Z. 2f. „Endlich der *ofi[cia]lis* unserer Inschrift bezeichnet den Venerianus als einen subalternen Angestellten; es fragt sich nur um die nähere Beziehung. Heuzey hält ihn für einen Angestellten bei dem Statthalter der Provinz, aber mit Unrecht, da diese Unterbeamten der Person vielmehr als dem Amte angehörten und mit dem Statthalter wechselten, also nicht wohl, namentlich in einer senatorischen Provinz, siebenunddreissig Jahre in dieser

Stellung bleiben konnten. Es kommt ferner hinzu, dass der unverkennbare Zusammenhang zwischen der Schauspielerthätigkeit und der Anstellung des Venerianus nicht wohl zu begreifen ist, wenn er bei dem Proconsul angestellt war; denn dass dieser von Amtswegen eine Truppe unterhielt, wird nicht leicht jemand geneigt sein zu glauben. Endlich pflegen die Subalternen des Statthalters sich, wenigstens wo sie einzeln auftreten, mit den bestimmteren und ansehnlicheren Bezeichnungen der *accensi, lictores* und dgl.m. zu charakterisiren, während sich diejenigen, die sich einzeln als *officiales* bezeichnen, in bescheideneren und grossentheils wohl überhaupt nicht näher zu determinirenden Stellungen befinden: so der Untergebene eines mit der Purpurverwaltung beauftragten kaiserlichen Procurators und der städtische Subalternbeamte. Demnach dürfte auch unser Venerianus sich *officialis* nennen in Beziehung auf Philippi, also sich als einen von der Stadtgemeinde Angestellten bezeichnen." (Mommsen 1862, 462f.)

   Z. 3 Das Wort *promisthota* ist neu: „Ce mot nouveau est une transcription du grec προμισθώτης [*sic*], dérivé de προμισθόω. Il ne se trouve pas dans les lexiques de l'une ou de l'autre langue; mais il est régulièrement formé, et il semble avoir son correspondant latin dans le titre de *locator, locator a scena, locator scenicorum,* que donnent d'autres inscriptions. Il s'applique vraisemblablement à celui qui *engageait* les acteurs, et qui, pour cette partie importante, se chargeait de l'entreprise des représentations: c'était *l'impresario*, le *directeur* du théâtre" (Heuzey 1867, S. 138f.).

Daraus ergäbe sich, daß unser Venerianus sich vom Schauspieler zum „Theaterdirektor" hochgearbeitet hat; eine nicht ganz gewöhnliche Karriere: „Histrionen, die kein Engagement fanden, konnten ihr Glück auf der Straße und in Kneipen versuchen. Ferner hatten sie die Möglichkeit, sich Tätigkeiten zuzuwenden, die mit ihrem eigentlichen Beruf verwandt waren: Sie konnten sich zumal im Alter stärker den organisatorischen Aufgaben des Theaters widmen" (Leppin, a.a.O., S. 55).

Nun sind aber in der Zwischenzeit weitere Belege für *promisthota* aufgetaucht. In der griechischen Literatur kommt προμισθωτής zwar offenbar ebenso wenig vor (die auf der TLG-CD-ROM #C gespeicherten Texte weisen keinen einzigen Beleg auf) wie in der lateinischen (PHI-CD-ROM #5.3 kein Beleg für *promisthota*) und auch auf griechischen Inschriften muß es als überaus selten gelten (PHI-CD-ROM #6 kein Beleg für προμισθωτής); aber im Bereich von Philippi selbst ist mittlerweile ein weiterer Beleg aufgetaucht (713/G752 aus der Gegend von Serres), wo von zwei προμισθωταί die Rede ist. (Ein weiterer griechischer Beleg aus Thessalien ist schon bei LSJ, s.v. προμισθωτής zitiert [Α.Σ. Αρβανιτοπούλλου: Θεσσαλικαί επιγραφαί, AE 3 (1910), Sp. 331-382; hier Nr. 16, Sp. 370f.] vgl. jetzt SEG XXXIII (1983) [1986] 466; ebenfalls aus dem ersten Jahrhundert.)

Im Blick auf diese insgesamt drei Belege für *promisthota*/προμισθωτής vertritt Leppin die Auffassung, daß diese Funktion dem lateinischen *manceps*, nicht dem *locator* entspreche (Leppin, S. 90, Anm. 20; vgl. zu dieser Unterscheidung die Ausführungen Leppins im Appendix II, hier S. 177f.). Für unseren *promisthota* aus Philippi scheint jedenfalls so viel sicher, daß er als Mittelsmann zwischen dem die Spiele finanzierenden Magistrat und der Schauspielertruppe agierte. Ob er dabei mehr die Arbeitgeber- oder die Arbeitnehmerinteressen vertrat, ist anhand der Inschrift nicht zu entscheiden. Interessant ist in diesem Zusammenhang auch Mommsens Bemerkung: „Man wird das so aufzufassen haben, dass die Gemeinde Philippi und in deren Namen und für deren Rechnung der *locator* [d.h. der *promisthota*] mit den einzelnen Festgebern die Spielcontracte abschloss, die Stadtkasse also mit dem Engagement ihrer Truppe wie jeder andere Unternehmer ein Geschäft machte und dabei selbst einen Reingewinn machen konnte ... " (Mommsen 1869, S. 464f.). Zur Frage, ob – und wenn ja: – inwiefern die beiden προμισθωταί der Inschrift 713/G752 etwas mit dem Theater in Philippi zu tun haben, vgl. den Kommentar zur Stelle.

Z. 3f. Collart addiert die 37 und die 18 Jahre und kommt zu dem Ergebnis: „C'est sur la scène de notre théâtre que travailla pendant 55 ans ce T. Uttiedius Venerianus qui cumula successivement, dans la colonie, la charge municipale d'*of(f)icialis* avec celle de chef de troupe (*archimimus latinus*), puis avec celle d'entrepreneur de spectacles (*promisthota*)" (Collart, S. 379). Mommsen kommt aufgrund dieser Inschrift zu dem Ergebnis, „dass die Gemeinde Philippi, Bürgercolonie italischen Rechts in der Provinz Makedonien, auf ihre Kosten eine lateinische Schauspielertruppe unterhielt und wenigstens ein Theil derselben aus fest angestellten Leuten bestand" (Mommsen 1869, S. 464).

Dies ist nicht das Gegebene, vielmehr handelt es sich um eine Besonderheit, die der Erklärung bedarf: „Nous avons signalé déjà qu'à Philippes, exceptionnellement, les spectacles scéniques étaient en quelque mesure un service public, ce qui s'explique par les difficultés qu'on aurait rencontrées pour engager occasionnellement une troupe latine des comédiens" (Collart, S. 379, vgl. auch S. 272f.).

Hinsichtlich der Datierung bemerkt Heuzey: „On n'y remarque que deux exemples de liaisons entre les lettres, et deux autres lettres intercalées l'une dans l'autre. Malgré ces quelques signes d'affectation dans l'écriture, l'orthographe ancienne du nominatif *vivos*, pour *vivus*, ne nous permet pas de descendre, pour la date du monument, beaucoup au delà de la fin du premier siècle de l'empire" (Heuzey 1867, S. 135).

Lateinisches Fragment 477/L097

Heuzey/Daumet, Nr. 81 (S. 149).
CIL III 1, Nr. 698.
Α. Παπαδόπουλος Κεραμεύς: Αρχαιότητες και επιγραφαί της Θράκης συλλεγείσαι

κατά το έτος 1885· προσετέθησαν και τινες επιγραφαί της Μακεδονίας, in: Ο εν Κωνσταντινουπόλει Ελληνικός Φιλολογικός Σύλλογος. Σύγγραμμα Περιοδικόν 17 (1882–83), Παράρτημα, Konstantinopel 1886, S. 65–113; hier S. 110.
Δήμιτσας, Nr. 1028–1039 (S. 788) = Nr. 1100 (S. 821).
Νικ. Ι. Γιαννόπουλος: Ανέκδοτοι αρχαίαι επιγραφαί Δράμας, Νεολόγου. Εβδομαδιαία επιθεώρησις, πολιτική, φιλολογική και επιστημονική, Konstantinopel, 19. April 1892, S. 410, Nr. δ΄.
CIL III, Suppl. 2, Nr. 14206[30].
Ευάγγελος Γ. Στράτης: Η Δράμα και η Δράβησκος. Ιστορική και αρχαιολογική μελέτη, Serres 1923 (?), S. 7, Nr. 2.
Χ.Ι. Πέννας, ΑΔ 29 (1973–1974) Β΄3 Χρονικά [1980], S. 851 mit Abb. Tafel 638δ.

Drama: Ναός Παμμεγίστων Ταξιαρχών. Τεμάχιον τετειχισμένον έξωθεν της αρκτικής πλευράς της αύτης εκκλησίας [sc. τών Ταξιαρχών]. Ύψ. 0,35, μήκους 0,67 (Παπαδόπουλος Κεραμεύς, S. 110).
Πέννας verweist zwar auf Heuzey, scheint aber Παπαδόπουλος Κεραμεύς nicht zu kennen. Seine Lesung stimmt genau mit der von Παπαδόπουλος Κεραμεύς überein. Er gibt die folgende Beschreibung: Bei den Restaurierungsarbeiten in dieser Kirche wurden verschiedene Inschriften gefunden (vgl. auch 479/L609; 480/L610). Ωσαύτως, εγένετο καθαίρεσις των εξωτερικών μεταγενεστέρων επιχρισμάτων του ναϋδρίου και αρμολογήματα, με αποτέλεσμα να αποκαλυφθή η πλινθοπερίκλειστος τοιχοδομία του, ως και τινα εντειχισμένα μαρμάρινα μέλη (Πέννας, S. 850).
Τμήμα ενεπιγράφου πλακός, σωζ. μηκ. 0.65, σωζ. ύψ. 0.35 μ., ήτις ενετειχίσθη ανεστραμμένως, φέρει δε το ακόλουθον υπόλοιπον επιγραφής (Πέννας, S. 851).
Dia Nummer 513/1992.

> IOLLSCYT
> IAELVTYCII
> [. . .]OSESO

1 Heuzey, CIL: OLLSCYI. Δήμιτσας: IOLL·SCVT. Γιαννόπουλος: ΙΟΛΛ·SCYT. Στράτης: IOLVSCVT. **2** Heuzey: EIVTYCI. CIL: EEVTYCI. Δήμιτσας: 7AFLVTVCII. Γιαννόπουλος: IAFLVTYCII. Στράτης: IAELVIVCII. **3** Diese Zeile fehlt – soweit ich sehe – bei allen Autoren.

Z. 1 Sollte die Interpretation der Inschrift 417/G221 von Σαμσάρης und von Papazoglou, wonach es sich bei dem Ἰολλίτης in Z. 2f. und Z. 5 um den Namen der Bewohner eines *vicus* handelt (vgl. bei 417/G221 den Kommentar zu Z. 2f.), zutreffen, könnte man hier in Z. 1 zu *Ioll(itus)* ergänzen.

478/L095   **Fragment einer lateinischen Grabinschrift**

Heuzey/Daumet, Nr. 79 (S. 148).
CIL III 1, Nr. 687.

A. Παπαδόπουλος Κεραμεύς: Αρχαιότητες και επιγραφαί της Θράκης συλλεγείσαι κατά το έτος 1885· προσετέθησαν και τινες επιγραφαί της Μακεδονίας, in: Ο εν Κωνσταντινουπόλει Ελληνικός Φιλολογικός Σύλλογος. Σύγγραμμα Περιοδικόν 17 (1882–83), Παράρτημα, Konstantinopel 1886, S. 65–113; hier S. 110.
Δήμιτσας, Nr. 1028–1039 (S. 788) = 1099 (S. 821).
Νικ. Ι. Γιαννόπουλος: Ανέκδοτοι αρχαίαι επιγραφαί Δράμας, Νεολόγου. Εβδομαδιαία επιθεώρησις, πολιτική, φιλολογική και επιστημονική, Konstantinopel, 19. April 1892, S. 410, Nr. γ´.
CIL III, Suppl. 2, Nr. 14206²⁹.
Ευάγγελος Γ. Στράτης: Η Δράμα και η Δράβησκος. Ιστορική και αρχαιολογική μελέτη, Serres 1923 (?), S. 7, Nr. 3.

Drama: Ναός Παμμεγίστων Ταξιαρχών. Τεμάχιον μήκους 1,33 και ύψους 0,18 χρησιμεύοντος (έσωθεν της εκκλησίας [sc. των Ταξιαρχών] ως δευτέρας βαθμίδος της θύρας (Παπαδόπουλος Κεραμεύς, S. 110).
Στράτης gibt (S. 7) die folgende Beschreibung: επί της δευτέρας βαθμίδος της κλίμακος της εις το καθολικόν κατιούσης απόκρουστος και αύτη (1,28x0,38).

> ANALV[...]ILD
> ICINMARC·AL·QVIS·P·DA·
> an(norum) XLVII D[...]
> f(aciendum) c(uravit) in mar(ito) Caio Visp. D[...]

1 Παπαδόπουλος Κεραμεύς: ANALV IID. Γιαννόπουλος: ANXLVIID. 2 Παπαδόπουλος Κεραμεύς: VFCINMARCALQVISPDAB. Dann könnte man lesen: [...] *v(ivus) f(aciendum) c(uravit). in [ea]m arc(am) al(ium) quis p(osuerit), dab(it)* [...]. Γιαννόπουλος: F·C· IN·MAR·CAIO·VISP·DA... Στράτης findet nur noch [...] MARC A[...] VIS[...] (eine Zeile!). Mommsen schlägt für Z. 2 vor: *[si] in [h]anc arc(am) al(ium) quis p(osuerit), da[bit ...]*. Falls es sich in der Tat um ein und dieselbe Inschrift handelt, ist dieser Vorschlag gegenstandslos.

N.N., siebenundvierzig Jahre alt, (liegt hier begraben). N.N. hat (die Inschrift) für ihren Gatten Caius ... anfertigen lassen.

Lateinisches Fragment 479/L609

Χ.Ι. Πέννας, ΑΔ 29 (1973–1974) Β´3 Χρονικά [1980], S. 850.

Drama: Ναός Παμμεγίστων Ταξιαρχών. Bei den Restaurierungsarbeiten in dieser Kirche wurden verschiedene Inschriften gefunden (vgl. auch 477/L097; 480/L610). Ωσαύτως, εγένετο καθαίρεσις των εξωτερικών μεταγενεστέρων επιχρισμάτων του ναϋδρίου και αρμολογήματα, με αποτέλεσμα να αποκαλυφθή η πλινθοπερίκλειστος τοιχοδομία του, ως και τινα εντειχισμένα μαρμάρινα μέλη ...: Νοτία όψις ... Απότμημα ενεπιγράφου πλακός, μήκ.

0.09, ὕψ. 0.07 μ., οὐδέν πέρας σῴζον, φέρον τὸ ἀκόλουθον ὑπόλοιπον ἐπιγραφῆς (Πέννας, S. 850).
Dia Nummer 517/1992.

ISI

1   Der erste Buchstabe ist nicht zu entziffern. Πέννας: Δ(?)SI.

480/L610   **Lateinisches Fragment**

Χ.Ι. Πέννας, ΑΔ 29 (1973–1974) Β΄3 Χρονικά [1980], S. 851 mit Abb. Tafel 638γ.

Drama: Ναός Παμμεγίστων Ταξιαρχών. Bei den Restaurierungsarbeiten in dieser Kirche wurden verschiedene Inschriften gefunden (vgl. auch 477/L097; 479/L609).
Ὡσαύτως, ἐγένετο καθαίρεσις τῶν ἐξωτερικῶν μεταγενεστέρων ἐπιχρισμάτων τοῦ ναϋδρίου καὶ ἁρμολογήματα, μὲ ἀποτέλεσμα νὰ ἀποκαλυφθῇ ἡ πλινθοπερίκλειστος τοιχοδομία του, ὡς καὶ τινα ἐντειχισμένα μαρμάρινα μέλη …: …
Βόρειος ὄψις … Τμῆμα ἐνεπιγράφου πλακός, σῳζ. ὕψ. 0.23, σῳζ. μηκ. 0.63 μ., οὐδέν πέρας σῴζον. Φέρει τὸ ἀκόλουθον ὑπόλοιπον ἐπιγραφῆς (Πέννας, S. 850f.).
Dia Nummer 514/1992.

ṂẠIII
VSẸTMACI

1   Πέννας: ΠΛML(?).   2   Πέννας: VSFIMACI.

481/L611   **Lateinisches Fragment**

Χ.Ι. Πέννας, ΑΔ 29 (1973–1974) Β΄3 Χρονικά [1980], S. 851.

Drama: Ναός Παμμεγίστων Ταξιαρχών. Bei der Ausgrabung des ὀστεοφυλάκιον wurden verschiedene μαρμάρινα ἀρχιτεκτονικά μέλη καὶ γλυπτά gefunden.
Τμῆμα ἐνεπιγράφου πλακός, ὕψ. 0.30, πλ. 0.91, πάχ. 0.20 μ., οὐδέν πέρας σῴζον, φέρον τὸ ἀκόλουθον ὑπόλοιπον ἐπιγραφῆς … Ἐπί τῆς ὀπισθίας πλευρᾶς του, κλιμακηδόν διατεταγμέναι, ἀνάγλυφοι ταινίαι βεβαιοῦν τὴν χρησιμοποίησίν του ὡς παλαιοχριστιανικοῦ θυρώματος (Πέννας, S. 851).

IIVL
CTVM
TPVTV

Lateinisches Fragment   482/L612

X.I. Πέννας, AΔ 29 (1973–1974) B´3 Χρονικά [1980], S. 851.

Drama: Ναός Παμμεγίστων Ταξιαρχών. Bei der Ausgrabung des οστεο-
φυλάκιον wurden verschiedene μαρμάρινα αρχιτεκτονικά μέλη και γλυπτά gefunden.
Τμήμα ενεπιγράφου πλακός, ύψ. 0.17, πλ. 0.42, πάχ. 0.15 μ., ουδέν πέρας
σώζον, φέρον το ακόλουθον υπόλοιπον επιγραφής (Πέννας, S. 851).

H
TCΓ

Fragment einer Grabinschrift   483/L248

A. Salač: Inscriptions du Pangée, de la région Drama-Cavalla et de Philippes,
    BCH 47 (1923), S. 49–96; hier S. 72 (Nr. 27).
Ευάγγελος Γ. Στράτης: Η Δράμα και η Δράβησκος. Ιστορική και αρχαιολογική
    μελέτη, Serres 1923 (?), S. 7, Nr. 1.
Louisa Loukopoulou: Sur la structure ethnique et sociale de Serrès à l'époque
    impériale, in: Ποικίλα, Μελετήματα 10, Athen 1990, S. 173–189; hier S. 179
    mit Anm. 25.

Drama: Ναός Παμμεγίστων Ταξιαρχών. Es handelt sich um dieselbe
Kirche, in der zuletzt Πέννας Inschriften gefunden hat (vgl. die vorigen
Nummern). Der Name „kleine Kirche des heiligen Taxiarchis", der bei Salač
verwendet wird („petite Église d'Haghios Taxiarchis", S. 72), rührt von den
eher bescheidenen Dimensionen des Gebäudes her und ist nicht als Unterscheidung von einer etwa in Drama sonst noch vorhandenen großen Kirche
desselben Taxiarchis gedacht.
Marmor, bei der Tür eingemauert. H. 0,48; B. 0,64; H. der Buchstaben 0,17
und 0,14; Zeilenzwischenraum 0,05.
Bei meinem Besuch der Kirche am 27. August 1992 vermochte ich diese
Inschrift nicht ausfindig zu machen. Sie ist offenbar auch bei den Restaurierungsarbeiten von Πέννας (vgl. dazu die vorigen Nummern) nicht mehr
vorhanden gewesen. Sie muß daher als verschollen gelten.

Abklatsch:
F·TEI·\
INVSIV

Kopie von Picard:
\F·TEIV
INVSIVL
PPV I FIAN

3 Salač will lesen: *[A]ppuleian[us]*.

Vermutlich identisch die Inschrift von Στράτης: Επί της εισόδου αποκεκρουσμένη Λατινική επιγραφή (9,69x50 [*sic*?]) [...] ET EI V[...] [...]IVVUS IV[...].

484/L173   *Cursus honorum*

Νικ. I. Γιαννόπουλος: Ανέκδοτοι αρχαίαι επιγραφαί Δράμας, Νεολόγου. Εβδομαδιαία επιθεώρησις, πολιτική, φιλολογική και επιστημονική, Konstantinopel, 19. April 1892, S. 410, Nr. β΄. *Δήμιτσας,* Nr. 1098 (S. 821). *CIL* III, Suppl. 2, Nr. 14206[28].

Drama: Ναός Παμμεγίστων Ταξιαρχών. „(Dramae ut videtur) rep. ἐν τῇ θύρᾳ τοῦ προαυλίου τοῦ ναΐσκου τῶν Ταξιάρχων" (CIL). H. der Buchstaben 0,10.

    G·HON·AED·DEC

1 *Δήμιτσας* schlägt vor: *G(aius) hon(oratus) aed(ilis) dec(imum)*. Γιαννόπουλος möchte am Schluß entweder *dec(imum)* oder *de c(ivibus)* lesen. Das ist nicht sonderlich überzeugend. Besser liest man statt des G ein C und ergänzt: [... *orn(amentis) de]c(urionatus) hon(oratus), aed(ilis), dec[urio Philipp(is) ...]*

    ... mit den *ornamenta* eines Ratsherrn geehrt, Ädil, Decurio in
    Philippi ...

Ist die von mir vorgeschlagene Lesung angemessen, so wäre unsere Inschrift in der einschlägigen Liste im Kommentar zu 001/L027 (Z. 2) zu ergänzen.

485/L617   **Weihinschrift von Flavius Macedonicus für Mercurius**

Χάϊδω Κουκούλη-Χρυσανθάκη, ΑΔ 30 (1975) Β΄2 Χρονικά [1983], S. 286f. mit Abb. auf Tafel 194γ.

Drama. Στο Μουσείο Καβάλας καθαρίστηκε και καταγράφτηκε η ενεπίγραφη βωμόσχημη στήλη που είχε βρεθεί στα 1972 στήν κατεδάφιση παλιάς οικίας στην οδό Πατριάρχου Ιωακείμ στην περιοχή του ναού των Ταξιαρχών. Η βωμόσχημη στήλη είναι διακοσμημένη στη βάση και στην επίστεψη με σχηματοποιημένο λέσβιο κυμάτιο. ... Διαστάσεις: πλ. 0,18, σωζ. ύψ. 0,33, πάχ. 0,155 μ. Ύψ. γραμμάτων 0,025, διάστιχα 0,005, 0,01, 0,015 μ. (Κουκούλη-Χρυσανθάκη, S. 286f.).

Der Stein befindet sich jetzt (1999) im neuen Museum in Drama.

> Flavius
> Macedoni-
> cus Mercu-
> rio ara[m]
> 5 d(e) s(uo) f(ecit).

Flavius Macedonicus hat dem Mercurius den Altar auf eigene
Kosten angefertigt.

Ο Flavius Macedonicus πρέπει πιθανότατα να σχετίζεται με τον T. Flavius T.
Fil(ius) Vol(tinia) Macedonicus που αναφέρεται σε επιτύμβια επιγραφή από
τη Δράμα, που δημοσίευσε ο Salac (Κουκούλη-Χρυσανθάκη, S. 287), d.h.
502/L247, ebenfalls aus Drama.

Z. 3f. Zur Verehrung des Mercurius in Philippi vgl. den Kommentar zu
094/L590.

Lateinisches Fragment   486/L093

G. Perrot: Daton, Néopolis, les ruines de Philippes, RAr N.S. 1,2 (1860), S. 45–
52.67–77; hier S. 74.
Heuzey/Daumet, Nr. 77 (S. 148).
CIL III 1, Nr. 679.
Δήμιτσας, Nr. 1020 (S. 785) und Nr. 1022–1027 (S. 787f.).

Drama. „Une pierre scellée dans le mur d'une boutique laisse aisément lire,
en lettres hautes de 0^m,17, le nom de VALENS" (Perrot, S. 74).

> [...] Valens [...]

Perrot bietet nur eine Zeile; Heuzey betrachtet /ALEN als Zeile 2 (Z. 1 nur Spuren von
zwei Buchstaben).
Die Lage bei Δήμιτσας ist verwirrend; er bietet als Nr. 1020 VALENS nach Perrot; andrerseits hat er als Nr. 1022–1027 eine Version der Heuzeyschen Fassung. Vgl. schließlich
noch zu Nr. 1094 (S. 820).

Zur Datierung der Inschrift schreibt Heuzey: „les caractères, malgré leur
grande dimension, dénotent une époque assez basse" (S. 149).

Grabinschrift der Iulia Festiva   487/L094

G. Perrot: Daton, Néopolis, les ruines de Philippes, RAr N.S. 1,2 (1860), S. 45–
52.67–77; hier S. 73f.

Heuzey/Daumet, Nr. 78 (S. 148).
CIL III 1, Nr. 669.
Δήμιτσας, Nr. 1019 (S. 785) und Nr. 1022–1027 (S. 787f.).

Drama. „Fragments" (Heuzey, S. 148). „Dramae, *grande dalle dans la cour du cadi*" (CIL, a.a.O., S. 125).

> Iulia Festi[va ...] h(ic) s(ita) (est).
> L(ucius) Atiarius [...]
> uxori b[(ene) m(erenti). in eam]
> arca<m> ali[um qui posuerit]
> 5 dabit r[(ei) p(ublicae) denarios ...].

Auch hier ist Δήμιτσας verwirrend (vgl. zu 486/L093). **1** Perrot: *Iulius [F]estu[s].* CIL: IVLI\ΓESTI; Rest der Zeile fehlt. **2** CIL: L ATIARIVS IEΓ. **3** CIL: VXORI·B; Rest der Zeile fehlt. **3f.** Heuzey: *[In ea] arca ali[um qui posuerit].* CIL: *[si quis in hac] arca ali[um posuerit].* **5** Perrot: ...RITR... . CIL: *dabit rei p ...*

Iulia Festivia ... liegt hier begraben. Lucius Atiarius ... (hat die Inschrift) für seine wohlverdiente Frau (errichtet). Wer in diesen Sarg einen anderen (Leichnam) gelegt hat, der soll der *res publica* ... Denare (Strafe) zahlen.

Z. 2 Zum *nomen* Atiarius – es ist für Philippi charakteristisch – vgl. den Kommentar zu 588/L236.
Z. 5 Das *dabit rei publicae (Philippensium)* ist gleichbedeutend mit *dabit fisco* o.ä.: „Dans la formule sépulcrale mentionnant l'amende qui devrait être versée en cas de violation de la sépulture »*dabit reipublicae Phil(ippensium)* ...«, le terme désigne le trésor public de la colonie" (Fanoula Papazoglou: Le territoire de la colonie de Philippes, BCH 106 (1982), S. 89–106; hier S. 106, Anm. 80).

488/L096   **Lateinisches Fragment**

Heuzey/Daumet, Nr. 80 (S. 149).
CIL III 1, Nr. 696.
Α. Παπαδόπουλος Κεραμεύς: Άρχαιότητες και επιγραφαί της Θράκης συλλεγείσαι κατά το έτος 1885· προσετέθησαν και τινες επιγραφαί της Μακεδονίας, in: Ο εν Κωνσταντινουπόλει Ελληνικός Φιλολογικός Σύλλογος. Σύγγραμμα Περιοδικόν 17 (1882-83), Παράρτημα, Konstantinopel 1886, S. 65–113; hier S. 109.
Δήμιτσας, Nr. 1028–1039 (S. 788).

Drama. Kirche Κοιμήσεως της Θεοτόκου, επί τεμαξίου ... χρησιμεύοντος ως βαθμίδος της εξωτερικής θύρας του γυναικωνίτου (Παπαδόπουλος Κεραμεύς, S. 109).

Παπαδόπουλος Κεραμεύς gibt die Maße H. 0,43; B. 0,64; D. 0,15.

[...] PO
   DICISS
 TOSVC
 METRI

Παπαδόπουλος Κεραμεύς hat nur drei Zeilen. Er liest:

///...PO/// [die Punkte stehen für nicht identifizierbare Buchstaben]
///CITOSVC/// und darüber kleiner: DLCISS
/////////MΓTRI///.

2 CIL: DVLCISSI. **3** Russu (vgl. bei 509a/G806) schlägt vor, zu *[Den]tosuc[us]* zu ergänzen (S. 764, Nr. 3).

Lateinisches Fragment   489/L098

Heuzey/Daumet, Nr. 82 (S. 149).
CIL III 1, Nr. 697.
Δήμιτσας, Nr. 1028–1039 (S. 788).

Drama. „Fragments" (Heuzey, S. 149).
Diese Inschrift ist möglicherweise identisch mit 472/L150.

l(iberta) Quinta

... Quinta, die Freigelassene des ...

Lateinisches Fragment   490/L099

Heuzey/Daumet, Nr. 83 (S. 149).
CIL III 1, Nr. 695.
Δήμιτσας, Nr. 1028–1039 (S. 788).
Detschew, S. 133, s.v. Διζαλας.

Drama. „Fragments" (Heuzey, S. 149).

Ḍisal[a].

1 Heuzey: OISA. CIL: OISAI bzw. ḌISAỊ. Text nach Detschew.

Es handelt sich um eine Form des thrakischen Namens Διζαλας (vgl. Detschews Belege). In Philippi sonst Dizala (520/L242 aus Gramenca und 519/L245 aus Kobaliste).

491/L100   Lateinisches Fragment

Heuzey/Daumet, Nr. 84 (S. 149).
CIL III 1, Nr. 699.
Δήμιτσας, Nr. 1028–1039 (S. 788).

Drama. „Fragments" (Heuzey, S. 149).

[...] f(ilius) Victor Domin[...]

... Victor, der Sohn des ...

492/L110   Grabinschrift für das Kind Annius Agricola

E.M. Cousinéry: Voyage dans la Macédoine [zwei Bände], Paris 1831, Band II, S. 12.
CIL III 1, Nr. 649.
Δήμιτσας, Nr. 960 (S. 747).

Drama. Cousinéry macht keine genaueren Angaben hinsichtlich des Fundortes. „La journée du lendemain de notre visite fut employée à copier quelques inscriptions latines dout je donne ici une copie" (S. 12f.; das sind die vorliegende Nummer 492/L110 sowie die folgende 493/L113).

    [An]n\<i>us Agricola orn(amentis) dec(urionatus) ho(noratus)
    ann(orum) VI mens(ium) II h(ic) s(itus) e(st).
    L(ucius) Annius C(ai) fil(ius) Vol(tinia) Agricola et
    Flavia Atilia Augustina
5 parentes.

Annius Agricola, mit den *ornamenta* eines Ratsherrn geehrt, sechs Jahre, zwei Monate alt, liegt hier begraben. Lucius Annius Agricola, der Sohn des Caius, aus der Tribus Voltinia, und Flavia Atilia Augustina, die Eltern, (haben die Inschrift anfertigen lassen).

    Z. 1 Zu *ornamentis decurionatus honoratus* vgl. die Inschrift 001/L027 (dort die weiteren Belege).

493/L113   Inschrift des Caius Vibius Daphnus

Paul Lucas, vgl. Collart, S. 10 mit Anm 6. (*anno* 1712 vor Ort!).
E.M. Cousinéry: Voyage dans la Macédoine [zwei Bände], Paris 1831, Band II, S. 12.

CIL III 1, Nr. 659.

A. *Παπαδόπουλος Κεραμεύς:* Αρχαιότητες και επιγραφαί της Θράκης συλλεγείσαι κατά το έτος 1885· προσετέθησαν και τινες επιγραφαί της Μακεδονίας, in: Ο εν Κωνσταντινουπόλει Ελληνικός Φιλολογικός Σύλλογος. Σύγγραμμα Περιοδικόν 17 (1882-83), Παράρτημα, Konstantinopel 1886, S. 65–113; hier S. 110.
Δήμιτσας, Nr. 957 (S. 747).
ILS 7189.
Collart, S. 383 mit Anm. 2.

Drama. Επί πλακός εντετειχισμένης έμπροσθεν βρύσεως, εντός της οικίας του Αχμέτ-εφέντη-καφετζή, κατά την οδόν Χαλίλ-μπέη· (έκτυπον) (Παπαδόπουλος Κεραμεύς, S. 110).

C(aius) Vibius C(ai) fil(ius) Vol(tinia) Daphnus
orn(amentis) dec(urionatus) hon(oratus) an(norum) V m(ensium)
IX h(ic) s(itus) e(st).
C(aius) Vibius C(ai) fil(ius) Vol(tinia) Florus dec(urio)
IIvir et munerarius Philippis
5 fil(io) kariss(imo) f(aciendum) c(uravit).

2 Nach Παπαδόπουλος Κεραμεύς gehört das ORN ans Ende von Z. 1! 4 Die Zahl nach CIL und Παπαδόπουλος Κεραμεύς mit Überstrich. 5 Nach Παπαδόπουλος Κεραμεύς gehört das FIL ans Ende von Z. 4.

Caius Vibius Daphnus, der Sohn des Caius, aus der Tribus Voltinia, mit den *ornamenta* eines Ratsherrn ausgezeichnet, fünf Jahre und neun Monate alt, liegt hier begraben. Caius Vibius Florus, der Sohn des Caius, Decurio, Duumvir und Veranstalter der Spiele in Philippi, hat (die Inschrift) für seinen liebsten Sohn anfertigen lassen.

Z. 1 Eine Liste aller *Vibii* aus Philippi bei 058/L047.
Z. 2 Zu *ornamentis decurionatus honoratus* vgl. 001/L027 (dort eine Liste aller Belege aus Philippi).
Z. 4 *munerarius* begegnet sowohl auf publizierten als auch auf unpublizierten Inschriften aus Philippi des öfteren. Vgl. dazu den Kommentar zu 252/L467 vom Macellum.

Inschrift des Sklaven Eutyches   494/L114

Paul Lucas, vgl. Collart, S. 10 mit Anm 6. (*anno* 1712 vor Ort!).
CIL III 1, Nr. 667.
Δήμιτσας, Nr. 958 (S. 747).

Drama. Nähere Angaben zum Fundort fehlen.

Eut[y]ches
Bulleni
Venusti
servus N

Eutyches, der Sklave des Bullenus Venustus . . .

Z. 1 Ein Servaeus Eutychus in 523/L105 (aus Μικρόπολις).

Z. 2 Das *nomen* Bullen(i)us begegnet nicht nur nicht in Philippi, sondern auch sonst an keiner weiteren Stelle (Olli Salomies: Contacts between Italy, Macedonia and Asia Minor during the Principate, in: Roman Onomastics in the Greek East. Social and Political Aspects, hg. v. A.D. Rizakis, Μελετήματα 21, Athen 1996, S. 111–127; hier S. 117, Anm. 31).

495/L135   **Lateinische Grabinschrift**

Σταύρος Μερτζίδης: Αι χώραι του παρελθόντος και αι εσφαλμέναι τοποθετήσεις των. Έρευναι και μελέται τοπογραφικαί υπό αρχαιολογικό-γεωγραφικό-ιστορικήν έποψιν, Athen 1885, Nr. 12, S. 30f.

Α. Παπαδόπουλος Κεραμεύς: Αρχαιότητες και επιγραφαί της Θράκης συλλεγείσαι κατά το έτος 1885· προσετέθησαν και τινες επιγραφαί της Μακεδονίας, in: Ο εν Κωνσταντινουπόλει Ελληνικός Φιλολογικός Σύλλογος. Σύγγραμμα Περιοδικόν 17 (1882–83), Παράρτημα, Konstantinopel 1886, S. 65–113; hier S. 109f.

CIL III, Suppl. 1, Nr. 7355.

Band I, S. 178.

Drama: Im Garten des Färbers Αργύριος. Μερτζίδης beschreibt das Anwesen wie folgt: εν τη οικία του βαφέως (μπογιατζή) Αργυρίου, εν τω κήπω του είδομεν αρκετά συντρίμματα μαρμαρίνων πλακών (S. 30), darunter auch die vorliegende Inschrift. Sie steht bei Μερτζίδης inmitten von gefälschtem Material (nach 659/M140 und vor 660/M138); trotzdem ist die Echtheit gesichert aufgrund des Zeugnisses von Παπαδόπουλος Κεραμεύς, der die folgende Beschreibung bietet: Επί τεμαχίου εν τη οικία Αργύρη Βογιατζή (ύψ. 0,62· πλ. 0,77· πάχ. 0,12). Ύψος των στοιχείων 0,13. Της 3 γραμμής τα στοιχεία μικρότερα.

RATII
h(ic) s(itus) e(st) DE
in ea arca [. . .]

1 Μερτζίδης: RAFI.   2 Μερτζίδης: H·S·ED.   3 Μερτζίδης liest nur INE und ARC.

Fragment einer lateinischen Grabinschrift   496/L137

A. *Παπαδόπουλος Κεραμεύς:* Αρχαιότητες και επιγραφαί της Θράκης συλλεγείσαι κατά το έτος 1885· προσετέθησαν και τινες επιγραφαί της Μακεδονίας, in: Ο εν Κωνσταντινουπόλει Ελληνικός Φιλολογικός Σύλλογος. Σύγγραμμα Περιοδικόν 17 (1882–83), Παράρτημα, Konstantinopel 1886, S. 65–113; hier S. 110.
CIL III, Suppl. 1, Nr. 7357.

Drama. „... in hortis Georgii Butsoba" (CIL III, Suppl. 1, Nr. 7357). Μάρμαρον (μήκους 1,24· πλ. 0,74· πάχ. 0,40) τετραγώνου σχήματος παραλληλογράμμου, έχον επί της μιάς πλατείας επιφανείας αβαθές τετράγωνον λάξευμα. Η επιγραφή επί μιάς των μικρών πλευρών, φαίνεται δ' ότι αριστερόθεν συνεχίζετο επί ετέρου μαρμάρου. Εύρηται εν τω κήπω Γεωργίου Βούτσοβα (Παπαδόπουλος Κεραμεύς, S. 110).

[in f(ronte) p(edes) ...]V, in a(gro) p(edes) XXV.

1 Παπαδόπουλος Κεραμεύς liest hinter dem A ein kleines hochgestelltes s (Abkürzungszeichen).

(Die Grabanlage mißt) ... Fuß in der Breite, fünfundzwanzig Fuß in der Tiefe.

Lateinische Ehreninschrift für Traianus   497/L147
II

Th. Homolle: Nouvelles et Correspondance, BCH 17 (1893), S. 624–641; hier S. 633.
Δήμιτσας, Nr. 1096 (S. 820).
CIL III, Suppl. 2, Nr. 13706.
CIL III, Suppl. 2, Nr. 14206⁹.
Collart, S. 314, Anm. 1.

Drama. „... in muro moscheae" (CIL, Nr. 13706). Irreführend ist die Notiz CIL III, Suppl. 2, Nr. 14206⁹, wonach unsere Inschrift von N.I. Γιαννόπουλος in Νεολόγου. Εβδομαδιαία επιθεώρησις ..., Konstantinopel, 19. April 1892, S. 410 publiziert sei, woher sie Δήμιτσας übernommen habe. Aus der Ausgabe des Νεολόγου vom 19. April 1892 hat Δήμιτσας nämlich die S. 820f. folgenden vier Inschriften übernommen, d.h. die Nr. 1097 (= 474/L091), 1098 (= 484/L123), 1099 (= 478/L095) und 1100 (= 477/L097), nicht aber die vorliegende Inschrift 497/L147, die sich seinen Angaben zufolge (vgl. a.a.O., S. 820 oben) vielmehr in der Ausgabe des Νεολόγου vom 17. Mai 1892, S. 476, Nr. 30 findet. Leider liegt mir diese Ausgabe vom 17. Mai 1892 (im Gegensatz zu der vom 19. April 1892) nicht vor, und ich kann daher die Angaben von Δήμιτσας nicht überprüfen.

Imp(eratori) Aug(usto)
Nerva<e> Tra-
iano Caes(ari)
G(e)rman(ico).

1 Δήμιτσας hat eine Zeile ... davor. In Z. 1 ergänzt er *Imp(eratore)*. Homolle, CIL geben: [I]MPAVG(?). Δήμιτσας: IMPAVC. **2** Homolle, CIL: [N]ERVATRA. Δήμιτσας: NERVATRA. **3** Homolle, CIL: AN CAES. Δήμιτσας: IANOCAΓS. Er liest *Caes(are)*. **4** Homolle, CIL: G RMAN. Δήμιτσας: C RMAN.

Für den Imperator Augustus Nerva Traianus Caesar Germanicus.

Zur Datierung bemerkt Collart, S. 314, Anm. 1: „après novembres 97" (Ok-
tober/November 97 erhielt Traianus den Titel *Germanicus*).

498/L149   **Lateinisches Fragment**

Th. Homolle: Nouvelles et Correspondance, BCH 17 (1893), S. 624–641; hier S.
633.
Δήμιτσας, Nr. 1095 (S. 820).
CIL III, Suppl. 2, Nr. 13708[1].
CIL III, Suppl. 2, Nr. 14206[9].

Drama. „... in aedibus prope konak" (CIL, Nr. 13708[1]). Δήμιτσας: ... γε-
γραμμένον ἐπὶ λίθου τεθραυσμένου, εὑρέθη ἔνθα τὸ ἀνωτρέρ (1094 = 486/
L093) und zwar ἔν τινι ἀρτοπωλείῳ παρὰ τὸ διοικητήριον ἐντετοιχισμένον.

V
QVI
CRA
·VLS
5 ELC

3 Δήμιτσας: GRA. **5** Δήμιτσας: ELS.

499/G189   **Weihinschrift des Παίζιος Πηδίζα für Dionysos**
hellenistisch

A. Παπαδόπουλος Κεραμεύς: Ἀρχαιότητες καὶ ἐπιγραφαὶ τῆς Θράκης συλλεγεῖσαι
κατὰ τὸ ἔτος 1885· προσετέθησαν καὶ τινες ἐπιγραφαὶ τῆς Μακεδονίας, in: Ο εν
Κωνσταντινουπόλει Ελληνικός Φιλολογικός Σύλλογος. Σύγγραμμα Περιοδικόν
17 (1882-83), Παράρτημα, Konstantinopel 1886, S. 65–113; hier S. 108 (nicht
168!).

Σταύρος Μερτζίδης: Αι χώραι του παρελθόντος και αι εσφαλμέναι τοποθετήσεις των. Έρευναι και μελέται τοπογραφικαί υπό αρχαιολογικό-γεωγραφικό-ιστορικήν έποψιν, Athen 1885; hier Nr. 1, S. 16f.
Δήμιτσας, Nr. 1063, S. 807 (= Nr. 1101, S. 821).
Albert Dumont: Inscriptions et monuments figurés de la Thrace, in: ders.: Mélanges d'archéologie et d'épigraphie (Hg. Th. Homolle), Paris 1892, S. 307–581; hier S. 470.
Νικ. Ι. Γιαννόπουλος: Ανέκδοτοι αρχαίαι επιγραφαί Δράμας, Νεολόγου. Εβδομαδιαία επιθεώρησις, πολιτική, φιλολογική και επιστημονική, Konstantinopel, 19. April 1892, S. 410, Nr. ε΄.
Paul Perdrizet: Voyage dans la Macédoine première [III], BCH 21 (1897), S. 514–543; hier S. 532.
Ευάγγελος Γ. Στράτης: Η Δράμα και η Δράβησκος. Ιστορική και αρχαιολογική μελέτη, Serres 1923 (?), S. 5, Nr. 4.
Collart, S. 182, Anm. 4.
Χάϊδω Κουκούλη-Χρυσανθάκη, ΑΔ 25 (1970) Β΄2 Χρονικά [1973], S. 401f. (kein Text; keine Abb.).
Χάϊδω Κουκούλη-Χρυσανθάκη: Ο αρχαίος οικισμός της Δράμας και το Ιερό του Διονύσου, in: Η Δράμα και η Περιοχή της· Ιστορία και Πολιτισμός, Δράμα 24–25 Νοεμβρίου 1989, Drama 1992, S. 67–107; hier S. 74 mit Anm. 49.
Band I, S. 101; S. 103, Anm. 38f.; S. 138, Anm. 16; S. 178.

Drama: Heiligtum des Dionysos. „La pierre sert de marche dans un escalier, au Παρθερναγωγεῖον", sagt Perdrizet, der die folgenden Maße gibt: L. 1,35; H. der Buchstaben 0,04.
Andere Angaben bietet Παπαδόπουλος Κεραμεύς: Επί μακρού τετραγώνου παραλληλογράμμου μαρμάρου, χρησιμεύοντος ως βαθμίδος μιάς των θυρών του παρθεναγωγείου. Πάχ. 0,15· μήκ. 1,39· πλ. 0,39 (S. 108).
Heute ist die Inschrift nicht mehr vorhanden (Κουκούλη-Χρυσανθάκη, S. 401).

       Παίζιος Πηδίζα Διονύσῳ.

1 Μερτζίδης: Πάζιος πήδιζα (!). Die Lesarten von Μερτζίδης verdienen kein Zutrauen, zumal da in diesem Fall die übrigen Zeugen übereinstimmen.

       Paizios Pediza (weiht es) dem Dionysos.

Nach Perdrizet wäre diese Inschrift auf die Zeit vor der Gründung der römischen Kolonie Philippi zu datieren (S. 536f., Anm. 3).
Κουκούλη-Χρυσανθάκη nimmt die Neuentdeckung von weiteren Steinen aus dem Heiligtum des Dionysos im Jahr 1970 zum Anlaß, das Material zusammenzustellen:
Η ύπαρξις ιερού Διονύσου εις Δράμαν ήτο παλαιόθεν γνωστή εκ τινων ρωμαϊκών επιγραφών μη σωζομένων σήμερον [das ist die vorliegende Inschrift 499/G189 sowie 500/L254]. Εκ της ανευρεθείσης προ τινων ετών αναθηματικής εις Διόνυσον επιγραφής, εβεβαιώθη η ύπαρξις ιερού Διονύσου εις

Δράμαν ήδη από των πρωΐμων ελληνιστικών χρόνων [diese Weihinschrift für Dionysos ist inzwischen publiziert, vgl. unten].

Λίαν ενδιαφέρουσα υπήρξεν η ανεύρεσις τεσσάρων αναθηματικών εις Διόνυ-σον επιγραφών, προερχομένων εκ βάθρων, ως και άνω τμήματος αγάλματος πωγωνοφόρου θεού, προφανώς του Διονύσου (αριθ. Ευρ. Μ. Φιλίππων Λ 206 – Λ 210; vgl. unten 501/G569; 501a/G807; 501b/G808 und 501c/L809).

Αι επιγραφαί ευρέθησαν τυχαίως εις σωρόν χωμάτων απορριφθέντων εις θέσιν »Εργατικαί Κατοικίαι«. Προφανώς έχουν μεταφερθή εκ τινος οικοπέδου της πόλεως Δράμας, άγνωστον ακριβώς πόθεν.

Διά των νέων επιγραφών, αι οποίαι χρονολογούνται εις τους υστέρους ελληνι-στικούς καθώς και εις τους ρωμαϊκούς χρόνους, πλουτίζονται αι γνώσεις μας περί της τοπικής λατρείας του Διονύσου, ταυτιζομένου εις μίαν επιγραφήν προς τον Liber Pater. Ενδιαφέρουσα είναι η παρουσία θρακικών ονομάτων μετά ελληνικών πατρωνυμίων ... [hier zitiert Κουκούλη-Χρυσανθάκη die In-schrift 501/G569], ως και ο ισχυρός τοπικός χαρακτήρ του αρχαϊστικού αγάλματος του Διονύσου (Κουκουλη-Χρυσανθάκη, S. 401f.).

Collart macht darauf aufmerksam, daß sich zwei weitere Weihinschriften an Dionysos unter den Fälschungen von Μερτζίδης befinden (666/M201 und 672/M655 [beide griechisch]; die vorliegende echte Inschrift hat Μερτζίδης gleich als Nummer 1 seiner Sammlung einverleibt).

Eine echte Weihinschrift für Dionysos stammt aus Κουδούνια (417/G221). Vgl. auch das folgende Material. Eine Diskussion des Materials findet sich o. Bd. I 100–107.

500/L254   Weihinschrift für Liber und Libera und Hercules

A. *Salač:* Inscriptions du Pangée, de la région Drama-Cavalla et de Philippes, BCH 47 (1923), S. 49–96; hier S. 75 (Nr. 33).
AÉ 1924, 53.
Collart, S. 414, Anm. 1.
Band I, S. 103 mit Anm. 40.

Drama: Οδός Σκρά, im Hof des Hauses Nr. 341, „à l'intérieur d'un puits" (Salač, S. 75). Platte aus weißem Marmor. L. 0,93; B. 0,64; D. 0,12; H. der Buchstaben 0,045.

> Libero et Liberae et He[rculi].

> Dem Liber und der Libera und dem Hercules.

Vgl. dazu 338/L333, ebenfalls eine Weihinschrift für Liber, Libera und Her-cules (dort auch die übrigen Belege aus Philippi), sowie die neuerdings publi-zierte Weihinschrift für Liber Pater, ebenfalls aus dem Heiligtum in Drama (501c/L809).

Weihinschrift des Δορζίλας für Dionysos

501/G569
2./1. Jh.
v. Chr.

Χάϊδω Κουκούλη-Χρυσανθάκη, ΑΔ 25 (1970) Β΄2 Χρονικά [1973], S. 402 (mit Πίν. 336α).

Jeanne Robert und Louis Robert, BÉ 1974, Nr. 356.

Χάϊδω Κουκούλη-Χρυσανθάκη: Ο αρχαίος οικισμός της Δράμας και το Ιερό του Διονύσου, in: Η Δράμα και η Περιοχή της. Ιστορία και Πολιτισμός, Δράμα 24– 25 Νοεμβρίου 1989, Drama 1992, S. 67–107; hier S. 76 mit Abb. 24.

Drama: Heiligtum des Dionysos. Πλίνθος από ενεπίγραφο βάθρο με κυματιοφόρο επίστεψη. Λαξευμένες με επιμέλεια όλες οι πλάγιες πλευρές και η πάνω επιφάνεια της πλίνθου (S. 76).

Abmessungen: H. 0,20; L. 0,72; B. 0,49; Buchstaben H. 0,02; Zeilenzwischenraum 0,01.

Die Inschrift befand sich früher im Museum in Philippi und hatte die Inventarisierungsnummer Λ 207. Sie steht heute (1999) im Museum in Drama (Inventarisierungsnummer Λ 91).

Ich bekam keine Genehmigung, den Stein selbst zu studieren (Υπουργείο Πολιτισμού – Εφορεία προϊστορικών και κλασσικών αρχαιοτήτων Καβάλας, Aktenzeichen 2558, 20. August 1992).

> Δορζίλας Διογνήτου
> εὐξάμενος Διονύσῳ.

Dorzilas, (der Sohn) des Diognetos, weiht (es) dem Dionysos.

Z. 1 Κουκούλη-Χρυσανθάκη hält es für bemerkenswert, daß der thrakische Name Δορζίλας mit einem griechischen Διογνήτου kombiniert ist. Der thrakische Name fehlt bei Detschew (vgl. auch Κουκούλη, S. 84, Anm. 126). Die Datierung stammt von Κουκούλη-Χρυσανθάκη.

Weihinschrift des Σκήζις für Dionysos

501a/G807
2./1. Jh.
v. Chr.

Χάϊδω Κουκούλη-Χρυσανθάκη: Ο αρχαίος οικισμός της Δράμας και το Ιερό του Διονύσου, in: Η Δράμα και η Περιοχή της. Ιστορία και Πολιτισμός, Δράμα 24– 25 Νοεμβρίου 1989, Drama 1992, S. 67–107; hier S. 76 mit Abb. 23.

Drama: Heiligtum des Dionysos. Πλίνθος από ενεπίγραφο βάθρο με κυματιοφόρο επίστεψη. Πολλές κακώσεις στο κυμάτιο, σπασμένες οι τρείς πλάγιες πλευρές. Στην πίσω πλευρά τόρμος με αύλακα μολυβδοχόησης. Μάρμαρο γκρίζο, χονδρόκοκκο (S. 76).

Abmessungen: H. 0,15; L. 0,57; B. 0,36; Buchstaben H. 0,023; Zeilenzwischenraum 0,01.

Inventarisierungsnummer Museum Philippi Λ 208.

Σκήζις Ἡρακλείτου
εὐξάμενος Διονύσῳ.

Skezis, (der Sohn) des Herakleitos, weiht (es) dem Dionysos.

Z. 1 Σκήζις ist offenbar ein thrakischer Name, der hier zum ersten Mal begegnet (vgl. Κουκούλη, S. 84, Anm. 127).
Die Datierung stammt von Κουκούλη-Χρυσανθάκη: Γράμματα 2ου–1ου π.Χ. αι. (S. 76; vgl. auch die in Anm. 65 genannten Texte).

501b/G808
II/III

Weihinschrift des Διοσκουρίδης für Dionysos

Χάϊδω Κουκούλη-Χρυσανθάκη: Ο αρχαίος οικισμός της Δράμας και το Ιερό του Διονύσου, in: Η Δράμα και η Περιοχή της. Ιστορία και Πολιτισμός, Δράμα 24–25 Νοεμβρίου 1989, Drama 1992, S. 67–107; hier S. 76 mit Abb. 22.

Drama: Heiligtum des Dionysos. Ενεπίγραφη μαρμάρινη πλίνθος βάθρου. Η πρόσθια όψη έχει λαξευθεί με μεγαλύτερη επιμέλεια. Οι λοιπές επιφάνειες έχουν δουλευτεί αδρότερα με καλέμι. Μάρμαρο υπόλευκο, χονδρόκοκκο (S. 76).
Abmessungen: H. 0,38; L. 0,57; B. 0,28; Buchstaben H. 0,035–0,025; Zeilenzwischenraum 0,03.
Inventarisierungsnummer Museum Philippi Λ 209.

Διοσκουρίδης Ἀντιγόνου
Διονύσῳ εὐχαριστήριον.

2 Κουκούλη liest Διονύσω (in der Tat findet sich auf dem Stein kein Iota beim Omega).

Dioskourides, (der Sohn) des Antigonos, dem Dionysos als Dankesgabe.

Z. 1 Der Name Διοσκουρίδης begegnet in den Inschriften von Philippi nicht selten.
Z. 2 Zu dem εὐχαριστήριον vgl. drei griechische Inschriften aus dem Heiligtum des Ἥρως Αὐλωνείτης in Kipia: 622/G635, 623/G636, 624/G637.
Die Datierung stammt von Κουκούλη-Χρυσανθάκη: Γράμματα 2ου–3ου μ.Χ. αι. (S. 76; vgl. auch die in Anm. 64 genannten Texte).

Weihinschrift für Liber Pater

Χάϊδω Κουχούλη-Χρυσανθάκη: Ὁ αρχαίος οικισμός της Δράμας και το Ιερό του Διονύσου, in: Η Δράμα και η Περιοχή της. Ιστορία και Πολιτισμός, Δράμα 24–25 Νοεμβρίου 1989, Drama 1992, S. 67–107; hier S. 75 mit Abb. 21.

Drama: Heiligtum des Dionysos. Ενεπίγραφη μαρμάρινη πλίνθος. Η πρόσθια ενεπίγραφη όψη έχει λαξευθεί με επιμέλεια στο άνω κυρίως τμήμα της, όπου η επιγραφή. Οι λοιπές πλευρές είναι αδρά λαξευμένες. Μάρμαρο λευκό, χονδρόκοκκο (S. 75).

Abmessungen: H. 0,51; L. 0,47 [Κουχούλη gibt irrtümlich 0,047]; B. 0,23; Buchstaben H. 0,05–0,035; Zeilenzwischenraum 0,01.

Inventarisierungsnummer Museum Philippi Λ 210.

> Lib(ero) Patr(i) v(otum) s(olverunt) l(ibentes) m(erito)
> Cetrillas Diulae,
> Diulas et Dinis
> *vacat* fili.   *vacat*   *folium*

1 Κουχούλη liest versehentlich *Lib(eri)*, *s(olvit)* und *l(ibens)*.   **2** Κουχούλη liest irrtümlich *Cetrilas*.

Dem Liber Pater haben ihr Gelübde gern (und) verdientermaßen erfüllt Cetrillas, (der Sohn) des Diulas, und seine Söhne Diulas und Dinis.

Z. 1 Die Weihinschriften für Liber Pater sind bei 338/L333 im Kommentar gesammelt. In unserem Zusammenhang ist 500/L254 von besonderem Interesse, weil diese Inschrift ebenfalls aus dem Heiligtum des Dionysos in Drama stammt.

Z. 2 Schwierig ist das Verständnis des *Cetrillas Diulae*. Falls es sich bei dem *Diulae* um den Genitiv des in Z. 3 ein zweites Mal begegnenden Namens Diulas handelt, müßte man „Cetrillas, der Sohn des Diulas" verstehen; in diesem Fall würde man jedoch – da es sich um einen lateinischen Text handelt –, ein *f(ilius)* hinter dem *Diulae* erwarten.

Der Name Cetril(l)as war schon zuvor in 519/L245, Z. 8 belegt.

Der Name Diulas ist neu (doch vgl. die von Κουχούλη aus Detschew, S. 84, Anm. 129 angeführten ähnlichen Formen).

Z. 3 Dinis ist ein häufiger thrakischer Name, vgl. Detschew, S. 137f., s.v. Dines usw.

Die Datierung ins erste bzw. zweite Jahrhundert stammt von Κουχούλη (Γράμματα 1ου–2ου π.Χ., heißt es irrtümlich auf S. 75 – es ist natürlich *nach* Christus gemeint, also μ.Χ.; vgl. auch die in Anm. 63 genannten Texte).

501d/G810   **Inschrift eines Dionysos-Priesters**
4./3. Jh.
v. Chr.   Χάϊδω Κουκούλη-Χρυσανθάκη: Ο αρχαίος οικισμός της Δράμας και το Ιερό του
Διονύσου, in: Η Δράμα και η Περιοχή της. Ιστορία και Πολιτισμός, Δράμα 24–
25 Νοεμβρίου 1989, Drama 1992, S. 67–107; hier S. 75 mit Abb. 20.

Drama: Heiligtum des Dionysos. Ενεπίγραφη μαρμάρινη πλίνθος, η οποία
σε δεύτερη χρήση έχει μετατραπεί σε λεκάνη (S. 75).
Abmessungen: H. 0,44; L. 0,74; B. 0,67. Buchstaben H. 0,03; Zeilenzwischen-
raum 0,03.
Σε μια πλάγια όψη σώζεται η επιγραφή (ebd.).
Inventarisierungsnummer Αρχαιολογικής Συλλογής Δράμας Λ 6.

> [...]δροκλέους
> ἱερητεύσας Διονύσῳ.

2   Das Iota ist auf dem Stein adskribiert.

..., der dem Dionysos Priester ist.

Dies ist die älteste Inschrift, die bisher aus dem Heiligtum des Dionysos in
Drama ans Licht gekommen ist. Κουκούλη datiert die Buchstaben Ende des
vierten bzw. Anfang des dritten Jahrhunderts v. Chr. (S. 75) und verweist
auf die von ihr publizierte Inschrift des Ἀντίγονος Κάλλας, eines ἕταιρος
Alexanders des Großen, aus Amphipolis (S. 75, Anm. 61). Damit ergibt sich
eine Zeitspanne vom Ende des vierten Jahrhunderts v. Chr. bis in die Kaiserzeit (vgl. die Datierung der Inschrift 501c/L809) – das Dionysos-Heiligtum
hat also eine beträchtliche Tradition aufzuweisen. Diese Zeitspanne wird
nach vorn noch verlängert durch den Fund einer Marmorbüste des Dionysos, deren πρότυπο Κουκούλη auf den Anfang des fünften Jahrhunderts v.
Chr. datiert (S. 77).

502/L247   **Grabstein für Titus Flavius Alexander**

A. Salač: Inscriptions du Pangée, de la région Drama-Cavalla et de Philippes,
    BCH 47 (1923), S. 49–96; hier S. 71f. (Nr. 26).
Ευάγγελος Γ. Στράτης: Η Δράμα και η Δράβησκος. Ιστορική και αρχαιολογική
    μελέτη, Serres 1923 (?), S. 9, Nr. 3α.
AÉ 1924, 52.

Drama. Nach Στράτης befand sich der Stein εν τω περιβόλω του Διοικη-
τηρίου (S. 8f.).
Altar aus weißem Marmor. H. 1,42 (Inschrift 1,06); B. 0,92 (Inschrift 0,80);
D. 0,75; H. der Buchstaben 0,095–0,05; Zeilenzwischenraum 0,035–0,01.

D(is) M(anibus).
T(ito) Flavio
T(iti) fil(io) Vol(tinia)
Alexandro,
5 dec(urioni) Philippis,
an(norum) LVIII,
T(itus) Flavius T(iti)
fil(ius) Vol(tinia)
Macedonicus
10 orn(amentis) dec(urionatus) hon(oratus)
[patr]i b(ene) m(erenti) et [sibi] v(ivus).

2 Στράτης: TELAYIO. 3 Στράτης: TEILVOT. 6 Die Zeile fehlt irrtümlich AÉ 1924, Nr. 52. 7 Στράτης: TELAVIVST. 11 Στράτης: ... TSI.

Den Manen. Für Titus Flavius Alexander, den Sohn des Titus, aus der Tribus Voltinia, den Ratsherrn in Philippi, achtundfünfzig Jahre alt, seinen wohlverdienten Vater, und für sich selbst (hat) Titus Flavius Macedonicus, der Sohn des Titus, aus der Tribus Voltinia, mit den *ornamenta* eines Ratsherrn geehrt, zu seinen Lebzeiten (die Inschrift anfertigen lassen).

Z. 1 Die Liste aller *Dis-Manibus*-Inschriften aus Philippi steht im Kommentar zu 092/G496 aus Κρηνίδες.
Z. 2ff. Unser Titus Flavius Alexander bei Κανατσούλης als Nr. 1428 (S. 163).
Z. 7ff. Titus Flavius Macedonicus bei Κανατσούλης als Nr. 1443 (S. 165).
Z. 9 Ein Flavius Macedonicus weiht in 485/L617 (ebenfalls aus Drama) dem Mercurius einen Altar.
Z. 10 Zu *ornamentis decurionatus honoratus* vgl. 001/L027, wo alle Belege aus Philippi gesammelt sind.

Grabinschrift des Marcus Catinius Valens   503/L249

A. *Salač:* Inscriptions du Pangée, de la région Drama-Cavalla et de Philippes, BCH 47 (1923), S. 49–96; hier S. 72 (Nr. 28).
Ευάγγελος Γ. Στράτης: Η Δράμα και η Δράβησκος. Ιστορική και αρχαιολογική μελέτη, Serres 1923 (?), S. 10.
V. *Beševliev/G. Mihailov:* Starini iz Belomorieto, I. Antični nadpisi i trakijski konici, Belomorski Pregled 1 (1942), S. 318–347; hier Nr. 33 (S. 332 mit Abb. 20 und 21).

Drama. Grabstele in Form eines Altars. Marmor. H. 1,03; B. 0,65. Oberhalb der Inschrift ein Relief mit dem Thrakischen Reiter, der nach rechts galoppiert; „... vers un arbre où s'enroule un serpent" (Salač, S. 72). H. des Reliefs 0,315. B. der beschriebenen Fläche 0,54. H. der Buchstaben 0,05; Zeilenzwischenraum 0,05.

Zur Zeit von Στράτης εν τω περιβόλω του Διοικητηρίου (S. 8f.). Heute (1999) im Museum Drama, vgl. die Abb. in Αρχαιολογικό Μουσείο Δράμας, hg. v. Υπουργείο Πολιτισμού. ΙΗ' εφορεία προϊστορικών και κλασικών αρχαιοτήτων o.O. o.J., am Schluß des Faltblattes.

> *folium* M(arcus) Catinius *folium*
> Valens ann(orum)
> *folium* XXV *folium* h(ic) s(itus) e(st). *folium*
> C(aius) Catinius Se-
> 5 cundus fr(ater) f(aciendum) c(uravit).

1 *folium* am Zeilenbeginn fehlt bei Salač.   3 *folium* am Zeilenbeginn fehlt bei Salač.
5 Die Zeile fehlt bei Στράτης.

Marcus Catinius Valens, fünfundzwanzig Jahre alt, liegt hier begraben. Caius Catinius Secundus, sein Bruder, hat (den Altar) anfertigen lassen.

504/L250   **Grabinschrift für zwei *Pisidiae***

A. Salač: Inscriptions du Pangée, de la région Drama-Cavalla et de Philippes, BCH 47 (1923), S. 49–96; hier S. 73 (Nr. 29).
Ευάγγελος Γ. Στράτης: Η Δράμα και η Δράβησκος. Ιστορική και αρχαιολογική μελέτη, Serres 1923 (?), S. 8, Nr. 2 mit Abb. 1 (Photographie!).
V. Beševliev/G. Mihailov: Starini iz Belomorieto, I. Antični nadpisi i trakijski konici, Belomorski Pregled 1 (1942), S. 318–347; hier Nr. 32 (S. 331 mit Abb. 20 und 21 auf S. 332).

Drama. Große gelbliche Marmorplatte (H. 1,22; B. 0,56) mit Inschrift (beschriebene Fläche: H. 0,46; B. 0,17; H. der Buchstaben 0,075–0,08; Zeilenzwischenraum 0,03–0,053). Über der Inschrift Relief mit Totenmahl, auf dem fünf Personen dargestellt sind. Zwischen Z. 5 und Z. 6 ein weiteres Relief (H. 0,345) mit dem Thrakischen Reiter.
Zur Zeit von Στράτης εν τω περιβόλω του Διοικητηρίου (S. 8f.). Er gibt die folgende Beschreibung: Παρά την βάσιν αυτής έφιππος νεανίας προ δένδρου εφ' ου περιτετιλιγμένος όφις προτείνει επιθετικώς την κεφαλήν κατ' αυτού. Παρεμφερή ανάγλυφα έχομεν εν τω καθ' ημάς εν Σέρραις Αρχαιολογικώ Μουσείω, του οποίου είμεθα ταπεινοί ιδρυταί, τρία τον αριθμόν, μετά της

προσθήκης ὅτι ὑπό τον ἵππον ἵστανται αντιμέτωποι ἕτοιμοι προς επίθεσιν κατ'
αλλήλων, κύων αριστερόθεν και κάπρος δεξιόθεν (S. 8). Die Inschrift befindet
sich heute (1999) im Museum in Drama (Inventarisierungsnummer Λ 2).

> Pisidiae C(ai) l(ibertae)
> Iucundae et
> Pisidiae C(ai) l(ibertae) Veneriae.
> Erizelmus Dulis f(ilius)
> 5 sibi et suis f(aciendum) c(uravit).
> [Pi]sidio Fron[toni?].

1 Auf der Photographie bei Στράτης: *[Pi]sidice* sowie *C(ai)*. Salač: *G(ai)*. **2** Auf der
Photographie: *[I]ucundae*. **3** Salač hat auf der Zeichnung G, liest aber *C(ai)*. **4** Auf
der Photographie: *[Er]izelmus*.

Für Pisidia Iucunda, die Freigelassene des Gaius, und Pisidia
Veneria, die Freigelassene des Gaius. Erizelmus, der Sohn des
Dulis, hat (es) für sich und die Seinen anfertigen lassen. Dem
Pisidius Fronto (?).

Z. 1 Ein Caius Pisidius Rufus begegnet in 126/L613. Zum Namen Pisi-
dius vgl. den Kommentar zu 341/L267, Z. 2.
Z. 4 Erizelmus ist ein (1923) neuer thrakischer Name, wie Salač feststellt
(S. 73).

Inschrift des Caius Galgestius   505/L251

A. Salač: Inscriptions du Pangée, de la région Drama-Cavalla et de Philippes,
    BCH 47 (1923), S. 49–96; hier S. 73f. (Nr. 30).
Collart, S. 269.
Band I, S. 45.

Drama. Große weiße Marmorplatte. H. 0,93; B. 0,72; D. 0,12; H. der Buchstaben 0,065; Zeilenzwischenraum 0,045–0,035.

> C(aius) Galges[tius]
> TVS VIvir   *vacat*
> Aconiae Q(uinti) f(iliae)
> uxori et Galg(estiae)
> 5 Quintae
> [v]ivos.

2 Salač zeigt die Zahl mit Überstrich, schreibt sie aber ohne.

Caius Galgestius . . . , der Sexvir, (hat) zu seinen Lebzeiten für
seine Frau Aconia, die Tochter des Quintus, und für Galgestia
Quinta (die Inschrift anfertigen lassen).

Z. 2 Das *sexvir* steht vermutlich als Abkürzung für *sexvir Augustalis*. Zu
den *sexviri Augustales* in Philippi vgl. den Kommentar zu 037/L037.

Z. 4 Eine Galgestia begegnet auch auf einem Felsrelief der Akropolis:
Galgestia Primilla pro filia Ḍẹ[a]n<a>e v(otum) s(olvit)   l(ibens) m(erito)
(173/L575). „*Galgestes/Galgestius*, for which nomen there are two attestations at Philippi . . . , in Italy appears almost exclusively in inscriptions from
Pola and vicinity. From the rest of Italy, and in fact from the rest of the
Roman world, I can find only *CIL* X 5474 from Aquinum" (Olli Salomies:
Contacts between Italy, Macedonia and Asia Minor during the Principate,
in: Roman Onomastics in the Greek East. Social and Political Aspects, hg.
v. A.D. Rizakis, Μελετήματα 21, Athen 1996, S. 111–127; hier S. 122).

506/L252   **Weihinschrift für Isis Regina**

Ch.[arles] Picard: Les dieux de la colonie de Philippes vers le Ier siècle de notre
    ère, d'après les ex-voto rupestres, RHR 86 (1922), S. 117–201; hier S. 183.
A. *Salač:* Inscriptions du Pangée, de la région Drama-Cavalla et de Philippes,
    BCH 47 (1923), S. 49–96; hier S. 74 (Nr. 31).
Ladislaus Vidman [Hg.]: Sylloge inscriptionum religionis Isiacae et Sarapiacae,
    RVV 28, Berlin 1969; hier S. 56, Nr. 125.
Françoise Dunand: Le culte d'Isis dans le bassin oriental de la méditeranée. Vol.
    II: Le culte d'Isis en Grèce, EPRO 26, Leiden 1973, S. 196 mit Anm. 1.

Drama. Altar aus grauem Marmor. H. 1,08; beschriebene Fläche H. 0,58;
B. 0,50, H. der Buchstaben 0,04–0,03; Zeilenzwischenraum 0,02–0,3.
Heute (1992) im Hof der Ἁγια Σοφία in Drama. Inventarisierungsnummer
nicht vorhanden.
Dia Nummer 526.528/1992.

> Ịsi(di) reg(inae) sac(rum).
> [ex] imper[io]
> SIA·ẒO
> [n]omine suo
> 5 ṚẸI felicis
> ṾIOṾI·PVBLIC
> [. . .]A[. . .]Ị·FRO
> X̣ p̣(ecunia) ṣ(ua) f̣(aciendum) c̣(uraverunt).

---

1 Salač: ESI·P. **1/2** Picard: *Isid[i sacrum]* | *[ex] imper[io]*. Vidman zitiert Picard
und liest wie dieser; Salač scheint er nicht zu kennen. Merkwürdigerweise scheint noch

niemand das auf dem Stein relativ deutlich lesbare REG vor SAC entziffert zu haben. **2** Auf dem Stein: IMPER *vacat?* **3** Auf dem Stein: SIA[-]O. **4** Auf dem Stein: QMINE SVO. **5** Auf dem Stein: IREI FELICI[-]. **6** Salač liest nur L vor PVBLIC. **7** Salač: ENS·EZER.

Z. 1 Zu *Isis Regina* vgl. 132/L303, Z. 1.

Der Sarkophag des Primigenios und der Primigenia   506a/G838

V. Beševliev/G. Mihailov: Starini iz Belomorieto, I. Antični nadpisi i trakijski konici, Belomorski Pregled 1 (1942), S. 318–347; hier S. 331, Nr. 30.
Jeanne Robert und Louis Robert, BÉ 1948, Nr. 108 [a].

Drama. Über die Herkunft des Sarkophags vermögen Beševliev und Mihailov keine Auskunft zu geben. Im Jahr 1992 befand er sich im Hof der Kirche Ἁγια Σοφία.
Abmessungen: L. 2,24; H. 0,80; B. 1,10. Buchstaben H. 0,045–0,065.

Πριμιγένιος Νουμηνίου ἀπελεύθερος
ζῶν ἑα<υ>τῷ καὶ Πριμιγενία τῇ γυναικί.

2 Beševliev/Mihailov irrtümlich ἑαυτῷ (das Υ fehlt auf dem Stein!). Das *iota* ist auf dem Stein bei Πριμιγενία adskribiert.

Primigenios, der Freigelassene des Numenios, hat zu seinen Lebzeiten für sich und für seine Frau Primigenia (den Sarkophag gemacht).

Z. 1 Die griechische Form des Namens Πριμιγένιος ist in Philippi sonst nicht belegt, die lateinische Form Primigenius dagegen mehrfach (vgl. das Register).
Νουμήνιος begegnet noch in der Grabinschrift 305/G426 aus der Basilika B. Das an sich völlig gewöhnliche ἀπελεύθερος ist in Philippi selten (vgl. 040/G040, Z. 3).
Z. 2 Für Πριμιγενία gilt das zu Πριμιγένιος Gesagte entsprechend.

Griechisches Fragment   507/G641

Σταῦρος Μερτζίδης: Αἱ χῶραι του παρελθόντος και αι εσφαλμέναι τοποθετήσεις των. Ἔρευναι και μελέται τοπογραφικαί υπό αρχαιολογικό-γεωγραφικό-ιστορικήν ἐποψιν, Athen 1885, Nr. 5, S. 21–23.
Α. Παπαδόπουλος Κεραμεύς: Αρχαιότητες και επιγραφαί της Θράκης συλλεγείσαι κατά το έτος 1885· προσετέθησαν και τινες επιγραφαί της Μακεδονίας, in: Ο εν

Κωνσταντινουπόλει Ελληνικός Φιλολογικός Σύλλογος. Σύγγραμμα Περιοδικόν 17 (1882–83), Παράρτημα, Konstantinopel 1886, S. 65–113; hier S. 108.

Th. Homolle: Nouvelles et Correspondance, BCH 17 (1893), S. 624–641; hier S. 633.

Ευάγγελος Γ. Στράτης: Η Δράμα και η Δράβησκος. Ιστορική και αρχαιολογική μελέτη, Serres 1923 (?), S. 6, Nr. 8.

Louis Robert: Hellenica V, Inscriptions de Philippes publiées par Mertzidès, Revue de Philologie 13 (1939), S. 136–150 (Nachdr. in: ders.: Opera minora selecta II, Amsterdam 1969, S. 1289–1303; hier S. 1303).

Band I, S. 91; S. 178.

Drama. Επί τεμαχίου εντετειχισμένου εις το περιτείχισμα τουρκικού νεκροταφείου, κατά την οδόν Κασάμ-Μαχαλέ. Αριθ. Μερτζίδου 21. Μήκους 1,98· ύψ. 0,18 (Παπαδόπουλος Κεραμεύς, S. 108).

„Dans le mur du cimetière turc; marbre bleu" (Homolle, S. 633).

[...]ΛΩΣΑΣΔΙ[...]
[πα]τρίδα κοσμήσας Θάσον.

1 Fehlt bei Μερτζίδης. 2 Homolles Gewährsmann Giannopoulos: ΡΙΔΑΚΟΣΜΗΣΑΣΘΑΣΟΝ (ohne Z. 1).

Dieser anscheinend authentische Text ist die Grundlage für eine Fälschung von Mertzides (653/M193), die den Polygnot erwähnt. Παπαδόπουλος Κεραμεύς jedenfalls versichert, daß er nur bringt, was er selbst gesehen hat (S. 108). Und Louis Robert glaubt es ihm: „A cela, on peut répondre que Mertzidès a mal lu, a restitué par conjecture et a même interpolé sciemment un texte authentique. C'est par interpolation que Mertzidès a procédé pour avoir une mention de Polygnote de Thasos [d. i. die Inschrift 653/M193 (vgl. Δήμιτσας, Nr. 1067, S. 809f.)] ...; le texte authentique, connu par Papadopoulos-Kerameus et par Giannopoulos" ist die hier gebotene Inschrift (Robert, S. 1303).

508/L253   **Grabinschrift des Socrates**

A. Salač: Inscriptions du Pangée, de la région Drama-Cavalla et de Philippes, BCH 47 (1923), S. 49–96; hier S. 74f. (Nr. 32).

Luisa Banti: Iscrizioni di Filippi copiate da Ciriaco Anconitano nel codice Vaticano latino 10672, Annuario della R. Scuola Archeologica di Atene e delle Missioni Italiane in Oriente, NS 1–2 (1939–1940), S. 213–220; hier S. 214; S. 218.

Drama: Türkischer Friedhof Kasim-Mezerlik. Dieser Friedhof befand sich zur Zeit Salačs nahe der Straße gegenüber von Haus Nr. 352.

Die Inschrift wurde offenbar aus Philippi nach Drama geschafft, falls Kyriakos sie 1427 wirklich in Philippi selbst abgeschrieben hat. Vergleiche dazu

Banti: „Il frammento fu visto dal Salač a Drama: penserei che vi sia stato trasportato da Filippi, perchè non mi sembra che l'»apud Philippos«, usato da Ciriaco, possa includere anche Drama, tanto più che la località dove fu trovato – il cimitero turco di Drama – difficilmente può essere il luogo originario della iscrizione" (S. 218).

Große Platte aus weißem Marmor, wiederverwendet als Grabstein auf dem türkischen Friedhof. H. 0,57; B. (sichtbar) 1,45; H. der Buchstaben 0,15; 0,11; 0,125; Zeilenzwischenraum 0,08–0,06.

Salač:

[...]s Socrate[s]
[annos ...] m(enses) II h(ic) s(itus) e(st).
[...]s G(ai) lib(ertus) Philipp[us posuit?].

Der Text Salačs kann nach Kyriakos so ergänzt werden:
[...] Flavius Socrates
an(norum) [...] m(ensium) II h(ic) s(itus) e(st).
C(aius) Oppius C(ai) lib(ertus) Philippus [f(aciendum) c(uravit)].

... Flavius Socrates, ... Jahre, zwei Monate alt, liegt hier begraben. Caius Oppius Philippus, der Freigelassene des Caius, hat (die Inschrift) anfertigen lassen.

Z. 1 Socrates fehlt bei Κανατσούλης. Ein Sokrates aus dem 4. Jh. v. Chr. findet sich in dem Proxeniedekret aus Delphi (745/G782).

Grabinschrift des Ἀλλούπορις

509/G642
1. Jh. v. Chr.

A. Παπαδόπουλος Κεραμεύς: Ἀρχαιότητες καὶ ἐπιγραφαί τῆς Θράκης συλλεγεῖσαι κατά τὸ ἔτος 1885· προσετέθησαν καὶ τινες ἐπιγραφαί τῆς Μακεδονίας, in: Ὁ ἐν Κωνσταντινουπόλει Ἑλληνικός Φιλολογικός Σύλλογος. Σύγγραμμα Περιοδικόν 17 (1882–83), Παράρτημα, Konstantinopel 1886, S. 65–113; hier S. 108f.

Franz Cumont: Notices épigraphiques. V. Inscriptions de Macédoine, Revue de l'instruction publique en Belgique 41 (1898), S. 328–340; hier S. 333f., Nr. 9.

Louis Robert: Hellenica V, Inscriptions de Philippes publiées par Mertzidès, Revue de Philologie 13 (1939), S. 136–150 (Nachdr. in: ders.: Opera minora selecta II, Amsterdam 1969, S. 1289–1303; hier S. 1300).

BÉ 1939, Nr. 183.

Werner Peek [Hg.]: Griechische Vers-Inschriften. Bd. I: Grab-Epigramme, Berlin 1955, Nr. 429 (S. 106).

Drama. Μαρμαρίνη πλάξ (ὕψ. 1,20· πλ. 0,56· πάχ. 0,71) εὑρεθεῖσα καὶ κατακειμένη ἐν τῳ κήπῳ τοῦ μεγάρου Αγιά-μπέη. Ἄνωθεν τῆς ἐπιγραφῆς ἀνάγλυφον· νεανίας κεκλιμένος πρὸς δ., τρίπους τράπεζα, γυνή καθημένη ἀπέναντι τοῦ νεανίου· ὄπισθεν αὐτῆς ἵσταται δούλη, παραπλεύρως δὲ τοῦ κεκλιμένου δοῦλος ὄρθιος (Παπαδόπουλος Κεραμεύς, S. 108).

Ἀλλούπορις Κ[ε]τρήζειδος
ἥρως χαῖρε.
υἱὸς Κετρήζειδος κεῖμαι
τύμβῳ ἐνὶ τῷδε· ἡλικ[ί-]
5 η μὲν ἐτῶν εἴκοσι ἀ-
ποφθίμενος, ὠκύμορος δ[ὲ]
τάλας Ἀλλούπορις εἶμι καθ᾽ Ἄ-
δην· αἰεὶ δὲ κλαίω πότμον ἄ-
ωρον ἐμόν.

Nach der Überschrift (Z. 1f.) folgen zwei elegische Distichen:
υἱὸς Κετρήζειδος κεῖμαι τύμβῳ ἐνὶ τῷδε·
ἡλικ[ί]η μὲν ἐτῶν εἴκοσι ἀποφθίμενος,
ὠκύμορος δ[ὲ] τάλας Ἀλλούπορις εἶμι καθ᾽ Ἄδην·
αἰεὶ δὲ κλαίω πότμον ἄωρον ἐμόν.

Die *iota subscripta* sind in dieser Inschrift durchweg adskribiert.
7f. Peek: Ἄδην. Auf dem Stein nach der Umschrift bei Παπαδόπουλος Κεραμεύς: ΑΔΗΝ.
So auch Cumont, der dann aber irrtümlich Ἄδην bietet.

Allouporis, (der Sohn) des Ketrezeis. Heros, sei gegrüßt! Ein
Sohn des Ketrezeis, liege ich in diesem Grab. Im Alter von zwanzig Jahren gestorben, gehe ich, der früh verstorbene, arme Allouporis, zum Hades hinab. Immer aber beweine ich mein unzeitiges
Schicksal.

Z. 1 Ἀλλούπορις ist hier zum ersten und bisher offenbar auch einzigen
Mal belegt (vgl. Detschew, S. 12, s.v. Αλουπορις).
Auch Κετρήζεις ist nach Detschew nur in dieser Inschrift belegt (vgl. Det-
schew, S. 243, s.v. Κετρηζεις); neue Belege siehe bei 563/L514 im Kommen-
tar zu Z. 2.
Peek schlägt als Datierung das 1. Jh. v. Chr. vor.

509a/G806   **Weihinschrift für Poseidon**
I/II
Γ.Π. Οικονόμου, ΑΔ 2 (1917), Παρ. 11.
BÉ 1921, S. 442.
I.I. Russu: Thracica. (Note onomastice I), in: Fraţilor Alexandru şi Ion I. Lăpě-
datu, Bukarest 1936, S. 763–772; hier S. 763f.
Detschew, S. 300, s.v. Μεστυπαιβης.
Χ. Βελεγιάννη: Αφιέρωση στον Ποσειδώνα από Θράκα στην Ανατολική Μακεδονία,
Τεκμήρια Γ΄ (1997), S. 152–164 (mit Abb. Εικ. 1).

Drama. Η προέλευση του αναγλύφου δεν είναι γνωστή. Είναι ένα τυχαίο
εύρημα από την πόλη της Δράμας, το οποίο αρχικά φυλασσόταν στο Αρχαιολογικό Μουσείο Θεσσαλονίκης και τώρα βρίσκεται στο Αρχαιολογικό
Μουσείο Δράμας με αριθμό καταλόγου Λ 186" (Βελεγιάννη, S. 152).

Das Weihrelief zerfällt in zwei Teile: Unten befindet sich die dreizeilige Inschrift, darüber die Darstellung des Poseidon. Der Gott ist nackt und hält einen Dreizack in der linken Hand. Er „steht neben dem Bug eines Schiffes" (Βεληγιάννη, S. 163), welches allerdings nur angedeutet ist. In der rechten Hand hält Poseidon einen Delphin, vgl. im einzelnen die Abbildung bei Βεληγιάννη.

Abmessungen: H. 0,41; B. 0,26; D. 0,04. Höhe der Buchstaben 0,01–0,013; Zeilenzwischenraum 0,001–0,003.

Κυρίῳ Ποσιδῶνι Μεστυπαίβης
Αὐλουζένεος Σκιαζερηνὸς εὐ-
χὴν ἀνέθηκεν.

2f. Detschew: Σκινζερηνός. Der Rest des Textes von Z. 2f. fehlt bei Detschew.

Dem Herrn Poseidon hat Mestypaibes, (der Sohn) des Aulouzenis, der Skiazerenos, das Gelobte geweiht.

„Nach der Buchstabenform kann die Inschrift in die zweite Hälfte des 1. bzw. die erste Hälfte des 2. Jhs n.Chr. datiert werden" (Βεληγιάννη, S. 163).

Z. 1 Die nächste Parallele zu unserem κυρίῳ Ποσιδῶνι bietet die Weihinschrift für Pluton aus dem Museum in Σέρρες mit ihrem κυρίῳ Πλούτωνι (527/G208, Z. 1). Belege außerhalb des Territoriums von Philippi sammelt Βεληγιάννη, S. 154f.

Der Gott Poseidon begegnet in Philippi auch in anderen Inschriften.

Das Weihrelief hat Μεστυπαίβης gestiftet. Es handelt sich offensichtlich um einen Thraker; die beiden Bestandteile des thrakischen Namens, Μέστυς bzw. Μέστος und Παίβης sind innerhalb und außerhalb des Territoriums von Philippi häufig bezeugt (vgl. für das Territorium von Philippi den Index; für andere Gebiete die von Βεληγιάννη, S. 155f. angeführten Belege). Auch der zusammengesetzte Name Μεστυπαίβης ist in IBulg II 751a schon belegt (vgl. auch Detschew, S. 300, wo unsere Inschrift als „aus Saloniki" stammend s.v. Μεστυπαιβης teilweise zitiert wird).

Z. 2 Häufig begegnet auch der Name des Vaters, Αὐλούζενις (vgl. die von Βεληγιάννη auf S. 156, Anm. 20 gesammelten Belege) – allerdings in Philippi bisher noch nicht.

Besonderes Interesse verdient schließlich das Ethnikon Σκιαζερηνός: Η λέξη Σκιαζερηνός, η οποία μαρτυρείται για πρώτη φορά, είναι το εθνικό όνομα του αναθέτη, δηλώνει δηλαδή τον τόπο προέλευσής του, διότι ακολουθεί τρίτο στην σειρά μετά το όνομα και το πατρώνυμο. Η λέξη δεν είναι δυνατόν να δηλώνει κάτι άλλο. Το όνομα, το πατρώνυμο και το εθνικό συνιστούσαν την ταυτότητα ενός προσώπου (Βεληγιάννη, S. 156). Βεληγιάννη zerlegt den Namen Σκιαζερηνός in Σκια- und -ζερηνός und spekuliert zunächst über das griechisch klingende Σκια- (Zusammenhang mit dem Dionysoskult?, vgl. S. 156f.).

Schwerer fällt die Erklärung des zweiten Bestandteils -ζερηνός. Βεληγιάννη untersucht (S. 158–160) verschiedene Herleitungsmöglichkeiten und kommt zu dem Ergebnis: Το δεύτερο συνθετικό του εθνικού ονόματος Σκιαζερηνός προϋποθέτει ένα αντίστοιχο τοπωνύμιο, η μορφή του οποίου δεν παραδίδεται. Είναι ωστόσο σαφές, ότι το εθνωνύμιο Σκιαζερηνός εντάσσεται ομαλά στον ελληνικό χώρο (S. 160).

Βεληγιάννη schlägt vor, in 519/L245 das fragmentarische *Sc* zu *Sciazereni* zu ergänzen (vgl. bei 519/L245). Nach ihrer Auffassung weist das Ethnikon auf die Existenz einer κώμη analogen Namens im Raum des heutigen Νομός Δράμας.

„Die Weihung eines Thrakers an den griechischen Meeresgott Poseidon im makedonischen Binnenland ist zweifellos ein kulturgeschichtlich interessantes Zeugnis. Ihr Motiv lässt sich nicht ermitteln (die rettende Einwirkung des Gottes bei einer Seereise des Dedikanten wäre das nächstliegende), ihr Aussagewert lässt sich aber nicht bestreiten: Die Verwendung der griechischen Namensform (und Sprache) und insbesondere die Weihung an Poseidon selbst verrät deutlich die Annäherung an die griechische Kultur ...“ (Βεληγιάννη, S. 163f.).

Von Πλατανιά bis Αλιστράτη

Zur Lage der hier genannten Orte vgl. o. Band I, Karte 2 (S. 50).

Inschrift des Δεντούπης und seiner Familie

Paul Perdrizet: Voyage dans la Macédoine première [III], BCH 21 (1897), S. 514–543; hier S. 533–536.

BÉ 1900, S. 124.

Collart, S. 279–281.

Fanoula Papazoglou: Le territoire de la colonie de Philippes, BCH 106 (1982), S. 89–106; hier S. 89 mit Anm. 3; S. 91 mit Anm. 10; S. 96f. mit Anm. 32 und Anm. 34.

SEG XXXII (1982) [1985] 676.

Band I, S. 53; S. 57, Anm. 15; S. 61; S. 66; S. 225.

Πλατανιά. Die Inschrift wurde zwischen Drama und Buc (dem heutigen Παρανέστιον) gefunden, wo sich zur Zeit von Perdrizet am Kilometer 224 der Eisenbahnlinie Thessaloniki-Konstantinopel ein türkischer Friedhof befand. Die Stelle liegt „à quelques kilomètres au Nord du village de Platania" (Papazoglou, S. 89). Genauer heißt es S. 96, Anm. 32: „L'inscription a été découverte près de la gare de Platania à 3 km environ au Nord-Est du village."

Abmessungen: H. 2,50; B. 0,63; D. 0,17 (nach Perdrizet, S. 533).

Vor Z. 1 findet sich ein Relief des Thrakischen Reiters, der nach rechts galoppiert, auf der linken Seite begleitet von einem Diener zu Fuß. Nach der Z. 1 folgt ein Totenmahl. Die drei Personen, die im Text der Inschrift erwähnt werden, sind folgendermaßen dargestellt: zwei Männer liegen zu Tisch, während eine Frau dabeisitzt. Links, hinter der Frau, steht eine kleine Dienerin, die in beiden Händen ein großes Gefäß hält; auf der rechten Seite reicht ein kleiner Diener einem der beiden Männer eine Schale. Darunter befindet sich ein nach rechts gewandtes Pferd, welches ein Mann am Zügel hält; im SEG unverständlicherweise als „man on horse-back" rubriziert. „La troisième représentation est sans doute en rapport avec les fonctions du défunt" (Papazoglou, S. 96, Anm. 32).

Bei meinem Besuch in Πλατανιά am 27. August 1992 vermochte ich den Stein nicht zu finden (nur geringe Reste von antiken Steinen sind in dem Ort auszumachen).

[Οὐά]λλης [Δε]ν[του]πήο[υ]ς ἥρω<ς>.
[Δ]εντούπης Βείθυος βουλευτὴς
ἀνέθηκεν ἑαυτῷ καὶ τῷ υἱῷ
Οὐάλεντι, ἀντιστρατήγῳ καὶ φορο-
5 λόγῳ, ἐτῶν κε΄, καὶ γυναικὶ αὐτοῦ
Μάτᾳ Κουνοισιήους.

1 Perdrizet: ΛΛΗΣ Ν ΤΗΟ ΣΗΡΩΩ. Der Text nach Papazoglou (S. 96, Anm. 32). Mihailov im SEG: [Οὐ]άλης. **6** Perdrizet erwägt Κουνθισιηους, akzeptiert von D. Detschew: Thrakische Sprachreste, S. 263.

Valens, (der Sohn) des Dentoupes, der Heros. Dentoupes, (der Sohn) des Beithys, der Ratsherr, hat (die Stele) für sich selbst und für seinen Sohn Valens, den Antistrategen und Steuereinnehmer, (verstorben im Alter) von fünfundzwanzig Jahren, und für seine eigene Frau Mata, (die Tochter) des Kounoisies, aufgestellt.

Die Interpretation dieser Inschrift ist umstritten. Perdrizet, der erste Herausgeber des Textes, interpretiert ihn dahingehend, daß dieses Gebiet weder zur Provinz Macedonia noch zum Territorium der *Colonia Iulia Augusta Philippensis*, sondern vielmehr zur Provinz Thracia gehöre. „La stratégie à laquelle appartenait cette région était la Δρωσική" (Perdrizet, S. 535). Dentoupes sei daher βουλευτής eines thrakischen *vicus*, und auch sein Sohn Valens sei Funktionär dieses *vicus* (zu den einzelnen Begriffen vgl. unten im Kommentar).
Dagegen möchte Collart βουλευτής auf den Rat der Stadt Philippi beziehen. Dentoupes sei *decurio* in Philippi, und die Gegend um Πλατανιά sei somit Bestandteil des Territoriums der *Colonia Iulia Augusta Philippensis*. „Non seulement notre inscription ne fournit aucun indice permettant de séparer du territoire colonial de Philippes le vallon où elle fut découverte, mais on y trouverait plutôt la preuve contraire" (Collart, S. 281).
Papazoglou dagegen vertritt die These, daß das Territorium, wo diese Inschrift gefunden wurde, zu einer sonst unbekannten thrakischen Stadt östlich von Πλατανιά gehörte und nicht zum Territorium der römischen Kolonie Philippi. Dentoupes war ihr zufolge Mitglied des Rates dieser thrakischen Stadt und nicht des Rates von Philippi (in letzterem Fall würde man römische Namen erwarten) oder des Rates eines Dorfes.
Z. 1 Δεντουπήους ist Genitiv zu Δεντουπης (zu diesem Namen vgl. den Kommentar zu Z. 2). Vgl. dazu in unserer Inschrift die Z. 6 (weitere Beispiele nennt Papazoglou, S. 96, Anm. 32).
Z. 2 Der Name Δεντουπης war zur Zeit von Perdrizet neu (vgl. Perdrizet, S. 532). Mittlerweile sind keine weiteren Belege aufgetaucht (Detschew, S. 125, s.v. Δεντουπης hat nur unsere Inschrift). Unser Δεντουπης bei Κανατσούλης als Nr. 376 (S. 43).

Gegen Collart ist Papazoglou der Auffassung, daß hier nur ein *peregrinus* gemeint sein könne: „la formule Δεντούπης Βείθυος ne peut désigner qu'un pérégrin" (S. 96). Auch wenn die Inschrift in die Zeit nach der *Constitutio Antoniniana* fiele, ändere sich daran nichts: „Mais, même si nous admettions la datation de celle-ci au IIIe siècle, ce qui est loin d'être certain, l'omission du gentilice impérial *Aurelius*, que les nouveaux citoyens ajoutaient régulièrement à leur nom indigène, du moins dans les premières décennies après 212, serait inexplicable dans la nomenclature d'un membre de plein droit d'une communauté romaine, à plus forte raison d'un membre de la curie municipale d'une colonie" (S. 96f.).

Zum Titel βουλευτής bemerkt Perdrizet: „L'inscription provient d'un district montagneux où il n'y a jamais dû avoir de ville, au sens strict du mot; et je soupçonne que la βουλή dont Dentoupès faisait partie était la βουλή d'un *vicus*, le même que celui dont Valens avait été ἀντιστράτηγος" (Perdrizet, S. 535).

Z. 4 Die Provinz Thracia war in Strategien geteilt mit jeweils einem στρατηγός an der Spitze (vgl. die Liste von thrakischen στρατηγοί, die Λαζαρίδης publiziert hat [Δημήτριος Λαζαρίδης: Κατάλογος στρατηγῶν Θράκης, AE 1953/54 [1955], S. 235–244] und seinen ausführlichen Kommentar). Der Titel ἀντιστράτηγος wäre in diesem Rahmen möglich. Aber daran ist hier, wie schon Perdrizet sagt, nicht zu denken: „L'ἀντιστρατηγία dont il s'agit ici doit être une petite charge locale" (Perdrizet, S. 534). Vermutlich „les *vici* de Thrace avaient des magistrats appelés στρατηγοί, et Valens avait été assistant du στρατηγός de son *vicus*. Il faut noter que cette ἀντιστρατηγία pouvait être remplie par un très jeune homme: Valens, qui l'avait exercée, est mort à 25 ans" (Perdrizet, S. 534f.).

Collart dagegen hält es für näherliegend, an die *duumviri* in Philippi zu denken, die, wie die Apostelgeschichte zeige, griechisch στρατηγοί genannt werden könnten. Der Titel ἀντιστράτηγος sei mit den *duumviri* in Philippi in Zusammenhang zu bringen, nicht mit (erschlossenen) στρατηγοί in thrakischen *vici* (Collart, S. 281 und [zum griechischen στρατηγός als Äquivalent zu den *duumviri*] S. 263). Wäre diese Interpretation Collarts zutreffend, dann böte diese Inschrift einen Beleg aus Philippi selbst, daß die *duumviri* in der Tat auf griechisch als στρατηγοί bezeichnet werden.

Z. 4f. Der Titel φορολόγος weist auf ein finanzielles Amt hin: „sans doute levait-il dans son *vicus* le φόρος ou impôt provincial" (Perdrizet, S. 535).

Z. 6 Der Name Κουνθισιης wäre neu (Detschew führt S. 263, s.v. nur unsere Inschrift an). Zum Genitiv auf -ηους vgl. oben Z. 1.

Perdrizet datiert den Text in das 3. Jh. (so Papazoglou und SEG; auf den Seiten 533–536 finde ich jedoch keine explizite einschlägige Bemerkung Perdrizets). Diese Datierung hält Papazoglou für unsicher: „Une datation plus ou moins certaine de l'inscription ne saurait être proposée sans révision de la pierre" (S. 96, Anm. 34). Da der Stein offenbar nicht mehr existiert, ist eine solche freilich nicht möglich.

Mir scheint, die Interpretation Collarts läßt sich nicht halten: In Philippi gibt es sonst keinen ἀντιστράτηγος – auch hat ein *duumvir iure dicundo* einen Kollegen, aber nicht einen Stellvertreter – und erst recht keinen φορόλογος. Das legt von vornherein die Vermutung nahe, daß es sich auch bei dem βουλευτής nicht um einen *decurio* aus Philippi handelt.

Datiert man die Inschrift ins 2. Jh., erledigt sich die Interpretation Collarts von selbst: Für die ersten beiden Jahrhunderte ist ein *decurio* mit thrakischem Namen in Philippi völlig ausgeschlossen (und eine griechische Inschrift eines *decurio* aus dieser Zeit existiert sonst nicht). Datiert man sie ins 3. Jh., scheinen mir die oben angeführten Einwände Papazoglous nicht widerlegbar. Ich komme daher zu dem Ergebnis, daß Dentoupes nicht *decurio* in Philippi ist.

511/L101   **Inschrift für Publius Modicius und Coelia Tertia**

Heuzey/Daumet, Nr. 85 (S. 150).
CIL III 1, Nr. 705.
Δήμιτσας, Nr. 1055 (S. 797).

Προσοτσάνη. „Proussotchani. Dans l'église" (Heuzey, S. 150). Die Inschrift stammt aus dem Dorf Προσοτσάνη, welches auf der Karte des Νομός Δράμας verzeichnet ist; vgl. auch Band I, Karte 2.

> [P(ublio)] Modicio P(ubli) f(ilio)
> et Coeliae C(ai) filiae
> Tertiae
> M´(anius) Modicius P(ubli) f(ilius) [...]
> 5 parentibus f(aciendum) c(uravit).

4 Heuzey am Schluß: FF. CIL: M/MODICIVS·P·F·F.

> Für Publius Modicius, den Sohn des Publius, und für Coelia Tertia, die Tochter des Caius, seine ... Eltern, hat Manius Modicius, der Sohn des Publius, (die Inschrift) anfertigen lassen.

Z. 1 Der Name Modicius ist selten; vgl. die Bemerkung von Salomies: „*Modicii* [appear] both at Philippi during the earliest Empire (*CIL* III 705) and, in the second or third century, at Eumenia (*AEp.* 1978, 796) – and nowhere else" (Olli Salomies: Contacts between Italy, Macedonia and Asia Minor during the Principate, in: Roman Onomastics in the Greek East. Social and Political Aspects, hg. v. A.D. Rizakis, Μελετήματα 21, Athen 1996, S. 111–127; hier S. 126). Salomies möchte daraus den Schluß ziehen, daß Mitglieder der *gens* der *Modicii* „moved from Macedonia to Asia Minor" (a.a.O., S. 125).

Inschrift des Cintis Scaporenus und seiner Frau   512/L102

Léon Heuzey: Le sanctuaire de Bacchus Tasibastenus dans le canton de Zikhna (en Thrace), CRAI 1868, S. 219–231; hier S. 223.

Heuzey/Daumet, Nr. 86 (S. 150f.).

Δήμιτσας, Nr. 1056 (S. 798f.). (Sehr viel schlechter [nach einem anderen Gewährsmann] bietet Δήμιτσας dieselbe Inschrift auch als Nr. 1105 [S. 822f.], ohne die Doppelung zu bemerken.)

Paul Perdrizet: Inscriptions de Philippes: Les Rosalies, BCH 24 (1900), S. 299–323; hier S. 310–312.

CIL III 1, Nr. 707.

CIL III, Suppl. 2, S. 2328⁸⁵.

Bernhard Laum: Stiftungen in der griechischen und römischen Antike. Ein Beitrag zur antiken Kulturgeschichte, Erster Band: Darstellung; Zweiter Band: Urkunden, Leipzig/Berlin 1914, Nr. 116 (= Bd. II, S. 292).

Charles Picard/Charles Avezou: Le testament de la prêtresse thessalonicienne, BCH 38 (1914), S. 38–62; hier S. 48f.

Paul Collart: ΠΑΡΑΚΑΥΣΟΥΣΙΝ ΜΟΙ ΡΟΔΟΙΣ, BCH 55 (1931), S. 58–69; hier S. 59, Nr. 4.

Paul Collart: Inscriptions de Philippes, BCH 57 (1933), S. 313–379; hier S. 347f.

Collart, S. 474–485; insbesondere S. 474, Anm. 3, Nr. 2; S. 477, Anm. 1.

Papazoglou, S. 411 mit Anm. 199.

Band I, S. 89, Anm. 16; S. 115, Anm. 6; S. 139, Anm. 24; S. 145; S. 220.

Χ. Βεληγιάννη: Αφιέρωση στον Ποσειδώνα από Θράκα στην Ανατολική Μακεδονία, Τεκμήρια Γ´ (1997), S. 152–164; hier S. 161 mit Anm. 55.

Προσοτσάνη. „Proussotchani. Dans l'église, sur une plaque grossière" (Heuzey, S. 150). Vgl. 511/L101.

> Cintis Polulae fil(ius) Sc-
> aporenus sibi et uxori su-
> ae Secu Bithi fil(iae) v(ivus) f(aciendum) c(uravit).
> dedu her(edibus) meis ✳ LX, ut ex u-
> 5 suris eius adaiant Rosal(ibus)
> sub curat(ione) Zipae Mesti fil(i).
> ad arb[i]terio eius q(ui) s(upra) n(ominatus) e(st) Dianae
> *vacat* ✳ CCL. *vacat*

Die Lesungen Heuzeys sind durch Perdrizet durchweg überholt und werden daher im Apparat nicht mehr verzeichnet.
1 CIL: *Polulate.* **2** CIL: DL·DVHR·MEIS. Laum: *dedu.* Heuzey 1868: *de(di) do(navi).* **3** CIL: SICVBIEIIITFII; *Sicu Bi[th]i fi[l](iae).* Text nach Perdrizet. **4** CIL: DL·DVHR· MEIS✳IXVTIXV. Text nach Perdrizet, bei ihm aber *(e)x.* **5** CIL: SVRISLIVS und am Schluß ROSAI. Picard/Avezou: *adurant* mit dem Hinweis: „est l'exact équivalent de παρακαύσωσιν, formule des inscriptions en grec" (S. 49). **6** CIL nach *curat(ione):* ///ZIPΛEMSIIEI. Text nach Perdrizet und Laum. **7** Perdrizet: *arbiterio.* CIL: ΛD ΛRRTERIOCIVSQSNEDIN. Laum: *ad arbiterio eius q(ui) s(upra) n(ominatus) e(st) Dianae.* **8** CIL bietet das obere Drittel von vier Buchstaben. Text nach Perdrizet (so auch Laum).

Cintis, der Sohn des Polula, der Scaporener, hat für sich und
für seine Frau Secis, die Tochter des Bithus, zu seinen Lebzeiten
(die Inschrift) anfertigen lassen. Ich habe meinen Erben sechzig
Denare hinterlassen, damit sie aus deren Zinsen an den Rosalien
unter der Aufsicht des Zipas, des Sohnes des Mestus, (zum Grab)
hingehen, (um das Mahl zu feiern).
(In gleicher Weise hinterlasse ich) der Diana 250 Denare unter
Aufsicht dessen, der oben genannt ist.

„Le testament de Cintis imposait à Zipas une double charge: de veiller,
comme *curator*, sur les héritiers de Cintis jusqu'à leur 25me année, pour qu'ils
célébrassent les rosalies instituées par Cintis; et de régler, comme *arbiter*,
avec les pompes funèbres les obsèques de Cintis" (Perdrizet, S. 311).

Z. 1f. *Scaporenus* ist ein Ethnikon, welches auf die Existenz einer entsprechenden κώμη hinweist (vgl. Papazoglou, S. 411 mit Anm. 199 und Βεληγιάννη, S. 161 mit Anm. 55). Heuzey ist der Auffassung, daß an der Stelle
von Προσοτσάνη das antike Dorf Scapora lag.

Z. 3 Nach Perdrizet bedeutet *Secu = Seci*; es handelt sich um den Dativ
von Secis, einem Frauennamen, der dem Masculinum Secus entspricht (S.
310f.).

Z. 4 *dedu* bedeutet Perdrizet zufolge *dedi* (zu diesem Phänomen vgl. Z.
3).

Z. 5 Das *adaiant* ist schwierig: „je ne sais s'il faut voir *adeant*, ou *ad
moniment(um)* ou supposer le verbe inusité *adalant(ur)*" (Heuzey, S. 151).
Ich verstehe *adaiant = adeant sc. ad monumentum*, d.h. zum Zweck des
Mahls.
Zum Rosalienfest vgl. o. Bd. I, S. 104 und die dort angegebene Literatur;
das Material aus Philippi ist im Kommentar zu 029/G215, Z. 6–8 zusammengestellt.

Z. 7 Gemeint ist ein Begräbnisverein der Diane: „Diane en effet est à
certains égards une divinité de la mort; sous le nom d'Hécate, elle régnait
aux enfers; et c'est à Diane qu'on attribuait les morts subites" (Perdrizet, S.
311).

513/L148   Quintus Senivius Nivius – der Mann aus Flavia Solva in Noricum – und seine zwei Frauen

Th. Homolle: Nouvelles et Correspondance, BCH 17 (1893), S. 624–641; hier S.
634.
Δήμιτσας, Nr. 1107 (S. 823).
CIL III, Suppl. 2, Nr. 13707.
CIL III, Suppl. 2, Nr. 14206^9.

Προσοτσάνη (?). Δήμιτσας sagt: Αι τρεις αὗται λατινικαί [im Original irrtümlich: λατιτικαί] επιγραφαί, ευρεθείσαι εν τη κώμη Προσοτζάνη, γεγραμμέναι εισίν επί λίθου εντετοιχισμένου εν τω ναώ της κώμης. Επειδή δε ο λίθος κεχρισμένος ασβέστω εστίν, τα γράμματα δυσανάγνωστα εγένοντο. Και αὗται εδημοσιεύθησαν υπό του αυτού Ν. Ι. Ιαννοπούλου, ένθα αι προηγούμεναι (S. 823).
Ob die Angabe zutrifft, daß die vorliegende Inschrift in der Tat aus Προσοτσάνη stammt, ist schwer zu beurteilen. Die drei von Δήμιτσας zusammengestellten Inschriften 1105 (= 512/L102), 1106 (= 026/L123) und die vorliegende stammen nämlich mitnichten alle aus diesem Ort: 512/L102 ist schon von Heuzey für Προσοτσάνη bezeugt; 026/L123 dagegen wurde in den achtziger Jahren des vorigen Jahrhunderts von zwei Gewährsleuten unabhängig voneinander in Kavala gesehen (vgl. die Beschreibung bei dieser Inschrift): Es ist undenkbar, daß sie daraufhin ausgerechnet nach Προσοτσάνη gebracht worden sein sollte. Immerhin ist es möglich, daß die vorliegende Inschrift aus Προσοτσάνη stammt, und so stelle ich sie hierher.
Δήμιτσας spezifiziert seine Quelle auf S. 820: Αρτίως εδημοσιεύθησαν υπό του κ. Νικ. Ι. Ιαννοπούλου εν τη εβδομαδιαία Επιθεωρήσει του »Νεολόγου« Κων/λεως (19 Απριλ. 1892. αριθ. 76). Doch trifft diese Angabe leider nicht zu, da der Artikel von Γιαννόπουλος mit dem Datum vom 19. April 1892 (Nummer 26, nicht 76, wie Δήμιτσας schreibt) zwar die Inschriften 474/L091, 484/L173, 478/L095, 477/L097 und 499/G189, aber nicht die vorliegende Nummer 513/L148 bietet. (Daher ist auch die Notiz CIL III Suppl. 2, Nr. 14206[9] irreführend.)
Th. Homolle nennt als Herkunftsort „Philippes" (S. 634). Dieser Notiz folgt auch CIL 13707.

> Q(uintus) Senivius Nivius
> Noricus natioṇẹ m-
> unicipio {YIIX}<Fla>ṿi<a>e Soḷv<a>e
> Iuli<a>e Epini uxori
> 5 me<a>e pi[e]ntis[s]im(ae) et Ru-
> ri<a>e uxori me<a>e
> bene merenti
> viv[u]s {VL}<fa>ci<e>nd(um) cur(avi).

2 Auf dem Stein laut Th. Homolle: IVORECVS·NATIONIM. Emendation von Hirschfeld (im CIL). **3** Auf dem Stein nach Th. Homolle: YIIXYIESOIVE. **5** Th. Homolle: MELE. **6** Th. Homolle: MELE. **8** Auf dem Stein nach Th. Homolle: VLCIND CVRII. Im CIL wird *cur(avit)* ergänzt.

Ich, Quintus Senivius Nivius, der Noriker, aus dem Municipium Flavia Solva, habe für meine treueste Frau Iulia Epinis und für meine wohlverdiente Frau Ruria zu meinen Lebzeiten (die Inschrift) anfertigen lassen.

Das Bemerkenswerte an dieser Inschrift ist, daß Quintus Senivius Nivius sie zu Ehren seiner *beiden* Frauen Iulia und Ruria errichtet. In Philippi gibt es dazu keine Parallele!

Z. 1 Die Namen Senivius und Nivius begegnen in Philippi sonst nicht. Κανατσούλης bietet auch für das sonstige Makedonien keinen Beleg (unser Senivius Nivius ist bei ihm übersehen).

Z. 3 *Flavia Solva* in *Noricum* (vgl. Hammond, Atlas, Karte 24 B6), an der Mur gelegen.

Z. 4 Der Name der ersten Frau, Iulia Epinis (so zu lesen?), ist bei Κανατσούλης übersehen.

Z. 5 Glare, S. 1377: „pientissimus ∼a ∼um, *a.*: heter. superl. of PIVS" (mit drei Belegen aus Inschriften).

Z. 5f. Auch der Name der zweiten Frau, Ruria, fehlt bei Κανατσούλης.

514/L246   **Weihinschrift für Iuppiter Fulmen, Mercur und Myndrytus**

A. Salač: Inscriptions du Pangée, de la région Drama-Cavalla et de Philippes, BCH 47 (1923), S. 49–96; hier S. 69f. (Nr. 25).
AÉ 1924, 51.
Collart, S. 394 mit Anm. 2; S. 399 mit Anm. 6.

Προσοτσάνη. Im Garten der Schule. Platte aus weißem Marmor. H. 0,95; B. 0,45; D. 0,12; H. der Buchstaben 0,055–0,025. Zeilenzwischenraum 0,015–0,03.

> Iovi Fulm[ini]
> et Mercur[io]
> et Myndry[to?].
> Aliulas Zepa-
> 5   is filius, Zipas Me[s-]
> tus, Zeces Aliul[ae?]
> filia ex merit[o]
> eius f(aciendum) curaveru(nt)
> l(ibentes) m(erito).

Für Iuppiter Fulmen und Mercurius und Myndrytus. Aliulas, der Sohn des Zepa, Zipas Mestus, und Zeces, die Tochter des Aliulas, haben auf Grund von dessen Verdienst (die Inschrift) anfertigen lassen gern (und) verdientermaßen.

Z. 1 Iuppiter Fulmen auch in der Inschrift 384/L615 aus Λυδία und in 186/L023 von der Akropolis (hier *Fulmen* verbunden mit *Conservator*). Eine Liste aller Weihinschriften für Iuppiter in Philippi bei der Inschrift 223/L339 vom Forum.

Z. 2 Zur Verehrung des Mercurius in Philippi vgl. den Kommentar bei 094/L590.

Z. 3 Myndrytus ist ein offenbar nur an dieser Stelle belegter thrakischer Gott, vgl. Detschew, S. 324, s.v. Myndrytus.

Z. 4 Aliula(s) ist außer an dieser Stelle nur noch in einer weiteren Inschrift aus Philippi belegt, und zwar in 649/L654 aus Γεωργιανή (vgl. Detschew, S. 12, s.v. Aliula(s), wo sich nur diese beiden Belege aus Philippi finden).

Z. 8 „Ex merit[o] *eius*, au lieu de *eorum*, est une faute qui pourrait s'expliquer si les divinités nommées plus haut avaient été presque identiques" (Salač, S. 70).

Weihinschrift des Zipas Margulas für den Gott Vertumnus 515/L155

CIL III, Suppl. 2, Nr. 14206[10].
C. Fredrich: Aus Philippi und Umgebung, MDAI.A 33 (1908), S. 39–46; hier S. 44, Nr. 6.

Προσοτσάνη. Zur Zeit von Fredrich war dieser Stein in Kavala. Er gibt die folgende Beschreibung: „Kleiner Altar aus weissem Marmor. ... H. 0,35, Br. 0,18, T. 0,18. B.H. 0,015, Z.A. 0,01" (S. 44).

> Deo Vertumno
> Domino aram
> evotam Zipas
> Margulas v(otum) s(olvit)
> 5 l(ibens) m(erito).

2 Laut Fredrich auf dem Stein: *Domno*. **3** Fredrich: FΛOTΛM mit folgender Bemerkung: „Die Buchstaben factam sind ganz deutlich, der Sinn mir verschlossen (factam?)".
4 Fredrich: *Marculas*.

> Dem Gott Vertumnus, dem Herrn, hat Zipas Margulas einen ...
> Altar geweiht (und) sein Gelübde gern (und) verdientermaßen
> erfüllt.

Z. 1 Vertumnus ist ein etrurischer Gott (*deus Etruriae princeps* sagt Varro 5,46). „Die Inschr.[iften] sind rar, verstreut und unergiebig" (Werner Eisenhut: Art. Vertumnus, KP V 1219–1221; hier Sp. 1221, Z. 1).

Z. 3 Das Wort *evotam* fehlt in den Wörterbüchern; doch vgl. die einschlägige Notiz im ThLL V 2, Sp. 1073, Z. 51–53. Im CIL heißt es lakonisch „sic traditur", wobei die Tradition auf Dobrusky, Sbornik XVI p. 74 zurückgeführt wird (mir nicht zugänglich).

516/L653   **Weihinschrift für den Dominus Rincaleus**

Collart, S. 425f. mit Anm. 1 auf S. 426 (der für BCH 61 (1937) angekündigte Aufsatz ist offenbar nicht erschienen); Abb. im Tafelband Pl. LXXI 1.

Paul Collart: Monuments thraces de la région de Philippes, in: Serta Kazaroviana. Commentationes gratulatoriae Gabrielo Kazarov septuagenario oblatae A. D. XVII. Kal. Nov. MCMXLIV, Pars prima, Bulletin de l'institut archéologique bulgare 16, Serdicae 1950, S. 7–16; hier S. 12 (Nr. 7) mit Abb. Fig. 5.

Georgi Mihailov: À propos de la stèle du „captor Decebali" à Philippes, in: Mélanges helléniques offerts à Georges Daux, Paris 1974, S. 279–287; hier S. 282 mit Abb. 4.

Προσοτσάνη. „Stèle votive, brisée en haut, en bas et à droite. Haut., 64 cm.; larg., 50 cm.; ép., 8 cm. La partie supérieure porte un relief représentant un cavalier galopant vers la droite, vêtu d'un chiton et d'une chlamyde, dont un pan flotte au vent. Le bras gauche est dissimulé par l'encolure du cheval; le droit, qui était levé en arrière, est brisé, ainsi que la tête. Un homme est couché sous le cheval, les pieds vers la gauche, une main portée à sa tête. La cassure empêche de voir s'il y avait, à droite, d'autres attributs. A gauche, la surface de la pierre est toute salie de mortier." (Collart, S. 12.) „Au-dessous du relief est gravée une inscription latine de 2 lignes. Hauteur des lettres: 3 et 4 cm.; ligature." (Collart, S. 12).

> Domino Rincaleo
> sacr(um).

Dem Dominus Rincaleus ist es geweiht.

Der Dominus Rincaleus begegnet auch in einer Weihinschrift auf der Akropolis (169/L007); als *deus magnus Rincaleus* in einer anderen Weihinschrift von der Akropolis (189/L026).

517/L176   **Weihinschrift für Bendis von Bithus Rascila und Tochter**

Paul Perdrizet: Inscriptions de Philippes: Les Rosalies, BCH 24 (1900), S. 299–323; hier S. 307.

AÉ 1901, Nr. 123.

CIL III, Suppl. 2, Nr. 14406c.

Ευάγγελος Γ. Στράτης: Η Δράμα και η Δράβησκος. Ιστορική και αρχαιολογική μελέτη, Serres 1923 (?), S. 9 (Nr. 3β) mit Abb. 5 (Photographie; der Stein ist links, rechts daneben 475/L177).

Georgi Mihailov: Epigraphica et onomastica. (Observations sur les rapports ethnoculturels dans l'aire balkano-micrasiatique), Études balkaniques 23,4 (1987), S. 89–111; hier S. 91, Nr. 9.

Προσοτσάνη. „Copiée en 1899, à 40 minutes à cheval au Sud du village, dans un ancien cimetière turc dit *ova-mézarlik* (le cimetière de la plaine). Sur un petit autel de marbre blanc écorné en haut" (Perdrizet, S. 307). Zur Zeit von Στράτης (1923) befand sich der Stein in Drama εν τω περιβόλω του Διοιχητηρίου.

CIL:	Perdrizet:
BENDIDEI	[B]endidei
SACR	sacr(um).
BITHVS RASCILI	[B]ithus Rascila,
QVI ET CRISPVS·D·S·P	qui et Crispus, d(e) s(uo) f(ecit),
5 AC·MANTA C L ·IRINI	ac Manta Quirini (?)
FILIA	filia.

Der Text von Στράτης ist völlig unzulänglich und wird hier daher nicht berücksichtigt; aufgrund der Abb. 5 aber steht die Identität fest. Mihailov folgt durchweg Mateescus Vorschlägen von 1916 (vgl. Literaturverzeichnis). **3** Mihailov ergänzt *Bithus Rascil[ae f(ilius)]*. **4** Mihailov plädiert für *d(e) s(ua) p(ecunia)*. **5** „Le nom du père de Manta est difficile à lire; j'ai cru voir CLIRINI, ce qui n'est pas un nom latin. Peut-être *Quirini?*" (Perdrizet, S. 307). **5f.** Mihailov liest *ac Manta C(ai) l(iberta) Irini filia*.

Der Bendis ist es geweiht. Bithus Rascila, der auch Crispus heißt, hat es auf seine Kosten gemacht und Manta, die Tochter des Quirinus.

Z. 3 Zu den thrakischen Namen Rascila und Bascila vgl. das Material bei Mihailov, S. 91.

Inschrift des Marcus Bietius Cerius   518/L244

A. Salač: Inscriptions du Pangée, de la région Drama-Cavalla et de Philippes, BCH 47 (1923), S. 49–96; hier S. 63 (Nr. 23). *Sarikakis,* Nr. 86 (S. 447).

Kobaliste (= Κοχκινόγεια): An der Kirche. Kleine Basis aus weißem Marmor. H. 0,21; B. 0,37; D. 0,28.

M(arcus) Bietius Cerius
vet(eranus) vicanis d(e) s(uo) f(aciendum) cu(ravit)
cum C(aio) f(ilio) suo.

Marcus Bietius Cerius, der Veteran, hat (es) zusammen mit seinem Sohn Caius für die Bewohner des Dorfes auf eigene Kosten errichten lassen.

Z. 1 Der Name Bietius ist in Philippi einmalig; außerhalb Philippis begegnet er nur noch in Atina in Latium (AÉ 1981 [1984] 216); möglicherweise stammt unser Bietius also von dort (vgl. Olli Salomies: Contacts between Italy, Macedonia and Asia Minor during the Principate, in: Roman Onomastics in the Greek East. Social and Political Aspects, hg. v. A.D. Rizakis, Μελετήματα 21, Athen 1996, S. 111–127; hier S. 118).

519/L245   **Weihinschrift für Deana Minervia**

A. Salač: Inscriptions du Pangée, de la région Drama-Cavalla et de Philippes, BCH 47 (1923), S. 49–96; hier S. 64–69 (Nr. 24) mit Abb.

AÉ 1924, 50.

Jacques Roger: L'enceinte basse de Philippes, BCH 62 (1938), S. 20–41; hier S. 40 mit Anm. 3.

Wassilka Gerassimowa-Tomowa: Beitrag zur thrakischen Religion und Ethnographie, in: Dritter Internationaler Thrakologischer Kongreß, Bd. I (1984), S. 286–296; hier S. 289 mit Abb. 7.

Papazoglou, S. 411 mit Anm. 200.

Georgi Mihailov: Epigraphica et onomastica. (Observations sur les rapports ethnoculturels dans l'aire balkano-micrasiatique), Études balkaniques 23,4 (1987), S. 89–111; hier S. 91, Nr. 10.

Lilian Portefaix: Sisters Rejoice. Paul's Letter to the Philippians and Luke-Acts as Seen by First-century Philippian Women, CB.NT 20, Uppsala 1988, S. 84.

Band I, S. 139, Anm. 24; S. 145.

X. Βελεγιάννη: Αφιέρωση στον Ποσειδώνα από Θράκα στην Ανατολική Μακεδονία, Τεκμήρια Γ΄ (1997), S. 152–164; hier S. 161f. mit Anm. 56.

Kobaliste (= Κοκκινόγεια). Eine Viertelstunde von Kobaliste entfernt, bei der Kapelle des Heiligen Dimitrios.
Platte aus grauem Marmor; H. 0,565; B. (max.) 1,12; D. 0,22; H. der Buchstaben 0,05; Zeilenzwischenraum 0,01. Links neben der Inschrift ist ein Relief „représentant une idole en forme d'*hermès* ou de mannequin, sans doute un *xoanon*" (Salač, S. 64). Gerassimowa-Tomowa deutet die abgebildete Frau als Bendis, die in der Inschrift als Deana Minervia erscheint (S. 289).

> Deanae Minerviae quae a[... re-]
> situerunt ho(c) loco vicani Sc[...]
> Nicaenses et Coreni et Zcambu[... tectum ae-]
> dis sub curatoribus: Zaeraziste Be[...]
> 5 BAAEIBI, Centozaera (?) Zipaibis, Cetrila [...]
> CV· VBRES Dulis Dizala Brassis (?), Zipyro Dul[is]
> Bascilas Bithi Cerzus Dininithi (?), C(aius) Corn[elius ...]
> CVB Zer[ce]dis Cetrilas Z.EDV
> Manta Zercedis sacerdos.

Z. 1 „L'*épiclésis* de Diana (Minervia) est nouvelle, semble-t-il; la Diane »Minervienne« avait-elle encore un autre surnom? On n'en peut décider. La longueur des lignes est inconnue, il manque sans doute beaucoup de lettres à droite" (Salač, S. 65).

Z. 2 Roger erwägt, hier das Σκιμβερτός/Scimbertus aus 349/L161 zu ergänzen. „Mais les rapprochements de ce genre sont ici un jeu très incertain" (S. 40). Salač hatte *Scaporeni* vorgeschlagen (Salač, S. 65; das Ethnikon *Scaporenus* begegnet in 512/L102). Zuletzt hat Βεληγιάννη die Lücke mit *Sc[iazereni et]* ergänzt (Βεληγιάννη, S. 161f.; ein Σκιαζερηνός findet sich in 509a/G806).

Z. 3 Coreni, ein *vicus*: „This name may refer to the myth of Hades' abduction of Core to the lower region, which event was thought to have taken place within the colony" (Portefaix, S. 84; so auch schon Salač, S. 65).

Z. 6 Der Name Dizala (vgl. Detschew, S. 133, s.v. Διζαλα) begegnet in Philippi in 520/L242 (aus Gramenca) und in 478/L095 (in der Form Disala; aus Drama).

Z. 8 Cetril(l)as begegnet jetzt auch in 501c/L809, Z. 2.

Grabinschrift einer großen Familie   520/L242

A. Salač: Inscriptions du Pangée, de la région Drama-Cavalla et de Philippes, BCH 47 (1923), S. 49–96; hier S. 62f. (Nr. 21).
Collart, S. 277 mit Anm. 13.

Gramenza (in der Nähe von Γραμμένη). Platte aus grauem Marmor. H. 1,03; B. 0,495; D. 0,125; Buchstaben H. 0,05–0,025; Zeilenzwischenraum 0,01.

Collart weist die Inschriften 520/L242 und 526/L165 einem Ort namens Gornitsa zu (zur Lage vgl. seinen Tafelband XXXIV). 526/L165 stammt aus Gornica = Καλή Βρύση (siehe dort). Die Inschrift 520/L242 hingegen ist Salač zufolge aus dem „grand tchiflik Gramenza (= Eremenica sur la carte autrichienne)". Dieser Karte zufolge (42°41′ Kavala) liegt Eremenica ca. 5km nordöstlich von Gornica in der Nähe des heutigen Γραμμένη.

```
   TRAIS[- -⁷⁻⁸- -]SIV
   DIV[...]IOEFV
   C[...]LSTIFILIAE          [...] filiae
   M·[...]BE·FRATRI          [...] fratri
 5 ET·[...]LΛEBRASES         et [... Diza]lae Brases
   PIL·[...]I·ETZIPAE·ET     [...]I et Zipae et
   ALEXI[...]FILI·BVSET      [...]fili[...]
   DIN[...]AN·VII            [...] an(norum) VII
   ·H·[...]F·C·              ·H·[...] f(aciendum) c(uravit)
10 ·SI·BI·[...]
```

5 Lesung nach Detschew, S. 133, s.v. Διζαλας.

Z. 5 Dizala begegnet in Philippi noch in 519/L245 (Kobaliste) und als Disala in 490/L099 (Drama).

521/G243   **Fragment**
um die
Zeitenwende

A. *Salač:* Inscriptions du Pangée, de la région Drama-Cavalla et de Philippes,
     BCH 47 (1923), S. 49–96; hier S. 63 (Nr. 22).
SEG II (1924) 420.

Gramenza (in der Nähe von Γραμμένη). Weißer Marmor. H. 0,23; B.
0,35; D. 0,145; H. der Buchstaben 0,025; Zeilenzwischenraum 0,02.
Zur Lage des Ortes vgl. die vorige Inschrift 520/L242.

ΖΕṆ
ΤΩΙΕ
ΦΙΛΩΝ[. . .]ṚΙ
ΚΑΙΔ̣·Ν·ϹΙΕΥ

4   SEG: καισ.

Salač vermutet, es könne sich um eine Ehreninschrift handeln (S. 63).
„A juger d'après l'écriture, l'inscription semble appartenir à une époque
assez ancienne (1ᵉʳ siècle av. ou ap. J.-C. ?); c'était peut-être une inscription
honorifique" (S. 63).

522/L210   **The Captor of Decebalus**
II

Michael Speidel: The Captor of Decebalus. A New Inscription from Philippi, JRS
     60 (1970), S. 142–153 mit Abb. Tafel XIII–XV.
AÉ 1969/70 [1972] 583.
Φώτιος M. Πέτσας: „Θράξ ιππεύς", „Πρωτοβούλγαροι" και παράδειγμα προς απο-
     φυγήν, Μακεδονικά 14 (1974), S. 387–392; hier S. 392, Anm. 1 und Abb. 2.
Georgi Mihailov: À propos de la stèle du „captor Decebali" à Philippes, in: Mé-
     langes helléniques offerts à Georges Daux, Paris 1974, S. 279–287.
Sarikakis, Nr. 97 (S. 448).
AÉ 1974 [1978] 589.
Nicolae Gostar: Sur l'inscription de Ti. Claudius Maximus de Grammeni (Macé-
     doine), in: Epigraphica. Travaux dédiés au VIIᵉ Congrès d'épigraphie grecque et
     latine (Constantza, 9–15 septembre 1977), hg. v. D.M. Pippidi et Em. Popescu,
     Bukarest 1977, S. 79–98.
Valerie A. Maxfield: The Military Decorations of the Roman Army, London 1981,
     S. 122; S. 200; S. 217; S. 237; S. 268; Abb. Plate 8a.
Valerie A. Maxfield: Systems of Reward in Relation to Military Diplomas, in: Heer
     und Integrationspolitik. Die römischen Militärdiplome als historische Quelle,

Passauer historische Forschungen 2, Köln/Wien 1986, S. 26–43; hier S. 31; S. 34.

Leonhard Schumacher: Römische Inschriften. Lateinisch/Deutsch, Stuttgart 1990, Nr. 187 (S. 254–256).

N.B. Rankov: Singulares Legati Legionis: A Problem in the Interpretation of the Ti. Claudius Maximus Inscription from Philippi, ZPE 80 (1990), S. 165–175.

Φίλιπποι-Führer, S. 79, Abb. 63.

Band I, S. 142, Anm. 12.

Γραμμένη. „A huge tombstone with two reliefs and a Latin inscription accidentally came to light in 1965 in the fields of Grammeni, a village to the north-west of the ancient Philippi in Macedonia" (Speidel, S. 142). Oberhalb der Inschrift befinden sich zwei Reliefs: Das obere Relief stellt einen Reiter dar, dessen Pferd (von links nach rechts) zum Sprung über einen am Boden liegenden Gegner ansetzt. Zur Interpretation dieses Reliefs vgl. den Aufsatz Mihailovs. Er weist darauf hin, daß der Künstler hier eine thrakische Tradition verrät: „La composition est la même que dans plusieurs des reliefs du Cavalier thrace, comme on peut le voir par exemple dans le répertoire de G. Kazarov" (S. 282). Der einschlägige Typ der Darstellung findet sich in Philippi in zwei Reliefs auf der Akropolis (169/L007 und 189/L026) und einem weiteren aus Προσοτσάνη (516/L653). Das untere Relief zeigt zwei *torques* und zwei *armillae,* also die im Text der Inschrift genannten *dona,* mit denen Maximus mehrfach ausgezeichnet wurde (vgl. den Kommentar zu Z. 17 sowie Maxfields Monographie, S. 200). Der Stein befindet sich seit 1993 nicht mehr im Museum in Philippi. Er soll künftig im neuen Museum in Drama ausgestellt werden, vgl. den Φίλιπποι-Führer, S. 63: Αρχαιολογικό Μουσείο Δράμας Λ 188 (dort konnte man ihn im September 1999 auch bewundern). Dia Nummer 124–126/90.

    Ti(berius) Claudius
    Maximus vet(eranus)
    [s(e)] v(ivo) f(aciendum) c(uravit). militavit
    eque(s) in leg(ione) VII C(laudia) p(ia) f(ideli), fac-
5 tus qu(a)estor equit(um),
    singularis legati le-
    gionis eiusdem, vexil-
    larius equitum, item
    bello Dacico ob virtu-
10 te(m) donis donatus ab im-
    p(eratore) Domitiano. factus dupli(carius)
    a divo Troiano (!) in ala secu(n)d(a)
    Pannoniorum, a quo et fa(c-)
    tus explorator in bello Da-
15 cico et ob virtute(m) bis donis

donatus bello Dacico et
Parthico, et ab eode(m) factus
decurio in ala eade(m), quod
cepisset Decebalu(m) et caput
20 eius pertulisset ei Ranissto-
ro. missus voluntarius honesta missione a Terent[io Scau-]
riano, consulare [exerci-]
tus provinciae nov[ae Mes-]
25 [opotamiae ...].

24f. Gostar schlägt vor, *nov[ae Syriae]* zu ergänzen; Rankov dagegen ergänzt *Daciae*;
der Vorschlag *Mesopotamiae* geht auf Speidel zurück.

Tiberius Claudius Maximus, der Veteran, hat zu seinen Lebzeiten (die Inschrift) anfertigen lassen. Er diente als Reiter in
der siebten Legion Claudia Pia Fidelis, wurde [5] zum Quästor
der Reiter befördert, Singularis des Legaten eben dieser Legion,
Standartenträger der Reiter; zudem im Dakerkrieg wegen seiner
Tapferkeit [10] von Kaiser Domitianus mit *dona* ausgezeichnet.
Vom vergöttlichten Traianus wurde er zum *duplicarius* in der
zweiten Ala Pannoniorum gemacht; von diesem wurde er ebenfalls im Dakerkrieg als Kundschafter eingesetzt [15] und wegen
seiner Tapferkeit zweimal mit *dona* ausgezeichnet – im Dakerkrieg und im Partherkrieg. Und von demselben (Kaiser) wurde
er zum *decurio* in derselben Ala befördert, weil er den Decebalus gefangengenommen und dessen Kopf [20] diesem (d. h. dem
Kaiser) in Ranisstorum überbracht hatte. Als Freiwilliger wurde er ehrenhaft entlassen von Terentius Scaurianus, dem konsu-
larischen Befehlshaber der neuen Provinz Mesopotamien (oder
Syrien, oder Dakien).

„The inscription represents the most detailed career of a Roman soldier so
far known, providing new information on the structure and functioning of
the Roman army. Its hero is revealed as the »captor« of King Decebalus,
one of imperial Rome's greatest antagonists, and his spectacular deed is
portrayed on one of the two reliefs. The new find deserves special attention
and is published here for the first time." (Speidel, S. 142).

 Z. 1 *Tiberii Claudii* kommen in Philippi auch sonst gelegentlich vor.

 Z. 2 Maximus begegnet als *cognomen* häufig in den lateinischen Inschriften aus Philippi. „The origin of Ti. Claudius Maximus is not known, but his
name suggests recent citizenship, acquired perhaps by his father or grand-
father through service in the *auxilia*. Since Maximus retired to Philippi, he
may have been born there, as veterans often return to their native community" (Speidel, S. 143).

Z. 4 Die siebte Legion begegnet auch in der Inschrift 708/L693 aus Dalmatien, dem Grabstein eines Soldaten aus Philippi. Da diese Legion jedoch spätestens im Jahre 66 von Dalmatien nach Moesien verlegt wurde (vgl. Speidel, S. 143), handelt es sich bei dem dort genannten Lucius Valerius um einen älteren Commilitonen des Maximus.

Zur Dienstzeit des Tiberius Claudius Maximus war die siebte Legion dann in Viminacium (*Moesia superior*) stationiert. Aus späterer Zeit (195 n. Chr.) stammt eine Liste von Veteranen eben dieser siebten Legion, aus Viminacium, die einen *C(aius) Val(erius) Trophimian(us) Phil(ippensis)* erwähnt (706/L695).

Z. 12f. Die Besonderheit der Karriere des Tiberius Claudius Maximus besteht darin, daß er zunächst in der *Legio VII Claudia Pia Fidelis* diente (vgl. o. Z. 4), dann in der *Ala II Pannoniorum.* D.h. daß er – obwohl er römischer Bürger war (sonst hätte er nicht Soldat in der Legion sein können) – später zu einer Einheit der Auxiliartruppen überwechselte, in der in der Regel Nichtbürger dienten. Soldaten von Hilfstruppen werden normalerweise nach Augustus und Tiberius auch nicht mit *dona* bedacht: „There is no proven example of a decorated auxiliaryman later than this [ein Reiter aus der Zeit des Augustus oder des Tiberius] (with the sole and significant exception of the ex-legionary, that is the citizen auxiliary, Ti. Claudius Maximus).“ (Valeria Maxfield, a.a.O., S. 34).

Z. 14 „Als Kundschafter im 2. Dakerkrieg Trajans gelang ihm der spektakuläre Erfolg, nach der Einnahme von Sarmizegetusa (106) das Versteck des Königs Decebalus aufzuspüren und diesem nach seinem Selbstmord den Kopf abzuschlagen. Ranisstorum [Z. 20f.] läßt sich bislang nicht lokalisieren; später wurde der Kopf im römischen Triumph zur Schau gestellt (Dio 68,14,3). Die Szene vom Ende des Dakerkönigs ist auf der Trajanssäule im Bild festgehalten (Relief CXLV bis CXLVII).“ (Schumacher, S. 255f.). Zwei Szenen der Trajanssäule sind abgebildet bei Speidel (Tafel XIV und XV 2).

Z. 17 Ausgehend von Trajans Partherkrieg im Jahr 114 errechnet Speidel für Tiberius Claudius Maximus ein Geburtsjahr von ungefähr 65 n. Chr. Am Dakerkrieg (Z. 9) des Domitian (Z. 11), d.h. also 89 n. Chr., hat er bereits teilgenommen. Für die zuvor erreichten Stellungen veranschlagt Speidel ungefähr fünf Jahre: „Thus, he will have enrolled in the army sometime before A. D. 85 and consequently was born around A. D. 65“ (Speidel, S. 143). „Maximus was decorated twice in the Dacian Wars and once in the Parthian War, thus being one of the most decorated Roman soldiers known“ (Speidel, S. 148).

Z. 19 Das Wort *cepisset* muß nicht bedeuten, daß Maximus den Decebalus lebendig gefangen hat; Mihailov zufolge ist es in einem allgemeinen Sinn zu verstehen (Mihailov, S. 280). Über Decebalus informiert der Artikel von Meret Strothmann in DNP 3 (1997), Sp. 341, der auf diese Inschrift leider nicht eingeht.

Z. 20 Zur Lokalisierung des Ortes *Ranisstorum* vgl. Gostar, S. 80–82.

Z. 23f. Zu den einzelnen Stationen der Karriere des D. Terrentius Scaurianus vgl. die Diskussion bei Gostar, S. 82–88.

Schwierig ist die Kombination von *a Terentio Scauriano* samt dem *consulare* und dem Genitiv *exercitus provinciae etc.* Die verschiedenen Speidelschen Lösungsvorschläge diskutiert Gostar (S. 88–98) mit besonderer Rücksicht auf den in Z. 24f. zu ergänzenden Namen der Provinz.

523/L105   **Sarkophag des Servaeus Eutychus**

Heuzey/Daumet, Nr. 89 (S. 161).
CIL III 1, Nr. 706.
Δήμιτσας, Nr. 1059 (S. 801f.).
Paul Perdrizet: Inscriptions de Philippes: Les Rosalies, BCH 24 (1900), S. 299–323; hier S. 312.
A. *Salač:* Inscriptions du Pangée, de la région Drama-Cavalla et de Philippes, BCH 47 (1923), S. 49–96; hier S. 62.
Fanoula Papazoglou: Le territoire de la colonie de Philippes, BCH 106 (1982), S. 89–106; hier S. 98 mit Anm. 38.

Μικρόπολις. „Keurlikova. Fontaine publique. Sur un sarcophage en marbre blanc" (Heuzey, S. 161).
Salač ergänzt die Maße: H. (sichtbar) 0,64; L. 1,96; B. 0,85; D. des Marmors 0,12; H. der Buchstaben 0,08 und 0,06; Zeilenabstand 0,055 (S. 62).
Der Stein steht nicht mehr am Brunnen des Dorfplatzes (1992). Er muß als verschollen gelten.

> Servaeus Eutychus an(norum) L h(ic) s(itus) e(st).
> Atiaria Acte marito et sibi f(aciendum) c(uravit).
> in ea arca alium qui posuerit q(uam) q(ui) s(upra) s(cripti) s(unt),
> dabit r(ei) p(ublicae) ✕ D.

> Servaeus Eutychus, fünfzig Jahre alt, liegt hier begraben. Atiaria Acte hat (den Sarkophag) für ihren Mann und sich selbst anfertigen lassen. Wer aber in diesen Sarg einen anderen als diejenigen, die oben genannt sind, hineinlegt hat, der soll der *res publica* 500 Denare (Strafe) zahlen.

Z. 1 Ein Sklave Eutyches in 676/L144 (aus Drama).

Z. 2 Zum *nomen* Atiarius – es ist für Philippi charakteristisch – vgl. den Kommentar zu 588/L236.

Z. 4 Das *dabit rei publicae* ist gleichbedeutend mit *dabit fisco* o.ä.: „Dans la formule sépulcrale mentionnant l'amende qui devrait être versée en cas de violation de la sépulture »*dabit reipublicae Phil(ippensium)* ...«, le terme désigne le trésor public de la colonie" (Fanoula Papazoglou, a.a.O., S. 106, Anm. 80).

Der Sarkophag gilt Papazoglou als starkes Argument dafür, daß diese Region zum Territorium der *Colonia Iulia Augusta Philippensis* gehört: „L'appartenance du vallon de Prousotchani au territoire de la colonie est sûre non seulement à cause du grand sarcophage de Kirlikova (objet difficilement transportable), dont l'inscription nous informe qu'il avait appartenu à des citoyens romains et que l'amende prévue pour violation de la sépulture devrait être versée à la *res publica*, mais aussi parce que le vallon s'ouvre largement sur la plaine de Drama dont il constitue en réalité un prolongement" (S. 98).

Grabinschrift des Bithus Macer u.a. 524/L103

II

Léon Heuzey: Le panthéon des rochers de Philippes, RAr 11 (1865), S. 449–460; hier S. 451f.

Léon Heuzey: Le sanctuaire de Bacchus Tasibastenus dans le canton de Zikhna (en Thrace), CRAI 1868, S. 219–231; hier S. 221f.

Heuzey/Daumet, Nr. 87 (S. 152f.).

Δήμιτσας, Nr. 1057 (S. 799f.).

CIL III 1, Nr. 703 (vgl. CIL III, Suppl. 2, S. 2328⁸⁵).

Jean-Pierre Waltzing: Étude historique sur les corporations professionnelles chez les Romains. Depuis les origines jusqu'à la chute de l'Empire d'Occident, Bd. III: Recueil des Inscriptions grecques et latines relatives aux Corporations des Romains, Löwen 1899 (Nachdr. Hildesheim/New York 1970), Nr. 200 (S. 73f.).

Paul Perdrizet: Inscriptions de Philippes: Les Rosalies, BCH 24 (1900), S. 299–323; hier S. 312f.

Paul Perdrizet: Rez. Wilhelmus Dittenberger [Hg.]: Orientis graeci inscriptiones selectae, supplementum Sylloges inscriptionum graecarum, REA 6 (1904), S. 155–160; hier S. 157f.

Paul Perdrizet: Cultes et mythes du Pangée, Annales de l'est, publiées par la faculté des lettres de l'université de Nancy, 24ᵉ année, fascicule 1, Paris/Nancy 1910, S. 89.

Bernhard Laum: Stiftungen in der griechischen und römischen Antike. Ein Beitrag zur antiken Kulturgeschichte, Erster Band: Darstellung; Zweiter Band: Urkunden, Leipzig/Berlin 1914, Nr. 14 (= Bd. II, S. 192).

A. Salač: Inscriptions du Pangée, de la région Drama-Cavalla et de Philippes, BCH 47 (1923), S. 49–96; hier S. 61.

Collart, S. 474–485; insbesondere S. 474, Anm. 3, Nr. 1.

Martin P. Nilsson: The Dionysiac Mysteries of the Hellenistic and Roman Age, Lund 1957, S. 166 mit Anm. 114.

Χάϊδω Κουκούλη, ΑΔ 23 (1968) Β´2 Χρονικά [1969], S. 356.

Χάϊδω Κουκούλη-Χρυσανθάκη, ΑΔ 36 (1981) Β´2 Χρονικά [1988], S. 346.

Reinhold Merkelbach: Die Hirten des Dionysos. Die Dionysos-Mysterien der römischen Kaiserzeit und der bukolische Roman des Longus, Stuttgart 1988, S. 116f. mit Anm. 103; S. 143 mit Anm. 13.

Band I, S. 82, Anm. 21; S. 88f.; S. 103 mit Anm. 41; S. 138 mit Anm. 17; S. 220.

Χαριτωμένη. „Reussilova. Fontaine du village. Sur un grand sarcophage en deux pièces superposées. Hauteur des lettres, 17, 13, 11 et 6 centimètres." (Heuzey, S. 152).

Salač fügt folgendes hinzu: „Il a été dégagé à l'endroit dit Monastirla, à une heure de distance du village; dans un champ voisin, on nous a montré les traces d'une grand édifice byzantin." (S. 61). Schon zur Zeit Salačs war der Sarkophag in zwei Stücke mit den Maßen H. 0,54 bzw. 0,70, L. 2,85, B. 1,38 und D. 0,14 zersägt.

Κουκούλη berichtet von Funden in Χαριτωμένη, und zwar in Μοναστιρλάρ und auf dem Acker des B. A. Βασιλείου (αριθ. κληροτ. 1331); letztere βεβαιούν την ύπαρξιν αρχαίου οικισμού ή μεγάλου κτηριακού συγκροτήματος. Εἰς την περιοχήν ταύτην συμφώνως προς τας πληροφορίας των χωρικών ανευρέθη η δημοσιευθείσα εἰς BCH XLVII (1923), σ. 61, μεγάλη ενεπίγραφος σαρκοφάγος ρωμαϊκών χρόνων, ήτις αποκεκρουμένη σήμερον εἰς δύο τεμάχια ευρίσκεται εἰς την κοινότητα Χαριτωμένης (ΑΔ 23, S. 356).

In ΑΔ 36 berichtet Κουκούλη-Χρυσανθάκη vom Transport dieses Sarkophags nach Philippi (S. 346).

Heute befindet er sich im Hof des Museums von Philippi, gleich, wenn man die Treppe vom Parkplatz heraufsteigt. Doch Vorsicht: Der Deckel gehört nicht zu diesem Sarkophag (der Deckel trägt die Inschrift 391/L616). Der Sarkophag weist heute nur noch die Z. 4–7 auf (Z. 1–3 befanden sich auf dem heute fehlenden oberen Stück).

Inventarisierungsnummer Λ 1425 (die Information bei B. Πούλιος, ΑΔ 36 (1981) Β'2 Χρονικά [1988], S. 343, wonach Λ 1425 zu gewissen θραύσματα αρχιτεκτονικών γλυπτών, die in Philippi gefunden wurden, gehört, ist offensichtlich falsch).

Dia Nummer 438.439.440.441/1991.

> Bithus, Tauzigis fil(ius), qui et
> Macer, an(norum) LX, Tauzies Bithi, qui et Ru-
> fus, an(norum) XIV, Bithus Tauzigis ann(orum) LXXII h(ic)
>   s(iti) s(unt).
> Zipacenthus Tauzigis, Bithicenthus
> 5 Cerzulae, Sabinus Dioscuthis, nepotes et heredes, f(aciendum)
>   c(uraverunt).
> idem Bithus donavit thiasis Lib(eri) Pat(ris) Tasibast(eni) ✳ CC
>   et Rufus ✳ C, ex quor(um) redit(u) annuo
> Rosal(ibus) ad moniment(um) eor(um) vescentur.

Text nach der berichtigten Fassung von Perdrizet. **3** Heuzey liest lediglich ... *Bithus Tauzigis ... h(ic) s(iti) s(unt).* Nach Salač ist zu lesen: *Bithus Tauzigis iun(ior) an(norum) XXII h(ic) s(iti) s(unt).* Am Anfang der Zeile vielleicht auch *an(norum) XLV?* **5** Das *nepotes et* steht über dem *heredes* und ist bei Heuzey übersehen.

Bithus, der Sohn des Tauzix, der auch Macer heißt, sechzig Jahre alt, Tauzies, (der Sohn) des Bithus, der auch Rufus heißt,

vierzehn Jahre alt, und Bithus, (der Sohn) des Tauzix, zweiundsiebzig Jahre alt, sind hier begraben.
Zipacenthus, (der Sohn) des Tauzix, Bithicenthus, [5] (der Sohn)
des Cerzula, (und) Sabinus, (der Sohn) des Dioscuthes, die Enkel
und Erben, haben (den Sarkophag) anfertigen lassen.
Derselbe Bithus gab den Verehrern des Liber Pater Tasibastenus
200 Denare und Rufus (gab ihnen) 100; von den jährlichen Zinsen dieses Betrags sollen sie an den Rosalien an deren Grabmal
ein Mahl abhalten.

Z. 1 Bithus ist „einer der häufigsten thrakischen" Personennamen, „für
welchen sich mehr als 300 Belege anführen lassen" (Detschew, s.v. Βιθυς, S.
66).
Tauzix, Genitiv Tauzigis, ist nur in dieser Inschrift bezeugt (vgl. Detschew,
S. 495, s.v. Tauzix).
Z. 2 Detschew schlägt ebd. vor, statt *Tauzies* vielmehr *Tauzi<x>s* zu le-
sen.
Das *cognomen* Macer begegnet auch in der durch Kyriakos von Ancona
bezeugten Inschrift 396/L781.
Z. 4 Ein ebenfalls neuer thrakischer Name ist Zipacenthus (Detschew hat
S. 189, s.v. nur diesen einen Beleg).
Bithicenthus ist sowohl in griechischer (Βευθυκενθος) als auch in lateinischer
Form bezeugt (Detschew, S. 47, s.v. Βειθυκενθος).
Z. 5 Sabinus begegnet auch in den Silvanusinschriften 164/L001 und 163/
L002 (Z. 23), sowie in dem Militärdiplom 705/L503 als *cognomen*.
Für die thrakische Namensform Cerzula bietet Detschew außer unserer In-
schrift keinen weiteren Beleg (S. 241, s.v. Cerzula). Die griechische Form
Κερζουλα findet sich jedoch in 543/G480, Z. 28.
Dioscuthes ist ebenfalls ein neuer thrakischer Name, der nur hier vorkommt
(Detschew, S. 142, s.v.).
Z. 6 Die lateinische Form *thiasus* begegnet in Philippi auch in der In-
schrift 095/L346 aus Raktcha (dort eine Liste aller Belege).
Liber Pater Tasibastenus ist eine Mischung aus lateinischen und thrakischen
Namen. Liber Pater ist lateinisch und auch sonst in Philippi (eine Liste
aller Belege bei der Inschrift 342/L292 aus dem Haus mit Bad im Süden
der Basilika B) und anderwärts bezeugt. Tasibastenus dagegen ist vielleicht
„le nom topique d'un Bacchus de la région de Philippes" (Perdrizet: Rez.
Dittenberger, S. 158), der auch in der folgenden Inschrift 525/L104 begegnet.
Es liegt hier wohl der Name des Dorfes zugrunde: „apparemment, Tasibasta
était le village thrace auquel a succédé Reussilova" (Perdrizet: Cultes, S.
89). Detschew bietet für Tasibastenus nur unsere beiden Belege 524/L103
und 525/L104 (die folgende Inschrift; Detschew, s.v. Tasibastenus, S. 494).

Z. 6f. Zum Rosalienfest vgl. o. Bd. I, S. 104 und die dort genannte Literatur; das Material aus Philippi ist im Kommentar zu 029/G215, Z. 6–8 zusammengestellt.

Zur Datierung ins zweite Jahrhundert vgl. das Urteil Heuzeys: „Le fait [daß nämlich die Thraker étaient restés jusqu'à un certain point fidèles à leur nationalité] est d'autant plus curieux que l'inscription doit être postérieure au premier siècle de l'empire, si l'on en juge par les quelques caractères liés qu'on y rencontre et par le type allongé de l'écriture" (Heuzey 1868, S. 228).

525/L104   **Grabinschrift des Sklaven Lucius**

Léon Heuzey: Le panthéon des rochers de Philippes, RAr 11 (1865), S. 449–460; hier S. 452.
Léon Heuzey: Le sanctuaire de Bacchus Tasibastenus dans le canton de Zikhna (en Thrace), CRAI 1868, S. 219–231; hier S. 222f.
Heuzey/Daumet, Nr. 88 (S. 153f.).
CIL III 1, Nr. 704.
Δήμιτσας, Nr. 1058 (S. 800f.).
ILS 4059.
Jean-Pierre Waltzing: Étude historique sur les corporations professionnelles chez les Romains. Depuis les origines jusqu'à la chute de l'Empire d'Occident, Bd. III: Recueil des Inscriptions grecques et latines relatives aux Corporations des Romains, Löwen 1899 (Nachdr. Hildesheim/New York 1970), Nr. 201 (S. 74).
Paul Perdrizet: Inscriptions de Philippes: Les Rosalies, BCH 24 (1900), S. 299–323; hier S. 313.
Paul Perdrizet: Rez. Wilhelmus Dittenberger [Hg.]: Orientis graeci inscriptiones selectae, supplementum Sylloges inscriptionum graecarum, REA 6 (1904), S. 155–160; hier S. 157f.
A. Salač: Inscriptions du Pangée, de la région Drama-Cavalla et de Philippes, BCH 47 (1923), S. 49–96; hier S. 61f.
Collart, S. 289 mit Anm. 4.
V. Beševliev/G. Mihailov: Starini iz Belomorieto, I. Antični nadpisi i trakijski konici, Belomorski Pregled 1 (1942), S. 318–347; hier Nr. 72, S. 346f. (ohne Abbildung).
Martin P. Nilsson: The Dionysiac Mysteries of the Hellenistic and Roman Age, Lund 1957, S. 166 mit Anm. 114.
Reinhold Merkelbach: Die Hirten des Dionysos. Die Dionysos-Mysterien der römischen Kaiserzeit und der bukolische Roman des Longus, Stuttgart 1988, S. 116.
Band I, S. 92, Anm. 1; S. 103 mit Anm. 41; S. 138 mit Anm. 17; S. 220.

Χαριτωμένη. „Reussilova. Église ruinée. Sur un tombeau en forme d'autel" (Heuzey, S. 153). Zwischen Z. 1 und Z. 2 befindet sich ein Relief des Thrakischen Reiters; er schleudert einen Speer; ihm folgt ein Fußgänger.

Salač ergänzt in bezug auf diese Inschrift: „a été transportée à Kobaliste
(Koumbalista), village près de Proussotchani, dans la maison de Sali effendi-
Issouf effendi, où je l'ai vue intacte dans la cour. Haut. 0ᵐ82, larg. 0ᵐ57,
ép. 0ᵐ50; forme d'un autel ..." (S. 61). Perdrizet suchte sie 1899 jedenfalls
vergeblich in Reussilova „du moins, l'ai-je cherchée en vain" (S. 313).

> D(is) i(nferis) M(anibus).
> Lucius, Caesi Victori[s]
> servus actor, an(norum) LV
> h(ic) s(itus) e(st). idem Lucius thi-
> 5 asis Lib(eri) Pat(ris) Tasibas-
> ten(i) donavit ✳ C [et ...]

1 Heuzey: *D(eo) i(invicto) M(ithrae)* sic? **3** Heuzey und CIL (danach auch ILS und
Beševliev/Mihailov): L. Salač: LV. **6** CIL, ILS: CX am Ende der Zeile, so auch Detschew,
S. 494, s.v. *Tasibastenus.*

Den unterirdischen Manen. Lucius, Sklave und Gutsverwalter
des Caesius Victor, fünfundfünfzig Jahre alt, liegt hier begraben.
Derselbe Lucius hat den Verehrern des Liber Pater Tasibastenus
100 Denare gegeben ...

Z. 1 „L'abréviation D.I.M. se lit ordinairement *D(eo) i(nvicto) M(ithrae)*,
mais je ne vois pas comment cette dédicace religieuse pourrait convenir à
un tombeau. La formule *Diis inferis Manibus* est contestée; pourtant, dans
un pays où les usages grecs étaient très-répandus, elle peut s'expliquer par
une sorte de confusion avec la formule grecque θεοῖς καταχθονίοις, qui était
la traduction de l'invocation latine" (Heuzey, S. 154).
Die Liste aller *Dis-Manibus*-Inschriften aus Philippi steht im Kommentar zu
092/G496 aus Κρηνίδες.
Z. 2 Zu Caesius Victor, dem Großgrundbesitzer, vgl. 432/L163. Das *nomen gentile* Caesius in Philippi sonst nur noch in 310/L487.
Z. 3 Norbert Ehrhardt (Eine neue Grabinschrift aus Iconium, ZPE 81
(1990), S. 185–188) weist darauf hin, daß die Kombination *servus actor*
(bzw. das griechische Pendant δοῦλος πραγματευτής) überaus selten ist (S.
186 mit Anm. 10). In seiner Liste (Anm. 10) nennt er als einen der wenigen
auch unseren Lucius. Die Belege aus Philippi für *actor* und πραγματευτής
sind gesammelt im Kommentar zu 022/G220 aus Kavala.
Z. 4f. Die lateinische Form *thiasus* begegnet in Philippi auch in 095/L346
aus Raktcha (dort eine Liste aller Belege).
Z. 5f. Zum Liber Pater Tasibastenus vgl. den Kommentar zur vorherge-
henden Inschrift 524/L103. Vermutlich handelt es sich auch bei dem vorliegenden Text um eine Rosalieninschrift.

526/L165 **Grabinschrift des Bitus**

G. Seure: Voyage en Thrace, BCH 25 (1901), S. 308–324; hier S. 323 (Nr. 25).
CIL III, Suppl. 2, Nr. 14206[20].
Collart, S. 277 mit Anm. 13.
Χάϊδω Κουκούλη-Χρυσανθάκη, ΑΔ 31 (1976) Β΄2 Χρονικά [1984], S. 301, Anm. 37.

Καλή Βρύση. Seure gibt folgende Beschreibung: „*Katountza.* près de *Gorenzi.* Collection de M. *Ivan Guitcheff,* à *Prodotchen* (district de *Drama* en Macédoine). Plaque funéraire, haut. 0^m55.“

Bitus Raebuc[ent-]
i hic situs ẹst.

1 Dobruský (in Sbornik 16/18 (1900), S. 120, Nr. 29): *Raebuc[enth]-|i.* Text nach Seure, Detschew. **2** Seure: *est.*

Bitus, (der Sohn) des Raebucentus, liegt hier begraben.

527/G208 **Weihinschrift für Pluton**
II

Πέτρος Ν. Παπαγεωργίου: Ανάγλυφον μετά Θρακικών ονομάτων, Εστία Αθηνών 1893, S. 158–159.
Δήμιτσας, Nr. 822 und 823 (S. 670).
Πέτρος Ν. Παπαγεωργίου: Αι Σέρραι και τα προάστεια, τα περί τας Σέρρας και η μονή Ιωάννου του Προδρόμου, ByZ 3 (1894), S. 225–329; hier S. 235, Nr. 19–21.
IBulg IV 2343.
Καφταντζής 480.
SEG XXX (1980) [1983] 589.
Μαριάννα Καραμπέρη: Θρακική επιτύμβια στήλη σε υστερορωμαϊκό τάφο στο Δαφνούδι Σερρών, AAA 18 (1985) [1988], S. 165–172.
Band I, S. 8f.; S. 66, Anm. 45; S. 139, Anm. 27.
Χ. Βελεγιάννη: Αφιέρωση στον Ποσειδώνα από Θράκα στην Ανατολική Μακεδονία, Τεκμήρια Γ΄ (1997), S. 152–164; hier S. 155 mit Anm. 10.

Νευροκόπι. Im Jahr 1893 berichtet Παπαγεωργίου: Πρό τινων ετών μετεκομίσθη εκ Νευροκόπου εις Σέρρας και φυλάσσεται νυν εν τη οικία του κ. Κ. Καπέτη, υποπροξένου της Αγγλίας, ανάγλυφον περιεργότατον λόγω και της παραστάσεως και της επιγραφής και όμοιον προς όσα Θρακικά μνημεία εξέδωκαν προ πολλού χρόνου ο Dumont και άλλοι (S. 158).
Fest steht weiterhin, daß der Stein sich zwischenzeitlich im Museum in Serrai befand (nach Καραμπέρη, S. 171, Anm. 24, hat er die Inventarisierungsnummer Λ 27); jetzt (1999) findet man den Stein im neuen Museum in Drama wieder.

Alles andere ist einigermaßen undurchsichtig; insbesondere die Herkunft des Steins ist umstritten. Bei Δήμιτσας muß man zwei Nummern zusammen nehmen, um unsere Inschrift zu erhalten (Δήμιτσας 822 + 823 ergibt die gesamte Inschrift Καφταντζής 480). Fraglich ist vor allem die Identität des bei Παπαγεωργίου, bei Δήμιτσας und auch bei Καφταντζής genannten Νευροκόπι. Nach IBulg (so auch SEG a.a.O.) ist damit nicht der Ort Κάτω Νευροκόπιον des Nomos Drama gemeint, sondern Nicopolis ad Nestum im heutigen Bulgarien (zur Lage vgl. etwa Papazoglou, Karte 20). Demgegenüber behauptet Καραμπέρη (S. 171, Anm. 24), daß dieser Stein – Mihailov, IBulg IV 2343 zum Trotz – ἀπό Νευροκόπι Δράμας stamme. In diesem Sinne hat sich zuletzt auch X. Βελ- ηγιάννη (S. 155) geäußert. Wäre dies richtig, so stünde die Inschriften zu Recht unter den Inschriften des Nomos Drama.

Der Stein hat Καφταντζής zufolge die Maße H. 0,53; B. 0,83; D. 0,12. Buchstaben H. Z. 1 und Z. 2: 0,015; Z. 3 und Z. 4: 0,03; Zeilenzwischenraum 0,015.

Zwischen Z. 2 und Z. 3 befindet sich ein Relief auf dem unter anderem Pluton und Persephone – auf Thronen sitzend – dargestellt sind (vgl. die Abb. bei Καφταντζής, S. 284).

Dia Nummer 211–216/1992.

vacat	Κυρίῳ Πλού-	*vacat*
vacat	τωνι.	*vacat*

Αὐρ(ήλιος) Μεστικένθος κὲ Αὐρ(ηλία) Γηπέπυρις Ἐζβένεος γυνὴ Μουχιανοῦ τοὺς θεοὺς ἀνέθηκαν.   *folium*

IBulg und Καφταντζής stimmen hinsichtlich des Textes der Inschrift überein.
1   Auf dem Stein KΥMKI (aufgrund neuzeitlicher Verschandelung).

Dem Herrn Pluton. Aurelius Mestikenthos und Aurelia Gepepyris, (die Tochter) des Ezbenis, die Frau des Mucianus, haben (das Relief) den Göttern geweiht.

Z. 1   Eine Weihinschrift für Pluton aus Obermakedonien bei Θ. Ριζάκης/ Γ. Τουράτσογλου: Ἐπιγραφές Ἄνω Μακεδονίας (Ἐλίμεια, Ἐορδαία, Νότια Λυγκηστίς, Ὀρεστίς). Τόμος Α΄: Κατάλογος ἐπιγραφῶν, Athen 1985 als Nr. 15, S. 31f.: Θεῷ Δεσπότῃ Πλούτωνι.

Eine Weihinschrift für Pluton und Proserpina aus dem Museum Sofia (Inventarisierungsnummer 3917) bei V. Beševliev: Epigrafski prinosi, Sofia 1952, Nr. 57 (S. 37f.) mit Abb. Tafel XXIII 2: *Plutoni et | Proserpinae | sacrum | etc.*

528/G559   **Maurentios, der entthronte Erzbischof**
IV/V

E. *Κουρκουτίδου-Νικολαΐδου,* ΑΔ 27 (1972) Β΄2 Χρονικά [1977], S. 575.
Jeanne Robert und Louis Robert, BÉ 1978, Nr. 306.
SEG XXVII (1977) [1980] 259.
Feissel, Nr. 224, S. 191 (Tafel 53).
Band I, S. 118, Anm. 14; S. 242.

Αργυρούπολις. „Trouvaille fortuite au lieu-dit Valta (environs d'Argyrou-
polis), apportée au musée de Philippes. Colonne de marbre blanc brisée en
deux fragments jointifs (ht. 260; diam. 40). A la partie supérieure, deux inscriptions diamétralement opposées, incomplètes en haut. La surface inscrite
est épannelée, le reste fruste" (Feissel).
Der Stein befand sich früher im Museum in Philippi; jetzt (1999) steht er
im neuen Museum in Drama.
Dia Nummer 292/1991; 660–662/1992.

A	**B**
[. . .]	[. . .]
[. . .]	ΜΕΓΕΟ[- -]Ν̣
[δι]α[φ]έρο̣[ν]	διαφέ[ρ(ον)] τῆ[ς]
Μαυρεν-	Φιλιππισ(ίων)
5 τίου	ἁγ(ίας) ἐκκλ(ησίας) 5
† μ(εγαλο)π(ρεπεστάτου). †	

A3 Κουρκουτίδου-Νικολαΐδου: Α(ΡΧΙ)Ε(ΠΙΣΚΟΠΟΥ). **A6** Auf dem Stein: † M (mit
Π darüber) †. **B2** Κουρκουτίδου-Νικολαΐδου: ΜΕΓΕ(ΘΟ)Σ. **B3** Κουρκουτίδου-Νικο-
λαΐδου: ΔΙΑΦΕ(ΡΟΝ). **B4** Mihailov (SEG): Φιλιππ(ησ)ίων. **B5** Auf dem Stein: ΑΓS
ΕΚΚΛS.

A . . . Eigentum des Maurentios, des *magnificentissimus.*

B . . . Eigentum der heiligen Kirche der Philipper.

Bei der vorliegenden Inschrift handelt es sich um einen Grenzstein: „Cette colonne servait de borne aux propriétés de l'Église de Philippes et de
Maurentios, haut fonctionnaire à en croire son titre" (Feissel, S. 191).
    Z. B3–5 Feissel liest einen Dativ: τῆ Φιλιππισ(ίων) ἁγ(ία) ἐκκλ(ησία). Da
in **A** das διαφέρον mit Genitiv konstruiert ist, halte ich es für sinnvoller,
auch in **B** den Genitiv zu ergänzen.

Lateinische Rosalieninschrift 529/L106

Léon Heuzey: Le sanctuaire de Bacchus Tasibastenus dans le canton de Zikhna (en Thrace), CRAI 1868, S. 219–231; hier S. 223f.
Heuzey/Daumet, Nr. 90 (S. 163).
CIL III 1, Nr. 662.
Δήμιτσας, Nr. 1060 (S. 802).
Paul Perdrizet: Inscriptions des Philippes: Les Rosalies, BCH 24 (1900), S. 299–323; hier S. 314.
Bernhard Laum: Stiftungen in der griechischen und römischen Antike. Ein Beitrag zur antiken Kulturgeschichte, Erster Band: Darstellung; Zweiter Band: Urkunden, Leipzig/Berlin 1914, Nr. 113 (= Band II, S. 192).
Collart, S. 474–485; insbesondere S. 474, Anm. 3, Nr. 3; S. 500f.
W. Kendrick Pritchett: Buried Bridges of the Via Egnatia, in: ders.: Studies in Ancient Greek Topography, Part VI, University of California Publications: Classical Studies 33, Berkeley 1989, Chapter XI, S. 123–125. (Zur Lage der Brücke Kadim Köprü und dem überaus beklagenswerten Zustand, in dem sie sich heute befindet.)
Band I, S. 104 mit Anm. 44; S. 145; S. 220.

Φωτολίβος: **Kadim Köprü.** „Pont de Kadim-Kupru. Sur une plaque engagée dans la maçonnerie des éperons" (Heuzey, S. 163).
Das türkische Kadim Köprü heißt soviel wie „Alte Brücke". Die Lage dieser Brücke beschreibt Σαμσάρης wie folgt: Η ... γέφυρα, γνωστή με το όνομα Kadim Köprü, διασχίζει, κοντά στα χωριά Φωτολίβος και Μπάνιτσα Συμβολή, το ρού του Αγγίτη, που κατεβαίνει από το Κ. Νευροκόπι (Δημήτριος Κ. Σαμσάρης: Ιστορική γεωγραφία της Ανατολικής Μακεδονίας κατά την αρχαιότητα, Μακεδονική Βιβλιοθήκη 49, Thessaloniki 1976, S. 49).
Die Brücke befindet sich auf dem Weg (heute geteert; Pritchett spricht auf S. 124 noch von „a dirt road") von Φωτολίβος nach Συμβολή, 1000m vor den ersten Häusern dieses Dorfes, in einer scharfen Linkskurve.

```
   [S]ub cura(tione) [...]
   [S]aturn[ini] [...]
   ma[...]
   viva [donavit thiasis]
 5 Bacc[hi ✳ ..., ex]
   quo[r(um) redit(u) ad moni-]
   ment[um ...]
   Rosa[libus ...]
   vesc[antur. quod si non]
10 fecerin[t ... da-]
   bunt here[dibus ...]
   [...]
```

1 Ich ziehe es vor, *sub cura[tore] [S]aturn[ino]* zu ergänzen (vgl. oben die Inschrift 519/L245). **2/3** fehlen bei Perdrizet. **5** CIL: fACC. Laum: [*et donavit* ...]. Perdrizet: *fac. c[ur. et don.* ✖. **6** Laum: *quo[rum deinde ex incre-]*. **7** Laum: *ment[is* ...].

Unter der Aufsicht des Saturninus ... hat ... zu ihren Lebzeiten den Anhängern des Bacchus ... Denare geschenkt; von den Zinsen dieser Summe sollen sie bei dem Grabmal an den Rosalien ein Mahl abhalten. Wenn sie dies nicht getan haben, sollen sie den Erben ... (Denare) geben.

Z. 4 Die lateinische Form *thiasus* begegnet in Philippi auch in 095/L346 aus Raktcha (dort eine Liste aller Belege).

Z. 7f. Zum Rosalienfest vgl. o. Bd. I, S. 104 und die dort genannte Literatur; das Material aus Philippi ist im Kommentar zu 029/G215, Z. 6–8 zusammengestellt.

530/L107   Lateinisches Fragment

Heuzey/Daumet, Nr. 91 (S. 163).
CIL III 1, Nr. 702.
Δήμιτσας, Nr. 1061 (S. 802).

Φωτολίβος: Brücke Kadim Köprü. „Au même endroit [wie die vorige 529/L106].– Fragments" (Heuzey, S. 163). Das türkische Kadim Köprü heißt soviel wie „Alte Brücke". Die Lage dieser Brücke beschreibt Σαμσάρης wie folgt: Η ... γέφυρα, γνωστή με το όνομα Kadim Köprü, διασχίζει, κοντά στα χωριά Φωτολίβος και Μπάνιτσα, το ρού του Αγγίτη, που κατεβαίνει από το Κ. Νευροκόπι (Δημήτριος Κ. Σαμσάρης: Ιστορική γεωγραφία της Ανατολικής Μακεδονίας κατά την αρχαιότητα, Μακεδονική Βιβλιοθήκη 49, Thessaloniki 1976, S. 49).

        VCIO.A

531/L108   Lateinisches Fragment

Heuzey/Daumet, Nr. 92 (S. 163).
CIL III 1, Nr. 702.
Δήμιτσας, Nr. 1062 (S. 802).

Φωτολίβος: Brücke Kadim Köprü. „Au même endroit [wie die vorvorige 529/L106].– Fragments" (Heuzey, S. 163). Das türkische Kadim Köprü heißt soviel wie „Alte Brücke". Die Lage dieser Brücke beschreibt Σαμσάρης wie folgt: Η ... γέφυρα, γνωστή με το όνομα Kadim Köprü, διασχίζει, κοντά στα χωριά Φωτολίβος και Μπάνιτσα, το ρού του Αγγίτη, που κατεβαίνει από το Κ. Νευροκόπι (Δημήτριος Κ. Σαμσάρης: Ιστορική γεωγραφία της Ανατολικής Μακεδονίας κατά την αρχαιότητα, Μακεδονική Βιβλιοθήκη 49, Thessaloniki 1976, S. 49).

[A]tiariu[s]
II

Heuzey bemerkt zu dieser Inschrift auf S. 162: „... le nom d'un personnage romain appartenant encore aux *Atiarii*: c'est la neuvième membre de cette *gens* qui figure dans nos inscriptions".

Brief des Königs Philipp V.   532/G640
221–179

Χαράλαμπος Ι. Μακαρόνας: Επιστολή του βασιλέως Φιλίππου του Ε΄, ΑΕ 1934–   v. Chr.
1935, S. 117–127; hier S. 119ff., Anm. 7 mit Abb. 2 (S. 121).
Collart, S. 179f. mit Anm. 1 auf S. 180 (und Abb. Pl. XXVII 1).
M.B. Hatzopoulos: Macedonian Institutions under the Kings. Band II: Epigraphic Appendix, Μελετήματα 22, Athen 1996, Nr. 18 (S. 42) mit Abb. Pl. XXII.

Μπανίτσα (Banitsa) = ΄Ανω Συμβολή. Die Inschrift ευρεθέν κατά το έτος 1934 πλησίον της Μπανίτσης κατά τας εργασίας των αποξηραντικών έργων της πεδιάδος των Σερρών υπό της Εταιρείας Monks, Ulen and Co, αποκείμενον δε νυν εν τω εργαστασίω Μπανίτσης (Μακαρόνας, S. 119f., Anm. 7). Es handelt sich um den oberen Teil einer Marmorstele, H. 0,22; B. 0,32. Collart hat den Stein 1935 in Banitsa selbst photographiert (vgl. seine Abb.). Ob die Inschrift heute noch existiert? Hatzopoulos meint: „The stone is now lost" (S. 42).

    Βασιλεὺς Φ[ίλιππος]
    [ὑ]πόμνημα ὀνο[...]
    [Π]ανγαῖον [...]
    [...]ΣΟΡΓ[...]

2 Hatzopoulos: ONO *vacat.* 3 Hatzopoulos: [..] Πάνγαιον [..].

Nach Μακαρόνας sind es paläographische Gründe, die die Identifikation mit Philipp V. (221–179; zu Philipp V. vgl. Hammond III, S. 367–487) nahelegen. Ο τύπος της επιγραφής πιστεύω ότι είναι η επιστολή: ο όρος υπόμνημα είναι ενδεικτικός (Μακαρόνας, S. 119f., Anm. 7).
Im Jahr 1992 wurde bei Νέος Σκόπος eine neue Inschrift gefunden (568b/G 805), welche dem Zeus und dem König Philipp V. geweiht ist.

533/L240   **Inschrift des *decurio* Valerianus**

A. Salač: Inscriptions du Pangée, de la région Drama-Cavalla et de Philippes, BCH 47 (1923), S. 49–96; hier S. 60 (Nr. 19).
Collart, S. 262.
Fanoula Papazoglou: Le territoire de la colonie de Philippes, BCH 106 (1982), S. 89–106; hier S. 98 mit Anm. 40.
Samsaris, Nr. 166 (S. 299f.).

Banitza = Ἄνω Συμβολή. Ein Kilometer südl. von Banitza (= Ἄνω Συμβολή).
Marmorplatte (Teil eines großen Sarkophags). Abmessungen: H. 0,54; B. 2,55; D. (sichtbar) 0,18; Höhe der Buchstaben 0,14 (Z. 2) und 0,11 (Z. 3).

> [... Va]lerianus dec(urio) q(uinquennalis) [an(norum) ...]
> sibi et Iuliae Iulian<a>e
> [liberi]s s[uis] v(ivus) f(aciendum) c(uravit). si quis in ea arc[a]
> [...]

2 Auf dem Stein *Iuliane.* **3** Salač, Samsaris: *s[uo].* **4** Die vierte Zeile ist nicht lesbar. Samsaris bietet: *[al]i[um] p(osuerit) [dabit r(ei)] pu(blicae) [denarios ...].*

... Valerianus, Decurio *quinquennalis* (in Philippi), ... Jahre alt, hat (den Sarkophag) für sich und für Iulia Iuliana, ..., seine Kinder, zu seinen Lebzeiten anfertigen lassen. Wenn einer in diesen Sarg (eine andere Leiche gelegt hat, soll er der Stadt Philippi ... Denare Strafe zahlen).

Σαμσάρης diskutiert diese Inschrift im Zusammenhang mit dem Heiligtum des Thrakischen Reiters 2–3 km östlich des heutigen Κρηνίς (Dimitrios C. Samsaris: Le culte du Cavalier thrace dans la vallée du Bas-Strymon à l'époque romaine, in: Dritter internationaler Thrakologischer Kongreß zu Ehren W. Tomascheks, Bd. 2, Sofia 1984, S. 284–290; hier zitiert nach der griechischen Fassung: Η λατρεία του »Θράκα ιππέα« στην κάτω κοιλάδα του Στρυμόνα κατά τη ρωμαϊκή εποχή, in: ders.: Έρευνες στην ιστορία, την τοπογραφία, και τις λατρείες των ρωμαϊκών επαρχιών Μακεδονίας και Θράκης, Thessaloniki 1984, S. 43–57; hier S. 51).

534/L241   **Fragment**

A. Salač: Inscriptions du Pangée, de la région Drama-Cavalla et de Philippes, BCH 47 (1923), S. 49–96; hier S. 62 (Nr. 20).

Banitza = Ἄνω Συμβολή. „... un champ nommé Bataki, à une heure de marche de Gerlikova, à 10 minutes au Sud de la route Gerlikova – Proussotchani. Là nous avons trouvé un amas de marbres couverts par les ronces, avec un fragment d'une inscription latine funéraire" (Salač, S. 62).
Platte aus grauem Marmor.
Abmessungen: H. 1,27; B. 0,40; D. 0,25; Höhe der Buchstaben 0,045–0,05; Zeilenzwischenraum 0,03–0,035.

```
IΛ
ET
TOI
ET·CLΛ
AN·
ET·TI·C
```

„A cet endroit el faudrait chercher une nécropole romaine, et, à proximité, sans doute, un village (vicus)" (Salač, S. 62).

Ehreninschrift der Dionysosanhänger für Ῥοῦφος Ζείπας   535/G207
                                                              II/III

A. *Παπαδόπουλος Κεραμεύς:* Αρχαιότητες και επιγραφαί της Θράκης συλλεγείσαι κατά το έτος 1885· προσετέθησαν και τινες επιγραφαί της Μακεδονίας, in: Ο εν Κωνσταντινουπόλει Ελληνικός Φιλολογικός Σύλλογος. Σύγγραμμα Περιοδικόν 17 (1882–83), Παράρτημα, Konstantinopel 1886, S. 65–113; hier S. 108.
Δήμιτσας, Nr. 1104 (S. 822).
Th. Homolle: Nouvelles et Correspondance, BCH 17 (1893), S. 624–641; hier S. 634.
Paul Perdrizet: Inscriptions de Philippes: Les Rosalies, BCH 24 (1900), S. 299–323; hier S. 317ff.
Paul Perdrizet: Cultes et mythes du Pangée, Annales de l'est, publiées par la faculté des lettres de l'université de Nancy, 24ᵉ année, fascicule 1, Paris/Nancy 1910, S. 89.
A. Salač: Inscriptions du Pangée, de la région Drama-Cavalla et de Philippes, BCH 47 (1923), S. 49–96; hier S. 60f.
Paul Collart: Monuments thraces de la région de Philippes, in: Serta Kazaroviana. Commentationes gratulatoriae Gabrielo Kazarov septuagenario oblatae A. D. XVII. Kal. Nov. MCMXLIV, Pars prima, Bulletin de l'institut archéologique bulgare 16, Serdicae 1950, S. 7–16; hier S. 13 (Nr. 9) mit Abb. Fig. 7.
Collart, S. 416 mit Anm. 4; Abb. im Tafelband, Pl. XXXVII 3.
Hans Herter: Bacchus am Vesus, RMP 100 (1957), S. 101–114; hier S. 104 und 109.
Martin P. Nilsson: The Dionysiac Mysteries of the Hellenistic and Roman Age, Lund 1957, S. 51, Anm. 37.
Martin P. Nilsson: Geschichte der griechischen Religion. Zweiter Band: Die hellenistische und römische Zeit, HAW V 2, München ²1961, S. 362 mit Anm. 8.

Σαμσάρης, S. 180 mit Anm. 2.
Samsaris, Nr. 125 (S. 283f.).
Band I, S. 104 mit Anm. 45; S. 151 mit Anm. 22.

Αλιστράτη. Die Inschrift wurde bei dem Ort Αλιστράτη im Nomos Serrai, im Norden des Angites hart an der Grenze des Nomos gefunden.

Παπαδόπουλος Κεραμεύς bietet die folgende Beschreibung: Επί λίθου μετ᾽ ακρωτηρίων και αετώματος· εν τω αετώματι ανάγλυπτος κατά πρόσωπον προτομή παριστώσα εν λίαν βαρβάρω τέχνη άνδρα μετά βραχέος πώγωνος (Βάκχον). Ύψ. 0,73· μήκ. 0,74. Ευρέθη εντός αγρού της τοποθεσίας Brésteni, απεχούσης ΝΔ 3/4 ώρας· φυλάττεται δε νυν [1885] το μάρμαρον εντός της οικίας Δημητρίου Φράγκου (Παπαδόπουλος Κεραμεύς, S. 108).
Schon zur Zeit Collarts war nur noch ein Bruchstück mit den Maßen H. 0,40; B. 0,55; D. 0,13 vorhanden. Von der Inschrift waren nur Teile von Z. 1 und einige Buchstaben von Z. 2 übrig (H. der Buchstaben 0,045 bis 0,07), vgl. Collart in Serta Kazaroviana, S. 13.

        Οἱ περεὶ Ῥοῦφον
        Ζείπα μύστε Βότρυ-
        ος Διονύσου μύ-
        [στάρχῃ Ρο]ύφῳ τῷ εὐερ-
    5   [γέτῃ δῶ]ρον ἐχαρί-
        [σαντο …].

2 Δήμιτσας hat nur Ζείπα. Παπαδόπουλος Κεραμεύς liest am Ende der Zeile: ΒΟΤΡΥΟ ///. Homolle gibt: ΜΥΕΙΕ und ΒΟΤΡΥ. **3** Δήμιτσας hat am Anfang: ης, Homolle nur H. **3/4** Homolle liest μύ[στ](αι). Samsaris (S. 284) ergänzt μύ-|[στῃ]. Text nach Παπαδόπουλος Κεραμεύς. **4** Δήμιτσας hat ΥΦΩΤΩΣ. **5** Δήμιτσας: ΡΟΝ. Homolle: ΓΡΟΝ ΕΧΑΡΙ. **5/6** Παπαδόπουλος Κεραμεύς: ἐχάρι[σαν].

Die Mysten des Botrys Dionysos um Rufus Zipas haben dem Obermysten Rufus, ihrem Wohltäter, als Geschenk gegeben …

Z. 1f. Rufus Zeipas ist mit dem in 4f. als εὐεργέτης bezeichneten Obermysten Rufus identisch. Das Monument ist „par une confrérie dionysiaque à son fondateur et bienfaiteur" gestiftet (Perdrizet: Cultes, S. 89).
Eine syntaktische Parallele bieten die Inschriften aus Beroia: οἱ συνήθεις οἱ περὶ Ποσιδώνιν τὸν ἀρχισυνάγωγον, doch ist es in diesem Fall ein ἀρχισυνάγωγος statt eines μυστάρχης (Λουκρητία Γουναροπούλου/Μ.Β. Χατζόπουλος: Επιγραφές Βεροίας, Athen 1998, Nr. 371 auf S. 335).
Z. 2 „Si les adeptes d'un culte mystique ont donné à Dionysos l'épithète de Βότρυς, c'est peut-être pour une raison théologique. … L'épithète Βότρυς n'est pas à prendre au sens propre seulement, mais encore au sens symbolique. Pour ses initiés, Dionysos-Botrys était le raisin mystique, par lequel ils devaient être sauvés …" (Perdrizet: Cultes, S. 90). Zu Dionysos Botrys vgl. den Herterschen Aufsatz, a.a.O., S. 104 und 109.

Z. 3 Für μυστάρχης zwei Belege bei LSJ, s. v. (Inschriften aus Kyzikos und Bithynien).

Zur Datierung bemerkt Perdrizet: „Cette épitaphe est d'époque tardive, comme le prouvent la forme des lettres, l'orthographe et l'épithète du dieu" (Perdrizet: Cultes, S. 89). Samsaris schlägt das 2./3. Jahrhundert n. Chr. vor (S. 284).

Von Ζίχνη bis Δραβήσκος

Zur Lage der einzelnen Orte vgl. o. Band I, Karte 2: Das Territorium der *Colonia Iulia Augusta Philippensis* (S. 50) mit der Legende S. 51 (die Nummern 28 bis 41).

536/G528 Griechisches Fragment

Καφταντζής, Nr. 555, S. 330.

Ζίχνη. Πάνω σε ακανόνιστες και απελέκητες γκρίζες πέτρες, μπηγμένες στη ΝΑ. πλευρά του α΄ λόφου προς Β. της Παλιάς Ζίχνης. Πρόκειται ίσως για αρχαίες χριστιανικές επιγραφές, που ο β΄ στίχος τους επιδέχεται πολλές αναγνώσεις (του θεού μνήσθητι, Διονήσι κ.α.).

  Ἡ δούλ<η>
  θ<εοῦ> Νήσι

  Die Sklavin Gottes ...

537/G527 Griechisches Fragment

Καφταντζής, Nr. 554, S. 329f.

Ζίχνη. Vgl. im einzelnen die vorige Inschrift 536/G528.

  Ὁ δοῦλος
  θεοῦ Νήσι

  Der Sklave Gottes ...

538/G529 Grabstein für Μάρκος
nicht vor II

Γεώργιος Χατζηκυριακού: Σκέψεις και εντυπώσεις εκ περιοδείας ανά την Μακεδονίαν (1905–1906), ΙΜΧΑ 58, Thessaloniki [2]1962 (1. Aufl. 1906); hier S. 87. *Καφταντζής,* Nr. 556, S. 330.

Georgi Mihailov: Inscriptions de la Thrace égéenne, Philologia (Sofia) 6 (1980), S.
3–19; hier S. 16, Nr. 48.
SEG XXX (1980) [1983] 610.
Samsaris, Nr. 124 (S. 283).

Νέα Ζίχνη. Marmorstück, in den Narthex in der Kirche ῾Αγ. Γεώργιος in
Νέα Ζίχνη eingemauert.

> Δούλης
> Μέστου.
> ἥρως, χαῖρε.
> Μάρκῳ Μέσ-
> 5 του.

4 Das Iota ist auf dem Stein adskribiert.

Dules, (der Sohn) des Mestos, (liegt hier begraben). Heros, sei
gegrüßt. Dem Markus, (dem Sohn) des Mestos.

Datierung von Mihailov (im SEG). Anders Samsaris (S. 283), der für das 1.
oder 2. Jahrhundert n. Chr. plädiert.

Grabinschrift für Διουλας und Angehörige   539/G530
132

Καφταντζής, Nr. 559, S. 331–332.
Georgi Mihailov: Inscriptions de la Thrace égéenne, Philologia (Sofia) 6 (1980), S.
3–19; hier S. 16, Nr. 49.
SEG XXX (1980) [1983] 597.
Samsaris, Nr. 122 (S. 282).

Νέα Ζίχνη. Gefunden im Norden von Νέα Ζίχνη in der Nähe der Straße von
Serres nach Drama.
Grabstele aus grauem Marmor. H. 1,82; B. 0,60; D. 0,14.
Απάνω έκτυπο τρίγωνο (ψευτοαέτωμα) μ' ένα τσαμπί σταφύλι στο κέντρο
του. Από κάτω σε σχήμα τρίγωνο, τρείς κακότεχνες μορφές, τριγυρισμένες
από τσαμπιά και κληματόφυλλα, δυό αντρικές στην α΄ σειρά με πέτασους και
γένεια υψ. 0,18 και μιά γυναικεία με μαντήλα υψ. 0,13. Τα γράμματα (με ένα
σύμπλεγμα C+T και το Η, χωρίς τη δεξ. κεραία του) υψ. 0,02–0,04.
Heute im Museum in Σέρρες. Inventarisierungsnummer Λ 53 oder 52.
Dia Nummer 226–230/1992.

> ῎Ετους δξρ΄ Σεβαστοῦ
> τοῦ καὶ πσ΄, μηνὶ Γ-
> ορπιαίου, νομηνίᾳ,

Διουλας Κλεω καί Κ-
5 λεω Διουλα καί Γετου-
λας Διουλα, εὔδαιμον
χαίριν ἀνέθηκαν μγ-
ήμιν αὐτό.

Im Jahr 164 des Augustus, welches auch das Jahr 280 (der makedonischen Ära ist), im Monat Gorpiaios, am Tag des Neumondes,
haben Dioulas, (der Sohn) der Kleo, und Kleo, (die Tochter) des
Dioulas, und Getoulas, (der Sohn) des Dioulas, dieses Grabmahl
zu gutem Gelingen (?) errichtet.

Z. 1f. Hier handelt es sich um eine doppelte Datierung, die nach der Ära
von Aktium und die nach der makedonischen Ära: δξρ´ steht für 164, d.h.
also 164 – 32 = 132 n. Chr. nach der zitierten Ära von Aktium. πσ´ steht
für 280, also 280 – 148 = 132 nach der makedonischen Ära.

Z. 2–3 Γορπιαῖος ist ein makedonischer Monatsname (der 11. Monat, vgl.
Kalléris II 1, S. 569f.), z.B. auch bei Josephus, Bell. II 17,8.
Νομηνία = νουμηνία Neumond, der erste Tag des Monats.

Z. 4 Διουλας fehlt bei Detschew. Der thrakische Name begegnet nach
einer falschen Lesart von Mihailov auch in einer Inschrift aus Gazoros (544/G
509, Z. 6).

Schwieriger ist Κλεω, welches zunächst im Genitiv, sodann – gleichlautend
– im Nominativ begegnet. „Κλεω, jusqu'à présent connu par deux inscrip-
tions de Podgora ... [unsere Nummern 596/G211 und 598/G214], au datif
Κλεουδι et Κλευδι, donc nom *Κλεους et *Κλευς, Dečev 248. Dans Διουλας
Κλεω, il faut expliquer le second nom comme métronyme au »génitif«, c'e-
à.-d. un nom féminin indéclinable. ... Le nominatif n'est pas *Κλεως (gén.
Κλεω), car la fille de Dioulas qui porte le nom de sa grand-mère s'appelle
Κλεω Διουλα; c'est elle que représente le buste féminin" (Mihailov, S. 16).

Z. 5 Γετουλας ist ein neuer thrakischer Name (fehlt bei Detschew; doch
vgl. das Lemma Γετας auf S. 105).

Z. 6–7 SEG erklärt nach Mihailov: „εὔδαιμον χαίριν = εὐδαιμονία, χαίρειν
= »adieu, bonheur«".

539a/G814   **Griechisches Fragment**
172

Καφταντζής, Nr. 737, S. 430.
Samsaris, Nr. 123 (S. 282f.).

Νέα Ζίχνη: Αγ. Γεωργίου.

Βρέθηκε κατά την κατεδάφισε του Αγ. Γεωργίου Ν. Ζίχνης τον Ιούνιο του
1967 και εντοιχίστηκε ξανά σαν αγωνάρι, ψηλά στον Α. και Ν. τοίχο της νέας
του εκκλησίας (Καφταντζής, S. 430).

Fragment aus Marmor mit folgenden Abmessungen: H. 0,35; B. 0,20; D. 0,20. Buchstabenhöhe 0,025. Der Stein weist oben ein Loch auf, „qui servait apparemment de la fixation d'un objet inconnu" (Samsaris, S. 282).

[. . .]ικο[ς . . .]
ΠΤΕΑΙ ἐγ[έ-]
νετο ἐπ[ὶ]
τέκνοις
5 Σινβρασ[ῳ]
καὶ Μάρ[κῳ]
ἔτους σδ´
Σεβα[στοῦ].

2 Die Abschrift bei Καφταντζής rechtfertigte auch folgende Lesungen: ETEAI oder HTEAI (Samsaris, S. 283). **7** Καφταντζής liest τδ´ statt σδ´.

. . . errichtet (oder: durchgeführt) zu Ehren (?) der Kinder Sinbrasos und Markus im Jahr 172 des Augustus.

Samsaris hält unsern Text für eine Grabinschrift (S. 282).

Z. 5 Σινβρασος ist ein neuer thrakischer Name (vgl. Samsaris, S. 338).

Z. 7 σδ´ entspricht 204, nach der Ära von Aktium ergibt sich 204 – 32 = 172 n. Chr. Καφταντζής rechnet irrtümlich mit der makedonischen Ära (obgleich auch er in Z. 8 Σεβα[στοῦ] liest!) und kommt mit der Lesart τδ´ (= 304) dann auf 156 n. Chr. (304 – 148 = 156).

Grabinschrift für Apolodoros

539b/G815
1. Jh. v. Chr.

Κατερίνα Ρωμιοπούλου, ΑΔ 34 (1979) Β´ 2 Χρονικά [1987], S. 276.
Miltiade Hatzopoulos, BÉ 1989, Nr. 470.
Samsaris, Nr. 120 (S. 281).
SEG XXXVIII (1988) [1991] 705 und 2038.

Αγ. Χριστόφορος. Der Ort fehlt auf meiner Karte 2 in Band I, S. 50–51. Er wäre etwas nördlich von Gazoros zwischen den Punkten 29 (Αναστασία) und 33 (Δαφνούδι) nachzutragen.

„Trouvée par un paysan aux environs du village actuel d'Haghios Christophoros et concrètement au lieu-dit »Lougaré«; transportée par le même paysan au musée archéologique de Thessalonique ou elle se trouve probablement aujourd'hui" (Samsaris, S. 281).

„Plaque funéraire de marbre inscrite portant la représentation d'un homme debout entre deux femmes assises" (Samsaris, S. 281).

Abmessungen: H. 0,54; B. 0,37; D. 0,14.

Ἀπολόδωρον Βείθυ-
ος Μάρκος ἐκ τῶν
ἰδίων *vacat* ἥρωα.

1f. Ρωμιοπούλου und SEG 705 hatten ursprünglich ΘΥ|ΟΣ. Diese Lesart ist durch Hat-
zopoulos, Samsaris und SEG 2038 überholt. **3** Ρωμιοπούλου, Samsaris und SEG 705
lesen lediglich ἰδίων. Das zusätzliche ἥρωα bei Hatzopoulos, nicht aber SEG 2038, wo es
heißt: „The provenance, date and text, as given in lemma no. 705, are all wrong" und auf
Samsaris verwiesen wird, der Text aber trotzdem nicht mit der Lesung aus BÉ übereinstimmt, auf die ebenfalls verwiesen ist.

Den Apolodoros, (den Sohn) des Beithys, den Heros, (hat) Markus auf eigene Kosten (hier abbilden lassen).

Z. 1 Die Orthographie Ἀπολόδωρος (statt Ἀπολλόδωρος) begegnet auch
sonst (in 543/G480, Z. 27 sogar in der Form Ἀπολόδορος). Βείθυς ist ein
sehr häufiger thrakischer Name.
Die Datierung auf das 1. Jh. v. Chr. stammt von Ρωμιοπούλου.

540/G224   **Inschrift dreier Thraker**
148 bzw. 264

Paul Perdrizet: Géta, roi des Édones, BCH 35 (1911), S. 108–119; hier S. 115f.
Marcus N. Tod: The Macedonian Era Reconsidered, in: Studies Presented to Da-
    vid Moore Robinson on His Seventieth Birthday, Bd. II, Saint Louis 1953, S.
    382–397; hier S. 389, Nr. 160a.
Samsaris, Nr. 121 (S. 281).

Αναστασία. Anastasacaza de Zikhna (= Ἀναστασία bei Νέα Ζίχνη?).
Perdrizet fand die Inschrift im Jahr 1899 „au village Anastasacaza de Zikhna,
autrefois pays des Odomantes. L'inscription, incomplète en bas, est gravée
sur un bloc de marbre blanc mal dégrossi qui se trouve près de l'église du
village, dans le cimetière" (S. 115).

Ἔτους ϛϙϛ´ Ὑπε[ρ-]
βερτέου Κοζείλα[ς]
Ζείπα λα´ ἐτῶ-
ν κὲ υειὸς καὶ
5 Ζείπας Κοζει[κ-]
ε[ν]θου [...]

Im Jahr 296, im Monat Hyperbertaios, (haben) Kozilas, (der
Sohn) des Zeipas, 31 Jahre alt, und sein Sohn und Zeipas, (der
Sohn) des Kozeikenthos ...

Z. 1 Ἔτους ϛϙσ´ = 296, d.h. 148 nach der makedonischen Ära bzw. 264 nach der Ära von Aktium.

Der makedonische Monatsname Ὑπερβερταῖος bzw. Ὑπερβερεταῖος (d.i. der erste Monat des makedonischen Kalenders, vgl. Kalléris II 1, S. 571) begegnet ebenfalls in der Inschrift 607/G691 aus Ποδοχώρι.

Z. 2 Zum Namen Κοζείλας (Detschew hat S. 249 nur unseren Beleg) vgl. 553/G570, die Grabinschrift des Κοζίλας Μέστου.

Z. 5f. „La restitution Κοζει[κ]έ[ν]θου est vraisemblable, mais non pas tout à fait certaine, car je n'ai pu décider si à la ligne 6, la deuxième lettre était un N ou un Λ" (Perdrizet, S. 116).

Griechisches Fragment

541/G531
150

Καφταντζής, Nr. 560, S. 332.

Θολός. Stein aus grauem Marmor.

Abmessungen: H. 0,55; B. 0,53; D. 0,05 mit rechteckiger Vertiefung (0,33x 0,23), darin die Inschrift. Gefunden im Frühjahr 1962 in einer Tiefe von 1m im Garten des Hauses von Περικλής Τζαμπαζάκης in Θολός.

Ich bekam keine Genehmigung, den Stein selbst zu studieren (Ὑπουργείο Πολιτισμού – Εφορεία προϊστορικών και κλασσικών αρχαιοτήτων Καβάλας, Aktenzeichen 2558, 20. August 1992). Daher kann ich nur den (unbefriedigenden) Text von Καφταντζής wiederholen.

Zur von Samsaris (S. 280) behaupteten Identität dieser Inschrift mit 551/ G484 vgl. die Bemerkung in der Beschreibung dort.

> [...]
> [...] Ζεις
> Γεσεως ις
> χαῖρε
> 5 [ἔτ]ου[ς] τ´
> [Αὐ]δην[αίου].

Z. 6 Αὐδηναῖος ist ein makedonischer Monatsname (der dritte Monat des makedonischen Kalenders, vgl. Kalléris II 1, S. 560ff.).
Von Καφταντζής aufgrund des τ in Z. 5 auf ca. 150 n. Chr. datiert.

Griechisches Fragment

542/G532

Καφταντζής, Nr. 561, S. 333.

Νέα Πέτρα. Marmorfragment, 1964 auf einem Acker von Νέα Πέτρα gefunden.

Ich bekam keine Genehmigung, den Stein selbst zu studieren (Υπουργείο Πολιτισμού – Εφορεία προϊστορικών και κλασσικών αρχαιοτήτων Καβάλας, Aktenzeichen 2558, 20. August 1992).

ΑΤΑΡΗΚΟ

543/G480   **Ein hellenistisches Ehrendekret aus Gazoros**
hellenistisch

Καφταντζής,   Nr. 547, S. 324–326.

Δημήτριος Κ. Σαμσάρης: Ιστορική γεωγραφία της Ανατολικής Μακεδονίας κατά την αρχαιότητα, Μακεδονική Βιβλιοθήκη 49, Thessaloniki 1976, S. 131 mit Anm. 2.

Georgi Mihailov: Inscriptions de la Thrace égéenne, Philologia (Sofia) 6 (1980), S. 3–19; hier S. 15f., Nr. 46.

SEG XXX (1980) [1983] 569 (überholt!).

SEG XXX (1980) [1983] 1892 (neuer Text).

Euth. I. Mastrokostas: The Edict of Gazoros Concerning the Hiring of Public Places *SEG* XXIV 1969, 205 no. 614 (*BCH* 86, 1962, 57–63), in: Ancient Macedonian Studies in Honor of Charles F. Edson, IMXA 158, Thessaloniki 1981, S. 255–257; hier S. 256f.

Fanoula Papazoglou: Le territoire de la colonie de Philippes, BCH 106 (1982), S. 89–106; hier S. 100f.

SEG XXXII (1982) [1985] 635.

Chrissoula Veligianni: Ein hellenistisches Ehrendekret aus Gazoros (Ostmakedonien), ZPE 51 (1983), S. 105–114 mit Tafel V.

Jeanne Robert und Louis Robert, BÉ 1984, Nr. 259.

Philippe Gauthier: Nouvelles récoltes et grain nouveau: à propos d'une inscription de Gazôros, BCH 111 (1987), S. 413–418.

SEG XXXIV (1984) [1987] 638.

Miltiade Hatzopoulos, BÉ 1988, Nr. 864.

SEG XXXVII (1987) [1990] 553.

N.G.L. Hammond in Hammond III 475 mit Anm. 7.

N.G.L. Hammond: The King and the Land in the Macedonian Kingdom, CQ 38 (1988), S. 382–391; hier S. 387.

Papazoglou, S. 383.

M.B. Hatzopoulos/L.D. Loukopoulou: Morrylos. Cité de la Crestonie, Μελετήματα 7, Athen 1989; hier S. 44 mit Anm. 1; S. 51 mit Anm. 5; S. 54 mit Anm. 4; S. 62f.

SEG XXXIX (1989) [1992] 592.

Miltiade B. Hatzopoulos: Décret pour un bienfaiteur de la cité de Philippes, BCH 117 (1993), S. 315–326; hier S. 325 mit Anm. 46.

Miltiades B. Hatzopoulos: Épigraphie et villages en Grèce du Nord: *Ethnos, polis et kome* en Macédoine, in: L'epigrafia del villagio, Epigrafia e antichità 12, Faenza 1993, S. 151–171; hier S. 164–166.

Band I, S. 137 mit Anm. 8; S. 178f.

Chrissoula Veligianni: Gazoros und sein Umland. Polis und Komai, Klio 77 (1995), S. 139–148.

M.B. Hatzopoulos: Macedonian Institutions under the Kings. Band II: Epigraphic Appendix, Μελετήματα 22, Athen 1996, Nr. 39 (S. 57f.) mit Abb. Pl. XXXVII; dazu Band I, S. 51–75.
Miltiade Hatzopoulos, BÉ 1996, Nr. 279.

Gazoros. Καφταντζής: Βρέθηκε το 1964 στους Δ. πρόποδες του λόφου Ά-γιος Αθανάσιος Γαζώρου (S. 326). Abmessungen: H. 0,73; B. 0,45–0,48; D. 0,12; H. der Buchstaben 0,015–0,023; Zeilenzwischenraum 0,01 (nach Καφταντζής, S. 325). „Two dowels 0.045x0.03 on the upper surface show that the stele is practically complete and that the beginning of the text was inscribed on another stele, now lost, placed atop of the surviving one" (Hatzopoulos, Epigraphic Appendix, S. 57).

Der Stein befindet sich heute (1992) im Museum in Serres (Inventarisierungsnummer Λ 77).

Dia Nummer 223.224/1992.

> [. . .] δραχμῶν ἐ[πὶ πο-]
> λὺ [ο]ὺ [δ]υναμένων εὑρεῖν ἐντα[ῦθα],
> ἐπηγγείλατο τοῖς πολίταις πωλήσ[ειν]
> ἕως ι΄ νεῶν σῖτον, τῶν μὲν πυρῶν τὸν μέ-
> 5 διμνον δραχμῶν δύ' ὀβολῶν τεσσάρων,
> τῶν δὲ κριθῶν μιᾶς ὀβολῶν τεσσάρων·
> ὃς καὶ ἐκεῖνό τε τὸ ἔτος ἐπεποιήκει τοῦ-
> το καὶ ἐν τῶι ἕκτωι ἔτει [ὁ]μ[ο]ίως οὐ διαλέλοι-
> πεν πωλῶν. ἐπεὶ οὖν ἀξίως τοῦ τε βα-
> 10 σιλέως καὶ τῶν πολιτῶν πρ[ο]ενοήσατο τῆ-
> ς χώρας τοῦ διασωθῆ[να]ι καὶ [δ]ύνασθαι τοὺς
> μένοντας ἐν οἴκωι τὰς λῃιτ[ο]υργίας συντ-
> ελεῖν καὶ τὰς συ[νκυρο]ύσας κώμας ἐζ-
> ήτησεν διασ[ῶ]ι[σ]αι κοινῆι καὶ καθ' ἰδίαν,
> 15 ἔδοξεν Γαζ[ωρίοις] κ[α]ὶ ταῖς συ[νκ]υρούσαις κώ-
> μαις τό τε ψήφ[ισμα πεμ]φθῆναι πρὸς τὸν βασι-
> λέα καὶ αἱ[ρεθῆναι πρέσβεις] τρεῖς [ο]ἵτινες πορεύ-
> σονται πρ[ὸς τὸν βασιλέα δια]λεγησόμενοι ὑπὲ-
> ρ τοῦ ψηφίσμ[ατος· στήσουσιν δ]ὲ οἱ αἱρεθέντες
> 20 στήλην λιθίν[ην ἐν - - - - - - -]ος [ἱε]ρῶ[ι] ἢ ἂν αἱρῆται Πλῆστ-
> ις καὶ ἀναγρά[ψου]σιν τὸ ψήφισμα· στεφα-
> νώσουσιν δὲ στεφάνωι θαλλίνωι, ἵνα καὶ οἱ λ-
> οιποὶ ὁρῶντες τὴν γεγενημένην εὐεργε-
> σίαν ὑπὸ τῶν πολιτῶν πρόνοιαν ἔχωσιν τοῦ
> 25 διασώιζειν τοὺς ἰδίους πολίτας. εἱρέθησαν
> [κα]ὶ ἐπεψηφίσθη· Κοζισιοτος Βαστικιλα, Διονύ-
> [σ]ιος Ἀπολοδόρου, Μαντ[ας]
> *vacat* Κερζουλα. *vacat*

1 Hatzopoulos, Epigraphic Appendix, liest nur δραχμῶν und meint, hinter diesem Wort hätten ca. 7 Buchstaben Platz. **2** Hatzopoulos, Epigraphic Appendix, liest am Anfang: [ο]λὺ [ο]ὺ δυναμένων *vacat*. **4** Statt des schwierigen ἕως ι΄ νεῶν will Gauthier ἕως νεῶν (*sc.* καρπῶν) lesen, d.h. „le citoyen a promis de vendre du grain »jusqu'aux nouvelles (récoltes)«". So auch Hatzopoulos, Epigraphic Appendix. **5** Hatzopoulos, Epigraphic Appendix, liest δύο (ὀ)βολῶν. **7** Robert (BÉ 1984) irrtümlich ἐπεποίηκεν. **8** Hatzopoulos, Epigraphic Appendix, liest ὁμοίως. **15** Hatzopoulos, Epigraphic Appendix, liest Γασ[ωρίοις]. **16** Hatzopoulos, Epigraphic Appendix: ψήφισμα π[εμ]φθῆναι. **17** Hatzopoulos, Epigraphic Appendix, liest αἱ[ρεθῆναι ἐκ τῶν πο]λιτῶν. **19** Hatzopoulos, Epigraphic Appendix, ergänzt statt στήσουσιν vielmehr ἀναθήσονται. **20** Nach dem ἐν fehlen ca. 7 Buchstaben. Nach Hatzopoulos/Loukopoulou ist [ἱε]ρῷ (ohne Iota adscriptum) zu lesen. Eine völlig neue Lesung schlägt Hatzopoulos jetzt in Epigraphic Appendix vor: στήλην Ἀρτ[έμιδι ἐν] Γασώρωι κτλ. **27** Robert (BÉ 1984) irrtümlich Ἀπολοδότου.

(Als man Getreide, für den Medimnos soundsoviel) Drachmen, für lange Zeit hier nicht finden konnte, versprach er den Bürgern, (ihnen) bis zu zehn Schiffsladungen Getreide zu verkaufen, Weizen zu zwei Drachmen vier Obolen, [6] Gerste zu einer (Drachme) vier Obolen pro Medimnos; er hat auch sowohl in jenem Jahr dies getan als auch im sechsten Jahr in ähnlicher Weise ohne Unterbrechung (Getreide) [9] verkauft. Da er nun in einer des Königs und seiner Mitbürger würdigen Weise dafür gesorgt hat, daß das Land gerettet wurde und die zu Hause Bleibenden die Liturgien zu erfüllen imstande waren, und weil er sich bemüht hat, die zugehörigen Dörfer sowohl allgemein als auch im einzelnen zu retten, [15] haben die Bürger von Gazoros und die zugehörigen Dörfer beschlossen, daß der Beschluß an den König geschickt und drei Gesandte gewählt werden sollen, die zum König reisen werden, um über [19] den Beschluß zu berichten; (außerdem) sollen die Gewählten eine Steinstele im Heiligtum von ... (an dem Platz) aufstellen, den Plestis auswählt, [21] und sie sollen den Beschluß darauf aufzeichnen; sie sollen (ihn) aber (auch) mit einem Lorbeerkranz bekränzen, damit auch die übrigen, wenn sie die von den Bürgern erwiesene Wohltat sehen, (dafür) Sorge tragen, ihre Mitbürger zu retten. Es wurden gewählt [26] und durch Beschluß wurde zugestimmt: Kozisiotos, (der Sohn) des Bastikilas, Dionysios, (der Sohn) des Apolodoros, Mantas, (der Sohn) des Kerzoulas. (Übersetzung nach Veligianni, S. 107.)

„Die Stadt Gazoros und die zugehörigen Dörfer haben beschlossen, eine dreiköpfige Gesandtschaft zu wählen, die dem [im Original versehentlich: den] König über die Verdienste des Geehrten berichten, und die ausserdem im Heiligtum einer unbekannten Gottheit an geeigneter Stelle eine Stele mit dem Beschluss sowie einen Lorbeerkranz errichten soll, um die Leser des Textes zu gleicher Sorge für die eigenen Bürger anzuspornen. Das Verdienst des Geehrten bestand darin, dass er in einer Notzeit Getreide zu festen Preisen zur Verfügung gestellt hat" (Veligianni, S. 108f.).

Unser Text zerfällt in drei Teile, nämlich die Begründung des Beschlusses, die die Vorgeschichte schildert (Z. 1–14), den Beschluß der Bürger von Gazoros und der zugehörigen Dörfer (Z. 15–25) und schließlich die Wahl der drei Männer, die den Beschluß ausführen sollen (Z. 25–28).

Z. 1 Leider ist der Anfang der Inschrift und damit auch der Name des Geehrten verloren. „In der Person des Geehrten ist mit Sicherheit ein königlicher Funktionär zu sehen, der zugleich Bürger von Gazoros ist." Dafür spricht u.a. die Tatsache, daß „seine Wohltat als Verdienst sowohl gegenüber dem König, als auch gegenüber der Stadt bezeichnet" wird (Veligianni, S. 109). Anders jedoch Jeanne Robert und Louis Robert (BÉ 1984, Nr. 259), die in dem Geehrten einen einfachen Bürger sehen möchten.

Z. 4 Gauthier problematisiert in seinem Beitrag den Vorschlag Veligiannis, ἕως ι´ νεῶν im Sinne von „bis zu zehn Schiffsladungen" zu lesen, v.a. mit dem Hinweis, daß ναῦς in diesem Sinn völlig ungebräuchlich sei (S. 415). Sein Vorschlag ἕως νέων (*sc.* καρπῶν) hat viel für sich. Dagegen spricht aber der Befund: „Die oberen und unteren Apices eines Iota sind auf dem Stein zu erkennen" (Veligianni, S. 107).

Z. 7f. Die Inschrift spricht von zwei verschiedenen Jahren, in Z. 7 von ἐκεῖνο τὸ ἔτος, in Z. 8 von dem sechsten Jahr. „Jenes Jahr" in Z. 7 verweist wohl auf eine am (weggebrochenen) Anfang des Dokuments gegebene Datierung. Das sechste Jahr in Z. 8 wird man auf die Regierungszeit des Z. 9f. genannten Königs beziehen.

Z. 9f. Zu der Formulierung ἀξίως τοῦ τε βασιλέως καὶ τῶν πολιτῶν vgl. die Folgerungen, die Veligianni daraus zieht (oben bei Z. 1), sowie meine Bemerkungen Band I, S. 136f.
Welcher König hier gemeint ist, wußte der antike Leser der Inschrift vermutlich aus dem (weggebrochenen) Anfangsteil der Inschrift. Veligianni plädiert für einen nichtmakedonischen König (S. 110f.); in Frage komme insbesondere Ptolemaios II. Philadelphos, dessen sechstes Regierungsjahr 277/76 angesetzt wird (S. 112). Damit wäre eine exakte Datierung dieses Textes gegeben. Dieser Vorschlag wird abgelehnt von Jeanne Robert und Louis Robert (BÉ 1984, S. 453) – einen besseren Vorschlag findet man in BÉ 1984 freilich nicht. Hatzopoulos reicht ihn 1996 nach: Es handelt sich seines Erachtens um das sechste Jahr „either of Philipp V (217/6, or, rather, 216/5) or of Perseus (175/4)" (Band I, S. 55).

Z. 15 Γάζωρος erscheint als Mitglied der Πενταπολεῖται in der Inschrift vom Neapolistor (349/G161; 1. Jahrzehnt des dritten Jahrhunderts n. Chr.). Ob diese Pentapolis aus dem 3. Jahrhundert *nach* Christus mit den hier erwähnten Komen aus hellenistischer Zeit etwas zu tun hat, wird noch immer kontrovers diskutiert. Hatzopoulos hält die Pentapolis trotz ihrer späten Bezeugung schon für ein hellenistisches Phänomen, Veligianni nimmt eine Entwicklung von den Komen der hellenistischen Zeit zu dem Städtebund der Kaiserzeit an.

Die Formel weist darauf hin, daß Gazoros „nach dem Muster griechischer Städte organisiert" war und daß „die zum Stadtgebiet von Gazoros (Chora) gehörigen Komen am Entscheidungsprozess teilnehmen" (Veligianni, S. 112). Zur „Organisationsform von Gazoros und seines Umlandes" und ihrer „Bedeutung für die Siedlungs- und Organisationsstrukturen der griechischen Antike überhaupt" vgl. Veligiannis Aufsatz von 1995 (Zitat S. 139). Für die Interpretation unserer Inschrift ist folgende Bemerkung von Interesse: „In der Sanktionsformel Z. 15/16 wird eindeutig zwischen den Gazoriern und den umliegenden Komen unterschieden. Die Gazorier werden als Personen, die Komen dagegen als Siedlungsform dargestellt. Darüber hinaus bezeichnet das Ethnikon die Einwohner der Stadt, die zu einer Versammlung zusammentraten, also die Bürger, von denen wiederum die Komen, also ihre Bewohner, unterschieden werden. Das kann nur bedeuten, daß die Bewohner der Komen nicht zur Bürgerschaft von Gazoros gehörten. Mehr noch, aus der Tatsache, daß die Komen als Siedlungsform dargestellt werden, läßt sich erschließen, daß ihre Bewohner keine Politai waren, sondern eher einen anderen, eben untergeordneten Status hatten" (S. 142).

Für ein volles Bürgerrecht der Bewohner der Komen schon in hellenistischer Zeit plädiert Hatzopoulos gegen Veligianni in Band I (1996), S. 74f.

Z. 17 Hatzopoulos (Band I, S. 54) legt Wert auf die Feststellung, daß das Wort πρέσβεις „never figures in a Macedonic epigraphic text". Er zieht daher eine andere Ergänzung der Lücke vor (vgl. den Apparat zu Z. 17).

Z. 20 Wäre die Lesung bei Hatzopoulos, Epigraphic Appendix, S. 58 (vgl. dazu oben den Apparat zur Stelle), korrekt, so wäre hier von einer Stele die Rede, die für Artemis (Ἀρτέμιδι) in Gazoros aufzustellen wäre. Leider erreichte mich das Buch von Hatzopoulos viel zu spät, als daß ich seine neuen Lesungen noch einmal an dem Stein (den ich 1992 in Augenschein nehmen und photographieren konnte) selbst hätte überprüfen können. Ich habe daher diese wie auch die andern neuen Lesungen von Hatzopoulos in den Apparat verwiesen.

Z. 20f. Ist in dem Πλῆστις der Name des in dieser Inschrift Geehrten erhalten? (Vgl. Jeanne Robert und Louis Robert, BÉ 1984, S. 453.) Hatzopoulos hält dies für gesichert, da er unseren Text einfach mit „Decree of Gazoros for Plestis" überschreibt (Epigraphic Appendix, S. 57).

Der Name Πλῆστις ist bislang noch nicht belegt (zum Vergleichsmaterial vgl. Veligianni, S. 108).

Z. 26–28 Die abschließende Liste der Gewählten bietet eine Mischung griechischer (Διονύσιος und Ἀπολλόδορος) und thrakischer Namen (Κοζισιοτος, Βαστικιλας, Μαντας und Κερζουλας).

Z. 26 Die beiden thrakischen Namen Κοζισιοτος und Βαστικιλας sind neu (doch vgl. zu Κοζει- bzw. Κοζι- Detschew, S. 249 und zu Βαστικιλας das Lemma Βασταχιλας bei Detschew, S. 45).

Z. 27 Μαντα(ς) ist sowohl innerhalb als auch außerhalb des Territoriums von Philippi häufig bezeugt (vgl. Detschew, S. 286f.).

Z. 28 Κερζουλα(ς) begegnet in der lateinischen Form Cerzula auch in
524/L103 (Z. 5; vgl. Detschew, S. 241).
Bezüglich der Datierung schlagen Hatzopoulos/Loukopoulou die Regierungszeit des Philipp V. bzw. des Perseus vor. Dagegen wendet sich Veligianni in
ihrem Aufsatz von 1995: „Das Dekret gehört der Schrift nach am wahr-
scheinlichsten noch in das 3. Jh. v. Chr.; es sollte also nicht später datiert
werden" (S. 139).
Dagegen argumentiert Hatzopoulos 1996 ausführlich (Band I, S. 52–54);
seines Erachtens kommen weiterhin nur Philipp V. oder Perseus in Frage
(a.a.O., S. 55).

Beschluß des Rates von Γάζωρος

544/G509
158

K. Τρυφερούλης, in: Καθημερινή vom 7.12.1961.
Claude Vatin: Une inscription inédite de Macédoine, BCH 86 (1962), S. 57–63.
F. Papazoglou: Notes d'épigraphie et de topographie macédoniennes, BCH 87
    (1963), S. 517–544; hier S. 531–535.
H.W. Pleket: Epigraphica. Vol. 1: Texts on the Economic History of the Greek
    World, TMUA 31, Leiden 1964, Nr. 49 (S. 70f.).
K. Rhomiopoulou, ΑΔ 19 (1964) Β´, S. 378.
Jeanne Robert und Louis Robert, BÉ 1965, Nr. 239.
Καφταντζής, Nr. 546, S. 320–324.
SEG XXIV (1969) 614.
Nouveau choix d'inscriptions grecques. Textes, traductions, commentaires, Paris
    1971, Nr. 28, S. 152–155.
Georgi Mihailov: Inscriptions de la Thrace égéenne, Philologia (Sofia) 6 (1980), S.
    3–19; hier S. 15, Nr. 45.
SEG XXX (1980) [1983] 570 und 589.
Euth. I. Mastrokostas: The Edict of Gazoros Concerning the Hiring of Public Pla-
    ces *SEG* XXIV 1969, 205 no. 614 (*BCH* 86, 1962, 57–63), in: Ancient Macedo-
    nian Studies in Honor of Charles F. Edson, IMXA 158, Thessaloniki 1981, S.
    255–257 (mit Photo auf S. 379).
SEG XXXI (1981) [1984] 631.
Wassilios Lambrinudakis/Michael Wörrle: Ein hellenistisches Reformgesetz über
    das öffentliche Urkundenwesen von Paros (mit Taf. 5–13), Chiron 13 (1983), S.
    283–368; hier S. 338f.
Helmut Freis: Historische Inschriften zur römischen Kaiserzeit von Augustus bis
    Konstantin, Texte zur Forschung 49, Darmstadt 1984, Nr. 116 (S. 203).
Jeanne Robert und Louis Robert, BÉ 1984, Nr. 258.
Papazoglou, S. 383.
Samsaris, Nr. 111 (S. 275–277).
Miltiades B. Hatzopoulos: Épigraphie et villages en Grèce du Nord: Ethnos, polis
    et kome en Macédoine, in: L'epigrafia del villagio, Epigrafia e antichità 12,
    Faenza 1993, S. 151–171; hier S. 166–169.
Band I, S. 80 mit Anm. 10.

M.B. Hatzopoulos: Macedonian Institutions under the Kings. Band I: A Historical and Epigraphic Study, Μελετήματα 22, Athen 1996, S. 58–75; S. 84; S. 143, Anm. 4.

F. Quass: Zum Problem der Kultivierung brachliegenden Gemeindelandes kaiserzeitlicher Städte Griechenlands, Τεκμήρια Β´ (1996), S. 82–119; hier S. 90ff.

Gazoros. Früher im Museum von Kavala, Inventarisierungsnummer Λ 451. Μετεφέρθη εις Καβάλαν η . . . λίαν ενδιαφέρουσα ενεπίγραφος στήλη, η ανευρεθείσα προ ετών εις τον λόφον του Αγίου Αθανασίου 3 χλμ. ανατολικώς του σημερινού χωρίου Γάζωρος. Εις την περιοχήν του λόφου τούτου ευρίσκονται λείψανα τειχών και θραύσματα κεράμων, ως και όστρακα ελληνιστικής και ρωμαϊκής εποχής. Είναι δε βέβαιον, ότι εις την τοποθεσίαν ταύτην ευρίσκετο η αρχαία Γάζωρος (Κ. Ρωμιοπούλου, ΑΔ 19 (1964) Β´3 Χρονικά [1967], S. 378). Abmessungen: H. 2,00; B. 0,35; D. 0,15; Höhe der Buchstaben 0,03; „gravuré soigné" (Vatin).

> *vacat* Ἀγαθῇ τύχῃ.   *vacat*
> παρὰ Σύρου τοῦ Εὐάλκου, Κοζειμάσου [τοῦ]
> Πολυχάρμου, Δουλέους τοῦ Βείθυος, τῶ[ν]
> κληρωθέντων προέδρων, τῇ ι´ τοῦ Ἀρ-
> 5 [τ]εμεισίου μηνὸς τοῦ qρ´ Σεβαστοῦ
> τοῦ καὶ ϛτ´ ἔτους, Ἀϊούλᾳ Ἡροῦνος
> τῷ ἐν Γαζώρῳ μνήμονι. δόγμα τὸ κυρωθὲν ὑ-
> πό τε τῆς βουλῆς καὶ τοῦ δήμου ἀπεστάλκαμεν
> πρὸς σὲ καθάπερ ὁ νόμος συντάσσει. εἰσηγη-
> 10 σαμένου Ἀλκίμου τοῦ Ταράλα καὶ εἰπόντος δεῖ-
> σθαι τοὺς δημοσίους τόπους ἐνφυτεύσεως
> ἀμπέλων τε καὶ δενδρέων καρποφόρων καὶ ὀ-
> πωρῶν εἶναί τε τοὺς βουλομένους θέλειν ἐ[πι-]
> μελεῖσθαι καὶ ἐπικαρπίαν τινὰ λαμβάνειν ἐ-
> 15 ξ αὐτῶν, τοῖς βουλευταῖς βουλευσαμένοις ἔ-
> δοξεν εὔλογος εἶναι ἡ εἰσήγησις αὐτοῦ [καὶ]
> ἐδοκίμασαν τοὺς ἐνφυτεύσαντας κα[ὶ ἐπι-]
> [μ]ελομένους ἔχειν ἐπικαρπίαν ἀμπ[έλων]
> [μὲν] ἐξ ἡμισείας, χωροῦντος το[ῦ ἡμι-]
> 20 σέου μέρους εἰς τὸ δημόσιον, τῆς δ᾽ ἐ[λαί-]
> ας τὰ δύω μέρη, [σ]υκέ[ων δ]ὲ καὶ τῶν λο[ι-]
> πῶν ὀπωρῶν καὶ στεμφύλων ἔ[χειν τὴν]
> ἐπικαρπίαν τὸν ἐπιμελούμενον μη-
> δενὸς ἐξ αὐτῶν χωροῦντος εἰς τὸ δημό-
> 25 σιον. καὶ περὶ τούτου ψήφου διενεχθεί-
> σης ἐγένοντο πᾶσαι λευκαί· ἐπεχειροτό-
> νησεν ὁ δῆμος.

Eine ausgezeichnete Photographie des Steins bietet Mastrokostas. Alle textkritischen Probleme lassen sich anhand dieser Photographie eindeutig lösen. **2** Die älteren Herausgeber lesen irrtümlich Κοζειμάζου (richtig u.a. Mihailov und Hatzopoulos: Κοζειμάσου). **3** Vatin: Βειθύος. **6** Auf dem Stein eindeutig ΑΙΟΥΛΑ (richtig Vatin, S. 58, Anm. 4). Falsch Καφταντζής u.a.: Διούλα. Absurd Mihailov, S. 15: „Διουλας, la lecture est sûre" (auf dem ihm zur Verfügung stehenden Photo bei Καφταντζής ist das überhaupt nicht zu erkennen!). **17f.** Vatin, Καφταντζής: κα[ὶ τοὺς | βουλομ]ένους. Der Blick auf die Photographie zeigt, daß diese Lesart falsch ist. **18** Bisher las man: ἀ[μπέλων]. Die Photographie bei Mastrokostas erlaubt die Lesung ἀμπ[έλων]. **19** Bisher las man: [μὲν ἐξ]. Die Photographie bei Mastrokostas erlaubt die Lesung [μὲν] ἐξ. Vor dem ἐξ ist allerdings Platz für wesentlich mehr als drei Buchstaben! **21** Das καὶ statt bisher [κ]αὶ nach der genannten Photographie.

Zum guten Gelingen. (Folgendes Schreiben wurde) von Syros, (dem Sohn) des Eualkes, Kozeimasos, (dem Sohn) des Polycharmos, und Dules, (dem Sohn) des Bithys, den [4] durch das Los bestimmten Vorsitzenden, am 10. Tage des Monats Artemisios, im 190. Jahr des Augustus, dem 306. Jahr (der makedonischen Ära), dem Aiulas, (dem Sohn) des Herous, dem Mnemon in Gazoros, (zugestellt): Den Beschluß, der in Kraft gesetzt wurde [8] von Rat und Volk, haben wir an dich abgesandt, wie es das Gesetz befiehlt. Auf den Antrag und die Ausführungen von Alkimos, (dem Sohn) des Taralas, daß die öffentlichen Grundstücke mit [12] Weinstöcken und fruchtbaren Obstbäumem bepflanzt werden müßten, daß es ferner Leute gäbe mit der Absicht, diese zu bewirtschaften und einen Teil der Ernte davon zu erhalten, erschien nach einer Beratung der Ratsherren [16] sein Antrag als wohlbegründet, (und) sie gaben ihre Zustimmung, daß die Leute, die den Anbau und die Pflege vorgenommen hätten, einen Teil der Ernte erhalten sollten; von Weinreben die Hälfte, wobei die andere Hälfte [20] in die öffentliche Kasse gehe, von Oliven zwei Drittel; von Feigen, dem übrigen Obst und den ausgepreßten Oliven solle der Bebauer den vollen Ertrag erhalten, ohne daß [24] davon etwas an die öffentliche Kasse gehe. Als über diesen Antrag abgestimmt wurde, waren alle Stimmtäfelchen zustimmend. Das Volk stimmte durch Handheben ab. (Übersetzung nach Helmut Freis.)

Es handelt sich hier um ein Dekret der Stadt Gazoros (anders Wörrle, S. 339), welches von der Volksversammlung beschlossen und auf den 10. Artemisios des Jahres 158 n. Chr. datiert ist. Bemerkenswert ist der Ablauf, den der Text schildert: „Les institutions grecques fonctionnent au IIe s. ap. J.-C. comme dans les cités de l'époque classique" (Nouveau choix d'inscriptions grecques, S. 154).
Diesem Urteil stimmt *mutatis mutandis* auch Hatzopoulos zu, demzufolge jedoch nicht die Stadt Gazoros Subjekt unsres Dekrets ist, sondern die

aus 349/G161 bekannte Pentapolis (S. 143, Anm. 6). Ihre Repräsentanten sind Hatzopoulos zufolge die in Z. 4 erwähnten, durch das Los bestimmten Vorsitzenden, deren Namen in Z. 2f. aufgezählt sind. Sie stehen in Kontinuität zu den in 543/G480 gewählten Bürgern: „The obvious explanation is that, in the Hellenistic period, as in Roman times, there were no permanent magistrates of the enlarged political unit formed by the Γαζώριοι καὶ αἱ συγκυροῦσαι κῶμαι", die in römischer Zeit Πενταπολεῖται heißen (349/G161, Z. 17; das Zitat bei Hatzopoulos, S. 69).

Mag man es noch für angemessen halten, eine am Anfang des 3. Jahrhunderts bezeugte Pentapolis (349/G161) für unsere Inschrift, die zwei Generationen früher datiert ist, vorauszusetzen, so ist es in die hellenistische Zeit doch ein weiter Weg (543/G480 gehört *mindestens* ins 2. Jahrhundert *vor* Christus!). Die vorliegende Inschrift kann man in jedem Fall ohne die zusätzliche Annahme einer Pentapolis angemessen interpretieren.

Z. 2f. Die Liste der durch das Los bestimmten Vorsitzenden bietet eine Mischung aus griechischen (Εὔαλκος, Πολύχαρμος) und thrakischen (Συρος, Κοζειμασος, Δουλης und Βειθυς) Namen. Zu Συρος vgl. Detschew, S. 471, s.v. Σουρα κτλ. Κοζειμασος ist offenbar neu (fehlt bei Detschew, S. 249). Δουλης und Βειθυς sind häufig bezeugt.

Z. 4 Freis übersetzt das κληρωθέντων προέδρων mit „gewählten Vorsitzenden"; genauer ist die oben vorgeschlagene Übersetzung „durch das Los bestimmten Vorsitzenden", vgl. Hatzopoulos, Band I, S. 69.

Z. 4f. Ἀρτεμείσιος = Ἀρτεμίσιος ist ein makedonischer Monatsname (der siebte Monat des makedonischen Kalenders, vgl. Kalléris II 1, S. 566).

Z. 6f. Der Name Αιουλας fehlt bei Detschew. Unser Αιουλας ist μνήμων in Gazoros. „Ce magistrat (cf. J. Pouilloux, *Recherches sur l'histoire et les cultes de Thasos*, I, p. 402–403) est le représentant de l'autorité centrale dans l'une des localités de la Pentapole. Il est chargé de faire connaître, là où il se trouve, les décisions qui ont été prises" (Nouveau choix d'inscriptions grecques, S. 154). Zur Funktion der μνήμονες vgl. weiter Erich Berneker: Art. Mnemones, KP 3, Sp. 1370, Z. 33–58 sowie Hatzopoulos, S. 58 mit Anm. 6. Ein μνήμων begegnet auch in einem hellenistischen Dekret aus Morrylos, das M.B. Hatzopoulos und L.D. Loukopoulou publiziert haben (Morrylos. Cité de la Crestonie, Μελετήματα 7, Athen 1989, S. 17–40; hier S. 36ff.).

Die in Z. 4 durch das Los bestimmten Vorsitzenden (die „*ad hoc* presidents", wie Hatzopoulos S. 69 formuliert) sind im Gegensatz zum Mnemon nicht „regular city (or »federal«) magistrates" (ebd.). „The obvious reason is that the sympolity, although it held common meetings …, did not have a permanent board of executive magistrates" (ebd.). Hatzopoulos nimmt an, daß wir es hier mit dem Dekret der Pentapolis zu tun haben (S. 143, Anm. 4). Dann hätte man in den durch das Los bestimmten Vorsitzenden Repräsentanten der Pentapolis zu sehen, denen der »beamtete« Mnemon in Gazoros gegenübersteht.

Z. 7 Hier wird der Name der Stadt – Γάζωρος – genannt. Obwohl die Form des Namens nicht eigentlich zweifelhaft sein kann, schreibt Freis in Überschrift wie Übersetzung „Gazora".

Z. 10 Auch hier haben wir eine Mischung griechischer und thrakischer Namen: Der Sohn Ἄλκιμος trägt einen griechischen, der Vater Ταραλας einen thrakischen Namen. Ταραλας ist offenbar ein neuer Name (fehlt bei Detschew, S. 489–492). Vatin schließt aus diesem Befund: „il ne s'agit donc pas d'une hellénisation récente et superficielle, mais d'une fusion déjà ancienne d'éléments ethniques divers" (S. 61). Bemerkenswert ist auch das Fehlen jedweden römischen Namens – Namen und Institutionen sind rein griechisch.

Z. 11ff. Zum brachliegenden Gemeindeland und den historischen Hintergründen vgl. die Studie von Quass.

Z. 25ff. Das Abstimmungsverfahren sieht die Abgabe von weißen oder schwarzen Stimmtäfelchen vor. „Le vote des conseillers intervient d'abord, à l'aide de jetons blancs ou noirs; »tous les jetons furent blancs« signifie que les votes furent unanimement favorables à la proposition. Ensuite le vote de l'assemblée du peuple se fait à mains levées" (Nouveau choix d'inscriptions grecques, S. 154).

Weihinschrift für Pan

545/G510

II

Καφταντζής, Nr. 550, S. 327–328 (Photo).
Georgi Mihailov: Inscriptions de la Thrace égéenne, Philologia (Sofia) 6 (1980), S. 3–19; hier S. 16, Nr. 47.
SEG XXX (1980) [1983] 571.
Samsaris, Nr. 112 (S. 277).

Γάζωρος. Gefunden 1965 an den westlichen Ausläufern des Hügels Ἁγ. Αθανάσιος Γαζώρου. Die Inschrift befand sich (1967) im Κοινοτικό Κατάστημα. Später im Museum in Kavala (Samsaris, S. 277).
Weihinschrift mit Fragment eines Reliefs; Marmor.
Abmessungen: H. 0,30; B. 0,40; D. 0,20. Höhe der Buchstaben 0,028; Zeilenabstand 0,02–0,03. Auf dem Relief sind die Bocksfüße des Gottes Pan zu erkennen.
Heute im Museum in Σέρρες. Inventarisierungsnummer Λ 73.
Dia Nummer 210/1992.

> Θευδᾶς, Κουζιλα[ς, ...]
> ρις εὐξάμενοι ἀνέθ[εν-]
> το τὸν Πᾶνα.

1f. *Καφταντζής:* Θευδᾶς, Κουζίλμο|ρις.

Theudas, Kuzilas und … ris haben gemäß ihrem Gelübde den Pan aufgestellt.

Z. 1 Detschew kennt Κοζειλας (S. 249 – mit nur einem Beleg, unserer Inschrift 540/G224) und Κουτίλας (S. 265), aber nicht Κουζιλας.

546/G525   **Griechisches Fragment**

Καφταντζής, Nr. 552, S. 328f.
Samsaris, Nr. 117 (S. 279).

Γάζωρος. Gefunden im November 1962 am westlichen Hang des zu 545/G 510 beschriebenen Hügels. 1967 ebenfalls in der öffentlichen Bibliothek in Serres.
Fragment aus weißem Marmor. Abmessungen: H. 0,135; B. 0,10; D. 0,025. Die Buchstaben der ersten und dritten Zeile sind 0,006 hoch, die der anderen Zeilen 0,01–0,014. Zeilenabstand 0,01–0,025.

> [… Φίλιπ]πος […]
> [… Φι]λιππο[…]
> […]ιχ[…]
> […] ἱερὸν […]
> […]αι[…]

547/G524   **Griechischer Grabstein**
II/III

Καφταντζής, Nr. 551, S. 328.
Samsaris, Nr. 116 (S. 278f.).

Γάζωρος. Gefunden 1965 auf dem östlichen Nachbarhügel des bei 545/G510 beschriebenen Fundortes. Die Inschrift befand sich 1967 in der öffentlichen Bibliothek in Serres, wohin sie von Καφταντζής gebracht wurde.
Fragment einer Tonplatte. Abmessungen: H. 0,10; B. 0,17; D. 0,035; Höhe der Buchstaben 0,03–0,02.

> Ἐγώ
> εἰμι
> ἥρω[ς].

Samsaris liest ἐγὼ εἰμὶ ἥρως.

Ich bin ein Heros.

Samsaris schlägt als Datierung II/III vor.

Grabinschrift des Ἄλκιμος (5 v. Chr.)   548/G521
Grabinschrift des Πρωτέας (1 n. Chr.)

K. Ρωμιοπούλου, ΑΔ 19 (1964) Β΄3 Χρονικά [1967], S. 379.
Καφταντζής, Nr. 548 und 549, S. 327.
Δημήτριος Ι. Λαζαρίδης: Νεάπολις, Χριστούπολις, Καβάλα. Οδηγός Μουσείου Καβάλας, Athen 1969, S. 92, A 1092.
SEG XXIV (1969) 615.
Samsaris, Nr. 113 (S. 277f.).

Γάζωρος. Nach Καφταντζής handelt es sich bei A (das ist bei ihm Nr. 548) und B (das ist bei ihm Nr. 549) um zwei Inschriften auf zwei verschiedenen Grabplatten, die im November 1963 nordöstlich von Γάζωρος auf dem ersten flachen Hügel vor Ἁγ. Αθανάσιος gefunden worden sind. Καφταντζής fährt fort: Δυστυχώς δεν τις προφτάσαμε, γιατι πάρθηκαν αμέσως στο Μουσείο Καβάλας, όπου σαν τις άλλες έγιναν κι αυτές »Κύριος οίδε« για πόσο χρόνο απροσπέλαστες.
Nach Λαζαρίδης befinden sich A und B auf ein und demselben Stein; er beschreibt ihn so: Επιτύμβια στήλη με εγχάρακτη αετωματική επίστεψη. Κάτω από το αέτωμα εγχάρακτο στεφάνι με φύλλα ελιάς και σε δέλτο η επιγραφή [sc. A] ... Πιό κάτω ένα δεύτερο στεφάνι και μιά δεύτερη δέλτος με την επιγραφή [sc. B] ... Οι δυό επιγραφές, που ανήκουν σε πατέρα και γιό, είναι χρονολογημένες με το μακεδονικό ημερολόγιο το έτος 2 και 1 π.Χ. Ὕψ. στήλης 2.06 μ. Βρέθηκε στη Γάζωρο.

A
Ἔτους γμρʹ Δείου.
Ἄλκιμος Πρωτέου.
ἥρως, χαῖρε. χαῖρε καὶ σὺ
τίς ποτε εἶ.

1 Ρωμιοπούλου, Λαζαρίδης: ιμρʹ.   2 Καφταντζής: Προτέου.   4 Καφταντζής: τ[ίς] ποτὲ εἶ.

Im Jahre 143, im Monat Dios. Alkimos, (der Sohn) des Proteas.
Heros, sei gegrüßt. Sei auch du gegrüßt, wer auch immer du sein mögest.

Wie Λαζαρίδης auf 2 vor Chr. kommt (vgl. oben das Zitat), verstehe ich nicht. Selbst wenn man mit ihm ιμρʹ läse, erhielte man doch 10 + 40 + 100 = 150, also nach makedonischer Ära 2 *nach* Chr. Liest man dagegen mit Καφταντζής γμρʹ, so erhält man 143 – 148, also 5 v. Chr.
Samsaris möchte die Ära von Aktium zugrunde legen und errechnet 111/2 n. Chr. (S. 278).

Der Δεῖος [= Δῖος] ist der erste Monat des makedonischen Jahres (vgl.
Kalléris II 1, S. 557), der z.B. auch Josephus, Bell. II 19,9 und öfter vorkommt.

B

Ἔτους θμρ´
Ἀπελλαίου σ´.
Πρωτέας Ἀλκίμου,
χαῖρε.

Nach Ρωμιοπούλου und Λαζαρίδης sind es zwei bzw. drei Zeilen:

Ἔτους θμρ´ Ἀπελλαίου.
Πρωτέας Ἀλκίμου, χαῖρε.

Ρωμιοπούλου begint mit χαῖρε die Z. 3.

Im Jahr 149, im Monat Apellaios. Proteas, (der Sohn) des Alkimos, sei gegrüßt!

θμρ´ ergibt 149, nach der makedonischen Ära also 1 *nach* Chr. (wie Λα-
ζαρίδης auf 1 vor Chr. kommt – vgl. oben das Zitat –, verstehe ich nicht).
Samsaris möchte die Ära von Aktium zugrundelegen und errechnet 117/8 n.
Chr.
Ἀπελλαῖος ist ein Monatsname in zahlreichen dorischen Staaten, zweiter Mo-
nat des makedonischen Kalenders (vgl. Kalléris II 1, S. 558f.). Das σ´, das
Καφταντζής hinter dem Monatsnamen liest, ist ziemlich sinnlos, denn kein
Monat hat σ = 200 Tage!

549/G522   **Grabinschrift des Πρωτέας**

Κ. Ρωμιοπούλου, ΑΔ 19 (1964) Β´3 Χρονικά [1967], S. 379.
Δημήτριος Ι. Λαζαρίδης: Νεάπολις, Χριστούπολις, Καβάλα. Οδηγός Μουσείου Κα-
βάλας, Athen 1969, S. 86 (Λ 539).
SEG XXIV (1969) 616.
Samsaris, Nr. 114 (S. 278).

Γάζωρος. Το πάνω τμήμα επιτύμβιας στήλης με εγχάρακτο αέτωμα. Κάτω
από το αέτωμα εγχάρακτο στεφάνι και η επιγραφή ... Ύψ. 0,77μ. [Ρωμιο-
πούλου gibt Η. 0,46]. Βρέθηκε στη Γάζωρο, στον ίδιο τάφο με την προη-
γούμενη στήλη [d.i. 548/G521].

Πρωτέας
Λυσιμάχου.
ἥρως, (χαῖ)ρε.

3 Ρωμιοπούλου· χαῖρε.

Proteas, (der Sohn) des Lysimachos. Heros, sei gegrüßt.

Λαζαρίδης sagt nichts zur Datierung der Inschrift.

Grabstein eines Κλαύδιος   550/G526

Καφταντζής, Nr. 553, S. 329.
Samsaris, Nr. 115 (S. 278).

Γάζωρος. Gefunden im Herbst 1962 an den westlichen Ausläufern des ᾽Αγ.
Αθανάσιος Γαζώρου.
Tonplatte. H. 1,00; B. 0,60; D. 0,03.

Κλαύδιος, υἱὸς [Γαΐου].
vacat ἥρως, *vacat*
vacat χαῖρε. *vacat*

1 Γαΐου ist ein (mit Fragezeichen versehener) Vorschlag von Καφταντζής.

Claudius, der Sohn des Gaius. Heros, sei gegrüßt!

Grabinschrift des Ἀρσένιος   551/G484
                                    II

Jacques Roger: Inscriptions de la région du Strymon, RA 24 (1945), S. 37–55; hier
    S. 44f. mit Abb. 5.
Jeanne Robert, Louis Robert, BÉ 1946–1947, Nr. 140.
Marcus N. Tod: The Macedonian Era Reconsidered, in: Studies Presented to Da-
    vid Moore Robinson on His Seventieth Birthday, Bd. II, Saint Louis 1953, S.
    382–397; hier S. 390, Nr. 186.
Samsaris, Nr. 119 (S. 280f.).

Τούμπα. „A quelques kilomètres vers le Sud-Est, au Sud de la voie ferrée
Serrès-Drama, dans le village de *Toumba* (῞Αγιος Ἀθανάσιος), l'église (Μον-
αστηράκι), un peu à l'écart de l'agglomération, conserve également quelques
restes antiques. A la porte d'entrée, sous le porche, une pierre inscrite a été
insérée dans le dallage, à côté de blocs plus ou moins régulièrement taillés:
Stèle de marbre gris, aux bords irrégulièrement brisés; l'inscription est gravée
dans un rectangle soigneusement poli, à l'exclusion du reste de la surface, et
encadrée étroitement d'un simple trait. Au-dessus de celui-ci est dessiné un
cercle dans lequel on discerne encore, malgré l'usure de la pierre, un motif

à feuilles de lierre. Gravure assez fine, très régulière. La partie droite, très
usée, n'est plus lisible" (S. 44f.).
Die Inschrift fehlt bei Καφταντζής. Ob noch vorhanden? Samsaris meint,
diese Inschrift sei mit Καφταντζής Nr. 560 (= unsere Nummer 541/G531)
identisch. Leider gibt Roger keinerlei Maße an (auf diesem Weg wäre der
Vorschlag von Samsaris am leichtesten zu überprüfen!). Vom Text her halte
ich diese These nicht für plausibel; insbesondere ist die Anordnung auf dem
Stein völlig anders: In 541/G531 steht ἔτους τ´ in Z. 5, hier dagegen steht
ἔτους π´ in Z. 1. Ich halte daher daran fest, daß es sich um zwei verschiedene
Texte handelt.

> Ἔτους π[. . . ´ μ-]
> ηνὸς Αἰδυ[ναί-]
> ου. Ἀρσ[ενίῳ Δι-]
> οσκουρίδου
> 5 εὐδαίμον[ι·]
> χαῖρε. χ[αῖρε]
> καὶ σύ, τ[ίς ποτ' εἶ].

Die Ergänzungen gehen auf Louis Robert (bei Roger, S. 45) zurück. Doch vgl. das Dementi
BÉ 1946–1947, Nr. 140 (S. 333).

> Im Jahre . . . , im Monat Audynaios. Dem seligen Arsenios, (dem
> Sohn) des Dioskourides, (gehört das Grab). Sei gegrüßt! Sei auch
> du gegrüßt, wer immer du sein mögest.

Z. 1 „A la première ligne, pour la date, on croit reconnaître un Π plutôt
qu'un Τ. On est tenté de restituer ensuite un Σ, ce qui donnerait la date de
l'an 280 de la province, soit 132/1 ap. J.-C." (Roger, S. 45).
Z. 2f. Αἰδυναίου = Αὐδυναίου. Αὐδυναῖος ist ein makedonischer Monatsname (der dritte Monat des makedonischen Kalenders, vgl. Kalléris II 1, S.
560ff.).
Z. 3 Der von Robert ergänzte Name Ἀρσένιος ist sehr selten (für die
vorbyzantinische Epoche gibt es keinen einzigen Beleg auf der PHI-CD-ROM
#6; die epigraphischen Belege sind auch in späterer Zeit nicht zahlreich).
Z. 3f. Der von Robert ergänzte Name Διοσκουρίδης ist überaus häufig.
Er begegnet auch im Gebiet von Philippi in mehreren Fällen (alle Belege
aus dem Gebiet südöstlich von Serrai und aus dem Bereich des Pangaion);
vgl. im einzelnen die bei 572/G537 im Kommentar zu Z. 1–3 gesammelten
Belege.
Z. 5 Εὐδαίμων ist an sich ein auf Inschriften häufig begegnender Name (in Philippi allerdings nur noch in 557a/G799, wenn nicht auch dort
das Verständnis als Adjektiv besser ist). Jeanne Robert und Louis Robert
bestreiten allerdings, daß es sich hier um einen Eigennamen handele und

verstehen εὐδαίμονι als Adjektiv (BÉ 1946–1947, Nr. 140, S. 333; so auch Samsaris, S. 280). Dafür spricht der zwischen Ἀρσενίῳ und εὐδαίμονι stehende Name des Vaters im Genitiv. Demnach ist zu übersetzen: „dem seligen Arsenios usw." Aber eindeutig ist die Stellung nicht (vgl. etwa IG X 2,1, Nr. 630C: εὐδαίμων Σεκουνδίων Θεσσαλονικεὺ[ς] ἐνθάδε κεῖμαι, wo die Stellung eine klare Entscheidung erlaubt). Vgl. auch die ähnlich schwierige Parallele 557a/G799.

Grabinschrift der Οὐενέρια und des Γάϊος 552/G519

144

Jacques Roger: Inscriptions de la région du Strymon, RA 24 (1945), S. 37–55; hier S. 45f.

Marcus N. Tod: The Macedonian Era Reconsidered, in: Studies Presented to David Moore Robinson on His Seventieth Birthday, Bd. II, Saint Louis 1953, S. 382–397; hier S. 387, Nr. 114.

Καφταντζής, Nr. 495, S. 297f.

Georgi Mihailov: Inscriptions de la Thrace égéenne, Philologia (Sofia) 6 (1980), S. 3–19; hier S. 14, Nr. 39.

SEG XXX (1980) [1983] 599.

SEG XXXVII (1987) [1990] 579.

Samsaris, Nr. 118 (S. 279f.).

M.B. Hatzopoulos: Macedonian Institutions under the Kings. Band I: A Historical and Epigraphic Study, Μελετήματα 22, Athen 1996, S. 58.

Τούμπα. Marmorplatte, als Treppenabsatz im Αγίασμα (κουβούκλιο) des Klosters Αγ. Τριάδας in Τούμπα benutzt. 1926 zusammen mit einer weiteren Grabinschrift gefunden, auf einem Hügel zur Rechten der alten Straße auf halbem Wege zwischen Τούμπα und Πεντάπολις (so die Angaben bei Καφταντζής, der die Publikation von Roger offenbar nicht kennt). Abmessungen nach Καφταντζής: H. 1,0; B. 0,73; D. 0,10.

> Μώμω Μέστου θυγά-
> τηρ, Γαζωρία, Οὐ(ε-)
> νερία τῇ θυγατρὶ
> ἑαυτῆς καὶ Γαΐῳ
> 5 Τορκάτου καὶ ἑαυ-
> τῆς ζώση {ΜΝΗ}
> {Σ} μνήμης χάριν.
> ἔτους ϛορ´ τοῦ βϙσ´.

1 Καφταντζής: Μωμώ. **2f.** Mihailov und SEG: [Ο]ὐε|νερία. Καφταντζής: [Κ]υ-|γερία **5f.** Roger liest und interpungiert folgendermaßen: Τορκάτου καὶ ἑαυτῆς, ζώση, …; demnach hätte man zu verstehen: „… und für Gaius, (den Sohn) des Torquatus und ihrer selbst, (hat sie) zu ihren Lebzeiten …" **6f.** Καφταντζής: λινῆ-|ς. Roger (irrtümlich): <μνης>. SEG: τῇ<ς> ζώση <μνη|ς> – falsche Klammersetzung; gemeint ist natürlich τῇ{ς}

ζώση {μνη|ς}. Text nach dem Photo bei Roger – ein Zweifel ist nicht möglich! Vgl. zu ἑαυτῆς auch den Kommentar. **8** Καφταντζής und SEG irrig: σορ´, doch steht am Anfang auf dem Stein eindeutig ein Stigma, vgl. die Photographie bei Καφταντζής. Beide lesen ebenso verkehrt am Ende der Zeile βϛ´, denn hier muß σ´ = 200 stehen, also βϙσ´.

Momo, die Tochter des Mestos, aus Gazoros, (hat) für Veneria, ihre Tochter, und für Gaius, (den Sohn) des Torquatus, und für sich selbst zu ihren Lebzeiten (den Stein) der Erinnerung halber (aufgestellt). Im Jahr 176 (der Ära von Aktium) bzw. 292 (der makedonischen Ära).

Die doppelte Datierung ergibt 176 – 32 = 144 nach der Ära von Aktium bzw. 292 – 148 = 144 nach der makedonischen Ära.

Z. 5f. Schwierig ist das Verständnis des ἑαυτῆς ζώση. M.E. muß man ζώση nicht als Dativ auffassen, wie Samsaris (S. 279) vorschlägt. Vielleicht sollte man jedoch das ἑαυτῆς in einen Dativ verwandeln und ἑαυτῆ{ς} lesen; vgl. hierzu auch den Apparat.

553/G570   **Grabinschrift des Κοζίλας**
3/4

Μαριάννα Καραμπέρη: Θρακική επιτύμβια στήλη σε υστερορωμαϊκό τάφο στο Δαφνούδι Σερρών, AAA 18 (1985) [1988], S. 165–172 mit Photographie (S. 170).
H.W. Catling: Archaeology in Greece 1988–89, AR 35 (1988–1989), S. 3–116; hier S. 69.
Gilles Touchais: Chronique des fouilles et découvertes archéologiques en Grèce en 1988, BCH 113 (1989), S. 581–700; hier S. 652 mit Abb. 142 auf S. 653.
Samsaris, Nr. 167 (S. 300).
Χάϊδω Κουκούλη-Χρυσανθάκη, ΑΔ 41 (1986) [Β´] Χρονικά [1990], S. 178f.
Miltiade Hatzopoulos, BÉ 1990, Nr. 492.
SEG XXXVIII (1988) [1991] 663.
E.B. French: Archaeology in Greece 1992–93, AR 39 (1992–1993), S. 3–81; hier S. 59.

Δαφνούδι. Im Februar 1986 wurde in Δαφνούδι bei einem Grab eine Grabstele aus weißem Marmor gefunden. Die Stele (H. 1,60; B. oben 0,27, in der Mitte 0,52, unten 0,60) ist oben und unten beschädigt. Im oberen Viertel ist links eine Mondsichel (με μικρό κύκλο προσκολλημένου εξωτερικά, Καραμπέρη, S. 167) eingeritzt. Darunter befindet sich die Inschrift (Höhe der Buchstaben 0,025; Zeilenzwischenraum 0,02) von 5 Zeilen in einem Rahmen (H. 0,27; B. 0,42). Unterhalb der Inschrift ist ein Kranz dargestellt. Vermutlich im Museum in Σέρρες.

> ῎Ετους ανρ´ Δαι-
> σίου. Κοζίλας
> Μέστου χαῖρε.

χαῖρε καὶ σύ, παρο-
5 δῖτα.

Im Jahr 151, im Monat Daisios. Kozilas, (der Sohn) des Mestos,
sei gegrüßt. Sei auch du gegrüßt, der du vorübergehst.

Die Herausgeberin weist auf die Bedeutung der Mondsichel hin. Ihr zufolge
ἔχει προφανώς εσχατολογική σημασία (S. 171). Sonne und Mond symboli-
sierten die Ewigkeit; ihr Vorkommen auf Grabsteinen ist auf den Einfluß
östlicher Kulte zurückzuführen.

Z. 1 ανρ´ = 151; legt man die makedonische Ära zugrunde, erhält man:
151 – 148 = 3, die Inschrift wäre dann auf 3 n. Chr. zu datieren. Die Chronologie von Aktium ergäbe: 151 – 31 = 120 n. Chr.
Die Herausgeberin datiert auf 3/4 n. Chr. In dem Grab wurden Kupfer-
münzen (*Antoniniani*) aus der zweiten Hälfte des dritten Jahrhunderts n.
Chr. gefunden, που μας προσφέρουν και το terminus post quem για τη χρονολόγηση του τάφου (S. 165). Der Grabstein ist mithin deutlich älter als das
Grab; er wurde wohl in zweiter Verwendung als Bedeckung του λακκοειδούς
τάφου genutzt (S. 172).
Mihailov (im SEG) zieht die Ära von Aktium vor und plädiert für eine
Datierung auf 120 n. Chr. Auch Samsaris scheint dieser Auffassung zu sein
(S. 300). Hatzopoulos schließt sich hingegen der Herausgeberin an: „... qui
atteste la persistance de l'ère »nationale« au début de l'époque impériale
même en Macédoine orientale" (S. 530).

Z. 1f. Δαίσιος ist ein makedonischer Monatsname (der achte Monat des
makedonischen Kalenders, vgl. Kalléris II 1, S. 566).

Z. 2 Zum Namen Κοζίλας vgl. 540/G224, Z. 2 (dort in der Form Κοζείλας).

Z. 3 Μέστος ist ein gebräuchlicher thrakischer Name (vgl. Detschew, S.
297f.).

Grabinschrift der Ζηκαλώγη   554/G634

hellenistisch

Μαριάννα Καραμπέρη: Θρακική επιτύμβια στήλη σε υστερορωμαϊκό τάφο στο Δαφ-
νούδι Σερρών, AAA 18 (1985) [1988], S. 165–172; hier S. 167, Anm. 7.
Σταυρούλα Σαμαρτζίδου, ΑΔ 37 (1982) Β´2 Χρονικά [1989], S. 328.
E.B. French: Archaeology in Greece 1990–91, AR 37 (1990–1991), S. 3–78; hier S.
57.
SEG XXXIX (1989) [1992] 569 (fälschlich unter „Amphipolis (area of: Daphnou-
di)" rubriziert).
M.B. Hatzopoulos, BÉ 1991, Nr. 412.

Δαφνούδι. Στη θέση Μογγίλα βρέθηκε θραύσμα ενεπίγραφης λίθινης στήλης ελληνιστικών χρόνων με εγχάρακτο σχηματοποιημένο στεφάνι και από κάτω την επιγραφή (Σαμαρτζίδου, S. 328). Abmessungen: H. 0,61; B. 0,565; D. 0,06–0,09; Höhe der Buchstaben 0,02–0,03. Zeilenzwischenraum 0,04–0,05. Inventarisierungsnummer Λ 1324 (Museum in Kavala).

> Ζηκαλώγη
> Τραλεικείλου.
> χαῖρε.

Zekaloge, (die Tochter) des Traleikeilos (liegt hier begraben). Sei gegrüßt!

Z. 1 Im SEG wird erwogen, ob es sich hier um einen Mann handelt: „Zekaloge (or -es?)“. Am Stein hat diese Vermutung aber offenbar keinen Anhalt. Ζηκαλώγη ist ein neuer thrakischer Name (fehlt bei Detschew). **Z. 2** Der Name des Vaters ist ebenfalls neu (doch vgl. Detschew, S. 518ff., s.v. Τράλλεις).

555/G518   **Grabstein des Dionysios und anderer**
106

Καφταντζής, Nr. 492, S. 293–295.
Χάϊδω Κουκούλη, ΑΔ 23 (1968) Β΄2 Χρονικά [1969], S. 360 (kein Text, keine Abb.).
Δημήτρης Κ. Σαμσάρης: Ο εξελληνισμός της Θράκης κατά την ελληνική και ρωμαϊκή αρχαιότητα, Διδακτορική διατριβή, Thessaloniki 1980, S. 128–130.
Georgi Mihailov: Inscriptions de la Thrace égéenne, Philologia (Sofia) 6 (1980), S. 3–19; hier S. 13, Nr. 37.
SEG XXX (1980) [1983] 596.
Samsaris, Nr. 107 (S. 272f.).

Απάνο Μέταλλα. Grabstele aus weißem Marmor; Abmessungen: H. 1,70; B. 0,53; Dicke 0,18. Die Stele besteht aus vier Teilen. Im ersten Teil (H. 0,16) υπάρχει τρίγωνο σχηματικής αετωματικής επίστεψης (πλάτος έκτυπης γραμμής 0,03) mit einer Blume im Mittelpunkt und der ersten Zeile der Inschrift darunter. Im zweiten Teil (H. 0,31) ist der Thrakische Reiter abgebildet, der nach rechts reitet, mit dem Hund, dem Eber, dem Baum und der Schlange. Im dritten Teil (H. 0,31), der vom zweiten durch ein 0,05m hohes Sims getrennt ist, der die zweite Zeile der Inschrift enthält, sind drei Figuren abgebildet. Die eine (links), eine Frau, sitzt auf einer Bank, sie hält in der linken Hand ihren Schleier; die Füße sind auf einen Schemel gestützt. Rechts davon befindet sich ein Mann auf einem Ruhebett. In der Mitte sieht man einen niedrigen Tisch mit Opfergaben, rechts daneben die dritte Figur, ein nackter kleiner Junge, der mit einer Spielzeugtaube spielt. Offensichtlich handelt es sich um die in der Inschrift erwähnten Personen. Im vierten und letzten Teil befinden sich die übrigen neun Zeilen der Inschrift. Die Buchstaben sind in der ersten Zeile 0,025 hoch, in der zweiten 0,03, nach unten zu nimmt die Größe der Buchstaben stetig ab; Zeilenabstand 0,02–0,015. Heute im Museum in Σέρρες. Inventarisierungsnummer Λ 88.

> [Δι]ονύσιος Διοσκουρίδου.
> ἥρως, χαῖρε. χαῖρε καὶ σύ, παροδεῖτα.
> ἔτους ηλρ´ τοῦ καὶ
> δνσ´, Ἀπελλαίου α´.
> 5 Διοσκουρίδης Μουκάσου
> φύσει δὲ Παίβου, ζωὸς ἑαυ-
> τῷ καὶ Σούρᾳ Μουκάσου
> συμβίῳ. τελευτήσαντος
> δὲ Διονυσίου υἱοῦ ἐτῶν
> 10 κβ´ καὶ Διοσκουρίδου Τόρκου
> υἱδου ἐτῶν ε´ ἀνέθηκεν.

3 Auf dem Stein: H̅Λ̅Ρ. **4** Auf dem Stein: Δ̅Ν̅Σ̅ und Α̅. **5** Auf dem Stein steht offenbar irrtümlich ΜΟΥΚΑΕΟΥ (richtig dagegen Z. 7 ΜΟΥΚΑΣΟΥ). **10** Auf dem Stein: K̅B̅. **11** Auf dem Stein: Ε̅.

Dionysios, (der Sohn) des Dioskurides. Heros, sei gegrüßt. Sei auch du gegrüßt, der du vorübergehst. Im Jahr 138 bzw. auch 254, am ersten Tag des Monats Apellaios. Dioskurides, (der Sohn) des Mukasos, der natürliche (Sohn) aber des Paibes, (hat) zu seinen Lebzeiten für sich selbst und für Sura, (die Tochter) des Mukasos, seine Frau, (die Stele errichtet). Nachdem aber Dionysios, sein Sohn, im Alter von zweiundzwanzig Jahren, und Dioskurides, (der Sohn) des Torkos, sein Enkel, im Alter von fünf Jahren verstorben sind, hat er (die Stele) aufgestellt.

In seiner Dissertation von 1980 bietet Σαμσάρης einen Stammbaum der Familie (S. 130) und untersucht die Verwandtschaftsverhältnisse unter dem Gesichtspunkt der „Mischehen".

Z. 1 Zu dem griechischen Namen Διοσκουρίδης vgl. den Kommentar zu Z. 1–3 der Inschrift 572/G537.

Z. 3 ηλρ´ = 138. Ära von Aktium: 138 − 32 = 106 n. Chr.

Z. 4 δνς´ = 254. Makedonische Ära: 254 − 148 = 106 n. Chr. Ἀπελλαῖος: Monatsname in zahlreichen dorischen Staaten; zweiter Monat des makedonischen Kalenders (vgl. Kalléris II 1, S. 558f.).

Z. 5 Unser Dioskurides ist offenbar von seinem Schwiegervater (vgl. Z. 7) Mukasos adoptiert worden. Zum thrakischen Namen Μουκασος bzw. Μουκασης vgl. Samsaris, S. 329.

Griechische Grabinschrift

Καφταντζής, Nr. 487, S. 291.
Georgi Mihailov: Inscriptions de la Thrace égéenne, Philologia (Sofia) 6 (1980), S.
3–19; hier S. 13, Nr. 36.
SEG XXX (1980) [1983] 607.
Samsaris, Nr. 106 (S. 272).

Εμμανουήλ Παππάς. Grabplatte, auf der rechten Seite beschädigt. Aus
weißem Marmor; Abmessungen: H. 0,94; B. 0,49; D. 0,18.
Oben sind sechs Köpfe in zwei Reihen abgebildet. Die zwei ersten Köpfe
der zweiten Reihe stellen Frauen dar, unterhalb des zweiten Frauenkopfes
befindet sich mit kleineren Buchstaben der Name Λουσάλα. Die übrigen
Buchstaben haben die H. 0,03; Zeilenzwischenraum 0,01–0,005.
Zur Unterstützung des Altars der Kirche Ἅγιος Αθανάσιος des Dorfes Εμμανουήλ Παππάς benutzt. 1962 in den Hof dieser Kirche gebracht und in
zwei Teile zerlegt. Später von Samsaris nach Serres geschafft (vgl. S. 272).

> *vacat* Λουσάλα. *vacat*
> Κλιὸ Δουλέου
> [ἑα]υτῇ καὶ τῷ ἰδίῳ [ἀνδρὶ]
> [...]ιητι καὶ τοῖς τέκ[νοις],
> 5 [μνή]μης χάριν. ἔ[τους ...]
> Λώου κζ΄.

3 Mihailov übersieht irrtümlich das τῷ. 4 Samsaris schlägt [Κυ]ιῆτι vor.

Lusala. Klio, (die Tochter) des Dules, hat für sich selbst und für
ihren Mann ... und für ihre Kinder der Erinnerung halber (die
Inschrift anfertigen lassen). Im Jahr ..., am 27. Tag des Monats
Loos.

Z. 1 Λουσάλα ist vermutlich ein neuer thrakischer Name (fehlt bei Det-
schew, S. 277). Vgl. zu den einzelnen Bestandteilen Samsaris, S. 325.
Z. 2 Nach SEG zur Stelle „probably not the Greek name Κλείω, but the
Thracian name Κλεω" (vgl. die Inschrift Καφταντζής 559, unsere Nummer
539/G530, Z. 4).
Der Genitiv Δουλέου ist sonst nicht belegt, Mihailov würde Δουλεους er-
warten.
Z. 6 Λῷος ist ein makedonischer Monatsname (der zehnte Monat im ma-
kedonischen Kalender, so auch bei Josephus, Ant. IV 4,7; vgl. Kalléris II 1,
S. 568f.).
Samsaris schlägt als Datierung II/III vor (S. 272).

Grabinschrift des Αὐρήλιος Τορχουᾶτος   557/G209

II/III

Γ. Αστεριάδος, Κωνσταντινούπολις 12. September 1890.
Δήμιτσας, Nr. 824 (S. 670f.).
Jacques Roger: Inscriptions de la région du Strymon, RA 24 (1945), S. 37–55; hier
S. 43f. mit Abb. 4.
Καφταντζής, Nr. 493, S. 295f. (Photo).
Χάϊδω Κουκούλη, ΑΔ 24 (1969) Β΄2 Χρονικά [1970], S. 352 mit Anm. 29.
Georgi Mihailov: Inscriptions de la Thrace égéenne, Philologia (Sofia) 6 (1980), S.
3–19; hier S. 14, Nr. 38.
SEG XXX (1980) [1983] 608.
Dimitrios C. Samsaris: Le culte du Cavalier thrace dans la colonie romaine de
Philippes et dans son territoire, Ponto-Baltica 2–3 (1982–83), S. 89–100; hier S.
90 mit Abb. 1.
Dimitrios Samsaris: Une inscription latine inédite trouvée près des frontières du
territoire de la colonie de Philippes, Klio 67 (1985), S. 458–465; hier S. 458.
Samsaris, Nr. 103 (S. 270).

Ἁγ. Πνεῦμα bei Σέρρες bzw. Οινοῦσσα. Den Fundort referiert Δήμιτσας
nach dem zitierten Zeitungsausschnitt folgendermaßen: Εν τη κώμη Βεσνίκι-
οη υψούται πεντάς τάφων, επί του υψίστου των οποίων υπάρχει μονύδριον του
αγίου πνεύματος. Προ των πυλών τούτου εντετοιχισμένον εστίν ανάγλυφον,
παριστών ιππέα νεώτατον, καθήμενον επί του ίππου, υπό τον οποίον υπάρχουσι
4 κεφαλαί γεγλυμμέναι και υπ' αυτάς αναγινώσκεται η εξής επιγραφή.
Καφταντζής hält die von ihm publizierte Inschrift für nicht identisch mit der
bei Δήμιτσας stehenden. Dafür spricht einerseits die unterschiedliche Aufteilung (Δήμιτσας hat drei Zeilen) sowie sein abweichender Text, andrerseits
die Angabe der Herkunft des Steins: Ωστόσο το ανάγλυφο, κατά πληροφορίες
του γέρο φύλακα του Μοναστηριού και άλλων γέρων του χωριού, βρέθηκε το
1867 σ' ένα χωράφι της Οινούσας. Καφταντζής fand die Inschrift im August
1962 εντοιχισμένη πάνω απ' τη βρύση του ξενώνα, στο μοναστήρι του Αγίου
Πνεύματος (υψόμετρ. 550 μ.).
Mihailov und SEG folgen der Auffassung von Καφταντζής, indem sie seine
Version als *editio princeps* ansehen. Samsaris, der bedauerlicherweise auf
Καφταντζής nicht eingeht, hält an der Identität der von ihm unabhängig
von Καφταντζής publizierten Inschrift mit Δήμιτσας Nr. 824 fest. Zur Zeit
von Samsaris offenbar immer noch an der gleichen Stelle. Κουκούλη scheint
auch die Identität der von Δήμιτσας und Καφταντζής publizierten Inschrift
anzunehmen (S. 352, Anm. 29).
Die Lücke zwischen Δήμιτσας und Καφταντζής schließt Roger, der den Stein
im Mai 1939 (vgl. Roger, S. 37) in Veznik fand. Er publiziert die Inschrift
seinerseits mit Hinweis auf Δήμιτσας („C'est là le texte publié, inexactement,
par Dimitsas (n° 824)", S. 44). Seine Beschreibung: „Dans la cour de l'église
qui le domine de quelque distance (Ἅγιον Πνεῦμα), un relief funéraire a été
maçonné dans le mur de la fontaine" (S. 43).

Marmorplatte, Abmessungen: H. 0,82; B. 0,63, in zwei gleiche Zonen unter-
teilt: oben links der Thrakische Reiter (H. 0,35), rechts davon Kopf einer
Frau (Göttin?; H. 0,18). Im unteren Teil vier Köpfe, zwei männliche und
zwei weibliche (?), H. 0,17–0,15. Darunter die zweizeilige Inschrift mit vielen Ligaturen (H. der Buchstaben 0,025; Zeilenzwischenraum 0,01). (Nach
Καφταντζής.)

> Αὐρ(ήλιος) Τορχουᾶτος Αὐρ(ηλίῳ) Τορχουάτῳ τῷ τέχνῳ μνεία-
> ς χάριν καὶ αἰαυτοῖς ζῶσιν.

Δήμιτσας teilt in drei Zeilen, Z. 1 bis Τορχουᾶτος, Z. 2 bis τέχνων.   **1** Δήμιτσας:
Αὐρί(η)λιος und Αὐρι(η)λίου. Mihailov: Αἰρ(ήλιος) [vermutlich Druckfehler]. Δήμιτσας:
Τορχουάτου. Statt τῷ τέχνῳ liest Δήμιτσας τέχνων.   **1f.** Δήμιτσας: μνήμης. Roger,
Καφταντζής und Mihailov: μνεί-|ας. Samsaris: μνοίας.   **2** Δήμιτσας: αὐτοῖς. Καφταντζής
und Mihailov: ἑαυτοῖς. Roger und Samsaris: αἰαυτοῖς (so eindeutig auf dem Photo von
Καφταντζής zu erkennen).

Aurelius Torquatus (hat) für seinen Sohn Aurelius Torquatus
der Erinnerung halber (diesen Stein setzen lassen), während sie
selbst (nämlich die neben dem Toten auf dem Relief dargestellten
drei Personen) noch am Leben sind.

Z. 2 αἰαυτοῖς = ἑαυτοῖς. „Le pluriel ἑαυτοῖς est logiquement peu explica-
ble dans le texte. D'autre part celui-ci ne fait connaître que deux personnages, alors que le relief en présente quatre. L'inscription est rédigée comme
s'il fallait comprendre dans le sujet, à côté du père seul nommé, aussi la
mère, et peut-être un autre membre de la famille, frère ou sœur, suivant la
formule la plus habituelle" (Roger, S. 44).

557a/G799
26

Grabinschrift für Κετριζις

Χάϊδω Κουκούλη-Χρυσανθάκη, ΑΔ 46 (1991) Β´2 Χρονικά [1996], S. 318f.
David Blackman: Archaeology in Greece 1996–97, AR 43 (1996–1997), S. 1–125;
   hier S. 80.
M.B. Hatzopoulos, BÉ 1997, Nr. 414.

Ἅγιο Πνεῦμα. „From the known area of an anc.[ient] settlement an R.[o-
man] funerary stele was handed in to Serres museum. In a frame on the
upper part of the stele was the inscription" (Blackman, S. 80). „Below this
the decoration on the preserved part of the stele showed an incised wreath
or necklace set between two amphoriskoi" (ebd.).
Abmessungen: H. 0,53; B. 0,53; D. 0,10; Buchstaben H. 0,03; Zeilenzwischenraum 0,02–0,03.
Inventarisierungsnummer Λ 188.

῎Ετους δορ΄ ῾Υπερβ[ερε-]
ταίου γ΄. Κετριζις Μεσ-
τικενθου εὐδαί-
μων χαῖρε. χαῖρε καί
5 σύ, παροδῖτα.
Μαντα γυνή.

Sowohl Κουκούλη als auch Blackman geben nur Majuskeln.
Der letzte bei Κουκούλη und Blackman angegebene Zeilenumbruch ist εὐδαί-|μων – aber
man kann doch nicht den ganzen Rest in einer Zeile unterbringen?

Im Jahr 174, am dritten Tag des Monats Hyperberetaios. Der selige Ketrizis, (der Sohn) des Mestikenthos. Sei gegrüßt! Sei auch
du gegrüßt, der du vorübergehst! Manta, (seine) Frau, (hat den
Grabstein errichtet).

Z. 1 Die Datierung δορ΄ = 174 nach der makedonischen Ära ergibt 26
nach Chr. Rätselhaft die Rechnung bei Blackman (so schon Κουκούλη!):
„The Macedonian date of 174 in the inscription is equivalent of 32 BC." (S.
80). Die Chronologie nach Actium ergäbe 174 – 31 = 143 (nach Chr.).
Zum Monatsnamen ῾Υπερβερεταῖος vgl. 607/G691 aus Ποδοχώρι.

Z. 2 Zum Namen Κετριζις vgl. den Kommentar zu 563/L514 (Z. 2).

Z. 2f. Der Name Μεστικενθος begegnet in 527/G208.

Z. 3f. Εὐδαίμων ist an sich auf Inschriften häufig als Name bezeugt (in
Philippi sonst allerdings nur noch in dem ebenfalls sehr zweifelhaften Fall
551/G484). In beiden Fällen kann man entweder den Namen Εὐδαίμων oder
das Adjektiv εὐδαίμων lesen. Da ein weiterer Name nach Κετριζις und Filiation Μεστικενθου nicht zu erwarten ist, faßt man das Wort besser als
Adjektiv und übersetzt „der selige Ketrizis usw." (vgl. auch Hatzopoulos,
BÉ 1997, S. 552).

Grabstele des Gamicus, *conductor metallorum*   558/L408
                                                         I/II

Dimitrios Samsaris: Une inscription latine inédite trouvée près des frontières du
    territoire de la colonie de Philippes, Klio 67 (1985), S. 458–465; hier S. 461.
AÉ 1985 [1988] 774.
AÉ 1986 [1989] 629.
Samsaris, Nr. 104 (S. 270f.).
Band I, S. 81, Anm. 16.

Monoikos. Stele aus dem Friedhof von Monoikos. Es handelt sich dabei
um einen von Samsaris vorgeschlagenen Ortsnamen. Die Stelle ist folgendermaßen zu finden: 14,5km im Osten von Serrai liegt ῎Αγιο Πνεύμα. Hier
ist in einem alten Haus, dessen Lage leider nicht näher angegeben wird, eine

Marmorstele eingemauert. Nach der Familientradition der Eigentümer des Hauses wurde diese Stele auf dem Hügel Gradiskos gefunden. Dieser Hügel befindet sich zwischen zwei Bächen genau westlich von Άγιο Πνεύμα. Hier hat Samsaris 1967 eine römische Akropolis entdeckt. Diese Akropolis ist Teil einer größeren Anlage am südlichen Abhang des Hügels; dort befindet sich auch ein Friedhof. In dieser Gegend sind Münzen der Städte Amphipolis und Thessaloniki, des κοινὸν τῶν Μακεδόνων, sowie verschiedener Kaiser gefunden worden. Diesen Ort identifiziert Samsaris mit dem antiken Μόνοικος, welches zeitweise Teil des Territoriums der römischen Kolonie Philippi war. Weißer Marmor aus dem Steinbruch bei Κριάκουρους, den Samsaris Μακεδονικά 1978 beschreibt. Die Stele hat die Form eines Altars und ist unten und an der rechten Seite beschädigt.

Abmessungen: H. 0,34; B. 0,28; D. 0,15; Höhe der Buchstaben 0,025–0,03. Ligatur N und D in Z. 2. Zeilenabstand Z. 1/2: 0,03; dann 0,005–0,01.

> Gamicu[s]
> conduct[or]
> an(nis) X
> lib(ertus) Pont[i]
> 5 Novi SC[...].

3 AÉ 1985: *an(norum)*. **5** Auf der Photographie bei Samsaris vermag ich nur *Nov[i]* zu erkennen. Samsaris schlägt vor *s(cribendum) c(uravit)* (S. 271).

Gamicus, der Pächter für 10 Jahre, der Freigelassene des Pontius Novus, (hat es anfertigen lassen?).

Z. 1 Gamicus ist ein griechischer Name (Γαμικός), der für Sklaven und Freigelassene charakteristisch ist. Samsaris vermutet, daß es sich eher um einen hellenisierten Thraker als um einen Griechen handelt.

Z. 2 Samsaris zufolge handelt es sich um einen *conductor metallorum*. Daraus folgt die Existenz von *metalla* in dieser Gegend. Mit diesen *metalla* sind nach Samsaris die von ihm entdeckten Steinbrüche (s.o.) gemeint. Näherhin handele es sich bei Gamicus daher um einen *conductor ferrariarum et marmorum*.

Z. 4f. Gamicus war Freigelassener der Familie der *Pontii*, welche zur Aristokratie der römischen Kolonie Philippi gehörte (vgl. 248/G435, Z. 4ff.; dort wird ein πραγματευτής erwähnt). Samsaris vermutet, daß die *Pontii* eine Familie von Großgrundbesitzern waren. Ein anderer Pontius begegnet in dem Militärdiplom 705/L503 (Marcus Pontius Pudens). Sie werden auch in Inschriften aus Thessaloniki erwähnt.

Neuerdings plädiert Samsaris für eine Datierung in das 1. Jahrhundert n. Chr. (S. 271).

Grenzregelung aus der Zeit des Traianus   559/L152

T. Αστεριάδης, Κωνσταντινούπολις 12. September 1890.
Πέτρος Ν. Παπαγεωργίου: Αι Σέρραι και τα προάστεια, τα περί τας Σέρρας και η μονή Ιωάννου του Προδρόμου, ByZ 3 (1894), S. 225–329; hier S. 301, Nr. 17.
Δήμιτσας, Nr. 825 (S. 671).
Paul Perdrizet: Voyage dans la Macédoine première [III], BCH 21 (1897), S. 514–543; hier S. 541f.
AÉ 1898, Nr. 89.
CIL III, Suppl. 2, Nr. 14206⁴.
ILS 5981.
Collart, S. 284f. mit Anm. 1.
Καφταντζής, Nr. 488, S. 291f.
Dimitrios C. Samsaris: Une inscription grecque inédite de la région de Serrès mentionnant un nouveau nom de personne Thrace, Linguistique Balkanique 25,3 (1982), S. 43–45; hier S. 43.
Fanoula Papazoglou: Le territoire de la colonie de Philippes, BCH 106 (1982), S. 89–106; hier S. 91 mit Anm. 4; S. 100f.; S. 106 mit Anm. 80.
SEG XXXII (1982) [1985] 643.
Samsaris, Nr. 102 (S. 269).
Band I, S. 55; S. 61, Anm. 25; S. 64; S. 67.

Νέο Σούλι. „... in agri Serrhensis vico Subaskeui (Σουμπασίκιοη), a Serrhis 1 1/2 hor. orientem versus" (CIL, Nr. 14206⁴).
Δήμιτσας bemerkt darüber hinaus: ἐντετοιχισμένη εἰς τὸ σχολεῖον αὐτοῦ.
Der Stein ist Samsaris zufolge heute nicht mehr vorhanden (S. 269).
Der Ort heißt heute Νέο Σούλι.

> Ex auctoritate
> imp(eratoris) Nervae Traia-
> ni Caesaris Aug(usti)
> Ger(manici) fines dere-
> 5 cti inter rem [pu-]
> blicam col(oniam) Phi-
> lippiensem et
> Claudianum Ar-
> temidorum.
> 10 S P C

5 Perdrizet am Schluß: REMPV. **10** CIL: „Litterae hae tres quid significent, quaeritur." Vgl. die Inschrift 605/L644 aus Ποδοχώρι. Samsaris schlug 1982 vor, die Abkürzung mit *s(tatis) p(atrimonii) C(aesaris)* aufzulösen; er schlägt jetzt vor, *s(ua) p(ecunia) c(uravit)* aufzulösen (S. 269).

Auf Geheiß des Imperator Nerva Traianus Caesar Augustus Germanicus sind die Grenzen zwischen der *res publica colonia Philippiensis* und Claudianus Artemidorus festgelegt worden. ...

Z. 4 *fines derecti* auch in der Inschrift 601/L230 aus Ποδοχώρι und in 475/L177 (Herkunft unbekannt).

Z. 6 Papazoglou tritt in ihrem Aufsatz dafür ein, *colonia Iulia Augusta Philippiensis* und *res publica* zu unterscheiden (vgl. auch den Kommentar zu 232/L336 vom Forum). Daher soll man ihr zufolge hier nicht *col(oniam)*, sondern *col(oniae)* ergänzen: „Car le terme de *colonia* s'applique à la collectivité des citoyens à pleins droits, aux *Philippenses*, c'est-à-dire aux colons, à leurs descendants et aux autochtones naturalisés et inscrits au nombre des colons, tandis que par *res publica* on désigne le domaine communal de la colonie, dont la population était composée d'éléments qui différaient par leur statut juridique et étaient organisés dans des communautés jouissant de certaines prérogatives." (Papazoglou, S. 106). Diese schöne Theorie scheitert jedoch an dem textkritisch unstrittigen *Philippiensem*, da die von Papazoglou (S. 106, Anm. 80) vorgeschlagene Ergänzung *col(oniae) Philippiensem* der syntaktischen Stringenz ermangelt (fehlende Kasuskongruenz!).

Z. 8 In der griechischen Form Κλαυδιανός begegnet der Name in der Inschrift 734/G749 vom jüdischen Friedhof in Thessaloniki.

„Il est possible de marquer avec assez de certitude la limite N.-O. de la colonie. ... L'attribution d'Alistrati à la colonie ne fera de doute pour personne depuis la publication d'une inscription trouvée à une heure seulement de Serrès, dans une région qui ne communique avec la plaine de Philippes que par le seuil d'Alistrati" (Perdrizet, S. 541).

Papazoglou hingegen ist der Auffassung, daß der Stein aus dem Stadtgebiet von Philippi nach Νέο Σούλι gebracht worden ist, der Ort mithin außerhalb des Stadtgebietes von Philippi liegt (»pierre errante« [S. 101]). Ich habe in Band I die Frage der Abgrenzung des Territoriums der *Colonia Philippensis* eingehend diskutiert (S. 52–67) und abschließend meine eigene Auffassung kurz skizziert (S. 66f.). Dort hielt ich es für möglich, „daß die Papazoglousche Theorie hinsichtlich des »pierre errante« 559/L152 zutrifft" (S. 67). Samsaris datiert auf 97–101 n. Chr. (S. 269).

560/G508
25

Grabstein des Δουσκελης

Dimitrios C. Samsaris: Une inscription grecque inédite de la région de Serrès mentionnant un nouveau nom de personne Thrace, Linguistique Balkanique 25,3 (1982), S. 43–45.
SEG XXXII (1982) [1985] 647.
Samsaris, Nr. 101 (S. 268f.).

Gefunden in der Gegend von Νέο Σούλι. „En examinant mes notes concernant ma recherche sur terrain en 1966 dans la région de Serrès, j'ai trouvé le texte d'une inscription inédite, gravée sur une stèle de marbre, qui a été mise au jour lors du labourage d'un champ. Malheuresement, le paysan a détruit la stèle quelques jours plus tard afin de l'employer comme matériel de construction; ainsi, je n'ai pas eu le temps de la photographier. La stèle ... a été trouvée au lieu dit »Chatzi Soulinar« – à quelques mètres au sud du village actuel de Neon Souli (Soubaskeuï) de Serrès." (Samsaris im oben angegebenen Aufsatz, S. 43).

„Stèle funéraire de marbre portant une inscription presque intacte; dim.: 1,50x0,70. J'ai vu la stèle en 1966 dans la cour d'une maison au village de Néo Souli, pendant mes recherches préliminaires sur place faites par moi dans la région de Serrès comme étudiant de dernière année. Malheureusement, un jour après, le paysan a détruit la stèle et l'a utilisé comme matériel de construction; ainsi, j'ai manqué l'occasion de la photographier. D'après les renseignements du paysan, la stèle avait été mise au jour au lieu-dit »Chatzi Soulinar« au cours de labourage de son champ." (Samsaris im Katalog, S. 268f.).

῎Ετους γορ´, Δείου [...].
Δουσκελε Πύρου,
χαῖρε· χαῖρε καὶ σύ,
π<α>ροδῖτα.

Im Jahr 173, am ... Tag des Monats Dios. Douskeles, (Sohn) des Pyros, sei gegrüßt. Sei auch du gegrüßt, der du vorübergehst!

Z. 1 γορ´ = 173, das ergäbe dann 173 – 148 = 25 n. Chr. (makedonische Ära).

Δεῖος = Δῖος, der erste Monat des makedonischen Kalenders (vgl. Kalléris II 1, S. 557).

Stammt die Inschrift aus dem Jahr 25, also der Regierungszeit des Tiberius, so haben wir es hier mit einer der ältesten Inschriften aus dieser Gegend zu tun (vgl. Samsaris, S. 44). Berechnet man 173 jedoch nach der Ära von Aktium, so erhält man 141/2 statt 25 n. Chr. In seinem Katalog läßt Samsaris beide Möglichkeiten zu (S. 269).

Z. 2 Wie schon in der Überschrift der Publikation der Inschrift durch Samsaris angekündigt, handelt es sich bei Δουσκελης um einen neuen thrakischen Namen (fehlt bei Detschew).

Was dagegen Πύρος angeht, so ist der Name in dieser Form zwar selten, aber Samsaris vermag aus dem Strymontal wenigstens einen weiteren Beleg beizubringen (IBulg IV 2257).

Ein und dieselbe Inschrift?   561/G516
                                                  II/III

Καφταντζής, Nr. 486, S. 290 sowie Nr. 668 auf S. 410.
E. Λεβεντοπούλου-Γιούρι, ΑΔ 20 (1965) Β´3 Χρονικά [1968], S. 468.
SEG XXIV (1969) 579.

Georges Daux: Quelques noms, quelques textes, in: Thasiaca, BCH Suppl. 5, Athen/Paris 1979, S. 351–373; hier S. 373.

Georgi Mihailov: Inscriptions de la Thrace égéenne, Philologia (Sofia) 6 (1980), S. 3–19, Nr. 58 (S. 18).

SEG XXIX (1979) [1982] 567.

SEG XXIX (1979) [1982] 1801.

Dimitrios C. Samsaris: Une inscription grecque inédite de la région de Serrès mentionnant un nouveau nom de personne Thrace, Linguistique Balkanique 25,3 (1982), S. 43–45; hier S. 43.

Samsaris, Nr. 100 (S. 268).

Νέο Σούλι. Zylindrische Marmorstele (H. 0,70; Durchmesser 0,40). Gefunden im Jahr 1965 südwestlich von Νέο Σούλι (so die Angaben bei Καφταντζής zu Nummer 486).

Der bei Καφταντζής als Nummer 668 geführte Stein – S. 410 bietet sogar eine Photographie – mißt Samsaris zufolge: H. 1,53, B. 0,60. Die verschiedenen Maße legen die Vermutung nahe, daß es sich nicht um ein und dieselbe Inschrift handeln kann.

    Καφταντζής (Nr. 486 auf S. 290):
    Φλάβιος Δι[οσκουρίδου, Δι-]
    οσκουρίδης [Φλαβίου ...]
    είου διὰ Φλάβ[ιον ...]
    νοῦ καὶ Φλαβ[ι...]
  5 ν ἥρωσι μνε[ίας χάριν ...]
    κα ... . Φλαβίου
    Πρόκλῳ τ[... καὶ ἑαυτοῖς]
    ζῶσι κατ[εσκεύασαν].

    ΑΔ und danach SEG, vgl. auch Καφταντζής, Nr. 668 auf S.
     410:
    [Φ]λάβιος Διοσκουρ[ί-]
    δης, Οὔλπιος, Μα-
    ντω, Κοίντα
    Φλαβίῳ Πρόκλῳ τῷ
  5 ἀδελφῷ καὶ Διοσκουρίδ-
    ῃ Πύλη (oder Πύλῃ) τῷ πάππῳ
    μνήμης χάριν.

Die Version Samsaris 1982 ist durch dessen Katalog Nr. 100 überholt und wird hier nicht berücksichtigt.

1 Καφταντζής: Ἄβιος. Dagegen Daux, ΑΔ: [ΦΛ]ΑΒΙΟC sowie ΔΙΟCΚΟΥΡ[Ι]. Samsaris: [Φ]λάβιοι (vgl. dazu den Kommentar zu Z. 1) sowie Διοσκουρί|δης. **2** Καφταντζής (irrtümlich): Οὔλπος. **5f.** Mihailov liest: Διοσκουρίδη Πύλη. Pleket (SEG XXIX 1801), Samsaris: Διοσκουρφίδη Πύλη (vgl. unten im Kommentar).

Ist das denn dieselbe Inschrift? Σαμσάρης in der Geographie (S. 175, Anm. 5) hält sie offenbar für identisch; oder doch nicht? Im Text sagt er: Στην αρχαία νεκρόπολη βρέθηκαν διάφορες επιτύμβιες επιγραφές ρωμαϊκής εποχής, und dann nennt er in der genannten Anm. die beiden Belege. Sind es aber διάφορες επιγραφές, so hält er sie anscheinend doch nicht für identisch! Papazoglou, S. 384, Anm. 53, weicht mit „cf." aus, ist aber anscheinend für die Identität.

In seinem Katalog von 1989 hat sich Samsaris dann zu folgender salomonischer Entscheidung durchgerungen: Καφταντζής „présente par erreur la même inscription deux fois à différentes lectures; d'une part à la page 290, n° 486, il donne, d'après la copie d'un paysan de Néo Souli, un texte incompréhensible, qui ne vaut pas de mention; d'autre part, à la page 410, n° 668, il présente l'inscription en question (avec photo) plus correctement, mais il l'enregistre parmi les inscriptions d'Amphipolis en lui échappant le fait qu'il s'agit de la même inscription." (Samsaris, S. 268).

Läßt sich auch nicht leugnen, daß Καφταντζής Nr. 668 irrtümlich unter Amphipolis eingestellt hat, so folgt daraus der Samsarissche Schluß doch keineswegs: Auch wenn man Καφταντζής 668 aus Amphipolis entfernt und zu Νέο Σούλι stellt, ergibt sich daraus doch nicht die Identität mit Καφταντζής 486. Gegen diese Identität spricht die Verschiedenheit der Texte sowie die völlig unterschiedlichen Angaben hinsichtlich des Formats des jeweiligen Steines: Nr. 486 bezeichnet Καφταντζής als μισό κυλινδρικής μαρμάρινης στήλης ύψ. 0,70 διαμέτρου 0,40, wohingegen die Nr. 668 weder zylindrisch noch zerbrochen ist, wie sowohl das Photo bei Καφταντζής zeigt als auch die Angaben im ΑΔ und bei Samsaris bestätigen. Ich komme daher zu dem Ergebnis, daß es sich um zwei verschiedene Inschriften handeln muß.

Auf eine Übersetzung des ersten Textes verzichte ich wegen des fragmentarischen Überlieferungszustandes. Die Übersetzung des zweiten Textes:

> Flavius Dioskurides, Ulpius, Manto (und) Quinta für Flavius Proclus, ihren Bruder, und für Dioskurides Pyles (oder: [den Sohn] des Pyles), ihren Großvater, der Erinnerung halber.

Z. 1 Es wäre sehr schön, wenn man mit Samsaris zu Beginn [Φ]λάβιοι lesen könnte; die folgenden vier Geschwister würden sich in diesem Fall gemeinsam als die *Flavii* bezeichnen. Ausweislich der Photographie bei Καφταντζής kann es jedoch keinen Zweifel daran geben, daß [Φ]λάβιος zu lesen ist. Demnach ist der Stein gemeinschaftlich von den zwei Brüdern Flavius Dioskurides und Ulpius (Καφταντζής liest irrtümlich Οὖλπος, das I ist auf seiner Photographie jedoch deutlich zu erkennen!) sowie den beiden Schwestern Manto und Quinta errichtet.

Zu dem gerade im unteren Strymontal häufigen Namen Dioskurides vgl. den Kommentar zu 572/G537, Z. 1–3.

Z. 3 Vielleicht ist es kein Zufall, daß die zweite Schwester Quinta heißt, bietet unsere Inschrift doch die Namen von fünf Geschwistern: der verstorbene Bruder Flavius Proclus, die noch lebenden Brüder Flavius Dioskurides und Ulpius, sowie die Schwestern Manto und Quinta. **Z. 5f.** Der zweite Verstorbene ist der Großvater (πάππος) der fünf Geschwister, der wie einer der Brüder Dioskurides heißt. Fraglich ist die Interpretation des ΠΥΛΗ: Liest man Πύλῃ, so hieße der Großvater Dioskurides Pyles, liest man Πύλη (ohne *iota subscriptum*), so wäre zu übersetzen: „Dioskurides, (der Sohn) des Pyles". Ganz unabhängig von dieser offenen Frage ist festzustellen, daß Pyles auf jeden Fall ein griechischer Name ist; in dieser Familie begegnen demnach thrakische (Manto), griechische (Dioskurides, Pyles) und lateinische (Flavius, Ulpius, Quinta, Proclus) Namen. Im Katalog (S. 268) schlägt Samsaris als Datierung II/III vor.

562/L154
I/II

Inschrift des Rufinus für sich und seine Schwester

Πέτρος Ν. Παπαγεωργίου: Αι Σέρραι και τα προάστεια, τα περί τας Σέρρας και η μονή Ιωάννου του Προδρόμου, ByZ 3 (1894), S. 225–329; hier S. 308, Nr. 105.
Δήμιτσας, Nr. 842 (S. 682).
CIL III, Suppl. 2, Nr. 14206⁶.
Collart, S. 258.
Καφταντζής, Nr. 485, S. 290.
Fanoula Papazoglou: Le territoire de la colonie de Philippes, BCH 106 (1982), S. 89–106; hier S. 101 mit Anm. 56.
Samsaris, Nr. 99, S. 267f.
AÉ 1991, Nr. 1427.
Band I, S. 64.

Οινούσσα. „... in agri Serrhensis vico Derwesiani (Ντερβέσιανη), hora una orientem versus (a Serrhis ut videtur), πλὰξ ἐντετειχισμένη ἐν τῷ ἐκεῖ κειμένῳ μύλῳ." (CIL, Nr. 14206⁶). Beachte: Derwesiani = Inousa = Οἰνούσα (Papazoglou, S. 384).

> [...]ius L(uci) f(ilius) Volti-
> nia Rufinus Philipp(is)
> vixit annis XXII se vivo [fec(it)]
> sibi et D[o]mit{it}iae Rufillae soror(i)
> 5 suae.

1 Παπαγεωργίου und Καφταντζής: L·PVOTI. **2** Καφταντζής: PHILIPP[IESIS]. Samsaris: *Philipp[iensis qui].* **4** Καφταντζής: SOROR[AE] (Unsinn!).

...ius Rufinus, der Sohn des Lucius, aus der Tribus Voltinia, aus Philippi (stammend), lebte 22 Jahre, hat zu seinen Lebzeiten für sich selbst und für Domitia Rufilla, seine Schwester, (die Inschrift) gemacht.

Z. 2 Papazoglou macht auf das *Philippis* aufmerksam: „L'indication de
l'*origo* sur le territoire de la patrie n'est pas usitée. Aussi, si nous étions sûr
que la pierre n'a pas été apportée d'ailleurs, nous aurions une preuve que
le site antique d'Oinoussa ne faisait pas partie de la colonie." (S. 101). Vgl.
meine Diskussion des Territoriums der Kolonie o. Band I, S. 52–67.

Grabinschrift des Caius Sertorius   563/L514
I/II

Καφταντζής, Nr. 481, S. 288f.

Georgi Mihailov: Inscriptions de la Thrace égéenne, Philologia (Sofia) 6 (1980), S.
3–19; hier S. 13, Nr. 35.

Fanoula Papazoglou: Le territoire de la colonie de Philippes, BCH 106 (1982), S.
89–106; hier S. 101 mit Anm. 57.

Samsaris, Nr. 98, S. 267.

Louisa Loukopoulou: Sur la structure ethnique et sociale de Serrès à l'époque
impériale, in: Ποικίλα, Μελετήματα 10, Athen 1990, S. 173–189; hier S. 185–
187.

AÉ 1991, Nr. 1427.

Band I, S. 64.

Olli Salomies: Contacts between Italy, Macedonia, and Asia Minor during the
Principate, in: Roman Onomastics in the Greek East. Social and Political Aspects, hg. v. A.D. Rizakis, Μελετήματα 21, Athen 1996, S. 111–127; hier S.
114.

Οινούσσα. Grabstele aus Marmor, Abmessungen: H. 1,30; B. 0,40; D. 0,15.
Oben befindet sich auf einer Fläche von 0,30x0,30 ein Relief mit Reiter.
Gefunden im Jahr 1961 an den westlichen Ausläufern des Hügels Προφήτης
Ηλίας bei Οινούσσα. Zunächst (1967) im Hof der Kirche Άγιοι Ανάγυροι in
Οινούσσα, heute Samsaris zufolge im Archäologischen Museum in Serres.

> C(aius) Sertorius C(ai) f(ilius)
> sive Cetrizis
> Besidelti f(ilius), eques
> missicius alae
> 5 Antianae, h(ic) s(itus) e(st).

1 Loukopoulou: *Sertorious* (vermutlich ein Druckfehler). **1f.** Καφταντζής liest wie auch
Samsaris: *Ce|sivecetrizis.* Mit Loukopoulou ist nach der Photographie bei Καφταντζής
statt dessen eindeutig *C(ai) f(ilius) | sive Cetrizis* zu lesen. **2** Mihailov: *sivecetricis*
(Druckfehler?). **4** Mihailov: *missicus* (Druckfehler?).
Die neuen Lesungen Loukopoulous werden akzeptiert von Salomies, a.a.O., S. 114.

Caius Sertorius, der Sohn des Caius, oder Cetrizis, der Sohn des
Besideltus, entlassener Reiter der Ala Antiana, liegt hier begraben.

„... il s'agit d'une épitaphe d'un cavalier étranger qui resta dans le pays après son service militaire et y fut enterré. La présence d'une aile dans cette contrée montagneuse s'explique aisément par la nécessité de surveiller une carrière ou des mines" (Papazoglou, S. 101).

Z. 1f. Der Verstorbene heißt mithin Cetrizis und ist ein Sohn des Besideltus. Nach der Verleihung des römischen Bürgerrechts fügt er seinem neuen Namen Caius Sertorius das fiktive *Cai filius* hinzu und verbindet den neuen Namen durch ein *sive* mit dem alten. Vgl. dazu im einzelnen Loukopoulou, S. 185f.

Z. 2 Der alte Name des Verstorbenen, Cetrizis, ist thrakisch; in der griechischen Variante Κετρηζεις begegnet er in 509/G642, in der Form Κετριζις in 557a/G799 (als Κετριζης in einer Inschrift aus Thasos, Loukopoulou, S. 186, Anm. 7).

Z. 3 Der thrakische Name des Vaters, Besideltus, ist bisher noch nicht belegt (vgl. Loukopoulou, S. 186). Nach Mihailov handelt es sich bei Besideltus zwar um ein Hapaxlegomenon, aber nicht um einen *thrakischen* Namen (S. 13; vgl. auch Samsaris, S. 311, s.v. Besideltus).

Samsaris schlägt als Datierung I/II vor (S. 267).

564/G515   **Griechisches (?) Fragment**

Καφταντζής, Nr. 482, S. 289.
Samsaris, Nr. 97 (S. 266f.).

Οινούσσα. Fragment einer Inschrift auf Marmor mit fünf Buchstaben. Fundort wie 563/L514. Früher im Hof der Volksschule in Οινούσσα. Samsaris bemerkt 1989: „Nous ignorons sa chance" (S. 266).

[...]ο̣μο̣ς Σιφ[ραῖος]

Text nach Samsaris. Καφταντζής bietet lediglich Ο̣ΜΟ̣ΓΣΙΡ.

..., aus Serres, ...

Samsaris (S. 267) möchte das erste Wort zu einem Namen auf -ιμος (z.B. Ὀνήσιμος) oder -ημος (z.B. Μενέδημος) ergänzen. Was dabei aus dem Omikron vor dem My werden soll, bleibt unerfindlich. Wenn man einen Namen ergänzen will, dann einen auf -ομος, also etwa: Ἀρχένομος, Ἀστύνομος, Δέκομος, Δεχσίνομος, Ἐπίδρομος, Εὔδρομος, Εὐθύδρομος, Εὐθύνομος, Εὔνομος, Εὐρύνομος, Ἱππόδρομος, Ἰσόνομος, Καλλίνομος, Νικόδρομος, Νικόνομος, Πρόνομος, Σύνδρομος, Σωσίνομος, Φιλόδρομος oder Φιλόκομος. Εὔνομος und Εὐρύνομος etwa begegnen auch in Thessaloniki (IG X 2,1, Nr. 244 und 255).

„A propos du second nom, la restitution que nous proposons semble être la plus probable" (Samsaris, S. 267). In der Tat gibt es nicht allzu viele Möglichkeiten, ein ΣΙΡ zu vervollständigen; Σιρραῖος liegt bei der geringen Entfernung von Serres sehr nahe. Zum Ethnikon Σιρραῖος vgl. Detschew, s.v. Σῖρις κτλ., S. 448f. sowie Samsaris, s.v. Σιρραῖοι (S. 306).

Griechische Grabinschrift

565/G498
II/III

Δημήτρης Κ. Σαμσάρης: Ανέκδοτη ελληνική επιγραφή των αυτοκρατορικών χρόνων από την περιοχή των Σερρών, Μακεδονικά 23 (1983), S. 366–371.
SEG XXXV (1985) [1988] 764.
Samsaris, Nr. 105 (S. 271).

Χρυσόν. Πριν από μερικά χρόνια, κατά τη διάρκεια επιγραφικής και τοπογραφικής έρευνας στην κοιλάδα του Στρυμόνα, ανακάλυψα στο σημ. χωριό Χρυσός (Τοπόλιανη) – περίπου 10 χλμ. ανατολικά της πόλης των Σερρών [laut Karte Νομός Σερρών heißt der Ort Χρυσόν und liegt einige Kilometer südlich von Νέο Σούλι] – μια ανέκδοτη ενεπίγραφη πλάκα εντοιχισμένη πλάι στην είσοδο ενός εγκαταλειμμένου παλιού σπιτιού που χρησιμοποιείται σήμερα από τον ιδιοκτήτη του σαν αποθήκη (Σαμσάρης, S. 366). Abmessungen: H. 0,28; B. 0,32; D. ca. 0,15 (im erhaltenen Zustand; ursprünglich ca. 0,40x0,50 bzw. 0,40x0,60). Buchstaben Höhe 0,03–0,035; Zeilenzwischenraum 0,025–0,03.

> [Κε]ιλης Π[υ-]
> [ρ]ουβρεους·
> [Πυρ]ουβρες πατήρ.
> χαῖρε· χαῖρε
> 5 [καὶ] σὺ παροδῖ-
> [τα· Μ]ατα μήτηρ.

1 Falls dieser Zeile noch eine Zeile vorausging, könnte man auch zu Δουσκευλης ergänzen (vgl. Σαμσάρης, S. 367). 3 Σαμσάρης vermutet, daß diese Zeile eine spätere Hinzufügung darstellt, da sie mit kleineren Buchstaben geschrieben ist als die restlichen Zeilen (vgl. dazu seine Photographie auf S. 368).

Keiles, (der Sohn) des Pyroubres, (liegt hier begraben). Pyroubres, der Vater. Sei gegrüßt! Sei auch du gegrüßt, der du vorübergehst! Mata, die Mutter.

Samsaris schlägt als Datierung II/III vor (S. 271).

Grabinschrift für Volvia Firmina

Πέτρος Ν. Παπαγεωργίου: Αι Σέρραι και τα προάστεια, τα περί τας Σέρρας και η μονή Ιωάννου του Προδρόμου, ByZ 3 (1894), S. 225–329; hier S. 308, Nr. 98. *Δήμιτσας,* Nr. 841 (S. 682). *CIL* III, Suppl. 2, Nr. 14206[5]. *Γεώργιος Μπακαλάκης:* Αρχαία ευρήματα εκ Νέον Σκοπού (Σερρών), AE 1936, Αρχαιολογικα Χρονικά, S. 14–19; hier S. 14, Anm. 1. *Καφταντζής,* Nr. 498, S. 301. *Σαμσάρης,* S. 110. *Fanoula Papazoglou:* Le territoire de la colonie de Philippes, BCH 106 (1982), S. 89–106; hier S. 102, Anm. 60. *Samsaris,* Nr. 110 (S. 275).

Νέος Σκοπός. „... in agri Serrhensis vico dicto Κεσιξλίκ, 2 hor. meridiem versus (a Serrhis ut videtur), πλὰξ ἐντετειχισμένη ἐν τῷ νάρθηκι τοῦ ἐκεῖ ναοῦ τοῦ ἁγίου Μοδέστου" (CIL, Nr. 14206[5]).

> Volviae C(ai) f(iliae)
> Firminae defunctae
> ann(orum) XVIII et
> C(aio) Volvio Narcisso
> 5 infelicissimo patri.

Für Volvia Firmina, die Tochter des Caius, verstorben im Alter von achtzehn Jahren, und für Caius Volvius Narcissus, den allerunglücklichsten Vater.

„L'épitaphe latine ... érigée par C. Volvius Narcissus, un affranchi selon toute apparence, pour sa fille défunte et pour lui-même, n'implique nullement l'appartenance de cette localité à la colonie de Philippes." (Papazoglou, S. 102, Anm. 60). Zum Territorium der Kolonie vgl. o. Band I, S. 52–67.

Grabinschrift des Γούρας

Γεώργιος Μπακαλάκης: Αρχαία ευρήματα εκ Νέον Σκοπού (Σερρών), AE 17 (1936), Αρχαιολογικά Χρονικά, S. 14–19; hier S. 17, Nr. 9 mit Abb. 5. *BÉ* 1938, Nr. 215 (1). *Καφταντζής,* Nr. 497, S. 300. *M.B. Hatzopoulos:* Macedonian Institutions under the Kings. Band I: A Historical and Epigraphic Study, Μελετήματα 22, Athen 1996, S. 215.

Νέος Σκοπός (vgl. 568/G477). Επιτυμβία επιγραφή επί μακροστένου πωρώδους λίθου ... . Ο λίθος φέρει εις τας πλαγίας πλευράς του αναθύρωσιν ενώ όπισθεν είναι αδρώς εξειργασμένος (Μπακαλάκης, S. 17).

Abmessungen: H. 0,54; B. 0,18–0,26; D. wird nicht angegeben. Buchstaben H. 0,015–0,025.

Γούρας
Σκόρου.

Gouras, (der Sohn) des Skoros.

Der griechische Name Γούρας ist auch literarisch bezeugt, Σκόρος könnte thrakisch sein (vgl. den Kommentar bei Μπακαλάκης sowie Detschew, s.v. Scorylo etc., S. 460f.).

Nach Hatzopoulos ist der Text aus hellenistischer Zeit.

Neben den drei hier aufgenommenen Inschriften aus Νέος Σκοπός (die vorige 566/L153, die vorliegende 567/G476 und die folgende 568/G477) ist noch eine vierte zu erwähnen, die im März 1992 gefunden wurde und bisher nicht publiziert ist. Nach dem Bericht der Καθημερινή (20. März 1992, S. 4) handelt es sich um eine griechische Inschrift aus dem 4./3. Jh. v. Chr. Die Inschrift enthält eine Liste von sechs Namen. Eine weitere (unpublizierte) Inschrift aus Νέος Σκοπός, ebenfalls aus hellenistischer Zeit, erwähnt Hatzopoulos, S. 215 (Stele der Sosime, der Tochter des Koitaros).

Das Testament des Διοσκουρίδης   568/G477

Γεώργιος Μπακαλάκης: Αρχαία ευρήματα εκ Νέον Σκοπού (Σερρών), AE 17 (1936), Αρχαιολογικά Χρονικά, S. 14–19; hier S. 17–19, Nr. 10 (mit Abb. Εικ. 6 auf S. 18).

BÉ 1938, Nr. 215 (2).

Margherita Guarducci: Un rito funerario in una iscrizione della Tracia, SMSR 1938, S. 168–172.

BÉ 1939, Nr. 182.

Charles Edson: Cults of Thessalonica, HThR 41 (1948), S. 153–204, wieder abgedruckt in: ΘΕΣΣΑΛΟΝΙΚΗΝ ΦΙΛΙΠΠΟΥ ΒΑΣΙΛΙΣΣΑΝ. Μελέτες για την Αρχαία Θεσσαλονίκη, Thessaloniki 1985, S. 886–939 (danach hier zitiert: S. 898–914); hier S. 908.

Martin P. Nilsson: The Dionysiac Mysteries of the Hellenistic and Roman Age, Lund 1957, S. 66 mit Anm. 114.

Καφταντζής, Nr. 496, S. 298–300.

Σαμσάρης, S. 132 mit Anm. 7.

Papazoglou, S. 384.

Reinhold Merkelbach: Die Hirten des Dionysos. Die Dionysos-Mysterien der römischen Kaiserzeit und der bukolische Roman des Longus, Stuttgart 1988, S. 116.

Samsaris, Nr. 108 (S. 274).

Χ. Βελιγιάννη: Αφιέρωση στον Ποσειδώνα από Θράκα στην Ανατολική Μακεδονία, Τεκμήρια Γ΄ (1997), S. 152–164; hier S. 161 mit Anm. 48.

Band I, S. 104 mit Anm. 46; S. 220.

Νέος Σκοπός. Καφταντζής: Βρέθηκε το 1936 σ' έναν χαμηλό, μακρόστενο λόφο πλάι (ΝΔ.) στο χωριό Νέος Σκοπός. Στον ίδιο σταχτόχρωμο λόφο, που είναι γεμάτος από κομάτια αγγείων, κεραμιδιών, πινάκων, στρωτήρων κλπ. βρέθηκαν κατά καιρούς πολλά ενδιαφέροντα αρχαιολογικά ευρήματα (S. 298). Heute (1990) im Museum in Kavala, Inventarisierungsnummer Λ 159. Beachte: Das bei Μπακαλάκης abgebildete dritte Fragment (oben zwischen den beiden großen Teilen) ist offenbar verloren gegangen. Es betrifft Z. 1 ΟΣ am Anfang und in Z. 2 ΟΛ. Abmessungen: H. 0,65; B. 0,80; D. 0,005. Buchstabenmaße werden nicht angegeben.
Dia Nummer 61.62.63/1990.

> [Δι]οσκουρίδης
> Σύρου Ὀλδηνὸς ἀπεγέ-
> νετο ἐτῶν ξ΄ καὶ ἀπέλιπεν
> τῇ Ὀλδηνῶν κώμῃ δηνάρια
> 5 ιε΄ ἵνα ἐκ τοῦ τόκου κρατὴρ
> γεμισθῇ ἔνπροσθε τῆς τα-
> φῆς καὶ στεφανωθῇ ἡ ταφὴ
> ἐν ταῖς Μαινάσιν κατ' ἐνιαυτὸν
> ἅπαξ· ἐὰν δὲ μὴ ποιήσουσιν τό-
> 10 τε ὁ χαλ[κ]ὸς ἔστω τῶν κληρονό-
> μων μου. Διοσκουρίδη χαῖρε.

2 Edson u.a. ziehen Ὀλδηνός vor. **3** Auf meinem Photo lese ich ἀπέλιπεν. Μπακαλάκης und Καφταντζής haben irrtümlich ἀπέλιπε. **4** Edson u.a.: Ὀλδηνῶν. **5** ιε΄ = 15. Merkelbach übersetzt im Sinne von ͵ιε΄ = 15.000! **8** Merkelbach: ἐνιαυτοῦ (gegen die unzweifelhafte Lesung von Μπακαλάκης). **9** Edson irrtümlich: ποιήσωσιν.

Dioskourides, (der Sohn) des Syros, der Oldener, verstarb im Alter von sechzig Jahren, und er hinterließ dem Dorf der Oldener fünfzehn Denare, damit von den Zinsen ein Krater vor dem Grab gefüllt und das Grab bekränzt wird an den (Tagen der) Mänaden jedes Jahr einmal. Wenn sie (sc. die Oldener) es aber nicht tun werden, dann soll das Geld an meine Erben fallen. Dioskourides, sei gegrüßt.

Zum Inhalt der Inschrift ist 765/G706 zu vergleichen. Im übrigen ist der sehr ausführliche Kommentar von Μπακαλάκης heranzuziehen.
    Z. 1 Zum gerade im unteren Strymontal häufigen Namen Διοσκουρίδης vgl. den Kommentar zu 572/G537, Z. 1–3.
    Z. 2 Das Ethnikon Ὀλδηνός verweist auf die Existenz eines Dorfes (κώμη Ὀλδηνῶν) beim heutigen Νέος Σκοπός. Ein vergleichbarer Fall ist das Ethnikon Σκιαζερηνός in 509a/G806.

Z. 5 ιε΄ = 15; die Summe ist bescheiden: „A modest sum is left the village on the condition that, from the interest thereof, every year at a stated festival a bowl is to be filled with wine before the testator's grave and the grave itself be crowned. If these provisions are not carried out, the money is to revert to the testator's heirs" (Edson, a.a.O., S. 908).

Merkelbach liest zwar ιε΄ (a.a.O., S. 116, Anm. 100), aber er übersetzt: „15.000 Denare". Auf dem Stein steht ohne Zweifel IE. Die Summe ist zwar klein, andrerseits wären 15.000 Denare ohne jede Analogie. Ich ziehe daher vor, am Text des Steines festzuhalten.

Z. 5f. Guarducci möchte den κρατήρ mit Wasser statt mit Wein füllen, da die zur Verfügung stehende Summe für Wein nicht ausreichend sei (Guarducci, S. 169). „Plus justement L. Robert, BEp 1939, remarque que le mot κρατήρ indique que le vase était rempli d'eau et de vin, parce que dans le cas proposé par Guarducci on employerait un mot tel que λουτήρ, λουτροφόρος" (Samsaris, S. 274).

Inschrift des Δεντις für Διζας

568a/G795
II/III

Chronique des fouilles et découvertes archéologiques en Grèce en 1956, BCH 81 (1957), S. 496–636; hier S. 606 mit Abb. 4 auf S. 607.
BÉ 1959, Nr. 245 (S. 205).
Samsaris, Nr. 109 (S. 274).

Νέος Σκόπος. „Relief représentant le Cavalier thrace (haut.: 0,29) trouvé fortuitement. Le Cavalier est figuré au galop à droite portant une chlamyde flottante; dans le coin droit un sanglier. Au-dessous de la représentation est gravée une inscription funéraire beaucoup endommagée et en grande partie difficile à déchiffrer." (Samsaris, S. 274.)

Δεντις Διζα τῷ τέ-
κνῳ μνήμης χάριν.

1 In der Notiz in BCH sowie bei Samsaris nur Δεντις Διζα. Die restlichen Buchstaben dieser Zeile sind jedoch auf der Photographie in BCH eindeutig zu identifizieren. 2 So meine Lesung nach der Photographie in BCH. (Alle Buchstaben zwischen dem K am Anfang und dem χάριν am Schluß sind unsicher!)

Dentis für Dizas, sein Kind, der Erinnerung halber.

Z. 1 Δεντις ist vermutlich der Vater des verstorbenen Kindes Διζας. Die beiden Namen bezeichnen also verschiedene Personen (gegen Samsaris, der von „une personne d'origine thrace" spricht).

Δεντις ist ein seltener männlicher thrakischer Name, der in Philippi nicht vorkommt und sonst sowohl in der Form Δενθις als auch in der Form Δεντις bezeugt ist (Detschew, S. 125, s.v. Δενθις, Dentis).

Διζα ist Dativ zu dem geläufigen thrakischen Namen Διζας (vgl. Detschew, S. 133f.), der auch in Philippi häufig begegnet. Die Datierung stammt von Samsaris.

568b/G805   **Weihinschrift für Zeus und den König Philipp**
2. Jh. v. Chr.

Ζήσης Μπόνιας, ΑΔ (1992) Β´2 Χρονικά [1997], S. 479 mit Abb. πιν. 132α.
David Blackman: Archaeology in Greece 1997–98, AR 44 (1997–1998), S. 1–128; hier S. 90 (kein Text, keine Abb.).
Miltiade B. Hatzopoulos, BÉ 1998, Nr. 279.

Νέος Σκοπός. Από την περιοχή της αρχαίας πόλης στο Νέο Σκοπό Σερρών, θέση στην οποία έως τώρα η έρευνα τοποθετεί την »Κώμη Ολδηνών«, προέρχονται τρεις επιγραφές, που φυλάσσονται τώρα στο Μουσείο Σερρών (Μπόνιας, S. 479; vgl. zur Topographie Σαμσάρης, S. 132–134). Leider verrät Μπόνιας nur den Text der dritten Inschrift.
Abmessungen: H. 0,30; B. 0,26–0,33; D. 0,09.

> Διὶ
> καὶ βασιλῖ
> Φιλίππῳ.

3 Μπόνιας irrtümlich: ΦΙΛΙΠΠΩ. Auf dem Stein (vgl. die Photographie!) eindeutig: ΦΙΛ-ΙΠΠΩΙ.

Für Zeus und den König Philipp.

Z. 2 Das βασιλῖ steht für βασιλεῖ.

Z. 3 Mit Philipp ist hier Philipp V. gemeint: Προφανώς πρόκειται για τον Φίλιππο Ε´, όπως φαίνεται από τη χρονολόγηση των γραμμάτων. Άλλωστε η λατρεία του Φιλίππου Ε´ μας είναι γνωστή και από άλλες πηγές (Μπόνιας, S. 479).
Zu Philipp V. vgl. die Inschrift 532/G640 und die dort angegebene Literatur. Zur göttlichen Verehrung, die dem König zuteil wurde, vgl. Hammond III 486f., wo allerdings nur ein Zusammenhang mit den ägyptischen Göttern hergestellt wird, nicht aber mit Zeus, wie ihn unsere Inschrift belegt.
Vermutlich ist dies die Inschrift, die Hatzopoulos noch nicht in seinen Katalog hat aufnehmen können (M.B. Hatzopoulos: Macedonian Institutions under the Kings. Band II: Epigraphic Appendix, Μελετήματα 22, Athen 1996, Nr. 76, S. 92).

Grenzstein

569/G507
4./3. Jh.
v. Chr.

Dimitrios C. Samsaris: La navigation dans l'ancien lac de Cercinitis d'après une inscription inédite trouvée dans le village actuel de Paralimnion de Serrès, Μακεδονικά 19 (1979), S. 420–423.
Jeanne Robert und Louis Robert, BÉ 1983, Nr. 267.
SEG XXXII (1982) [1985] 641.

Παραλίμνιον. In der Nähe des Ufers des Kerkinitissees. Jetzt im Museum von Serres.
Abmessungen: H. 0,70; B. 0,40; D. 0,90 (*sic*! Samsaris meint vermutlich 0,09!). Buchstaben H. 0,046–0,06; Zeilenzwischenraum 0,03.

Κόλπος
Κιμα.

SEG: „»Bay of Kima«: marker, put up for the orientation of the shippers, ed. pr., who speculates on the origin of the toponym Κιμα (perhaps to be related to the Cretan toponym Κιμάρα/Κίμαρον and, if so, a pre-Greek word). Cf. J. and L. Robert, BE (1983) no. 267, who suggest that the stone indicated the limit of the lake at its most extreme expansion (cf. CIG 3763, near the Lake of Nikaia: ὅρος κβ´ λίμνης).“

Grabepigramm für Auge

570/G784
4./3. Jh.
v. Chr.

Paul Perdrizet: Scaptésylé, Klio 10 (1910), S. 1–27; hier S. 16.
BÉ 1911, S. 321 (kein Text).
Werner Peek, Zwei Grabepigramme aus Makedonien, Hermes 92 (1964), S. 498–502; hier S. 498–500.
Jeanne Robert und Louis Robert, BÉ 1966, Nr. 237.
Σασμσάρης, S. 142f., Anm. 8 (kein Text).

Δραβήσκος (Sdravik). Perdrizet beschränkt sich auf die folgende Bemerkung: „... dans le tchiflik de Tahir-bey, j'ai copié et estampé l'épigramme suivante, qui est gravée, en fines lettres du IVᵉ ou IIIᵉ siècle avant notre ère, sur une base de marbre blanc“ (a.a.O., S. 16).
Abmessungen: H. 0,22; B. 0,56.

[Φεῦ] ἀδίκως, Αὔγη, δόξας πρ[ὸ θέρ]ο[υς μ]οι ἀν[εῖλες]·
  [ἀ]μφ᾽ ἀρετῇ τοιάδ᾽ εἰς πόσιν ἦσθα δάμαρ
[φ]έγγος ὁρῶσα· ἀνθ᾽ ὧν σε τάφῳ Διονύσιος αὔ[ξω]
  [σ]ῳζόμενος φιλίαν ἣν πρέπον εἰς ἄλοχον.

Die *iota subscripta* sind auf dem Stein durchweg adskribiert.
1 Am Anfang ergänzt Peek: [οὐϰ]. Am Schluß möchte Peek folgendermaßen ergänzen:
πρ[ωτ]εῖο[ν ἔλ]οι' ἄν. Jeanne Robert und Louis Robert: „Le premier vers reste douteux."
2 Peek interpungiert: [ἀ]μφ' ἀρετῆι· (so auch Jeanne Robert und Louis Robert). **3** Peek
ergänzt am Schluß: αὔ[ξει].

> O weh! Zu Unrecht, Auge, hast du vor der Zeit der Reife den
> Glanz mir geraubt. Im Hinblick auf die Tugend warst du eine
> solche für deinen Mann, eine Gattin, die das Licht sieht. Dafür
> rühme ich, Dionysios, dich mit einem Grab, bei mir bewahrend
> die Liebe, die der Gattin gebührt.

Z. 1 Auge = Αὔγη ist in Inschriften aus Attika als Frauenname belegt. In
Philippi begegnet der Name sonst nicht. Es handelt sich also um den Namen
der Frau; sie – die Verstorbene – wird in Z. 1 angesprochen.
Z. 3 Der Name Διονύσιος begegnet häufig in den Inschriften von Philippi.

571/G538   **Fragmente**

Καφταντζής, Nr. 573, S. 346.
Samsaris, Nr. 144–146 (S. 291).

Δραβήσκος. Drei Inschriften (eine davon lateinisch) auf einer runden Stele
(Meilenstein?) aus weißem Marmor. H. 1,25; Durchmesser 0,30.
Ich bekam keine Genehmigung, den Stein selbst zu studieren (Ὑπουργείο
Πολιτισμού – Εφορεία προϊστορικών και κλασσικών αρχαιοτήτων Καβάλας,
Aktenzeichen 2558, 20. August 1992). Daher kann ich nur den (unbefriedi-
genden) Text von Καφταντζής wiederholen.

```
    IF-ΣE- -AMIΥOΣΓA- -
    ENΠΓOPΔIANIIIC -
    OUC EYTY- - ΔC Υ - -
    COI - - - CONS - - -
  5 [...] ΛC Υ [...]
    [...] ΣIΔΥE [...]
    [...] FIL [...]


    - - I - IPT - - - -
    - - CAEΓ - - - - -
    - - NOΥMHNIAN - -
    - - - CTNUIE - - -
  5 CT ΥΣ - - - - - -
    - ΔΥ - ΠP - - - - -
```

Griechische Namensliste   572/G537

Καφταντζής, Nr. 572, S. 345.
Georgi Mihailov: Inscriptions de la Thrace égéenne, Philologia (Sofia) 6 (1980), S.
3–19; hier S. 17, Nr. 51.
SEG XXX (1980) [1983] 619.
Samsaris, Nr. 148 (S. 292).

Δραβήσκος. Gefunden im Jahr 1963 westlich des Hauptplatzes von Δρα-
βήσκος (bei der ersten Straße rechts).
Graue Marmorplatte.
Abmessungen: H. 1,63; B. 0,40; D. 0,20; Höhe der Buchstaben 0,05–0,03;
Abstand der Buchstaben 0,01; Zeilenabstand 0,05–0,02.
Ich bekam keine Genehmigung, den Stein selbst zu studieren (Υπουργείο
Πολιτισμού – Εφορεία προϊστορικών και κλασσικών αρχαιοτήτων Καβάλας,
Aktenzeichen 2558, 20. August 1992). Daher kann ich nur den Text von
Καφταντζής wiederholen.

> Διζάπης Διο[σ-]
> κουρίδου, Διο[σ-]
> κουρίδης Ζιπύρον-
> τος, Τώρκος Βίζη,
> 5 Σάμβος Δίζα
> καὶ Μαν[... Διοσ]κουρί-
> δου [...]

5 SEG nach Mihailov (aufgrund des Photos bei Καφταντζής): Σανβος.

Dizapes, (der Sohn) des Dioskurides, Dioskurides, (der Sohn) des
Zipyron, Torkos, (der Sohn) des Bizes, Sambos, (der Sohn) des
Dizas, und Man(tas?), (der Sohn) des Dioskurides ...

Samsaris hält unseren Text für eine Grabinschrift („Grande stèle ... probablement funéraire ...", S. 292). Das ist nicht mehr als eine Möglichkeit.
Die Namensliste ist zwar in griechischer Schrift, umfaßt aber (mindestens in
dem erhaltenen Fragment) fast ausschließlich thrakische Namen.
     Z. 1 Διζάπης ist ein seltener Name, aber immerhin schon einmal belegt
(Detschew, S. 133).
     Z. 1–3 Der hier zweimal vorkommende Name Διοσκουρίδης ist die Aus-
nahme: er ist griechisch, nicht thrakisch, und steht im Zusammenhang mit
den Dioskuren (vgl. Samsaris, S. 315). Διοσκουρίδης begegnet gerade im unteren Strymontal (vgl. unsere Inschriften 551/G484; 555/G518 [Z. 1.5.10];
561/G516 [mehrfach]; 568/G477 [Z. 1.11]; 576/G534), im Bereich des Pangaiongebirges (585/G219; 596/G502; 607/G691) sowie – besonders häufig –

in Thessaloniki (IG X 2,1, die Nummern 68.162.197.241.246.508.846.879.923.
1003 für das Maskulinum und die Nummern 68.85.243.260.315.422.462.846.
902.923 für das Femininum).

Z. 3f. Ζιπύροντος ist vermutlich Genitiv zu Ζιπύρων (Samsaris, S. 292).
Zum thrakischen Namen Ζιπύρων vgl. Detschew, S. 191f.

Z. 4 Τώρχος entspricht dem gewöhnlich Τορχος geschriebenen Namen
(dazu Detschew, S. 513 und Samsaris, S. 292 und S. 340f.).
Der Name Βιζης begegnet vielleicht auch in 576/G534, Z. 3 (alternative
Lesung [Δι]ζης); Samsaris (S. 311) möchte ihn mit Βυζος (vgl. 456/G084)
und Βυζης gleichsetzen (dazu Detschew, S. 95).

Z. 5 Ganz gleich, ob man Σάμβος oder Σάνβος liest – belegt ist dieser
thrakische Name bisher nicht (vgl. Detschew, S. 416 und S. 420).
Δίζα(ς) ist ein sehr häufiger thrakischer Name (Detschew, S. 133f.).
Von Mihailov ins 2./3. Jh. datiert.

573/G535　　　　　　　　　　**Griechische Inschrift**
132 oder 248

Καφταντζής, Nr. 570, S. 343f.
Samsaris, Nr. 147 (S. 291f.).

Δραβήσκος. Ziemlich unleserliche Inschrift auf hartem Stein. In der Nähe
von Δραβήσκος gefunden. Aufbewahrungsort (1967) wie 575/G533.
Ich bekam keine Genehmigung, den Stein selbst zu studieren (Ὑπουργείο
Πολιτισμού – Εφορεία προϊστορικών και κλασσικών αρχαιοτήτων Καβάλας,
Aktenzeichen 2558, 20. August 1992). Daher kann ich nur den Text von
Καφταντζής wiederholen.

　　　Ἔτους πσ´
　　　[Α]ὐδ[ηναίου] (?)

　　　Im Jahr 280, (am ... Tag) des Monats Audynaios ...

Z. 1 πσ´ steht für 280, das ergibt nach der makedonischen Ära 280 –
148 = 132 (so Καφταντζής). Samsaris plädiert für die Ära von Aktium und
errechnet entsprechend 248 n. Chr. (S. 292).
Z. 2 Αὐδηναῖος = Αὐδυναῖος, makedonischer Monatsname (der dritte
Monat des makedonischen Kalenders, vgl. Kalléris II 1, S. 560ff.).

Griechisches Fragment   574/G536

Καφταντζής, Nr. 571, S. 344.

Δραβήσκος. Weih(?)inschrift unterhalb eines Reliefs; Fragment aus weißem, feinkörnigem Marmor. Von dem Relief ist nur der untere Teil erhalten, auf dem man die Füße einer sitzenden Figur erkennen kann, welche mit einem bis zu den Füßen reichenden Chiton bekleidet ist. Rechts ist eine zweite, wesentlich kleinere Figur zu erkennen, welche etwas in ihren Händen hält. Zwischen beiden Figuren befindet sich eine Lyra. Abmessungen: H. 0,24; B. 0,29; D. 0,03; Höhe der Buchstaben 0,025; Abstand der Buchstaben 0,035; Zeilenabstand 0,025. Zum Fund- und Aufbewahrungsort vgl. 573/G535.
Ich bekam keine Genehmigung, den Stein selbst zu studieren (Υπουργείο Πολιτισμού – Εφορεία προϊστορικών και κλασσικών αρχαιοτήτων Καβάλας, Aktenzeichen 2558, 20. August 1992). Daher kann ich nur den (unbefriedigenden) Text von Καφταντζής wiederholen.

```
- - - - ρομ . . σ - -
- - - - ωνι . υ - - - -
```

Griechischer (Kauf [?]-) Vertrag   575/G533
                                        4. Jh. v. Chr.

Καφταντζής, Nr. 568, S. 342f.

Δραβήσκος. In zwei Stücke zerbrochene Stele aus weißem Marmor; Abmessungen: H. 0,20; B. 0,23; D. 0,06. Höhe der Buchstaben 0,015, B. 0,012. Abstand zwischen den Buchstaben 0,01–0,002. Zeilenabstand 0,002.
Gefunden bei der Erschließung einer Straße in der Nähe von Δραβήσκος. Im Κοινοτικό Κατάστημα aufbewahrt (1967).
Heute im Museum in Serres. Inventarisierungsnummer Λ 95.
Ich bekam keine Genehmigung, den Stein selbst zu studieren (Υπουργείο Πολιτισμού – Εφορεία προϊστορικών και κλασσικών αρχαιοτήτων Καβάλας, Aktenzeichen 2558, 20. August 1992). Daher kann ich nur den (unbefriedigenden) Text von Καφταντζής wiederholen.

```
     [. . .] ο[- -]ανα[ς τ]ὸ [φιλ-]
     [ὸ]ν τῶν τε βατέων ΓΣΙ :
     ἔγγυος Ἴνδας Πο-
     ν(σία). Σβούβα τὸ φιλὸν
   5 τῶν τε βατέων Σ< : ἔγ-
     γυος Σέλης Πελκεί-
     α. Κρίσης τῶν τε βα-
     [τ]έων τὸ φιλὸν : Σ< : ἔγ-
```

γυος Φάνων : ΣΓ : Ἰνδα-
10 ς τῶν τε βατέων τὸ ψ-
[ιλ]ον : ΣΣΔΠ : ἔγγυος Δ-
[ούλ]ης Βραμάτιδος
[...]

576/G534   Griechische Grabinschrift
II/III

Καφταντζής, Nr. 569, S. 343.
Samsaris, Nr. 149 (S. 292f.).

Δραβήσκος. Weißer Marmor, in zwei Teile zerfallen; Abmessungen: H. 0,42;
B. 0,45; D. 0,16. Höhe der Buchstaben 0,05; Abstand der Buchstaben 0,01;
Zeilenabstand 0,02. Zum Fundort s. 575/G533.
Ich bekam keine Genehmigung, den Stein selbst zu studieren (Ὑπουργείο
Πολιτισμού – Εφορεία προϊστορικών και κλασσικών αρχαιοτήτων Καβάλας,
Aktenzeichen 2558, 20. August 1992). Daher kann ich nur den (unbefriedi-
genden) Text von Καφταντζής wiederholen.

[...] Δι-
[οσκο]υρίδης
[...]ζης, ἥρως,
[χαῖ]ρε.

1 Vor dem Namen Dioskurides stand vermutlich ἔτους ... μηνός ... (Samsaris).
3 Samsaris: Βιζης oder Διζης ἥρως.

... Dioskurides ... Heros, sei gegrüßt.

Z. 1f. Zum griechischen Namen Διοσκουρίδης vgl. den Kommentar zu
572/G537, Z. 1–3.
Z. 3 Der thrakische Name Βιζης (falls so zu lesen!) begegnet in 572/G537,
Z. 4.
Samsaris schlägt eine Datierung in das zweite oder dritte Jahrhundert vor
(S. 293).

Die Inschriften aus dem Pangaion

Zur Lage der einzelnen Orte vgl. o. Band I, Karte 2: Das Territorium der *Colonia Iulia Augusta Philippensis* (S. 50) mit der Legende S. 51 (die Nummern 42 bis 53).

Inschrift des Διονύσιος   577/G495

Χάϊδω Κουκούλη-Χρυσανθάκι, ΑΔ 33 (1978) Β´1 Χρονικά [1985], S. 293.
SEG XXXV (1985) [1988] 746.
Miltiade Hatzopoulos, BÉ 1988, Nr. 866.

Κορμίστα. Στην περιοχή της κοινότητας στη θέση Πόρτες βρέθηκε επάνω τμήμα επιτύμβιας ενεπίγραφης στήλης. Jetzt im Museum Kavala (Inventarisierungsnummer Λ 1211).
Αετωματική επίστεψη, κρόταφοι δουλεμένοι με επιμέλεια, πίσω επιφάνεια αδρή. Abmessungen: H. 0,68; B. (oben) 0,39; B. (unten) 0,38; D. 0,10. H. der Buchstaben 0,02–0,05; Zeilenzwischenraum 0,02.

    Διονύσιος
    Φιλίππου.

Dionysios, (der Sohn) des Philippos.

Grabinschrift des Ζώσιμος Ἡροδότου   578/G232

Α. Παπαδόπουλος Κεραμεύς: Αρχαιότητες και επιγραφαί της Θράκης συλλεγείσαι κατά το έτος 1885· προσετέθησαν και τινες επιγραφαί της Μακεδονίας, in: Ο εν Κωνσταντινουπόλει Ελληνικός Φιλολογικός Σύλλογος. Σύγγραμμα Περιοδικόν 17 (1882–83), Παράρτημα, Konstantinopel 1886, S. 65–113; hier S. 106.
G. Mendel: Inscriptions de Thasos, BCH 24 (1900), S. 263–284; hier S. 279f.
Γεώργιος Χατζηκυριακού: Σκέψεις και εντυπώσεις εκ περιοδείας ανά την Μακεδονίαν (1905–1906), IMXA 58, Thessaloniki ²1962 (1. Aufl. 1906); hier S. 99.
IG XII 8, 531 a.
A. Salač: Inscriptions du Pangée, de la région Drama-Cavalla et de Philippes, BCH 47 (1923), S. 49–96; hier S. 56 (Nr. 12,1).
Καφταντζής, Nr. 420, S. 258f.

Μόνη Εἰκοσιφοινίσσης. Als Παπαδόπουλος Κεραμεύς dort war, gab es noch einen anderen Namen für das Kloster: Κοσινίτζης (a.a.O., S. 106). „... sur un médaillon funéraire d'époque romaine; deux bustes, l'un de femme, l'autre d'homme" (Salač, S. 56). Nach Salač stammt diese (wie auch die folgende) Inschrift allerdings nicht aus dem Pangaion: „Elle a été apportée de Thasos, où le couvent de Kosfinitza possède des métokhia" (Salač, S. 56). Etwas genauer Χατζηκυριακού: Επί μαρμαρίνου κυκλικού αναγλύφου, παριστώντος άνδρα πωγωνοφόρον και γυναίκα πεπλοφόρον, παρά τη κεφαλή του ανδρός δεξιόθεν την εξής ... (S. 99). Im übrigen bestätigt er Salač, was die angebliche Herkunft der Inschrift angeht: Το ανάγλυφον, Ρωμαιοβυζαντινής εποχής, μετηνέχθη, κατά την μαρτυρίαν του ηγουμένου, εκ της Θάσου, ένθα η Μονή κέκτηται μετόχιον (S. 99).
Es handelt sich um zwei verschiedene Inschriften (die vorliegende und die folgende 579/G233) auf ein und demselben Objekt.
Abmessungen: H. 0,61; D. 0,56; Höhe der Buchstaben 12mm.
Καφταντζής zufolge existiert die Inschrift heute noch: Βρίσκεται σήμερα στο γυναικωνίτη (άλλοτε κατηχουμενείο) του καθολικού ναού της Μονής (S. 259).

Ζώσι-
μος Ι
Ἡροδό-
του, ὁ κ-
5 αἰ Ὀνίρας.

2 Παπαδόπουλος Κεραμεύς: μος<ι> = μος{ι}. Χατζηκυριακού: ΜΟΣ. 5 Παπαδόπουλος Κεραμεύς: Ὀνίρζ. Χατζηκυριακού: ΑΙΟΝ... Perdrizet (bei Mendel): Ὀνίρας. IG XII 8, 531: Ὀνιρᾶς. „M. Perdrizet a proposé dans *BCH*, XXIV, 1900, p. 279–280 [in dem oben angegebenen Aufsatz von G. Mendel], la lecture Ὀνιρᾶς [*sic*, d.h. mit *spiritus asper* und Zirkumflex auf dem α; bei Perdrizet dagegen Ὀνιρας]; cette rectification supprimait un *monstrum* dans la liste des noms thraces dressée jadis par Tomaschek (ONIPZ). Toutefois, on notera que le nom propre Ὀνιρᾶς [*sic*, mit *spiritus lenis*] n'est guère connu, semble-t-il, par ailleurs, et que l'estampage donnerait plutôt, l. 4–5: Ὄνησος, Ὀνησᾶς?" (Salač, S. 56f.).

Zosimos, (der Sohn) des Herodotos, der auch Oniras ... (heißt)
...

Z. 3f. Eine Liste alle Belege für Ἡρόδοτος aus Philippi findet sich im Kommentar zu 053/G760 aus dem Dorf Φίλιπποι.

Grabinschrift der Νίκη   579/G233

A. Παπαδόπουλος Κεραμεύς: Ἀρχαιότητες καὶ ἐπιγραφαί τῆς Θράκης συλλεγεῖσαι
   κατὰ τὸ ἔτος 1885· προσετέθησαν καὶ τινες ἐπιγραφαί τῆς Μακεδονίας, in: Ο ἐν
   Κωνσταντινουπόλει Ἑλληνικός Φιλολογικός Σύλλογος. Σύγγραμμα Περιοδικόν
   17 (1882–83), Παράρτημα, Konstantinopel 1886, S. 65–113; hier S. 106.
Γεώργιος Χατζηκυριακού: Σκέψεις καὶ ἐντυπώσεις ἐκ περιοδείας ἀνά τὴν Μακε-
   δονίαν (1905–1906), IMXA 58, Thessaloniki ²1962 (1. Aufl. 1906); hier S. 99.
IG XII 8, 531 b.
A. Salač: Inscriptions du Pangée, de la région Drama-Cavalla et de Philippes,
   BCH 47 (1923), S. 49–96; hier S. 56 (Nr. 12,2).
Καφταντζής, Nr. 420, S. 258f.

Μόνη Εἰκοσιφοινίσσης. Zur Beschreibung des Objekts vgl. 578/G232. Anders als bei jener Inschrift sind die Buchstaben hier 2cm hoch.
Nach Salač stammt diese (wie auch die vorige) Inschrift allerdings nicht aus
dem Pangaion: „Elle a été apportée de Thasos, où le couvent de Kosfinitza
possède des métokhia" (Salač, S. 56).
Καφταντζής zufolge existiert die Inschrift heute noch: Βρίσκεται σήμερα στο
γυναικωνίτη (ἄλλοτε κατηχουμενείο) του καθολικού ναού της Μονής (S. 259).

Νίκη Διοινυσίου (*sic*).

1   Χατζηκυριακού, Καφταντζής: ΝΙΚΗΔΙΟΝΥϹΙΟΥ. Richtig wohl IG XII 8, 531: Διο{ι}-
νυσίου.

Nike, (die Tochter) des Dioinysios.

Weihinschrift für den ῞Ηρως Αὐλωνείτης   580/G488
                                                            III

N. Κυπαρισσιάδης, Σερραϊκά Γράμματα 51/52 (1962), S. 38.
Καφταντζής, Nr. 565, S. 334–340.
Georgi Mihailov: Inscriptions de la Thrace égéenne, Philologia (Sofia) 6 (1980), S.
   3–19; hier S. 17, Nr. 50.
SEG XXX (1980) [1983] 594.
Dimitrios C. Samsaris: Le culte du Cavalier thrace dans la vallée du Bas-Strymon
   à l'époque romaine, in: Dritter internationaler thrakologischer Kongreß zu Ehren
   W. Tomascheks, Bd. 2, Sofia 1984, S. 284–290; hier zitiert nach der griechischen
   Fassung: Η λατρεία του „θράκα ιππέα" στην κάτω κοιλάδα του Στρυμόνα κατά
   τη ρωμαϊκή εποχή, in: ders.: ῎Ερευνες στην ιστορία, την τοπογραφία, και τις
   λατρείες των ρωμαϊκών επαρχιών Μακεδονίας και Θράκης, Thessaloniki 1984, S.
   43–57; hier S. 47ff.
SEG XXXIV (1984) [1987] 675.
Samsaris, Nr. 165 (S. 298f.).
BÉ 1987, Nr. 716.

Χάϊδω Κουκούλη-Χρυσανθάκη/Δήμητρα Μαλαμίδου: Το ιερό του Ήρωα Αυλωνείτη στο Παγγαίο, ΑΕΜΘ 3 (1989) [1992], S. 553–567; hier S. 553, Anm. 1.
Fanoula Papazoglou: Le territoire de la colonie de Philippes, BCH 106 (1982), S. 89–106; hier S. 98 mit Anm. 40.
Band I, S. 89; S. 95.

Κρηνίς. Im SEG heißt der Ort Krenidai = Vitasta; Καφταντζής sagt: Βρέθηκε … στη θέση »Παλιά Εκκλησία« της Κρηνίδας (Βιτάστας) και είναι εντοιχισμένη στο νάρθηκα του ναού της »η Κοίμηση της Θεοτόκου« (S. 335). Wie der Vergleich der österreichischen Karte (Blatt 42° 41° Kavala) mit der Karte des Νομός Σερρών zeigt, entspricht das türkische Vitasta (nordöstlich von Αγγίστα) dem heutigen Κρηνίς. Verwirrend ist die Darstellung bei Σαμσάρης, der zu Κρηνίδα (Βιτάστα) bemerkt: Η ύπαρξη ρωμαϊκού vicus, που ανήκε στη ρωμ. αποικία των Φιλίππων, μαρτυρείται στην τοποθεσία *Τούμπα ή Παλιά βουνά*, 2 χιλμ. περίπου κοντά στο σημ. χωριό της Κρηνίδας, όπου βρέθηκαν όστρακα ρωμαϊκής εποχής και λατινική επιγραφή που αναφέρει τον dec(urio) q(uinquennalis) Valerianus (Δημήτριος Κ. Σαμσάρης: Ιστορική γεωγραφία της Ανατολικής Μακεδονίας κατά την αρχαιότητα, Μακεδονική Βιβλιοθήκη 49, Thessaloniki 1976, S. 182) – das ist die Inschrift 533/L240 aus Άνω Συμβολή, welches ca. sechs Kilometer Luftlinie von Κρηνίς/Κρηνίδα entfernt ist. Man kann also nicht behaupten, daß diese Inschrift etwas mit Κρηνίς/Κρηνίδα zu tun hätte!
Weihinschrift auf Marmortafel; Abmessungen: H. 0,68; B. 0,78; D. 0,10; Höhe der Buchstaben 0,045–0,03. Zeilenabstand 0,015.
Gefunden im Jahr 1928; jetzt (das heißt 1967) eingemauert im Narthex der Kirche της »η Κοίμηση της Θεοτόκου« (nach Καφταντζής, S. 335; die *editio princeps* war mir nicht zugänglich).
Nach der Auskunft des Pfarrers im Dorf Κρηνίς (am 1. September 1992) ist die alte Kirche 1976 abgebrannt; in der neuen Kirche existiert keine Inschrift mehr.

Mitte:
῞Ηρω[ι] Αὐλωνε[ίτη]

Links:
1 Ζείπας Τά(ρσα),
   Δίζας Καλ(…),
   Α(ὐρήλιος) Ἀκμαῖος,
   Βείθυς Τά(ρ)σις,
5 Α(ὐρήλιος) Μυστει(…),
   Βείθυς Ση(…),
   Δίζας Σηβ(…),
   Δίζας Δυδι(…),
   Ζεργέδης Κ(έτριλα),
10 Ζείπας Δάν(δη),

Rechts:
1 Ζείπας Ζεί(πα),
   Διόσκους Δ(ιόσκου),
   Μέστος Βρ(άσου),
   Ζείπας Δι(όσκου),
5 Διόσκους Ζί(πα),
   Ζείπας Μάρ(κουλα),
   Σατορνεῖνος (…),
   Ζείπας Ζείπα,
   Ζείπας Τάρ(σα).

Das grundlegende Problem der Konstituierung des Textes dieser Inschrift sind die Klammern von Zeile L1 bis Zeile R9: Sollen es runde Klammern sein (so beispielsweise SEG XXX (1980) [1983] 594) oder eckige (so beispielsweise SEG XXXIV (1984) [1987] 675), d.h. handelt es sich um abgekürzte Namen oder um auf dem Stein unvollständig erhaltene, aber ursprünglich ausgeschriebene Namen? Da offenbar seit Herrn Κυπαρισσιάδης niemand den Stein je gesehen hat, ist die Frage nur schwer zu entscheiden. Καφταντζής (der ja wenigstens die *editio princeps* gesehen hat) gibt den Text S. 335 in einer Weise wieder, die eher die runden Klammern als angemessen erscheinen läßt.
Zu möglichen Ergänzungen vgl. den Kommentar.
M1 Καφταντζής: Αὐλωνε[ίτα].

Dem Heros Aulonites (ist es geweiht). Zeipas, (Sohn) des Tarsa; Dizas, (Sohn) des Kal...; Aurelios Akmaios; Beithys, (Sohn) des (?) Tarsis; Aurelios Mystei...; Beithys Se...; Dizas Seb...; Dizas, (Sohn) des Dydi...; Zergedes, (Sohn) des Ketrilas; Zeipas, (Sohn) des Dandes; Zeipas, (Sohn) des Zeipas; Dioskus, (Sohn) des Dioskus; Mestos, (Sohn) des Brasos; Zeipas, (Sohn) des Dioskus; Dioskus, (Sohn) des Zipas; Zeipas, (Sohn) des Markoulas; Satorneinos ...; Zeipas, (Sohn) des Zeipas; Zeipas, (Sohn) des Tarsa.

Σαμσάρης ist der Auffassung, daß κοντά στο σημ. χωριό Κρηνίδα (Βιτάστα) ebenfalls ein Heiligtum des Thrakischen Reiters bestand (a.a.O., S. 47); denn die in der Liste Genannten seien πιθανώς μέλη κάποιου λατρευτικού συλλόγου του θεού αυτού gewesen (S. 48). Auffallend ist, daß die vorliegende Namensliste fast ausschließlich aus thrakischen Namen besteht (Ausnahmen sind lediglich der Α(ὐρήλιος) Ἀκμαῖος in Zeile L3 und der Σατορνεῖνος in Zeile R7; vielleicht noch Α(ὐρήλιος) Μυστει[...] in Zeile L5). Im auch archäologisch nachgewiesenen Heiligtum des ῞Ηρως Αὐλωνείτης in Kipia begegnen neben thrakischen auch griechische und römische Namen (vgl. die Inschriften 616/L227 bis 629/G757). Zum Kult des ῞Ηρως Αὐλωνείτης in Philippi vgl. o. Bd. I, S. 93–100.

Z. M1 Zum ῞Ηρως Αὐλωνείτης vgl. unten die in dessen Heiligtum bei Kipia gefundenen Inschriften. Einen neuen Vorschlag zur Erklärung des Epitheton Αὐλωνείτης hat Μπακιρτζής unterbreitet (vgl. unten bei 619/G499).

Z. L1 Die von Σαμσάρης vorgeschlagene Ergänzung zu Τά(ρσα) hat eine gewisse Plausibilität; Mihailov schlägt seinerseits Τα(ρουλα) vor (S. 17); eine Entscheidung ist nicht möglich.

Z. L2 Die von Σαμσάρης vorgeschlagene Ergänzung Καλ(λινείκου) ergibt einen griechischen Namen, der in Philippi im Iseion bezeugt ist (vgl. 191/G300). Mihailov bewertet diese Ergänzung (im SEG XXXIV (1984) [1987]) als „rather arbitrary".

Z. L3 Mihailov erwägt, hier wie auch zwei Zeilen weiter das Α als ἀ(δελφός) zu lesen (S. 17); dies könnte der Ausgangspunkt weitreichender Spekulationen sein (Wie ist ἀδελφός zu verstehen? Gar im übertragenen Sinne?), wäre die von Σαμσάρης vorgeschlagene Ergänzung zu Α(ὑρήλιος) nicht wesentlich wahrscheinlicher.

Ἀκμαῖος ist einer der wenigen nichtthrakischen Namen unserer Liste (vgl. o. die einleitenden Bemerkungen zu diesem Kommentar).

Z. L4 Mihailov (S. 17: Τασις) und Δήμιτσας (Τά(ρ)σις) liegen hier eng beieinander mit ihren Vorschlägen. „Il serait un peut étrange pour un Thrace de porter deux noms *thraces* (non: un nom thrace et un nom étranger, ce qui est normal et assez courant), dont l'un comme *signum* (sobriquet), mais le nom Τασις existe en graffite à Amphipolis ... . L'existence d'un nom propre *Τασις a été déjà supposée par Dečev 494, comme premier élément d'un toponyme * Tasi-basta ... d'après l'épithète de Dionysos *Tasibastenus* [zu diesem vgl. 524/L103 sowie 525/L104]. Il faut vérifier su la pierre si la dernière lettre ne soit pas un ο: Τασιο[ς]?" (Mihailov, S. 17).

Z. L5 Zur Ergänzung des Α vgl. den Kommentar zu Z. L3. Schwierig ist das Μυστει(...). Mihailov erwägt Μύστει(ς) = Μύστι(ς).

Z. L6 Σαμσάρης in seiner Aufsatzsammlung macht keinen Vorschlag, wie man den zweiten Namen ergänzen könnte. Mihailov: „Ση(βῆρος) ... ne me plaît pas: on attendrait Σε-" (S. 17). In seiner Inschriftensammlung schlägt Samsaris Ση[βίου] vor (Nr. 165, S. 299).

Z. L7 Der Fall liegt analog wie in der Zeile zuvor. „Σηβ(ῆρος) ne me plaît pas: on attendrait Σε-" (Mihailov, S. 17); Samsaris hingegen entscheidet sich auch hier für Σηβ[ίου] (Nr. 165, S. 299).

Z. L8 Die Ergänzung, die Σαμσάρης S. 48 vorgeschlagen hatte, war Δυδι[άνου]. Im SEG wurde daraus Δυδι[οινοῦ], versehen mit Mihailovs Verdikt: „rather arbitrary". Mihailov selbst hatte (S. 17) Δυδί(ου) vorgeschlagen. Samsaris (Nr. 165, S. 299) ist mittlerweile für Δυδι[γγος]. *Non liquet.*

Z. L9 Der Vorschlag bei Σαμσάρης, zu Κ[έτριλα] zu ergänzen, fällt wiederum dem Mihailovschen Diktum „rather arbitrary" anheim.

Z. L10 Σαμσάρης (und Samsaris, Nr. 165, S. 299) schlägt vor Δάν[δη], Mihailov (S. 17) dagegen Δαν(δου). Immerhin sind beide Autoren sich einig, daß wir es hier mit dem thrakischen Namen Δανδης zu tun haben (vgl. Detschew, S. 115, s.v. Danda).

Z. R1 Die Ergänzung ist naheliegend und daher zwischen Σαμσάρης und Mihailov auch nicht umstritten.

Z. R2 Die Ergänzung geht auf Σαμσάρης zurück und stellt naturgemäß nicht mehr als eine Möglichkeit dar.

Z. R3 Hier gilt das zu Z. R2 Gesagte entsprechend.

Z. R4f. Mihailov und Samsaris stimmen darin überein, daß wir es hier mit Vater und Sohn zu tun haben.

Z. R6 Die Ergänzung zu Μάρκουλα geht auf Σαμσάρης (S. 48; vgl. Samsaris, Nr. 165 auf S. 299) zurück. Mihailov (S. 17) erwägt Μάρ(κου) bzw. Μάρ(ωνος).

Z. R7 Der Name Σατορνεῖνος begegnet auch in der Grabinschrift 607/ G691 aus Ποδοχώρι. Σατορνεῖνος ist kein thrakischer Name, vgl. o. die einführenden Bemerkungen zu diesem Kommentar.

Z. R9 Τάρ[σα] ist ein Vorschlag von Σαμσάρης (S. 48). Mihailov (S. 17) plädiert für Ταρ(ουλα). Beides ist möglich. Datierung von Σαμσάρης (a.a.O., S. 48); Καφταντζής datiert Mitte des 1. Jh.s n. Chr. (a.a.O., S. 336).

Weihinschrift des Lucius Titonius Suavis

581/L239

II/III

Ch.[arles] Picard: Les dieux de la colonie de Philippes vers le Ier siècle de notre ère, d'après les ex-voto rupestres, RHR 86 (1922), S. 117–201; hier S. 182, Nr. 6.

AÉ 1923, 94.

A. Salač: Inscriptions du Pangée, de la région Drama-Cavalla et de Philippes, BCH 47 (1923), S. 49–96; hier S. 59f. (Nr. 18).

AÉ 1924, 49.

Paul Collart: Le sanctuaire des dieux égyptiens à Philippes, BCH 53 (1929), S. 70–100; hier S. 82, Nr. 6.

AÉ 1930 [1931] 49.

Collart, S. 446, Nr. 6 mit Anm. 3.

Ladislaus Vidman [Hg.]: Sylloge inscriptionum religionis Isiacae et Sarapiacae, RVV 28, Berlin 1969; hier S. 54f., Nr. 120.

Françoise Dunand: Le culte d'Isis dans le bassin oriental de la méditerranée. Vol. II: Le culte d'Isis en Grèce, EPRO 26, Leiden 1973, S. 192 mit Anm. 3; S. 197 mit Anm. 5.

Fanoula Papazoglou: Le territoire de la colonie de Philippes, BCH 106 (1982), S. 89–106; hier S. 98 mit Anm. 40.

Samsaris, Nr. 164 (S. 298).

Band I, S. 145.

Αγγίστα. Bei der Kirche des Prodromos (Ιερός Ναός Τιμίου Προδρόμου). Vermutlich aus dem Isisheiligtum von Philippi; Picard hält das sogar für sicher: „une inscription certainement apportée de Philippes" (S. 182); ebenso Vidman: „certe pertinet ad Iseum Philippense" (S. 54; so auch Salač). Fragment aus Marmor; Abmessungen: H. 0,64; B. 0,37; D. 0,25; Höhe der Buchstaben 0,06; Zeilenzwischenraum 0,012. Die Kirche existiert noch (1992); es handelt sich um die Friedhofskirche des Dorfes. Den Stein vermochte ich bei meinem Besuch in Αγγίστα am 1. September 1992 nicht zu finden.

> [I]sidi Reg(inae)
> L(ucius) Titonius
> Suavis sac(erdos)
> mensam et ba-
> 5 sim d(e) s(uo) p(osuit).

Für Isis Regina (die Königin Isis) hat der Priester Lucius Titonius Suavis den Tisch und den Sockel auf eigene Kosten gestiftet.

Z. 1 Isis Regina in Philippi auch auf der Inschrift des Quintus Mofius Euhemerus vom Neapolistor (132/L303) und in 506/L252 aus Drama.
Z. 2 Zu Lucius Titonius Suavis vgl. die Inschrift 175/L012 von der Akropolis. Der Name Titonius begegnet nur in diesen beiden Inschriften; außerhalb Philippis ist er nirgendwo belegt (Olli Salomies: Contacts between Italy, Macedonia and Asia Minor during the Principate, in: Roman Onomastics in the Greek East. Social and Political Aspects, hg. v. A.D. Rizakis, Μελετήματα 21, Athen 1996, S. 111–127; hier S. 117, Anm. 31).
Z. 3 Zu den aus Philippi namentlich bekannten Priestern der ägyptischen Götter vgl. den Kommentar zu Z. 1 der Inschrift 193/G302.
Z. 4 Vidman: „memoratur mensa cenis Isiacis vel Sarapiacis destinata. Similes mensae sunt Deli (CE 20 κλίνη), Thasi (n. **265** κλισία), Mylasis (n. **275** τράπεζα), Prienae (n. **291**), Coloniae (n. **720** cline). – Voce κλίνη sensu speciali significatur cena sollemnis cultorum Isidis et Sarapidis, in qua deus ipse adest (κλίνη = lectisternium ap. Liddell-Scott s.v., II)." (S. 55).
Eine *mensa* begegnet auch auf einer unpublizierten Inschrift (Weihinschrift für Ceres; Museum Philippi). Das griechische Pendant τράπεζα haben wir in der viel älteren Inschrift aus Kavala 006/G475.

582/L238   ### Inschrift der *Firmii* für ihren *patronus*
I/II

A. Salač: Inscriptions du Pangée, de la région Drama-Cavalla et de Philippes, BCH 47 (1923), S. 49–96; hier S. 59 (Nr. 17).
Καφταντζής, Nr. 593, S. 354.
Χάϊδω Κουκούλη, ΑΔ 24 (1969) Β΄2 Χρονικά [1970], S. 352f. mit Anm. 31 (kein Text, kein Bild).
Fanoula Papazoglou: Le territoire de la colonie de Philippes, BCH 106 (1982), S. 89–106; hier S. 98 mit Anm. 40.
Samsaris, Nr. 163 (S. 298).
Louisa Loukopoulou: Sur la structure ethnique et sociale de Serrès à l'époque impériale, in: Ποικίλα, Μελετήματα 10, Athen 1990, S. 173–189; hier S. 178.

Αγγίστα. In der Kirche des Prodromos.
Nach Καφταντζής στην εκκλησία von Angista. Der Text von Καφταντζής ist fehlerhaft und wird nicht berücksichtigt.
Κουκούλη zufolge 1969/70 noch immer *in situ.* Εις την Ωραίαν Πύλην του ναού σώζεται εισέτι η προ πολλών ετών δημοσιευθείσα ενεπίγραφος επιτύμβιος πλάξ ρωμαϊκών χρόνων, ήτις εχρησιμοποιήθη ως κατώφλιον (Κουκούλη, S. 352f.).
Marmor: „marbre gris encastré dans le seuil du sanctuaire" (Salač, S. 59).
Abmessungen: H. 1,60; B. 0,87; D. 0,21; Höhe der Buchstaben 0,145; Zeilenzwischenraum 0,03.

C(aius) Firmius
pater,
C(aius) Firmius,
Sex(tus) Firmius,
5 L(ucius) Firmius
Eros, liberti
patrono.

6 l.l. = *liberti* (Salač).

Die Freigelassenen Caius Firmius, der Vater, (und die Söhne)
Caius Firmius, Sextus Firmius und Lucius Firmius Eros (haben
diese Inschrift) für ihren Patron (aufstellen lassen).

Salač meint: „Inscription d'un monument funéraire élevé par un affranchi et
ses trois fils à leur patron."
Loukopoulou schließt aus unserer Inschrift, daß der verstorbene Patron der
auf dem Stein Genannten ein C. Firmius war und stellt eine Verbindung zu
einer griechischen Inschrift aus Serres her: „Il devient évident qu'il existait à
Philippes une riche famille de colons romains appartenant à la *gens* Firmia,
patrons d'au moins deux familles d'affranchis, celle d'Angista comme celle
de Serrès" (S. 178). Die Inschrift aus Serres lautet nach Loukopoulou (S.
174):

Λ(ούκιος) Φίρμιος Κοκ-
κειανὸς ἑαυτῷ
καὶ Ἀπουλείᾳ
Μούσῃ τῇ συνβίῳ
5 καὶ Τ(ίτῳ) Ἀπουλείῳ
Οὐαλέντι καὶ
Ἀπουλείᾳ Πριβάτᾳ
καὶ Φιρμίαις Μαξίμᾳ
καὶ Ὀνησίμῃ.

(Inventarisierungsnummer Museum Serres Λ 139; *editio princeps*:
Dimitrios Samsaris: Trois inscriptions inédites d'époque impériale trouvées à Ser-
rès, Klio 65 (1983), S. 151–159; hier S. 152 mit Abb. 1;
SEG XXXIII (1983) [1986] 549;
SEG XXXV (1985) [1988] 1846;
Samsaris, Nr. 55 (S. 246f.).
Loukopoulou, S. 174 mit Abb. 1 auf S. 175;
SEG XL (1990) [1993] 551.)

Was die Familie der *Firmii* angeht, so verweist Loukopoulou außerdem auf
L(ucius) Firmius Geminus aus 588/L236 (Z. 10f.; Loukopoulou, S. 179 mit
Anm. 24).
Samsaris schlägt als Datierung I/II vor (S. 298).

583/G557　　　　　　**Grabstein des Lektors Philippos**
V/VI

A. *Παπαδόπουλος Κεραμεύς:* Αρχαιότητες και επιγραφαί της Θράκης συλλεγείσαι κατά το έτος 1885· προσετέθησαν και τινες επιγραφαί της Μακεδονίας, in: Ο εν Κωνσταντινουπόλει Ελληνικός Φιλολογικός Σύλλογος. Σύγγραμμα Περιοδικόν 17 (1882–83), Παράρτημα, Konstantinopel 1886, S. 65–113; hier S. 107.
Feissel, Nr. 221, S. 185.
Band I, S. 145; S. 242.

Πρώτη. „Pierre copiée par Papadopoulos-Kérameus en 1885 à Prôti (alors Küp-köy, ou Ἑβδομίστα), dans un métochion du monastère de Kosinitza (Εἰκοσιφοίνισσα), où elle était remployée comme marche. Non revue" (Feissel). Abmessungen: H. 0,96; L. 0,5.

Φιλί-
ππου
ἀναγν(ώστου).

2 Die zwei Π sind miteinander verbunden. 3 Dem N folgt das Abkürzungszeichen S.

(Grab des) Philippos, des Lektors.

584/L133　　　　　　**Grabinschrift der Quinta**

A. *Παπαδόπουλος Κεραμεύς:* Αρχαιότητες και επιγραφαί της Θράκης συλλεγείσαι κατά το έτος 1885· προσετέθησαν και τινες επιγραφαί της Μακεδονίας, in: Ο εν Κωνσταντινουπόλει Ελληνικός Φιλολογικός Σύλλογος. Σύγγραμμα Περιοδικόν 17 (1882–83), Παράρτημα, Konstantinopel 1886, S. 65–113; hier S. 107.
CIL III, Suppl. 1, Nr. 7353.
A. Salač: Inscriptions du Pangée, de la région Drama-Cavalla et de Philippes, BCH 47 (1923), S. 49–96; hier S. 57 (Nr. 14).
Fanoula Papazoglou: Le territoire de la colonie de Philippes, BCH 106 (1982), S. 89–106; hier S. 98.
Samsaris, Nr. 162 (S. 297).

Πρώτη. „Kjupkjoi a Philippis orientem versus hora dimidia a vico Radolibos in latere occidentali montis Pangaei in coemeterio" (CIL). Nach Salač in der Kirche Ἅγιος Γεώργιος. Bei unserem Besuch in Πρώτη am 1. September 1992 konnte man in der Kirche des Ἅγιος Γεώργιος weder innen noch außen eine Inschrift entdecken.
Nach Παπαδόπουλος Κεραμεύς ein Marmorblock. Abmessungen: H. 0,68; L. 1,19; D. 0,07; Höhe der Buchstaben 0,165–0,115; Zeilenzwischenraum 0,08 und 0,10 (nach Salač).

[...]ia Quint[a]
h(ic) s(ita) e(st).
[hoc] opus men[sum?].

Die Ergänzungen nach Salač.

Quinta ... liegt hier begraben ...

Grabinschrift des Σαιδείλας Διοσκουρίδου   585/G219

5 bzw. 121

Paul Perdrizet: Inscriptions de Philippes: Les Rosalies, BCH 24 (1900), S. 299–323; hier S. 308f.

Marcus N. Tod: The Macedonian Era II, ABSA 24 (1919–1921), S. 54–67; hier S. 56, Nr. 31.

Jacques Coupry/Michel Feyel: Inscriptions de Philippes, BCH 60 (1936), S. 37–58; hier S. 40, Abb. 2.

Samsaris, Nr. 158 (S. 296).

Πρώτη. Diese Inschrift wurde 1899 in Πρώτη (= Kioup-Keui) aufgenommen. H. 0,80; schlechte Schrift.

Ἔτους γν-
ρ´ μηνὸς
Δείου ακ´.
Σαιδείλας
5 Διοσκουρί-
δου. ἥρως
χαῖρε.

Im Jahre 153, im Monat Dios, am 21. Tag. Saideilas, (der Sohn) des Dioskurides, (liegt hier begraben). Heros, sei gegrüßt!

Z. 1 γνρ´ = 153, d.h. 5 nach der makedonischen Ära, bzw. 121 nach der Ära von Aktium.
Nach Coupry/Feyel kommt hier nur die makedonische Ära in Frage. Ihnenzufolge müßte man die Inschrift auf 5/6 datieren (S. 41).

Z. 3 Δεῖος (= Δῖος) ist ein makedonischer Monatsname (der erste Monat nach dem makedonischen Kalender; vgl. Kalléris II 1, S. 557).

Z. 4 „Σαιδείλας, nom thrace nouveau, à rapprocher de Σαδάλας" (Perdrizet, S. 309; vgl. Detschew, S. 410).

Z. 5 Zum gerade im unteren Strymontal und im Pangaion häufigen Namen Διοσκουρίδης vgl. den Kommentar zu 572/G537, Z. 1–3.

Grabinschrift

A. Salač: Inscriptions du Pangée, de la région Drama-Cavalla et de Philippes, BCH 47 (1923), S. 49–96; hier S. 57 (Nr. 13).
SEG II (1924) 418.
Samsaris, Nr. 161 (S. 297).

Πρώτη. Kirche Ἅγιος Γεώργιος. Nach Salač, S. 57 „fragment de marbre gris foncé, bigarré".
Abmessungen: H. 0,44; L. 0,13; D. 0,10; Höhe der Buchstaben 0,025; Zeilenzwischenraum 0,018.
Bei unserem Besuch in Πρώτη am 1. September 1992 konnte man in der Kirche des Ἅγ. Γεώργιος weder innen noch außen eine Inschrift entdecken.

> [...]
> ἐτῶν.
> [ἀδελ]φή, χαῖ[ρε].
> [χαῖρ]ε κα[ὶ σύ]
> 5 [κ᾽ εὐ]όδε[ι].

Die Ergänzungen sind vom Herausgeber Salač. SEG schlägt für Z. 5 vor: [παρ]οδε[ῖτα] – erwägenswert.

> ... Jahre alt. Schwester, sei gegrüßt! Sei auch du gegrüßt und gute Reise!

Inschrift zu Ehren zweier *Lucii Atiarii*

A. Salač: Inscriptions du Pangée, de la région Drama-Cavalla et de Philippes, BCH 47 (1923), S. 49–96; hier S. 57–59 (Nr. 15).
AÉ 1924, 48.
Collart, S. 394 mit Anm. 1.
Fanoula Papazoglou: Le territoire de la colonie de Philippes, BCH 106 (1982), S. 89–106; hier S. 98 mit Anm. 41.
Samsaris, Nr. 157 (S. 295f.).
Louisa Loukopoulou: Sur la structure ethnique et sociale de Serrès à l'époque impériale, in: Ποικίλα, Μελετήματα 10, Athen 1990, S. 173–189; hier S. 179 mit Anm. 24.
Band I, S. 144.

Πρώτη. Im Haus des Κωνσταντίνος Μούτζης. „... dalle de marbre gris encastrée dans une cuve à distiller" (Salač, S. 57).
Abmessungen: H. 0,36; B. 0,25; Höhe der Buchstaben 0,19; Zeilenzwischenraum 0,01–0,012.

[I(ovi)] O(ptimo) M(aximo) Feteran-
co sacrum.
pro salutem
L(uci) Atiari L(uci) f(ili) Vol(tinia)
5 Philippi et L(uci)
Atiari L(uci) f(ili) Vol(tinia)
Aspriani Mon-
tani F PANC
[...] Suritani f(aciendum) c(uraverunt)
10 curatore L(ucio) Fir-
mio Gemino
TPẠ SA/FṬ

---

3 Auf dem Stein steht in der Tat *pro salutem*!   **8** Collart ergänzt zu *[Ete]pauc(i)*.

Dem Iuppiter Optimus Maximus Feterancus ist es geweiht. Für das Heil des Lucius Atiarius Philippus, des Sohnes des Lucius, aus der Tribus Voltinia, und des Lucius Atiarius Asprianus Montanus, des Sohnes des Lucius, aus der Tribus Voltinia, haben die ... Suritani (den Stein) anfertigen lassen unter dem Vorsteher Lucius Firmius Geminus ...

Z. 1 Zu Iuppiter vgl. den Kommentar zu 223/L339 vom Forum. „Peut-être Veterani coloniae? Ou un cognomen de Jupiter, dérivé du nom d'une collectivité, qu'il faudrait restituer aussi à la 8ᵉ ligne?" (Salač, S. 58, Anm. 1).

Z. 4 Die Familie der *Atiarii* ist auch aus anderen Inschriften der Stadt Philippi bekannt: Publius Cornelius Asper Atiarius Montanus (I) in 001/L 027; Lucius Atiarius Hilarus (II) in 091/L360, Z. 10; in der Silvanusinschrift (II) 163/L002 Lucius Atiarius Thamyrus (Z. 26), Lucius Atiarius Successus (Z. 38), Lucius Atiarius Firmus (Z. 46) sowie Lucius Atiarius Moschas (Z. 66) und Lucius Atiarius Suavis (Z. 69); in der Silvanusinschrift (II) 165/L003 ein Atiarius Aniites (Z. 2), ein Atiarius Firmus (Z. 5) und ein Atiarius Rusticus (am Ende); nicht datierbar sind ein Atiarius Ac<m>eus in 451/L158 (Z. 10); ein Lucius Atiarius in 487/L094; und schließlich eine Frau, Atiaria Acte, in 523/L105. Hinzu kommt unpubliziertes Material aus Philippi. Zum Namen vgl. den Befund bei Salomies: „*Atiarius*, a nomen attested in numerous inscriptions in Philippi ... is not found anywhere else in the world – unless one connects it with *Attiarius*, a nomen known from an inscription from Aquileia (*AEp.* 1962, 173 = *I. Aquileia* 865)" (Olli Salomies: Contacts between Italy, Macedonia, and Asia Minor during the Principate, in: Roman Onomastics in the Greek East. Social and Political Aspekts, hg. v. A.D. Rizakis, Μελετήματα 21, Athen 1996, S. 111–127; hier S. 121).

Z. 9 „Suritani ... désignerait une collectivité (nom. plur.)" (Salač, S. 59).

Z. 10f. Zur Familie der *Firmii* in Philippi vgl. den Kommentar zu 582/L 238.

589/G212   Grabinschrift des Αὐρήλιος und seiner Gemahlin
III

A. Παπαδόπουλος Κεραμεύς: Ἀρχαιότητες καὶ ἐπιγραφαί τῆς Θράκης συλλεγεῖσαι
κατὰ τὸ ἔτος 1885· προσετέθησαν καὶ τινες ἐπιγραφαί τῆς Μακεδονίας, in: Ο εν
Κωνσταντινουπόλει Ελληνικός Φιλολογικός Σύλλογος. Σύγγραμμα Περιοδικόν
17 (1882–83), Παράρτημα, Konstantinopel 1886, S. 65–113; hier S. 107.
Paul Perdrizet: Voyage dans la Macédoine première [II], BCH 19 (1895), S. 109–
112; hier S. 112.
Δήμιτσας, Nr. 925 (S. 720).
Franz Cumont: Notices épigraphiques. V. Inscriptions de Macédoine, Revue de
l'instruction publique en Belgique 41 (1898), S. 328–340; hier S. 331f., Nr. 5.
A. Salač: Inscriptions du Pangée, de la région Drama-Cavalla et de Philippes, BCH
47 (1923), 49–96; hier S. 59, Beschreibung zu Nr. 16 erwähnt diese Inschrift.
Καφταντζής, Nr. 566, S. 341.
Samsaris, Nr. 156 (S. 295).
Νικόλαος Ζήκος: Προανασκαφικές έρευνες στο Ροδολίβος και στην περιοχή του,
Ορφέας (Δίμηνη έκδοση του Ομίλου Ορφέας Σερρών) 8–9 (1983), S. 3–31; hier
S. 12–14 mit Abb. 4β und 5.
Jacques Lefort: Radolibos: population et paysage, Travaux et Mémoires 9 (1985),
S. 195–234; hier S. 197, Anm. 10.
SEG XXXIII (1983) [1986] 544.
SEG XXXV (1985) [1988] 762.

Ροδολίβος. Παπαδόπουλος Κεραμεύς: Επί τεμαχίου μαρμάρου μετά πλαισίου
εντετειχισμένου όπισθεν του ιερού της των μεγάλων Ταξιαρχών εκκλησίας
ύψους 0,68· πλ. 0,74 (S. 107).
Abmessungen nach Ζήκος heute: 0,52x0,54. Ihmzufolge εντοιχισμένη στην
εξωτερική όψη της κόγχης του ναού των Αγίων Ταξιαρχών (S. 12).
Noch genauer sind die Angaben bei Lefort: „cette inscription est encastrée
dans le mur extérieur de l'église des Taxiarques, qui a brûlé en 1969 et a été
reconstruite" (S. 197, Anm. 10).
Dia Nummer 714.715/1992.

> Αὐρήλιο[ς ἑαυτῷ ζῶντι . . .]
> καὶ τῇ συ[μβίῳ . . .]
> βους ἢ δει[. . .]
> ὃς ἂν δὲ ἕ[τερον πτῶμα . . .]
> 5   δώσει προ[στίμου δηνάρια . . .].

---

2 Δήμιτσας hat irrtümlich ΚΑΤΗΣμβίῳ. **3** Das I am Schluß, das die älteren Gewährsleute nicht haben, ist auf der Photographie bei Ζήκος eindeutig auszumachen. **4** *Varia
lectio* ἐὰν δὲ κτλ. Die oben gebotene Lesart findet sich bereits bei Παπαδόπουλος Κεραμεύς:

OCANΔEE. Sie ist durch die Photographie bei Ζήχος gesichert. Ζήχος gibt irrtümlich ἕ[τερος.

Aurelios hat für sich zu seinen Lebzeiten und für seine Frau ...
Wer auch immer aber eine andere Leiche ..., der soll Strafe
zahlen ... Denare.

Die Datierung nach Samsaris, S. 295.

Fragment

590/G237
II/III

A. *Salač:* Inscriptions du Pangée, de la région Drama-Cavalla et de Philippes,
   BCH 47 (1923), S. 49–96; hier S. 59 (Nr. 16).
SEG II (1924) 419.
Jacques Lefort: Radolibos: population et paysage, Travaux et Mémoires 9 (1985),
   S. 195–234; hier S. 197, Anm. 10.
SEG XXXV (1985) [1988] 762.
Samsaris, Nr. 154 (S. 294f.).

Ροδολίβος. Bei der Kirche wie 589/G212. Eingemauert in die äußere Um-
fassungsmauer, „à 3 m. environ du sol" (Salač, S. 59).
Marmorfragment; Abmessungen: H. 0,18; B. 0,35; Höhe der Buchstaben
0,07; Zeilenzwischenraum 0,02.
Lefort bemerkt: „l'inscription ... semble avoir disparu" (S. 197, Anm. 10).
Das Tor links vom Haupteingang zum Garten trägt die Jahreszahl 1927; falls
damals auch die jetzt vorhandene Umfassungsmauer gebaut wurde, ging der
Stein wohl im Zuge dieser Renovierungsmaßnahmen verloren.

NOCCE
[Ἰο]υλιαν[...]
[θ]υγατέ[ρα]

Samsaris bietet eine plausible Ergänzung:

[Ἰουλια]νὸς Σε[κοῦνδος]
[Ἰο]υλιαν[ὴν]
[τὴν θ]υγατέ[ρα μνείας χάριν].

Iulianos Secundus für Iuliane, seine Tochter, der Erinnerung halber.

Die Datierung nach Samsaris, S. 295.

591/G556
VI?   **Grabstein des Κυπριανός**

A. *Παπαδόπουλος Κεραμεύς:* Ἀρχαιότητες καὶ ἐπιγραφαί τῆς Θράκης συλλεγεῖσαι
κατὰ τὸ ἔτος 1885· προσετέθησαν καὶ τινες ἐπιγραφαί τῆς Μακεδονίας, in: Ο εν
Κωνσταντινουπόλει Ἑλληνικός Φιλολογικός Σύλλογος. Σύγγραμμα Περιοδικόν
17 (1882–83), Παράρτημα, Konstantinopel 1886, S. 65–113; hier S. 107 (Tafel
4,3).
Feissel, Nr. 220, S. 184f.
Jacques Lefort: Radolibos: population et paysage, Travaux et Mémoires 9 (1985),
S. 195–234; hier S. 197, Anm. 10.
SEG XXXV (1985) [1988] 762.
Band I, S. 118, Anm. 14; S. 242.

Ροδολίβος. „Plaque de pierre, copiée en 1885 par Papadopoulos-Kérameus
à Radolivos (aujourd'hui Rodolivos), à l'intérieur du narthex de l'église
τῶν μεγάλων Ταξιαρχῶν. L'église existe encore, mais la pierre a disparu.
L'inscription est répartie autour d'une croix aux branches inégales" (Feissel).
Abmessungen: H. 0,62; L. 1,27.

      †   Ἔνθα κῖτε Κυπριανὸς Φι[λιππήσιος με-]
      τὰ τῖς συμβί(ου) αὐτο[ῦ ...]
      ρήας, βασιλεύοντο[ς ... τοῦ]
      κ(υρίο)υ ἡμῶν Ἰ(η)σ(ο)ῦ Χ(ριστο)ῦ ἐπὴ βασιλέος [...].

1 Παπαδόπουλος Κεραμεύς gibt: Φιλί[ππου].   **2** Παπαδόπουλος Κεραμεύς: μετὰ τῆς (ein
Druckfehler). Hinter CYMBI das Abkürzungszeichen S.   **2f.** Παπαδόπουλος Κεραμεύς:
αὐτο[ῦ Μα-]|ρίας (bei Feissel falsch zitiert als αὐτο[ῦ κτλ.).   **3** Παπαδόπουλος Κεραμεύς:
βασιλεύοντο[ς τοῦ].   **4** Die *nomina sacra* sind durch einen waagerechten Strich gekennzeichnet.

      Hier ruht Kyprianos, der Philipper, mit seiner Frau Maria (?).
Unser Herr Jesus Christus herrscht als König, unter der Regie-
rung (des ...).

      Z. 1 Feissel weist darauf hin (S. 185), daß der Name Κυπριανός im Osten
selten ist. Es handelt sich um einen typisch westlichen christlichen Namen.
      Z. 3f. Hierzu ist eine Inschrift aus Syrien zu vergleichen (Waddington
2413a) – aus dem Jahr 641. Dort (W.H. Waddington: Inscriptions grecques
et latines de la Syrie, recueillies et expliquées, Paris 1870 (Nachdr. Rom
1968), S. 552) heißt es κ(υρίο)υ Ἰ(ησο)ῦ Χ(ριστο)ῦ βασιλεύοντος.

Grabinschrift des Μάντας

Franz Cumont: Notices épigraphiques. V. Inscriptions de Macédoine, Revue de l'instruction publique en Belgique 41 (1898), S. 328–340; hier S. 332, Nr. 6.

Paul Perdrizet: Inscriptions de Philippes: Les Rosalies, BCH 24 (1900), S. 299–323; hier S. 308.

Marcus N. Tod: The Macedonian Era II, ABSA 24 (1919–1921), S. 54–67; hier S. 57, Nr. 48.

Georgi Mihailov: Epigraphica et onomastica. (Observations sur les rapports ethno-culturels dans l'aire balkano-micrasiatique), Études balkaniques 23,4 (1987), S. 89–111; hier S. 95, Nr. 27a.

Samsaris, Nr. 159 (S. 296).

Ροδολίβος. „Dans la cour d'une maison turque. Plaque de pierre calcaire … . Caractères irréguliers et mal gravés" (Cumont, S. 332).

„Sur deux plaques de marbre, chez Moustapha Machmoud. Cumont, *art. cité,* p. 5 (copies imparfaites). La première plaque [d. i. die vorliegende Inschrift] est complète, l'autre [d. i. die folgende Inschrift 593/G218] écornée aux deux angles supérieurs" (Perdrizet, S. 308).

Abmessungen (nach Cumont): H. 0,44; B. 0,69.

> Ἔτους σις´ μηνὸς Ἀρτ-
> εμεσίου κη´. Μάντας Μέ-
> στου ἐτῶν με´.
> ἥρως, χαῖρε.

1 Cumont schreibt ςισ´ statt σις´ (Perdrizet). **2** Perdrizet gibt irrtümlich κὴ; doch es muß sich hier ohne Zweifel um eine Zahlenangabe handeln (vgl. auch die folgende Inschrift!). **2f.** Cumont: Με[ν]-|έτου.

Im Jahr 216, im Monat Artemisios, am 28. Tag. Mantas, (der Sohn) des Mestos, 45 Jahre alt, (liegt hier begraben). Heros, sei gegrüßt!

Z. 1 σις´ = 216, d.h. 68 nach der makedonischen Ära, bzw. 184 nach der Ära von Aktium. Cumont errechnet den 21. April 69 n. Chr. Samsaris plädiert für 184 n. Chr. (S. 296).

Z. 1f. Ἀρτεμέσιος (= Ἀρτεμίσιος) ist ein makedonischer Monatsname (der siebte Monat des makedonischen Kalenders, vgl. Kalléris II 1, S. 566).

Grabinschrift des Μάντας

Franz Cumont: Notices épigraphiques. /V. Inscriptions de Macédoine, Revue de l'instruction publique en Belgique 41 (1898), S. 328–340; hier S. 332, Nr. 7.

Paul Perdrizet: Inscriptions de Philippes: Les Rosalies, BCH 24 (1900), S. 299–323; hier S. 308.

Marcus N. Tod: The Macedonian Era II, ABSA 24 (1919–1921), S. 54–67; hier S. 57, Nr. 54.

Georgi Mihailov: Epigraphica et onomastica. (Observations sur les rapports ethno-culturels dans l'aire balkano-micrasiatique), Études balkaniques 23,4 (1987), S. 89–111; hier S. 95, Nr. 27b.

Samsaris, Nr. 160 (S. 296f.).

Ροδολίβος. „Sur deux plaques de marbre, chez Moustapha Machmoud. Cumont, *art. cité*, p. 5 (copies imparfaites). La première plaque [das ist die vorige Inschrift 592/G217] est complète, l'autre [das ist die vorliegende Inschrift] écornée aux deux angles supérieurs" (Perdrizet, S. 308).

Abmessungen (nach Cumont): H. 0,33; B. 0,50.

[Ἔτ]ους ενσ´ [Δί-]
[ο]υ ζ´. Μάντα[ς Διο-]
νυσίου ἔτων
ξ´. ἥρως, χαῖρε.

1 Perdrizet hat irrtümlich ενς´. Cumont: ης´ [μηνὸς …]. 2 Cumont: ζ´ (als ersten Buchstaben dieser Zeile). MANT. 4 Cumont: ς´ (Stigma).

Im Jahre 255, im Monat Dios, am 7. Tag. Mantas, (der Sohn) des Dionysios, 60 Jahre alt, (liegt hier begraben). Heros, sei gegrüßt!

Z. 1 ενσ´ = 255, d.h. 107 nach der makedonischen Ära, bzw. 223 nach der Ära von Aktium. Cumont errechnet aufgrund seiner abweichenden Lesart (ησ´ statt ενσ´) 208, nach makedonischer Ära also 60/61.

Z. 2f. Δῖος ist ein makedonischer Monatsname; der erste Monat des makedonischen Jahres (vgl. Kalléris II 1, S. 557).

594/G497   Christliche Inschrift

Jacques Lefort: Radolibos: population et paysage, Travaux et Mémoires 9 (1985), S. 195–234; hier S. 197, Anm. 10 und S. 199, Anm. 13.

SEG XXXV (1985) [1988] 762.

Band I, S. 242.

Ροδολίβος. „… une bague dont le chaton constitue la matrice d'un sceau, portant l'inscription" (Lefort, S. 199, Anm. 13). Noch nicht bei Feissel.

† Κ(ύρι)ε βοήθη.

Herr, hilf!

Griechisches Fragment

Νικόλαος Ζήκος: Προανασκαφικές έρευνες στο Ροδολίβος και στην περιοχή του, Ορφέας (Δίμηνη έκδοση του Ομίλου Ορφέας Σερρών) 8–9 (1983), S. 3–31; hier S. 7f. mit Abb. 3 und 4α.

Jacques Lefort: Radolibos: population et paysage, Travaux et Mémoires 9 (1985), S. 195–234; hier S. 197, Anm. 10.

SEG XXXIII (1983) [1986] 542.

Samsaris, Nr. 155 (S. 295).

Ροδολίβος. Die Inschrift stammt von der antiken Siedlung auf dem Hügel Άγιος Αθανάσιος im Norden von Ροδολίβος (zur Lage vgl. Ζήκος, Plan Abb. 1) und wurde πριν μερικά χρόνια στην αυλή σπιτιού όπου και χρησιμοποιήθηκε για αναβαθμός σκάλας (σκαλοπάτι) gebraucht (Ζήκος, S. 7).
Abmessungen: B. 0,47; H. 0,52.

[Ἔτους ...] μηνὸς
[...]βδελου
Σερείλου. ἥρων
χαῖρε{ι}.

1 Die Ergänzung nach dem Vorschlag von Samsaris. 3 Pleket: ἥρως? Dieser Vorschlag ist nicht annehmbar, wie die Abbildung bei Ζήκος zeigt (Abb. 4): Auf dem Stein steht eindeutig ἥρων.

Im Jahr ... (am ...) des Monats ... des Sereilos. Heron, sei gegrüßt!

Z. 3 Der Name Σερείλος ist neu (vgl. Ζήκος, S. 7, Anm. 10: Το όνομα Σερείλος από όσο γνωρίζω απαντάται για πρώτη φορά).
Samsaris schlägt als Datierung II/III vor.

Grabstein des Διοσκουρίδης

Νικόλαος Ζήκος: Προανασκαφικές έρευνες στο Ροδολίβος και στην περιοχή του, Ορφέας (Δίμηνη έκδοση του Ομίλου Ορφέας Σερρών) 8–9 (1983), S. 3–31; hier S. 11f. mit Abb. 4.

SEG XXXIII (1983) [1986] 543.

Samsaris, Nr. 153 (S. 294).

BÉ 1987, Nr. 707 (unergiebig).

Ροδολίβος. Die Inschrift stammt aus Κουριά, 800m südlich des Ortes Ροδολίβος am Fuß des Pangaion (vgl. die Karte bei Ζήκος, Abb. 1).
Steinplatte; Abmessungen: H. 0,40; B. 0,32; D. 0,05.

Ἔτους ορ´ μη[νὸς ...].
Διοσκουρίδη[ς].
ἥρως, χαῖρε.

1 Ζήκος: Ἔτος (sic) Ο´ρμη[νός ...] (sic); doch auf seiner Abbildung eindeutig ΕΤΟΥС.
Zur Zahl siehe unten.

Im Jahr 170, im Monat .... Dioskurides. Heros, sei gegrüßt!

Z. 1 Ζήκος liest Ο´ρ (?) und datiert auf 131 – wie das funktioniert, bleibt
sein Geheimnis. Liest man mit SEG ορ´ = 170, dann erhält man 170 – 148
= 22 n. Chr. nach der makedonischen Ära (bzw. 148 n. Chr. nach der Ära
von Aktium).

Z. 2 Ζήκος macht auf den Namen Διοσκουρίδης aufmerksam, der in dieser Gegend öfter vorkommt (z. B. bei Καφταντζής die Nummern 1.4.18.492.
496). Er zeigt την ευρεία διάδοση που είχε εδώ η λατρεία των Διοσκούρων (S.
11, Anm. 15). Vgl. im einzelnen die Belege, die im Kommentar zu 572/G537,
Z. 1–3 gesammelt sind.

Ganz in der Nähe fand Ζήκος Münzen: Τρία χάλκινα νομίσματα, νομισματο-
κοπείου Φιλίππων, εποχής Αυγούστου ... από την επιφάνεια του εδάφους της
περιοχής είναι ένδειξη ότι ο οικισμός υπήρχε ήδη από τον 1ο μ.Χ. αι. και απο-
τελούσε πιθανότατα περιοικίδα (vicus) της ρωμαϊκής αποικίας των Φιλίππων
(S. 11).

596a/G816
222

Griechisches Fragment

Μαρία Νικολαΐδου-Πατέρα, ΑΔ 45 (1990) Β´2 Χρονικά [1995], S. 380.
M.B. Hatzopoulos, BÉ 1997, Nr. 413.

Ακροπόταμος. Da die hier zu diskutierende Inschrift erst 1995 bekannt
wurde, fehlt der Fundort Ακροπόταμος in der Karte 2 (Band I, S. 50–51).
Er liegt im Süden von Podochori, so weit entfernt, daß der Weg (Luftlinie)
nach Podochori ungefähr genauso weit ist wie nach Kariane. Letzteres liegt
m.E. schon außerhalb des Territoriums von Philippi (vgl. Band I, S. 55 mit
Anm. 9). Ακροπόταμος ist ein Grenzfall. Seiner Sache sicher ist Hatzopoulos,
der dekretiert: „*Akropotamos* (territoire de Philippes)“ (S. 551). Woher diese
Sicherheit rührt, vermag der Leser des BÉ freilich nicht zu erkennen.
Στη θέση Καϊνάκια της κοινότητας Ακροποτάμου βρέθηκαν τυχαία τα εξής
γλυπτά τα οποία παραδόθηκαν στο Μουσείο Καβάλας:
1. Δύο θραύσματα αναγλύφων ... (αριθ. Ευρ. Μουσείου Καβάλας Λ 1396, Λ
1397).
2. Ενεπίγραφος επιτύμβιος βωμός με ανάγλυφη παράσταση θρακός ιππέως
(αριθ. Ευρ. Μουσείου Καβάλας Λ 1398). Η επιγραφή σώζεται αποσπασματικά
(Μαρία Νικολαΐδου-Πατέρα, S. 380).

Abmessungen werden nicht angegeben.

῎Ετους οτ΄ Πα[νήμου]

Im Jahr 370, im Monat Panemos ...

Das Jahr 370 entspricht nach der provinzialen Ära unserem Jahr 222 n. Chr.
Der makedonische Monatsname Πάναμος begegnet hier in der Form Πάν-
ημος. Es handelt sich um den neunten Monat des makedonischen Kalenders
(vgl. Kalléris II 1, S. 567).

Grabinschrift des Ζείπας und seiner Familie   597/G211

Paul Perdrizet: Voyage dans la Macédoine première [I], BCH 18 (1894), S. 416–
445; hier S. 444f.
Δήμιτσας, Nr. 920 (S. 719).
Paul Perdrizet: Inscriptions de Philippes: Les Rosalies, BCH 24 (1900), S. 299–
323; hier S. 304f., Nr. 1 mit Pl. XIII.
Paul Perdrizet: Cultes et mythes du Pangée, Annales de l'est, publiées par la fa-
culté des lettres de l'université de Nancy, 24ᵉ année, fascicule 1, Paris/Nancy
1910, S. 89 mit Anm. Pl. I.
Bernhard Laum: Stiftungen in der griechischen und römischen Antike. Ein Beitrag
zur antiken Kulturgeschichte, Erster Band: Darstellung; Zweiter Band: Urkun-
den, Leipzig/Berlin 1914, Nr. 37 (= Bd. II, S. 40).
Charles Picard/Charles Avezou: Le testament de la prêtresse thessalonicienne,
BCH 38 (1914), S. 38–62; hier S. 48, Nr. 1.
Paul Collart: ΠΑΡΑΚΑΥΣΟΥΣΙΝ ΜΟΙ ΡΟΔΟΙΣ, BCH 55 (1931), S. 58–69; hier
S. 59, Nr. 1 und *passim.*
Collart, S. 417 mit Anm 1; S. 474–485, insbesondere S. 474f., Anm. 3, Nr. 4.
V. Beševliev/G. Mihailov: Starini iz Belomorieto, I. Antični nadpisi i trakijski ko-
nici, Belomorski Pregled 1 (1942), S. 318–347; hier Nr. 68 (S. 344 mit Abb.
47).
Georgi Mihailov: Epigraphica et onomastica. (Observations sur les rapports ethno-
culturels dans l'aire balkano-micrasiatique), Études balkaniques 23,4 (1987), S.
89–111; hier S. 90f.
Band I, S. 104 mit Anm. 47; S. 220.

Ποδοχώρι. In dem Dorf Podgora, das nach Perdrizet „dans la flanc S.O.
du Pangée" liegt (1894, S. 444). Damit ist Podgora wohl mit dem heutigen
Ποδοχώρι identisch. Diese Identifizierung auch bei Perdrizet, BCH 24 (1900),
S. 304: Podgora = Ποδογόργιανη = Ποδοχώριον.
Die Inschrift wurde von Βουλγαρίδης nach Kavala geschafft, wo Perdrizet sie
aufnahm. Es handelt sich um eine Inschrift auf weißem Marmor. Höhe 95cm
(8cm dick): an beiden Seiten beschädigt, gegenwärtige Breite 55cm (es fehlen
gegen 15cm). Über der ersten Zeile der Inschrift ist eine Familie dargestellt,

links der bärtige Vater, Ζείπας, daneben seine Frau und ein Knabe sowie
eine junge Frau (?). Dann folgen Z. 1f. der Inschrift. Darauf ein weiteres
Relief, das (von links nach rechts) einen Mann und drei Frauen darstellt. Bei
beiden Reliefs fehlt offenbar rechts eine fünfte Figur. Zwischen den beiden
Kolumnen der Z. 3ff. schließlich findet sich eine Darstellung des thrakischen
Reiters.
„Cette stèle est aujourd'hui au Musée du Louvre (cf. *Catalogue sommaire
des marbres antiques*, 1922, p. 7, n° 3062)" (Collart, S. 417, Anm. 1).

> Ζείπας ἑαυτῷ καὶ τῇ ἰδίᾳ [συνβίῳ]
> Κλευδι καὶ τοῖς ἰδίοις τέκνοις πᾶσι [ἐποίησε].
> καταλινπάν[ω]   ΚΑΙ
> δὲ μύσ<τ>αις   ΟΝ
> 5 [Δι]ονύσου   C
>   ✕ ρκ´.   Λ
>   ΠΕ
> παρακαύσουσίν μοι ῥόδοις κα[τ᾽ ἔτος ...].

Text nach Perdrizet 1900. **1** Perdrizet 1894: [γυναικί]. **3** Perdrizet 1894: ΚΤΑΛΙΝ-
ΤΑΝ. Δήμιτσας: ΚΑΤΑΛΛΙΝΤΑΝ. Die rechte Kolumne ist bei Δήμιτσας eine Zeile nach
oben verschoben, weil er das παρακαύσουσιν κτλ. statt in Z. 7 schon in Z. 6 stellt (vermutlich Druckfehler). **8** Das ΔΟΙΣ von ῥόδοις steht auf dem Stein eine Zeile höher,
unmittelbar vor dem ΠΕ. Danach liest Perdrizet 1894 am Schluß der Zeile 8: ΤΙ.

Zeipas hat (diese Inschrift) für sich selbst und für seine Frau
Kleus und für alle seine Kinder gemacht. Ich hinterlasse aber
den Mysten des Dionysos 120 Denare. Sie sollen für mich jedes
Jahr am Rosalienfest ein Opfer darbringen ...

Z. 2 Die Frau heißt nach Perdrizet *Κλεῦδις (1900, S. 305), Detschew
zufolge Κλεους bzw. Κλευς (Detschew, S. 248, s.v. Κλεους). Vgl. dazu auch
den Kommentar zu Z. 4 der folgenden Inschrift sowie Mihailov, S. 90f.

Z. 8 Zum Rosalienfest vgl. o. Bd. I, S. 104 und die dort genannte Literatur; das Material aus Philippi ist im Kommentar zu 029/G215, Z. 6–8
zusammengestellt. Dort wird auch der temporale Dativ ῥόδοις diskutiert,
der hier durch κατ᾽ ἔτος ergänzt ist (vgl. dazu die verkürzte Version in
133/G441, Z. 17: [π]αρακαύσωσιν κατὰ ῥόδοις).

598/G214   Inschrift des Μάρκος

Αστέριος Δ. Γούσιος: Η κατά το Παγγαίον χώρα. Λακκοβηκίων τοπογραφία, ήθη,
έθιμα και γλώσσα, Leipzig (in Wahrheit Σέρρες) 1894, S. 9.
Paul Perdrizet: Inscriptions de Philippes: Les Rosalies, BCH 24 (1900), S. 299–
323; hier S. 305.

A. Salač: Inscriptions du Pangée, de la région Drama-Cavalla et de Philippes, BCH 47 (1923), S. 49–96; hier S. 53f. (Nr. 9, mit einer Abb.).
SEG II (1924) 417.
Georgi Mihailov: Epigraphica et onomastica. (Observations sur les rapports ethno-culturels dans l'aire balkano-micrasiatique), Études balkaniques 23,4 (1987), S. 89–111; hier S. 90, Nr. 6.

Ποδοχώρι. Relief mit drei Personen (ein Mann und zwei Frauen) und eine Inschrift.
Abmessungen: H. 0,80; B. 0,57; beschriebene Fläche H. 0,56; Höhe der Buchstaben 0,03; Zeilenzwischenraum 0,018; „maison de Photini Tepigori" (Salač, S. 53).

> Μάρχος Δυνουζενος
> τῷ πατρεὶ καὶ τῇ μητρὶ
> Μάντᾳ καὶ αὐτῷ καὶ
> τῇ γυναικὶ Κλεουδι ποίη-
> 5 σε ζῶν μνήμης
> χάριν.

1 Salač: Δυνουζευψος. Γούσιος, Perdrizet, Detschew, Mihailov: Δυνουζένος. SEG: Μᾶρχος Δυνούζευψος. **2** Bei Mihailov fehlt irrtümlich der Artikel vor μητρί. **3** SEG, Mihailov: αὐτῷ. **4f.** SEG: [ἐ]ποίη|σε.

Markos, (der Sohn) des Dynouzes, hat zu seinen Lebzeiten (diese Inschrift) für seinen Vater und für seine Mutter Manta und für sich selbst und für seine Frau Kleous der Erinnerung wegen gemacht.

Z. 1 Der thrakische Name Δυνουζευψος existiert nur in der Lesart von Salač (immerhin scheint seine Abbildung 3 auf S. 54 ein starkes Argument für die Lesart mit ψ zu sein); Detschew gibt anscheinend der Γούσιος/Perdrizetschen Lesart Δυνουζης (Gen. Δυνουζενος) den Vorzug, aber auch dieser Name ist sonst nicht belegt (vgl. Detschew, S. 160, s.v. Δυνουζευψος und Δυνουζης).
„Comme il arrive souvent dans cette région, cette inscription grecque nous fait apparaître, sous l'aspect d'un citoyen romain, un chef de famille indigène" (Salač, S. 54).
Z. 4 Die Frau des Stifters der Inschrift heißt Κλεους bzw. Κλευς (vgl. Detschew, S. 248, s.v. Κλεους, sowie Mihailov, S. 90f.). Ist dies richtig, so wäre der Dativ Κλεουδι eine Nebenform von Κλευδι (vgl. 597/G211, Z. 2). Zu diesem thrakischen Namen vgl. ferner den Kommentar zu 539/G530, Z. 4.

599/G216
51 bzw. 167

Inschrift der Μάντα

Ἀστέριος Δ. Γούσιος: Η κατά το Παγγαῖον χώρα. Λακκοβηκίων τοπογραφία, ἤθη, ἔθιμα καὶ γλῶσσα, Leipzig (in Wahrheit Σέρρες) 1894, S. 9f.
Paul Perdrizet: Inscriptions de Philippes: Les Rosalies, BCH 24 (1900), S. 299–323; hier S. 307f.
Marcus N. Tod: The Macedonian Era II, ABSA 24 (1919–1921), S. 54–67; hier S. 57, Nr. 41.
Georgi Mihailov: Epigraphica et onomastica. (Observations sur les rapports ethnoculturels dans l'aire balkano-micrasiatique), Études balkaniques 23,4 (1987), S. 89–111; hier S. 94, Nr. 24.
Miltiade Hatzopoulos, BÉ 1988, Nr. 812 [b].
SEG XXXVII (1987) [1990] 574.

Ποδοχώρι. Diese Inschrift wurde zuerst 1894 von Γούσιος publiziert. Im Gegensatz zur vorigen (598/G214) ist hier kein Relief vorhanden. Sie befindet sich auf einem Stück schlecht bearbeiteten schwarzen Marmor.

᾽Έτους θqρ΄
Ἀρτεμισίου
ε΄.
Μάντα Δα-
5 γουσιδος
θυγάτηρ.

---

1 Mihailov: θςρ΄. **2** Γούσιος: Ἀρτεμησίου. Mihailov: Ἀρτεμεισίου. **4f.** Mihailov: Μαντάδα. Perdrizet, Hatzopoulos, SEG: Μάντα Δα-|γουσιδος.

Im Jahre 199 im Monat Artemisios am 5. (Tag dieses Monats).
Manta, die Tochter des Dagousis, (liegt hier begraben).

Z. 1 θqρ΄ = 199, d.h. 51 nach der makedonischen Ära, bzw. 167 nach der Ära von Aktium.

Z. 2 Ἀρτεμίσιος ist ein makedonischer Monatsname (der siebte Monat des makedonischen Kalenders, vgl. Kalléris II 1, S. 566).

Z. 4f. Detschew betrachtet Μανταδα als eine Variante zu Μαντα (S. 286f., s.v. Μαντα), bietet aber nur unsere Inschrift als Beleg (unter Ziffer 2). Mihailov gesteht die Ähnlichkeit zu Μαντα zu, wendet aber ein: „mais la finale -δα n'est pas propre à l'onomastique thrace (je répète: c'est un nominatif!)" (S. 94). In Asia Minor hingegen sei das -δα durchaus geläufig.
Durch die neue Inschrift (unpubliziert) aus Kalindoia, die Hatzopoulos zitiert, ist die alte Lesart Perdrizets Μάντα Δαγουσιδος gesichert und Mihailovs Erwägungen sind gegenstandslos. (In Kalindoia begegnet Τηρηπης Δαγουζιος.) Der Nominativ ist wohl Δαγουσις.

Z. 4 Detschew akzeptiert die Lesart Γουσιδος und nimmt damit einen männlichen thrakischen Namen Γουσις an, der sonst allerdings nicht belegt ist (vgl. S. 108, s.v. Γουσις). Durch die Sicherstellung der Lesart Δαγουσιδος ist dies gegenstandslos geworden.

Grabinschrift des Kindes Nepos   600/L229

A. Salač: Inscriptions du Pangée, de la région Drama-Cavalla et de Philippes, BCH 47 (1923), S. 49–96; hier S. 53 (Nr. 8, mit Abb.).
Fanoula Papazoglou: Le territoire de la colonie de Philippes, BCH 106 (1982), S. 89–106; hier S. 98 mit Anm. 41.

Ποδοχώρι. Weißer Marmor „dans le mur de la maison d'Osman Kavalla". Abmessungen: H. 0,40, L. 0,46; Höhe der Buchstaben: 0,038; Zeilenzwischenraum 0,039.

> [. . .] f(ilius) Volt(inia) Nepos
> ann(orum) II h(ic) s(itus) e(st).

> . . . Nepos, der Sohn des . . . , aus der Tribus Voltinia, zwei Jahre alt, liegt hier begraben.

Z. 1 Die Abkürzung VOLT für Volt(inia) ist selten. In Philippi begegnet sie nur an wenigen Stellen: in 043/L124; 200/L310 und 252/L467 sowie in der in Thessaloniki gefundenen Inschrift 717/L710 und auf dem einen oder anderen unpublizierten Stein. Auch bei den Inschriften außerhalb des Territoriums, die Philipper erwähnen, ist VOLT selten (700/L738 aus Alexandria Troas und die gleichlautenden Texte 701/L739; 702/L740; 703/L741 sowie 766/L754 aus Carnuntum).

Felsinschrift zur Markierung der Grenze   601/L230

A. Salač: Inscriptions du Pangée, de la région Drama-Cavalla et de Philippes, BCH 47 (1923), S. 49–96; hier S. 55 (Nr. 10).
Collart, S. 285, Anm. 1 und Abb. auf Pl. XXXV 1.
Daphne Hereward: Inscriptions from Amorgos, Hagios Eustratios and Thrace, Palaeologia 1968, S. 136–149; hier S. 145.
Δημήτριος Κ. Σαμσάρης: Ιστορική γεωγραφία της Ανατολικής Μακεδονίας κατά την αρχαιότητα, Μακεδονική Βιβλιοθήκη 49, Thessaloniki 1976, S. 190f.
Fanoula Papazoglou: Le territoire de la colonie de Philippes, BCH 106 (1982), S. 89–106; hier S. 99 mit Anm. 43.
Band I, S. 58, Anm. 18; S. 67.

Ποδοχώρι. Salač macht die folgenden Angaben: „A la sortie du village de Podgora, sur la route de Sarli, au lieu dit Skalma, à droite du chemin; bloc de rocher avec les restes d'une inscription" (S. 55).

Hereward zufolge befindet sich die Inschrift „by the stream Sikalinia at Podokhorion" (S. 145).

Nach Σαμσάρης (S. 190) ist diese Inschrift χαραγμένη σε βράχο (στη θέση Τσιφλίκι, 20 λεπτά ανατολικά του χωριού).

Abmessungen nach Salač: H. 0,75; B. 1,39; Höhe der Buchstaben 0,14.

Fine[s ...]
derect[i ...]
PAN

3 Salač: PNI. Text nach Collart (vgl. auch seine Abb.). Hereward: „After PAN (not Span-) are traces ... [? kann ich nicht lesen] under the T [sc. of line 2] and an E or F under the I."

Z. 1f. *Fines derecti* auch in 475/L177 (*ex auctoritate ... Hadriani*) und auf der umstrittenen Inschrift aus Neo Souli: *Ex auctoritate imp(eratoris) Nervae Traiani Caesaris Aug(usti) Ger(manici) fines derecti ...* (559/L 152); Papazoglou hält den Stein für einen „pierre errante".

Wenn es zutrifft, daß diese Inschrift ορίζει τα σύνορα της ρωμ. αποικίας των Φιλίππων (Σαμσάρης, S. 190), dann ist an dieser Stelle die letzte Siedlung des Territoriums von Philippi zu suchen: Ήταν μάλιστα ο τελευταίος προς δυσμάς vicus της αποικίας των Φιλίππων, όπως μαρτυρεί η επιγραφή που ορίζει τους fines της αποικίας (ebd.).

602/G647   **Der Weinberg der almopianischen Göttin**
III

Γεώργιος Μπακαλάκης: Περί Αλμώπων και Αλμωπίας θεάς, Πρακτικά της Ακαδ-ημίας Αθηνών 12 (1937), S. 484–488 (mit Abb.).

Collart, S. 417, Anm. 2 und S. 484, Anm. 1 (die hier für BCH 61 (1937) an-gekündigte Publikation ist offenbar nicht erschienen).

Paul Collart: La vigne de la déesse Almopienne au Pangée, FS Felix Stähelin (BZGAK 42 [1943]), S. 9–21 mit Abb.

Αντ. Κεραμόπουλος: Οι Άλμωπες της Μακεδονίας, Μακεδονικό Ημερολόγιο 1938, S. 223f.

Jeanne Robert und Louis Robert, BÉ 1944, Nr. 129.

Band I, S. 31 mit Anm. 93; S. 79; S. 139 mit Anm. 36; S. 145 mit Anm. 22; S. 150 mit Anm. 19; S. 221 mit Anm. 13.

Παύλος Χρυσοστόμου: Βασιλικοί δικασταί και ταγοί σε μιά νέα επιγραφή με ωνές από την κεντρική Μακεδονία, Τεκμήρια Γ´ (1997), S. 23–45; hier S. 41, Anm. 92.

Tchiflik = Trita bei Podochori. Zur Ortslage vgl. Δ. Λαζαρίδης: Φίλιπποι – Ρωμαϊκή αποικία, Αρχαίες Ελληνικές Πόλεις 20, Athen 1973, Fig. 3 und Δημήτριος Σαμσάρης: Ιστορική γεωγραφία της Ανατολικής Μακεδονίας κατά την αρχαιότητα, Μακεδονική Βιβλιοθήκη 49, Thessaloniki 1976, S. 190, der eigentümlicherweise in diesem Zusammenhang zwar die Inschrift 601/L230, aber nicht unsere Inschrift erwähnt.

Μπακαλάκης sagt: Άνωθεν του περί το τεσσαρακοστόν δεύτερον χιλιόμετρον της από Καβάλλας εις Αμφίπολιν νέας εθνικής οδού κειμένου χωρίου Τρίττα (Τουρκιστί Čiftlik), gibt aber keine genaue Beschreibung der Lage des Felsens (S. 486).

„En septembre 1936, une excursion sur les pentes méridionales du Pangée nous conduisit à une assez curieuse découverte. Sur un rocher à fleur de terre, dominant, vers l'ouest, le hameau de Trita (ou Tchiflik, de son nom turc), des paysans nous montrèrent les caractères irréguliers d'une inscription en langue grecque. ...

L'inscription, disposée en deux colonnes sur la surface bombée du rocher, occupe un espace d'environ 68 cm. de hauteur sur 86 cm. de largeur. Huit lignes de la première colonne et treize lignes de la seconde sont discernables, les deux dernières de celles-ci ne respectant pas l'alignement vertical qui a été exactement observé pour le début des onze autres" (Collart, S. 10f.).

Abmessungen: Beschriebene Fläche ungefähr H. 0,68; B. 0,86 (Collart, S. 10); Höhe der Buchstaben ca. 0,03 (Z. 1: 0,05); nach Μπακαλάκης 0,070–0,035 in der ersten Kolumne, 0,025–0,035 in der zweiten Kolumne.

    Θεᾶς   κὲ οἱ [ἀ-]
    Ἀλμωπί-   10 πόστο-
    ας ἄμπελος   λοι Σερωηνὶ
    [ἠ]γορασμένη.   κὲ Ἡ[ρ]ουνὶ
   5 πᾶς ὁ κινῶν   κὲ Ἡλι[οδ]ώρω
    [δώσει] ✕ [...]   κὲ Εὐπόρω
    ὁ ἱε[ρ]ε[ὺ]ς   15 κὲ Καλπρίω
    Φιλί[ππων],   κὲ Εὐπούλω.
                       ρ[μʹ] ὁ [θ]ύ[σ]ας,
                       ρμʹ Ζίπας Ζιπόδου,
                       ρμʹ Καπιάπος
       20 Ζήνονος
        [...]κ[...]

4 Μπακαλάκης, Κεραμόπουλος: ΔΙCΟΡΟCΜΕΝΗ = δὶς ὡρισμένη. Collart ist sich aber seiner Lesung sicher. **5** Μπακαλάκης: ΠΑCΟΚΙΛΒΩΝ mit dem Vorschlag, πᾶς ὁ βλάβην zu lesen. **6** Μπακαλάκης liest hier nur ein Υ. Collart: „le signe ✕ = δηνάρια se lit nettement." Nach Z. 6 sind mehrere Zeilen freigelassen (vgl. die Abb. 1 bei Collart, S. 12, und die Tafel). **7** Μπακαλάκης: ΙΕΙC. **8** Μπακαλάκης: ΡΙΑΦ ΙΙ. Er möchte 7/8 lesen: [δώσε]ι εἰς [τὸν φίσκον δηνά]ρια πεντακόσια ... δύο. Robert/Robert schlagen statt Φιλί[ππων] (so Collart) „plûtot Φίλι(ππος)" vor (S. 215). **9** Mit dieser Zeile beginnt die zweite Kolumne. **9–11** Μπακαλάκης: ΚΕΟΙ|ΠΟCΤΟ|ΛΟΙCΕΡΩΗΝΙ, mit dem

Vorschlag: κὲ οἰποστόλοις = καὶ ὑποστόλοις zu lesen. Collart: οἱ [ἀ-]|πόστο-|λοι „semble devoir être préféré à ὑπόστολοι, mot rare, admis par G. Bakalakis." Die CD-ROM #C des TLG bietet keinen Beleg für ὑπόστολος! Bisher offenbar nur in einer Inschrift aus Magnesia IG IX 2, 1107b (mehrfach). Robert/Robert schließen sich Μπακαλάκης, nicht Collart an: „Mais ὑπόστολοι est attesté, à Démétrias, pour une confrérie religieuse, tandis que ἀπόστολοι ne paraît jamais dans ce contexte et ne peut désigner »les envoyés d'autres bourgades qui s'étaient rendus à Trita pour la consécration de la vigne«" (S. 215). **12** Μπακαλάκης: ΚΕΗΡΟΥΝΙ. **13** Μπακαλάκης: ΚΕΗΛΙΩΔΩΡΩ. **15** Μπακαλάκης: ΚΕΒΑΣΑΡΡΙΩ. **16** Μπακαλάκης: ΚΕΕΥΒΟΥΛΩ. **17** Μπακαλάκης: ΙΒΛΟΥΥΙΩ. Collart: „nous restituons, au début, le même sigle qu'au début des deux lignes suivantes ...; nous interprétons ensuite ὁ [θ]ύ[σ]ας, mais il n'est pas exclu qu'il faille restituer là, plutôt, un nom de personne." **18** Μπακαλάκης: ΜΖΠΑΣΖΙΙΟΒΟ. **19** Μπακαλάκης: ΡΣΚΑΤΩΝΑΠΟΠ. **20** Die folgenden Zeilen stehen zwischen den beiden Kolumnen. Μπακαλάκης: ΖΗΝΟΡΟΣ. **21** Μπακαλάκης: ΑΚ.

Der Weinberg der almopianischen Göttin wurde käuflich erworben. Jeder, der die Grenzmarkierung versetzen wird, soll ... Denare (Strafe) bezahlen. Der Priester aus Philippi und die Delegierten (Apostoloi) aus Serres und aus Herou (?) sowie aus Heliodoros und Euporos und Kalprios und Eupulos. 140 Denare (hat gestiftet) der Opfernde, 140 Denare Zipas, (der Sohn) des Zipodos, 140 Denare Kapiapos, (der Sohn) des Zenon ...

Die vorliegende Inschrift zerfällt in drei Abschnitte: Zunächst (Abschnitt I: Z. 1–6) geht es um die Markierung des Weinbergs der almopianischen Göttin, die unter den Schutz einer Strafformel gestellt wird. Sodann (Abschnitt II: Z. 7–16) folgt eine Liste der Teilnehmer an der Weihung dieses Grundstücks („les personnages qui ont participé à la dédicace de cette offrande, prêtre et délégations d'un certain nombre de localités des environs", sagt Collart, S. 12). Eine Liste von Spendern (Abschnitt III: Z. 17–20) schließt das Dokument ab („elle mentionne enfin, croyons-nous, les dons qui ont été faits en vue de l'achat de la vigne"; Collart, S. 12f.).
Die Datierung stammt von Collart: „La forme des lettres semble indiquer une époque assez basse, peut-être le IIIe siècle de notre ère, date que pourraient confirmer, d'une part, l'emploi de la langue grecque qui, sur le territoire de la colonie de Philippes, réapparaît précisément à ce moment, d'autre part, certaines particularités orthographiques (κὲ pour καί, -ί pour -οί, etc.), révélatrices de la prononciation alors en usage" (S. 13).
Z. 2 Ἀλμωπία ist zunächst ein Landschaftsname, vgl. Herodian: Τὰ εἰς ωψ πολυσύλλαβα κύρια ὄντα ἢ προσηγορικὰ βαρύνονται, Κύκλωψ, Ἄλμωψ ὁ Ποσειδῶνος καὶ Ἕλλης τοῦ Ἀθάμαντος, ἀφ' οὗ Ἀλμωπία χώρα τῆς Μακεδονίας, καὶ τὸ ἐθνικὸν ὁμοφώνως (Herodianos: De prosodia catholica, ed. A. Lentz: Grammatici Graeci, Bd. III 1, Leipzig 1867, S. 247, Z. 17–19).
Zur Lage von Ἀλμωπία im oberen Makedonien s. Hammond I 166f. und Karte 14. Thukydides berichtet (II 99) u.a. von der Vertreibung der Bewohner von Ἀλμωπία, gibt aber in diesem Fall nicht an, wohin die vertriebenen Almoper

sich gewandt haben (vgl. Hammond I 436ff.; Hammond erwähnt allerdings die vorliegende Inschrift in diesem Zusammenhang nicht!). Die Analogie der anderen genannten Vertriebenen, so führt Μπακαλάκης aus, lege die Vermutung nahe, daß auch die Almoper sich im Rahmen des östlichen Makedonien (d.h. im Bereich Chalkidike/Pangaion) niedergelassen haben könnten. Diese Vermutung werde durch die vorliegende Inschrift insofern gestützt, als sie die Verehrung einer „almopianischen Göttin" in der Pangaionregion bezeugt (Μπακαλάκης, S. 485); πιστεύομεν, ὅτι οὕτω συμπληροῦται ἡ σιωπή τοῦ Θουκυδίδου περί τῆς νέας πατρίδος τῶν ἐξωσθέντων Ἀλμώπων (S. 485f.). Noch einen Schritt weiter geht Κεραμόπουλος, der unsere Inschrift nicht nur mit der Auswanderung der Almoper aus Thuk II 99 in Zusammenhang bringt, sondern in der hier verehrten Gottheit die deifizierte alte Heimat der Almoper sehen will. Ἀλλά διά να προσωποποιηθῇ ἡ χώρα Ἀλμωπία καὶ να γίνῃ θεά, ἔπρεπε να κατείχεν ἐξαίρετον θέσιν εἰς τὴν καρδίαν τοῦ λαοῦ, ὅστις τὴν ἐλάτρευε. Τοῦτο δε ἠδύνατο να συμβαίνῃ μόνον εἰς ἄνδρας Ἀλμωπας, οἵτινες καὶ ἂν δεν εἶχον θεοποιήσει καὶ πρότερον τὴν πατρίδα των, ὅπερ δεν ἦτο ἀσύνηθες ... ἐλάτρευσαν ὅμως αὐτὴν ὅτε τὴν ἔχασαν (S. 224).

Z. 5 Besonders apart ist die Formulierung πᾶς ὁ κινῶν in Anbetracht der Tatsache, daß es sich um eine Felsinschrift handelt. „On avait, par surcroît, jugé prudent de graver cet avertissement non sur une stèle amovible, mais sur le roc même de la montagne, ce qui devait, semble-t-il, rendre superflue la sanction ainsi annoncée" (Collart, S. 15).

Z. 7f. Der Fundort der Inschrift „se trouvant sur le territoire de la colonie romaine de Philippes, dont la limite occidentale, au sud du Pangée, est marquée par une inscription rupestre encore visible près du village voisin de Podochorio (Podgora) [d. i. 601/L230], il nous paraît naturel de restituer ici le nom du chef-lieu, où ce prêtre aurait habituellement résidé. Comme lui s'étaient rendus à Trita, pour la consécration de la vigne, les envoyés d'autres bourgades" (S. 13).

Z. 11 Hier wird die erste der von Collart so genannten „bourgades" angeführt: „Σερωηνί ... désigne des habitants de Serrès" (Collart, S. 13). Wie κέ = καί, so ist Σερωνί = Σερωνοί. Allerdings hat Σέρραι (bei Herodot noch Σῖρις, vgl. VIII 15) nicht zum Territorium der Stadt Philippi gehört. Die Anhänger der almopianischen Göttin scheinen demnach eine überregionale Vereinigung gebildet zu haben.

Z. 14 „Εὔπορος ... peut être identifié avec la station d'Euporea ou Εὐπορία, située au passage du Strymon, dans le voisinage immédiat d'Amphipolis, sur une des routes qui conduisaient d'Héraclée de Sintique à Philippes" (Collart, S. 14). Zur Lage vgl. Collart im Tafelband Pl. LXXXVII; auch dieser Ort liegt mit Sicherheit außerhalb des Territoriums von Philippi.

Z. 15 Καλπρίω ist der Genitiv des Namens eines aus einer anderen Inschrift schon bekannten Dorfes; diese Inschrift (029/G215), die zwischen Kavala und Philippi gefunden wurde, nennt Z. 5f. die Καλπαπουρεῖται.

Z. 16 Dieser Ort ist bislang im Territorium von Philippi nicht belegt.

Z. 17ff. Hier beginnt der dritte Abschnitt des Textes, die Liste der Spender: „la liste des sommes versées pour l'acquisition de la vigne dont nous avons ici la dédicace, liste annoncée, en quelque sorte, dès le début de l'inscription, par le mot [ἠ]γορασμένη (l. 4)" (Collart, S. 14).

Collart macht darauf aufmerksam, daß die dreimal genannte Summe von 140 Denaren (Z. 17.18.19) dem Betrag entspricht „que celles qui figurent comme legs, vers la même époque, pour assurer la célébration annuelle d'une cérémonie funéraire, dans plusieurs testaments de la région" (ebd.).

Die Interpretation der Inschrift durch Μπακαλάκης (s. oben zu Z. 2) lehnt Collart in seiner Publikation von 1943 entschieden ab. Hier gehe es nicht um einen Vorgang der klassischen Zeit; vielmehr dokumentiere die Inschrift den Import einer Göttin in der Kaiserzeit: „La θεὰ Ἀλμωπία de Trita, suffisamment désignée aux yeux de ses fidèles du Pangée par cette épithète d'origine, ne peut guère être, pensons-nous, que le grande déesse d'Edesse, θεὰ Μᾶ ἀνείκητος. Il ne faut pas s'étonner de cette appellation, vague sans doute à dessein: pour des raisons magiques, les Thraces du Pangée évitaient scrupuleusement de nommer leurs dieux" (Collart, S. 18). Wie im Fall der vorliegenden Inschrift so geht es auch in einer Inschrift aus Edessa um die Weihung eines Weinberges – in Edessa an Μᾶ (Collart, S. 18, mit Anm. 42). Seit der Publikation Collarts im Jahre 1943 wurde ein Fülle einschlägigen Materials gefunden. An erster Stelle ist hier der Fund der Inschriften von Λευκόπετρα mit über 150 Nummern zu nennen (Φώτιος Μ. Πέτσας: ΜΗΤΗΡ ΘΕΩΝ ΑΥΤΟΧΘΩΝ. Unpublished Manumission Inscriptions from Macedonia, Αρχαία Μακεδονία III, IMXA 193, Thessaloniki 1983, S. 229–246; ders.: Οι χρονολογημένες επιγραφές από το Ιερό της Μητρός Θεών Αυτόχθονος στη Λευκόπετρα, Πρακτικά του Η´ Διεθνούς Συνεδρίου Ελληνικής και Λατινικής Επιγραφικής, τόμος Α´, Athen 1984, S. 281–307). Hinzu kommen weitere Inschriften aus Edessa selbst, die die von Collart genannte Göttin Μᾶ betreffen (Ανδρέας Κ. Βαβρίτσας: Επιγραφές από την αρχαία Έδεσσα, Αρχαία Μακεδονία IV, IMXA 204, Thessaloniki 1986, S. 59–69).

Mit Collart bin ich der Auffassung, daß die These von Μπακαλάκης nicht haltbar ist: Allzu viele Jahrhunderte sind seit dem von Thukydides berichteten Geschehen (II 99), der Vertreibung der Almoper, verflossen, als daß man aus dieser Inschrift einen Schluß auf deren neue Wohnsitze wagen könnte. Allerdings scheint mir auch die Collartsche Interpretation unannehmbar: Die Transplantation des Μᾶ-Kultes von Edessa zum Pangaion „au IIIe siècle après J.-C." (S. 21). Zum einen muß diese Inschrift durchaus nicht einer (in dieser Gegend) neuen Göttin gewidmet sein: Wie lange die θεὰ Ἀλμωπία in unserem Gebiet schon verehrt wird, kann man der Inschrift beim besten Willen nicht entnehmen. Zum anderen vermag die Collartsche Interpretation den Namen θεὰ Ἀλμωπία nicht zu erklären; denn selbst wenn man Collart zugestände, daß die Göttin aus Edessa importiert wäre, ergäbe sich daraus doch noch lange nicht diese Bezeichnung. Edessa liegt mitnichten in Almopia (das behauptet Collart auch nicht, vgl. seine Karte auf S. 21) und weder in Edessa noch in den neuen Inschriften aus Leukopetra begegnet, soweit ich sehe, eine θεὰ Ἀλμωπία. Handelte es sich um einen Import aus Edessa oder Leukopetra, so wäre dieser Sachverhalt überaus merkwürdig. Abschließend kann man daher nur feststellen, daß die Rätsel der θεὰ Ἀλμωπία noch lange nicht gelöst sind.

Grabinschrift des Ζειπύρων   603/G652

Γ.[εώργιος] Μπακαλάκης: Θρακικά χαράγματα εκ του παρά την Ἀμφίπολιν φράγματος του Στρυμόνος, Θρακικά 13 (1940), S. 5–32; hier S. 22.
Paul Collart: Monuments thraces de la région de Philippes, in: Serta Kazaroviana. Commentationes gratulatoriae Gabrielo Kazarov septuagenario oblatae A. D. XVII. Kal. Nov. MCMXLIV, Pars prima, Bulletin de l'institut archéologique bulgare 16, Serdicae 1950, S. 7–16; hier S. 11f. (Nr. 6).
Jeanne Robert und Louis Robert, BÉ 1951, Nr. 132 [c].

Trita (Tchiflik). Zur Ortslage vgl. die Beschreibung der vorigen Inschrift 602/L647. Μπακαλάκης verweist a.a.O., S. 22 zwar auf die Monographie Collarts (S. 298 und 434), aber dort ist der Text dieser Inschrift nicht zu finden. Daher hat Μπακαλάκης als *editio princeps* zu gelten.

Collart gibt die folgende Beschreibung des Steins: „Dalle brisée de tous côtés, remployée dans le pavement d'une cour, et portant encore intégralement les 3 lignes d'une inscription grecque. Hauteur des lettres: 2·5 env.; 2 à 4; 1·5 cm. env. Caractères irréguliers, mais très nettement tracés" (Collart, S. 11).

Ζειπύρων Πατου-
μάστου κυνη-
γός. ἥρως, [χ]αῖρε.

Zeipyron, (der Sohn) des Patumastes, der Tierkämpfer, (liegt hier begraben). Heros, sei gegrüßt.

Z. 1 Der Name Ζειπύρων ist mehrfach belegt, vgl. Detschew, S. 191f., s.v. Ζιπυρων (der Löwenanteil des Materials ist aus Philippi). Der Name des Vaters hingegen taucht in dieser Inschrift zum ersten Mal auf (Detschew, S. 360, s.v. Πατουμαστης hat nur unsere Inschrift).

Z. 2 Das griechische κυνηγός bezeichnet den *bestiarius* oder *venator*, den Tierkämpfer, der in der Arena (bzw. im Fall von Philippi: im zur Arena umgebauten Theater) mit Tieren kämpft (vgl. LSJ, S. 1009, s.v. κυναγός). Die Inschrift 296/G412 aus der Basilika B aus dem dritten Jahrhundert stellt eine Parallele dar (metrische Grabinschrift mit Relief eines *venator*). Sodann sind die Inschriften aus dem Theater zu nennen: 144/G298 mit dem φιλοκυνηγῶν στέμμα und ebenso 142/G562 (dort eine Sammlung des einschlägigen Materials aus Philippi).

604/L643   **Straßenschild**

Daphne Hereward: Inscriptions from Amorgos, Hagios Eustratios and Thrace, Palaeologia 1968, S. 136–149; hier Nr. 16, S. 145f. mit Abb. 19.
AÉ 1968 [1970] 468a.
Šašel Kos, Nr. 217, S. 92f.

Ποδοχώρι. Nahe bei dem Dorf Podochori fließt ein Fluß namens Sikalinia (vgl. die Inschrift 601/L230). „On the rock at Koritsitsa, on the west bank [of] the river near Podokhorion, height of S in line 1, .24, of I in BIS, .1, in TIS, .11, letter and space down .153, letter and space across .081" (Hereward, S. 145).

> *vacat* C · S *vacat*
> Hinc incip(it) iug bis XXV
> [-] XIV ΛTIS IΛ.

3 AÉ: XIVATIS.IΛ.

605/L644   **Grenzmarkierung?**

Daphne Hereward: Inscriptions from Amorgos, Hagios Eustratios and Thrace, Palaeologia 1968, S. 136–149; hier Nr. 17, S. 146 mit Abb. 20.
AÉ 1968 [1970] 468b.
Šašel Kos, Nr. 218, S. 93.

Ποδοχώρι. Die Inschrift befindet sich „on a rock" gegenüber der vorigen Inschrift 604/L643 „Height of p. .15, letter and space across .12" (Hereward, S. 146).

> S P C

„The letters SPC recur at the end of a boundary inscription of Philippoi [559/L152 aus Νέο Σούλι bei Σέρρες], and SPG is reported between Khoresa and Kisselees, east of Palaia Kaballa, on a »plaka« perhaps 2 metres long and .7 wide, perhaps with other letters" (Hereward, S. 146). Diese letztgenannte Inschrift vermag ich nirgendwo zu verifizieren. Ich nehme sie daher bis auf weiteres nicht in meine Sammlung auf.

606/G607   **Grabinschrift des Ἡρόδοτος und seiner Familie**
I/II

Θεολ. Χρ. Αλιπράντης, ΑΔ 29 (1973–1974) Β´3 Χρονικά [1980], S. 838f. mit Abb. Tafel 628 α und β.

Jean Bingen: Epigraphica (Thrace, Rhodes), ZPE 46 (1982), S. 183f.; hier S. 183,
Nr. 1.
SEG XXX (1980) [1983] 682 (fälschlicherweise unter „Thrace" eingeordnet!).
Gilles Touchais: Chronique des fouilles et découvertes archéologiques en Grèce en
1980, BCH 105 (1981), S. 771–889, Abb. 122.

Ποδοχώρι. Κατά την διάνοιξιν αγροτικής οδού δι' εκσκαφέως κατά μήνα
Ιούλιον εις την τοποθεσίαν Παλαιοκκλήσια, πλησίον της περιοχής Λεύκης της
κοινότητος Ποδοχωρίου του Νομού Καβάλας και εις απόστασιν απέχουσαν
μόλις 100 μ. από της δημοσίας οδού Ποδοχωρίου-Ακροποτάμου, ήλθον εις
φώς τμήματα ενεπιγράφου επιτυμβίου πλακός (σωζ. μήκ. 1.74 μ.) ... και
αρχιτεκτονικά μέλη ως βάσις κίονος, αμφικιονίσκος, κίων και έτερον τμήμα
αμφικιονίσκου (Αλιπράντης, S. 838).

　　Ἡρόδοτος [Ἥρω-]
　　νος ἑαυτῷ κ[αὶ τ-]
　　ῇ συνβίῳ Δο[μι-]
　　τίᾳ καὶ Γαΐῳ κα[ὶ Μ-]
　5　ἀρκῳ τοῖς τέκν[οι-]
　　ς ζῶν ἐκ τῶν ἰδ[ίω-]
　　ν ἐποίησε [...]
　　ος πρει[...]
　　ΤΙϹ ἐποίη[σε τήνδε]
　10　τὴν στή[λην ...]
　　ΙΔΙΑ Δομι[τία Ἡρο-]
　　δότῳ <τῷ> θρέψαν[τι].

1 Ergänzung nach Bingen. **2** Ergänzung nach Bingen. **3** Bingen: συνβίῳ. Αλι-
πράντης: συμβίῳ. **5** Αλιπράντης: τ[οῖ]ς. **5f.** Αλιπράντης: τέκν[οις] | ἔζων. Bingen:
τέκν[οι-]|ς ζῶν. **6** Αλιπράντης: ἐ[κ] τῶν ιζ[. Bingen: ἐκ τῶν [ἰδίω-]|ν. **7** Αλιπράντης:
ἐποίη[σ]ε[. **8** Αλιπράντης: ος πρε[ψ; ... **9** Αλιπράντης: τις ἐποίη[. **10** Ergänzung
nach Bingen. **12** Ergänzung nach Bingen.

　　Herodotos, (der Sohn) des Heron, hat zu seinen Lebzeiten für sich
selbst und für seine Frau Domitia und für seine Kinder Gaios und
Markos auf eigene Kosten (die Inschrift) gemacht ...

Z. 1 Eine Liste aller Belege von Ἡρόδοτος in Philippi im Kommentar zur
Inschrift 053/G760 aus dem Dorf Φίλιπποι.
Die Datierung in das 1. oder 2. Jh. n. Chr. schlägt Bingen vor.

Grabinschrift des Σατορνεῖνος und anderer　　607/G691

Θεολ. Χρ. Αλιπράντης, ΑΔ 29 (1973–1974) Β´3 Χρονικά [1980], S. 841 (kein Text;
　　Abb. πίν. 631γ).

Gilles Touchais: Chronique des fouilles et découvertes archéologiques en Grèce en 1980, BCH 105 (1981), S. 771–889; hier S. 834, Abb. 123.

Ποδοχῶρι. An der bei 606/G607 beschriebenen Stelle wurde in den Jahren 1973 und 1974 eine frühchristliche Basilika freigelegt (Ἀλιπράντης, S. 839). An der Stelle dieser Kirche wurde später eine Kapelle errichtet (im östlichen Teil des Mittelschiffes und der Apsis, vgl. Ἀλιπράντης, Abb. 1 auf S. 840). Rechts von der Tür dieser späteren Kapelle wurde auch ein Teil einer Platte mit den Maßen 0,65x0,45 gefunden. Diese Platte trägt die vorliegende Grabinschrift. Ἀλιπράντης sagt: Εἶναι τεμάχιον εξ ασβεστολίθου, τεθραυσμένον κατά τας τρείς πλευράς αυτού – aber, wie man sieht, ist die Inschrift oben, links, rechts und unten unvollständig. Einen zusammenhängenden Text kann man daher nur mit Vorbehalt rekonstruieren.

   [ἔ]τους δ[- -]´ μ[ή-]
   [ν]ος Ὑπερβερταίου
   [-] ἐτελεύτησαν
   [Σα]τορνεῖνος Λεω[ν-]
 5 [ἱ]δου ἐτῶν ιη´ καὶ ἡ
   [μή]τηρ αὐτῶν Ἀτείδια
   [Σ]εκούνδα ἐτῶν λ´.
   [ἔ]τους ηλσ´ Αἰδοναίου
   [-]νωσιν χαίρειν. *folium*
 10 [Λε]ωνίδης Διοσκουρ[ἱ-]
   [δο]υ ἔθηκεν ΙΤΑΡΑΣΤΑ
   ΚΑΤΗΣΩΠΑΣΤΑ
   ΚΑΤΗ

1 Vielleicht ist δμσ´ zu lesen.   **5** Die Zahl ΙΗ mit Überstrich.   **8** Die Zahl ΗΛΣ mit Überstrich.

Im Jahr 244 (falls δμσ´ zu lesen ist), im Monat Hyperbertaios verstarb Satorninus, (der Sohn) des Leonides, im Alter von 18 Jahren und ihre (wessen?) Mutter Atidia Secunda im Alter von 30 Jahren. Im Jahr 238 im Monat Aidonaios ... Leonides, (der Sohn) des Dioskurides, hat aufgestellt ...

Z. 1 Falls die Lesung δμσ´ zutrifft, erhielte man nach der Ära von Aktium 244 – 32 = 212 (die makaedonische Ära kommt wegen der Buchstabenform nicht in Frage, vgl. zu Z. 8).

Z. 2 Ὑπερβερταῖος = Ὑπερβερεταῖος, makedonischer Monatsname (der letzte Monat im makedonischen Kalender, vgl. Kalléris II 1, S. 571f.).

Z. 4 Der Name Σατορνεῖνος begegnet auch in einer Weihinschrift für den Ἥρως Αὐλωνείτης (580/G488, aus Κρηνίς).

Z. 5 Λεωνίδης (so ist vermutlich zu rekonstruieren, vgl. Z. 10) ist sonst in Philippi noch nicht belegt.

Z. 6 Vielleicht ist ΑΤΕΙΛΙΑ = Atilia zu lesen; aber auf dem Stein steht eindeutig ein Δ, kein Λ. Wessen Mutter ist diese Frau? Wäre sie die Mutter des achtzehnjährigen Satorninus, dann wäre sie nur 12 Jahre älter als ihr Sohn.

Z. 7 Secunda und Secundus sind in Philippi bereits in vielen Inschriften bezeugt. In der griechischen Schreibweise bisher nur eine Σεκουνδεῖνα in 290/G421.

Z. 8 Die Zahl ηλσ΄ = 238 würde uns nach der makedonischen Ära ins 1. Jh. führen. Dies ist aufgrund der Buchstabenformen m.E. eindeutig zu früh. Rechnet man nach der Ära von Aktium, so erhält man 238 – 32 = 206. Damit gelangt man ins 3. Jh., was der Form der Buchstaben angemessen ist.
Αἰδοναῖος = Αὐδυναῖος, makedonischer Monatsname (der dritte Monat im makedonischen Kalender, vgl. Kalléris II 1, S. 560ff.).

Z. 10 Der Name Διοσκουρίδης begegnet in den Inschriften von Philippi überaus häufig, vgl. dazu im einzelnen die Belege, die im Kommentar zu 572/G537, Z. 1–3 gesammelt sind.

Lateinische Buchstaben 608/L645

Ἀστέριος Δ. Γούσιος: Η κατά το Παγγαῖον χώρα. Λακκοβηκίων τοπογραφία, ἤθη, ἔθιμα και γλῶσσα, Leipzig (in Wahrheit Σέρρες) 1894, S. 8.
Daphne Hereward: Inscriptions from Amorgos, Hagios Eustratios and Thrace, Palaeologia 1968, S. 136–149; hier Nr. 18, S. 146 mit Abb. 21.
AÉ 1968 [1970] 468c.
Šašel Kos, Nr. 216 (S. 92).

Μεσορόπη. Ἀνατολικῶς της κωμοπόλεως ταύτης [Μεσορόπης] υψούντας λόφος ονομαζόμενος »Ηλικόπι ή Λυκόπη«, επί της κορυφής του οποίου υπάρχει μέγας βράχος καί επ᾽ αυτού τα έξης τρία Λατινικά γράμματα: RGS (Γούσιος, S. 8).
„Scratched on the rock at Khoraphoudia, near Mesorope, height of C .315+, from the P to the last full stop .425" (Hereward, S. 146).

    P C S

1 Γούσιος: RGS. Hereward gibt versehentlich R.C.S (Druckfehler).

„Gousios [sc. in dem Werk Η περί Παγγαίου χώρα, S. 8] says these letters occur at Ελικοπι, near Mesorope, and that they recur at Isirli or Sirates. The people in Mesorope called the hill where Gousios inscription is Λυκωπη" (Hereward, S. 146).

609/G584   **Metrische Grabinschrift**

Ιωάννης Δ. Αφθονίδης: Αρχαιολογικά Μακεδονίας, Παρνασσός. Περιοδικόν σύγγραμμα του εν Αθήναις ομωνύμου συλλόγου 15 (1892), S. 463f., Nr. 1.

Μουσθένη. Προς νότον της κώμης ταύτης και εις απόστασιν πέντε λεπτ.
της ώρας υπάρχει λόφος τις Κουλέ ή Καλέ ονομαζόμενος, περιτετειχισμένος
υπό ερειπίων πελασγικών τειχών. Εν τη θέσει ταύτη πρό τινων ετών είχομεν
τοποθετήσει το τείχος Πέργαμος, υπ' αυτά τα τείχη του οποίου άλλοτε, καθ'
Ηρόδοτον, διήλθεν ο Ξέρξης εκστρατεύων κατά της Ελλάδος. Τα πέριξ δε του
λόφου τούτου από πέρυσι παρεχώρησε τοις κατοίκοις η οθωμανική κυβέρνησις
προς φύτευσιν αμπέλων. Δια της ανασκαφής λοιπόν κατά τον παρελθόντα
χειμώνα ανεκαλύφθησαν πλείστοι τάφοι αρχαίοι, εν οις ενυπήρχον αγγεία
πήλινα καλής τέχνης και νομίσματα χάλκινα, ολίγα δε αργυρά, ίσως δε και
χρυσά, προς δε και κοσμήματα γυναικεία. Μεταξύ δε τούτων επί επιθυμβίων
πλακών ευρέθησαν και αι ακόλουθοι επιγραφαί [609/G584; 610/G585; 611/G
586; 612/G587], ας δημοσιεύομεν αφίνοντες τοις αρμοδίοις την τε συμπλήρωσιν και ερμηνείαν αυτών (S. 463).
... το ύψος τών γραμμάτων που μεν είνε 0,02 μέτρου, που δε ολιγώτερον· τα
γράμματα εισι μάλλον πεπλατυσμένα. Εις την τετάρτην σειράν λείπουσι πέντε
ή εξ γράμματα· εις την έκτην φαίνονται ελλείποντα πέντε γράμματα, και εις
την ογδόην εννέα τοιαύτα (S. 464).

> ῏Ενθα πολυτ<λ>άμων κεῖμαι νέκυς
> [...]αλα πρὶν ἡλικίας ἐν Ἀείδαο δόμοις
> ἐννεακαίδεκα ἐτ<ε>ίνα<τ>ο πατρὸς [...]α
> *vacat* σγι[...]ν *vacat*
> 5 ἔνθα πολύκλαυστος κεῖμα[ι] δὲ οὐά
> λ<ε>ίπομ[αι] [...] κασίγνητον δ<ή> τε ἀδελ-
> *vacat* φὸν *vacat*
> λυ[...]θεσιτρυ[...]

3 Auf dem Stein: ΕΤΙΝΑΠΟ. **6** Auf dem Stein: ΔΕ.

Hier liege ich, der ich vieles erlitt, als Toter ... vor der Zeit bin
ich hingestreckt, neunzehnjährig, in den Häusern des Hades ...
des Vaters ... [5] Hier liege ich vielbeweint, ach, ich lasse nun
den leiblichen Bruder zurück.

Daß es sich hier um eine metrische Inschrift handelt, wird auch an der Wort-
wahl deutlich. Sie ist in Daktylen (freilich in Abwechselung mit Spondeen)
abgefaßt; auffällig sind ungewöhnliche Synizesen (Z. 2.3) und Itazismen (Z.
3.6). Aufgrund der Lücken im Text der Inschrift sind Verse schwer einzu-
grenzen.

Fragment einer griechischen Grabinschrift 610/G585

Ιωάννης Δ. Αφθονίδης: Αρχαιολογικά Μακεδονίας, Παρνασσός. Περιοδικόν σύγγραμμα του εν Αθήναις ομωνύμου συλλόγου 15 (1892), S. 463f., Nr. 2.

Μουσθένη. Zur Beschreibung des Fundortes und der Fundumstände vgl. o. bei 609/G584.
Η πλάξ είνε ηκρωτηριασμένη· ύψος γραμμάτων 0,02 μέτρου. Ευρίσκεται ήδη εν τη οικία Κρουστάλη εν Μεσθιάνια = [Μουσθένη] (S. 643).

NOC
ΚΑ
ΠΙΥΡΩΝΛν
ΕΤΩ

Griechisches Fragment 611/G586

Ιωάννης Δ. Αφθονίδης: Αρχαιολογικά Μακεδονίας, Παρνασσός. Περιοδικόν σύγγραμμα του εν Αθήναις ομωνύμου συλλόγου 15 (1892), S. 463f., Nr. 3.

Μουσθένη. Zur Beschreibung des Fundortes und der Fundumstände vgl. o. bei 609/G584.
Ύψος γραμμάτων όσον 0,02 μέτρ. περίπου· το της τρίτης σειράς γράμμα φαίνεται και ως μ και ως δύο λ.

ΤΟΥC
ΑΠΕΜΕ
ΓΟΜΗ
ΕΖCΤ

Grabinschrift des Μάρκος Βαιβίος Οὐάλης 612/G587

Ιωάννης Δ. Αφθονίδης: Αρχαιολογικά Μακεδονίας, Παρνασσός. Περιοδικόν σύγγραμμα του εν Αθήναις ομωνύμου συλλόγου 15 (1892), S. 463f., Nr. 4.
A. *Salač:* Inscriptions du Pangée, de la région Drama-Cavalla et de Philippes, BCH 47 (1923), S. 49–96; hier S. 52 (Nr. 6).
Band I, S. 225.

Μουσθένη. Zur Beschreibung des Fundortes und der Fundumstände vgl. o. bei 609/G584.
Salač gibt die folgenden Details: „A Mousténia, dalle de marbre jaune dans le pavé de la cour de la maison d'Argyros Hadjinikolaou. Long. max. 0^m38, haut. 0^m45, lettres 0^m031, interligne 0^m023" (S. 52).

Μ(άρκος) Βαίβιος Οὐά-
λης ἐτῶν βμ΄. Θ[…].

Marcus Baebius Valens, zweiundvierzig (?) Jahre alt, (liegt hier begraben).

Z. 1 Unser Μάρκος Βαίβιος Οὐάλης ist bei Κανατσούλης (S. 34f.) übersehen. **Z. 2** Die Zahl βμθ΄ ergäbe 2 + 40 + 9 = 51; dies wäre eine seltsame Notation. Vielleicht ist βμ΄ = 42 zu lesen; dann müßte man annehmen, daß mit dem θ ein neues Wort begann. Leider läßt sich den Angaben nicht entnehmen, ob die Inschrift am Ende unvollständig ist.

613/G228
V/VI

Grabinschrift eines Diakons (?)

A. Salač: Inscriptions du Pangée, de la région Drama-Cavalla et de Philippes, BCH 47 (1923), S. 49–96; hier S. 52f. (Nr. 7).
SEG II (1924) 416.
Feissel, Nr. 218 (S. 183).
Band I, S. 242.

Μουσθένη. „Copiée et estampée en 1920 par R. Dreyfus, à Mousténia, l'actuel Mousthéni, dans la Piérie pangéenne, 14 km à l'Ouest de Pravion (Éleuthéropolis), chez Misé Hussein. La pierre est perdue mais j'ai revu et calqué l'estampage à l'École française d'Athènes. Dalle de marbre" (Feissel). Abmessungen: H. 0,49; B. 0,40; D. 0,05; Höhe der Buchstaben 0,06–0,02; Zeilenzwischenraum 0,06–0,02.

```
    [… δια-]
    κό(νου) ΠΕ
    ἐάν τις ἄ[λλο σῶμα]
    ὅδε θώσι (sic), δώσι̣ [λόγον]
5   vacat τῷ θ(ε)ῷ̣.
```

2 Nach Salač ist Z. 2 von andrer Hand als der Rest (bestritten von Feissel). Der Stein bietet hier ΚΟΣ (*sic*) und danach ein Monogramm. Salač erwägt *consul* oder *consules.* Croenert (SEG) schlägt vor: ΚΘΣ = 29,5 *denarii.* Feissel hält das Σ für das Abkürzungszeichen und gewinnt auf diese Weise seinen Diakon. Der Name des Diakons ist in dem Monogramm enthalten, das hier nur andeutungsweise mit ΠΕ wiedergegeben ist (vgl. die Abb. bei Feissel, S. 183). Ihm zufolge besteht das Monogramm aus den folgenden Buchstaben: Α, Γ, Ε, Ι, Π, Ρ, Σ, Τ, Χ, Ο und Υ. **3f.** Salač, Croenert (SEG): ἄ[λλο σῶμα καταθέσθαι τολμήσῃ?]. Croenert fährt fort: ἢ τὸ σῶμα τ]|όδε ἐώσι. Nach Croenert ist ἐώσι = ἐώσῃ = ὤσῃ. **4** Salač: ΟΔΕΕΩΣΙ δώσ[ει λόγον?]. **5** Über dem ΘΩ der waagerechte Strich als Abkürzungszeichen.

... des Diakons. Wenn einer eine andere Leiche hier (in das Grab) legen wird, soll er Gott Rechenschaft ablegen.

Z. 3f. Vgl. die Formulierung in 632/G583: ὅστις ἐπειβουλεύσετει ἕτερον θόσει, δόσι λόγον τõ θ(ε)õ ὅδε κ(αὶ) ἐν ἡμέρα κρίσεος.

„... le monogramme qui suit indique aussi le Bas-Empire. Dans les lignes 2–4 [= Z. 3–5 nach unserer Zählung], on trouve le reste d'une formule comminatoire" (Salač, S. 53).

Z. 4 Bemerkenswert ist die Form θώσι: Klassisch wäre ja mit ἐάν der Konjunktiv zu erwarten (also θῇ); in dieser späten Zeit tritt aber häufig das Futur ein (vgl. die Konstruktionen in 387a/G813, Z. 5ff.; 631/G582, Z. 3ff. sowie 632/G583, Z. 3ff.), so auch hier, allerdings eben θώσι statt θήσει (vgl. auch die Form θόσι in 632/G583).

Grabinschrift für den Bruder des Caius: Lateinischer Text in griechischer Schrift

Collart, S. 305, Anm. 3 (der für BCH 61 (1937) angekündigte Aufsatz ist offenbar nicht erschienen) und Abb. im Tafelband Pl. XXXVII 2.
Paul Collart: Monuments thraces de la région de Philippes, in: Serta Kazaroviana. Commentationes gratulatoriae Gabrielo Kazarov septuagenario oblatae A. D. XVII. Kal. Nov. MCMXLIV, Pars prima, Bulletin de l'institut archéologique bulgare 16, Serdicae 1950, S. 7–16; hier S. 10f. (Nr. 5) mit Abb. Fig. 4.
Jeanne Robert und Louis Robert, BÉ 1951, Nr. 132 [b].
Band I, S. 86, Anm. 5.

Μουσθένη. „Stèle funéraire, brisée en haut et à droite. Haut., 26 cm.; larg., 39 cm.; ép., 6 cm. La plus grande partie est occupée par un relief représentant un cavalier lancé au galop vers la droite. L'homme est vétu d'un chiton et d'une chlamyde, dont un pan flotte au vent; la main gauche est dissimulée par l'encolure du cheval; la droite, levée en arrière, brandit l'épieu. Vestiges d'un arbre, à droite; chien et sanglier sous le cheval." (Collart, S. 10.)
„Sur le champ de la stèle, en arrière du cheval, une inscription de 7 lignes a été gravée. Elle est en langue latine, mais en caractères grecs. Les lettres, très irrégulières, sont simplement incisées et ont une hauteur de 1·5 à 3 cm." (Collart, S. 10.)

Original:	Umschrift:
Γαίου[ς]	Caiu[s]
Μ(ά)ρχι φί-	M(a)rci fi-
λιους φή(χιτ)	lius fe(cit)
φράτρι	fratri
5 ἀν(ν)ώρ-	5 an(n)or-

ου(μ)　　　　　　　　u(m)
μ´.　　　　　　　　　XL.

Caius, der Sohn des Marcus, hat (die Stele) für seinen Bruder, (verstorben im Alter) von vierzig Jahren, gemacht.

Collart verweist auf andere Beispiele lateinischer Inschriften mit griechischen Buchstaben (S. 11). In Philippi selbst gibt es unter den publizierten Inschriften nur einen weiteren Fall (048/L304 aus Φίλιπποι; dort ausschließlich thrakische Namen). „Ce fait doit s'expliquer sans doute par l'usage que les Thraces continuaient de faire de la langue grecque en dépit de la diffusion du latin autour du chef-lieu" (Collart, S. 11).

<table>
<tr><td>

615/G681

1. Jh. v. Chr.

oder I

</td><td>

Griechische Grabinschrift

</td></tr>
</table>

Paul Perdrizet: Dizazelmis, REA 16 (1914), S. 399–404; hier S. 402f. (mit einer Abb.).

A. *Salač:* Inscriptions du Pangée, de la région Drama-Cavalla et de Philippes, BCH 47 (1923), S. 49–96; hier S. 51f. (Nr. 3).

G. *Mateescu:* Granita de apus a Tracilor, Anuarul Institului de Istorie Naţională 1924, S. 425f. (mir nicht zugänglich).

Georges Seure: Le roi Rhésos et le Héros Chasseur, RPh 2 (1928), S. 106–139; hier S. 139.

Αργύρης Ν. Μπακιρτζής: Η εκκλησία του Αγίου Νικολάου στην Ελευθερούπολη (Πράβι), in: Αφιέρωμα στη μνήμη Στυλιανού Πελεκανίδη, Μακεδονικά. Παράρτημα 5, Thessaloniki 1983, S. 271–309; hier Abb. Πίν. 2στ (kein Text).

Samokov. Samokov liegt nördlich von Μουσθένη und ist in der österreichischen Karte (Blatt 42°41° Kavala) und in der geologischen Karte (Γεωλογικός Χάρτης της Ελλαδος, Φύλλα Νικήσιανι – Λουτρά Ελευθερών) zu verifizieren (in der geologischen Karte als Σαμακόβο); Samokov war zur Zeit von Perdrizet und Salač offenbar ein Dorf, das mittlerweile längst verlassen ist; der Name lebt anscheinend nur noch als Flurname fort. Zur Zeit von Perdrizet befand sich der Stein bereits in Ελευθερούπολις.

„La pierre, en marbre blanc, provient, m'a-t-on dit, du village de Samacov, en Piérie, sur le versant méridional du Pangée. Elle se trouvait, en 1899, dans la maison de Χριστόδουλος Παπουτζόπουλος. Les deux lignes de l'epitaphe sont mutilées à droite" (Perdrizet, S. 403).

Der Stein besteht aus einem Relief samt einer Inschrift. Das Relief, das die obere Hälfte der Stele einnimmt, zeigt den Thrakischen Reiter (vgl. die Abb. bei Perdrizet, S. 402).

Abmessungen nach Salač: H. 0,92; B. 0,355.

Ein von Αργύρης Ν. Μπακιρτζής photographierter Stein, den er für unpubliziert hält, ist wohl mit dem von Perdrizet publizierten identisch. Leider sind auf der Photographie von Μπακιρτζής die beiden Zeilen der Inschrift so gut wie nicht lesbar. Zur heutigen Ortslage: Την πλάκα αυτή εντόπισα εντοιχισμένη στον εξωτερικό τοίχο ενός σπιτιού, δίπλα στο Δημοτικό σχολείο της πλατείας της εκκλησίας του Αγίου Ελευθερίου (S. 273). Es handelt sich um eine μαρμάρινη ανάγλυφη πλάκα με παράσταση »Θρακός ιππέως«, που οι ντόπιοι κάτοικοι θεωρούν ως 'Αγιο Γεώργιο, να σκοτώνει κάπρο (πίν. 2γ [muß heißen στ]) – von der Inschrift verlautet nichts! (ebd.). Der Abb. nach zu schließen, sind es zwei Zeilen. Vergleicht man diese Abb. mit der Zeichnung bei Perdrizet, so wird man die Identität der beiden Steine für möglich halten.

Γηνηβρυ[. . .]
Διζαζέλμ[εως].

1 Mateescu: Γηνήβρυ[σα]. Seure (irrtümlich?): Γηνυβρυ[. . .].

Genebrisa, (der Sohn) des Dizazelmis.

Die Datierung stammt von Perdrizet: „. . . datant, ce semble, du Ier siècle avant ou du Ier après notre ère . . . " (S. 403).

Z. 1 Detschew hat den Namen so in sein Wörterbuch aufgenommen, d.h. eine Ergänzung vermag auch er nicht vorzuschlagen (S. 106): „Γηνη- erinnert an Γενε- in Γενεμης." Übersehen hat Detschew offenbar den Vorschlag von G. Mateescu, den Seure S. 139, Anm. 2 referiert (die Arbeit Mateescus, auf die Seure sich bezieht, ist mir nicht zugänglich). Demnach ist in Z. 1 Γηνήβρυσα = *Genebrisa* zu lesen.

Z. 2 Zum Namen Dizazelmis vgl. jetzt Detschew, S. 132, s.v.
Die Bestimmung der Gattung hängt von der Ergänzung ab, wie Seure ausführt: Ergänzt man in Z. 1 den Nominativ und in Z. 2 den Genitiv, erhält man eine Grabinschrift (so Perdrizet). Ergänzte man jedoch in Z. 1 einen Dativ (Γηνηβρύσᾳ), in Z. 2 einen Nominativ (Διζάζελμις) und denkt sich ein ἀνέθηκεν als Prädikat hinzu, so erhielte man eine Weihinschrift. „Dans le premier cas, Γηνήβρυσα au nominatif serait le nom du défunt, ou, moins, probablement celui du dédicant; dans le second, Γηνηβρύσᾳ au datif serait l'une des appelations nominales du Héros . . . . Mais l'absence totale du nom du Dieu, ou la mention de ce nom sans quelque épithète comme θεὸς, κύριος, etc., seraient exceptionnelles" (Seure, S. 139, Anm. 3).
Daher empfiehlt es sich, unsern Text mit Perdrizet als Grabinschrift zu klassifizieren und die Namen dementsprechend zu ergänzen.

616/L227   **Inschrift des Marcus Gellius Longus**

A. *Salač:* Inscriptions du Pangée, de la région Drama-Cavalla et de Philippes, BCH 47 (1923), S. 49–96; hier S. 52 (Nr. 4).
Χάϊδω Κουκούλη, ΑΔ 24 (1969) B΄2 Χρονικά [1970], S. 348–349.
Χαράλαμπος Μπακιρτζής, ΑΔ 42 (1987) B΄2 Χρονικά [1992], S. 467 mit Abb. 5.
AÉ 1992, Nr. 1529.
Band I, S. 96, Anm. 17.

Kipia. In der Nähe des Heiligtums des ῞Ηρως Αὐλωνείτης gefunden und dort offenbar heute noch vorhanden.
Abmessungen: Block mit 3m Länge; H. maximal 1,52; H. der Buchstaben 0,15.

Κούκουλη: Χαρακτηριστική ... εἶναι ἡ ὕπαρξις αρχαίου λατομείου πλησίον του ιερού, ως και η παρουσία επιγραφής [sc. 616/L227], κεχαραγμένης εις τον βράχον εις την προς Ν. του λόφου του ιερού περιοχήν (S. 349).
Aus dem Jahr 1987 berichtet Μπακιρτζής: Κατά τη διάρκεια των εργασίων εντοπίστηκε ανατολικά του ανασκαφικού χώρου [sc. der Basilika von Kipia] και του αντλιοστασίου του Δήμου Ελευθερουπόλεως, στις νότιες πλαγιές του χαμηλού γηλόφου, 50 μ. βόρεια της εθνικής οδού, χαραγμένη στο βράχο λατινική επιγραφή ... (S. 474).

M(arcus) Gellius Long(us) P.

1 Μπακιρτζής hat das P am Schluß nicht. Vielleicht ist *p(osuit)* zu ergänzen.

Marcus Gellius Longus hat es aufgestellt (?).

Unser Marcus Gellius Longus ist übersehen bei Κανατσούλης, S. 41 (dort als Nr. 350 lediglich ein Marcus Gellius aus Dion, der dort *aedilis* und *duumvir quinquennalis* war, A. Plassart, BCH 47 (1923), S. 166f.).

617/L118   **Decimus Furius Octavius,**
nach 138   **der Veteran aus dem Bellum Iudaicum**

P. *Foucart:* Inscription latine de Macédoine, BCH 12 (1888), S. 424–427.
R. *Cagnat,* in: BCH 13 (1889), S. 182f. (Korrekturen zu Foucart).
Δήμιτσας, Nr. 969 (S. 750–752).
CIL III Suppl. 1, Nr. 7334.
A. *Salač:* Inscriptions du Pangée, de la région Drama-Cavalla et de Philippes, BCH 47 (1923), S. 49–96; hier S. 52 (Nr. 5).
ILS 2080.
E. *Mary Smallwood:* Documents Illustrating the Principates of Nerva, Trajan, and Hadrian, Cambridge 1966, Nr. 329 (S. 113).

Helmut Freis: Die cohortes urbanae, EpiSt 2, Köln/Graz 1967, S. 15.54.93.

Χάϊδω Κουχούλη: Ἱερόν Θρακός ᾿Ηρωος Αὐλωνείτου, AAA 2 (1969), S. 191–194; hier S. 192, Anm. 4.

Χάϊδω Κουχούλη, ΑΔ 24 (1969) Β΄2 Χρονικά [1970], S. 348f.

Alfred von Domaszewski: Die Rangordnung des römischen Heeres. Einführung, Berichtigungen und Nachträge von Brian Dobson, BoJ.B 14, Köln/Wien, 3. Aufl. 1981, S. 17.22–24.78.84.91.95–97.103.110.211.

Valerie A. Maxfield: The Military Decorations of the Roman Army, London 1981, S. 194; S. 269.

Χάϊδω Κουχούλη-Χρυσανθάχη/Δήμητρα Μαλαμίδου: Το ιερό του ῾Ηρωα Αυλωνεί-τη στο Παγγαίο, ΑΕΜΘ 3 (1989) [1992], S. 553–567; hier S. 560 mit Anm. 22.

Egon Schallmayer/Kordula Eibl/Joachim Ott u.a.: Corpus der griechischen und lateinischen Beneficiarier-Inschriften des Römischen Reiches, Der römische Weihebezirk Osterburken I, Forschungen und Berichte zur Vor- und Frühgeschichte 40, Stuttgart 1990, Nr. 671 (S. 518–520).

Edward Dąbrowa: Legio X Fretensis. A Prosopographical Study of its Officers (I– III c. A.D.), Historia Einzelschriften 66, Stuttgart 1993, Nr. 25, S. 91.

Tadeusz Sarnowski: Primi ordines et centuriones legionis I Italicae und eine Dedikation an Septimius Severus aus Novae in Niedermoesien, ZPE 95 (1993), S. 205–219; hier S. 215, Nr. 36.

Band I, S. 96 mit Anm. 18; S. 142, Anm. 12.

Kipia. „M. Alex. Kontoléon m'a communiqué la copie d'une inscription latine qu'il avait reçue d'un de ses amis, en y joignant l'indication suivante: ῾Η κατωτέρω ἐπιγραφὴ εὑρέθη ἐν ταῖς ὑπωρείαις τοῦ Παγγαίου ὄρους, παρὰ τὴν ῾Ηδωνίδα τῆς Μακεδονίας" (Foucart, S. 424).

Zur Zeit von Salač war die Inschrift offenbar nicht nur noch vorhanden, sondern sogar noch sichtbar, wie die folgenden Bemerkungen zeigen: „Elle se trouve actuellement sur un plateau dominant la route, entre les villages de Kodjani [das heutige Κηπία] et Bostandji [nicht verifizierbar; auf der österreichischen Karte 42°41° Kavala ist Bostandži mit Kodžan gleichgesetzt (mit Fragezeichen)]. Le marbre n'est plus complet, tout l'angle inférieur gauche ayant disparu" (Salač, S. 52).

Der Stein wurde von Κουχούλη wieder entdeckt (vgl. auch die Beschreibung der folgenden Inschrift 618/G565). Ihr zufolge gehört er in das Heiligtum des ῾Ηρως Αὐλωνείτης bei Kipia.

Irreführend ist die Angabe des Fundortes im Corpus der Beneficiarier-Inschriften (auch bei Dąbrowa): „in der Umgebung von Sérrai" (S. 518). Auch *cum grano salis* kann man Kipia nicht als „Umgebung" von Serres definieren.

Abmessungen (nach Salač): Buchstaben 0,07; 0,05; 0,035; Zeilenabstand 0,025–0,015.

Der Stein befindet sich heute im Museum in Kavala (im Garten; Inventarisierungsnummer Λ 801).

Dia Nummer 111–113/1992; 63–65/1993.

> [D(ecimus) Furi]us D(ecimi) f(ilius)
> S[er]g(ia) Octavius Se-

[c]undus Curib(us) Sab(inis), mil(es) coh(ortis)
X urb(anae), transḷat(us) in coh(ortem) VI pr(aetoriam),
5 [s]ing(ularis) trib(uni), benef(iciarius) trib(uni), sing(ularis) pr(aefecti)
p[r]aet(orio), optio in centur(ia), signif(er),
<f>is[c]<i> curat(or), cornicul(arius) trib(uni),
ev(ocatus) Aug(usti), c(enturio) leg(ionis) X Fretensis,
donis don(atus) ab divo Hadriano
10 ob bellum Iudaicum corona aurea, tor<q>uib(us), armillis, phaler(is)
et ab eodem promotus success(it)
in leg(ionem) prim[a]m Italic(am), primipil(us) leg(ionis)
eiusdem, adlectus decurio in
15 coloni(i)s et or[n]am(entis) IIviralib(us)
don(atus) Actiae Nicopoli et Ulpia[e] [. . .]

1 Auf dem Stein fehlen *praenomen* und *gentilicium* (ergänzt nach AÉ 1975, 23 aus
Rom: *D(is) M(anibus)* | *Euphrosyno* | *servo* | *D(ecimus) Furius Octavius* | *Secundus* |
evocatus Aug(usti), vgl. Dąbrowa und Sarnowski).   2 Neben dem klar lesbaren S zu
Beginn der Zeile ist m.E. noch der Rest eines G vor OCTAVIVS zu erkennen; daher
ergibt sich *S[er]g(ia)*.   3 Foucart ergänzt *Sab(atina)*; nach meiner Rekonstruktion steht
die Tribusangabe jedoch schon zu Beginn von Z. 2 an ihrer kanonischen Stelle, daher
empfiehlt es sich hier, *Sab(inis)* zu ergänzen, vgl. den Kommentar.   4 Auf dem Stein
nach Foucart: TRANSIAT. Mit gutem Willen kann man aus dem Stein jedoch *transḷat(us)*
gewinnen.   6 Mommsen: *[pr]aet*. Auf dem Stein nach Foucart: PAET. (Heute fehlt ab
hier das linke Stück des Steins.)   7 Mommsen: *[f]is[c]o*. Auf dem Stein anscheinend: EIS-
O. Nach Foucart auf dem Stein: CORNICVI. Das ist ein Fehler. Noch heute ist auf dem
Stein das abschließende L deutlich zu erkennen.   8 Die Angabe bei Foucart: OREG- -
XPRETENSIS hat viele falsche Texte zur Folge gehabt. Auf dem Stein ist jedoch eindeutig
zunächst > für *centurio*, sodann LEG für *leg(ionis)* und schließlich *Fretensis* zu erkennen.
Alle anderslautenden Informationen sind falsch.   9 Das abschließende O bei *Hadriano*
steht auf dem Stein und braucht daher nicht ergänzt zu werden.   11 Auf dem Stein
angeblich: TOROVIB und PIALER. TOROVIB kann man nicht mehr überprüfen, da
das V der erste heute noch erhaltene Buchstabe dieser Zeile ist. PIALER ist definitiv eine
falsche Lesung (Foucarts Gewährsmann hat die Ligatur P+H nicht erkannt).   12 Dąbrowa ergänzt *succes(sione)*.   **15f.** Die beiden letzten Zeilen werden nach der Korrektur
von R. Cagnat in BCH 13 (1889), 182–183 geboten.   15 Auf dem Stein am Ende nach
Foucart: TIVSRALIB; in Wirklichkeit aber: IIVIRALIB.   16 Auf dem Stein angeblich:
RONACTIAE (heute nicht überprüfbar). Mommsen schlägt <*or*>*n* vor.

Decimus Furius Octavius Secundus, der Sohn des Decimus, aus
der Tribus Sergia, aus (der Stadt) Cures im Sabinerland, Soldat
der zehnten städtischen Kohorte, versetzt in die sechste Prätorianerkohorte, [5] Ordonnanz des Tribunen, *beneficiarius* des Tribunen, Ordonnanz des Prätorianer-Präfekten, Optio der Kompanie, Feldzeichenträger, Aufseher der Kasse (der Kompanie),
Adjudant des Tribunen, Evocatus des Augustus, Hauptmann der
zehnten Legion Fretensis, vom vergöttlichten Hadrianus mit *do-*
na ausgezeichnet, [10] wegen des jüdischen Krieges mit einem

goldenen Kranz, mit Halsketten, mit Armspangen und mit *phalerae* (ausgezeichnet) und von demselben (Kaiser) befördert, trat er in die erste Legion Italica über, *primipilus* („Senior der Hauptleute") ebendieser Legion, zum Decurio ernannt in [15] den Kolonien Actia Nicopolis und Ulpia (...) und mit den *ornamenta* eines Duumvir geehrt.

Die wichtigste Frage ist die nach der Gattung dieser Inschrift. Da sie in das Heiligtum des ῞Hρως Aὐλωνείτης gehört, denkt man zunächst an eine Weihinschrift; dies würde voraussetzen, daß vor dem Namen, der im Nominativ steht, ein

Heroni Auloniti

oder etwas ähnliches stand. Dies ist an sich gut denkbar (vgl. etwa unten die lateinischen Inschriften 620/L603 und 621/L604), scheitert aber an den Raumverhältnissen, da in Z. 1 vor den vier erhaltenen Buchstaben VSDF nicht mehr als die notwendigen fünf DFVRI Platz finden. Am Ende der langen Laufbahn unseres Octavius könnte im Fall einer Weihinschrift etwas wie *v(otum) s(olvit) l(ibens) m(erito)* gestanden haben (so in 620/L603). Dafür wäre Platz vorhanden.

Z. 1 Dank AÉ 1975, 23 läßt sich der Name vollständig rekonstruieren (dort heißt es: *D(is) M(anibus) | Euphrosyno | servo | D(ecimus) Furius Octavius | Secundus | evocatus Aug(usti)*; vorgeschlagene Datierung: II). Ein weniger erfolgreicher *miles* aus Philippi mit dem Namen Decimus Furius Octavius Octavianus begegnet auf der stadtrömischen Inschrift 758/L699.

Z. 2 Die Tribus *Sergia* paßt gut, da Cures anscheinend zu dieser Tribus gehört (Jos. Wilhelm Kubitschek: Imperium Romanum tributim discriptum, Prag 1889, S. 55, s.v. Cures).

Z. 3 Zu Cures vgl. ThLL Suppl. Nomina propria latina II, Sp. 753f. Unsere Inschrift wird Sp. 754, Z. 50f. folgendermaßen zitiert: „Octavius Se<c>undus Curib(us) Sab(inis) miles". Gemeint ist damit eine Stadt (im Norden von Rom).

Z. 4 Die Karriere des Octavius beginnt in der 10. stadtrömischen Kohorte, (in der auch Tiberius Claudius Celer aus 620/L603 Dienst tat,) von der aus er danach in die 6. Prätorianerkohorte versetzt wurde. „Diese Rekrutierung von Praetorianern aus Soldaten der cohortes urbanae war seit Traian die Regel, s. A. v. Domaszewski - B. Dobson, Rangordnung 16–17, Anm. 6" (Schallmayer u.a., S. 519). Der Weg stand jedoch nur „wenigen fähigen Soldaten ... offen" (Freis, S. 15; vgl. die dort gesammelten Fälle aus der Regierungszeit Trajans und Hadrians).

Z. 5 In dieser Prätorianerkohorte steigt Octavius zunächst zum *singularis*, sodann zum *beneficiarius* auf; dieser Tatsache verdankt die Inschrift ihre Aufnahme in das Corpus der Beneficiarier-Inschriften. Zu den *beneficiarii* vgl. 202/L313.

„Danach wechselte er in das officium des Praetorianerpraefekten, dem er ebenfalls als singularis diente" (Schallmayer u.a., S. 520).

Z. 6 „Dem folgte die Bekleidung von zwei taktischen Chargen – optio und signifer –, um praktische Erfahrung in der Truppenführung zu gewinnen, s. A. v. Domaszewski - B. Dobson, Rangordnung 24" (Schallmayer u.a., S. 520).

Z. 7 „Eine dritte militärische Charge, die er bekleidete, war die des fisci curator, der die Kasse seiner Einheit verwaltete, s. A. v. Domaszewski - B. Dobson, Rangordnung IX u. 23. Schließlich stieg er in das höchste Principalamt im officium des Tribunen der Praetorianerkohorte, das des cornicularius tribuni, auf" (Schallmayer u.a., S. 520).

Z. 8 „Der zweite Abschnitt seiner Laufbahn begann mit der evocatio, durch die er zum Centurionat der legio X fretensis kam" (Schallmayer u.a., S. 520). Zum Rang der *evocati* unmittelbar unterhalb der *centuriones* vgl. jetzt J.B. Campbell: Art. Evocati, DNP 4 (1998), Sp. 328f. Falls die von Dąbrowa herangezogene Inschrift AÉ 1975, 23 aus Rom in der Tat von unserem Octavius stammt, hat er den Rang des *evocatus* in Rom erreicht, bevor er zum *centurio legionis X Fretensis* befördert wurde.

Zur *legio X Fretensis* vgl. E. Dąbrowa, *passim.* „The necessity to supply the army with well-experienced officers because of the hard fighting of the Bar Kokhba uprising was the reason why Hadrian nominated D. Furius Octavius Secundus as centurion in leg. X Fretensis" (S. 91).

Z. 10 *Bellum Iudaicum* meint den Krieg 132–135; daher ist mit dem Jahr 135 ein *terminus post quem* für diese Inschrift gegeben. Da in Z. 9 von *divus Hadrianus* die Rede ist, muß die Inschrift in die Zeit nach dessen Tod (138) datiert werden.

Z. 13 „Von Palästina wurde er in die niedermoesische legio I Italica versetzt, bevor er in dieser Truppe den Primipilat erreichte" (Schallmayer u.a., S. 520).

„For his valour shown during the campaign, he was awarded military decorations and he was promoted to *primi ordines* in leg. I Italica" (Dąbrowa, S. 91). Vgl. dazu auch den zitierten Aufsatz von Tadeusz Sarnowski.

Z. 14ff. „He finished his military service as *primus pilus* in the same legion" (Dąbrowa, S. 91).

„Danach schied er endgültig aus dem Militärdienst aus. Er hatte es dann zu einigem Wohlstand gebracht, da er gleich in zwei Gemeinden dem ordo decurionum angehörte und die Insignien des Duumvirats verliehen bekam, ohne das Amt selbst zu bekleiden, was sich wahrscheinlich auf hohe Geldspenden an diese Städte zurückführen läßt. Bei der ersten Gemeinde handelt es sich um das epirotische Actium-Nikopolis; mit »Ulpia« war vermutlich die dakische colonia Ulpia Sarmizegethusa gemeint, vielleicht auch Ulpianum in Obermoesien" (Schallmayer u.a., S. 520).

Weihinschrift für den Ἥρως

618/G565
3. Jh. v. Chr.

Χάϊδω Κουκούλη: Ἱερόν Θραχός Ἥρωος Αὐλωνείτου, AAA 2 (1969), S. 191–194; hier S. 192, Abb. 1 (nur Photographie, kein Text).
Jeanne Robert und Louis Robert, BÉ 1970, Nr. 381 [a].
Χάϊδω Κουκούλη-Χρυσανθάκη, ΑΔ 40 (1985) [Β´] Χρονικά [1990], S. 264.
Χάϊδω Κουκούλη-Χρυσανθάκη/Δήμητρα Μαλαμίδου: Τὸ ἱερό του Ἥρωα Αὐλωνεί-τη στο Παγγαίο, ΑΕΜΘ 3 (1989) [1992], S. 553–567; hier S. 553 und 559 mit Abb. 2 (kein Text).
M.B. Hatzopoulos, BÉ 1991, Nr. 415.
SEG XL (1990) [1993] 539 b Apparat.
Band I, S. 94, Anm. 8; S. 96, Anm. 15.

Kipia. Auf einem Hügel ungefähr 1km nördlich der Straße Thessaloniki-Kavala befindet sich das Heiligtum des Ἥρως Αὐλωνείτης. Hier wurde eine größere Zahl von Inschriften gefunden, darunter bemerkenswerterweise auch die BCH 1888 bereits publizierte (= 617/L118), sowie die folgende (619/G499).

Das Relief mit der Inschrift befindet sich heute im Museum von Kavala im ersten Stock (Inventarisierungsnummer Λ 798) und ist anscheinend bis heute nicht „offiziell" publiziert. Immerhin zitiert Κουκούλη-Χρυσανθάκη 1985/1990 schon Z. 1!

Das Relief zeigt links den Thrakischen Reiter, daneben einen Altar mit Baum und Schlange. Auf dem Altar bereitet eine Familie ein Opfer vor. Das Relief stammt aus hellenistischer Zeit und wurde in römischer Zeit wieder verwendet (?).

Abmessungen: H. 0,35; B. 0,42; D. 0,14.

Über dem Relief befindet sich Z. 1 der Inschrift, unter dem Relief Z. 2 (auf der linken Seite beschädigt), auf der rechten Seite von unten nach oben geschrieben die Z. 3.

Leider bekam ich keine Genehmigung, diese Inschrift zu studieren. Der folgende Text ist daher nicht mehr als eine versuchsweise Lesung der von Κου-κούλη publizierten Photographien.

> Ἥρωνι ἐπηκόῳ
> [. . .]ΙΟΣΝΑΙΟ υἰὸς ΣΕ[. . .]
> υἱός.

1 Hatzopoulos irrtümlich: Ἥρωι (S. 505). Das Iota bei ἐπηκόῳ auf dem Stein adskribiert.

Dem Heros, der erhört … der Sohn … der Sohn.

Im Jahr 1985 wurden Tonscherben mit Graffiti gefunden, die Κουκούλη-Χρυσανθάκη als ισχυρή ένδειξη για την ύπαρξη ενός ιερού στη θεσή αυτή πριν από το ρωμαϊκών χρόνων ιερό του Ἥρωνος Αὐλωνείτου bewertet. Diese

Graffiti datiert sie in die späthellenistische Zeit; dabei kommt sie auch auf die vorliegende Inschrift zu sprechen: Η λατρευόμενη στη θέση αυτή θεότητα δεν αποκλείεται, ωστόσο, να ήταν πάλι μια μορφή ῝Ηρωος, αφού το αναθηματικό ανάγλυφο της έρευνας του 1968 με την επιγραφή ῝Ηρωι ᾿Επηκόωι [muß heißen ῝Ηρω<u>νι</u>] είναι οπωσδήποτε αρχαιότερο από τα ρωμαϊκά χρόνια (Κουκούλη-Χρυσανθάκη, ΑΔ 40, S. 264).

In dem Bericht in ΑΕΜΘ 3 (1989) [1992] wird dieses Relief auf das dritte Jahrhundert v. Chr. datiert (S. 559).

619/G499
II

Weihinschrift des M(άρκος) Οὔλπιος Μεσσάλας und seiner Frau für den ῝Ηρως Αὐλωνείτης

Χάϊδω Κουκούλη: Ιερόν Θρακός ῝Ηρωος Αὐλωνείτου, ΑΑΑ 2 (1969), S. 191–194; hier S. 193, Abb. 2 (kein Text!).

Χάϊδω Κουκούλη, ΑΔ 24 (1969) Β´2 Χρονικά [1970], S. 349.

Jeanne Robert und Louis Robert, BÉ 1970, Nr. 381 [b].

Φώτιος Μ. Πέτσας: Χρονικά Αρχαιολογικά 1968–1970 (συνέχεια), Μακεδονικά 15 (1975), S. 171–355; hier Tafel 245β.

Fanoula Papazoglou: L. Vipstanus Messalla, Proconsul de Macédoine, ŽAnt 33 (1983), S. 5–11.

SEG XXXIII (1983) [1986] 538.

AÉ 1983, 892.

Jeanne Robert und Louis Robert, BÉ 1984, Nr. 242.

Χαράλαμπος Μπακιρτζής: Δύο παλαιοχριστιανικές επιγραφές από τα Κηπιά Παγγαίου, in: Αφιέρωμα εις τον Κωνσταντίνον Βαβούσκον, Band 5, Thessaloniki 1992, S. 277–282.

Χάϊδω Κουκούλη-Χρυσανθάκη/Δήμητρα Μαλαμίδου: Το ιερό του ῝Ηρωα Αὐλωνείτη στο Παγγαίο, ΑΕΜΘ 3 (1989) [1992], S. 553–567; hier S. 553 mit Abb. 4 (kein Text).

Band I, S. 96; S. 138, Anm. 14.

Kipia. Der Stein befindet sich heute (1990) im Museum in Kavala (und zwar im äußeren Hof).

Abmessungen: B. 0,74; H. 0,94; D. 0,25 (Κουκούλη in ΑΔ).

Ich bekam keine Genehmigung, den Stein selbst zu studieren (Υπουργείο Πολιτισμού – Εφορεία προϊστορικών και κλασσικών αρχαιοτήτων Καβάλας, Aktenzeichen 2558, 20. August 1992).

> ῝Ηρωνι Αὐλωνείτη
> M(άρκος) Οὔλπιος Μεσσάλας
> Πυθίων καὶ Οὐλπία
> Ἀρμοννὼ χαριστήριον.

1 Das Iota bei Αὐλωνείτη auf dem Stein adskribiert. 2 AÉ: Μᾶρκος. 4 BÉ und AÉ: Ἀρμοννώ.

Dem Heros Auloneites. Markos Ulpios Messalas Pythion und Ulpia Armonno (haben) das Denkmal des Dankes (aufgestellt).

Z. 1 Der ῞Ηρως Αὐλωνείτης ist nicht nur in Kipia bezeugt. So gibt es beispielsweise eine Inschrift aus Abdera: ῞Ηρωι Αὐλωνείτῃ θυσιασταὶ περὶ ἱερέα Ποπίλλιον Ζείπαν. Heroi Aulonite cultores sub sacerd(ote) Popil(lio) Zip[a]. (Die Inschrift ist erstmals publiziert von S. Reinach: Inscriptions latines de Macédoine, BCH 8 [1884], S. 47–50, hier S. 49, Nr. 9; sodann Theodor Mommsen, Ephemeris Epigraphica V [1884] 1436 = CIL III Suppl. 1, Nr. 7378; schließlich Albert Dumont: Inscriptions et monuments figurés de la Thrace, Archives des missions scientifiques, 3ᵉ série, III, S. 117–200; jetzt in: ders.: Mélanges d'archéologie et d'épigraphie, réunis par Th. Homolle et précédés d'une notice sur Albert Dumont par L. Heuzey, Paris 1892, S. 307–581; hier S. 442; bei Dessau, ILS 4067; aus dem italienischen Neapolis (?) die folgende Nummer 4067a!). Der ῞Ηρως Αὐλωνείτης begegnet auch im Westen, z.B. in Thessaloniki, wo es sogar ein *collegium* dieses Gottes gab: ῎Ετους αϙρ´ σεβαστοῦ· ἡ συνήθ<ε>ια ῞Ηρωνος Αὐλων<ε>ίτου κτλ. (Φώτιος Πέτσας, ΑΔ 24 (1969) Β´2 Χρονικά [1970], S. 300.302 mit Abb. Taf. 311γ = BÉ 1972, Nr. 263). Ein weiteres Heiligtum des ῞Ηρως Αὐλωνείτης existierte wohl an der Nordseite des Pangaiongebirges, wie die Inschrift 580/G488 (Weihinschrift für den ῞Ηρως Αὐλωνείτης) vermuten läßt. Zum Kult vgl. o. Bd. I, S. 93–100. Χαράλαμπος Μπακιρτζής hat aus der Lage des Heiligtums in Kipia einen neuen Vorschlag zur Erklärung des Epitheton Αὐλωνείτης hergeleitet (vgl. zur Beschreibung der Lage unten 630/G581): Σχέση με την στενωπό είχε και ιερόν ῞Ηρωος Αὐλωνείτου, ελληνιστικών και ρωμαϊκών χρόνων, που εντοπίστηκε με τη βοήθεια επιγραφών και ανασκάφηκε εν μέρει στήν κορύφη (Τσακίλ Μπαΐρ) του χαμηλού λόφου, που υπέρκειται της οδού, της πηγής Καϊνάρτζα και της παλαιοχριστιανικής βασιλικής. Το επίθετο Αὐλωνείτης, που συχνά χαρακτηρίζει αυτόν τον πολυώνομο ήρωα, πιστεύω ότι δεν σχετίζεται με διάφορες πόλεις ονόματι »Αὐλών«, όπως έχει υποστηριχθεί, αλλά με κατά τόπους »αὐλῶνας« (= περάσματα, στενωπούς), των οποίων τους διαβάτας προστάτευε, γι' αυτό και εκτός των άλλων και ως »ἥρως ἐπήκοος« μνημονεύεται (S. 278).

Z. 2ff. Aus den Namen der Dedikanten zieht Papazoglou weitreichende Schlüsse: „La liste, très lacuneuse, des gouverneurs de Macédoine sous le Haut-Empire peut être complétée, me semble-t-il, d'un nouveau nom, celui de L. Vipstanus Messalla, *cos. ord.* 115. Plus que le fait même de cette addition, c'est la voie par laquelle nous y sommes arrivés qui est intéressante. Car notre conjecture ne se fonde pas sur un témoignage direct: une inscription mentionnant la carrière de L. Vipstanus Messalla nous manque toujours. Elle est déduite, comme nous le verrons, du nom d'un citoyen grec de la colonie de Philippes" (Papazoglou, S. 5).

Κουχούλη datiert im ΑΔ allgemein in das 2. Jh. Ist die Rekonstruktion von Papazoglou richtig, so kann man die Inschrift näherhin auf den Anfang des 2. Jh.s datieren. „Et j'ai été bien contente de voir que les fastes consulaires enregistraient en effet L. Vipstanus Messalla comme *cos. ord.* en 115 et que rien ne s'opposait, comme nous le verrons, à l'hypothèse selon laquelle ce personnage aurait exercé les fonctions de proconsul prétorien dans la province de Macédoine avant de s'élever au consulat" (Papazoglou, S. 8). Demnach wäre das Jahr 113 für das Proconsulat des Messalla in Makedonien anzunehmen (vgl. Papazoglou, S. 11).

620/L603   **Weihinschrift des Tiberius Claudius Celer**
II

Χάϊδω Κουχούλη, ΑΔ 24 (1969) Β΄2 Χρονικά [1970], S. 349 mit Abb. auf Tafel 353γ.

Jean-Pierre Michaud: Chronique des fouilles et découvertes archéologiques en Grèce en 1970, BCH 95 (1971), S. 803–1067; hier S. 971 mit Abb. 383.

Jeanne Robert und Louis Robert, BÉ 1972, Nr. 267 [a].

Šašel Kos, Nr. 213 (S. 91f.).

Band I, S. 96.

Kipia. Zum Heiligtum des ῞Ηρως Αὐλωνείτης in Kipia vgl. die Angaben bei 618/G565.

Ενεπίγραφος βάσις χαλκού θυμιατηρίου, 2ου μ.Χ. αι. (Κουχούλη, S. 349). Abmessungen: H. 0,90; B. 0,74; D. 0,25.

Ich bekam keine Genehmigung, den Stein selbst zu studieren (Υπουργείο Πολιτισμού – Εφορεία προϊστορικών και κλασσικών αρχαιοτήτων Καβάλας, Aktenzeichen 2558, 20. August 1992), obwohl diese Inschrift bereits ins Supplement des CIL aufgenommen worden ist.

> [H]eron[i]
> [A]uloniti
> [th]uribulum
> [c]um basi
> 5 [Ti(berius) Cl]audius
> [Ce]ler c(enturio) co(hortis)
> X̣ urb(anae)
> v(otum) s(olvit) l(ibens) m(erito).

1 Κουχούλη gibt: *[H]eroni.* Šašel Kos gibt: *[H]eroni.* **2** Κουχούλη, Michaud geben: *[A]vloniti.* **3** Κουχούλη, Šašel Kos: *[th]uribulum.* Michaud: *[t]uribulum.* **4** Κουχούλη gibt irrtümlich: *[c]vum.* **5** Κουχούλη: *[C]laudius.* Šašel Kos bietet: *[. C]laudius* mit der Begründung „melius esse puto, cum virum praenomine caruisse verisimile non videtur". **6** Κουχούλη: *[Ce]ler) co(hortis).* Auf dem Stein > für *centurio.* **7** Šašel Kos: „X in imagine phot. non cernitur".

Dem Heros Aulonitis (hat) Tiberius Claudius Celer, Hauptmann der zehnten städtischen Kohorte, eine Räucherpfanne mit Sockel (geweiht). Gern hat er sein Gelübde verdientermaßen erfüllt.

Z. 1f. Zum Ἥρως Αὐλωνείτης vgl. den Kommentar zu 619/G499, Z. 1.

Z. 3 Eine (gleichlautende, aber unpublizierte) Inschrift aus dem Museum in Kavala bietet die Orthographie *thuribulum*, die mithin auch hier den Vorzug verdient; zur Sache vgl. Glare, S. 1993, s.v. *turibulum*.

Z. 5 Die Ergänzung des *praenomen* nehme ich nach dem o. zu Z. 1f. erwähnten *ineditum* vor.

Z. 6f. Ein weiterer Soldat der *cohors X urbana* aus dem Heiligtum in Kipia ist Decimus Furius Octavius Secundus aus 617/L118.

Weihinschrift des Marcus Cassius   621/L604

                                                              II

Χάϊδω Κουκούλη, ΑΔ 24 (1969) Β´2 Χρονικά [1970], S. 349.
Jeanne Robert und Louis Robert, BÉ 1972, Nr. 267 [b].
Šašel Kos, Nr. 214 (S. 92).
Band I, S. 96.

Kipia. Zum Heiligtum des Ἥρως Αὐλωνείτης in Kipia vgl. die Angaben bei 618/G565.
Ἀπότμημα ενεπιγράφου αναθηματικού βάθρου, 2ου μ.Χ. αι. (Κουκούλη, S. 349).
Abmessungen: H. 0,37 (max.); B. 0,37 (max.); D. 0,64 (max.).
Der Stein befindet sich heute in der αποθήκη des Museums Καβάλα (Inventarisierungsnummer Λ 791).
Dia Nummer 16–19/1993.

>   Heroi Auloni[ti]
>   sac[ru]m.
>   pro salut[e].
>   M(arcus) Cas[sius].

1 Κουκούλη: *Avloni[ti]*.   4 Šašel Kos: M. *V( ) Cas[siani]* – mit der Begründung: „potius cognomen probatur". Das erscheint mir einleuchtend; allerdings ist Cassianus in Philippi bisher nicht belegt, Cassius dagegen ziemlich häufig. Auf dem Stein freilich findet sich kein V.

Dem Heros Aulonitis ist es geweiht. Zum Heil! Marcus Cassius.

Z. 1 Nach der Entdeckung der Münze mit der Aufschrift *Heroi Aulonite* auf der Agora von Thasos (vgl. dazu Olivier Picard: Ανασκαφές της Γαλλικής Αρχαιολογικής Σχολής στο Θάσο το 1988, AEMΘ 2 (1988) [1991], S.

387–394; zur Münze S. 389 und Abb. 10) könnte man hier auch *Auloni[te]* ergänzen. Man wird weitere lateinische Texte abwarten müssen. **Z. 4** Dem Beispiel von Šašel Kos folgend könnte man auch unser Cassius in den Genitiv setzen (das ist m.E. möglich, aber nicht naheliegend). Dann wäre zu übersetzen: „Für das Heil des Marcus Cassius".

622/G635   **Weihinschrift für den Θεὸς ῞Ηρως Αὐλωνείτης**

Χάϊδω *Κουκούλη-Χρυσανθάκη*,   ΑΔ 38 (1983) Β΄2 Χρονικά [1989], S. 322 mit Abb. auf Tafel 128β.
Anne Pariente: Chronique des fouilles et découvertes archéologiques en Grèce en 1989, BCH 114 (1990), S. 703–850; hier S. 799 mit Abb. 147.
E.B. French: Archaeology in Greece 1990–91, AR 37 (1990–1991), S. 3–78; hier S. 58.
SEG XXXIX (1989) [1992] 598.
Band I, S. 96.

Kipia. Im Jahr 1983 wurde mit der systematischen Ausgrabung des Heiligtums dieses thrakischen Reitergottes begonnen. Die Beschreibung der Lage: Το ιερό που βρίσκεται στους πρόποδες του Παγγαίου ανάμεσα στις Κοινότητες Ακροβουνίου-Κηπίων, σε μικρή απόσταση στα βόρεια της αρχαίας Εγνατίας οδού, είναι το πρώτο ιερό Θράκα ήρωα-ιππέα που ανασκάπτεται στην Ελλάδα (Κουκούλη-Χρυσανθάκη, S. 322). Das Dorf Ακροβούνιον ist auf der Νομός-Karte von 1961/1972 (Nr. 20: Νομός Καβάλας) noch als Παναγία bezeichnet, und Κηπιά heißt dort Κηπία. Mißverständlich ist die Bemerkung zur Via Egnatia (gemeint ist: alte Straße Thessaloniki-Kavala).
Heute im Museum in Kavala (Inventarisierungsnummer Λ 1343): ενεπίγραφη βάση από σύμπλεγμα δύο μορφών (ebd.; keine genaueren Angaben).
Ich bekam keine Genehmigung, den Stein selbst zu studieren (Υπουργείο Πολιτισμού – Εφορεία προϊστορικών και κλασσικών αρχαιοτήτων Καβάλας, Aktenzeichen 2558, 20. August 1992).

> Θεὸν ῞Ηρωα Αὐλωνείτ[ην]
> Βειτάλες καὶ Ἀέλιος
> ἰδίας τέχνης εὐχαριστ[ήριον].

Der Text bei French, AR 37, ist fehlerhaft und wird hier nicht berücksichtigt.

Dem Gott (und) Heros Auloneites. Vitales und Aelios als Dankesgabe von eigener Kunst.

Z. 1 Zum ῞Ηρως Αὐλωνείτης vgl. den Kommentar zu 619/G499, Z. 1.
Z. 2 Eine Liste aller Belege aus Philippi für den Namen Vitalis bei 416/L 166 aus Μαυρολεύκη.

Weihinschrift für den ῞Ηρως (Αὐλωνείτης)   623/G636

Χάϊδω Κουκούλη-Χρυσανθάκη, ΑΔ 38 (1983) Β΄2 Χρονικά [1989], S. 322 mit Abb.
auf Tafel 128γ.
E.B. French: Archaeology in Greece 1990–91, AR 37 (1990–1991), S. 3–78; hier S.
58.
SEG XXXIX (1989) [1992] 599.
Band I, S. 96.

Kipia. Einzelheiten siehe bei der vorigen Inschrift 622/G635.
Heute im Museum in Kavala (Inventarisierungsnummer Λ 1344): θραῦσμα
ενεπίγραφης κιονόσχημης βάσης (Κουκούλη-Χρυσανθάκη, a.a.O.).
Ich bekam keine Genehmigung, den Stein selbst zu studieren (Ὑπουργείο
Πολιτισμού – Εφορεία προϊστορικών και κλασσικών αρχαιοτήτων Καβάλας,
Aktenzeichen 2558, 20. August 1992).

> Σάλας Νεα-
> κόρος ἥρωι
> [εὐχαρ]ιστήρι-
> [ον].

Der Text bei French, AR 37, ist fehlerhaft und wird hier nicht berücksichtigt.
1f. Pleket (im SEG) schlägt νεακόρος = νεωκόρος vor mit der Bemerkung: „the photo
does not permit a decision as to whether the alpha is correct" (S. 190). **3** Geht man
von ungefähr gleich langen Zeilen aus (Z. 1: 8 Buchstaben, Z. 2: 9 Buchstaben), so ergänzt
man hier besser [χαρ]ιστήρι (9 Buchstaben), vgl. auch oben 619/G499, ebenfalls aus diesem
Heiligtum.

Salas, (der Sohn) des Neakor (?), dem Heros als Dankesgabe.

Z. 1f. Ein Name Νεάκωρ (Genitiv Νεακόρος) ist nirgendwo belegt, wie
die Suche auf der TLG-CD-ROM #D und auf der PHI-CD-ROM #7 ergeben. Daher läge es nahe, dem Vorschlag Plekets zu folgen und νεωκόρος zu
lesen; auf diese Weise erhielte man hier einen „Tempelaufseher" Salas (zu
νεωκόρος vgl. auch unsere Inschrift 005/G031). Aber Α und Ω verwechselt
man nicht so leicht. Ohne eine Revision des Steins ist eine Entscheidung
nicht möglich.

Weihinschrift für den ῞Ηρως Αὐλωνείτης   624/G637

Χάϊδω Κουκούλη-Χρυσανθάκη, ΑΔ 40 (1985) [Β΄] Χρονικά [1990], S. 266 mit Abb.
auf Tafel 113ε.
E.B. French: Archaeology in Greece 1992–93, AR 39 (1992–1993), S. 3–81; hier S.
60.
SEG XL (1990) [1993] 539 a.

Kipia. Im zweiten Jahr der systematischen Ausgrabungen im Heiligtum des ῞Ηρως Αὐλωνείτης wurden weitere Weihinschriften gefunden, so auch η αναθηματική επιγραφή του αποσπασματικού αναγλύφου με παράσταση του ήρωα ως ιππέα-κυνηγού μπροστά στο βωμό (Κουκούλη-Χρυσανθάκη, S. 266). Inventarisierungsnummer Λ 112 (in der αποθήκη).

Ich bekam keine Genehmigung, den Stein selbst zu studieren (Υπουργείο Πολιτισμού – Εφορεία προϊστορικών και κλασσικών αρχαιοτήτων Καβάλας, Aktenzeichen 2558, 20. August 1992).

[... ῞Ηρωνι Α]ὐλωνείτῃ
[...]σιου εὐχαριστήριον.

1 Auf der Photographie (113ε) m. E. ΥΛΩΝΙΤΗ. So liest auch das SEG.   2 SEG: „the photo seems to show a pi or at least two vertical hastae: – – ṛου".

Dem Heros Auloneites ... als Dankesgabe.

Z. 1 Zum ῞Ηρως Αὐλωνείτης vgl. den Kommentar zu 619/G499, Z. 1.

625/G638   Weihinschrift für den ῞Ηρως Αὐλωνείτης

Χάϊδω Κουκούλη-Χρυσανθάκη, ΑΔ 40 (1985) [Β´] Χρονικά [1990], S. 266 mit Abb. auf Tafel 113δ.
Anne Pariente: Chronique des fouilles et découvertes archéologiques en Grèce en 1991, BCH 116 (1992), S. 833–954; hier S. 917 mit Abb. 106.
E.B. French: Archaeology in Greece 1992–93, AR 39 (1992–1993), S. 3–81; hier S. 60.
SEG XL (1990) [1993] 539 b.
Band I, S. 94, Anm. 8; S. 96.

Kipia. Im zweiten Jahr der systematischen Ausgrabungen im Heiligtum des ῞Ηρως Αὐλωνείτης wurden weitere Weihinschriften gefunden, so die επιγραφή στην ενεπίγραφη βάση του αγαλματίου (Κουκούλη-Χρυσανθάκη, S. 266).
Ich bekam keine Genehmigung, den Stein selbst zu studieren (Υπουργείο Πολιτισμού – Εφορεία προϊστορικών και κλασσικών αρχαιοτήτων Καβάλας, Aktenzeichen 2558, 20. August 1992).

Εἰκέσιος Φοιβίδου
῞Ηρων[ι Α]ὐλωνείτῃ
ε[ὐχ]ήν.

3 Die Zeile fehlt im SEG.

Eikesios, (der Sohn) des Phoibidos, (hat) dem Heros Auloneites das Gelübde (erfüllt).

Z. 2 Zum ῞Ηρως Αὐλωνείτης vgl. den Kommentar zu 619/G499, Z. 1.
Interessant sind die Beobachtungen, die Κουκούλη-Χρυσανθάκη am Ende ihres Berichts noch anfügt: Σχετικά με την κατάσταση στην οποία βρίσκονται τα ευρήματα αυτού του ιερού πρέπει να σημειώσουμε ότι τόσο στα κτίρια όσο και στα αναθήματα του ιερού παρατηρείται μια ιδιαίτερα έντονη πρόθεση καταστροφής, που πρέπει να αποδοθεί σε μια συστηματική καταστροφή του ιερού, πιθανώς όχι άσχετη με την προσπάθεια της νέας θρησκείας να εξαφανίσει μια βαθιά ριζωμένη στο Παγγαίο, ιερό βουνό του Διονύσου, λαϊκή λατρεία.
Με την ολοκλήρωση της ανασκαφής και με την ακριβή χρονολόγηση του στρώματος καταστροφής του ιερού, είναι ενδεχόμενο να προσδιοριστεί αν η καταστροφή του ιερού εντάσσεται στις γνωστές καταστροφές ειδωλολατρικών ιερών, που συνέβησαν στα χρόνια της βασιλείας του Μ. Θεοδοσίου ή σχετίζεται με επιδρομές βαρβαρικών φύλων, πιθανότατα εκχριστιανισμένων. (Κουκούλη-Χρυσανθάκη, S. 266.)

Amphorenstempel des ῞Ηρως 626/G474

Χάϊδω Κουκούλη-Χρυσανθάκη/Δήμητρα Μαλαμίδου: Το ιερό του ῞Ηρωα Αυλωνείτη στο Παγγαίο, ΑΕΜΘ 3 (1989) [1992], S. 553–567; hier S. 558 mit Abb. 10 und 11.

E.B. French: Archaeology in Greece 1991–92, AR 38 (1991–1992), S. 3–70; hier S. 52.

SEG XL (1990) [1993] 539 b Apparat.

Χάϊδω Κουκούλη-Χρυσανθάκη, ΑΔ 44 (1989) Β´ 2 Χρονικά [1995], S. 375 mit Abb. Πιν. 204 α.

Kipia. Die Beschreibung der Kampagne bei E.B. French führt in die Irre: „In 1989 work continued on one of the two buildings found and is reported in *AEMTH* 3, 1990 [*sic*], 553–67. Stamped amphora handles, evidence for the HL levels, and a relief of the mounted Hero inscribed ΗΡΩΣ ΕΠΗΚΟΟΣ were the principle finds." (E.B. French, a.a.O., S. 52); dieser Fund stammt nicht aus dem Jahr 1989, sondern aus dem Jahr 1968 (es handelt sich dabei um die Inschrift 618/G565, vgl. oben). Die Beschreibung hinsichtlich der Graffiti auf den Amphorenfragmenten lautet: Αξιοσημείωτη είναι η παρουσία σφραγισμάτων, κυρίως στο λαιμό και στις βάσεις των λαβών αμφορέων (Εικ. 11). Τα σφραγίσματα φέρουν επιγραφές ΘΕ, ΗΡΩΟΣ ή συχνά το μονόγραμμα ΗΡ και βεβαιώνουν την παραγωγή ειδικών για λατρευτική χρήση αγγείων στο ιερό (Κουκούλη/Μαλαμίδου, S. 558).
Obwohl mir die Genehmigung (άδεια) für diese Inschriften vorliegt (Beschluß des Τοπικό Συμβούλιο Μνημείων Ανατολικής Μακεδονίας & Θράκης, Schreiben vom 16. Juli 1993, Aktenzeichen 2378), wollte mir die Direktorin der Εφορεία Προϊστορικών και Κλασσικών Αρχαιοτήτων Καβάλας am 24. September 1993 die Scherben nicht zugänglich machen nach dem Motto *sic volo sic iubeo sit pro ratione voluntas.*

a) ΘΕ (vermutlich: Θεοῦ).
b) Ἥρωος.
c) ΗΡ (vermutlich: Ἥρωος).

a) Des Gottes.
b) Des Heros.
c) Des Heros.

Interessant ist die Tatsache, daß offenbar eine ganze Reihe derartiger mit Stempeln versehener Gefäße gefunden wurde. Das läßt darauf schließen, daß diese Gefäße eigens für den Kult des Ἥρως Αὐλωνείτης (in größeren Stückzahlen) hergestellt wurden.

626a/G785   **Weitere Amphorenstempel des Ἥρως**

Χάϊδω Κουκούλη-Χρυσανθάκη/Δήμητρα Μαλαμίδου: Το ιερό του Ήρωα Αυλωνείτη στο Παγγαίο (II), ΑΕΜΘ 4 (1990) [1993], S. 503–511; hier S. 505 (ohne Abb.).

Κηπιά. Die Vf.innen berichten von der Kampagne des Jahres 1990 im Heiligtum des Ἥρως Αὐλωνείτης: Τα θραύσματα της κεραμικής που είναι άφθονα προέρχονται είτε από μεγάλα αγγεία (αμφορείς ή χύτρες) είτε από μικρότερα, όπως φιάλες . . . , κανθαρόσχημα αγγεία και κυάθια. Αρκετά ήταν και φέτος τα θραύσματα μεγάλων αγγείων, αμφορέων ως επί το πλείστον, που έφεραν ενσφράγιστες επιγραφές ΗΡΩΟΣ, ΗΡ ή ΘΕ. Τα αγγεία αυτά πρέπει να συνδέονται με τελετουργικά συμπόσια, τα οποία, όπως προκύπτει και από τη μορφή του κτιρίου, τελούνταν στο κτίριο (S. 505).

a) Ἥρωος.
b) Ἥρ(ωος).
c) Θε(οῦ).

a) Des Heros.
b) Des Heros.
c) Des Gottes.

627/G755   **Fragment einer griechischen Weihinschrift**

Χάϊδω Κουκούλη-Χρυσανθάκη/Δήμητρα Μαλαμίδου: Το ιερό του Ήρωα Αυλωνείτη στο Παγγαίο, ΑΕΜΘ 3 (1989) [1992], S. 553–567; hier S. 558 mit Abb. 13 (kein Text).

Kipia. Es handelt sich um einen früheren Fund, der im Bericht über die Ausgrabung von 1989 mehr nebenbei erwähnt wird. Το κατεξοχήν λατρευτικό κτίριο πρέπει ν' αναζητηθεί έξω απ' αυτόν τον περίβολο, μάλλον πιο χαμηλά στο λόφο, προς τα Α του χώρου που ανασκάφτηκε φέτος. Εκεί, οι παλιότερες έρευνες είχαν εντοπίσει αξιόλογα αρχιτεκτονικά μέλη, παχείς τοίχους με μαρμάρινες πλίνθους, βάθρα αναθημάτων και ανάγλυφα. Έχουν βρεθεί επίσης μικρά συμπλέγματα-αγαλμάτια με παράσταση του έφιππου ήρωα, που το συνοδεύουν τα ζώα του κυνηγιού (Εικ. 13) ... (Κουκούλη/Μαλαμαδίου, S. 558).

EXOYEΠ
ΙΝΚΑΤΑ

Weihinschrift des Quintus Petronius Firmus 628/L756

Χάϊδω Κουκούλη-Χρυσανθάκη/Δήμητρα Μαλαμίδου: Το ιερό του Ήρωα Αυλωνείτη στο Παγγαίο, ΑΕΜΘ 3 (1989) [1992], S. 553–567; hier S. 558 (keine Abb.).
Band I, S. 96.
Χάϊδω Κουκούλη-Χρυσανθάκη, ΑΔ 44 (1989) Β΄ Χρονικά [1995], S. 374.
AÉ 1991, Nr. 1429.
R.A. Tomlinson: Archaeology in Greece 1995–96, AR 42 (1995–1996), S. 1–47; hier S. 30 (nur Text).

Kipia. Die Zerstörungsschicht der beiden Gebäude, die 1989 untersucht wurde, enthielt Fragmente größerer und kleinerer Gefäße – zum Teil mit Stempeln (vgl. oben 626/G474) – sowie ένα χάλκινο αναθηματικό πλακίδιο με λατινική επιγραφή (Κουκούλη/Μαλαμίδου, S. 558).
Museum Καβάλα, Μ 1814.
Obwohl mir die Genehmigung (άδεια) für diese Inschriften vorliegt (Beschluß des Τοπικό Συμβούλιο Μνημείων Ανατολικής Μακεδονίας & Θράκης, Schreiben vom 16. Juli 1993, Aktenzeichen 2378), wollte mir die Direktorin der Εφορεία Προϊστορικών και Κλασσικών Αρχαιοτήτων Καβάλας am 24. September 1993 das Täfelchen nicht zugänglich machen nach dem Motto *sic volo sic iubeo sit pro ratione voluntas.*

> Q(uintus) Petro[nius]
> Firmus, m[iles]
> coh(ortis) V̄ praet[oriae,]
> *vacat* ex vot[o].

2 Κουκούλη/Μαλαμίδου: Ι. Meine Vermutung *miles* stellt eine passende Verbindung zu Z. 3 her.

Quintus Petronius Firmus, Soldat der fünften Prätorianerkohorte, auf Grund eines Gelübdes.

Z. 1 Das *nomen gentile* Petronius begegnet in Philippi gelegentlich (Petronius Optatus iunior in 165/L003; Petronius Eutyches, ebd.; Petronius Zosimus, ebd.; auch eine Petronia Rufina kommt vor, vgl. 062/L112).
Z. 2 Das *cognomen* Firmus ist in Philippi häufig anzutreffen.
Z. 3 Die *cohors V praetoria* ist in Philippi sonst noch nirgendwo bezeugt.

629/G757   Graffito des Κρίτων

Χάϊδω Κουκούλη-Χρυσανθάκη/Δήμητρα Μαλαμίδου: Το ιερό του Ήρωα Αυλωνείτη στο Παγγαίο, ΑΕΜΘ 3 (1989) [1992], S. 553–567; hier S. 559 mit Abb. 16.
SEG XL (1990) [1993] 539 b Apparat.
Band I, S. 96.
Χάϊδω Κουκούλη-Χρυσανθάκη, ΑΔ 44 (1989) Β΄2 Χρονικά [1995], S. 374.

Kipia. Es handelt sich um einen Fund der hellenistischen Schicht (aus dem Jahr 1989?): Στο στρώμα των ύστερων ελληνιστικών χρόνων που ερευνήθηκε φέτος επικρατούν τα όστρακα κανθάρων, πολλά από τα οποία φέρουν χαρακτή αφιέρωση στον ήρωα (π.χ. ΚΡΙΤΩΝ ΗΡΩΙ: Εικ. 16), καθώς και ονόματα αναθετών (Κουκούλη/Μαλαμίδου, S. 559).
Obwohl mir die Genehmigung (άδεια) für diese Inschrift vorliegt (Beschluß des Τοπικό Συμβούλιο Μνημείων Ανατολικής Μακεδονίας & Θράκης, Schreiben vom 16. Juli 1993, Aktenzeichen 2378), wollte mir die Direktorin der Εφορεία Προϊστορικών και Κλασσικών Αρχαιοτήτων Καβάλας am 24. September 1993 das Graffito nicht zugänglich machen nach dem Motto *sic volo sic iubeo sit pro ratione voluntas.*

    Κρίτων
    ῀Ηρωι.

2   Auf dem Gefäß lese ich (vgl. Abb. 16): [῀Η]ρωι.

    Kriton für den Heros.

Z. 1 Der Name Κρίτων begegnet in Philippi sonst nicht.

630/G581   Grab des πρεσβύτερος Βασίλιος
VI

SEG XXXVII (1987) [1990] 562 (kein Text).
Χαράλαμπος Μπακιρτζής: Ανασκαφή παλαιοχριστιανικής βασιλικής στα Κηπιά του Παγγαίου, ΑΕΜΘ 2 (1988) [1991], S. 433–441; hier S. 433, Inschrift A (keine Abb.).

Χαράλαμπος Μπακιρτζής: Δύο παλαιοχριστιανικές επιγραφές από τα Κηπιά Παγγαίου, in: Αφιέρωμα εις τον Κωνσταντίνον Βαβούσκον, Band 5, Thessaloniki 1992, S. 277–282, mit Abb. 1 auf S. 280.
Χαράλαμπος Μπακιρτζής, ΑΔ 42 (1987) Β΄2 Χρονικά [1992], S. 466 mit Abb. Πίν. 273β.
SEG XLI (1991) [1994] 572 A, vgl. XLII (1992) [1995] 608 A.
AÉ 1992, Nr. 1530.
Anne Pariente: Chronique des fouilles et découvertes archéologiques en Grèce en 1993, BCH 118 (1994), S. 695–866; hier S. 771.
Band I, S. 242.

Kipia. Nahe bei dem Heiligtum des Ἥρως Αὐλωνείτης bei Kipia wurde 1983 eine Kirche entdeckt (θέση Καϊνάρτζα, vgl. Χάϊδω Κουκούλη-Χρυσανθάκη, ΑΔ 38 (1983) Β΄2 Χρονικά [1989], S. 322). Η παρουσία του παλαιοχριστιανικού ναού σε μικρή απόσταση από το ιερό του Θράκα ήρωα-ιππέα εμφανίζει την παλαιοχριστιανική βασιλική ως συνέχεια τής καθιερωμένης στην περιοχή αυτή λατρείας του Θράκα ήρωα-ιππέα, schreibt Κουκούλη-Χρυσανθάκη (ebd.). Im gleichen Jahr wurden νοτιοανατολικά τής παλαιοχριστιανικής βασιλικής zwei Gräber gefunden (Κουκούλη-Χρυσανθάκη, ebd.).
Μπαρκιρτζής zufolge sind die Überreste einer bis *dato* unbekannten christlichen Basilika erst 1987 südöstlich des Ortes Kipia entdeckt und 1988 ausgegraben worden. Zur Lage der Basilika vgl. Ch. Bakirtzis: A propos de la destruction de la Basilique paléochrétienne de Kipia (Pangée), „Appendice" in: Jean Karayannopoulos: Les Slaves en Macédoine. La prétendue interruption des communications entre Constantinople et Thessalonique du 7ème au 9ème siècle, Comité National Grec des Études du Sud-Est Européen, Centre d'Études du Sud-Est Européen, No. 25, Athen 1989, S. 32, Abb. 2.
ΝΑ της βασιλικής και σε μικρή απόσταση ο Δήμος Ελευθερουπόλεως ανήγειρε το 1970 αντλιοστάσιο, προχειμένου να εχμεταλλευθεί το αναβλύζον εκεί πόσιμο νερό πηγής, γνωστής ως »Το νερό της εκκλησίας« ή »Καϊνάρτζα«. Στη θέση αυτή, που άλλοτε εσκιάζετο από αιωνόβια πλατάνια, διακρίνοταν πέτρινο τοξωτό γεφύρι και λιθόστρωτο παλαιάς οδού, η οποία συνέδεε τα χωριά του νοτίου Παγγαίου με το Πράβι (Ελευθερούπολη). Βεβαίως όλ' αυτά έχουν σήμερα εκλείψει μετά τη διάνοιξη ασφαλτοστρωμένης εθνικής οδού Θεσσαλονίκης-Καβάλας και την κατασκευή του αντλιοστασίου (Μπακιρτζής 1992, S. 277).
Μπακιρτζής identifiziert diesen gepflasterten Weg mit der sogenannten κάτω οδός, die diese Bezeichnung im Gegensatz zu der άνω οδός, der späteren Via Egnatia, erhalten hat (vgl. Δημήτριος Σαμσάρης: Το οδικό δίκτυο της Ανατολικής Μακεδονίας από τα αρχαϊκά χρόνια ως τη ρωμαϊκή κατάκτηση, Μακεδονικά 14 (1974), S. 123–138; hier S. 125). Die κάτω οδός verband die Ebene von Philippi mit Eion an der Mündung des Strymon. Dieser Weg hatte eine Enge zu überwinden: Η στενωπός, μήκους 6 χλμ., αρχίζει ομαλά από »Το νερό της εκκλησίας« και ακολουθώντας μετά το Ακροβούνιο ... φυσική ρεματιά καταλήγει στην Ελευθερούπολη, όπου κάτω από τη μεταβυζαντινή (1759)

εκκλησία του Αγίου Νικολάου έχουν βρεθεί τα ερείπια άλλης παλαιοχριστιανικής βασιλικής (Μπακιρτζής, a.a.O., S. 278). Die beiden Basiliken markieren also Anfangs- und Endpunkt des beschriebenen Engpasses.

Die Inschriften 630/G581 und 631/G582 wurden im Narthex der Kirche und zwar μπροστά στην είσοδο, που οδηγούσε στο κεντρικό κλίτος της εκκλησίας (a.a.O., S. 279) gefunden.

Marmorplatte; Abmessungen: H. 2,05; B. 0,84; H. der Buchstaben 0,03–0,10; Zeilenzwischenraum 0,07–0,10.

Ich bekam keine Genehmigung, die Inschrift selbst in Augenschein zu nehmen. Ich kann daher nur den Text von Μπακιρτζής ohne Gewähr nachdrucken.

† Κοιμιτίριον τοῦ
θεοφιλ(εστάτου) Βασιλίου πρ(εσ)β(υτέρου).

2 Nach dem ΘΕΟΦΙΛ das Abkürzungszeichen S. Das Ρ ist in das Π einbeschrieben (Monogramm); nach dem Β das Abkürzungszeichen S.

Grab („Schlafkammer") des überaus gottliebenden Presbyters Basilios.

Z. 1 κοιμιτίριον = κοιμητήριον. Zu dem spezifisch christlichen Wort κοιμητήριον vgl. den Kommentar bei 077/G067.
Z. 2 Βασιλίου = Βασιλείου.

631/G582   **Grab des πρεσβύτερος Στέφανος**
VI

SEG XXXVII (1987) [1990] 562 (kein Text).
Χαράλαμπος Μπακιρτζής: Ανασκαφή παλαιοχριστιανικής βασιλικής στα Κηπιά του Παγγαίου, ΑΕΜΘ 2 (1988) [1991], S. 433–441; hier S. 433, Inschrift B (keine Abb.).
Χαράλαμπος Μπακιρτζής: Δύο παλαιοχριστιανικές επιγραφές από τα Κηπιά Παγγαίου, in: Αφιέρωμα εις τον Κωνσταντίνον Βαβούσκον, Band 5, Thessaloniki 1992, S. 277–282 mit Abb. 2 auf S. 280.
Χαράλαμπος Μπακιρτζής, ΑΔ 42 (1987) Β΄2 Χρονικά [1992], S. 466f. mit Abb. Πίν. 274α.
SEG XLI (1991) [1994] 572 B, vgl. XLII (1992) [1995] 608 B.
AÉ 1992, Nr. 1531.
Anne Pariente: Chronique des fouilles et découvertes archéologiques en Grèce en 1993, BCH 118 (1994), S. 695–866; hier S. 771 mit Abb. 83 auf S. 770.
Band I, S. 242.
Sandrine Huber/Yannis Varalis: Chronique des fouilles et découvertes archéologiques en Grèce en 1994, BCH 119 (1995), S. 843–1057; hier S. 972.

Kipia. Zu den Fundumständen und der Lage dieser Kirche vgl. die vorige Inschrift (630/G581).

Marmorplatte; Abmessungen: H. 1,93; B. 0,64; Höhe der Buchstaben 0,03–0,07; Zeilenzwischenraum 0,03–0,065.

Ich bekam keine Genehmigung, die Inschrift selbst in Augenschein zu nehmen. Ich kann daher nur den Text von Μπακιρτζής ohne Gewähr nachdrucken.

> † Κοιμητήριον
> τοῦ θε{ι}οφ(ί)λ(εστάτου) Στε-
> φάνου πρ(ε)σβ(υτέρου). ὅσ-
> τις ἐπειβουλεύ-
> 5 σει, δόσι λόγον
> θ(ε)ῷ ὅδε κ(αὶ) ἐν ἡμέρᾳ
> κρίσεος.   †

Der fehlerhafte Text aus BCH 118 (1994), S. 771 wird BCH 119 (1995), S. 972 richtiggestellt und daher hier nicht berücksichtigt.
2 Bei ΘΕΙΟΦΛ ist das Lambda zunächst vergessen und dann über die Zeile nachgetragen. Nach ΘΕΙΟΦΛ das Abkürzungszeichen S. **3** Bei ΠΡΣΒ das Ρ in das Π einbeschrieben (Monogramm), danach das Abkürzungszeichen S. **4** Μπακιρτζής gibt: ἐπ<ε>ιβουλεύ. **6** Das *nomen sacrum* mit Überstrich. Das και als κ mit dem Abkürzungszeichen S.

Grab („Schlafkammer") des überaus gottliebenden Stephanos, des Presbyters. Wer aber beabsichtigt (?), der soll vor Gott Rechenschaft ablegen, hier und am Tage des Gerichts.

Z. 1 Zu dem spezifisch christlichen Wort κοιμητήριον vgl. den Kommentar bei 077/G067.

Z. 3ff. Der Sinn ist klar: Εννοείται »ανοίξει τον τάφο και θέσει δεύτερο νεκρό« (Μπακιρτζής 1992, S. 281). Zur Konstruktion vgl. den Kommentar zu 613/G228, Z. 4.

Z. 5ff. Μπακιρτζής macht darauf aufmerksam, daß in diesem Grab in der Tat nur eine Leiche bestattet worden war, die Drohung also ihren Zweck erfüllt hat: οι σχετικές απειλές είχαν απήχηση στους χριστιανούς της εποχής εκείνης, διότι όπως έδειξε η ανασκαφή της βασιλικής στα Κηπιά κανείς νεκρός δεν είχε »ἐπιβληθῆ« των λειψάνων του πρεσβυτέρου Στεφάνου (Μπακιρτζής 1992, S. 282).

Grab des πρεσβύτερος Πέτρος   632/G583
VI

Χαράλαμπος Μπακιρτζής: Ανασκαφή παλαιοχριστιανικής βασιλικής στα Κηπιά του Παγγαίου, ΑΕΜΘ 2 (1988) [1991], S. 433–441; hier S. 434f. (keine Abb.).
SEG XLI (1991) [1994] 572 C.
Band I, S. 242.

Kipia. Zu den Fundumständen und der Lage dieser Kirche vgl. die Inschrift 630/G581.
Aus dem Mittelschiff der von Μπακιρτζής ausgegrabenen Kirche, κιβωτιόσχημος τάφος ... μπροστά στη δυτική είσοδο. Die Grabinschrift war *in situ*. Ich bekam keine Genehmigung, die Inschrift selbst in Augenschein zu nehmen. Ich kann daher nur den Text von Μπακιρτζής ohne Gewähr nachdrucken.

> † Κοιμητήριον τοῦ
> θεοφιλ(εστάτου) Πέτρου πρ(εσ)β(υτέρου).
> ὅστις ἐπειβου-
> λεύσετει ἕτερον θόσει, δόσι λό-
> 5 γον τῶ θ(ε)ῷ ὅδε κ(αὶ)
> ἐν ἡμέρᾳ κρίσεος.   †

3 Μπακιρτζής: ἐπ<ε>ιβου. **4** Μπακιρτζής: λεύσ<ετ>ει. SEG: ἕτερον δόσει λό- (Druckfehler?).

Grab („Schlafkammer") des überaus gottliebenden Petros, des Presbyters. Wer aber beabsichtigt, einen anderen (in das Grab) zu legen, der soll vor Gott Rechenschaft ablegen, hier und am Tag des Gerichts.

Z. 1 Zu dem spezifisch christlichen Wort κοιμητήριον vgl. den Kommentar bei 077/G067.
Z. 3ff. Zur Konstruktion vgl. den Kommentar zu 613/G228, Z. 4. Die Formel findet sich auch in 613/G228: ἐάν τις ἄ[λλο] σῶμα ὅδε θύσι, δώσι [λόγον] τῷ θ(ε)ῷ.

633/G761   **Griechisches Fragment**

Χαράλαμπος Μπακιρτζής, ΑΔ 42 (1987) Β΄2 Χρονικά [1992], S. 466.

Kipia. Zu den Fundumständen und der Lage der Basilika von Kipia vgl. die Inschrift 630/G581.
Im Mittelschiff der Basilika (vgl. S. 465) wurde ein Grab mit einem Toten gefunden. In dem Grab fanden sich drei Kreuze. Ο τάφος έδωσε επίσης σπαράγματα κονιαμάτων με κόκκινο χρώμα, ένα από τα οποία έφερε υπόλειμμα επιγραφής ... (S. 466).

[...]ΝΑΙ[...]

Grabstein des Μάρχος

Heuzey/Daumet, Nr. 6 (S. 26f.).

Δήμιτσας, Nr. 978 (S. 764).

A. Salač: Inscriptions du Pangée, de la région Drama-Cavalla et de Philippes, BCH 47 (1923), S. 49–96; hier S. 51.

Paul Collart: Philippes, DACL XIV 1, Sp. 712–741; hier Sp. 734, Nr. 1.

Lemerle, S. 91.

Feissel, Nr. 219 (S. 183f.).

Αργύρης Ν. Μπαχιρτζής: Η εχχλησία του Αγίου Νιχολάου στην Ελευθερούπολη (Πράβι), in: Αφιέρωμα στη μνήμη Στυλιανού Πελεκανίδη, Μαχεδονιχά. Παράρτημα 5, Thessaloniki 1983, S. 271–309; hier S. 272, Anm. 1.

Band I, S. 242.

Ελευθερούπολις: Άγιος Νιχόλαος. „Pravista. Dans l'église" (Heuzey, S. 26).

Salač gibt die Maße L. 1,15; H. 0,60; zu seiner Zeit war von dieser Inschrift allerdings nur mehr ein überaus kümmerlicher Rest übrig.

Die Kirche in Ελευθερούπολις „incendiée en 1972 [muß heißen 1971], a été restaurée mais je n'y ai pas retrouvé l'inscription" (Feissel, S. 183).

Auch nach Μπαχριτζής muß die Inschrift heute als verschollen gelten (S. 272, Anm. 1α).

> Κυμητή[ριον]
> Μάρχου [...]
> ὥστης ἐ[πιχειρή-]
> ση ΘΟΥ[...]
> 5 δώσ[ει λόγον θ(ε)ῷ].

Salač hat noch den folgenden Rest der Inschrift vorgefunden:

> Υ
> Μ
> ΩC
> ΟΝΔΩ.

Heuzey hat in jeder Zeile vor dem ersten gelesenen Buchstaben mehrere Punkte. Das χυμητήριον in Z. 1 spricht jedoch dafür, daß mindestens in dieser Zeile nicht weitere Wörter an der linken Seite fehlen! **1** Heuzey: ΚΥΜΗΤΙΙ. Man kann entweder χυμητίρ[ιον] oder χυμητή[ριον] lesen. Lemerle möchte zu χοιμητή[ριον διαφέροντα] ergänzen. **2f.** Lemerle: [ἀναγν]|ὥστης. **3** Collart: ως τῆς.

Grab („Schlafkammer") des Markos .... Wer versucht ..., der soll (Gott Rechenschaft) ablegen.

Z. 1 Das χυμητήριον bzw. κυμητίριον entspricht einem κοιμητήριον. Zu dem spezifisch christlichen Wort κοιμητήριον vgl. den Kommentar bei 077/ G067.
Die Datierung ist von Feissel. „Les inscriptions ... prouvent que la population de la colonie romaine s'était répandue jusque dans cette région du Pangée" (Heuzey, S. 26).

635/L033   **Inschrift der Nunnia Maxima**
für ihren Sohn Lucius Pompullius

Heuzey/Daumet, Nr. 7 (S. 27).
CIL III 1, Nr. 675.
Δήμιτσας, Nr. 985 (S. 768).
Αργύρης Ν. Μπακιρτζής: Η εκκλησία του Αγίου Νικολάου στην Ελευθερούπολη (Πράβι), in: Αφιέρωμα στη μνήμη Στυλιανού Πελεκανίδη, Μακεδονικά. Παράρτημα 5, Thessaloniki 1983, S. 271–309; hier S. 272, Anm. 1.

Ελευθερούπολις: **Άγιος Νικόλαος.** „Sur une plaque, encastrée dans la porte de l'église" (Heuzey, S. 27).
Μπακριτζής zufolge ist die Inschrift heute nicht mehr vorhanden (S. 272, Anm. 1β).

Heuzey bietet den folgenden Text:

[. . .]a L(ucio?) Pompullio,
[Luci?] l(iberto), Chiloni
[I]unia Sex(ti) f(ilia) Maxim[a]
[. . .]io fac(iendum) cur(avit).

Eine bessere Textgestalt bietet Mommsen nach Visconti:

[. . .] et Sal(vio) Pompullio
Sal(vi) l(iberto) Chiloni
Nunnia Sex(ti) f(ilia) Maxim(a)
filio fac(iendum) cur(avit).

Der Text von Heuzey ist damit überholt und nur noch von historischem Interesse. Mommsen gibt seine Quelle folgendermaßen an: „Visconti cod. Paris. n. 7 f. 333 a Barbier du Bocage".

. . . und für Salvius Pompullius Chilon, den Freigelassenen des Salvius, ihren Sohn, hat Nunnia Maxima, die Tochter des Sextus, (die Inschrift) herstellen lassen.

Z. 1 Der Name Salvius ist in Philippi mehrfach belegt. So begegnet ein *L(ucius) Salvius Niger f(ilius)* in der Mitgliederliste eines *collegium* aus

dem zweiten Jahrhundert (091/L360); das fünfjährige Kind L(ucius) Octavius Salvius samt seinem gleichnamigen Vater auf einer Grabinschrift
(448/L130); schließlich auf einer Ehreninschrift aus Λυδία (386a/L839; ebenfalls zweites Jh.).

Der Name Pompullius begegnet in Philippi sonst nicht; er stammt Salomies
zufolge aus Mittelitalien. „Written *Pompulius*, this nomen is known in Rome
and, more interestingly, in Asia Minor (*MAMA* VII 304 from Orcistus; *JHS*
32 [1912] 130 no. 17, at Antiochia Pisidiae), but there is perhaps not a
connection" (Olli Salomies: Contacts between Italy, Macedonia, and Asia
Minor during the Principate, in: Roman Onomastics in the Greek East.
Social and Political Aspects, hg. v. A.D. Rizakis, Μελετήματα 21, Athen
1996, S. 111–127; hier S. 120).

Ein neues Dorf   636/G223

Paul Perdrizet: Inscriptions de Philippes: Les Rosalies, BCH 24 (1900), S. 299–
   323; hier S. 320f.

AÉ 1901, 124.

Charles Picard/Charles Avezou: Le testament de la prêtresse thessalonicienne,
   BCH 38 (1914), S. 38–62; hier S. 48, Nr. 3.

A. Salač: Inscriptions du Pangée, de la région Drama-Cavalla et de Philippes,
   BCH 47 (1923), S. 49–96; hier S. 50f. (Nr. 2, mit Abb.).

SEG II (1924) 415.

Paul Collart: ΠΑΡΑΚΑΥΣΩΣΙΝ ΜΟΙ ΡΟΔΟΙΣ, BCH 55 (1931), S. 58–69; hier
   S. 59, Nr. 3.

Collart, S. 474–485; insbesondere S. 474f., Anm. 3, Nr. 6.

Fanoula Papazoglou: Le territoire de la colonie de Philippes, BCH 106 (1982), S.
   89–106; hier S. 105, Anm. 75.

Αργύρης Ν. Μπακιρτζής: Η εκκλησία του Αγίου Νικολάου στην Ελευθερούπολη
   (Πράβι), in: Αφιέρωμα στη μνήμη Στυλιανού Πελεκανίδη, Μακεδονικά. Παράρτημα 5, Thessaloniki 1983, S. 271–309; hier S. 272, Anm. 1.

Band I, S. 222.

Ελευθερούπολις: Ἅγιος Νικόλαος. Kirche des Ἅγ. Νικόλαος, στο Βαπ-
τιστήριο.

Abmessungen: H. 0,28; B. 0,57; H. der Buchstaben 0,04–0,035; Zeilenzwischenraum 0,013–0,023.

Μπακιρτζής zufolge ist die Inschrift heute nicht mehr vorhanden (S. 272,
Anm. 1β).

    [... μετὰ τὴν]
    τελευτήν μου παρακαύσωσίν
    μοι παρενταλίοις· αἰὰν δὲ [μὴ]
    παρακαύσωσιν, τότε δώσωσιν
  5 τοῖς Κερδώζισιν προστίμου ✳ σ´.
    vacat

1 Ergänzung von Salač mit Fragezeichen. Hiller von Gaertringen (SEG): [... παραγγέλ-λων ὅπως (vel ἵνα) μετὰ τὴν]. **2** Perdrizet: παρακαύσωσί. Das abschließende N ist auf der Abbildung bei Salač eindeutig zu erkennen! **3** Salač und SEG: αἰὰν δ(ὲ) [μὴ]. **5** Salač und SEG: Κερδώζισιν προστίμο(υ) [✗] σ′. (Salač allerdings κερδώζισιν.) Perdrizet: κερδώζισι.

Nach meinem Tod sollen sie mir opfern ... an den Parentalien; wenn sie aber nicht opfern, dann sollen sie den Kerdozern 200 Denare Strafe zahlen.

Z. 3 παρενταλίοις = *parentalibus*, vgl. ThLL X 1, Sp. 365f. (*parentalia*); unsere Inschrift Sp. 366, Z. 36ff. Die Parentalien entsprechen den Rosalien und werden auf Inschriften neben diesen genannt (vgl. das Material im zitierten ThLL-Artikel). Zum Rosalienfest vgl. o. Bd. I, S. 104 und die dort genannte Literatur; das Material aus Philippi ist im Kommentar zu 029/G215, Z. 6–8 zusammengestellt. Ist in τοῖς Κερδώζισιν in der Tat der Name eines *vicus* erhalten, so ist unsere Inschrift näherhin mit 029/G215 und 644/L602 zu vergleichen (siehe auch Collart, S. 479 mit Anm. 1).

Z. 5 „Le sens du mot τοῖς κερδώζισιν n'est pas clair; la forme même est curieuse; s'agit-il d'un collège de magistrats de la colonie?" (Salač, S. 51). „magistratum quendam voce Κερδ. designari putat Sal.; vicus sive incolae οἱ Κερδωζεῖς, cf. nomina Κερδισός (ὄνομα πόλεως Suid.), Κερδύλιον (Macedon.), Σκερδιλαΐδας (Illyric.) Cr. [= Croenert]; de societate vel vico cogitat Hiller" (SEG).

Σαμσάρης (Δημήτριος Κ. Σαμσάρης: Ἱστορικὴ γεωγραφία τῆς Ἀνατολικῆς Μακεδονίας κατὰ τὴν ἀρχαιότητα, Μακεδονικὴ Βιβλιοθήκη 49, Thessaloniki 1976, S. 135) zählt Κερδωζεῖς als Bewohner eines Dorfes (vgl. S. 170, Ziffer Λ). Ebenso Papazoglou S. 411 (mit Anm. 204) und S. 462.

σ′ = 200; die Strafe ist nicht sonderlich hoch.

637/L226   **Grabinschrift (?)**

A. *Salač:* Inscriptions du Pangée, de la région Drama-Cavalla et de Philippes, BCH 47 (1923), S. 49–96; hier S. 50 (Nr. 1).
Šašel Kos, Nr. 215 (S. 92).
Ἀργύρης Ν. Μπακιρτζῆς: Η εκκλησία του Αγίου Νικολάου στην Ελευθερούπολη (Πράβι), in: Αφιέρωμα στη μνήμη Στυλιανού Πελεκανίδη, Μακεδονικά. Παράρτημα 5, Thessaloniki 1983, S. 271–309; hier S. 272, Anm. 1.

Ελευθερούπολις: Ἅγιος Νικόλαος. Bei der Kirche in die Umfassungsmauer eingemauert.
Weißer Marmor; Abmessungen: H. 0,15; B. 0,30; H. der Buchstaben 0,027; Zeilenzwischenraum 0,015.

Μπαχριτζής zufolge ist die Inschrift heute nicht mehr vorhanden (S. 272, Anm. 1β).

LASSA[...]
S ann[o]r(um) L
[idem? re]liquit ≠ HIA
patri ✕ C
5 [...]ITISE

3 ≠ soll das Zeichen für As sein.   **5** Salač denkt an *lib]ertis e[t ... . Šašel Kos:]. ITISE[.

... fünfzig Jahre alt, liegt hier begraben. Er hat hinterlassen ... As, seinem Vater 100 Denare ...

Grabinschrift des Zipyr

638/L620

X.I. Πέννας, ΑΔ 31 (1976) Β΄2 Χρονικά [1984], S. 336.338 mit Abb. auf Tafel 266γ. *Αργύρης Ν. Μπαχιρτζής:* Η εκκλησία του Αγίου Νικολάου στην Ελευθερούπολη (Πράβι), in: Αφιέρωμα στη μνήμη Στυλιανού Πελεκανίδη, Μακεδονικά. Παράρτημα 5, Thessaloniki 1983, S. 271–309; hier S. 301, Nr. 15 mit Abb. πιν. 9δ (kein Text!).

Ελευθερούπολις: Άγιος Νικόλαος. Συνεχίστηκαν οι εργασίες ανακατασκευής του Αγίου Νικολάου Ελευθερουπόλεως. Μετά την κατασκευή της στέγης οι τοίχοι επιχρίστηκαν με λευκό κονίαμα, εκτός από την κόγχη του Ιερού, όπου κάτω από το στρώμα της στάχτης διακρίνονταν ίχνη μεταβυζαντινών τοιχογραφιών. Στις εισόδους του ναού κατασκευάστηκαν τρεις θύρες, κατά τα πρότυπα θυρών μεταβυζαντινών ναών, σύμφωνα με σχέδια που σύνταξε ο σχεδιαστής Αργ. Κούντουρας.
Καθαρίστηκαν, φωτογραφήθηκαν και καταγράφτηκαν όλα τα εντοιχισμένα και κινητά μαρμάρινα αρχιτεκτονικά μέλη, γλυπτά ή επιγραφές. ...
Επιτύμβια μαρμάρινη πλάκα εποχής ρωμαιοκρατίας εντοιχισμένη στη νοτιοδυτική γωνία του ναού, ύψ. 0,75, πλ. 0,57 και πάχ. 0,19 μ., από μάρμαρο γκριζωπό. Κολοβωμένη στο πάνω μέρος σώζει τμήμα από ορθογώνια βάθυνση με ίχνη από ανάγλυφη παράσταση. Στο μέσο της ενεπίγραφης επιφάνειάς της έχει σε β΄ χρήση τετράγωνο τόρμο γεμάτο λιωμένο μολύβι και σποραδικά χτυπήματα με βελόνι. Σώζει το εξής υπόλοιπο λατινικής επιγραφής (Πέννας, S. 336.338).
Leider bekam ich keine Genehmigung, diese Inschrift selbst in Augenschein zu nehmen (Εφορεία προϊστορικών και κλασσικών αρχαιοτήτων Καβάλας, Schreiben vom 20. August 1992, Aktenzeichen 2558). Es handelt sich hier

wie in anderen Fällen um eine Entscheidung *ex cathedra* – eine Begründung wird noch nicht einmal versucht, getreu dem Motto *sic volo, sic iubeo, sit pro ratione voluntas.*

> Zipyr Sudilae f(ilius)
> ann(orum) V h(ic) <s(itus)> e(st).
> Bendis Sauciles f(ilia)
> MATE[...]VCILESS
> 5 VCIC ES[...]IETPR
> Zipae fi(lio) nepoti
> d(e) s(uo) f(aciendum) c(uravit).

1 Πέννας liest am Schluß der Zeile E statt F.   **5** Πέννας: CH ES IETP A.   **6** Πέννας am Schluß: NEPO I I.

> Zipyr, der Sohn des Sudilas, fünf Jahre alt, liegt hier begraben.
> Bendis, die Tochter des Sauciles, hat (es) ... für ... den Sohn
> des Zipas, ihren Enkel, auf eigene Kosten anfertigen lassen.

Z. 1 Der Name Zipyr ist genau so anscheinend noch nicht belegt. Bei Detschew finden sich Zypyr und Zipyrus (S. 191, s.v. Ζιπυρος).
Der Name Sudila scheint neu zu sein. Bei Detschew findet sich kein Beleg (S. 468 bietet allenfalls Sudius).
Z. 3 Der Name Sauciles ist ebenfalls neu (vgl. Detschew, S. 427).

639/L621   Lateinisches Fragment

X.I. Πέννας, ΑΔ 31 (1976) Β΄2 Χρονικά [1984], S. 336.338 mit Abb. auf Tafel 267α.
Αργύρης Ν. Μπακιρτζής: Η εκκλησία του Αγίου Νικολάου στην Ελευθερούπολη (Πράβι), in: Αφιέρωμα στη μνήμη Στυλιανού Πελεκανίδη, Μακεδονικά. Παράρτημα 5, Thessaloniki 1983, S. 271–309; hier S. 301, Nr. 15 mit Abb. πιν. 9ε (kein Text!).

Ελευθερούπολις: Ἅγιος Νικόλαος. Zu den Arbeiten im Zuge des Wiederaufbaus der Kirche vgl. bei 638/L620.
Τμήμα ρωμαϊκής πλάκας, σωζ. ύψ. 0,77, σωζ. πλ. 0,58 μ., από γκριζωπό μάρμαρο κολοβωμένη, στις πλευρές, χρησιμοποιήθηκε ως βάση του κίονα που βρίσκεται στη νοτιοδυτική γωνία του περιστώου του Αγίου Νικολάου με αποτέλεσμα να φαίνεται το εξής υπόλοιπο λατινικής επιγραφής (Πέννας, S. 338).

> Va[riniu]s
> Aug(ustalis) [V̄Ivir] Aug(ustalis)
> IS Q(uinto) Volusio Saturnin[o].

2 Πέννας am Schluß irrtümlich AVC.

... Varinius ... Augustalis, Sexvir Augustalis ... dem Quintus
Volusius Saturninus.

Z. 2 Zu den *sexviri Augustales* in Philippi vgl. den Kommentar zu 037/
L037.
Z. 3 Das *nomen gentile* Volusius kommt in Philippi sonst nicht vor.
Das *cognomen* Saturninus dagegen begegnet in Philippi häufig.

<h2 style="text-align:center">Lateinisches Fragment</h2> 640/L622

X.I. Πέννας, ΑΔ 31 (1976) Β´2 Χρονικά [1984], S. 336.338 (keine Abb.).

Ελευθερούπολις: Άγιος Νικόλαος. Zu den Arbeiten im Zuge des Wiederaufbaus der Kirche vgl. bei 638/L620.
Απότμημα ρωμαϊκής πλάκας από γκριζωπό μάρμαρο, ύψ. 0,125, πλ. 0,22 μ.,
που σώζει το ακόλουθο υπόλοιπο λατινικής επιγραφής (Πέννας, S. 338).

IHH
CCTE

<h2 style="text-align:center">Lateinisches Fragment</h2> 641/L623

X.I. Πέννας, ΑΔ 31 (1976) Β´2 Χρονικά [1984], S. 336; S. 338 (keine Abb.).
Αργύρης Ν. Μπακιρτζής: Η εκκλησία του Αγίου Νικολάου στην Ελευθερούπολη
    (Πράβι), in: Αφιέρωμα στη μνήμη Στυλιανού Πελεκανίδη, Μακεδονικά. Παράρ-
    τημα 5, Thessaloniki 1983, S. 271–309; hier Abb. 2β (kein Text!).

Ελευθερούπολις: Άγιος Νικόλαος. Zu den Arbeiten im Zuge des Wiederaufbaus der Kirche vgl. bei 638/L620.
Τμήμα ενεπίγραφης πλάκας από γκριζωπό μάρμαρο, σωζ. πλ. 0,62, σωζ. ύψ.
0,31 μ. Εντοιχισμένη στη γωνία μιάς από τις οκτώ πλευρές της κόγχης, σώζει
στην επιφάνειά της, που είναι δουλεμένη με βελόνι, το εξής υπόλοιπο επιγραφής (Πέννας, S. 338).

LONI
ΤΛΙΛΓ

1 Der Abbildung bei Μπακιρτζής zufolge ist statt dessen LONTI zu lesen (N+T in
Ligatur). **2** Nach der Abbbildung eher ΜΙΑΕ.

Aus den zahlreichen Inschriften und den anderen archäologischen Funden schließt Αργύρης Ν. Μπακιρτζής, daß an der Stelle des heutigen Ελευθερούπολις eine antike Siedlung lag, die in römischer Zeit zu Philippi gehörte: Η επισήμανση των αρχαίων κομματιών και άλλων ευρημάτων ..., καθώς και η ανεύρεση της παλαιοχριστιανικής εκκλησίας, του ελληνιστικού τάφου στο χώρο του ιερού της και η αποκάλυψη και άλλων αρχαίων κομματιών, μετά την καθαίρεση των εξωτερικών ασβεστοκονιαμάτων της εκκλησίας του Αγίου Νικολάου, κάνουν πολύ πιθανή την ύπαρξη οικισμού στη θέση αυτή, τουλάχιστον απ' τα ρωμαϊκά χρόνια, όπως μαρτυρούν οι πολλές λατινικές και ελληνικές επιγραφές της Ρωμαιοκρατίας, που βρέθηκαν, στην άμεση επικράτεια της γειτονικής ρωμαϊκής αποικίας των Φιλίππων (S. 273).

642/G490
5./4. Jh.
v. Chr.

Inschrift des Σωσικράτης

Βασίλειος Πούλιος, ΑΔ 36 (1981) Β΄2 Χρονικά [1988], S. 343f. mit Abb. auf Tafel 233α.

Gilles Touchais: Chronique des fouilles et découvertes archéologiques en Grèce en 1988, BCH 113 (1989), S. 581–700; hier S. 655.

E.B. French: Archaeology in Greece 1989–90, AR 36 (1989–1990), S. 3–82; hier S. 59.

Miltiade Hatzopoulos, BÉ 1990, Nr. 491.

SEG XXXVIII (1988) [1991] 656.

Ελευθερούπολις. Auf dem Hügel nördlich der antiken Akropolis. Zur Lage vgl. Χάϊδω Κουκούλη-Χρυσανθάκη, ΑΔ 34 (1979) Β΄2 Χρονικά [1987], S. 332: Στο λόφο Παλιάμπελα ... εντοπίστηκε αρχαία ακρόπολη. ... Στους βόρειους πρόποδες του λόφου εντοπίστηκε το νεκροταφείο της αρχαίας αυτής πόλης, η οποία πρέπει να είναι ένα θρακικό αρχικά πόλισμα, του οποίου θα μπορούσε να προταθεί η ταύτιση με την αναφερόμενη από τον Ηρόδοτο θρακική πόλη Φάγρη (in der Anm. 25 z.St. weist Κουκούλη-Χρυσανθάκη auf Her. VII 112; Thuk. II 93,3; Strabon VII 33 und Steph. Byz. s.v. Φάγρης hin). Den Vorschlag Leakes (W.M. Leake: Travels in Northern Greece, III 176–178), Φάγρης beim heutigen Ορφάνι anzusiedeln, lehnt Κουκούλη-Χρυσανθάκη ab. Zwar sind auch beim heutigen Ορφάνι antike Reste gefunden worden (vgl. neben Leake auch Κουκούλη-Χρυσανθάκη, ΑΔ 34 (1979) Β΄2 Χρονικά [1987], S. 332–333), und der Vorschlag von Leake fand weithin Anerkennung; dagegen spricht aber das folgende: Από τη σειρά με την οποία αναφέρονται τα τείχεα Πιέρων στον Ηρόδοτο φαίνεται πιθανότερη η τοποθέτηση της αρχαίας πόλης Φάγρης στην περιοχή της Ελευθερούπολης, στην αρχή δηλαδή της Πιερίας Κοιλάδας (a.a.O., S. 333). Zur abweichenden Beurteilung bei Hatzopoulos vgl. den Kommentar.

Grabstele aus Schiefer mit Inschrift; Abmessungen: H. 1,04; B. 0,51; D. 0,07; H. der Buchstaben 0,045; 0,02–0,05.

Heute im Museum Kavala (Inventarisierungsnummer Λ 1328).

Ich bekam keine Genehmigung, den Stein selbst zu studieren (Υπουργείο Πολιτισμού – Εφορεία προϊστορικών και κλασσικών αρχαιοτήτων Καβάλας, Aktenzeichen 2558, 20. August 1992).

Σωσικράτης
Κρωκίνα
Φαγρήσιος.

Sosikrates, (der Sohn) des Krokinas, der Phagresier.

Z. 1 Σωσικράτης begegnet auch in dem Proxeniedekret aus Delphi aus dem 4. Jh. v. Chr. (745/G782).

Z. 2 Die Suche nach Κρωκι- auf der TLG-CD-ROM #C ergibt keinen Beleg. Auch Hatzopoulos hält den Namen für neu (S. 529). Zum Genitiv auf -α bei Namen auf -ας vgl. Kalléris II 492 mit Anm. 4 (ähnlich Ἀμύντας mit Genitiv Ἀμύντα oder Περδίκκας mit Genitiv Περδίκκα): „flexion macédonienne". (Hatzopoulos, ebd.).

Z. 3 Die Form Φαγρήσιος mehrfach bei Stephanus von Byzanz; eine Inschrift aus Delphi hat Φαγρήσιοι (vgl. Papazoglou, S. 389 mit Anm. 29). Η μορφή των γραμμάτων θα μπορούσε να χρονολογήσει την επιγραφή στον 5ο–4ο αι. π.Χ., ενώ η εμφάνιση του τοπωνυμικού Φαγρήσιος αποτελεί την πρώτη επιγραφική μαρτυρία της γνωστής ως τώρα μόνο από τις φιλολογικές πηγές πόλης της Θράκης, χωρίς βέβαια να αποτελεί και αποφασιστικό στοιχείο για την ταύτιση της αρχαίας ακρόπολης με τον αναφερόμενο ήδη στον Ηρόδοτο Φάγρη (Πούλιος, S. 434f.).

Was die Datierung anbelangt, so plädiert Hatzopoulos für das vierte Jahrhundert („une attribution au Vᵉ siècle nous semble improbable", S. 529). Hinsichtlich der Lokalisierung schließt er die Identifizierung des Fundortes mit Phagres aus: „La présence de l'ethnique exclut à notre avis l'identification du site près d'Éleuthéroupolis avec Phagrès" (S. 530). Dagegen sprächen auch die literarischen Quellen, denenzufolge die Stadt am anderen Ende des Tales zwischen Pangaion- und Symbolongebirge, beim heutigen Ορφάνιον zu suchen sei (ebd., zur Lage von Ορφάνιον vgl. Karte 2 in Band I, S. 50f.: Ορφάνιον liegt wenige Kilometer nordöstlich von Kariane bei dem unbenannten Kreis).

Grabinschrift der Μάντα   643/G762

Paul Perdrizet: Inscriptions de Philippes: Les Rosalies, BCH 24 (1900), S. 299–323; hier S. 307.

Αργύρης Ν. Μπακιρτζής: Η εκκλησία του Αγίου Νικολάου στην Ελευθερούπολη (Πράβι), in: Αφιέρωμα στη μνήμη Στυλιανού Πελεκανίδη, Μακεδονικά. Παράρτημα 5, Thessaloniki 1983, S. 271–309; hier S. 272 mit Anm. 2.

Georgi Mihailov: Epigraphica et onomastica. (Observations sur les rapports ethno-
culturels dans l'aire balkano-micrasiatique), Études balkaniques 23,4 (1987), S.
89–111; hier S. 90.
Band I, S. 55, Anm. 9.

Ελευθερούπολις (?). Perdrizet führt die vorliegende Inschrift in seinem
Kommentar zu 029/G215 mit der Bemerkung an, sie stamme aus „Karien";
sollte damit der auf der österreichischen Karte mit Karjani bezeichnete Ort
gemeint sein (heute Καριανή, südöstlich von Ορφάνι, vgl. die Karte Νομός
Καβάλας) und träfe diese Angabe zu, so gehörte diese Nummer nicht in den
Katalog der Inschriften von Philippi, da Καριανή außerhalb des Territoriums
liegt.

Perdrizet hat die Inschrift im Jahr 1899 „au konak de Pravi [d.i. Ελευθε-
ρούπολις]" (S. 307) abgeschrieben: „Stèle de m. bl., moulurée en haut, incomplète à dr." (ebd.).

Abmessungen: H. 0,22; D. 0,12.

Αργύρης Ν. Μπακιρτζής macht keinerlei Angaben über den heutigen Aufbewahrungsort der Stele (S. 272 mit Anm. 2); sie ist wohl wie die in Anm. 1
genannten Inschriften verschwunden.

> Μάντα Ῥε[σκου-]
> βίτου τυγά[τηρ]
> ἔτων λ΄ ἐν[τάδε]
> κεῖται.

Manta, die Tochter des Rheskoubitos, dreißig Jahre alt, liegt hier
begraben.

Z. 1 Manta ist ein geläufiger thrakischer Name, der auch in Philippi des
öfteren begegnet (vgl. Detschew, S. 286f., s.v. Μαντα).
Ρεσκουβιτος ist ein neuer thrakischer Name, für den auch Detschew keinen
weiteren Beleg aufweist (Detschew, S. 392).

Z. 2 Perdrizet macht auf die Orthographie von θυγάτηρ aufmerksam,
„d'après laquelle il vaudrait mieux restituer, à la l. 3, ἐν[τάδε] que ἐν[θάδε]
[ob eine solche Konsequenz anzunehmen ist, erscheint mir fraglich]; de même
Ῥε[σκου]βίτου au lieu de Ῥε[σκου]βίθου: la prononciation des Thraces et des
Macédoniens avait une tendance à éviter les aspirées" (S. 307).

644/L602   **Rosalieninschrift des Dacus**

Χάϊδω Κουκούλη, ΑΔ 23 (1968) Β΄2 Χρονικά [1969], S. 356 mit Abb. Tafel 303α
(kein Text, nur die Abbildung).
Fanoula Papazoglou: Le territoire de la colonie de Philippes, BCH 106 (1982), S.
89–106; hier S. 105, Anm. 75.

Papazoglou, S. 411 mit Anm. 205.
Band I, S. 86, Anm. 5; S. 222.

Pangaion (?). Bei Κουκούλη findet sich nur der Hinweis: Επιγραφή εκ της συλλογής μητροπολίτου Σωφρονίου Ελευθερουπόλεως (Tafel 303).
Heute (1969) befindet sich die Inschrift im Museum Kavala (Inventarisierungsnummer Λ 732).
Ich bekam keine Genehmigung, den Stein selbst zu studieren (Υπουργείο Πολιτισμού – Εφορεία προϊστορικών και κλασσικών αρχαιοτήτων Καβάλας, Aktenzeichen 2558, 20. August 1992).

Dacus Zi-	annis rosis. A
pyronis fi-	10 ΔALANT. quot
[l]ia reliquit	si non fecer(int),
vicanis Scev-	tum dab(unt) po-
5 enis ✳ CXX ut	ena vicanis
ex usuris eor-	Antherita-
um vescant-	15 nis ✳ CCXXXX.
ur quotquot	

1 Auf dem Stein am Anfang Δ statt D. **9f.** Verstehe ich nicht. **10** Auf dem Stein Δ statt D. **12** Auf dem Stein Δ statt D.

Dacus, (der Sohn?) des Zipyron, hat den Dorfbewohnern von Sceva (?) einhundertzwanzig Denare hinterlassen, damit sie aus deren Zinsen alljährlich an den Rosalien speisen. ... Wenn sie es nicht getan haben, dann sollen sie den Dorfbewohnern von Antherita (?) zweihundertvierzig Denare Strafe bezahlen.

Z. 1 Dacus ist als Personenname noch nicht belegt (vgl. Detschew, S. 111f., s.v. Δακοί κτλ.). Es soll aber wohl ein männlicher Name sein. (Die weibliche Form wäre vermutlich Dacia, Detschew, a.a.O., S. 113 am Ende des Artikels.) Dazu paßt aber keinesfalls das *filia* Z. 2f.
Z. 1f. Der Name Zipyron bei Detschew nur griechisch Ζιπυρων (S. 191). Die lateinische Gestalt Zipyron findet sich auch auf einem *ineditum* aus Philippi.
Z. 9 Zum Rosalienfest vgl. o. Bd. I, S. 104 und die dort genannte Literatur; das Material aus Philippi ist im Kommentar zu 029/G215, Z. 6–8 zusammengestellt. Wie in 636/G223 sind hier *vicani* als ausführendes Organ der Stiftung vorgesehen, vgl. dazu Collart, S. 479, Anm. 1.
Z. 10f. Zu dem *quot si non fecerint* bietet die Inschrift 138/L273 eine genaue Parallele.
Z. 13–15 Papazoglou erwähnt (a.a.O., S. 411 mit Anm. 205) die *vicani Sceveni,* nirgendwo aber die *vicani Antheritani*; das verstehe ich nicht.

645/L034   ## Inschrift der Iulia Polla und der Aelia Eutychia

Heuzey/Daumet, Nr. 8 (S. 28).
CIL III 1, Nr. 670.
Δήμιτσας, Nr. 986 (S. 768).

Palaeochori. „Église ruinée d'Haghios Ghiorghios" (Heuzey, S. 28).

[I]ulia Polla an(norum) LX et Aelia Eut[ychia].

Iulia Polla, sechzig Jahre alt, und Aelia Eutychia (liegen hier begraben).

Diese und die folgenden Inschriften (646/L035 und 647/G036) finden sich in der Kirche des westlich von Ελευθερούπολις gelegenen Ortes Παλαιοχώριον (auf der Nomos-Karte vorhanden, östlich von Νικήσιανη). In Παλαιοχώριον finden sich überhaupt antike Reste.

646/L035   ## Lateinisches Fragment

Heuzey/Daumet, Nr. 9 (S. 28).
CIL III 1, Nr. 664.
Δήμιτσας, Nr. 987 (S. 768).
Band I, S. 43 mit Anm. 135; S. 176 mit Anm. 6; S. 234; S. 238, Anm. 11.

Palaeochori. „Au même endroit [wie die vorige]" (Heuzey, S. 28).

[pu]rpurari
[...]V[...]N
EB[...]ATE

1 Die Ergänzung bei Mommsen.   2 Δήμιτσας: LL......N.

... Purpurhändler ...

Diese Inschrift hat das Privileg, in der neutestamentlichen Sekundärliteratur bekannt zu sein; sie wird beispielsweise im Kommentar zur Apostelgeschichte von Conzelmann zitiert (S. 99).

647/G036   ## Νείχαια, die Musikerin des Bakchos (?)

Heuzey/Daumet, Nr. 10 (S. 28f.).
Δήμιτσας, Nr. 979 (S. 764f.).

Band I, S. 104 mit Anm. 48; S. 143.

Δημήτριος Παντερμαλής: Ανασκαφή του Δίου κατά το 1994 και το ανάγλυφο της νάβλας, ΑΕΜΘ 8 (1994) [1998], S. 131–136; hier S. 133 und S. 135.

Palaeochori. Das Fragment dieser Inschrift ist auf weißem Marmor geschrieben und wurde in der zerstörten Kirche in Παλαιοχώρη gefunden. Die Buchstaben sind groß; es scheint sich um das Fragment eines Sarkophags zu handeln: „Ces lignes se lisent, en lettres grecques de grande dimension, sur une belle plaque de marbre blanc, qui paraît provenir d'un sarcophage. Les caractères, quoique d'une époque assez basse et toute romaine, sont gravés profondément et avec une affectation d'élégance que la gravure n'a pu bien reproduire" (Heuzey, S. 28).

> [. . .]ια μικια ος [. . .]
> [Ν]είκαια, κιθαρῳδίσ-
> τρια, ναβλίστρια, τετρ[α-]
> [χορδ. . .]

1 Δήμιτσας: μικιαος.   2 Heuzey: εικαια, κιθαρῳδισ.   3 Heuzey: τρία, ναβλιστρία.

. . . Nikaia, die Kitharaspielerin, die Nablaspielerin, die Tetrachordonspielerin . . .

Z. 2 Νείκαια = Νίκαια. Der Frauenname ist geläufig, in Philippi aber sonst nicht belegt.

Z. 2ff. Der Sarkophag gehört einer Frau, die Musikerin war. Sie spielte κιθάρα (κιθαρῳδίστρια bei LSJ nur im Suppl. [S. 84] nach dieser Inschrift zitiert; es handelt sich offenbar um ein Hapaxlegomenon), νάβλα („a musical instrument of ten ... or twelve strings" [LSJ, S. 1159, s.v.]; davon ναβλίστρια, das Femininum zu ναβλιστής, bei LSJ ebenfalls nur im Suppl. [S. 102] nach dieser Inschrift zitiert; es handelt sich offenbar um ein Hapaxlegomenon) und τετράχορδον. Heuzey vermutet, daß diese Musikerin ihren Lebensunterhalt nicht beim Theater (in Philippi) oder bei Banketten verdiente, sondern dem Bakchoskult verbunden war. Er ist der Auffassung, daß der Gipfel des Pangaiongebirges Sitz des berühmten Orakels war, von dem Herodot (VII 110–112) berichtet. Das Heiligtum des Bakchos kann seiner Meinung nach nicht in die Berge von Philippi verlegt werden, da diese zu niedrig und auch im Winter nur ausnahmsweise mit Schnee bedeckt sind. Ein neuer Fund aus Dion vermag unsere Inschrift zu illustrieren. Es handelt sich dabei um einen Grabstein mit lateinischer Inschrift, wie die Καθημερινή am 17. September 1998 (S. 11; mit Abbildung) berichtet: Τη Νάβλα, ένα από τα αρχαιότερα μουσικά όργανα του 1ου και 2ου μ.Χ. αιώνα, απεικονίζει το νέο εύρημα του Δίου ... . Μια μαρμάρινη επιτύμβια στήλη ύψους 70 και πλάτους 50 εκατοστών περίπου – χρονολογείται στα μέσα του 2ου μ.Χ. αιώνα – που έφερε στο φως η αρχαιολογική σκαπάνη, είναι ο μάρτυρας του άγνωστου μουσικού αυτού οργάνου. Allerdings handelt es sich nicht um einen Fund des Jahres 1998 (wie der Leser der Καθημερινή annehmen wird), sondern um „einen Fund aus dem Jahre 1994 ... . Auf einem Grabrelief ist ein Instrument abgebildet, das einer Harfe oder Kithara ähnelt. Es besitzt sechs Saiten und zwei weitere, die zum Stimmen des Instruments dienten, zwei kleine Säulen an den Seiten und unten einen Klangkörper. ... Von den Griechen wurde es bei Gastmählern und von den Römern bei festlichen Anlässen gespielt. Der lateinische Name dieses Musikinstruments lautete »nabilium«." (Dimitrios Pandermalis: Dion. Archäologische Stätte und Museum, Athen 1997, S. 85; vgl. auch die teilweise Abbildung des Grabsteins auf S. 86.)

Anläßlich der vorläufigen Publikation des Reliefs aus Dion weist Παντερμαλής selbst auf die vorliegende Inschrift hin; ob unsere Musikerin freilich „too belonged to a thiasos of the Muses just as the anonymous lady of the grave relief [from Dion]" (Παντερμαλής, ΑΕΜΘ 8, S. 135), bleibt m.E. fraglich. Gute Abbildungen des Reliefs aus Dion bietet Δημήτριος Παντερμαλής: Δίον. Η ανακάλυψη, Athen 1999, S. 240 und S. 241.

648/L231   **Grabinschrift für Iulius Valens**

A. Salač: Inscriptions du Pangée, de la région Drama-Cavalla et de Philippes, BCH 47 (1923), S. 49–96; hier S. 55 (Nr. 11).

Nikisiani (Νικήσιανη). Kirche der Heiligen Anna.
Abmessungen: H. 0,60; L. 0,84; H. der Buchstaben 0,15–0,08; Zeilenzwischenraum 0,068–0,036.

> [Iu]lio Val[enti]
> [patri dulc]iss(imo) an(norum) L.
> [in arca] ẹạ alium qui po[suerit ...]

> Für Iulius Valens, den allerliebsten Vater, fünfzig Jahre alt. Wer in diesen Sarg einen anderen gelegt hat ...

649/L654   **Grabinschrift für Zipa, Caigeno und Bendis**

Collart, Abb. im Tafelband, Pl. XXXVIII 1.
Paul Collart: Monuments thraces de la région de Philippes, in: Serta Kazaroviana. Commentationes gratulatoriae Gabrielo Kazarov septuagenario oblatae A. D. XVII. Kal. Nov. MCMXLIV, Pars prima, Bulletin de l'institut archéologique bulgare 16, Serdicae 1950, S. 7–16; hier S. 14f. (Nr. 11) mit Abb. Fig. 9 und 10.

Georgi Mihailov: Epigraphica et onomastica. (Observations sur les rapports ethno-culturels dans l'aire balkano-micrasiatique), Études balkaniques 23,4 (1987), S. 89–111; hier S. 109.

Goriani. Goriani entspricht dem heutigen Γεωργιανή, nördlich von Νικήσιανη, am nordöstlichen Rand des Pangaiongebirges.

„Grande stèle funéraire très légèrement pyramidante, brisée en bas, et couronnée d'une mouluration saillante. Haut., 187 cm.; larg. à la mouluration, 62 cm.; au corps, en haut, 55 cm.; en bas 58 cm.; ép. à la mouluration, 20 cm.; au corps, en haut, 17 cm.; en bas, 14 cm. La face antérieure porte une inscription latine de 6 lignes et plusieurs reliefs.

Un premier cadre, profondément excavé, mesure 46 cm. de largeur et 44 cm. de hauteur. La partie supérieure, sur une hauteur de 25 cm., est occupée par l'inscription. Au-dessous, les angles inférieurs sont occupés par deux figures en faible relief: à gauche, personnage drapé, debout, tête nue, la main droite tendue vers un autel, la gauche, relevée, portant un objet rond, peut-être un fruit; à droite, personnage assis au pied d'un arbre, sans doute une femme, le corps drapé, la tête recouverte d'un voile, la main droite, tendue en avant. – Au-dessous, dans un deuxième cadre de dimensions plus petites (larg., 35 cm.; haut., 20 cm.) est représentée une scène de pêche. Deux hommes sont debout dans un bateau aux extrémités relevées en pointe: celui de gauche saisit à deux mains un filet dont la masse repose sur le bastingage; celui de droite manie une gaffe, manoeuvrant l'embarcation; à gauche, un trident au long mache terminé par un fer de lance est disposé obliquement. – Un troisième cadre logé, sans doute après coup, à droite du précédent (haut., 25·5 cm.; larg., en haut, 9 cm.; en bas, 12·5 cm.) contient une figure de femme, assise, vers la gauche, le corps drapé, la tête recouverte d'un voile que la main droite, portée au menton, écarte légèrement.

L'inscription est gravée avec assez de soin, mais d'une manière un peu irrégulière. Hauteur de lettres: 3·1 cm. env. (l. 1); 2·5 cm. env. (l. 2, 3 et 4); 2·8 cm. env. (l. 5); 3 cm. env. (l. 6). Ligatures. Points séparatifs entre les mots" (Collart, S. 14f.).

> Zipa Malthae fil(ius) an(norum) L et
> Caigeno Dancis fil(ia) an(norum) LX h(ic) s(iti) s(unt).
> Aliula Zipae et Zipa et Dan-
> tus parentibus et sibi
> 5 v(ivi) f(aciendum) c(uraverunt).
> et Bendi Paibis f(iliae) uxori.

5 Collart löst die Abkürzung als *v(otum)* auf.

Zipa, der Sohn des Maltha, fünfzig Jahre alt, und Caigeno, die Tochter des Dances, vierzig Jahre alt, sind hier begraben. Aliula, (der Sohn) des Zipa, und Zipa [der jüngere] und Dantus haben

(die Stele) für ihre Eltern und sich selbst zu ihren Lebzeiten herstellen lassen. Und für die Ehefrau [wessen?] Bendis, die Tochter
des Paibes.

Z. 1 Zipa ist ein häufiger thrakischer Name (vgl. Detschew, S. 189f., s.v.
Ζιπας), der auch in Philippi reichlich belegt ist.
Maltha ist ein neuer Name, der sonst noch nirgendwo belegt ist (fehlt bei
Detschew – aus Versehen?).

Z. 2 Caigeno ist auch ein neuer Name (fehlt bei Detschew).
Dances ist ebenfalls neu (fehlt bei Detschew).

Z. 3 Aliula ist außer an dieser Stelle nur ein einziges Mal belegt, und
zwar in 514/L246 aus Προσοτσάνη (vgl. Detschew, S. 12, s.v. Aliula(s), wo
sich nur diese beiden Belege aus Philippi finden).

Z. 3f. Dantus ist ebenfalls ein neuer Name (Detschew, S. 116, s.v. Dantus
hat nur unsere Inschrift als den einzigen Beleg). Mihailov hält Dantus für
ein Femininum („c'est le nom d'une femme", S. 109).

Z. 6 *Bendi* ist Dativ zu Bendis, sonst in Philippi nur als Name der Göttin
(vgl. insgesamt Detschew, S. 50f., s.v. Βενδἰς).
Collart ist der Ansicht, daß die rechts unten offenbar nachträglich angefügte
Figur Bendis darstellt, „qui vint partager, après sa mort, les honneurs du
même monument" (Collart, S. 15). Bendis sei die Frau des Aliula gewesen
(ebd.).
Paibis ist Genitiv zu Paibes (Detschew, S. 351, s.v. Παιβης). Paibes ist
auch in Philippi belegt, falls die Lesung von Fredrich 163/L002 (von der
Akropolis), Z. 53, zutrifft.

Anhang I: *Dubia et spuria*

Zu diesem Anhang I vgl. o. Band I, S. 10f.

Μερτζίδης: Weihinschrift für Herakles 650/M190

Σταύρος Μερτζίδης: Αι χώραι του παρελθόντος και αι εσφαλμέναι τοποθετήσεις των. Έρευναι και μελέται τοπογραφικαί υπό αρχαιολογικό-γεωγραφικό-ιστορικήν έποψιν, Athen 1885, Nr. 2, S. 18f.
Δήμιτσας, Nr. 1064 (S. 808).
Ευάγγελος Γ. Στράτης: Η Δράμα και η Δράβησκος. Ιστορική και αρχαιολογική μελέτη, Serres 1923 (?), S. 5 (Nr. 6).
Collart, S. 183, Anm. 1.

Angeblich aus Drama. Es handelt sich um eine Fälschung von Μερτζίδης. Die Inschrift findet sich zwar auch bei Στράτης, doch dieser ist offenbar hier völlig von Μερτζίδης abhängig. Diesem zufolge befand sich auf dem Stein auch noch ein Relief, welches τον ήρωα τούτον darstellte δαμάζοντα σφριγώντα ίππον (S. 19).

Κυρίῳ ῞Ηρῳ Ἡρακλ[εῖ].

Dem Herrn Heros Herakles.

Collart befaßt sich in einer längeren Anmerkung mit den beiden Büchern von Μερτζίδης. Diese Bemerkungen seien hier ein für allemal zitiert: „S. Mertzidès est, en effet, connu depuis longtemps comme un faussaire; les inscriptions, tant grecques que latines, publiées par lui sont, pour la plupart, ou suspectes ou manifestement fabriquées; interrogé sur leur origine par Ch. Avezou, directement accusé de mensonge par S. Reinach, cet éditeur peu scrupuleux n'a jamais pu fournir d'explication précise; jamais il n'a montré de copie, d'estampage, de photographie; bien mieux, selon lui, toutes les pierres inscrites dont il a parlé auraient disparu ... . Pourtant, malgré ces constatations, il n'est pas possible d'ignorer simplement ses publications, dont plusieurs sont rares aujourd'hui: S. Mertzidès, qui pratiqua la médecine à Cavalla, connaît bien les régions dont il traite; il a lu les ouvrages qui s'y rapportent et y a puisé largement; et d'autre part, il a pu récolter sur place et mêler à ses inventions quelques documents de bon aloi." (S. 183, Anm. 1.)

651/M191 Μερτζίδης: **Weihinschrift für Apollon**

Σταύρος Μερτζίδης: Αι χώραι του παρελθόντος και αι εσφαλμέναι τοποθετήσεις των. Έρευναι και μελέται τοπογραφικαί υπό αρχαιολογικό-γεωγραφικό-ιστορικήν έποψιν, Athen 1885, Nr. 3, S. 20.
Δήμιτσας, Nr. 1065 (S. 808).
Ευάγγελος Γ. Στράτης: Η Δράμα και η Δράβηςκος. Ιστορική και αρχαιολογική μελέτη, Serres 1923 (?), S. 5 (Nr. 5).

Angeblich aus Drama. Es handelt sich um eine Fälschung von Μερτζίδης. Die Inschrift findet sich zwar auch bei Στράτης, doch dieser ist hier offenbar völlig von Μερτζίδης abhängig. Dieser will den Stein προ δωδεκαετίας εν τω κήπω του Μεχκεμέ gesehen haben.

Ἱερῷ Ἀπόλλωνι.

Dem heiligen Apollon.

Merkwürdig ist hier, daß beide Wörter im Dativ stehen; es muß demnach das ἱερῷ als Adjektiv aufgefaßt werden. Man würde eher erwarten (τὸ) ἱερὸν (τοῦ) Ἀπόλλωνος oder etwas ähnliches.
Für die Verbindung ἱερός (Adjektiv) + Ἀπόλλων gibt es nach der CD-ROM #C des TLG nur einen einzigen Beleg in einem dem Epiphanius zugeschriebenen Werk namens *Notitiae episcopatuum*, wo es in Z. 159 heißt: τὸν Ἀπόλλωνος ἱεροῦ. Dieser Beleg ist jedoch nur ein scheinbarer: Es handelt sich hier um den Genitiv des Ortsnamens Ἀπόλλωνος Ἱερόν, wie aus dem Zusammenhang eindeutig hervorgeht (zur Lage dieses Ortes in Lydien vgl. W.M. Calder/G.E. Bean: A Classical Map of Asia Minor, London 1958, Sektor Ce). Gemeint ist τόν [sc. ἐπίσκοπον] τοῦ Ἀπόλλωνος Ἱεροῦ.
Für die Verbindung von Μερτζίδης gibt es also in der gesamten griechischen Literatur offenbar keinen Beleg. Das erschwert die Übersetzung.

652/M192
um 400
v. Chr. Μερτζίδης: **Weihinschrift für Apollon**

Σταύρος Μερτζίδης: Αι χώραι του παρελθόντος και αι εσφαλμέναι τοποθετήσεις των. Έρευναι και μελέται τοπογραφικαί υπό αρχαιολογικό-γεωγραφικό-ιστορικήν έποψιν, Athen 1885, Nr. 4, S. 20.
Δήμιτσας, Nr. 1066 (S. 808f.).
Ευάγγελος Γ. Στράτης: Η Δράμα και η Δράβηςκος. Ιστορική και αρχαιολογική μελέτη, Serres 1923 (?), S. 5 (Nr. 7).
Louis Robert: Hellenica V, Inscriptions de Philippes publiées par Mertzidès, Revue de Philologie 13 (1939), S. 136–150, Nachdr. in: ders.: Opera minora selecta II, Amsterdam 1969, S. 1289–1303; hier S. 1294, Anm. 2.
Band I, S. 178.

Angeblich aus Drama. Es handelt sich um eine Fälschung von Μερτζίδης. Die Inschrift findet sich zwar auch bei Στράτης, doch dieser ist hier offenbar völlig von Μερτζίδης abhängig. Dieser will den Stein εν τη επαύλει του ομογενούς κ. Ι. Αναστασιάδου gesehen haben; es soll sich um ein υπόβαθρον αγάλματος handeln.

> Διόδωρος
> Σεύθου
> εὐξάμενος
> Ἀπόλλωνι.

Diodoros, (der Sohn) des Seuthes, (weiht es) aufgrund eines Gelübdes dem Apollon.

Man beachte den Kommentar bei Μερτζίδης: Ο δ᾽ αναφερόμενος Σεύθης υποθέτομεν ότι είναι ο Β΄. Σεύθης, βασιλεύς των Οδρυσών εν Θράκη, ο διελθών τα μέρη ταύτα και αυξήσας το βασίλειόν του μέχρι του όρους Ἀθωνος, όστις εβοήθησε και τον Ξενοφώντα εις τα 400 π.Χ. επιστρέφοντα εις την Ελλάδα μετά την εν Ασία ατυχή εκστρατείαν Κύρου του νεωτέρου (S. 20).

Μερτζίδης: Ein Zeugnis für Πολύγνωτος

Σταύρος Μερτζίδης: Αι χώραι του παρελθόντος και αι εσφαλμέναι τοποθετήσεις των. Ἐρευναι και μελέται τοπογραφικαί υπό αρχαιολογικό-γεωγραφικό-ιστορικήν έποψιν, Athen 1885, Nr. 5, S. 21–23.

Th. Homolle: Nouvelles et Correspondance, BCH 17 (1893), S. 624–641; hier S. 633.

Δήμιτσας, Nr. 1067 (S. 809f.).

Ευάγγελος Γ. Στράτης: Η Δράμα και η Δράβησκος. Ιστορική και αρχαιολογική μελέτη, Serres 1923 (?), S. 6 (Nr. 8).

Louis Robert: Hellenica V, Inscriptions de Philippes publiées par Mertzidès, Revue de Philologie 13 (1939), S. 136–150, Nachdr. in: ders.: Opera minora selecta II, Amsterdam 1969, S. 1289–1303; hier S. 1294, Anm. 2.

Band I, S. 178.

Angeblich aus Drama. Es handelt sich teilweise um eine Fälschung von Μερτζίδης. Er beschreibt den angeblichen Fundort wie folgt: Επί του εκτεταμένου τουρκικού νεκροταφείου, του ευρισκομένου περί τα άκρα της πόλεως, κατά την συνοικίαν Δερβίς Μπαλί επί της άνω πλευράς αυτού, υπάρχει σύντριμμα ανεστραμμένως τεθειμένης επιγραφής επί επιμήκους πλακός, ήτις πριν ή τεθή εκεί έφερε την εξής κολωβωμένην επιγραφήν (S. 21).

> [...] Πολύγνωτος καὶ τὸ ἔργον ἀπέ[στειλεν εἰς]
> πατρίδα κοσμήσας Θάσον.

... Polygnotos sandte auch das Werk in seine Heimat, um Thasos zu schmücken.

Μερτζίδης fügt hinzu: Εκ της επιγραφής ταύτης, η σφύρα του τέκτονος αποσπάσασα μέρος τι, εγκατέλειψεν ως δείγμα της υπάρξεώς της τα ακόλουθα, άπερ ήδη υφίστανται. ΡΙΔΑ ΚΟΣΜΗΣΑΣ ΘΑΣΟΝ. (S. 21).

Hier mischen sich Dichtung und Wahrheit. Das zuletzt Zitierte ist Bestandteil einer tatsächlich vorhandenen Inschrift aus Drama (507/G641), die auch unabhängig von Μερτζίδης (beispielsweise durch Παπαδόπουλος Κεραμεύς) bezeugt ist (siehe dort). Den Polygnot allerdings hat Μερτζίδης dazuerfunden (vgl. den Kommentar von Louis Robert, der bei 507/G641 zitiert ist). Bei Στράτης findet sich nur das echte Stück dieser Inschrift – war ihm Μερτζίδης doch verdächtig? Robert geht a.a.O. leider nicht auf die Frage ein, ob bzw. falls ja: inwieweit Στράτης ein eigener Zeugniswert zukommt (er erwähnt das Buch nicht).

654/M194   Μερτζίδης: Sarkophag des Εὐτυχίδης

Σταύρος Μερτζίδης: Αι χώραι του παρελθόντος και αι εσφαλμέναι τοποθετήσεις των. Έρευναι και μελέται τοπογραφικαί υπό αρχαιολογικό-γεωγραφικό-ιστορικήν έποψιν, Athen 1885, Nr. 6, S. 23f.
Δήμιτσας, Nr. 1068 (S. 810).
Ευάγγελος Γ. Στράτης: Η Δράμα και η Δράβησκος. Ιστορική και αρχαιολογική μελέτη, Serres 1923 (?), S. 6 (Nr. 11).

Angeblich in Drama gefunden. Es handelt sich möglicherweise um eine Fälschung von Μερτζίδης. Die Inschrift findet sich auch bei Στράτης, doch dieser ist hier offenbar völlig von Μερτζίδης abhängig. Μερτζίδης will in einem türkischen Haus einen Sarkophag gefunden haben, auf dessen Deckel sich die vorliegende Inschrift befand.

Π. Αἴλιος Εὐτυχίδης.

P(ublius) Aelius Eutychides.

Μερτζίδης kommentiert: Πολύ πιθανόν ο σαρκοφάγος ούτος να εχρησίμευσεν ως τάφος του Εὐτυχίδου περιφήμου αγαλματοποιού, μαθητού Λυσσίπου του Σικυωνίου ακμάσαντος περί την Γ΄ π. Χ. εκατονταετηρίδα, περί του οποίου λέγουσιν οι αρχαίοι συγγραφείς, ότι είχε γλύψει υπέρ του Μεγάλου Αλεξάνδρου αγαλμάτιον του Ηρακλέους προωρισμένον να τεθή εν τῷ μέσῳ τραπέζης και ότι διά τούτο ωνομάζετο τούτο »ὁ Εὐνοούμενος Θεός, ἢ ὁ Ἐπιτραπέζιος Ἡρακλῆς« ... (S. 23f.).

Hier ergibt sich nun ein Problem insofern, als ein griechischer Künstler in der von Μερτζίδης angenommenen Zeit (3. Jh.!) unmöglich ein römisches *praenomen* samt *nomen gentilicium* führen konnte (bezeichnenderweise gibt Μερτζίδης lediglich ΠΑΙΛΙΟΣ, ohne sich dazu zu äußern!). Daraus hat schon Δήμιτσας geschlossen, daß die Inschrift jedenfalls mit dem von Μερτζίδης genannten Künstler Εὐτυχίδης nichts zu tun haben könne (S. 810). Vielmehr, so Δήμιτσας, gehöre die Inschrift in die römische Zeit, wie der Name zeige – dann aber könnte sie sogar (teilweise?) echt sein.

Μερτζίδης: **Weihinschrift für den König Lysimachos**   655/M195

um 300
v. Chr.

Σταύρος Μερτζίδης: Αι χώραι του παρελθόντος και αι εσφαλμέναι τοποθετήσεις των. Έρευναι και μελέται τοπογραφικαί υπό αρχαιολογικό-γεωγραφικό-ιστορικήν έποψιν, Athen 1885, Nr. 7, S. 24f.
Δήμιτσας, Nr. 1069 (S. 810f.).
Ευάγγελος Γ. Στράτης: Η Δράμα και η Δράβησκος. Ιστορική και αρχαιολογική μελέτη, Serres 1923 (?), S. 6 (Nr. 9).
Louis Robert: Hellenica V, Inscriptions de Philippes publiées par Mertzidès, Revue de Philologie 13 (1939), S. 136–150, Nachdr. in: ders.: Opera minora selecta II, Amsterdam 1969, S. 1289–1303; hier S. 1294, Anm. 2.
Band I, S. 178.

Angeblich in Drama gefunden. Es handelt sich um eine Fälschung von Μερτζίδης. Die Inschrift findet sich zwar auch bei Στράτης, doch dieser ist hier offenbar völlig von Μερτζίδης abhängig. Dieser will den Stein in einer Mauer gegenüber dem Telegraphenamt gesehen haben.

[Ἡ π]όλις τῷ βασιλ[εῖ Λ]υσιμάχ[ῳ]
[ἀφιέ]ρωσεν ἐκ τ[ῶν ἰ]δίων.

2 Στράτης: ...ΕΚ Τ... ΔΙΩΝ.

Die Stadt weiht (es) dem König Lysimachos auf eigene Kosten.

Μερτζίδης kommentiert: Ο Λυσίμαχος ην εις εκ των στρατηγών του Μεγάλου Αλεξάνδρου, μετά τον θάνατον του οποίου διωρίσθη Διοικητής Θράκης. Τω 313 π. Χ. προεκηρύχθη βασιλεύς, κατέκτησε μέγα μέρος της Μικράς Ασίας και έπειτα της Μακεδονίας, οπότε η πόλις αύτη εκ των ιδίων (ιδίαις δαπάναις) αφιέρωσέ τι προς τιμήν αυτού, όστις αναμφιβόλως κάλον τι έργον έπραξε προηγουμένως ενταύθα (S. 25).

656/M196   Μερτζίδης: **Griechisches Fragment**

Σταύρος Μερτζίδης: Αι χώραι του παρελθόντος και αι εσφαλμέναι τοποθετήσεις των. Έρευναι και μελέται τοπογραφικαί υπό αρχαιολογικό-γεωγραφικό-ιστορικήν έποψιν, Athen 1885, Nr. 8, S. 25f.

Th. Homolle: Nouvelles et Correspondance, BCH 17 (1893), S. 624–641; hier S. 633.

Δήμιτσας, Nr. 1070 (S. 811).

Ευάγγελος Γ. Στράτης: Η Δράμα και η Δράβησκος. Ιστορική και αρχαιολογική μελέτη, Serres 1923 (?), S. 6 (Nr. 10).

Louis Robert: Hellenica V, Inscriptions de Philippes publiées par Mertzidès, Revue de Philologie 13 (1939), S. 136–150, Nachdr. in: ders.: Opera minora selecta II, Amsterdam 1969, S. 1289–1303; hier S. 1299f.

Angeblich in Drama gefunden. Es handelt sich hier vielleicht um keine Fälschung von Μερτζίδης, da die Inschrift auch von Giannopoulos, dem Gewährsmann Homolles, bezeugt wird.

Μερτζίδης gibt die folgende Beschreibung: Εν τω κήπω του Μεχμέτ βέη (ήδη των υιών αυτού Αγκιάχ και Αλή βέηδων) υπάρχει παρημελημένον επί συνήθους μαυρολίθου ανάγλυφον, όπερ παριστά άνδρα καθήμενον και υπ' αυτόν παίδα ιστάμενον. Απέναντι του ανδρός κάθηται λυσίκομος γυνή, έχουσα εστραμμένον το πρόσωπον προς τον άνδρα και υπ' αυτήν ίσταται νεάνις, ήτις κρατεί εις τας χείρας της υδροφόρον. Η επιγραφή του αναγλύφου, ως εκ της πολυκαιρίας και παραμελήσεως είναι εφθαρμένη και δυσανάγνωστος. Εξ αυτής μόνον λέξεις τινάς αντεγράψαμεν, τας εξής [es folgt der Text der Inschrift] (S. 25).

Homolle gibt die folgende Beschreibung: „Jardin d'Ankiach-bey près du konak. Stèle avec bas-relief. Banquet: homme étendu sur un lit, femme assise au pied; devant, table; un enfant près de l'homme; du côté de la femme, jeune fille tenant une hydrie. Inscription effacée; a la dernière ligne [es folgt der Text]" (S. 633).

Bemerkenswert ist der Sachverhalt, daß Homolle die Ähnlichkeit mit dem von Μερτζίδης Berichteten nicht notiert (anders bei 507/G641, wo er ausdrücklich auf Μερτζίδης hinweist!); sie ist ihm offenbar nicht aufgefallen. Es scheint daher, als habe hier Μερτζίδης eines der wenigen echten Stücke überliefert. Jedenfalls ist zumindest die Echtheit der zweiten Zeile und des Reliefs gesichert. Sollte Μερτζίδης in Zeile 1 am Werk gewesen sein? Στράτης bietet hier einen Text, der genau mit Μερτζίδης übereinstimmt. Das spricht auch in diesem Fall für eine literarische Abhängigkeit vom Werk des Μερτζίδης!

     Γνώμη πολιτῶν [. . .]
     [. . .]ΔΩΡΟΝ ἐμόν.

---

1 Fehlt bei Homolle. **2** Homolle: ΔΩΡΟΝΕΠΟΝ (?) mit auf dem Kopf stehendem Π.

Irreführend ist hier Robert, der die Inschrift in die Nähe der Fälschung 675/M658 rückt und bemerkt: „Ce que pouvait faire Mertzidès comme mauvaises lectures nous est révélé par le n° 8 de ses Αἱ χῶραι τοῦ παρελθόντος (Dimitsas, 1070) …" (S. 1299). Denn im Gegensatz zu der offensichtlich gänzlich gefälschten Inschrift 675/M658 ist im vorliegenden Fall wenigstens Z. 2 auch unabhängig von Μερτζίδης bezeugt und also echt.

Μερτζίδης: Ein Kranz für Aristophanes   657/M197

Σταύρος Μερτζίδης: Αι χῶραι του παρελθόντος και αι εσφαλμέναι τοποθετήσεις των. Έρευναι και μελέται τοπογραφικαί υπό αρχαιολογικό-γεωγραφικό-ιστορικήν έποψιν, Athen 1885, Nr. 9, S. 26f.
Δήμιτσας, Nr. 1071 (S. 811).
Ευάγγελος Γ. Στράτης: Η Δράμα και η Δράβησκος. Ιστορική και αρχαιολογική μελέτη, Serres 1923 (?), S. 6 (Nr. 12).
Band I, S. 178.

Angeblich in Drama gefunden. Es handelt sich um eine Fälschung von Μερτζίδης. Die Inschrift findet sich zwar auch bei Στράτης, doch dieser ist hier offenbar völlig von Μερτζίδης abhängig. Diesem zufolge handelt es sich angeblich um eine Platte aus weißem Marmor mit einem Relief, welches παρίστα ἄνδρα καθήμενον ἐπί κλιντῆρος, κρατοῦντα ἐν τη δεξιά στέφανον και στεφανοῦντα ἕτερον ἄνδρα ιστάμενον προ αυτοῦ (S. 26). Dieses Relief will Μερτζίδης vierzehn Jahre zuvor υπό τα ερείπια του μεγάρου του ιστορικού Μαχμούτ πασσά του Δράμαλη (ebd.) gefunden haben.

Τύχῃ ἀγαθῇ.
[Ἀρι]στοφάνης στεφανοῦται [. . .] καὶ
τῇ τῶν πολιτ[ῶν] ἐν τοῖς ἀγῶ[σι]
[. . .]ΘΕΣ[. . .]ΦΗΜ[. . .] καὶ τῶν [. . .]
5 [. . .] πολλὰ [. . .] ἀρετ[ῆς ἕνεκεν].

Στράτης bietet exakt denselben Text, hält sich jedoch nicht an die Zeilenabteilung von Μερτζίδης.

> Glück auf! Aristophanes wird mit einem Kranz geehrt … und
> der Bürger bei den Wettkämpfen … viel … der Tugend wegen.

Vorbildlich zurückhaltend die Kommentierung bei Μερτζίδης, der lediglich bemerkt, Ἀριστοφάνης τις (!!) sei hier mit einem Kranz geehrt worden (S. 27).

658/M141 Μερτζίδης: Milliarium (?)

Σταύρος Μερτζίδης: Αι χῶραι του παρελθόντος και αι εσφαλμέναι τοποθετήσεις των. Ἔρευναι και μελέται τοπογραφικαί υπό αρχαιολογικό-γεωγραφικό-ιστορικήν ἔποψιν, Athen 1885, Nr. 10, S. 28.
Δήμιτσας, Nr. 1072 (S. 811f.).
CIL III, Suppl. 1, Nr. 7358d.

Angeblich in Drama gefunden. Es handelt sich um eine Fälschung von Μερτζίδης. Er macht keine genaueren Angaben bezüglich des Fundortes.

Prima filipica.

Μερτζίδης interpretiert den Text in dem Sinne, daß Drama υπήρξεν ο πρῶτος σταθμός των Φιλίππων (Drama lag allerdings gar nicht an der Via Egnatia!). „De hac quoque obiurgatus a Reinachio respondit auctor [sc. Μερτζίδης] in lapide esse PILIPICA, non FILIPICA, ipsum nuper interiisse, sed superesse anaglyphum nescio quod, nugas nugis excusans. Retinuimus eas [sc. 660/M138, 661/M139, 659/M140, 658/M141], ut qui his utuntur ab hoc homine caveant" (Mommsen, S. 1327).

659/M140 Μερτζίδης: Inschrift des Papinius Statius
I

Σταύρος Μερτζίδης: Αι χῶραι του παρελθόντος και αι εσφαλμέναι τοποθετήσεις των. Ἔρευναι και μελέται τοπογραφικαί υπό αρχαιολογικό-γεωγραφικό-ιστορικήν ἔποψιν, Athen 1885, Nr. 11, S. 29f.
Δήμιτσας, Nr. 1073 (S. 812f.).
CIL III, Suppl. 1, Nr. 7358c.
Band I, S. 178.

Angeblich in Drama gefunden. Es handelt sich um eine Fälschung von Μερτζίδης. Er will den Stein aus weißem Marmor vor zwölf Jahren εν τω νάρθηκι της εκκλησίας των Εισοδίων gesehen haben (S. 29).

[...]TA[...] Papinius Statius Napolitanus.

1 So der Text bei Μερτζίδης, von dem Mommsen aus nicht ersichtlichen Gründen abweicht: *[Pa]pinius Stat[iu]s Napolitanu[s]*.

... Papinius Statius aus Neapolis.

Μερτζίδης bemerkt, hier handele es sich um το όνομα γνωστού τινος ρωμαίου ποιητού, ακμάσαντος περί τα τέλη της Α΄ μ. Χ. (S. 29).

Μερτζίδης: Grab des Phaedrus   660/M138

I

Σταύρος Μερτζίδης: Αι χώραι του παρελθόντος και αι εσφαλμέναι τοποθετήσεις των. Έρευναι και μελέται τοπογραφικαί υπό αρχαιολογικό-γεωγραφικό-ιστορικήν έποψιν, Athen 1885, Nr. 13, S. 31.
Δήμιτσας, Nr. 1075 (S. 813).
CIL III, Suppl. 1, Nr. 7358a.
Band I, S. 178.

Angeblich in Drama gefunden. Es handelt sich um eine Fälschung von Μερτζίδης. Er will den Stein εν τη οικία του βαφέως (μπογιατζή) Αργυρίου, εν τω κήπω gesehen haben (S. 30f.); es soll sich um einen Sarkophagdeckel handeln.

[...] manes Phaedr[i ...]
[...] memoriae [...]
[...]merit[...]AI

... die Manen des Phaedrus ... der Erinnerung ... verdient ...

Μερτζίδης kommentiert: Ο αναφερόμενος ενταύθα Φαίδρος, ίσως είναι ο Μακεδών εκείνος ποιητής, ο επί Αυγούστου και Τιβερίου ακμάσας, ούτινος άφθονος συλλογή μύθων σώζεται και ον αναφέρει ο Martialis. Η χρονολογία λοιπόν της ειρημένης επιγραφής ανέρχεται εις το 14–37 έτος μ. Χ. (S. 31).

Μερτζίδης: Die Göttin Prorsa   661/M139

Σταύρος Μερτζίδης: Αι χώραι του παρελθόντος και αι εσφαλμέναι τοποθετήσεις των. Έρευναι και μελέται τοπογραφικαί υπό αρχαιολογικό-γεωγραφικό-ιστορικήν έποψιν, Athen 1885, Nr. 15, S. 32.
Δήμιτσας, Nr. 1077 (S. 813).
CIL III, Suppl. 1, Nr. 7358b.

Angeblich in Drama gefunden. Es handelt sich um eine Fälschung von Μερτζίδης. Den Fundort beschreibt er folgendermaßen: Εξ ανασκαφής, γενομένης προς μετατροπήν της περιοχής του Εκκλησιδίου τούτου [sc. των Ταξιαρχών] εις κήπον (S. 32).

Magna Prorsa propugnat.

Die große Prorsa setzt sich ein.

Μερτζίδης übersetzt: Η μεγάλη (εννοεί θεά) Πρόρσα υπέρμαχος und kommentiert: Η επιγραφή αύτη αποδίδοται εις τινα Ρωμαίαν θεότητα, ήτις εθεωρείτο ως υπέρμαχος προστάτις του ευθέως τοκετού παρά ταις δυστοκούσαις

γυναιξίν. Ἴσως υπήρχεν εν τη πόλει ταύτη [sc. Drama] και ναός προς τιμήν της θεάς ταύτης, ην αι αρχαίαι Ρωμαίαι γυναίκες είχον εις την θέσιν, εις ην αι αρχαίαι Ελληνίδες είχον την Ελείθειαν, ή Ελευθώ, αι δε μεταγενέστεραι ελάτρευον υπό το όνομα της Αρτέμιδος (S. 32).
Glare bietet s.v. Prorsa (S. 1498): „The goddess presiding over births at which the child is presented head foremost" (er hat nur einen Beleg!).

662/M129 **Μερτζίδης: Grabinschrift des Lollus Iulius**

Σταύρος Μερτζίδης: Αι χώραι του παρελθόντος και αι εσφαλμέναι τοποθετήσεις των. Έρευναι και μελέται τοπογραφικαί υπό αρχαιολογικό-γεωγραφικό-ιστορικήν έποψιν, Athen 1885, Nr. 17, S. 33.
Δήμιτσας, Nr. 1079 (S. 814).
CIL III, Suppl. 1, Nr. 7349.

Angeblich in Drama gefunden. Es handelt sich um eine Fälschung von Μερτζίδης. Er will diese Inschrift in τω Νάρθηκι της Εκκλησίας των Εισοδείων gefunden haben (S. 32 und S. 33).

Lollus Iulius
an(norum) LXVI.

Lollus Iulius, sechsundsechzig Jahre alt, (liegt hier begraben).

Beachte: Mommsen scheint die Inschrift für echt zu halten, da er sie kommentarlos abdruckt. Es scheint mir aus methodischen Gründen jedoch sicherer, die Inschrift so lange nicht für echt zu halten, wie kein weiterer Gewährsmann dafür existiert (Παπαδόπουλος Κεραμεύς beispielsweise erwähnt diese Inschrift nicht!).
Im übrigen ist der Name Lollus im Territorium von Philippi bisher nicht belegt.

663/M198 **Μερτζίδης: Ehreninschrift für Μινόδωρος**

Σταύρος Μερτζίδης: Αι χώραι του παρελθόντος και αι εσφαλμέναι τοποθετήσεις των. Έρευναι και μελέται τοπογραφικαί υπό αρχαιολογικό-γεωγραφικό-ιστορικήν έποψιν, Athen 1885, Nr. 18, S. 46.
Α. *Παπαδόπουλος Κεραμεύς*: Αρχαιότητες και επιγραφαί της Θράκης συλλεγείσαι κατά το έτος 1885· προσετέθησαν και τινες επιγραφαί της Μακεδονίας, in: Ο εν Κωνσταντινουπόλει Ελληνικός Φιλολογικός Σύλλογος. Σύγγραμμα Περιοδικόν 17 (1882–83), Παράρτημα, Konstantinopel 1886, S. 65–113; hier S. 112.
Δήμιτσας, Nr. 1080 (S. 814).

Angeblich aus Τσατάλτζα (Χωριστή). Es handelt sich wohl um eine Fälschung von Μερτζίδης. Er gibt folgende Beschreibung: Προ δωδεκαετίας περί το παρά τον αγ. Γεώργιον Νεκροταφείον της κώμης ταύτης ευρόντες αντεγράψαμεν τας ακολούθους επιγραφάς, εξ ων η Λατινική μόνον υπάρχει (S. 45f.).

Μινόδωρον Σωσθένους
εὐεργέτην ὁ δῆμος
ἐκ τῶν ἰδίων.

1 Μερτζίδης gibt zunächst ΜΙΝΟΔΩΡΟΝ, sagt dann aber Μηνόδωρον.

Das Volk (ehrt) Minodoros, (den Sohn) des Sosthenes, seinen Wohltäter, auf eigene Kosten.

Παπαδόπουλος Κεραμεύς erwähnt diese (und auch die folgende) Inschrift zwar, hat sie aber nicht selbst gesehen; ich halte es daher auch in diesem Fall für sicherer, von der Unechtheit auszugehen. Παπαδόπουλος Κεραμεύς schreibt: Ο κ. Μερτζίδης εν σελ. 46 αναφέρει ότι »προ δωδεκαετίας περί το παρά τον άγιον Γεώργιον νεκροταφείον« ευρέθησαν, πλην μιάς λατινικής επιγραφής έτι και νυν σωζομένης, αι επόμεναι δύο, ων την ύπαρξιν διεβεβαίωσάν μοι καί τινες των κατοίκων (S. 112).

Μερτζίδης: Ehreninschrift für Γλύκων   664/M199

Σταύρος Μερτζίδης: Αι χώραι του παρελθόντος και αι εσφαλμέναι τοποθετήσεις των. Έρευναι και μελέται τοπογραφικαί υπό αρχαιολογικό-γεωγραφικό-ιστορικήν έποψιν, Athen 1885, Nr. 19, S. 46.
Α. Παπαδόπουλος Κεραμεύς: Αρχαιότητες και επιγραφαί της Θράκης συλλεγείσαι κατά το έτος 1885· προσετέθησαν και τινες επιγραφαί της Μακεδονίας, in: Ο εν Κωνσταντινουπόλει Ελληνικός Φιλολογικός Σύλλογος. Σύγγραμμα Περιοδικόν 17 (1882–83), Παράρτημα, Konstantinopel 1886, S. 65–113; hier S. 112.
Δήμιτσας, Nr. 1081 (S. 814f.).

Angeblich aus Τσατάλτζα (Χωριστή). Es handelt sich wohl um eine Fälschung von Μερτζίδης (vgl. die vorige Inschrift 663/M198).

Ἡ πόλις τὸν ἑαυτῆς
σωτῆρα Γλύκωνα.

Die Stadt (ehrt) Glykon, ihren Retter.

Παπαδόπουλος Κεραμεύς erwähnt diese (wie auch die vorige) Inschrift zwar, hat sie aber nicht selbst gesehen; ich halte es daher auch in diesem Fall für

sicherer, von der Unechtheit auszugehen. Παπαδόπουλος Κεραμεύς schreibt:
Ο κ. Μερτζίδης εν σελ. 46 αναφέρει ότι »προ δωδεκαετίας περί το παρά τον
άγιον Γεώργιον νεκροταφείον« ευρέθησαν, πλην μιάς λατινικής επιγραφής έτι
και νυν σωζομένης, αι επόμεναι δύο, ων την ύπαρξιν διεβεβαίωσάν μοι καί
τινες των κατοίκων (S. 112).

665/M200   Μερτζίδης: Ehreninschrift für Στρατόνικος

Σταύρος Μερτζίδης: Αι χώραι του παρελθόντος και αι εσφαλμέναι τοποθετήσεις
των. Έρευναι και μελέται τοπογραφικαί υπό αρχαιολογικό-γεωγραφικό-ιστορικήν έποψιν, Athen 1885, Nr. 22, S. 48.
Δήμιτσας, Nr. 1084 (S. 816).

Angeblich in Doxato gefunden. Es handelt sich um eine Fälschung von
Μερτζίδης. Angeblich aus dem Narthex der Kirche.

> [...] καὶ οἱ νέοι ἐτίμησαν
> [Στ]ρατόνικον φιλοτίμ[ως]
> [ἀ]γορανομήσαντα καὶ [...]

... und die jungen Männer ehrten Stratonikos, der eifrig das
Amt des Marktaufsehers versehen hat und ...

666/M201   Μερτζίδης: Weihinschrift für Dionysos und Herakles

Σταύρος Μερτζίδης: Αι χώραι του παρελθόντος και αι εσφαλμέναι τοποθετήσεις
των. Έρευναι και μελέται τοπογραφικαί υπό αρχαιολογικό-γεωγραφικό-ιστορι-
κήν έποψιν, Athen 1885, Nr. 23, S. 48.
Δήμιτσας, Nr. 1085 (S. 816f.).
Louis Robert: Hellenica V, Inscriptions de Philippes publiées par Mertzidès, Revue
    de Philologie 13 (1939), S. 136–150, Nachdr. in: ders.: Opera minora selecta II,
    Amsterdam 1969, S. 1289–1303; hier S. 1295, Anm. 3.
Band I, S. 104 mit Anm. 48.

Angeblich in Doxato gefunden. Es handelt sich um eine Fälschung von
Μερτζίδης. Angeblich aus dem Narthex der Kirche.

> Ὁ δῆμος ...
> Διονύσῳ καὶ Ἡρακλ[εῖ]
> θεοῖς πατρῴοις ἐκ
> τῶν ἰδίων ἀνέθηκε.

Das Volk weihte dem Dionysos und dem Herakles, den θεοὶ πατρῷοι, auf eigene Kosten ...

Vgl. auch 679/M662, wo Herakles als θεὸς πατρῷος geehrt wird.

Μερτζίδης: Ehreninschrift für Traianus   667/M202

II

Σταύρος Μερτζίδης: Αι χώραι του παρελθόντος και αι εσφαλμέναι τοποθετήσεις των. Έρευναι και μελέται τοπογραφικαί υπό αρχαιολογικό-γεωγραφικό-ιστορικήν έποψιν, Athen 1885, Nr. 24, S. 48f.
Δήμιτσας, Nr. 1086 (S. 817).
Louis Robert: Hellenica V, Inscriptions de Philippes publiées par Mertzidès, Revue de Philologie 13 (1939), S. 136–150, Nachdr. in: ders.: Opera minora selecta II, Amsterdam 1969, S. 1289–1303; hier S. 1294, Anm. 1.

Angeblich in Doxato gefunden. Es handelt sich um eine Fälschung von Μερτζίδης. Angeblich aus dem Narthex der Kirche.

Τραϊανὸν τὸν κράτιστον
καὶ σεβαστὸν ἐνδόξως
[...]

Den Traianus, den angesehensten und verehrungswürdigsten, rühmlich ...

Robert bemerkt im allgemeinen: „L'inauthenticité de plusieurs d'entre elles est dénonceé par l'absurdité du formulaire" (S. 1293f.) und führt in der Anm. zur Stelle (S. 1294, Anm. 1) auch die vorliegende Inschrift als Beispiel an.

Μερτζίδης: Inschrift eines Βάσσος   668/M203

Σταύρος Μερτζίδης: Αι χώραι του παρελθόντος και αι εσφαλμέναι τοποθετήσεις των. Έρευναι και μελέται τοπογραφικαί υπό αρχαιολογικό-γεωγραφικό-ιστορικήν έποψιν, Athen 1885, Nr. 25, S. 50.
Δήμιτσας, Nr. 1087 (S. 817).

Angeblich in Καλαμπάκι gefunden. Es handelt sich um eine Fälschung von Μερτζίδης.

[...] ἐκ τῶν ἰδίων ἔκτησε Βάσσος.

... auf eigene Kosten errichtete Bassos.

ἔκτησε = ἔκτισε (Aor. von κτίζειν). Von κτᾶσθαι ist ἔκτησε nicht abzuleiten, es ist nur im Medium gebräuchlich (Aor.: ἐκτησάμην). Daher ist „errichten" und nicht „erwerben" zu übersetzen.
Der Name kommt in Philippi auch sonst vor, so beispielsweise Lucius Decimius Bassus (in 216/L351 und 217/L348); Marcus Antonius Bassus (356/L142).

Μερτζίδης kommentiert: Το όνομα Βάσσος, όπερ ήδη εν χρήσει εστίν αντί του Βασιλείου, είναι αρχαίον Ρωμαϊκόν όνομα, ως αναφέρει ο Λουκιανός, αν δεν απατώμεθα (S. 50), und in der Tat begegnet bei Lukian ein Βάσσος (*Adversus indoctum* 23): εἰ Βάσσος ὁ ὑμέτερος ἐκεῖνος σοφιστής ...

669/M204   Μερτζίδης: Inschrift der Königin Brauro

Σταύρος Μερτζίδης: Αι χώραι του παρελθόντος και αι εσφαλμέναι τοποθετήσεις των. Έρευναι και μελέται τοπογραφικαί υπό αρχαιολογικό-γεωγραφικό-ιστορικήν έποψιν, Athen 1885, Nr. 26, S. 52.
Δήμιτσας, Nr. 1088 (S. 817f.).
Louis Robert: Hellenica V, Inscriptions de Philippes publiées par Mertzidès, Revue de Philologie 13 (1939), S. 136–150, Nachdr. in: ders.: Opera minora selecta II, Amsterdam 1969, S. 1289–1303; hier S. 1294, Anm. 2.

Angeblich in Κωδούνια (nach Δήμιτσας, S. 817f. 2 Stunden südlich von Drama) gefunden. Vermutlich mit dem heutigen Κουδούνια identisch.
Es handelt sich um eine Fälschung von Μερτζίδης.

> Τὸν ναὸν ὧδε ἀναγρα[...]
> καὶ στῆσαι ἐν τῷ ἱερῷ Ἀπόλ[λωνος]
> [...]ΒΡΑΥΡ[...]ΘΥΣΙ[...]

Den Tempel auf diese Art ... und aufzustellen in dem Heiligtum des Apollon ...

Μερτζίδης kommentiert: Εκ της επιγραφής ταύτης δήλον γίνεται, ότι και ενταύθα προς τιμήν του Απόλλωνος εσυστήθη ιερόν, όπερ ίσως η εν τη επιγραφή αναφερομένη Βραυρώ, γυνή του Πιττακού Βασιλεώς των Ηδωνών, εποίησε (S. 52).

670/M205   Μερτζίδης: Ehreninschrift für Octavian
1. Jh. v. Chr.

Σταύρος Μερτζίδης: Αι χώραι του παρελθόντος και αι εσφαλμέναι τοποθετήσεις των. Έρευναι και μελέται τοπογραφικαί υπό αρχαιολογικό-γεωγραφικό-ιστορικήν έποψιν, Athen 1885, Nr. 27, S. 53.
Δήμιτσας, Nr. 1089 (S. 818f.).
Louis Robert: Hellenica V, Inscriptions de Philippes publiées par Mertzidès, Revue de Philologie 13 (1939), S. 136–150, Nachdr. in: ders.: Opera minora selecta II, Amsterdam 1969, S. 1289–1303; hier S. 1294, Anm. 1.

Angeblich in Μοσυνόν (Μποσονόν) gefunden. Der Ort Μποσονόν liegt nach Μερτζίδης 3 Stunden südöstlich von Drama (S. 52). Es handelt sich bei dieser Inschrift um eine Fälschung von Μερτζίδης.

Αὐτοκράτ[ορα] Καίσ[αρα]
ʼΟκτα[βιανὸν] Σεβαστ[ὸν]
ἡ πόλις ἐκ τῶν ἰδίων.

Den Imperator Caesar Octavian Augustus (ehrt) die Stadt auf eigene Kosten.

Robert bemerkt im allgemeinen: „L'inauthenticité de plusieurs d'entre elles est dénonceé par l'absurdité du formulaire" (S. 1293f.) und führt in der Anm. zur Stelle (S. 1294, Anm. 1) auch die vorliegende Inschrift als Beispiel an.

Μερτζίδης: Inschrift für Claudius Apollonios   671/M206
1. Jh. v. Chr.

Σταύρος Μερτζίδης: Αι χώραι του παρελθόντος και αι εσφαλμέναι τοποθετήσεις των. Έρευναι και μελέται τοπογραφικαί υπό αρχαιολογικό-γεωγραφικό-ιστορικήν έποψιν, Athen 1885, Nr. 28, S. 53.
Δήμιτσας, Nr. 1090 (S. 819).

Μοσυνόν (Μποσονόν)? Der „Fundort" ist aus dem Text nicht ganz eindeutig ersichtlich. Es handelt sich bei dieser Inschrift um eine Fälschung von Μερτζίδης.

Κλαυδίῳ
Ἀπολλωνίῳ
ἀγαθῷ [υἱ]ῷ.

Dem Claudius Apollonios, dem guten Sohn.

Μερτζίδης: Weihinschrift für Dionysos und Hera   672/M655
4. Jh. v. Chr.

Σταύρος Μερτζίδης: Οι Φίλιπποι. Έρευναι και μελέται χωρογραφικαί υπό αρχαιολογικήν, γεωγραφικήν, ιστορικήν, θρησκευτικήν και εθνολογικήν έποψιν, Konstantinopel 1897, Nr. 1, S. 118.
Louis Robert: Hellenica V, Inscriptions de Philippes publiées par Mertzidès, Revue de Philologie 13 (1939), S. 136–150, Nachdr. in: ders.: Opera minora selecta II, Amsterdam 1969, S. 1289–1303; hier S. 1294.
Band I, S. 104 mit Anm. 48.

Angeblich aus Philippi. Die vorliegende Inschrift leitet Μερτζίδης mit
einem kleinen Roman ein:
Ἔξωθεν των ερειπωμένων Φιλίππων, παραπλεύρως της οδού εξήχθη σαρκοφάγος, φέρων επιγραφήν των Ρωμαϊκών χρόνων. Ταύτην αντεγράψαμεν μετά του
κ. Λίσιν γενικού προξένου της Ρωσίας εν Αδριανουπόλει, επισκεφθέντος το
μέρος τούτο μετά του Ρώσσου βαρώνου κ. Δ. Σεργκιέφ. Μετά τινας ημέρας
από της αντιγραφής, μεταβαίνοντες εκ Καβάλλας εις Δράμαν, είδομεν την
εν λόγω επιγραφήν συντετριμμένην και κατά την επιστροφήν μας μετά δύο
ημέρας ολοτελώς εξαφανισμένην. Τοιαύτη η τύχη των επιγραφών! (Μερτζίδης,
S. 117f.)
Dann folgt, eher prosaisch, die Beschreibung der vorliegenden Inschrift mit
den Abmessungen: L. 0,66; B. 0,42; H. der Buchstaben 0,3 [*sic*!].

> Κότυς Διονύ-
> σῳ καὶ ῞Ηρᾳ.

Kotys für Dionysos und Hera.

Z. 1 Ο εν τη γραφή ταύτη αναφερόμενος Κότυς υποθέτομεν ότι είναι ο
βασιλεύς εκείνος της Θράκης, ο περίφημος διά τα πλούτη του, την ηδυπάθειαν
και πλεονεξίαν, όστις υπήρξε πατήρ του Χρυσοβλέπτου, ή Κερσοβλέπτου και
πενθερός του στρατηγού των Αθηναίων Ιφικράτους. (Μερτζίδης, S. 118.)

673/M656   Μερτζίδης: Inschrift des Πρωταγόρας

Σταύρος Μερτζίδης: Οι Φίλιπποι. Έρευναι και μελέται χωρογραφικαί υπό αρχαιολογικήν, γεωγραφικήν, ιστορικήν, θρησκευτικήν και εθνολογικήν έποψιν, Konstantinopel 1897, Nr. 2, S. 118f.
Louis Robert: Hellenica V, Inscriptions de Philippes publiées par Mertzidès, Revue
de Philologie 13 (1939), S. 136–150, Nachdr. in: ders.: Opera minora selecta II,
Amsterdam 1969, S. 1289–1303; hier S. 1295.

Angeblich aus Philippi. Ευρέθη εις το ίδιον μέρος [wie die vorige], εις
πεντάλεπτον δηλαδή απόστασιν της δυτικής πόλεως των Φιλίππων (Μερτζίδης,
S. 118).
Abmessungen: L. 0,77; B. 0,46; H. der Buchstaben 0,3.

> Πρωταγόρας Ἀπολλω-
> νίου [. . .]ρίτης ἐπιμελη-
> τῆς τὴν στοάν [. . .]
> [. . .]

Protagoras, (der Sohn) des Apollonios, der (Abde)rit, Verwalter
. . . die Säulenhalle . . .

Robert bemerkt: „Mertzidès a laissé à notre sagacité de reconnaître Protagoras d'Abdère dans le n° 2 ...“ (S. 1295).

Μερτζίδης: Inschrift des Priesters Ζαζελάτης

674/M657
4. Jh. v. Chr.

Σταύρος Μερτζίδης: Οι Φίλιπποι. Έρευναι και μελέται χωρογραφικαί υπό αρχαιολογικήν, γεωγραφικήν, ιστορικήν, θρησκευτικήν και εθνολογικήν έποψιν, Konstantinopel 1897, Nr. 3, S. 119.
Louis Robert: Hellenica V, Inscriptions de Philippes publiées par Mertzidès, Revue de Philologie 13 (1939), S. 136–150, Nachdr. in: ders.: Opera minora selecta II, Amsterdam 1969, S. 1289–1303; hier S. 1296.

Angeblich aus Philippi. Nähere Angaben zum „Fundort" fehlen.
Abmessungen: L. 0,68; B. 0,39; H. der Buchstaben 0,3.

Ζαζελάτης
Ἀρχιδάμου
ἱερεύς.

1 Robert gibt irrtümlich Ζαρζελάτης.

Zazelates, (der Sohn) des Archidamos, Priester.

Μερτζίδης datiert diese Inschrift wie folgt: Και αύτη η επιγραφή φαίνεται ημίν αρχαιοτέρα της κτίσεως των Φιλίππων, ήτοι παλαιοτέρα του έτους 358 π. Χ. (S. 119).
Robert hat keinen rechten Spaß an dieser Inschrift: „Il nous est assez indifférent d'être assurés que sont faux le n° 3 ..., le n° 5 ...; le n° 13 ...“ (S. 1296).
Zur Begründung könnte man etwa hinweisen auf den Namen Ζαζελάτης, der in Philippi nirgendwo vorkommt (und auch sonst, soweit ich sehe, nicht belegt ist); ein ähnlicher Fall begegnet unten in der Inschrift 677/M660 mit dem Phantasienamen Ἀλχάντης (vgl. auch 678/M661). Μερτζίδης ist stolz auf den Namen: Ουδαμού μέχρι τούδε απηντήσαμεν το όνομα Ζαζελάτης, όπερ ίσως ήτο Θρακικόν (S. 119).

Μερτζίδης: Beschluß, Grenzprobleme betreffend

675/M658

Σταύρος Μερτζίδης: Οι Φίλιπποι. Έρευναι και μελέται χωρογραφικαί υπό αρχαιολογικήν, γεωγραφικήν, ιστορικήν, θρησκευτικήν και εθνολογικήν έποψιν, Konstantinopel 1897, Nr. 4, S. 119.

Louis Robert: Hellenica V, Inscriptions de Philippes publiées par Mertzidès, Revue de Philologie 13 (1939), S. 136–150, Nachdr. in: ders.: Opera minora selecta II, Amsterdam 1969, S. 1289–1303; hier S. 1299.
Lemerle, S. 29, Anm. 1.
M.B. Hatzopoulos: Macedonian Institutions under the Kings. Band II: Epigraphic Appendix, Μελετήματα 22, Athen 1996, Nr. 7 (S. 28).

Angeblich aus Philippi. Nähere Angaben zum „Fundort" fehlen.
Abmessungen: L. 0,98; B. 0,64; H. der Buchstaben 0,4.

> Ἐπὶ ἄρχοντος Ζευνουδίτου
> πρέσβεις ἀποσταλέντες ὑπὲρ
> τῆς χώρας τῆς τῶν [...]
> [...]
> 5 [...] καὶ τὰς
> ἐντεῦθεν τοῦ παρακειμένου
> ποτάμου [...]
> [...] τοὺς δὲ τῶν [...]ΩΝ
> ὅρους ἐνέκρινον [...]
> 10 [...]

Als Zeunouditos Archon war, wurden Gesandte abgesandt für das Land der ... und im Hinblick auf die sich von hier aus erstreckenden Gebiete, die beim Fluß liegen, ... bestätigten sie die Grenzen der ...

Robert nennt diese Nummer „embarrassant" und fügt hinzu: „Ce peut être un document entièrement faux. Pourtant, comme on a trouvé récemment à Philippes des fragments d'une inscription hellénistique dans lesquels il est question d'une ambassade à Alexandre et de la mise en valeur de terrains marécageux autour de Philippes, il est possible que le n° 4 de Mertzidès se rattache à cet ensemble. Telle bizarrerie, comme τοῦ παρακειμένου ποτάμου, pourrait s'expliquer par de mauvaises lectures ou des interpolations" (Robert, S. 1299).
Lemerle ist der Auffassung, es handele sich hier um eine echte Inschrift: „le n° 4 a été récemment authentifié par des fragments analogues trouvés par J. Coupry" (S. 29, Anm. 1).
Die von Robert genannte Inschrift wurde erst in den achtziger Jahren publiziert (160a/G481); sie weist überhaupt keine Übereinstimmung mit dem vorliegenden Text auf, insbesondere kommt in der echten Inschrift kein Fluß vor.
Hatzopoulos nimmt den Text in seine Sammlung auf (Nr. 7, S. 28), ohne sich zur Authentizität zu äußern.

Μερτζίδης: Meßgerät (?)   676/M659

Σταύρος Μερτζίδης: Οἱ Φίλιπποι. Ἔρευναι καὶ μελέται χωρογραφικαί ὑπό ἀρχαιο-
λογικήν, γεωγραφικήν, ἱστορικήν, θρησκευτικήν καὶ ἐθνολογικήν ἔποψιν, Konstantinopel 1897, Nr. 5, S. 119f.
Louis Robert: Hellenica V, Inscriptions de Philippes publiées par Mertzidès, Revue
de Philologie 13 (1939), S. 136–150, Nachdr. in: ders.: Opera minora selecta II,
Amsterdam 1969, S. 1289–1303; hier S. 1296.

Angeblich aus Philippi. Ἡ ἐπιγραφή αὔτη εὔρηται ἐπί μαρμάρου λευκοῦ
ἐπιμήκους φέροντος σειράς κοιλωμάτων μετ᾽ ὀπῶν εἰς τοὺς πυθμένας, μίαν δε
σειράν με τρυβλοειδή κοιλώματα· ὑποθέτομεν ὅτι ἐχρησίμευεν αὔτη ὡς μετρο-
λογικόν μέσον πρὸς καταμέτρησιν τοῦ χρόνου, ἤ πρὸς καταμέτρησιν τῆς τῶν
ρευστῶν ποσότητος. Ἡ γραφή λαμπρά τῶν Μακεδονικῶν χρόνων (Μερτζίδης,
S. 119f.).
Abmessungen: Länge 0,92; B. 0,84. Buchstaben H. 0,7 (S. 122).

Φιλιππέων.

Robert hat keinen rechten Spaß an dieser Inschrift: „Il nous est assez indifférent d'être assurés que sont faux le n° 3 . . ., le n° 5 . . .; le n° 13 . . ."
(S. 1296).

Μερτζίδης: Ehreninschrift für Ἀλχάντης   677/M660

Σταύρος Μερτζίδης: Οἱ Φίλιπποι. Ἔρευναι καὶ μελέται χωρογραφικαί ὑπό ἀρχαιο-
λογικήν, γεωγραφικήν, ἱστορικήν, θρησκευτικήν καὶ ἐθνολογικήν ἔποψιν, Konstantinopel 1897, Nr. 5 [Druckfehler; gemeint ist offenbar 6], S. 120f.
Louis Robert: Hellenica V, Inscriptions de Philippes publiées par Mertzidès, Revue
de Philologie 13 (1939), S. 136–150, Nachdr. in: ders.: Opera minora selecta II,
Amsterdam 1969, S. 1289–1303; hier S. 1293f.

Angeblich aus Philippi, in der Nähe der Basilika B. Schöne Schrift
auf weißem Marmor ἥν εὔρομεν μεταξύ ερειπίων ὑπό σκιάν κοντοπρίνων εἰς
ὀλιγόλεπτον ἀπόστασιν μεσημβρινῶς τοῦ Διρεκλέρ (Μερτζίδης, S. 120).
Abmessungen: L. 0,75; B. 0,49; Buchstaben H. 0,2.
Μερτζίδης weist die Buchstaben der makedonischen Epoche zu.

Ἡ γερουσία [Φιλιππέων]
στρατηγ[ὸν Μα]κεδό-
νων Ἀλχάντην γεν-
ναῖον ὑπέρμαχον
5 καὶ προστάτην τῆς
πόλεως.

Die Gerusia (der Rat der Ältesten) von Philippi (ehrt) den Strategen der Makedonen, den Alchantes, den tapferen Verteidiger und Vorsteher der Stadt.

Das ist eine der Inschriften, von denen Robert sagt, daß man den Fälscher schon aufgrund der „absurdité du formulaire" erkennen könne (S. 1294).

Z. 1 Für die γερουσία hat Μερτζίδης ein Faible, vgl. 689/M672, wo in Z. 2 ἡ γερουσία τῆς πόλεως bemüht wird.

Z. 3 Auch Ἀλχάντης ist ein „neuer Name" (vgl. schon oben den Phantasienamen Zazelates in 674/M657; vgl. auch 687/M661).

678/M661 ## Μερτζίδης: Weihinschrift für Ζεὺς Μεῖλαξ

Σταύρος Μερτζίδης: Οι Φίλιπποι. Ἔρευναι και μελέται χωρογραφικαί υπό αρχαιολογικήν, γεωγραφικήν, ιστορικήν, θρησκευτικήν και εθνολογικήν έποψιν, Konstantinopel 1897, Nr. 7, S. 121.

Louis Robert: Hellenica V, Inscriptions de Philippes publiées par Mertzidès, Revue de Philologie 13 (1939), S. 136–150, Nachdr. in: ders.: Opera minora selecta II, Amsterdam 1969, S. 1289–1303; hier S. 1293.

Angeblich aus Philippi. Die genaueren Angaben, die Μερτζίδης in bezug auf den Fundort dieser Inschrift fingiert, sind bei 680/M663 zitiert. Es soll sich um eine Marmorplatte handeln.

Abmessungen: L. 0,74; B. 0,47; Buchstaben H. 0,3.

Wiederum sollen es Buchstaben aus makedonischer Zeit sein.

Διοκλῆς Ἀριστοκλ[έους ...]
Εὔδικος Διονυσίου
καὶ Τανρίκα Ἀγαθίου
Διὶ Μεῖλακι καὶ Ἀθην[ᾷ ...]

Diokles, (der Sohn) des Aristokles, ... Eudikos, (der Sohn) des Dionysios, und Tanrika, (die Tochter) des Agathias, dem Zeus Meilax und der Athene ...

Z. 3 Der von Μερτζίδης erfundene Name Τανρίκα soll nach dem Willen seines Schöpfers eine Frau bezeichnen (andere von Μερτζίδης erfundene Namen in 674/M657 und 677/M660). Es ist also zu übersetzen: „Tanrika, die Tochter des Agathias ...". Der Name Agathias begegnet in einer echten Inschrift (713/G752 aus Ὀρεινή bei Serres).

Z. 4 „L'éditeur fait remarquer que l'épithète de Zeus, Μεῖλας [bei Μερτζίδης heißt es *passim* Μεῖλαξ], ne se trouve pas dans le *Thesaurus* d'Estienne, et que c'est peut-être un correspondant de Μειλίχιος. Il en a pris l'idée dans un oracle de Tralles, le n° 52 de Pappakonstantinou, où on lit, au dernier vers: ἐν χορῷ εὖ αἰνεῖν Σεισίχθονα καὶ Δία μεῖλαξ" (Robert, S. 1293; die Nachweise Anm. 6, vgl. auch Anm. 7).

Μερτζίδης: Weihinschrift für Herakles 679/M662

Σταύρος Μερτζίδης: Οι Φίλιπποι. Έρευναι και μελέται χωρογραφικαί υπό αρχαιο-λογικήν, γεωγραφικήν, ιστορικήν, θρησκευτικήν και εθνολογικήν έποψιν, Kon-stantinopel 1897, Nr. 8, S. 121f.
Louis Robert: Hellenica V, Inscriptions de Philippes publiées par Mertzidès, Revue de Philologie 13 (1939), S. 136–150, Nachdr. in: ders.: Opera minora selecta II, Amsterdam 1969, S. 1289–1303; hier S. 1295.

Angeblich aus Philippi. Εις το περί Λατρείας διαφόρων θεών Κεφάλαιον αναφέρομεν ότι μεσημβρινώς του Δηκηλί-Τάς είδομεν ανάγλυφον ζωηρόν επί λαμπρού μαρμάρου, όπερ παρίστα τον ήρωα Ηρακλέα ή Ηρακλήν έφιππον και όπερ έφερε την ειρημένην επιγραφήν »Θεῷ Πατρώῳ Ἡρακλεῖ« ην εκολόβωνεν εις το τέλος ρωγμή (Μερτζίδης, S. 121f.).
Abmessungen: L. und B. 0,82; D. 0,13; H. der Buchstaben 0,4.

Θεῷ πατρῴῳ Ἡρακλ[εῖ ...]

Dem θεὸς πατρῷος Herakles.

Vgl. die Inschrift 666/M201 aus dem ersten Werk von Μερτζίδης, wo Dio-nysos und Herakles als θεοὶ πατρῷοι begegnen.

Μερτζίδης: Liste von Epheben 680/M663

Σταύρος Μερτζίδης: Οι Φίλιπποι. Έρευναι και μελέται χωρογραφικαί υπό αρχαιο-λογικήν, γεωγραφικήν, ιστορικήν, θρησκευτικήν και εθνολογικήν έποψιν, Kon-stantinopel 1897, Nr. 9, S. 122ff.
Collart, S. 178 mit Anm 2.
Louis Robert: Hellenica V, Inscriptions de Philippes publiées par Mertzidès, Revue de Philologie 13 (1939), S. 136–150, Nachdr. in: ders.: Opera minora selecta II, Amsterdam 1969, S. 1289–1303; hier S. 1300–1302.
Griffith in Hammond II 360 mit Anm. 3.
Band I, S. 178f.

Angeblich aus Philippi. Πολύ πλησίον αυτού [sc. der vorigen Inschrift 679/M662] ευρέθησαν η υπ' αριθ. 7 προηγουμένη Ἐπιγραφή [d.h. 678/M661] και το ακόλουθον λαμπρόν ψήφισμα, άπερ, ως είπεν ημίν ο του χανίου του Δικηλί-Τάς ξενοδόχος Ἀντώνιος Βακιρτζής εκ της πεδιάδος των Φιλίππων εφέρθησαν εκεί, ως και έτεραι επιγραφαί και στήλαι εν τη πλησίον του Δηκηλί-Τάς μικρά επαύλει Μπουλούτζκα μετεκομίσθησαν, όπως χρησιμοποιηθώσιν εις οικοδομητικά έργα (Μερτζίδης, S. 122).

Abmessungen: L. 1,37; B. 0,78; D. 0,14; H. der Buchstaben (Z. 1–17) 0,2, dann 0,1.

Ἐ[φ'] ἱερέως Ἡροστράτου,
στρατηγοῦντος
Ἀντιφάνους τοῦ Ἀλκαίου
Φιλιππέως,
5 [γυμ]νασιαρχοῦντος
Ἀθηνοδώρου τοῦ Γοργίου
Ποτιδαιάτου,
ἐφηβαρχοῦντ[ος]
Ἀπολλωνίου τοῦ Χαβρίου
10 Γαληψίου,
ἐπιστατούντων
Λυσίου τοῦ Ἀθηνοδώρου
Ἀμφιπολίτου,
Βίωνος τοῦ Ἀργαίου
15 καὶ Ζωίλου τοῦ Ἀθηναγένους
Φιλιππέων [sic].
ἔφηβοι στρατεύσι[μοι]·
Ζήνων Ἰάσονος,
Φίλιππος Δημοσθένους,
20 Κλεόβουλος Δυδήμου,
Σοφοκλῆς Διονυσ[ίου],
Ἰφικράτης Ζηνοδότου,
Ἀρισταγόρας Δημαράτου,
Γωβρίας Βίωνος,
25 Ἁρποκράτης Ἀγαθίωνος,
Τιμαγένης Διογένους,
Ἀνδροκράτης Δαμοκλέ[ους],
Λασθένης (Λασθένους),
Ἀνάξαρχος Γορδ[ίνων]ος,
30 Νέαρχος Μύρ[ωνο]ς,
Κράτιππος Μωμοζλίτου,
Σωσίθεος Καλλίου,
Ἁρποκράτης Ἀρχιδάμου,
Σωκράτης Σεύθου,
35 Νικήρατος Ἀλκιβιάδου,
Ἀρχέβιος Τόρχου,
Εὐριβιάδης Στρύμονος,
Γναῖος Εὐκτήμον[ος],
[Ἀ]ρίσταρχος Ἀριστοβούλου,
40 Ἀντίφ[ων] Γλύκ[ωνος],
Μενεκρά[της Ἀγ]λαοφῶν[τος]
ΓΑΛΑΘΙΔΩΡ [...]

Μηνόδω[ρος ...]
Ζηνοδ[...]
45 Τιμολε[...]
Ἀγ[...]

1 Collart: Ἡροστράτου. **11** Collart: ἐπιστατοῦντων. **13** Collart akzentuiert: Ἀμφι-
πολιτοῦ. **15** Collart: Ἀθηνογενούς. **16** Robert: Φιλιππέως. **24** Robert gibt: Δίωνος.
28 Es steht das Zeichen), vgl. unten den Kommentar. **29** Robert gibt: Γορδ[ίων]ος.
42 Zur Konjektur Γαλαξίδωρος vgl. Robert, S. 1302.

Zur Zeit des Priesters Herostratos, unter dem Strategen Antiphanes, (dem Sohn) des Alkaios, aus Philippi; [5] unter dem Gymnasiarchen Athenodoros, (dem Sohn) des Gorgias, aus Potidaia;
unter dem Ephebarchen Apollonios, (dem Sohn) des Chabrias,
[10] aus Galepsos; unter den Vorstehern Lysias, (dem Sohn) des
Athenodoros, aus Amphipolis, Bion, (dem Sohn) des Argaios,
[15] und Zoilos, (dem Sohn) des Athenagenes, aus Philippi: (Die
Liste) der zum Kriegsdienst tauglichen Epheben. Zenon, (der
Sohn) des Jason, Philippos, (der Sohn) des Demosthenes, [20]
Kleobulos, (der Sohn) des Dydemos, Sophokles, (der Sohn) des
Dionysios, Iphikrates, (der Sohn) des Zenodotos, Aristagoras,
(der Sohn) des Demaratos, Gobrias, (der Sohn) des Bion, [25]
Harpokrates, (der Sohn) des Agathion, Timagenes, (der Sohn)
des Diogenes, Androkrates, (der Sohn) des Damokles, Lasthenes,
(der Sohn) des Lasthenes, Anaxarchos, (der Sohn) des Gordi-
non, [30] Nearchos, (der Sohn) des Myron, Kratippos, (der Sohn)
des Momozlites, Sositheos, (der Sohn) des Kallias, Harpokrates,
(der Sohn) des Archidamos, Sokrates, (der Sohn) des Seuthes,
[35] Nikeratos, (der Sohn) des Alkibiades, Archebios, (der Sohn)
des Torkos, Euribiades, (der Sohn) des Strymon, Gnaios, (der
Sohn) des Euktemon, Aristarchos, (der Sohn) des Aristobulos,
[40] Antiphon, (der Sohn) des Glykon, Menekrates, (der Sohn)
des Aglaophon, ...

Z. 28 Μερτζίδης bemerkt zur Stelle: ... μετά το όνομα Λασθένης υπάρχει
μηνοειδές τι σημείον το) όπερ οι αρχαίοι έθετον μετά κύριον όνομα, δηλούν
ότι και ο πατήρ έφερε το ίδιον όνομα, ώστε θ᾽ αναγνωσθή ο στίχος ούτος
ΛΑΣΘΕΝΗΣ ΛΑΣΘΕΝΟΥΣ (S. 124). Dieses Zeichen wertet Robert als
Indiz gegen die Echtheit der Inschrift: „le signe qui indique que Lasthénès
avait un père du même nom est fréquent dans les inscriptions de l'époque
impériale, d'où Mertzidès a pu le tirer; il est difficile de l'admettre dans une
inscription qui ne pout guère être postérieure à 146" (S. 1302).
Z. 37 Den Namen des Flusses Στρυμών als Personennamen zu verwenden,
war wohl keine besonders gute Idee von Μερτζίδης; Absicht war es jedenfalls
(vgl. seine Bemerkung S. 124).

Z. 38 Für die Frage nach der Echtheit dieser Inschrift kommt dem Namen Γναῖος eine besondere Bedeutung zu. Darauf geht Collart leider nicht ein. Er zitiert nur einen Teil der vorliegenden Inschrift in einer Anmerkung und fügt die folgenden Bemerkungen hinzu: „Les ethniques qui figurent ici fournissent quelques indications sur la date probable de ce texte: *terminus post quem*, fondation de Philippes, en 356 avant J.-C.; d'autre part, Potidée et Galepsos furent détruites l'une et l'autre par Philippe II, la première en 356 avant J.-C. ..., la seconde quelques années plus tard ...; Galepsos, il est vrai, se releva ..., mais Potidée fut remplacée, en 316, par une cité d'un autre nom, Kassandreia .... Nous ne reproduisons cette inscription qu'avec les réserves qui s'imposent lorsqu'il s'agit d'une telle origine" (Collart, S. 178, Anm. 2). Robert zitiert Collart und ergänzt: „Il n'y aurait d'autre solution que d'admettre que Mertzidès a lu et restitué, ligne 7, Ποτιδαιάτου, alors que la pierre aurait porté l'ethnique d'une importante cité de cette région, Apollonia de Chalcidique, Ἀπολλωνιάτου. D'autre part, on ne peut trouver un Γναῖος, l. 38, au IVᵉ siècle. Si l'on acceptait la conjecture Ἀπολλωνιάτου, on pourrait dater l'inscription d'après 168; ce qui expliquerait la mention commune de Philippes, Apollonia, Galepsos et Amphipolis, c'est qu'elles faisaient ensemble partie de la Macédoine Première. Il y aurait eu dans la Macédoine Première une organisation commune de l'éphébie. L'éditeur n'a point tiré ces conclusions et n'a pas fabriqué le document pour prouver cela; je me demande comment l'idée lui serait venue de ces différents ethniques en tête d'une liste éphébique. Je ne vois pas non plus d'où il aurait tiré l'idée de nommer le stratège, le gymasiarque, l'éphébarque et les épistates. D'autre part, s'il s'agissait d'une organisation de l'éphébie commune à plusieurs villes, on attendrait des ethniques après les noms des éphèbes." (Robert, S. 1301f.).

681/M664   Μερτζίδης: **Weihinschrift für die Kabiren und Aphrodite**

Σταύρος Μερτζίδης: Οἱ Φίλιπποι. Ἔρευναι καὶ μελέται χωρογραφικαί ὑπό ἀρχαιο-λογικήν, γεωγραφικήν, ἱστορικήν, θρησκευτικήν καὶ ἐθνολογικήν ἔποψιν, Konstantinopel 1897, Nr. 10, S. 124.
Louis Robert: Hellenica V, Inscriptions de Philippes publiées par Mertzidès, Revue de Philologie 13 (1939), S. 136–150, Nachdr. in: ders.: Opera minora selecta II, Amsterdam 1969, S. 1289–1303; hier S. 1295.

Angeblich aus Philippi. Nähere Angaben zum „Fundort" fehlen. Abmessungen: L. 0,87; B. 0,51; D. 0,9; H. der Buchstaben 0,3.

> ⸢Ἐφ᾽ ἱ⸣ερέως Ἑρμοδώρ[ου]
> [ἡ] πό[λ]ις ἐκ τῶν προσό[δων]
> [τ]οῖς [οὐ]ρανίοις θεοῖς Κα-
> βείροις καὶ Ἀφροδίτῃ.

4 Robert fälschlich Ἀφροδείτῃ.

Zur Zeit des Priesters Hermodoros (hat) die Stadt aus ihren Einkünften für die himmlischen Götter, die Kabiren und Aphrodite, (das Denkmal aufgestellt).

Robert bemerkt: „Ces Kabires Ouraniens et leur association avec Aphrodite viennent des théories en vogue au milieu du XIXe siècle, notamment de celles de Lajard" (S. 1295; der Nachweis in Anm. 4).

Μερτζίδης: Weihinschrift für Apollon   682/M665

Σταύρος Μερτζίδης: Οι Φίλιπποι. Έρευναι και μελέται χωρογραφικαί υπό αρχαιολογικήν, γεωγραφικήν, ιστορικήν, θρησκευτικήν και εθνολογικήν έποψιν, Konstantinopel 1897, Nr. 11, S. 124f.
Louis Robert: Hellenica V, Inscriptions de Philippes publiées par Mertzidès, Revue de Philologie 13 (1939), S. 136–150, Nachdr. in: ders.: Opera minora selecta II, Amsterdam 1969, S. 1289–1303; hier S. 1294f.

Angeblich aus Philippi. Nähere Angaben zum „Fundort" fehlen.
Abmessungen: L. 0,91; B. 0,58; D. 0,22; H. der Buchstaben 0,4.

Ἀπόλλωνι
θε[ῷ κ]ρατίστῳ καὶ παντε-
πόπτῃ
Αὐδάτα τὸν βω-
5 μὸν ἀνέστησε.

Audata hat den Altar für Apollon, den stärksten und alles sehenden Gott, aufstellen lassen.

Robert leitet diese Inschrift ein mit der Bemerkung: „C'est »la femme de Philippe II, fondateur de Philippes«, qui a érigé un autel, n° 11 ..." (S. 1294).
Μερτζίδης bietet in seinem Kommentar alle nötigen Informationen zu dieser Gattin des Königs Philipp: Η Αυδάτα ήτον Ιλλυρίς, Ευρυδίκη εν Μακεδονία κληθείσα, κατά το εν τη χώρα ταύτη επικρατούν έθος, μετά τον γάμον να μεταλάσσωσι τα πρότερον ονόματα των γυναικών, ως και η Ε΄ σύζυγος του Φιλίππου – η Μυρτάλη – μετωνομάσθη Ολυμπιάς. Φρονούσί τινες ότι ο Φίλιππος είχε μεθ᾽ εαυτού την Αυδάταν (Ευρυδίκην) ότε κυριεύσας την Αμφίπολιν, έμεινε χρόνον τινά εν αυτή, οπότε πολύ πιθανόν μετά την κυρίευσιν και των Κρηνίδων, η σύζυγός του ελθούσα και εις τους Φιλίππους ίδρυσε βωμόν εις τιμήν και μνήμην του Απόλλωνος, ούτινος η λατρεία φαίνεται ότι ήτο γενική ... (S. 125).
Zu Audata vgl. auch Griffith in Hammond/Griffith II 676.

683/M666 **Μερτζίδης: Ehreninschrift für Abreas**

Σταύρος Μερτζίδης: Οι Φίλιπποι. Έρευναι και μελέται χωρογραφικαί υπό αρχαιο-λογικήν, γεωγραφικήν, ιστορικήν, θρησκευτικήν και εθνολογικήν έποψιν, Konstantinopel 1897, Nr. 12, S. 125.

Louis Robert: Hellenica V, Inscriptions de Philippes publiées par Mertzidès, Revue de Philologie 13 (1939), S. 136–150, Nachdr. in: ders.: Opera minora selecta II, Amsterdam 1969, S. 1289–1303; hier S. 1292f.

Angeblich aus Philippi. Nähere Angaben zum „Fundort" fehlen.
Abmessungen: L. 0,78; B. 0,46; D. 0,9; H. der Buchstaben 0,3.

Ἀβρέαν τὸν ἀγορανόμον
καὶ λογιστὴν ὑπέρτατον
[ἡ πό]λις ἐκ τ[ῶν] ἰδ[ίων].

1 Robert: Ἀρβέαν.

Die Stadt (ehrt) aus eigenen Mitteln Abreas, den Marktaufseher und obersten Wirtschaftsprüfer.

„La 3ᵉ ligne est faite d'après la formule d'une inscription authentique de Philippes, encore en place: Βαίβιον Οὐαλέριον Φίρμον τὸν κράτιστον ὁ δῆμος ἐκ τῶν ἰδίων [d. i. 309/G060]. Les deux premières sont imitées d'une inscription de Tralles, seule inscription grecque, je crois, où apparaissent les mots ὑπέρτατος λογιστής: Τι. Κλ. Γλύπτον, Ἀνδρονίκου υἱὸν, τὸν ἀγορανόμον, τὸν ὑπέρτατον λογιστὴν καὶ σωτῆρα καὶ κτίστην τῆς πατρίδος. Ce n'est pas dans *CIG*, 2926, que Mertzidès aura trouvé cette inscription de Tralles, mais dans l'ouvrage où, en 1895, l'Aydiniote Michel Pappakonstantinou avait réuni les inscriptions de Tralles. Le nom Ἀρβέας a sans doute été tiré de l'Ἀρβειανός d'une inscription de Macédoine" (Robert, S. 1293).

684/M667 **Μερτζίδης: Das Kind des Antigonos**

Σταύρος Μερτζίδης: Οι Φίλιπποι. Έρευναι και μελέται χωρογραφικαί υπό αρχαιο-λογικήν, γεωγραφικήν, ιστορικήν, θρησκευτικήν και εθνολογικήν έποψιν, Konstantinopel 1897, Nr. 13, S. 125f.

Louis Robert: Hellenica V, Inscriptions de Philippes publiées par Mertzidès, Revue de Philologie 13 (1939), S. 136–150, Nachdr. in: ders.: Opera minora selecta II, Amsterdam 1969, S. 1289–1303; hier S. 1296.

Angeblich aus Philippi. Το μέρος, εξ ου εξήχθη η επιγραφή αύτη, εσχη-μάτιζε βωμόν, θυσιαστήριον ναού. Αυτής της γνώμης είναι και ο κ. K. F. Kinch, Δανός αρχαιολόγος, όστις επαρατήρησεν αυτό. Το μέρος τούτο δεν

απέχει, ή μόνον 10 λεπτά της ώρας εκ των Φιλίππων προς ανατολάς αυτών. Η περιοχή του μέρους τούτου φαίνεται ότι ήτο κατοικημένη, ότι είχε λαμπράς οικοδομάς και συμπεραίνομεν ότι απετέλει είδός τι προαστείου των Φιλίππων. Η επιγραφή εξήχθη εξ ανασκαφής του ιδιοκτήτου του μέρους τούτου Χατζή Χουσείν βέη του εκ Μουσθένης της επαρχίας Πραβίου (Ελευθερουπόλεως) προς θεμελίωσιν οικίας όπισθεν και εις ολίγον βημάτων απόστασιν του Τροπαίου Βιβίου (Dikili-Tache). (Μερτζίδης, S. 126.)
Abmessungen: L. 0,965; B. 0,31; D. 0,145; H. der Buchstaben 0,7.

Γόνος Ἀντιγόνου.

Der Nachkomme des Antigonos.

Μερτζίδης spekuliert im Kommentar S. 126 über die Identität des Antigonos. Robert hat keinen rechten Spaß an dieser Inschrift: „Il nous est assez indifférent d'être assurés que sont faux le n° 3 …, le n° 5 …; le n° 13 …" (S. 1296).

Μερτζίδης: Ein echtes Dekret?   685/M668

Σταύρος Μερτζίδης: Οι Φίλιπποι. Ἔρευναι και μελέται χωρογραφικαί υπό αρχαιολογικήν, γεωγραφικήν, ιστορικήν, θρησκευτικήν και εθνολογικήν έποψιν, Konstantinopel 1897, Nr. 14, S. 126f.
Louis Robert: Hellenica V, Inscriptions de Philippes publiées par Mertzidès, Revue de Philologie 13 (1939), S. 136–150, Nachdr. in: ders.: Opera minora selecta II, Amsterdam 1969, S. 1289–1303; hier S. 1296–1299.
Lemerle, S. 29, Anm. 1.
Miltiade B. Hatzopoulos: Décret pour un bienfaiteur de la cité de Philippes, BCH 117 (1993), S. 315–326; hier S. 324 mit Anm. 36.
Band I, S. 178f.
M.B. Hatzopoulos: Macedonian Institutions under the Kings. Band II: Epigraphic Appendix, Μελετήματα 22, Athen 1996, Nr. 38 (S. 56f.).

Angeblich aus Philippi. Fundort wie bei der vorigen Inschrift 684/M667.
Stele aus Marmor, H. 0,72; B. 0,39; D. 0,013; H. der Buchstaben 0,01.

[εἶναι δὲ προξένους] καὶ εὐεργέτας τοῦ [δ]ήμου
[…]ον καὶ Ἄρχιππον καὶ […]
[…]στον καὶ Ἀριδα[ῖον] καὶ […]χι
[…]αμαν καὶ Τιμ[οκ]ράτην Ἀρχ[ι]δά-
5 μου Ἀντιγονεῖς καὶ [ὑπάρχειν αὐ-]
[τοῖς ἀσυλίαν καὶ] ἀτέλειαν [ὧν ἂν]
εἰσ[άγωσιν ἢ ἐξάγωσιν] ΚΑΘΑ
[…]
[…]ΓΗΝ[…]

Die substantiellen Ergänzungen sind von Robert. **7f.** Hatzopoulos schlägt vor: καθά|[περ καὶ τοῖς ἄλλοις εὐεργέταις].

... daß sie Gastfreunde und Wohltäter des Volkes sind, ... und Archippos und ... und Aridaios und ... und Timokrates, (die Söhne) des Archidamos, aus Antigoneia, und daß sie haben Asylie und Abgabenfreiheit für das, was sie einführen oder ausführen ...

Robert hält diese Nummer für authentisch (ihm folgt Lemerle, S. 29, Anm. 1); dafür könnte die Tatsache sprechen, daß Μερτζίδης mit dem Text nichts Rechtes anzufangen weiß: Τίνες οι αναφερόμενοι εν τω ψηφίσματι τούτω Αντιγονείς και τί πράξαντες αναφέρονται ως ευεργέται του Δήμου και διά τί καλούνται Αντιγονείς, άγνωστον ημίν είναι. Οι ειδικοί και αρμόδιοι αποφανθήτωσαν περί τούτων. Ἕνεκα της ατελείας και του συγκεχυμένου των ειδήσεων – ελλείψει βοηθητικών μέσων – ας περί των χρόνων και των μερών τούτων έχομεν, αναγκαζόμεθα εικασίας να παραθέτωμεν (S. 127). „L'éditeur n'a pas compris le mot Ἀντιγονεῖς, ce qui me paraît un bon indice pour l'authenticité ... . On peut reconnaître facilement: [εἶναι δὲ προξένους] καὶ εὐεργέτας κτλ., καὶ [ὑπάρχειν αὐτοῖς ἀσυλίαν καὶ] ἀτέλειαν [ὧν ἄν] εἰσ[άγωσιν ἢ ἐξάγωσιν]. Les lignes semblent presque complètes. Il s'agit de plusieurs frères, citoyens d'une Antigoneia. Dans un décret de Philippes, Antigoneia, sans autre détermination, ne peut être qu'une Antigoneia en Macédoine.

Dans le récent article *Makedonia* du Pauly-Wissowa (1928), dû à F. Geyer, les lignes suivantes sont consacrées à Antigoneia (p. 658): »Ptol. III, 12, 33; in Mygdonien. Skymn. 631. Plin. n. h. IV, 34. Tab. Peut. Dimitsas II 2, 194. Ἡ Μακεδονία 329 = Tikveš am Axios; doch erklärt Heuzey-D. 328f. diese Gleichsetzung für unmöglich.« Cette notice est incomplète et erronée; d'abord elle confond deux villes qu'on a toujours distinguées, notamment G. Hirschfeld dans le Pauly-Wissowa, en 1894, *s. v.* Antigoneia, n. 3 et 4. Il importe de reprendre et de compléter ce qu'on sait sur »Antigoneia de Macédoine«.

Parmi les Ἀντιγόνεια, Étienne de Byzance en cite une: τρίτη Μακεδονίας, Ἀντιγόνου κτίσμα τοῦ Γονατοῦ. Au nombre des villes qui acceptèrent, au Ier siècle av. J.-C., les Hekatesia de Stratonicée, figure Ἀντιγόνεια ἡ ἐν Μακεδονίαι. Je ne sais à laquelle des deux villes macédoniennes de ce nom se rapportent ces documents.

L'une des Antigoneia était située sur le cours moyen de l'Axios. La Table de Peutinger la mentionne entre Stobi et Stenae; Pline, IV, 34, entre Stobi et Europos; Ptolémée, III, 12, 33, avec Kalindoia et d'autres cités, sous le titre *Mygdonia*. On la localise, sur la rive droite du Vardar, à un site antique près de Tremnik. On a parfois proposé d'y reconnaître l'Ἀντανία de Hieroklès. D'après Ptolémée, on appelle cette Antigoneia »Antigoneia de

Mygdonie«. Mais la Mygdonie ne s'étendait point au Nord jusque là; il s'en faut de beaucoup; nous n'avons qu'une erreur de Ptolémée, comme elles sont si fréquentes chez lui dans la délimitation des régions, et le nom d'Antigoneia de Mygdonie doit disparaître.

Tite-Live nous fait connaître une autre Antigoneia macédonienne, près de la côte Nord-Ouest de la Chalcidique (XLIV, 10): dans la guerre contre Persée, la flotte romaine ravage le territoire d'*Aenea*, puis, longeant la côte, parvient à *Antigonea*; on débarque, on fait du butin; une attaque de fantassins et cavaliers macédoniens, partie évidemment de la ville elle-même, surprend les Romains et les ramène au rivage, où l'on se bat; *ab Antigonea classis profecta, ad agrum Pallenensem exscensionem ad populandum fecit; finium is ager Cassandrensium erat, longe fertilissimus omnis orae, quam praetervecti fuerant*; on se met ensuite au siège de Kassandreia. Skymnos de Chios, 631, ayant mentionné le cap Aineia et Potidée-Kassandreia ajoute: ἐν τῇ μεσογαίᾳ δ' Ἀντιγονία λεγομένη. Ptolémée, III, 12, 35, nomme, dans une région de Chalcidique qu'il appelle Παραξία ou, selon les éditeurs, Παρακτία: Κλίται, Μόρυλλος et Ἀντιγόνεια Ψαφαρά. La liste des théorodoques de Delphes correspond exactement aux indications données par Tite-Live et Skymnos; le théorodoque d'Antigoneia, ἐν Ἀντιγον[είαι Ἡ]ρακλέων Ξένωνος, apparaît entre ceux d'Aianea (ἐν Αἰανέαι Ἀγορα–) et de Kassandreia. Le surnom de Ψαφαρά n'est pas, comme on l'a supposé, le nom ancien de la ville, antérieur à Antigoneia; il signifie, je pense,»la sablonneuse«. Or tel est précisément le caractère de la région où il faut chercher Antigoneia.

Cette seconde Antigoneia devait avoir des rapports bien plus faciles et fréquents avec Philippes que celle du Vardar, et j'inclinerais à reconnaître ses citoyens dans les Antigoneis du décret de Philippes." (Robert, S. 1297–1299.)

Zu Antigoneia vgl. auch Hammond I 174.

Hatzopoulos äußert sich auch in diesem Fall nicht zur Frage der Authentizität (vgl. den Kommentar zu 675/M658), sondern begnügt sich mit einem Robert-Zitat (S. 57).

Μερτζίδης: Inschrift von Kleombrotos und Athenagenes   686/M669

Σταύρος Μερτζίδης: Οι Φίλιπποι. Ἔρευναι και μελέται χωρογραφικαί υπό αρχαιολογικήν, γεωγραφικήν, ιστορικήν, θρησκευτικήν και εθνολογικήν έποψιν, Konstantinopel 1897, Nr. 15, S. 127f.

Louis Robert: Hellenica V, Inscriptions de Philippes publiées par Mertzidès, Revue de Philologie 13 (1939), S. 136–150, Nachdr. in: ders.: Opera minora selecta II, Amsterdam 1969, S. 1289–1303; hier S. 1296.

Marcus N. Tod: The Macedonian Era Reconsidered, in: Studies Presented to David Moore Robinson on His Seventieth Birthday, Bd. II, Saint Louis 1953, S. 382–397; hier S. 391.

Angeblich aus Philippi. Unterhalb der Inschrift ein Relief, das Μερτζίδης folgendermaßen beschreibt: Εν τω μέσω εικονίζετο Βωμός, δεξιά ίσταται καλλίμορφος γυνή, εν μεν τη δεξιά αγγείον, εν δε τη αριστερά, ην έχει πρός τω βωμώ αντικείμενόν τι ομοιάζοντι ψωμίου, αριστερά ανήρ διά της δεξιάς κρατεί υδροχόον και διά της αριστεράς οδηγεί εις πυκνόν δάσος ίππον (Μερτζίδης, S. 127).

Abmessungen: L. 0,86; B. 0,49; H. der Buchstaben 0,2.

Κλεόμβροτος Ἡροδίκου
μνήμης χάριν
καὶ Ἀθηναγένης Ἱππάρχου
τῷ πατρὶ
5 καὶ τῇ ἀδελφῇ
τὸ μνημεῖον ἐποίουν.
ἔτους ιετ´ καὶ αλτ´
Αὐδηναίου ιθ´.

7 Μερτζίδης gibt im Text ιετ´, rechnet im folgenden aber mit ιεσ´. Robert druckt gleich ιεσ´.

Kleombrotos, (der Sohn) des Herodikos, und Athenagenes, (der Sohn) des Hipparchos, haben das Grabdenkmal zur Erinnerung für ihren Vater und ihre Schwester aufgestellt. Im Jahr 215 (der aktianischen Ära) und 331 (der makedonischen Ära), am 19. Audenaios.

Z. 7 Μερτζίδης verbreitet sich in seinem Kommentar über die beiden Daten und errechnet: 215 – 30 = 331 – 146 = 185. Die Datierung auf das Jahr 215/331 begegnet auch in einer 1889 publizierten Inschrift aus Σέρρες (Δήμιτσας 816 = Καφταντζής 12 = Samsaris 47): ἔτους ιεσ´ τοῦ καὶ αλτ´. Richtig gerechnet ergibt diese doppelte Datierung das Jahr 183 n. Chr.: ιεσ´ = 215 (Ära von Aktium: 215 – 32 = 183 n. Chr.). αλτ´ = 331 (makedonische Ära: 331 – 148 = 183 n. Chr.).
Trotz der geradezu schulmäßig korrekten Datierung hält auch Marcus N. Tod unsere Inschrift für eine Fälschung des Μερτζίδης: „I omit two other Philippian epitaphs ... [686/M669 und 688/M671], because, as has been shown by L. Robert ..., their authenticity is open to grave suspicion" (S. 391).

Z. 9 Αὐδηναῖος = Αὐδυναῖος ist ein makedonischer Monatsname (der vierte Monat des makedonischen Kalenders, vgl. Kalléris II 1, S. 560ff.).

Μερτζίδης: Grabinschrift des Kregyratos   687/M670

Σταύρος Μερτζίδης: Οι Φίλιπποι. Έρευναι και μελέται χωρογραφικαί υπό αρχαιολογικήν, γεωγραφικήν, ιστορικήν, θρησκευτικήν και εθνολογικήν έποψιν, Konstantinopel 1897, Nr. 16, S. 128.
Louis Robert: Hellenica V, Inscriptions de Philippes publiées par Mertzidès, Revue
de Philologie 13 (1939), S. 136–150, Nachdr. in: ders.: Opera minora selecta II,
Amsterdam 1969, S. 1289–1303; hier S. 1296.

Angeblich aus Philippi.

Κρεγύρατος Κρεγυράτου Μητροδώρου Ε[...]
[...]ΤΗΝ[...]ΟΣΜΟΥ[...] ἐποίησα
τὴν ληνὸν ἵνα μηδεὶς ἕτερος [...]
τ[α]φῆναι ἐκτὸς ἐμοῦ. εἰ δέ τις ἀνοίξαι
5 αὐτήν, δώσει τῷ ἱερωτάτῳ ταμείῳ ✕ ‚ε′.

5 Robert liest ε′ statt ‚ε′. Das ist eine allzu geringe Strafe.

Kregyratos, (der Sohn) des Kregyratos, (des Sohnes) des Metrodoros ... ich habe den Sarg gemacht, damit kein anderer ...
außer mir (darin) begraben wird. Wenn ihn aber einer öffnet, soll
er der heiligsten Kasse 5000 Denare geben.

Η καταμέτρησις δεν εγένετο ... [so im Original] εκτός δε ταύτης και ετέρα
επιγραφή επί σαρκοφάγου ευρεθείσα εν Αμφιπόλει, αναφέρει την λέξιν »Ληνὸς«
ήτις συνήθως απαντά εν επιγραφαίς επιτυμβίοις της Θεσσαλονίκης, εξ ων
τινας είδομεν και εν αίς, ως και εις τας ημετέρας (Φιλίππων και Αμφιπόλεως)
ορίζεται χρηματική ζημία εις τον μέλλοντα να οικειοποιηθή την Ληνόν, πέντε
χιλιάδες Δηνάρια. Φαίνεται μόνον εν Μακεδονία υπήρχεν η συνήθεια αύτη,
ενώ εν Ελλάδι σπανίως απαντώσιν αυτού του είδους Επιγραφαί. Το όνομα
Κρεγύρατος πρώτην φοράν απαντώντες αγνοούμεν, αν ετέραις επιγραφαίς
αναφέρηται (Μερτζίδης, S. 128).
Z. 1 Für den Namen Kregyratos vermag ich keinen Beleg zu finden. Ein
Metrodorus begegnet in 163/L002, Z. 6.

Μερτζίδης: Inschrift des Hegemachos   688/M671

Σταύρος Μερτζίδης: Οι Φίλιπποι. Έρευναι και μελέται χωρογραφικαί υπό αρχαιολογικήν, γεωγραφικήν, ιστορικήν, θρησκευτικήν και εθνολογικήν έποψιν, Konstantinopel 1897, Nr. 18, S. 129.
Louis Robert: Hellenica V, Inscriptions de Philippes publiées par Mertzidès, Revue
de Philologie 13 (1939), S. 136–150, Nachdr. in: ders.: Opera minora selecta II,
Amsterdam 1969, S. 1289–1303; hier S. 1296.

Marcus N. Tod: The Macedonian Era Reconsidered, in: Studies Presented to David Moore Robinson on His Seventieth Birthday, Bd. II, Saint Louis 1953, S. 382–397; hier S. 391.

Angeblich aus Philippi. Angaben zum Fundort und zu den Abmessungen fehlen gänzlich.

Ήγέμαχος Εὐδίκου
ζῶν ἀτῷ καὶ Βουθυά-
τῃ τῇ συνβίῳ μνή-
μης χάριν. ἔτ(ους) ηλ´.

Hegemachos, (der Sohn) des Eudikos, (hat) zu seinen Lebzeiten (diese Inschrift) für sich selbst und für Bouthyate, seine Frau, der Erinnerung halber (anfertigen lassen). Im Jahr 38.

Επί λείου λευκού λίθου ηκρωτηριασμένου περί τα άκρα. Το γυναικείον όνομα Βουθυάτη πρωτοφανές φαίνεται ημίν. Τον τύπον »ἀτῷ« αντί »ἑαυτῷ« ἀτός, αντί αὐτός κτλ. έτυχε να ίδωμεν και εν ετέρα επιγραφή ευρισκομένη εν τω περιβόλω του λαμπρού νεοδμήτου Νοσοκομείου Σερρών. Το έτος ΗΛ αντιστοιχεί προς το 108 π. Χ. (Μερτζίδης, S. 129).
Z. 2 ἀτῷ = ἑαυτῷ.
Z. 4 Die Datierung ηλ´ = 38 nach der makedonischen Ära ergibt 38 – 148 = 110 v. Chr. (nicht 108, wie Μερτζίδης errechnet).
Vgl. die Bemerkung bei Marcus N. Tod: „I omit two other Philippian epitaphs … [686/M669 und 688/M671], because, as has been shown by L. Robert …, their authenticity is open to grave suspicion" (S. 391).

689/M672   Μερτζίδης: **Ehreninschrift für Artemidoros**

Σταύρος Μερτζίδης: Οι Φίλιπποι. Έρευναι και μελέται χωρογραφικαί υπό αρχαιολογικήν, γεωγραφικήν, ιστορικήν, θρησκευτικήν και εθνολογικήν έποψιν, Konstantinopel 1897, Nr. 19, S. 129f.
Louis Robert: Hellenica V, Inscriptions de Philippes publiées par Mertzidès, Revue de Philologie 13 (1939), S. 136–150, Nachdr. in: ders.: Opera minora selecta II, Amsterdam 1969, S. 1289–1303; hier S. 1294.

Angeblich aus Philippi. Κάτωθεν του χωρίου Σέλλιαν εν τοις καλλιεργημένοις αγροίς τω 1878 επι μαρμαρίνου πλακός μήκους 0,93 πλάτ. 0,51 πάχ. 0,11 και ύψ. γραμμ. 2 1/2 εκατοστομ. ιδόντες, αντεγράψαμεν … (Μερτζίδης, S. 129).

Τύχη τῇ ἀγαθῇ.
ἡ γερουσία τῆς πόλεως

Ἀρτεμίδωρον Διονυσίου
πολίτην χρηστὸν καὶ
5 ἀγαθὸν ἄνδρα, γυμνασι-
αρχήσαντα τρὶς ἀξίως
ἀρετῆς καὶ ἀξίας ἕνεκε
χρυσῷ στεφάνῳ ἔτι-
μησε.

Glück auf! Die Gerusia (der Rat der Ältesten) der Stadt hat
Artemidoros, (den Sohn) des Dionysios, einen nützlichen Bürger
und tüchtigen Mann, der dreimal auf würdige Weise Gymnasiarch war, wegen seiner Leistung und seines Ansehens durch
einen goldenen Kranz geehrt.

Z. 2 Die γερουσία bemüht Μερτζίδης auch in 677/M660, Z. 1.

Μερτζίδης: Ehreninschrift für Amphikrates und Familie   690/M673

Σταύρος Μερτζίδης: Οι Φίλιπποι. Ἔρευναι και μελέται χωρογραφικαί υπό αρχαιολογικήν, γεωγραφικήν, ιστορικήν, θρησκευτικήν και εθνολογικήν έποψιν, Konstantinopel 1897, Nr. 20, S. 130.
Louis Robert: Hellenica V, Inscriptions de Philippes publiées par Mertzidès, Revue
de Philologie 13 (1939), S. 136–150, Nachdr. in: ders.: Opera minora selecta II,
Amsterdam 1969, S. 1289–1303; hier S. 1291f.

Angeblich aus Philippi. Hinsichtlich des „Fundortes" teilt Μερτζίδης nur
mit, daß diese Inschrift viele Jahre als κατώφλιον της θύρας του στρατιωτικού
σταθμού των Φιλίππων gedient habe (S. 130).

Ἡ πόλις [Φι]λιππ[έων]
Ἀμφικράτην) σὺν τῇ μητρὶ
Δαναηκρίτῃ καὶ τῷ υἱῷ
Χαριδήμῳ εἰς μὲν θεωρίας
5 καὶ τὴν τῶν Σεβαστ[ῶν]
εὐ[σ]έβειαν δην[ά]ρια δισ-
μύρια καὶ [...]
[...] ἄνδ[ρ]α τε-
τιμημένον ἀρετῆς καὶ
10 [...] χάριν.

1 Μερτζίδης und Robert bieten als Alternative zu Φιλιππ[έων] auch Φιλιππ[ησίων], was
bei einer nichtchristlichen bzw. vorchristlichen Inschrift ganz und gar unmöglich ist (vgl.
meine Diskussion in Band I 116–118). Mögliche Alternative wäre allenfalls [Φί]λιππ[οι]. **2**
Das) im Text von Μερτζίδης bedeutet, daß der Vater denselben Namen hat wie der Sohn.
Es ist also zu lesen Ἀμφικράτην Ἀμφικράτους. **3** Robert irrtümlich Δαναηκρίτης.

Die Stadt der Philipper (hat) Amphikrates mit seiner Mutter Danaekrite und seinem Sohn Charidemos, der zu Gesandtschaften und zur Verehrung der Kaiser 20.000 Denare (ihr geschenkt hat) und ... den Mann, der wegen seiner Leistung geehrt ist, und ... halber.

„On a démarqué une inscription de Gytheion en Laconie (IG, V 1, 1176), publiée par Skias dans l'*Ephemeris Archaiologikè*, 1892, 191, n. 3: Ἡ πόλις ἡ Γυθεατῶν Εὔτυχον Ἁγία Γυθεάτην χαρισάμενον τῇ πατρίδι σὺν τῇ γυναικὶ Σωτηρίδι καὶ τῇ θυγατρὶ Εὐδαμίᾳ εἰς μὲν θεωρίας καὶ τὴν τῶν Σεβαστῶν εὐσέβειαν δηνάρια μύρια καὶ εἰς ἐλεώνιον δηνάρια πεντακισχείλα, ἰατρὸν ἄριστον, ἀρετῆς χάριν.
Ce procédé est fréquent dans les faux. Il est commode, parce qu'il ne demande pas une grande érudition et qu'il n'offre guère le flanc à la critique, le formulaire étant correct; mais il est dangereux, car la découverte de la source met la fraude à nu. Les faux de François Lenormant ont été ordinairement de ce type; d'après le formulaire, authentique, d'un décret honorifique de Mégare ou de Karystos, il fabriquait une série de décrets de la même ville, en changeant les noms du bénéficiaire et des magistrats. J'ai vu dans le commerce à Athènes, il y a une dizaine d'années, des fragments céramiques sur lesquels on avait gravé une copie du contrat d'asséchement de marais passé entre Érétrie et l'entrepreneur Chairephanès, *IG*, XII 9, 191; le nom de l'entrepreneur était seul changé. W. Froehner avait acquis une plaque de bronze sur laquelle était gravée, avec des fautes une dédicace de statue d'un prêtre d'Asklepios à Athènes, trouvée à l'Asklepieion et publiée, en dernier lieu, dans *IG* II², 3789. Une tablette de momie, acquise par lui, était, comme une tablette du British Museum (*Sammelbuch*, I, 1172), la copie d'une épitaphe sur pierre, gréco–démotique, conservée à Florence (*Sammelbuch*, I, 642).
Pour le n° 20, Mertzidès avait changé les noms, les termes de parenté, les chiffres, et il avait supprimé le mot essentiel, χαρισάμενον" (Robert, S. 1292).

691/M674   Μερτζίδης: Grabinschrift des Valerius Marcus

Σταύρος Μερτζίδης: Οι Φίλιπποι. Έρευναι και μελέται χωρογραφικαί υπό αρχαιολογικήν, γεωγραφικήν, ιστορικήν, θρησκευτικήν και εθνολογικήν έποψιν, Konstantinopel 1897, Nr. 23, S. 142f.

Angeblich aus Dikili-Tasch. Ημείς φρονούμεν – ενθαρρυνόμενοι εξ ετέρων Επιγραφών, ας είδομεν επί συντριμμάτων σαρκοφάγων της εποχής του 42 πρ. Χρ. τας οποίας εύρομεν πλησίον του Τροπαίου του Βιβίου [058/L047], ως και λεπτά τινα της ώρας κάτωθεν (μεσημβρινώς) του Δηκηλί-Τάς και αίτινες ανήκουσιν εις ετέρας Λεγεώνας ως και μία άλλη εις την Ε΄ εις ην και ο

Βίβιος υπήρχεν – ότι το τρόπαιον του Βιβίου, ως και το Κενοτάφιον της Σέλλιαν εγένοντο κατά το έτος 42 πρ. Χρ. οπότε διεξήχθησαν εν τη πεδιάδι των Φιλίππων αι μεταξύ των Αριστοκρατικών και Δημοκρατικών Ρωμαίων μάχαι. Ταύτας τας θέσεις οι Αριστοκρ. κατείχον.

Προς επιβεβαίωσιν της αληθείας ταύτης, καταχωρίζομεν ώδε τας κατωτέρω τρείς Λατινικάς Επιγραφάς, εξ ων η πρώτη αναφέρει το όνομα αξιωματικού, ή στρατιώτου της Γ΄ Λεγεώνος Κυρηναϊκής, της ακριβώς κατ᾽ εκείνην την εποχήν (42 πρ. Χρ.) συνταχθείσης και το πρώτον εις ενέργειαν τεθείσης εις τας εν τη πεδιάδι των Φιλίππων διεξαχτείσας εχθροπραξίας των Ρωμαίων. Έχει αύτη ως έξης ...

> Valerius Marcus, Cai(i) f(ilius), mil(es) leg(ionis) III Cyr(enaicae),
> militavit ann(os) VIII, vixit annos XXXXIII.
> h(ic) e(st) s(epultus).

> Valerius Marcus, der Sohn des Caius, Soldat der dritten Legion
> Cyrenaica, leistete acht Jahre Kriegsdienst (und) lebte 43 Jahre.
> Hier liegt er begraben.

Ο τάφος ούτος εις τούς Αριστοκρατορικούς Ρωμαίους ανήκει: διότι την Λεγεώνα ταύτην αυτοί την είχον, συνταχθείσαν από των χρόνων του Λεπίδου επί της τριανδρίας (Λεπίδου, Αντωνίου και Οκταβίου) οίτινες ακολούθως (προπάντων ο Οκτάβιος) αναπληρώσαντες τους εν ταις εχθροπραξίαις απολεσθέντας άνδρας, απέστειλον εις Λιβύην, εκ της οποίας αύτη μετετέθη επί Νέρωνος εις Αίγυπτον ένθα παρέμεινεν (ανανεομένη πάντοτε) μέχρι των τελευταίων χρόνων του Τίτου, ως τούτο φαίνεται εν επιγραφαίς ευρεθείσαις εν Νικοπόλει (Ράμλι) περί την Αλεξάνδρειαν (Μερτζίδης, S. 142f.).

Μερτζίδης: Grabinschrift des Marcus Caius   692/M675

Σταύρος Μερτζίδης: Οι Φίλιπποι. Έρευναι και μελέται χωρογραφικαί υπό αρχαιολογικήν, γεωγραφικήν, ιστορικήν, θρησκευτικήν και εθνολογικήν έποψιν, Konstantinopel 1897, Nr. 24, S. 143f.

Angeblich aus Dikili-Tasch.

... εύρομεν εις μικράν απόστασιν της ειρημένης αποτελούσα και αύτη σύντριμμα σαρκοφάγου εκ μαρμάρου μήκους 20,10 [*sic!*] πλάτους 0,98 καί ύψ. γραμ. ως τα της επιγραφής του Βιβίου [058/L047] μόνον των γραμ. της Β΄ σειράς (του δευτέρου στίχου) όντων μικροτέρων εκείνης κατά 2 εκατοστόμετρα. Έχει και αύτη ως ακολούθως ... (Μερτζίδης, S. 143).

> M(arcus) Caius, Longin(i) f(ilius), mil(es) leg(ionis) V Maced(onicae), cohor(tis) III, [centuriae]
> prior(is), annos vixit XXXXVI, milit(avit) an(nos) XI. h(ic)
> e(st) s(epultus).

Marcus Caius, der Sohn des Longinus, Soldat der fünften Legion
Macedonica, der dritten Kohorte, der ersten Centurie, lebte 46
Jahre (und) leistete elf Jahre Kriegsdienst. Hier liegt er begra-
ben.

In diesem Fall sind Namengebung (Marcus Caius!) und Filiation besonders
originell; fraglich nur, welche von beiden absurder ist. Auch die Latein-
kenntnisse von Μερτζίδης lassen zu wünschen übrig; so schreibt er *mil(es)*
leg(ionis) V *Maced(onica)* *cohor(tes)* sowie *(centuriae) prior(i)*.
Ο της Επιγραφής ταύτης στρατιώτης υπάγεται εις το Ε΄ Σύνταγμα, εις εκείνο
δηλ. εις ο ανήκε και ο Βίβιος, ο εις το Τρόπαιον αναφερόμενος. Και η Λεγεών
αύτη μετά το πέρας των εν τη πεδιάδι των Φιλίππων εχθροραξιών, απεστάλη
εις Αλεξάνδρειαν, εν η κατόπιν, επί Νέρωνος, υπήρχεν ακόμη, ως φαίνεται
εξ Επιγραφών ευρεθεισών εν Αλεξανδρεία και ήτις μετά της Ι΄. (δεκάτης)
Φρεντησίας Λεγεώνος μετεφέρθη τω 67 μ. Χρ. υπό του υιού του Ουεσπασια-
νού Τίτου κατά της Ιερουσαλήμ, όπου μετά την άλωσιν αυτής, μετά της ΙΕ΄
Απολλιναρίας Λεγεώνος επανέστρεψαν διά της Αλεξανδρείας εις την Μοισίαν
και Πανονίαν. Τα μετά ταύτα δεν είναι ημίν γνωστά (Μερτζίδης, S. 143).

693/M676   Μερτζίδης: **Grabinschrift des Marcus Licinius**

*Σταύρος Μερτζίδης: Οι Φίλιπποι. Έρευναι και μελέται χωρογραφικαί υπό αρχαιο-
λογικήν, γεωγραφικήν, ιστορικήν, θρησκευτικήν και εθνολογικήν έποψιν,* Konstantinopel 1897, Nr. 25, S. 144f.

Angeblich aus Dikili-Tasch. Η ακόλουθος Επιγραφή επί φαιόχρου μαρμάρου, η τετριμμένη το πλείστον και δυσανάγνωστος, η έχουσα ύψος και
σχήμα γραμμάτων ως η του Τροπαίου του Βιβίου Επιγραφή [d.h. 058/L047]
η ανήκουσα εις σαρκοφάγον, εν ω ετέθη το σώμα του ρωμαίου στρατιώτου
ανήκοντος εις το 8ον Σύνταγμα (Η΄ Λεγεών) έχει ως εξής ...
Εις διάφορα μέρη της τοποθεσίας, εις ην τω 1880 είδομεν την κολοβωμένην
ταύτην Επιγραφήν και όπου ως υποθέτομεν έγεινε μεγάλη θραύσις του ρωμαϊκού (του Αριστοκρατικού) στρατού, πολλά εύρηνται συντρίμματα Επιγραφών δεικνυουσών από 3 ή από 5 στοιχεία του Λατινικού Αλφαβήτου.
Επειδή δ' εις τινα τεμάχια επαρετηρήσαμεν ίχνη αναγλύφων, υποθέτομεν ότι
τινές σαρκοφάγοι έφερον αναγλύφους εικόνας παριστώσας διάφορα σημεία
πολεμικά έχοντα σχέσιν με τας εν τη πεδιάδι των Φιλίππων διεξαχτείσας
μάχας (Μερτζίδης, S. 144).

M(arcus) Licinius mil(es), signifer
leg(ionis) VIII, nation[...] CED [...]
[...]diorum VI annos [...]
vixit [...]

Marcus Licinius, Soldat, Feldzeichenträger der achten Legion,
aus der Nation ... Jahre ... lebte ...

Z. 1 Ein Marcus (?) Licinius begegnet in einer 1998 entdeckten Inschrift
aus dem Theater. Das kann man als Indiz für die Echtheit der vorliegenden
Inschrift werten.

Μερτζίδης: Grabinschrift des Caius Maximus Fabius   694/M677

Σταύρος Μερτζίδης: Οι Φίλιπποι. Έρευναι και μελέται χωρογραφικαί υπό αρχαιολογικήν, γεωγραφικήν, ιστορικήν, θρησκευτικήν και εθνολογικήν έποψιν, Konstantinopel 1897, Nr. 26, S. 145f.

Angeblich aus Dikili-Tasch. Αι ακόλουθοι Επιγραφαί [d.h. neben der
vorliegenden auch 695/M678 und 696/M679] ανήκουσιν εις τον στρατόν του
Βρούτου καί του Κασσίου, εξ ων η υπ' αριθ. 26 ευρέθη μεταξύ των χωρίων
Κοζλού-Κιοϊ και Μπέριστα, η υπ' αριθ. 27 ενταύθεν του χωρίου Μπούκια και
η υπ' αριθ. 28 πλησίον του Ιδιρνετζηκίου. Εκ της ευρέσεως τούτων και άλλων
πολλών (παραλειπομένων) εις τα ειρημένα μέρη, αποδεικνύεται ως πραγματική
η εντεύθεν διάβασις του στρατού των Δημοκρατικών Βρούτου και Κασσίου,
περί της οποίας διαβάσεως παρακατιόντες εν εκτάσει πραγματευόμεθα και εκ
των οποίων επιγραφών, των μη αναφερουσών μήτε Λεγεώνας, μήτε Κοχόρτας,
μήτε Κεντυρίας δήλον γίνεται, ότι ο στρατός του Βρούτου και Κασσίου, ο
αποτελούμενος εκ διαφόρων εθνών, ως θα ίδωμεν κατωτέρω, δεν απετελείτο
εξ επισήμως κατηρτισμένων και ανεγνωρισμένων Λεγεώνων, ως ο των Αριστοκρατικών στρατός (Μερτζίδης, S. 145).

C(aius) Maximus Fabius f(ilius) M(arci)
vir mil(itaris) PRIM D MILLTHRAC
[...]

Caius Maximus Fabius, der Sohn des Marcus, Soldat ...

Μερτζίδης: Grabinschrift des Marcus Manlius Valerius   695/M678

Σταύρος Μερτζίδης: Οι Φίλιπποι. Έρευναι και μελέται χωρογραφικαί υπό αρχαιολογικήν, γεωγραφικήν, ιστορικήν, θρησκευτικήν και εθνλογικήν έποψιν, Konstantinopel 1897, Nr. 27, S. 146.

Angeblich ενταύθεν του χωρίου Μπούκια. Die näheren Angaben wie bei
694/M677.

M(arcus) Manl(ius) Valerius fil(ius) Q(uinti) vir P
CIV AM [...] vixit an(nos) XXXVII. h(ic) e(st) s(epultus).

Marcus Manlius Valerius, der Sohn des Quintus, ... Mann ...,
lebte 37 Jahre. Er liegt hier begraben.

696/M679   Μερτζίδης: Grabinschrift des Caius Sextus

Σταύρος Μερτζίδης: Οι Φίλιπποι. Έρευναι και μελέται χωρογραφικαί υπό αρχαιολογικήν, γεωγραφικήν, ιστορικήν, θρησκευτικήν και εθνολογικήν έποψιν, Konstantinopel 1897, Nr. 28, S. 146.

Angeblich πλησίον του Ιδιρνετζηκίου. Die näheren Angaben wie bei
694/M677.

C(aius) Sextus fil(ius) Q(uinti) vir mil(itaris?)
A e(st) s(epultus).

Caius Sextus, der Sohn des Quintus, Soldat, ist (hier) begraben.

697/M580   Μερτζίδης: Purpurhändler aus Thyateira in Philippi

Σταύρος Μερτζίδης: Οι Φίλιπποι. Έρευναι και μελέται χωρογραφικαί υπό αρχαιο-
λογικήν, γεωγραφικήν, ιστορικήν, θρησκευτικήν και εθνολογικήν έποψιν, Kon-
stantinopel 1897, Nr. 29, S. 186–189.
Γ. *Λαμπάκης:* Δοξάτο, Φίλιπποι, Νεάπολις (νυν Καβάλλα), Ξάνθη, Άβδηρα, Δελ-
τίον της Χριστιανικής Αρχαιολογικής Εταιρείας 6 (1906), S. 22–46; hier S. 35f.
Louis Robert: Hellenica V, Inscriptions de Philippes publiées par Mertzidès, Revue
de Philologie 13 (1939), S. 136–150, Nachdr. in: ders.: Opera minora selecta II,
Amsterdam 1969, S. 1289–1303; hier S. 1295.
Lemerle, S. 28f.
Κανατσούλης, Nr. 137 (S. 20).
Otto F.A. Meinardus: St. Paul in Greece, Athen 1972, S. 12f.
Band I, S. 10f.; S. 43, Anm. 135; S. 91; S. 177–182; S. 237f.

Angeblich aus Philippi. Εν Φιλίπποις υπήρχε κατά τους χρόνους εκείνους
Συντεχνία τις (Τουρκ. Ισνάφι), ήτις κατεγίνετο εις την κατασκευήν και πώ-
λησιν Πορφύρας και εις την εξ αυτής βαφικήν τέχνην, ως γίνεται δήλον εκ
της ακολούθου επιγραφής, (επί λευκού μαρμάρου μήκους 0,57 και πλάτους
0,38) ην τω 1872 εύρομεν εντετοιχισμένην εις το κτίριον του πρό τινων ετών
κρημνισθέντος στρατιωτικού σταθμού της ερειπωμένης πόλεως και ήτις έχει
ως εξής (Μερτζίδης, S. 186).
Λαμπάκης berichtet vom Fund eines Fragments mit den Buchstaben ΘΥΑ-
ΤΕΙΡ im Jahr 1902 (S. 35): Εν μέσω δε των απείρων συντριμμάτων εύρομεν
τεμάχιον μαρμάρου, εφ' ού ανέγνωμεν την λέξιν ΘΥΑΤΕΙΡ(ΩΝ) ...; dies
ist wahrscheinlich das letzte Stück des von Μερτζίδης dreißig Jahre zuvor

gesehenen Steins. Dafür spricht, daß sowohl die Inschrift von Μερτζίδης als auch die von Λαμπάκης nach dem P abbricht – ein merkwürdiges Phänomen! (Zur eingehenderen Begründung vgl. Band I, S. 177–182; hier insbesondere S. 181, Anm. 27.)

Meinardus referiert: „In 1872 Professor Mertzides discovered in Philippi the following text in Greek inscribed on a piece of white marble ..." (S. 12).

> Τὸν πρῶτον ἐκ τῶν πορ-
> φυροβάφ[ων Ἀν]τίοχον Λύκου
> Θυατειρ[ην]ὸν εὐεργέτ[ην]
> 4 καὶ [...] ἡ πόλις ἐτ[ίμησε].

3 Meine Ergänzung Band I, S. 177: Θυατειρ[ιν]όν ist natürlich verkehrt; Μερτζίδης macht S. 187 denselben Fehler.

> Den ersten der Purpurfärber, Antiochos, (den Sohn) des Lykos,
> aus Thyateira, ihren Wohltäter und ... ehrte die Stadt.

Μερτζίδης bietet darüber hinaus noch einen ausgiebigen Kommentar, den ich jedoch nicht hierher setze.

Robert hält diese Inschrift für eine Fälschung von Μερτζίδης: „Naturelle-ment on ne pouvait se passer d'une inscription se rapportant à Saint Paul. Grâce aux Actes des Apôtres et à l'inscription de Thessalonique mention-nant un Thyatirénien honoré par la συνήθεια τῶν πορφυροβάφων, on a, dans le chapitre sur Saint Paul, cette inscription honorifique, »trouvée en 1872 encastrée dans le poste militaire aujourd'hui détruit«" (Robert, S. 1295).

Die von Robert genannte Inschrift aus Thessaloniki findet sich jetzt bei Edson (IG X 2,1, hier Nr. 291):

> Ἡ συνήθεια τῶ-
> ν πορφυροβάφ-
> ων τῆς ὀκτω-
> καιδεκάτης
> 5 Μένιππον Ἀμιου-
> τὸν καὶ Σεβῆρον
> Θυατειρηνὸν μνήμης
> χάριν.

Gegen Robert haben sich für die Echtheit der Inschrift aus Philippi Lemerle und Κανατσούλης ausgesprochen – beide jedoch, ohne auf die Übereinstim-mung mit dem von Λαμπάκης gefundenen Fragment hinzuweisen: diese stellt aber ein wichtiges zusätzliches Argument für die Echtheit der vorliegenden Inschrift dar (vgl. im einzelnen meine Argumentation in Band I, S. 177–182).

698/M680 Μερτζίδης: **Der Gefängniswärter Stephanas**

Σταύρος Μερτζίδης: Οι Φίλιπποι. Έρευναι και μελέται χωρογραφικαί υπό αρχαιολογικήν, γεωγραφικήν, ιστορικήν, θρησκευτικήν και εθνολογικήν έποψιν, Konstantinopel 1897, S. 191.195.
Band I, S. 179f. mit Anm. 20.

Angeblich aus dem Gefängnis des Paulus. Gelegentlich hat Μερτζίδες
auch divinatorische Fähigkeiten. So kommt er auch auf den Gefängniswärter
zu sprechen:
Ο δε δεσμοφύλαξ προς περισσοτέραν ασφάλειάν του, συγκλείσας τους πόδας
αυτών εις το ξύλον έθεσεν εις την εσωτέραν φυλακήν, ήτις μέχρι του Δ´
αιώνος σωζομένη, μετετράπη ακολούθως εις επισκοπικόν (Μητροπολιτικόν
ναόν), προς τιμήν και μνήμην του Αποστόλου Παύλου ανεγερθέντα και μέχρι
του Ι´ αιώνος μνημονευόμενον (Μερτζίδες, S. 191) – woher konnte er das
wissen? Ein *vaticinium ex eventu* scheidet diesmal aus, da die Stifterinschrift
des Bischofs Porphyrios (329/G472) erst 1975 entdeckt worden ist.
Ότι δ' ο δεσμοφύλαξ των φυλακών των Φιλίππων κατά την εποχήν εκείνην
ωνομάζετο Στεφανάς, τούτο δήλον γίνεται έκ τινος επιγραφής, – η γραφή των
Βυζαντινών χρόνων – ήτις υπήρχε κάτωθεν τοιχοαγιογραφίας εν τω τυχαίως
ανακαλυφθέντι εις την ερειπωμένην των Φιλίππων πόλιν Βυζαντινώ εκκλη-
σιδίω, και ήτις εικών παρίστανε την βάπτισιν του δεσμοφύλακος και της οι-
κογενείας αυτού (Μερτζίδης, S. 195).
Μερτζίδες meint das Gebäude, das heute noch den Touristen als Gefängnis
des Paulus gezeigt wird (vgl. den Kommentar).

Τὸ βάπτισμα τοῦ δεσ-
μοφύλακος Στεφανᾶ. †

Die Taufe des Gefängniswärters Stephanas.

Z. 2 Der Name des Gefängniswärters, Στεφανᾶς, ist keine Erfindung von
Μερτζίδης; er begegnet vielmehr in einigen Handschriften von Apg 16,27,
wo es daher statt ἔξυπνος δὲ γενόμενος ὁ δεσμοφύλαξ heißt: ἔξυπνος δὲ
γενόμενος ὁ δεσμοφύλαξ ὁ πιστὸς Στεφανᾶς ... (vgl. den Apparat bei Nest-
le/Aland z. St.). Μερτζίδης identifiziert den Gefängniswärter aus Philippi
mit dem Στεφανᾶς aus 1Kor 1,16 und harmonisiert die Überlieferungen in
der Weise, daß Στεφανᾶς einige Jahre später von Philippi nach Korinth gezogen sei (S. 195).
Zur Entdeckung des sogenannten Gefängnisses des Paulus im Jahr 1878 (?)
vgl. Έλλη Σ. Πελεκανίδου: Η κατά την παράδοση φυλακή του Αποστόλου
Παύλου στους Φιλίππους, in: Η Καβάλα και η περιοχή της. Α´ τοπικό συμπόσιο (s. dort), S. 427–435. In den dort im Anhang publizierten Aktenstücken
begegnet keinerlei Hinweis auf diese Inschrift.

Mixtum compositum

C. Fredrich: Aus Philippi und Umgebung, MDAI.A 33 (1908), S. 39–46; hier S.
45, Nr. 11.
AÉ 1908, Nr. 198.

Kavala. „Platte aus Schiefer, in zwei Stücke gebrochen, die unten an einander passen; beide noch rechts und links gebrochen." (Fredrich, S. 45.)
Abmessungen: H. 0,51; B. 0,71; T. 0,09; H. der Buchstaben 0,045–0,025;
Zeilenzwischenraum 0,03–0,02. Die Buchstaben sind flüchtig eingekratzt.

> Tiberio Cla[udio] Caesarae
> Augusto G[erm]anico. V. cos.
> Ziryroniys I vixit annis
> XXXII. Heroni salutem.

> Für Tiberius Claudius Caesar Augustus Germanicus, zum fünften Male Konsul.
> Ziryroniys ... lebte 32 Jahre. Dem Heros (Aulonitis?) Heil!

Z. 1 Die Form *Caesarae* spottet jeder Beschreibung; gemeint ist offenbar
Caesari. Hat Dessau (vgl. zu Z. 3) sie übersehen?

Z. 2 Fredrich gibt das Jahr 51 n. Chr. an, in dem Claudius zum fünften
Male Konsul war; aber natürlich kommen auch die folgenden Jahre 52–54
in Frage (Claudius starb am 13. Oktober 54).

Z. 3 „Es fehlt nur der Buchstabe, zu dem die Hasta gehört. Auf die von
mir geäusserte Ansicht, die Inschrift sei gefälscht – ich sah nicht wenige
Fälschungen in Kawalla – schreibt Herr H. Dessau: »Die Inschrift wird wohl
falsch sein. Aber sie ist vermutlich zusammengesetzt aus Stückchen echter
Inschriften. An dem Kaisernamen ist nichts auszusetzen; dass der College im
Consulat ausgelassen wird, sogar ganz passend; der Name in Z. 3 sieht auch
nicht ganz erfunden aus; und ob der Fälscher das Heroni salutem auf eigene
Hand in die Grabschrift gebracht hat, möchte man wohl wissen«" (Fredrich,
S. 46). Auf diese Votum Dessaus hin hat Detschew unsere Inschrift s.v. Ziryroniys aufgenommen (S. 192), ohne einen weiteren Beleg bieten zu können.

Z. 4 Zu *Heroni (Auloniti)* vgl. etwa 620/L603.

Anhang II: Inschriften,
die außerhalb des Territoriums gefunden wurden

Ein Philipper in Halikarnassos?

699a/G841
hellenistisch

Adolf Wilhelm: Inschriften aus Halikarnassos und Theangela, JÖAI 11 (1908), S. 53–75; hier S. 61–63, Nr. 4.
BÉ 1938, Nr. 216.
Raymond Descat: À propos d'un citoyen de Philippes à Théangela, REA 99 (1997), S. 411–413.

Halikarnassos. Zur genauen Herkunft des Steins vgl. Wilhelm, S. 61.
Weißer Marmor mit Einsatzzapfen.
Abmessungen: H. 0,52; B. 0,355 bis 0,38; D. 0,08.

Ἐπὶ ἱερέως Πολείτου τοῦ Ἀνδροσθέ-
νου τοῦ τὸ δεύτερον νεωποιοῦντος
οἵδε ἐπηνγείλαντο εἰς τὴν τοῦ φρέατος
ὀρυχὴν καὶ ἐνοικοδομίαν· ὁ ἱερεὺς τῆς Ἀ-
5 φροδείτης Ἄνδρων Μηνοδότου ⊦ ι´ καὶ ὑπὲ[ρ]
τῶν υἱῶν Μ<η>νοδώρου καὶ Ἄνδρωνος ⊦ ι´
Μητρόδωρος Δημητρίου τοῦ Δημητρίου ⊦ [.´]
καὶ ὑπὲρ τοῦ υἱοῦ Ἀπολλοφάνου ⊦ ε´
Ἡφαιστίων Στράτωνος ⊦ ε´ καὶ ὑπὲρ [τοῦ]
10 υἱοῦ Στράτωνος ⊦ ε´ Παρθένιος Μενεκλ[έ-]
ους ⊦ δ´ Ἑρμῶναξ Μενε[κλ]έους ⊦ δ´ Μηνόδωρος Μηνοδώρου τοῦ Μητροδώρου ⊦ ε´
Διονυσόδωρος Ἡρώδου ⊦ ε´ Ἀπολλω[νί-]
δης Μηνοδώρου ⊦ ε´ Ἱεροκλῆς Παρθε-
15 νίου καὶ ὑπὲρ τοῦ υἱοῦ Παρθενίου ⊦ ε´ Ἄ[ν-]
δρων Δρακοντομένου ⊦ ε´ Ἕρμων Λεον[τέ-]
ως ⊦ ε´ Διαγόρας Θεοδώρου καθ' ὑοθεσί[αν]
δὲ Ἀγαθοκλέους καὶ ὑπὲρ τοῦ υἱοῦ Διαγ[ό-]
ρα ⊦ ε´ Λεοντιάδης Δρακοντομένου ⊦ [.´]
20 Ἱεροκλῆς Ἀπολλωνίου Φιλιππεύς ⊦ [.´]
Μοιραγένης Μενεσθέως ⊦ β´ Ἀθηναγόρας [Παρ-]

θενίου καὶ ὑπὲρ τοῦ υἱοῦ Παρθενίου τεχνι-
τας ⌐ ε´ Ἀπολλώνιος Σαραπίωνος ἐ[ρ-]
γάτας ⋏ Ἀπολλωνίδης Μενε[κρά-]
25 του ⌐ β´ Θέων Μελανίππου ἐργάτας ⌐ [.´]

Zur Zeit des Priesters Poleites, (des Sohnes) des Androsthenes, der zum zweiten Mal Priester war, (werden hier diejenigen verzeichnet), die beigetragen haben zum Ausgraben und Ausmauern des Brunnens: Der Priester der Aphrodite, Andron, (der Sohn) des Menodotos: 10 Drachmen, und für [6] die Söhne Menodoros und Andron: 10 Drachmen. Metrodoros, (der Sohn) des Demetrios, (des Sohns) des Demetrios: ... Drachmen, und für den Sohn Apollophanes: 5 Drachmen. Hephaistion, (der Sohn) des Straton: 5 Drachmen, und für den [10] Sohn Straton: 5 Drachmen. Parthenios, (der Sohn) des Menekles: 4 Drachmen. Hermonax, (der Sohn) des Menekles: 4 Drachmen. Menodoros, (der Sohn) des Menodoros, (des Sohns) des Metrodoros: 5 Drachmen. Dionysodoros, (der Sohn) des Herodes: 5 Drachmen. Apollonides, (der Sohn) des Menodoros: 5 Drachmen. Hierokles, (der Sohn) des Parthenios [15] (für sich selbst) und für den Sohn Parthenios: 5 Drachmen. Andron, (der Sohn) des Drakontomenes: 5 Drachmen. Hermon, (der Sohn) des Leontes: 5 Drachmen. Diagoras, (der Sohn) des Theodoros, durch Adoption aber (der Sohn) des Agathokles, (für sich selbst) und für den Sohn Diagoras: 5 Drachmen. Leontiades, (der Sohn) des Drakontomenes: ... Drachmen. [20] Hierokles, (der Sohn) des Apollonios, der Philipper: ... Drachmen. Moiragenes, (der Sohn) des Menestheus: 2 Drachmen. Athenagoras, der Handwerker, (der Sohn) des Parthenios, (für sich selbst) und für den Sohn Parthenios: 5 Drachmen. Apollonios, (der Sohn) des Sarapion, der Arbeiter: ... Apollonides, (der Sohn) des Menegrates: [25] 2 Drachmen. Theon, (der Sohn) des Melanippes, der Arbeiter: ... Drachmen.

Die vorliegende Liste besteht in der überwiegenden Zahl der Fälle aus dem Namen des Beitragenden, dem Namen seines Vaters und der aufgewendeten Summe. Ausnahmen bilden Hierokles in Z. 20, der als Φιλιππεύς bezeichnet wird, sowie Athenagoras in Z. 21, der als τεχνίτας bezeichnet wird, und schließlich Apollonios (Z. 23) und Theon (Z. 25), die ἐργάτας genannt werden.
Die Beiträge werden in Drachmen angegeben. „Das Drachmenzeichen begegnet in derselben Gestalt eines schrägen Striches, an den ein wagrechter rechts ansetzt, auch in" einer Inschrift aus Mylasa (vgl. Wilhelm, S. 62) und in IG XII 1, Nr. 937. „Von den Beiträgen betragen zwei oder drei je zehn

Drachmen, die meisten fünf, einige vier, einige zwei Drachmen; in Z. 24 vermag ich vor ⋀ ein Drachmenzeichen nicht zu entdecken und frage daher, ob dieses Zeichen etwa, wie sonst <, die Hälfte der Einheit bedeutet." (Wilhelm, S. 63).

Z. 20 Unser Ἱεροκλῆς ist bei Collart ebenso übersehen (vgl. dazu BÉ 1938, Nr. 216) wie neuerdings bei Tataki, die ihn in ihrer Liste der Philipper (Argyro B. Tataki: Macedonians Abroad. A Contribution to the Prosopography of Ancient Macedonia, Μελετήματα 26, Athen 1998, S. 163–167) nicht berücksichtigt. Da gehört er Descat zufolge allerdings auch gar nicht hin, weil er nicht aus unserm makedonischen Philippi stamme. Vielmehr sei unser Ἱεροκλῆς Bürger der Stadt Euromos in Karien (vgl. dazu Hans Kaletsch: Art. Euromos, DNP 4 (1998), Sp. 289f.), die seit 201 v. Chr. nach Philipp V. ebenfalls Philippi genannt worden sei (allerdings nur bis wahrscheinlich 196 v. Chr., als Philipp V. seine kleinasiatischen Interessen aufgeben mußte, vgl. Descat, S. 411f.). Für die Datierung unserer Inschrift ergäbe sich der Zeitraum zwischen 201 und 196 v. Chr.

Ehreninschrift für Caius Antonius Rufus   700/L738
I

CIL III 1, Nr. 386.
Collart, S. 239.259.267f.290.292f.
ILS 2718.
Werner Eck: Die claudische Kolonie Apri in Thrakien, ZPE 16 (1975), S. 295–299; hier S. 298f.
Sarikakis, Nr. 26 (S. 442).
Λουΐζα Πολυχρονίδου-Λουκοπούλου: Colonia Claudia Aprensis: Μια ρωμαϊκή αποικία στη νοτιοανατολική Θράκη, in: Μνήμη Δ. Λαζαρίδη. Πόλις και χώρα στην αρχαία Μακεδονία και Θράκη. Πρακτικά Αρχαιολογικού Συνεδρίου, Καβάλα 9–11 Μαΐου 1986, Ελληνογαλλικές Έρευνες 1, Thessaloniki 1990, S. 701–715; hier S. 702, Anm. 5.
Bormann, S. 43, Nr. 1.
Band I, S. 149 mit Anm. 6; S. 159.
Marijana Ricl [Hg.]: The Inscriptions of Alexandreia Troas, IGSK 53, Bonn 1997, Nr. 36 (S. 68–70) mit Abb. auf S. 69.

Alexandria Troas. Bei den vier folgenden Inschriften handelt es sich um „statue-bases from the site of Alexandria Troas, erected by the second, the seventh, the eighth and the ninth *vicus* of the city. The base of the second vicus is today in the British Museum (Sculpture 2161), the base of the seventh vicus in the Kunsthistorisches Museum, Vienna (from the Este-Catajo Collection, inv. no. III 1100 NB), while the bases of the eighth and the ninth vicus are still at the site itself, at a place called Mehmet Aslan tarlası" (Ricl, S. 68).

Hier handelt es sich um die erste Inschrift, die der *vicus II* errichtet hat; „bases altae palm. 7, largae palm. 3, repertae Alexandriae Troadis (»prope

Kîz-kal'-ahsi« BAILIE). Hodie vici secundi adservatur Londini in museo Britannico." (CIL, S. 74).
Auf der rechten Seite der Inschrift befindet sich „apex flaminalis ippo impositus" (CIL, ebd.). Diese Seite des Steins ist schon mehrfach abgebildet worden, so z.b. von C. Jullian (Art. Flamen, Flaminica, Flamonium, DAGR II 2, S. 1156–1188; hier S. 1179, Abb. 3108) und von Stefan Weinstock (Divus Julius, Oxford 1971, Pl. 31,2, der unseren Stein aus dem Britischen Museum wiedergibt). Auf der linken Seite ist ein „tropaeum factum ex lorica (in qua cernitur caput Medusae noduque) hastis duabus tribusve galea cristata gladio dolabra" (CIL, ebd.).
Genauere Maße finden sich bei Ricl, S. 69.

> Divi Iuli flamini
> C(aio) Antonio
> M(arci) f(ilio) Volt(inia) Rufo,
> flamini divi Aug(usti)
> 5 col(oniae) Cl(audiae) Aprensis et
> col(oniae) Iul(iae) Philippens(is),
> eorundem et principi,
> item col(oniae) Iul(iae) Parianae,
> trib(uno) mil(itum) coh(ortis) XXXII volun-
> 10 tarior(um), trib(uno) mil(itum) leg(ionis) XIII
> Gem(inae), praef(ecto) equit(um) alae I
> *vacat*   Scubulorum   *vacat*
> *vacat*   vic(us)   *folium*   II   *vacat*

Alle Zahlen in dieser Inschrift mit Überstrich.

Dem Priester des vergöttlichten Iulius, Caius Antonius Rufus, dem Sohn der Marcus, aus der Tribus Voltinia, dem Priester des vergöttlichten Augustus in der *Colonia Claudia Aprensis* und in der *Colonia Iulia Philippensis*, dem ersten (Bürger) ebendieser (sc. Philipper) und der *Colonia Iulia Pariana*, dem Militärtribun der zweiunddreißigsten Freiwilligenkohorte, dem Militärtribunen der dreizehnten Legion Gemina, dem Reiterpräfekten der *ala I Scubulorum* (errichtet) der zweite Stadtbezirk (diese Inschrift).

Z. 1 Eine Liste aller *flamines* bei 001/L027 aus Kavala. Unser Rufus ist *flamen divi Iuli* in Alexandria Troas, in Philippi (Z. 6) und Apri (Z. 5) hingegen *flamen divi Augusti* (Z. 4), d.h. er ist gleich mehrfacher Priester im Kaiserkult. Bormann schließt irrigerweise aus unserer Inschrift, in Philippi habe es einen *flamen divi Iuli* gegeben (S. 43 und S. 44), da er die Herkunft dieses Steines aus Alexandria Troas nicht berücksichtigt. Seine Behauptung: „Besonders zu beachten ist, daß auch ein *flamen* des *divus Iulius* unter den

Inschriften zu finden ist" (S. 44) und die daraus gezogenen Folgerungen sind
also falsch. Einen *flamen* für *divus Iulius* gibt es bisher in Philippi nicht.

Z. 2 Eine Liste aller *Antonii* aus Philippi bei 313/L382 aus der Basilika
B (darunter auch ein Marcus Antonius Rufus, 356/L142).

Z. 3 Der Vater des Caius hieß Marcus Antonius Rufus; ein Marcus Antonius Rufus begegnet auch in 356/L142 aus dem westlichen Friedhof (Z.
2).

Aus der Tribusangabe schließt Collart, daß Rufus aus Philippi stammt: „il
est, en effet, très probable, bien que le texte ne l'indique pas expressément,
que ce personnage était originaire de Philippes" (Collart, S. 259). Aber
auch Apri gehörte zur Tribus Voltinia (vgl. Eck, S. 297 und 298). Eck sagt:
„Ungelöst muss bleiben, ob ... C. Antonius ... Rufus ... Bürger von Apri
oder von Philippi war. Seine Tribus Voltinia ist sowohl die von Apri wie
von Philippi" (S. 298f.). Aus der Tatsache, daß Rufus Eck zufolge *princeps
eorundem sc. Philippensium* war (dazu s. den Kommentar zu Z. 7), folgert
er „eher ... eine Zugehörigkeit zu dieser Stadt" (S. 299).
Zur seltenen Abkürzung VOLT vgl. den Kommentar zu 600/L229.

Z. 4 Weinstock meint, Rufus sei in Alexandria nicht nur *flamen divi Iuli*
(Z. 1), sondern auch *flamen divi Augusti* gewesen (a.a.O., S. 405); m.E.
schränken die Genitive in Z. 5 und Z. 6 das Priesteramt für Augustus jedoch
auf die dort genannten Städte ein.

Z. 5 Die *colonia Claudia Aprensis* liegt an der Via Egnatia, zwischen
Traianopolis (Doriscus) und Perinthus, da, wo die Straße Richtung Süden
nach Aphrodisias und weiter nach Sestus abzweigt (zur Lage dieses Ortes vgl.
W.M. Calder/G.E. Bean: A Classical Map of Asia Minor, London 1958, Sektor Bc und den zitierten Aufsatz von Λουΐζα Πολυχρονίδου-Λουκοπούλου).
Dieser Ort ist literarisch nicht sonderlich gut bezeugt (vgl. immerhin Plinius, N.H. IV 47: *et a Bizye $\overline{L}$ p. Apros colonia, quae a Philippis abest
$\overline{CLXXXVIIII}$*).

Auch Plinius bietet also einen „Zusammenhang" zwischen Philippi und
Apros, wie unsere hier vorliegende Inschrift. Zur Form des Namens (Apros
bzw. Apri) vgl. ThLL II, Sp. 320, Z. 5. Perdrizet möchte auch das *Aprianus* der Inschrift 416/L166 von diesem Apri ableiten (vgl. dort). Schließlich
findet sich ein Bewohner von Apri in dem Militärdiplom 705/L503.

Z. 7 Der Titel *princeps* ist schwer ins Deutsche zu übersetzen. Collart
führt ihn nach dem *patronus coloniae* (aus der Inschrift 031/L121 aus Βασιλάκη) an und bemerkt: „Doit-on lui assimiler celui de *princeps*, qu'un
important personnage, peut-être originaire de la colonie, avait reçu à Apri,
à Philippes et à Parium?" (Collart, S. 267).

Eck zufolge ist das *eorundem* auf die zuletzt genannten Philipper zu beziehen; Rufus war demnach *princeps Philippensium*. Könnte man aber das
eorundem nicht sowohl auf Philippi als auch auf Apri beziehen, so daß Rufus
Princeps sowohl der Aprenser als auch der Philipper gewesen wäre? Noch
weiter geht Weinstock: „He was a distinguished citizen: he was also *flamen*

of Augustus at Alexandria, Apri, and Philippi, and in addition the *princeps* of these colonies" (a.a.O., S. 405). Ebenso interpretiert jetzt auch Ricl (S. 70; hier auch Material und Literatur zu *princeps*).

Z. 8 Die *colonia Iulia Pariana*, das griechische Πάριον, liegt am nördlichen Ausgang des Hellespont (vgl. W.M. Calder/G.E. Bean: A Classical Map of Asia Minor, London 1958, Sektor Bc). Der Ort begegnet ebenfalls bei Plinius: *nunc habet* [*sc. Cherronesus*] *a colonia Apro $\overline{XXII}$ p. Resisthon, ex adverso coloniae Parianae* (N.H. IV 48).

Die Ämter des Caius Antonius Rufus sind also mit vier verschiedenen Orten verknüpft: mit der *colonia Claudia Aprensis*, der *colonia Iulia Philippensis*, der *colonia Iulia Pariana* und schließlich mit der *colonia Iulia Augusta Troas*, deren *vici* den *flamen divi Iuli* ihrer Stadt mit Statuen ehren.

Z. 10f. Die dreizehnte Legion Gemina begegnet auch in Inschriften aus Philippi selbst (vgl. die Liste bei der Grabinschrift des Quintus Claudius Capito vom Neapolistor 135/GL452). Zur militärischen Laufbahn vgl. Ricl, S. 70.

Z. 11f. Die *ala Scubulorum* begegnet auch in der Inschrift des Caius Vibius Quartus, 058/L047. Zur Geschichte dieser Einheit vgl. jetzt Martin Luik: Das zweite Militärdiplom aus Köngen, Kreis Esslingen, Fundberichte aus Baden-Württemberg 20 (1995), S. 717–724; hier S. 720–724. Luik erwähnt unsere Inschrift kurz auf S. 722, geht aber ausführlicher auf die Karriere des Caius Vibius aus 058/L047 ein; dabei kommt er zu dem Ergebnis: „Die Inschrift gehört wohl in claudisch-neronische Zeit" (S. 722). Unser Stein aus Alexandria Troas ist etwa gleichzeitig (nach 46/49, vgl. Luik, S. 722; die Angabe bei Ricl, S. 69: „Date: 41–68" ist insofern nicht präzise).

701/L739   **Ehreninschrift für Caius Antonius Rufus**
I

CIL III 1, Nr. 386.
Collart, S. 267f.
Werner Eck: Die claudische Kolonie Apri in Thrakien, ZPE 16 (1975), S. 295–299; hier S. 298f.
Sarikakis, Nr. 26 (S. 442).
Λουίζα Πολυχρονίδου-Λουκοπούλου: Colonia Claudia Aprensis: Μια ρωμαϊκή αποικία στη νοτιοανατολική Θράκη, in: Μνήμη Δ. Λαζαρίδη. Πόλις και χώρα στην αρχαία Μακεδονία και Θράκη. Πρακτικά Αρχαιολογικού Συνεδρίου, Καβάλα 9–11 Μαΐου 1986, Ελληνογαλλικές Έρευνες 1, Thessaloniki 1990, S. 701–715; hier S. 702, Anm. 5.
Band I, S. 149 mit Anm. 6; S. 159.
Marijana Ricl [Hg.]: The Inscriptions of Alexandreia Troas, IGSK 53, Bonn 1997, Nr. 36 (S. 68–70).

Alexandria Troas. Zu dieser Inschrift, die heute in Wien ist, vgl. die Beschreibung bei 700/L738.
Die Maße dieses Exemplars fehlen bei Ricl.

Divi Iuli flamini
C(aio) Antonio M(arci) f(ilio)
Volt(inia) Rufo, flamini
divi Aug(usti) col(oniae) Cl(audiae) Aprens(is)
5 et col(oniae) Iul(iae) Philippensis, *folium*
eorundem et principi, item
col(oniae) Iul(iae) Parianae, trib(uno)
milit(um) coh(ortis) $\overline{\mathrm{XXXII}}$ volun-
tarior(um), trib(uno) mil(itum) leg(ionis) $\overline{\mathrm{XIII}}$
10 Gem(inae), praef(ecto) equit(um) alae $\overline{\mathrm{I}}$
vacat Scubulorum *vacat*
vacat
vacat vic(us) $\overline{\mathrm{VII}}$ *vacat*

Alle Zahlzeichen in dieser Inschrift mit Überstrich.

Übersetzung und Kommentar bei 700/L738. (Der Text ist identisch mit
Ausnahme des *vicus VII* am Schluß! Lediglich einige Abkürzungen und Zei-
lenabteilungen werden hier anders gehandhabt als in 700/L738.)

Ehreninschrift für Caius Antonius Rufus

CIL III 1, Nr. 386.
Collart, S. 267f.
Werner Eck: Die claudische Kolonie Apri in Thrakien, ZPE 16 (1975), S. 295–299;
hier S. 298f.
Sarikakis, Nr. 26 (S. 442).
Λουΐζα Πολυχρονίδου-Λουκοπούλου: Colonia Claudia Aprensis: Μια ρωμαϊκή απ-
οικία στη νοτιοανατολική Θράκη, in: Μνήμη Δ. Λαζαρίδη. Πόλις και χώρα στην
αρχαία Μακεδονία και Θράκη. Πρακτικά Αρχαιολογικού Συνεδρίου, Καβάλα 9–
11 Μαΐου 1986, Ελληνογαλλικές Έρευνες 1, Thessaloniki 1990, S. 701–715; hier
S. 702, Anm. 5.
Band I, S. 149 mit Anm. 6; S. 159.
Marijana Ricl [Hg.]: The Inscriptions of Alexandreia Troas, IGSK 53, Bonn 1997,
Nr. 36 (S. 68–70).

Alexandria Troas. Bei diesem dritten Exemplar unserer Ehreninschrift
(vgl. die vorausgehenden Nummern 700/L738 und 701/L739 sowie die folgende 703/L741) fehlen nach CIL Z. 1–3; ab Z. 7 sind leichte Modifikationen
der Abkürzungen und Zeilenaufteilungen zu konstatieren. Ich hatte die Gelegenheit, das Original des Steines am 29. Juni 2000 zu vergleichen. Mein
Dank gilt Osman Toptamış, der mir den Fundort zeigte.
Genaue Maße bietet Ricl, S. 69.

[Divi Iuli fl]ạmini
[C(aio) Antoni]o M(arci) f(ilio)
[Volt(inia) Rufo, fl]amini
divi Aug(usti) col(oniae) Cl(audiae) Apr(e)ns(is)
5   et col(oniae) Iul(iae) Philippensis,
eorundem et principi, item
col(oniae) Iul(iae) Parianae, tribun(o)
milit(um) coh(ortis) $\overline{\text{XXXII}}$ voluntar(iorum),
trib(uno) milit(um) leg(ionis) $\overline{\text{XIII}}$ Gem(inae),
10   praef(ecto) equit(um) alae $\overline{\text{I}}$
vacat Scubulorum *vacat*
vacat vic(us) *folium* $\overline{\text{VIII}}$ *vacat*

Alle Zahlzeichen in dieser Inschrift mit Überstrich. Ich gebe hier als *variae lectiones* den
textus receptus nach CIL; die im Text gebotene Lesart ist jeweils meine von diesem abweichende.
1 Angeblich keine Buchstaben mehr vorhanden. **2** Angeblich keine Buchstaben mehr
vorhanden. **3** Angeblich keine Buchstaben mehr vorhanden. **4** *Aprens(is)*. **11** Der
CIL-Text hat *vacat*.

Übersetzung und Kommentar bei 700/L738.

703/L741   **Ehreninschrift für Caius Antonius Rufus**
I

CIL III 1, Nr. 386.
Collart, S. 267f.
Werner Eck: Die claudische Kolonie Apri in Thrakien, ZPE 16 (1975), S. 295–299;
    hier S. 298f.
Sarikakis, Nr. 26 (S. 442).
Λουΐζα Πολυχρονίδου-Λουκοπούλου: Colonia Claudia Aprensis: Μια ρωμαϊκή απ-
    οικία στη νοτιοανατολική Θράκη, in: Μνήμη Δ. Λαζαρίδη. Πόλις και χώρα στην
    αρχαία Μακεδονία και Θράκη. Πρακτικά Αρχαιολογικού Συνεδρίου, Καβάλα 9–
    11 Μαΐου 1986, Ελληνογαλλικές Έρευνες 1, Thessaloniki 1990, S. 701–715; hier
    S. 702, Anm. 5.
Band I, S. 149 mit Anm. 6; S. 159.
Marijana Ricl [Hg.]: The Inscriptions of Alexandreia Troas, IGSK 53, Bonn 1997,
    Nr. 36 (S. 68–70).

Alexandria Troas. Bei diesem vierten Exemplar unserer Ehreninschrift
(vgl. die vorausgehenden Nummern 700/L738, 701/L739 und 702/L740)
weicht nur die letzte Zeile vom Formular ab.
Genaue Maße bietet Ricl, S. 69.

Divi Iuli flamini
C(aio) Antonio M(arci) f(ilio)

Volt(inia) Rufo, flamini
divi Aug(usti) col(oniae) Cl(audiae) Aprens(is)
5 et col(oniae) Iul(iae) Philippensis,
eorundem et principi, item
col(oniae) Iul(iae) Parianae, tribun(o)
milit(um) coh(ortis) X̄X̄X̄ĪĪ voluntar(iorum),
trib(uno) milit(um) leg(ionis) X̄ĪĪĪ Gem(inae),
10 praefecto equit(um) alae Ī
vacat
vacat
vacat vic(us) IX *vacat*

Die Zahlzeichen (außer in Z. 13) mit Überstrich.

Übersetzung und Kommentar bei 700/L738.

Πράξων, der Myste in Samothrake

704/GL694
2. Jh. v. Chr.

Théodore Reinach: Inscriptions de Samothrace, REG 5 (1892), S. 197–205; hier S.
203f., Nr. 6.
CIL III, Suppl. 2, 12319.
Otto Kern: Aus Samothrake, MDAI.A 18 (1893), S. 337–384; hier S. 373, Nr. 17
(kein Text).
IG XII 8, 209.
Collart, S. 179 mit Anm. 2.
Κανατσούλης, Nr. 1221.
Argyro B. Tataki: Macedonians Abroad. A Contribution to the Prosopography of
Ancient Macedonia, Μελετήματα 26, Athen 1998, S. 166, Nr. 28 (nur Πράξων).

Samothrake: Palaiopolis. „Marmor album, inventum *Palaeopoli.*" (Karl
Fredrich, IG XII 8, 209). Dieser Stein befand sich damals (1909) anscheinend
in Paris. Näheres zum Fundort bietet Kern, S. 373.
Abmessungen: H. 0,29; B. 0,18; D. 0,07. „Exscripsi in museo (n. 2373)."
(ebd.).

[Πρ]άξων
[Φ]ιλιππεύς.
[...] T(iti) l(ibertus) m(ystes) pi(us)
Valeries m(yste)s
5 *vacat* Χίων
Λ μύσται [εὐ]σε-
βεῖς Νυμφόδ-
ωρος Νυμφοδ[ώ-]
vacat [ρου].

2 Fredrich hat irrtümlich [Φ]ιλππεύς. **6** „Λ antiquioris tituli vestigia" (Fredrich).

Praxon, der Philipper.
..., der Freigelassene des Titus, der fromme Myste. Valeries, der Myste.
[5] Von den Chiern: die frommen Mysten, Nymphodoros, (der Sohn) des Nymphodoros.

Z. 1 Der Name Πράξων ist in Philippi nicht belegt. „Les deux premières lettres sonst certaines; on ne saurait donc songer ni à [Ι]ΑΣΩΝ ni à ΛΕΩΝ" (Reinach, S. 203, Anm. 2).

Z. 2 Zu Φιλιππεύς vgl. o. Bd. I, S. 116–118. Ich habe dort nicht alle Belege für diese „vorpaulinische" Form genannt: Hier haben wir das zweite Beispiel auf einer Inschrift außerhalb des Territoriums (vgl. 699a/G841).

Z. 3 Die Ergänzung ist von Reinach.

Z. 3f. „Mystarum nomina habemus scripta nominativo plurali formae vetustae" (Mommsen im CIL).

Z. 5 „Die untere Reihe enthält Mysten aus Chios" (Kern, S. 373), d.h. Χίων ist Genitiv Plural zu Χῖος, „Einwohner der Insel Chios". Man könnte das Wort auch als männlichen Vornamen (Genitiv: Χίωνος) auffassen (Belege gibt es u.a. in Attika), aber dagegen spricht die mittige Stellung auf dem Stein, die die Vermutung nahelegt, daß es sich um eine Überschrift für die folgenden Namen handelt.

Fredrich datiert folgendermaßen: „Vs. 1–2 saec. II a. Chr. n. sunt; postea diversis temporibus vs. 3. 4. 5–8 incisi sunt ita ut ultimi pessime scripti saec. I a. Chr. n. exeuntis videntur esse."

704a/G786
II/III

Liste von Eingeweihten

Jeanne Robert und Louis Robert, BÉ 1944, Nr. 151 a.

P.M. Fraser: The Inscriptions on Stone, Samothrace. Excavations Conducted by the Institute of Fine Arts of New York University, Vol. 2, Part 1, London 1960, Nr. 59 mit Abb. Pl. XXI.

Argyro B. Tataki: Macedonians Abroad. A Contribution to the Prosopography of Ancient Macedonia, Μελετήματα 26, Athen 1998, S. 163, Nr. 4.

Samothrake. „Plaque of Thasian marble with incised decoration of cornice and acroteria, broken below. ... Found 10 July 1939, serving as pavement slab in the late Roman floor of the »Sacristy«" (Fraser, S. 59).

Abmessungen: H. 0,55; B. 0,39; D. 0,07. Buchstaben H. Z. 1: 0,035; Z. 2: 0,025–0,030; Z. 3–5: 0,025; Z. 6ff.: 0,020.

Ἀγαθῆι τύχηι·
ἐπὶ βασιλέως Ἰου-

νίου Ἡρώδου· μύσται
εὐσεβεῖς Θάσιοι·
5 Ἀρισταγόρας Εἰσιδώρου,
Μ(άρκος) Ἀντώνιος Ὀπτᾶτος Φιλιπεύ-
ς,
spatium
7 δοῦλοι Ἀρισταγόρα·
Φιλούμενος,
Μαγιανός,
10 Φιλόστοργος,
[Ν]υμφικός   *folium*
[...]Ρ
[...]ΙΣ
[...]

6   Zur Position des ς vgl. den Kommentar.

Glück auf! Unter dem Basileus Iunios, (dem Sohn) des Herodes.
Die frommen thasischen Mysten: Aristagoras, (der Sohn) des Ei-
sidoros; Marcus Antonius Optatus, der Philipper; die Sklaven
des Aristagoras: Philoumenos, Magianos, Philostorgos, Nymphi-
kos ...

Z. 4 „The use of the plural ethnic Θάσιοι is illogical, since there were
no other Thasians than Aristagoras, Optatus being from Philippi and the
slaves without citizenship. Θάσιοι is presumably, therefore, to be understood
as »the boat-load from Thasos«" (Fraser, S. 60).
Z. 6 „Lehmann, loc. cit. [Lehmann-Hartleben, AJA 44 (1940), S. 346f.,
Nr. 4 mit Abb. 25], p. 348, and *per ep.* explains the Φιλιπεύς differently.
He writes (p. 348): »Aside from its well-preserved state and its baroque
style of lettering, the inscription offers an amusing detail. As the text reads,
the document was originally intended only for people from Thasos, i.e. for
Aristagoras and his slaves. In line 6 Marcus Antonius Optatus, a Roman
citizen from Philippi, was later added to a stone (probably by a lucrative
trick of the administration) for which Aristagoras certainly had already paid.
This line was squeezed in and the scribe got into trouble at the end: he left
out one π of Philippeus, used a ligature, and added the ς below. Nevertheless
he imitated faithfully the style of the original document. The leaf in line 11
probably marks the original end. Thus lines 12 ff. may have contained names
of slaves of Optatus.« I cannot myself notice any difference in the hand of
line 6, which Lehmann describes (*per ep.*) as »sloppier« than that of the rest
of the inscription, except that it is more crowded because it contains more
letters. For a final sigma added in this position see *IG*, XII (3), 466, II, line
3." (Fraser, S. 60).

Zu Φιλιππεύς vgl. o. Bd. I, S. 116–118. Ich habe dort nicht alle Belege für diese „vorpaulinische" Form genannt: Hier haben wir das dritte Beispiel auf einer Inschrift außerhalb des Territoriums (das erste findet sich in 699a/G841, Z. 20, das zweite in 704/GL694, Z. 2). Die Inschrift wird vom Herausgeber auf das Ende des zweiten bzw. auf den Anfang des dritten Jahrhunderts datiert (Fraser, S. 59f.).

705/L503   **Militärdiplom des Vespasianus für Dule**
70

St. Andréev: Un nouveau diplôme de l'empereur Vespasien [bulgarisch; mit französischer Zusammenfassung], Bulletin de l'institut archéologique bulgare 6 (1930/ 31), S. 142–152.

AÉ 1932 [1933] 27.

R. Cagnat: Un nouveau diplôme militaire de Bulgarie, Journal des Savants 1932, S. 273–276.

CIL XVI 10.

Sarikakis, Nr. 157 und 165 (S. 453).

John Morris/Margaret Roxan: The Witnesses to Roman Military *Diplomata,* Acta Archaeologica 28 (1977), S. 299–333.

Fanoula Papazoglou: Quelques aspects de l'histoire de la province Macédoine, ANRW II 7.1 (1979), S. 302–369; hier S. 344f. mit Anm. 189.

Valerie A. Maxfield: The Military Decorations of the Roman Army, Berkeley/Los Angeles 1981, S. 230f.

Slobodan Dušanić: The Witnesses to the Early »Diplomata Militaria«, in: Sodalitas. Scritti A. Guarino, Neapel 1984, S. 271–286; hier S. 274; S. 277; S. 279.

Stefan Link: Konzepte der Privilegierung römischer Veteranen, Heidelberger Althistorische Beiträge und Epigraphische Studien 9, Stuttgart 1989, S. 22f.; S. 55.

Band I, S. 14 mit Anm. 40; S. 257, Anm. 4.

Moesien. „Tabulae a. cm. 17,7, l. 15,5, cr. 0,25–0,3, pendet altera gr. 670, altera 770. Rep. m. Martio a. 1930 prope vicum *Goss* in campo *Dontchev* (ab urbe *Breznik* inter occasum et meridiem versus, i. e. prope Strumam flumen in Thracia) in olla fictili sub tumulo funerario. *Le diplôme a été trouvé intact, mais les trouveurs ont déchiré le fil et ont endommagé les lamettes en bronze qui conservaient les cachets des témoins* ANDRÉEV. Sed, ut imago docet, anuli duo, ipsae lamellae laterales, nec non tertia illa, quae media inter eas ipsam ceram tegebat, servatae sunt. Inlatum est in museum nationale Sofiense" (CIL, S. 9).

Innenseite, Tafel I

Imp(erator) Vespasianus Caesar Aug(ustus) trib(unicia)
potest(ate) co(n)s(ul) II̅
causari<is>, qui militaverunt in leg(ione) II̅
Adiutrice Pia Fidele, qui bello in-

5 utiles facti ante emerita stipendia exauctorati sunt et dimissi
   honesta missione, quorum
   nomina subscripta sunt, ipsis
   liberis posterisque eorum,
10 civitatem dedit et conubium
   cum uxoribus, quas tunc habuissent, cum est civitas is data, aut
   si qui caelibe{n}s essent, cum is,

Innenseite, Tafel II
   quas postea duxissent dumtaxat
15 singuli{s} singulas.
   imp(eratore) Vespasiano Aug(usto) II̅ Caesare Aug(usti) f(ilio)
                                            co(n)s(ulibus)

   nonis Martis descriptum et recognitum ex tabula ahenea, quae fixa est
   Romae in Capitolio ad aram Gen-
20 tis Iuliae latere dextro ante signum Liberi Patris tabula I̅ pag(ina) I̅
   loco X̅X̅V̅
   Dule Datui f(ilio) natione Bessus.

Außenseite, Tafel II
   Imp(erator) Vespasianus Caesar Aug(ustus) trib(unicia) potes-
                                       t(ate) co(n)s(ul) II̅
   causari<is>, qui militaverunt in leg(ione) II̅ Adiutrice
   Pia Fidele, qui bello inutiles facti ante emerita stipendia exauctorati sunt et dimissi
5 honesta missione, quorum nomina subscripta sunt, ipsis liberis posterisque eorum,
   civitatem dedit et conubium cum uxoribus, quas
   tunc habuissent, cum est civitas is data, aut si
   qui caelibes essent, cum is, quas postea duxis-
10 sent dumtaxat singuli singulas.
   imp(eratore) Vespasiano Aug(usto) II̅ Caesare Aug(usti) f(ilio)
                                            co(n)s(ulibus)

   descriptum et recognitum ex tabula IIAI,
   quae fixa est Romae in Capitolio ad
   aram Gentis Iuliae latere dextro ante
15 signum Liberi Patris tabula I̅ pag(ina) I̅
   loco X̅X̅V̅
   Dule Datui f(ilio) natione Bessus.

Außenseite Tafel I

P(ubli) Carulli P(ubli) f(ili) Cal(eria) Sabini, dec(urionis), Phi-

vacat   lippiensis,

20 C(ai) Vetidi C(ai) f(ili) Vol(tinia) Rasiniani, dec(urionis), Phi-

vacat   lippiensis,

L(uci) Novelli Crispi, veterani, Philipp(iensis),

P(ubli) Lucreti P(ubli) f(ili) Vol(tinia) Apuli, mil(itis) coh(ortis)

$\overline{IX}$ pr(aetoriae)

vacat   Philippiensis,

25 Ti(beri) Iuli Pudentis, Philippiensis,

M(arci) Ponti Pudentis, veter(ani),

C(ai) Iuli Aquile, Aprensis.

Alle Zahlen sind in dieser Inschrift durch einen Überstrich gekennzeichnet. **I12** Das IS ist über der Zeile später hinzugefügt. **I16** Nesselhauf: „Int. 16-24 et extrins. 11-17 alio ductu postea scripti sunt, negligentius quam priores (litterae E, T, L nonnunquam sola hasta perpendiculari expressae sunt" (CIL, a.a.O., S. 9). **I23** Statt *Dule* liest AÉ *Dale*. **A4** Das DI von *dimissi* ist über der Zeile später hinzugefügt. **A7** Das CVM vor *uxoribus* ist über der Zeile später hinzugefügt. **A8** Das IS ist über der Zeile später hinzugefügt. **A12** Zu den erratischen Buchstaben IIAI bemerkt Nesselhauf: „pro vocabulo *ahenea* extrins. omisso supra lineam adiecta sunt signa supra indicata" (CIL, a.a.O., S. 9). **A18** Nesselhauf: „Extr. 18 CAL aes, non, ut voluit editor, CN; indicatur tribus Galeria" (CIL, a.a.O., S. 9). **A20** AÉ: *Urtidi* (vermutlich Druckfehler).

Der Imperator Vespasianus Caesar Augustus, Inhaber der tribunizischen Gewalt, zum zweiten Mal Konsul, hat den Invaliden, welche in der zweiten Legion Adiutrix Pia Fidelis gedient haben, und die – zum Krieg [5] untauglich geworden – vor Beendigung ihrer Dienstzeit verabschiedet und ehrenhaft entlassen worden sind, deren Namen unten aufgelistet sind, ihnen selbst, ihren Kindern und ihren Nachkommen [10] das Bürgerrecht verliehen sowie das Recht, eine rechtmäßige Ehe zu schließen mit den Frauen, die sie damals gehabt hatten, als ihnen das Bürgerrecht verliehen wurde, beziehungsweise, wenn sie ledig waren, mit denjenigen (Frauen), die sie später geheiratet hatten, [15] ein einzelner jeweils nur eine einzelne. (Im Jahr,) als der Imperator Vespasianus Augustus zum zweiten Mal und Caesar, der Sohn des Augustus, Konsuln waren, an den Nonen des März wurde (das vorliegende Militärdiplom) kopiert und überprüft nach der Bronzetafel, welche in Rom auf dem Kapitol am Altar der [20] Gens Iulia, an der rechten Seite vor dem Bild des Liber Pater auf Tafel I, Seite I, Zone XXV angebracht ist, für Dule, den Sohn des Datus, von dem Stamm der Besser.

[A18] (Die Zeugen:) Publius Carullius Sabinus, der Sohn des Publius, aus der Tribus Galeria, Decurio, aus Philippi. [A20] Caius

Vetidius Rasinianus, der Sohn des Caius, aus der Tribus Voltinia, Decurio, aus Philippi. Lucius Novellius Crispus, Veteran,
aus Philippi. Publius Lucretius Apulus, der Sohn des Publius,
aus der Tribus Voltinia, Soldat der neunten Prätorianerkohorte,
aus Philippi. [A25] Tiberius Iulius Pudens, aus Philippi. Marcus
Pontius Pudens, Veteran. Caius Iulius Aquila, aus Apri.

Dieses Militärdiplom ist in der Monographie von Collart noch nicht berücksichtigt, obwohl es schon Anfang der dreißiger Jahre publiziert und durch AÉ
1932 [1933] jedem Interessierten zugänglich gemacht wurde. Das ist umso
bedauerlicher, als in Philippi bisher nur ein einziges Militärdiplom gefunden
wurde (falls 030/L523 in der Tat aus Kavala stammt; siehe dort). Zudem
liefert die Liste der Zeugen in Z. A18ff. überaus wertvolle Informationen
bezüglich der *Prosopographia Philippiensis* und dies aus einer Zeit (2. Hälfte
des 1. Jahrhunderts), für die das epigraphische Material aus Philippi selbst
eher dürftig ist. Immerhin hat Κανατσούλης die in Z. A18ff. Genannten
schon in seiner Prosopographie berücksichtigt, so Publius Carullius Sabinus
als Nr. 685 (S. 74); Caius Vetidius Rasinianus als Nr. 1074 (S. 118); Lucius
Novellius Crispus als Nr. 994 (S. 108); Publius Lucretius Apulus als Nr. 844
(S. 90); Tiberius Iulius Pudens als Nr. 612 (S. 66). Marcus Pontius Pudens
fehlt wegen seiner unbekannten Herkunft, Caius Iulius Aquila, weil er aus
Apri in Thrakien stammt. Diese Namen wären in entsprechender Weise in
der einschlägigen Liste bei Collart (S. 290ff.) nachzutragen.

Das Militärdiplom enthält die üblichen Elemente der Gattung: Es beginnt
mit dem Namen und den Titeln des Kaisers im Nominativ (Z. I1–2), nennt
dann die Begünstigten im Dativ samt der Einheit, bei der sie gedient haben (Z. I3f.); in diesem Fall wird der Grund für die ehrenvolle Entlassung
präzisiert (Z. I4–7). Es folgt das formelhafte *quorum nomina subscripta sunt*
(Z. I7f.), sowie die genaue Abgrenzung des begünstigten Personenkreises (Z.
I8f.), und die Auflistung der Privilegien (Z. I10–15). Nach der Datierung (Z.
I16–18) wird noch genau der Aufbewahrungsort des Originals der Urkunde
angegeben (Z. I18–22), von welcher dieses Exemplar eine Abschrift ist (*ex
tabula ahenea* ...). Abschließend wird m.E. im Dativ – anders anscheinend
Nesselhauf, vgl. seine Interpunktion (CIL, a.a.O., S. 9) – der Name dessen
genannt, für den diese Abschrift ausgefertigt worden ist (Z. I23). Dieser Text
wird auf der Außenseite der Tafeln wiederholt (Z. A1–17), ergänzt nur durch
die Namen der sieben Zeugen (Z. A18ff.), welche die Echtheit des Dokuments
bestätigen.

Z. I1   Eine Liste aller Vorkommen des Vespasianus in den Inschriften von
Philippi bei der Ehreninschrift 281/L371 aus der Basilika B.

Z. I3f.   Die *legio II Adiutrix Pia Fidelis* wird vermutlich auch in einer
fragmentarischen Inschrift vom Forum genannt (210/L357). Hier in unserem
Militärdiplom erregt sie allerdings Befremden, weil Angehörige von Legionen *eo ipso cives Romani* sind und folglich nicht mehr mit dem römischen

Bürgerrecht beschenkt werden können. In bezug auf die *legio II Adiutrix* liegt jedoch ein besonders gelagerter Fall vor: „Legionaries of course did not normally stand to profit by these special citizenship grants since they were, by definition, citizen soldiers. Any non-Roman admitted to a legion would normally be given the citizenship on enlistment. However the civil wars of AD 69 produced an anomaly. The pressure on normal recruiting channels was such that in order to fulfil the requirement for extra legionaries unusual sources were tapped. Legion II *Adiutrix* was raised from the men of the Ravenna fleet, just as a few years earlier Nero had used marines as the basis of legion II *Adiutrix*. These men were non-Romans and so it was necessary to grant them citizenship: hence the series of so-called »legionary diplomas«. Three record ordinary grants of citizenship on discharge. One gives citizenship to men being discharged *ante emerita stipendia* [d.i. das vorliegende Militärdiplom; Maxfield zitiert Z. 5f.] as war casualties – though they are receiving a full honourable discharge (*honesta missio* [Z. 7]) and not the more normal discharge of the wounded (*missio causaria*) – and one, dating to AD 70, is a grant to veterans who have served twenty years or more instead of the normal twenty-five (or twenty-six in the case of the fleets), presumably an early discharge in recognition of their particular service." (Maxfield, a.a.O., S. 230f.).

Z. I16f. Die Datierung ergibt den 7. März 70 (das zweite Konsulat des Vespasianus fällt ins Jahr 70). Die Frage, worauf sich die Datierung bezieht, ist umstritten (vgl. etwa Otto Behrends: Die Rechtsregelungen der Militärdiplome und das die Soldaten des Prinzipats treffende Eheverbot, in: Heer und Integrationspolitik (s. dort), S. 116–166; hier S. 147f.); es handelt sich entweder um die Datierung der Konstitution selbst oder um die Datierung der Publikation (der Urkunde? oder des Militärdiploms?).

Z. I23 Detschew liest Dule statt Dale: „(dat.) Dule (d.h. Dulae) Datui f. natione Bessus" (S. 159, s.v. Δουλης κτλ.); vgl. auch den Art. Δατυς κτλ. (S. 121).

Zu dem thrakischen Stamm der Besser vgl. das literarische und epigraphische Material bei Detschew (Art. Βησσοί, S. 57–59; die erste literarische Erwähnung bei Herodot VII 111).

Z. A18 Zu den Zeugenlisten bei einem Militärdiplom vgl. den Kommentar zu 030/L523 aus Kavala (zu Z. A20). Gegen eine Bezeugung in Rom hat sich neuerdings Dušanić ausgesprochen. Im Unterschied zu Kubitscheck (vgl. die bei 030/L523 im Kommentar zu Z. A20 angeführten Zitate) denkt Dušanić nicht unbedingt an eine Ausfertigung in der Provinz (in unserm Fall also in Makedonien), sondern hält eine Bezeugung an unterschiedlichen Orten für das Gegebene: „The composite structure of some lists which combine people of different occupations residing in several different places, none of them Rome or the recipient's camp/veteran settlement ... minimizes the possibility of such signatories ever being together and able to perform their alleged duty of *apographum ad exemplare recognoscendi*, even if it could have been carried out in a province" (S. 280f.) – die sieben Zeugen treten gar nicht als Gruppe an ein und demselben Ort auf, sondern können ihr Zeugnis auch schriftlich vorlegen (ebd.). Dies sei die für die frühen Militärdiplome übliche Praxis. Unsere beiden Exemplare liefern Dušanić allerdings nicht die Argumente, die seine Hypothese zu stützen vermöchten: Im Fall des Militärdiploms 030/L523 haben wir eine ganz einheitliche Zeugenliste aus sieben Philippern, deren gemeinsamem Auftreten ein unterschiedlicher Wohnsitz („residing in several different places") ja gerade nicht im Wege steht. Was unseren hier zu diskutierenden Text 705/L503 angeht, so haben wir fünf Bürger aus Philippi (Z. A18–25), einen aus Apri (Z. A27) sowie *Marcus Pontius Pudens veteranus* (Z. A26). Das Fehlen eines Ethnikons in seinem und nur in seinem Fall ist m.E. ein Argument für Rom: Alle sechs auswärtigen Zeugen haben ihr Ethnikon, bei ihm fehlt es, weil er in Rom ansässig ist. Daher halte ich für die beiden Militärdiplome dieses Katalogs an der traditionellen Auffassung hinsichtlich ihrer Errichtung und Bezeugung *in Rom selbst* fest.

Dušanić reiht weitere Spekulationen an die Zusammensetzung der Zeugenlisten 030/L523 und 705/L503: „the composition of these two lists need not have been entirely formalist. It may have been intended also to acknowledge the contribution of Philippi to Vespasian's victory in the Civil War; as such it would comply, to a degree, with the tradition that the *signatores* testify to the end of the recipients' service rather than to its beginning. The city of Philippi was proud of the successes of II Adiutrix and Classis Augusta Alexandrina in A.D. 69, as two honorary monuments from its forum [das sind die Nummern 210/L357 und 211/L358] abundantly show. This pride, which may have extended to the other naval victories of the *partes Flavianae*, seems to have been motivated by the courage the real *Philippienses* and men enlisted at Philippi displayed during A.D. 69" (Dušanić, S. 285).

Das (recht seltene, vgl. ThLL Suppl. Nomina propria latina II, Sp. 220, s.v. Carullius) *nomen gentile* Carullius begegnet in den Inschriften von Philippi bisher noch nicht.

Ein Caius Horatius Sabinus findet sich in den Silvanusinschriften 163/L002 (Z. 23) und 164/L001 von der Akropolis. Ein anderer Sabinus in 524/L103 aus Χαριτωμένη.

Die *tribus Galeria* kommt in den Inschriften von Philippi sonst nicht vor. Da Publius Carullius Sabinus der *tribus Galeria* und nicht der *tribus Voltinia* angehört, stammt er ursprünglich nicht aus Philippi.

Wenn dieser erste Zeuge als *decurio* bezeichnet wird, so ist damit wohl nicht der Rang in Philippi, sondern eine militärische Charge in der Kavallerie oder Flotte gemeint (vgl. Morris/Roxan, S. 307 und S. 326; anders Dušanić, S. 278f., Anm. 43).

Z. A20 Das *nomen gentile* Vetidius begegnet bisher zweimal: Sermo Turpilius Vetidius in 026/L123 (aus Kavala) und Lucius Vetidius (393/L625; Fundort nicht bekannt).

Das *cognomen* Rasinianus ist (im Unterschied zu dem *nomen gentile* Rasinus) in Philippi bisher noch nicht belegt.

Zu *decurio* vgl. o. den Kommentar zu Z. A18.

Z. A22 Das *nomen gentile* Novellius kommt in den Inschriften von Philippi bisher noch nicht vor. Vgl. die Notizen von Salomies: „*Novellius*, a splendid nomen found in inscriptions from Dyrrachium (*AEp.* 1978, 740.749) and at Philippi (*CIL* XVI 10, AD 70), the praenomen always being *Lucius*. In Italy this nomen is not particularly rare, but it seems to be typical mainly of the north, where there are *Novellii* especially in and around Mediolanum" (Olli Salomies: Contacts between Italy, Macedonia, and Asia Minor during the Principate, in: Roman Onomastics in the Greek East. Social and Political Aspects, hg. v. A.D. Rizakis, Μελετήματα 21, Athen 1996, S. 111–127; hier S. 122).

Das *cognomen* Crispus ist in Philippi mehrfach bezeugt.

Z. A23 Das *nomen gentile* Lucretius begegnet in Philippi bisher noch nicht.

Das *cognomen* Apulus ist ebenfalls neu.

Die *cohors IX praetoria* ist in Philippi noch nicht belegt.

Z. A25 Das *nomen gentile* Iulius begegnet in Philippi häufig.

Das *cognomen* Pudens ist in Philippi mehrfach bezeugt.

Z. A26 Das *nomen gentile* Pontius begegnet in Philippi bisher zweimal: In 558/L408 (aus Monoikos) ist von einem Freigelassenen des Novus Pontius die Rede; ein Ἰούνιος Πόντιος Πρόχλος in 248/G435 vom Macellum.

Z. A27 Zum *nomen gentile* Iulius vgl. oben, Z. A25. Vermutlich ist *Aquile* = *Aquilae*, so daß es sich um das *cognomen* Aquila (vgl. ThLL II, Sp. 372–373) handelt. In Philippi ist dieses *cognomen* bisher noch nicht belegt.

Aprensis bezeichnet die Einwohner von Apri (vgl. ThLL II, Sp. 320, Z. 10). Verbindungen zwischen der *colonia Iulia Augusta Philippiensis* und der ebenfalls an der Via Egnatia gelegenen *colonia Claudia Aprensis* sind mehrfach belegt: vgl. die Inschriften 700/L738, 701/L739, 702/L740 und 703/L741 aus Alexandria Troas (zur Lage von Apri vgl. den Kommentar zu 700/L738, Z. 5); sowie 416/L166 aus Μαυρολεύκη.

706/L695   Liste von Veteranen
195

Friedrich Ladek/A. v. Premerstein/Nikola Vulić: Antike Denkmäler in Serbien II, JÖAI 4 (1901), Beiblatt, Sp. 73–162; hier Sp. 81–97, Nr. 3 (zu unserm Mann aus Philippi insbesondere Sp. 91f.; Sp. 96).

CIL III, Suppl. II, 14507.

Collart, S. 291.

Κανατσούλης, Nr. 1056.

Sarikakis, Nr. 204 (S. 457).

Viminacium (Moesia Superior). Der sehr umfangreiche Text dieser Liste kann hier nicht abgedruckt werden; das ist auch nicht nötig, da die meisten Veteranen keinen Zusammenhang mit Makedonien – ganz zu schweigen von Philippi – aufweisen: „Von 139 Veteranen unserer Liste, bei welchen die Angabe der Heimat erhalten ist, stammt die überwiegende Mehrzahl (100) ... aus Moesia superior" (Ladek/Premerstein/Vulić, Sp. 94f.); Makedonien ist mit nur drei Namen vertreten, darunter auch ein Philipper:

51 C(aius) Val(erius) Trophimian(us) Phil(ippensis)

51 CIL irrtümlich: *Throphimian(us)* (S. 2328[103]).

Caius Valerius Trophimianus, der Philipper.

Es handelt sich um Veteranen der *legio VII Cl(audia) p(ia) f(idelis)*. Zur siebten Legion *Claudia pia fidelis* vgl. 522/L210 und 708/L693.

Z. 51 Das *nomen gentilicium* Valerius ist in Philippi sehr häufig anzutreffen, das *cognomen* Trophimianus dagegen ist noch nicht belegt (wohl dagegen Trophimus und Trophime).

Lateinisches Fragment

707/L697
III

Friedrich Ladek/A. v. Premerstein/Nikola Vulić: Antike Denkmäler in Serbien II, JÖAI 4 (1901), Beiblatt, Sp. 73–162; hier Sp. 97f., Nr. 3a.
CIL III, Suppl. II, 14506[1].
Collart, S. 291.

Viminacium (Moesia Superior). „Bruchstück einer Platte aus Kalkstein; oben und l. Rahmen erhalten ... . Buchstaben des beginnenden 3. Jahrhunderts ... . Gefunden 1901 in Kostolac; jetzt in der Sammlung des Gymnasiums zu Požarevac." (Ladek/Premerstein/Vulić, Sp. 97).
Abmessungen: H. 0,69; B. 0,62; Buchstaben H. 0,06 bis 0,04.

> *vacat* De[o *bzw.* Deae ...]
> pro salute im[p(eratorum) L(uci) Septimi Severi]
> Pert<i>nacis et M(arci) A[ureli Antonini Augustor(um),]
> pontif(icis) max(imi), Par(thici) [max(imi), Brit(annici) max(imi),
>   Ger(manici), invictorum]
> 5 [et c]onspirantibus iud[icis totius orbis maximor(um) DDD]
> N[NN e se]st(ertium quingentis et decem milibus) n(ummum)
>   ...
>
> n[obiliss]ime ornat[um *oder* -am ...]
> C[... de]c(urio) aedil(is) C[...]

Ç[... Ne]mesa[eus ...]
10 Fil<i>pp(ensium) c(ivium) R(omanorum) cu[rante ...]
[ded(icatum) ...]idus[...]

1 Hier ist der „Name der Gottheit im Dativ" zu ergänzen (Ladek/Premerstein/Vulić, Sp. 98). **2** Die Herausgeber bemerken, daß nach „der sicheren Ergänzung von Z. 2 ... r. etwas mehr als die Hälfte" fehle (Sp. 97). **4** Hier „sind geringfügige, aber sichere Reste einer getilgten älteren Schrift erkennbar. Ursprünglich standen in Z. 2–4 die Namen der Kaiser, wie der Name des Severus (Z. 2f.) zeigt, ohne ausführliche Titulatur, darunter an dritter Stelle (Z. 3 am Ende; Z. 4) der des Geta, etwa in der Form: »et P. Septimi Getae Caesaris«. Letzterer wurde nach der damnatio memoriae Getas (J. 212) eradiert und in dem freigewordenen Raume die damalige Titulatur Caracallas ... eingesetzt; die Anführung des Oberpontificates, welcher dem Caracalla erst nach Severs Tode zukam ..., erweist sie als späteren Zusatz. Auch auf anderen Denkmälern wurde die so entstandene Lücke ähnlich ausgefüllt; vgl. Dessau n. 425; 426; 434; 448" (Ladek/Premerstein/Vulić, Sp. 97). **5** DDD ist *domini tres* (ursprünglich waren drei Namen genannt!). **6** N vermutlich *noster*, DN *dominus noster*, DDDNNN also *domini tres nostri*. Zu lesen ist demnach *dominorum trium nostrorum*. Am Schluß der Zeile fehlt die „Benennung des Werkes" (Ladek/Premerstein/Vulić, Sp. 98). **7** Hier fehlt der „Name des ersten Dedikanten: Praenomen, Gentile und Anfang des Cognomen" (Ladek/Premerstein/Vulić, Sp. 98). **8** Zu Beginn der Zeile stand der Schluß des *cognomen* des ersten Dedicanten, am Ende der „Anfang eines zweiten Namens" (ebd.). **9** Am Ende der Zeile vermuten die Herausgeber eine „municipale Function" (ebd.). **10** Nach *curante* fehlt ein Name im Ablativ.

Dem Gott (bzw. der Göttin) ... zum Heil der Imperatoren Lucius Septimius Severus Pertinax und Marcus Aurelius Antoninus, der Augusti, [Fortsetzung der Titulatur des Marcus Aurelius Antonius:] des Pontifex Maximus, Parthicus Maximus, Britannicus Maximus, Germanicus, der unbesiegbaren [5] und der nach dem übereinstimmenden Urteil des gesamten Erdkreises größten, unserer drei Herren, zum Preis von 510.000 Nummi ... aufs beste geschmückt ... Decurio, Ädil ... Nemesaeus ... der Philipper, der römischen Bürger, unter Aufsicht des ... geweiht ...

Die Vorschläge der Herausgeber zur Ergänzung der fehlenden rechten Hälfte der Inschrift sind nicht mehr als Hypothesen.

Z. 5 Der Dativ oder Ablativ Plural von *iudicium* auf *-is* statt *-iis* begegnet in den Inschriften auch sonst, vgl. ThLL VII 2, Sp. 606, Z. 54. Zum Inhalt vgl. Ruth Schian: Untersuchungen über das »argumentum e consensu omnium«, Diss. Tübingen 1971, die freilich auf so bescheidene Belege wie den unsrigen nicht eingeht.

708/L693   **Grabinschrift des Lucius Valerius**

I

CIL III 1, 2717.

Otto Cuntz: Legionare des Antonius und Augustus aus dem Orient, JÖAI 25 (1929), S. 70–81; hier S. 75f., Nr. 8.

Collart, S. 258; S. 290f.
Artur Betz: Inschriften aus Carnuntum, JÖAI 37 (1948), Beiblatt, Sp. 239–262;
hier Sp. 242 mit Anm. 10.
Κανατσούλης, Nr. 1033.
Sarikakis, Nr. 193 (S. 456).

Gardun-Delminium (Dalmatien)? „Gardun ad Culam Turcarum. Frustra ibi quaesivi" (CIL, S. 359).

L(ucius) Valerius L(uci) f(ilius) Vol(tinia)
domo Philippis,
mil(es) leg(ionis) VII, ann(orum) XXXV,
stip(endiorum) XV, h(ic) s(itus) e(st).
5 t(estamento) f(ieri) i(ussit).

Lucius Valerius, der Sohn des Lucius, aus der Tribus Voltinia, aus
Philippi stammend, Soldat der siebten Legion, fünfunddreißig
Jahre alt, mit fünfzehn Dienstjahren, liegt hier begraben. Er hat
die Errichtung (des Steins) testamentarisch angeordnet.

Z. 1 Das *nomen gentilicium* Valerius ist in Philippi sehr häufig anzutreffen.

Z. 3 Die siebte Legion mit dem Beinamen *Claudia pia fidelis* begegnet in der Inschrift des Captor of Decebalus, Tiberius Claudius Maximus (522/L210 aus Γραμμένη). „The seventh Claudian legion in which Maximus enrolled had been transferred in A.D. 66 at the latest from Dalmatia to Viminacium in Moesia" (Michael Speidel: The Captor of Decebalus. A New Inscription from Philippi, JRS 60 (1970), S. 142–153; hier S. 143).
Aus dem Fehlen des Beinamens *Claudia pia fidelis* kann man mit Cuntz auf die Datierung in die frühe Kaiserzeit schließen (Cuntz, S. 76). Die „fiktive Filiation" macht es nach Cuntz darüber hinaus „wahrscheinlich", daß unser Legionär „nicht zu den ... 42 und 30 v. Chr. angesiedelten römischen Kolonisten" gehört; Valerius war demnach peregriner Herkunft.
Aus späterer Zeit (195 n. Chr.) stammt eine Liste von Veteranen eben dieser siebten Legion, aus Viminacium, die *C(aius) Val(erius) Trophimian(us) Phil(ippensis)* erwähnt (706/L695).

Lateinisches Fragment (Grabinschrift?)   709/L696
I

CIL III, Suppl. II, 14933.
Otto Cuntz: Legionare des Antonius und Augustus aus dem Orient, JÖAI 25 (1929), S. 70–81; hier S. 75f., Nr. 6.
Collart, S. 258; S. 291.
Κανατσούλης, Nr. 1145.
Sarikakis, Nr. 169 (S. 454).

Gardun (Dalmatien). CIL: „lapis calcarius alt. m. 0.60 lat. 0.45 ...; est Spalato in museo n. 2458." Über der Inschrift ist ein Relief mit einem nach rechts reitenden Reiter.

> M(arcus) Percenni[us ... f(ilius)]
> Voltinia Ph[ilippis],
> [... l]eg[...]

> Marcus Percennius, der Sohn des ..., aus der Tribus Voltinia, aus Philippi stammend, (Soldat der ... Legion?).

Z. 1 Das *nomen gentilicium* Percennius kommt in Philippi bisher noch nicht vor. Auch Κανατσούλης bietet S. 125 für Makedonien keinen weiteren Beleg.

Z. 2 Daß die Tribusangabe *Voltinia* nicht abgekürzt wird, ist sehr ungewöhnlich.

Die Datierung geht auf Sarikakis zurück, der sagt: „init. s. I p." (S. 454). Ähnlich schon Cuntz, S. 76, der in die frühe Kaiserzeit datiert, sich dafür aber auf die „fiktive Filiation" beruft (ebd.), von der man im Fall unseres Percennius nicht gut reden kann.

710/L692
I

Grabinschrift des Caius Fulvius

CIL III 1, 2031.

Otto Cuntz: Legionare des Antonius und Augustus aus dem Orient, JÖAI 25 (1929), S. 70–81; hier S. 75f., Nr. 3.

Collart, S. 258; S. 290; S. 292.

Artur Betz: Inschriften aus Carnuntum, JÖAI 37 (1948), Beiblatt, Sp. 239–262; hier Sp. 242, Anm. 10.

Κανατσούλης, Nr. 1467.

Sarikakis, Nr. 122 (S. 450).

Salona (Dalmatien). Eine nähere Beschreibung bietet CIL nicht.

> C(aius) Fulvius
> C(ai) f(ilius) Vol(tinia) Phil(ippis),
> miles leg(ionis) XI,
> annor(um) XXX,
> 5 stipend(iorum) X.

> Caius Fulvius, der Sohn des Caius, aus der Tribus Voltinia, aus Philippi stammend, Soldat der elften Legion, dreißig Jahre alt, mit zehn Dienstjahren.

Z. 1 Das *nomen gentilicium* Fulvius begegnet in Philippi sonst nicht. Auch für Makedonien hat Κανατσούλης, S. 167, nur einen weiteren Beleg, Nr. 1467α aus Thessaloniki mit der Bemerkung Έζησεν όχι μετά τον Νέρωνα nach Collart, S. 292 (vgl. das Zitat unten).

Z. 2 Zu Folgerungen, die man aus der möglicherweise fiktiven Filiation ziehen kann, vgl. Cuntz, S. 76 (referiert im Kommentar zu 708/L693).

Z. 3 Die elfte Legion mit dem späteren Beinamen *Claudia pia fidelis* begegnet auch in der Inschrift 389/L605 (Philippi; genauer Fundort nicht bekannt).

Zur Datierung vgl. die Bemerkung bei Collart, S. 292: „les deux épitaphes [d.i. die vorliegende Inschrift und 708/L693] de soldats des légions VII et XI, morts en Dalmatie, ne sont pas postérieures au règne de Néron".

Brief betreffend u.a. die Grenzen   711/G736
zwischen Thasos und Philippi   I

Christiane Dunant/Jean Pouilloux: Recherches sur l'histoire et les cultes de Thasos. II. De 196 avant J.-C. jusqu'à la fin de l'Antiquité, Études Thasiennes V, Paris 1957; hier S. 82–87, Nr. 186.

H.-G. Pflaum: Histoire et cultes de Thasos [Rez. von Dunant/Pouilloux: Recherches sur l'histoire et les cultes de Thasos II], JS 1959, S. 75–88; hier S. 79–82.

BÉ 1960, Nr. 329.

M. McCrum/A.G. Woodhead: Select Documents of the Principates of the Flavian Emperors Including the Year of Revolution, A.D. 68–96, Cambridge 1961, Nr. 457, S. 134f.

Θεόδωρος Χ. Σαρικάκης: Ρωμαίοι Άρχοντες της επαρχίας Μακεδονίας, Μέρος Α΄: Από της ιδρύσεως της επαρχίας μέχρι των χρόνων του Αυγούστου (148–27 π.Χ.), Μακεδονική Βιβλιοθήκη 36, Thessaloniki 1971; Μέρος Β΄: Από του Αυγούστου μέχρι του Διοκλητιανού (27 π.Χ. – 284 μ.Χ.), Μακεδονική Βιβλιοθήκη 51, Thessaloniki 1977; hier Bd. II, S. 57–59.

Fanoula Papazoglou: Gouverneurs de Macédoine. A propos du second volume des Fasti, par Th. Sarikakis, ŽAnt 29 (1979), S. 227–249; hier S. 239–242.

AÉ 1979 [1982] 565.

Fanoula Papazoglou: Le territoire de la colonie de Philippes, BCH 106 (1982), S. 89–106; hier S. 94 mit Anm. 23.

John Paul Adams: Topeiros Thraciae, the Via Egnatia and the Boundaries of Macedonia, in: Αρχαία Μακεδονία IV. Ανακοινώσεις κατά το τέταρτο διεθνές συμπόσιο, Θεσσαλονίκη, 21–25 Σεπτεμβρίου 1983, IMXA 104, Thessaloniki 1986, S. 17–42; hier S. 28–34.

Band I, S. 52 mit Anm. 2; S. 58 mit Anm. 20; S. 63; S. 160.

Thasos. „... bloc de marbre conservé intact sur la largeur et la hauteur; la pierre a été débitée par moitié dans le sens de l'épaisseur, et légèrement entaillée à gauche lors du remploi; trous de deux scellements en ⊓ à chaque extrémité; trou de goujon à 0 m. 48 du bord droit; dimensions en mètres

0,96x0,47x0,13; h. l. en centimètres: 2,2; int.: 1,8; dans le remploi la face inscrite était tournée vers l'extérieur; la lecture est plus difficile sur la partie droite; trouvée le 6 août 1949, remployée dans le dallage de la nef Sud de la basilique de l'agora" (Dunant/Pouilloux, S. 82).
Heute im Museum von Thasos (Inventarisierungsnummer 757).

[Λ(ούκιος)] Οὐεινούλειος Παταίκιος ἐπίτροπος αὐτοκράτο[ρος]
Καίσαρος Οὐεσπασιανοῦ Σεβαστοῦ, Θασίων ἄρχουσ[ι],
βουλῇ, δήμῳ χαίρειν. *vac.* καὶ πρὸς τὴν κολωνείαν ἐδικα[ι-]
οδότησα ὑμᾶς καὶ ἀπειλήφατε τὸ ὀφειλόμενον ἀργύριον
5 καὶ τῆς ἀνγαρείας ὑμᾶς τὸ λοιπὸν ἀπολύω παρὲξ ὧν ἂν
διὰ τῆς ὑμετέρας χώρας· *vac.* ἃ δὲ Λούκιος Ἀντώνιος, ἀνὴρ
ἐπισημότατος, κέκρικε περὶ τοῦ παρῳχηκότος, οὐκ ἐδυν[άμην]
[ἀ]νασκευασθῆναι· στρατιώτην ἔδωκα ὑμεῖν περὶ τῶν ὅρων,
ὅταν αὐτὸς γένομαι (*sic*) κατὰ τόπον στήσσω καὶ ἐν οὐδενὶ μέμψε-
10 [σ]θε· προθυμίαν γὰρ ἐκτενεστάτην ἔχω τοῦ ποιεῖν εὖ πάντας ἐπὶ
                                                                    Θ[ρά-]
[κ]ην, ὑμᾶς δὲ δὴ καὶ σφόδρα.
υἱὸς σώφρω[ν] φίλος ὢν [...] ξένος τοσοῦτος [...]

3 Der Steinmetz ist nicht konsequent, was das *iota adscriptum* angeht: ΒΟΥΛΗ steht neben ΔΗΜΩΙ. „Il semble d'ailleurs qu'il marque l'*iota* adscrit après *êta* par une haste verticale au centre de l'η" (Dunant/Pouilloux, S. 82f.). **7** Σαριχάκης ergänzt ἐδύν[ατο] mit folgender Begründung: Διωρθώσαμεν οὕτω τὴν συμπλήρωσιν τῶν ἐκδοτῶν ἐδυν[άμην], ἡ ὁποία ἀπό συντακτικῆς ἀπόψεως εἶναι ὁπωσδήποτε ἐσφαλμένη, ἐφ' ὅσον τὸ [ἀ]νασκευασθῆναι εἶναι παθητικόν. Ἐπειδή δε ὁ ὑπάρχων ἐπί τοῦ λίθου χῶρος (ἴδε Plate X,1) δεν ἐπιτρέπει τὴν συμπλήρωσιν εἰ μὴ δύο ἤ τριῶν το πολύ γραμμάτων, προτιμῶμεν τὸν τύπον ἐδύν[ατ'] ἤ ἐδύν[ατο] (Ἀττική σύνταξις) (a.a.O., S. 58, Anm. 1).

Lucius Venuleius Pataecius, Procurator des Imperator Caesar Vespasianus Augustus, grüßt die Beamten, den Rat (und) das Volk der Thasier. Und ich habe euch im Hinblick auf die Kolonie Recht gesprochen, und ihr habt das geschuldete Geld zurücker-halten, [5] und im übrigen befreie ich euch von den Transport-verpflichtungen außer von denen, die (sich) aufgrund (der Weg-strecke im Rahmen) eures eigenen Territoriums (ergeben). Was aber Lucius Antonius, ein sehr berühmter Mann, über das Ver-gangene entschieden hat, konnte ich nicht ändern. Ich gab euch einen Soldaten für die (Festlegung der) Grenzen; wenn ich selbst in der Gegend bin, werde ich (die Grenzsteine) aufstellen, und ihr werdet in keinem Punkt einen Nachteil haben. [10] Denn ich habe die eifrigste Bereitschaft, alles mit Wohlwollen im Blick auf Thrakien zu tun, euch aber doch auch besonders.

Z. 1 Die Karriere des Lucius Venuleius Pataecius (H.-G. Pflaum: Les car-rières procuratoriennes équestres sous le haut-empire romain, Paris 1960, Nr.

44, S. 104–106) ist aus einer Inschrift aus Troja bekannt (AÉ 1936, 1; vgl. John L. Caskey: New Inscriptions from Troy, AJA 39 (1935), S. 588–592; hier Nr. 1 auf S. 588f. = Paul Frisch: Die Inschriften von Ilion, IGSK 3, Bonn 1975, Nr. 105). Demnach war er zunächst in *Africa*, dann in *Asia* und schließlich in *Thracia* Procurator des Vespasianus. Er stammt vielleicht aus Alexandria Troas; „. . . la procuratèle de Thrace apparaît comme le couronnement de la carrière suivie par Vinuléius" (Dunant/Pouilloux, S. 83).

Z. 2 Eine Liste aller Vorkommen des Vespasianus in den Inschriften von Philippi bei der Ehreninschrift 281/L371 aus der Basilika B.

Z. 3–6 „Dans sa première partie, la lettre de Vinuléius Pataicius vise en effet à régler le différend de Thasos πρὸς τὴν κολωνείαν" (Dunant/Pouilloux, S. 84). Mit κολωνεία ist ersichtlich die Colonia Iulia Augusta Philippensis gemeint (ebd.).

Z. 5 Das griechische ἀγγαρεία entspricht dem lateinischen *cursus publicus* (vgl. Mason, S. 19, s.v. ἀγγαρεῖος). Zu den Ausgaben der Städte für Staatspost und Einquartierung vgl. W. Liebenam: Städteverwaltung im römischen Kaiserreiche, Leipzig 1900 (Nachdr. in der Reihe Studia Historica als Nr. 44, Rom 1967), S. 88–93. Neueres Material findet sich in dem Aufsatz von Stephen Mitchell: Requisitioned Transport in the Roman Empire: A New Inscription from Pisidia, JRS 66 (1976), S. 86–131; hier S. 120 auch speziell zu unserer Inschrift. In unserem Fall betreffen die ἀγγαρεία die Via Egnatia, die zunächst durch das Territorium von Philippi, dann durch dasjenige von Thasos führt (zum Verlauf der Via Egnatia in dieser Region vgl. die Karten bei John Paul Adams, a.a.O., S. 19 und S. 22).

Z. 6 Das *cognomen* des genannten Lucius Antonius wird leider nicht angegeben; die Identifizierung unseres Lucius Antonius bleibt daher hypothetisch: Dunant und Pouilloux denken an L. Antonius Naso, den Günstling Neros (a.a.O., S. 83f.), wohingegen Pflaum in seiner Rezension L. Antonius Saturninus vorschlägt, der später (im Jahr 89) als Usurpator gegen Domitianus hervortrat (a.a.O., S. 81). Σαρικάκης referiert beide möglichen Lösungen, ohne sich für eine von ihnen zu entscheiden (S. 59). Jedenfalls handele es sich um einen Mann senatorischen Standes, wie das ἀνὴρ ἐπισημότατος = *vir clarissimus* zeige. Antonius gehöre demnach in die Provinz *Macedonia*, nicht in die Provinz *Thracia*, die von Männern aus dem *ordo equester* verwaltet wurde: Εφ᾽ ὅσον ὅμως ἀποκαλεῖται »ἀνὴρ ἐπισημότατος« (vir clarissimus) εἰς την επιγραφήν, ο δε τίτλος οὗτος απενέμετο μόνον εἰς συγκλητικούς, συνάγομεν ὅτι ὡς συγκλητικός θα ἦτο διοικητὴς τῆς Μακεδονίας καὶ ὄχι επίτροπος τῆς Θράκης (Σαρικάκης, a.a.O., S. 58). Anders Papazoglou: ἐπισημότατος „n'est l'équivalent ni de *clarissimus* (λαμπρότατος, ἀξιολογώτατος), titre des sénateurs, ni de *perfectissimus* (διασημότατος), titre porté par les hauts fonctionnaires de rang équestre. D'aileurs, ces titres n'entrent en usage régulier qu'au IIe siècle, et notre inscription date de l'époque de Vespasien"; die Folgerungen bei Σαρικάκης gehen daher zu weit; immerhin räumt auch Papazoglou ein: „Il s'agit sans aucun doute d'un très éminent personnage ... " (S. 239).

Z. 6–8 Zur Interpretation des Falles zieht H.-G. Pflaum zwei weitere Inschriften heran, eine aus Thasos selbst (Dunant/Pouilloux, Nr. 185) und eine aus Serres (Καφταντζής, Nr. 17 = Samsaris, Nr. 36 = SEG XXIX (1979) 683*bis*.775). Demnach hätte ein Rebilius im Territorium von Philippi gelegenes Land an Thasos vermacht (Pflaum, a.a.O., S. 79ff.). Dazu äußern sich kritisch Stephen Mitchell (a.a.O., S. 120) und John Paul Adams (a.a.O., S. 28, Anm. 29).

Z. 7 „L'emploi de παρῳχηκότος ..., terme ordinairement réservé au langage des grammairiens pour désigner les temps du passé, est vraisemblablement une impropriété due à la rédaction romaine du document" (Dunant/Pouilloux, S. 83).

Z. 8 Das Passiv ἀνασκευασθῆναι „pour signifier:»casser une décision« appartient à la langue hellénistique (Polybe 9,31,6) ou même classique (Xénophon, *Cyr.*, 8,5,2). Il demeure cependant assez rare" (Dunant/Pouilloux, S. 83).

Bei dem Soldaten handelt es sich um einen *mensor*: „*Mensores* were professional surveyors, often attached to Roman legions. See O.A.W. Dilke, *The Roman Land Surveyors* (New York 1971) 98–108, for the business of *agrimensores* in establishing boundaries and dealing with boundary disputes – the categories of which were worked out in some detail" (Adams, S. 29, Anm. 32).

Z. 9 Das γένομαι „est une faute de graveur pour le subjonctif γένωμαι" (Dunant/Pouilloux, S. 83).

Das Problem der Grenze ist sehr verwickelt: „After 46 A.D. such an issue would have been especially delicate in political terms as well, for Thrace had passed into the hands of equestrian procurators appointed by the emperor, while Macedonia had been returned to the control of Senatorial promagistrates; it is all the more likely, therefore, for the government in Rome, to avoid criticism and friction, to send a special commissioner, a *iudex datus* (δοθείς κριτής)." (Adams, S. 31). Zudem war Philippi Kolonie, und das Territorium einer Kolonie „legally belonged to the Populus Romanus, not to the Province of Macedonia. Thus, the presence of a commissioner with some sort of *auctoritas* would have been required, whether the boundary between Philippi and Thasos was also the boundary between Macedonia and Thrace, or not." (ebd.)

Z. 12 Die Zeile ist in der Übersetzung nicht mehr berücksichtigt, da sie nicht integraler Bestandteil unseres Dokuments ist: „La l. 12 porte le début d'un nouveau document et la signification n'en apparaît pas" (Dunant/Pouilloux, S. 83).

Der mysteriöse Exekestos

711a/G811
hellenistisch

Christiane Dunant/Jean Pouilloux: Recherches sur l'histoire et les cultes de Thasos. II. De 196 avant J.-C. jusqu'à la fin de l'Antiquité, Études Thasiennes 5, Paris 1957, S. 11, Nr. 165 mit Abb. Pl. I 2.
SEG XVII (1960) 419.
Κανατσούλης, Nr. 1811 (mit falscher Datierung).
Argyro B. Tataki: Macedonians Abroad. A Contribution to the Prosopography of Ancient Macedonia, Μελετήματα 26, Athen 1998, S. 165, Nr. 17.

Thasos. Die Stele wurde am 15. Juli 1954 „dans l'angle Sud de l'agora" gefunden (Dunant/Pouilloux, S. 11). Es handelt sich um ein Marmorfragment mit den Maßen H. 0,60; B. 0,26; D. 0,13; Buchstaben H. 0,03; Zeilenzwischenraum 0,04.
Inventarisierungsnummer 1241.

     [Ὁ δῆμ]ος *vacat*
     [. . . Ἐξ]ηκέστου
     [Φιλιπ]πῆ *vacat*
     [ἀρετῆς ἕνεκα] καὶ εὐν-
5   [οίας τῆς εἰς ἑα]υτόν.

2 Dunant/Pouilloux bieten: Ἱκέστου (so auch Κανατσούλης und Tataki). Die Lesart [Ἐξ]ηκέστου wird im SEG vorgeschlagen. **3** Dunant/Pouilloux: [Φιλιπ]πῆ. SEG: [– – – –]πῆ. Daux im Apparat des SEG: [Σινω]πῆ. **4f.** SEG liest am Schluß von Z. 4 εὐν[οίας] und in Z. 5 [τῆς εἰς ἐ]αυτόν. Text nach Dunant/Pouilloux.

Das Volk (ehrt) den . . ., (den Sohn) des Exekestos, den Philipper, wegen seiner Tugend und wegen seiner ihm (sc. dem Volk) (erwiesenen) freundlichen Gesinnung.

Z. 2 Für die Geschichte Philippis ist die Rekonstruktion des Namens von herausragendem Interesse, findet sich der Genitiv Ἐξηκέστου doch auch in dem Kammergrab im Oktogonbereich (327/G478), wo ihm in Z. 1 ein Εὐηφένης vorausgeht. Aus platztechnischen Gründen erscheint die Ergänzung Εὐηφένης in Z. 2 unseres Textes als unmöglich, da der Platz vor dem Ἐξηκέστου allerhöchstens für weitere 4–5 Buchstaben ausreicht, wenn man sich an dem doch offenbar symmetrisch ausgerichteten ὁ δῆμος in Z. 1 orientiert. Der erforderliche Akkusativ ΕΥΗΦΕΝΕΑ (= Εὐηφενέα) benötigt aber mindestens sieben Buchstaben Platz, wenn man hier die kontrahierte Form ΕΥΗΦΕΝΗ (= Εὐηφένη) supponiert (vgl. Kommentar zu Z. 3). Daher scheidet diese Hypothese definitiv aus.
Z. 3 Φιλιππῆ ist die kontrahierte Form des Akkusativs Φιλιππέα. Diese Form des Ethnikons verbürgt bereits eine Herkunft des Textes aus vorchristlicher Zeit (vgl. o. Band I, S. 116–118; ich habe dort nicht alle Belege für diese „vorpaulinische" Form genannt: Hier haben wir das vierte Beispiel auf

einer Inschrift außerhalb des Territoriums nach 699a/G841, 704/GL694 und 704a/G786). Hinzu kommt die Form des Π: „la forme du *pi* rappelle celle que l'on trouve dans les textes de 80 av. J.-C." (Dunant/Pouilloux, S. 11). Die Inschrift gehört also mit Sicherheit in die hellenistische Zeit. „S'il faut bien restituer Φιλιππῆ ..., la dédicace est sans doute antérieure à la fondation de la colonie romaine: cf. n° **113** *bis* [d.i. die folgende Nummer 711b/G812], inscription pour deux frères originaires de Philippes, honorés à Thasos au IIIᵉ siècle av. J.-C." (ebd.).

711b/G812   Ἄπελλις und Κύρνιος
hellenistisch

> *Jean Pouilloux:* Recherches sur l'histoire et les cultes de Thasos. I. De la fondation de la cité à 196 avant J.-C., Études Thasiennes 3, Paris 1954, S. 319, Nr. 113 *bis* mit Abb. Pl. XXXI 3.
> *Argyro B. Tataki:* Macedonians Abroad. A Contribution to the Prosopography of Ancient Macedonia, Μελετήματα 26, Athen 1998, S. 163, Nr. 6; S. 165, Nr. 20; S. 165, Nr. 24.

Thasos. Der Stein wurde am 29. Juli 1952 „sous le mur du verger Xénakis, à l'angle sud de l'agora" gefunden (Pouilloux, S. 319); „petite base de marbre portant au lit d'attente un encastrement de stèle: (dimensions: 0,32x0,12); à la partie supérieure, petite moulure en relief qui a été ravalée; dimensions en mètres: 0,485x0,18x0,42; h. l. en centimètres: 1,8; int. 1" (ebd.).

Ἄπελλις Μενεκλέους,
Κύρνιος Μενεκλέους,
Φιλιππεῖς.

Apellis, (der Sohn) des Menekles,
Kyrnios, (der Sohn) des Menekles,
die Philipper.

Z. 1 Der Name Ἄπελλις ist recht selten (doch vgl. SEG XXXV (1985) [1988] 389; einige weitere Belege gibt es in Asia Minor, insbesondere in Priene). In Philippi selbst begegnet er sonst nicht.
Z. 1f. Sehr häufig ist dagegen der Name Μενεκλῆς bzw. Μενεκλῆς. Auch hier findet sich allerdings in Philippi selbst nur ein weiterer Beleg (096/G626 mit dem bemerkenswerten Genitiv Μενεκλῆδος).
Z. 2 Auch für Κύρνιος sprudeln die Belege nicht eben reichlich (mittels des PHI-CD-ROM #7 fand ich IG IV (2), 122, Z. 110; eine Inschrift aus Rhodos; IG XII 9,812 aus Euböa; eine Inschrift aus Kreta sowie IG XIV 2291). In Philippi selbst existiert kein weiterer Κύρνιος.
Z. 3 Zu Φιλιππεύς vgl. o. Bd. I, S. 116–118. Ich habe dort nicht alle Belege für diese „vorpaulinische" Form genannt: Hier haben wir das fünfte Beispiel

auf einer Inschrift außerhalb des Territoriums (nach 699a/G841, 704/GL694; 704a/G786 und 711a/G811). Was die Datierung angeht, so plädiert Pouilloux aufgrund der Buchstabenform für das 3. Jh. v. Chr.

Erlaß der Dreihundert

711c/G824
412/11
v. Chr.

Δήμιτσας, Nr. 1259 (S. 919 – defizitär).
IG XII 8, Nr. 263 (überholt durch XII Suppl., S. 151).
Ch. Picard: Fouilles de Thasos (1914 et 1920), BCH 45 (1921), S. 86–173; hier S. 145.
Collart, S. 126 mit Anm. 5.
IG XII Suppl., S. 151 (ersetzt XII 8, Nr. 263).
Δημήτριος Ι. Λαζαρίδης: Νεάπολις, Χριστούπολις, Καβάλα. Οδηγός Μουσείου Καβάλας, Athen 1969, S. 22.
Argyro B. Tataki: Macedonians Abroad. A Contribution to the Prosopography of Ancient Macedonia, Μελετήματα 26, Athen 1998, S. 125f., Nr. 3 und Nr. 7.

Thasos: Unterhalb der Mauer der Akropolis. „Marbre thasien; trouvé »ad vestibulum arcis«, c.a.d. en contre bas de la muraille de l'Acropole …" (Picard, S. 145).
Abmessungen: H. 0,96; B. 0,49; D. 0,23; Buchstaben H. 0,017; Zeilenzwischenraum 0,17.

> Ἐπὶ θεορῶν
> Ἀντιφῶντος τõ Κριτοβόλο,
> Ἀθηνίππο τõ Κλεο<λ>όχο,
> Κλεο<λό>χο τõ Ἀλκίππο·
> 5 τῶνδε ἱρὰ τὰ χρήματα
> τõ Ἀπόλλωνος κατὰ τὸν
> ἄδον τῶν τριηκοσίων·
> Ἀπημάντο τõ Φίλωνος,
> Ἡροστράτο, *vacat*
> 10 Φίλωνος τõ Θεογείτονος,
> Λύσιος τõ [Τί]μωνος,
> Διοσκοριάδεω Νεοπολίτεω,
> Ἀπημάντο Νεοπολίτεω.

Zur Zeit der Theoroi Antiphon, (des Sohnes) des Kritoboulos, Athenippos, (des Sohnes) des Kleolochos, Kleolochos, (des Sohnes) des Alkippos: [5] Das Eigentum derjenigen (die im folgenden genannt sind), soll dem Apollon geweiht sein gemäß dem Erlaß der Dreihundert: des Apemantos, (des Sohnes) des Philon, des Herostratos, [10] des Philon, (des Sohnes) des Theogeiton, des

Lysis, (des Sohnes) des Timon, des Dioskoriades, des Neopolitaners, des Apemantos, des Neopolitaners.

Die Inschrift zerfällt in drei Teile: Z. 1–4 bietet eine Liste der amtierenden
Theoroi (und damit die Datierung); Z. 5–7 bringt den Erlaß der Dreihundert;
Z. 8–13 schließlich ist eine Liste der von dem Erlaß Betroffenen. Diese Liste
zerfällt in zwei Teile: Z. 8–11 nennt Bürger von Thasos, Z. 12f. fügt zwei
Bürger aus Neapolis hinzu.

Zum historischen Hintergrund des Dekrets vgl. etwa Λαζαρίδης, S. 22 oder
Eduard Meyer: Geschichte des Altertums, IV 2: Der Ausgang der griechischen Geschichte, Darmstadt [5]1965, S. 296 mit Anm. 1, wo die „Konfiskation
des Vermögens von Athenerfreunden … (darunter neben Thasiern auch zwei
Neopoliten)“ in den Zusammenhang der Ereignisse der Jahre 411/10 v. Chr.
gestellt wird. Neapolis stand fest auf der Seite der Athener (vgl. das Ehrendekret 748/G703); so verwundert es nicht, daß zwei Bürger dieser Stadt sich
auch in Thasos für Athen engagiert haben. Die Folgen tragen sie hier durch
die Konfiskation ihres Vermögens.

Z. 7f. ὁ ἄδος bedeutet „decree“, vgl. LSJ, S. 24, s.v. ἄδος (B), wo unsere
Inschrift genannt ist.

Z. 11 Λύσιος ist Genitiv zu Λῦσις. Der hier genannte Lysis, der Sohn des
Timon, schließt die Reihe der Thasier ab, die von Z. 8 bis Z. 11 reicht. In
den beiden folgenden Zeilen begegnen noch zwei Bürger von Neapolis.

Z. 12 Der erste Bürger von Neapolis ist ein sonst unbekannter Διοσκοριάδης (vgl. Tataki, S. 126, Nr. 7, die ihn in der gewöhnlichen Form als
Διοσκουρίδης anführt).

Z. 13 Der zweite Bürger von Neapolis ist Ἀπήμαντος (vgl. Tataki, S. 125,
Nr. 3).

711d/G825   **Beschluß der Thasier**

5./4. Jh.
v. Chr. *IG* XII 8, Nr. 264 (überholt durch XII Suppl., S. 152).

Georges Daux: Nouvelles inscriptions de Thasos, BCH 50 (1926), S. 213–249; hier
S. 217.

IG XII Suppl., S. 152 (ersetzt XII 8, Nr. 264).

Δημήτριος Ι. Λαζαρίδης: Νεάπολις, Χριστούπολις, Καβάλα. Οδηγός Μουσείου Καβάλας, Athen 1969, S. 23f.

Thasos. „Marmor album e muro demptum, fractum ad partem dextram et
sinistram“ (Fredrich, IG XII 8, S. 84).

Abmessungen: H. 0,49. B. 0,95; D. 0,20. Buchstaben („saec. IV ineuntis“,
Fredrich, S. 84) H. 0,015.

[Ἔδοξεν] τῆ βολῆ τύχη ἀγαθῆ δ[ὸναι Νεοπολίτηις μετοχὴν ὅσωμνερ
Θάσ-]

[ιοι] μετέχοσιν· εἰ δέ τίς ἐστιν ΗΙ – – – – – – – – – – – – – – – –
.. ἐν τῷ [μ]ηνὶ τῷ Ἑκατομβαιῶνι Ι[– – – – – – τὰς (δὲ?) δίκας
(?) εἴ-]
[ν]αι καθάπερ τῶμ βιαίων· ἢν δὲ ταῦ[τα δόξῃ, καθελεῖν τὸ ψήφισμα
τὸ περὶ Ἀπη-]
5 μάντο· ἢν δέ τις ταῦτα ἀναδημιορ[γήσῃ ἢ ἄρχων ἢ ἰδιώτης, αὐτόν
τε ἄτιμον]
καὶ τὰ δόξαντα ἄκυρα εἶναι. *vacat*
ἔδοξεν τῷ δήμῳ· τὰ μὲν ἄλλα καθ[άπερ τῇ βολῇ· εὔξασθαι δὲ
τῷ Ἡρακλεῖ κα-]
ὶ τοῖς ἄλλοις θεοῖς πᾶσιν· ἀγαθ[ῇ τύχῃ δέ, ὁπόσοι μὲν Νεοπολιτέων ἐκ Θα-]
σίωγ γυναικῶν εἰσιν, τότος Θα[σίος εἶναι καὶ μετεῖναι αὐτοῖς καὶ
παισὶ]
10 πάντων ὅσωμπερ καὶ τοῖς ἄλλ[οις Θα]σ[ίοις μέτεστιν, καὶ ὅταν ἐς
τὸ αὐτὸ ἴω-]
σιν τοῖς ἄλλοις Θασίοις, ὁρκῶ[σαι] αὐτ[ὸς κατὰ τὸν νόμον· προσγράψαι δὲ πρ-]
ὸς τὸν νόμον τὸν τῆς ἀτιμίης τόδε τὸ ψ[ήφισμα ἐν τῇ ἀγορῇ καὶ
ἐν λιμένι]
καὶ καθελεῖν τὸς προστάτας καὶ τὸγ γρα[μματέα τὸ περὶ Ἀπημάντο
ψήφισμα]
καὶ τὸν ἱροποιὸν ἐπὶ τὸ Ἡρακλέος τὸ ἱ[ρὸν ἀναγράψαι ταῦτα· εἶναι
δὲ τα-]
15 ῦτα καὶ τῆς γυναιξίν· ὃς δ' ἂμ παρὰ ταῦτ[α ποιήσῃ ἢ ἄρχων ἢ
ἰδιώτης, ἄτιμος]
καὶ τὰ χρήματα αὐτῶ ἱρὰ ἔστω τὸ Ἡρακλέ[ος].

Die *iota subscripta* sind auf dem Stein sämtlich adskribiert.

Beschlußvorlage des Rats – Glück auf –: Den Neapolitanern soviel Teilhabe zu geben, wie sie die Thasier haben; wenn aber
jemand ist … im Monat Hekatombaion …, die(selben) Urteile
zu fällen, wie bei den Gewalttätern; wenn aber dies beschlossen wird, den Beschluß über Apemantos aufzuheben; [5] wenn
aber einer dies durch öffentliche Klage aufhebt, sei er Archon
oder Privatmann, daß er selbst ehrlos und das Beschlossene nicht
rechtskräftig ist.
Beschluß des Volkes: (Zunächst) das andere, wie es der Rat beschlossen hat, (darüber hinaus) aber, bei Herakles zu geloben
und bei allen anderen Göttern: – Glück auf – daß, wieviele der
Neapolitaner von thasischen Frauen abstammen, soviel thasisch
ist, und daß sie und (ihre) Kinder teilhaben [10] an allem, woran
auch die anderen Thasier teilhaben, auch wenn (ihre Ansprüche)

auf dasselbe gehen, wie die (der) anderen Thasier, daß sie selbst
eidlich bekunden nach dem Gesetz; diesen Beschluß schriftlich
zum Atimie-Gesetz hinzuzufügen auf der Agora und im Hafen,
und daß die Vorsteher und der Schreiber den Beschluß über Apemantos beseitigen, und daß der Opfervorsteher dies aufschreibt
im (Bereich des) Heiligtum(s) des Herakles; daß [15] dies auch für
Frauen gilt; wer aber dagegen verstößt, sei er Archon oder Privatmann, soll ehrlos sein, und sein Eigentum soll dem (Heilgtum
des) Herakles geweiht sein.

Bei diesem Beschluß der βουλή von Thasos (Z. 1) geht es um das Verhältnis
zwischen Neapolis und Thasos, genauer um die Rechte der in Thasos leben-
den Neapolitaner. Zum historischen Hintergrund vgl. das Ehrendekret aus
Athen (748/G703), das Neapolis wegen seiner beharrlich athenfreundlichen
Haltung auszeichnet, sowie 711c/G824, wo athenfreundliche Neapolitaner in
Thasos mit der Konfiskation ihres Vermögens bestraft werden.

711e/G826   **Graffito des Σώστρατος**
hellenistisch

Jean Servais: Les deux sanctuaires, in: Aliki I, Études Thasiennes IX, Paris 1980,
  S. 48, Nr. 9 mit Abb. 56 auf S. 47.
SEG XXXI (1981) [1984] 769 b.
Argyro B. Tataki: Macedonians Abroad. A Contribution to the Prosopography of
  Ancient Macedonia, Μελετήματα 26, Athen 1998, S. 127, Nr. 18.

Aliki auf Thasos: Dorisches Stylobat des nördlichen Heiligtums. „Sur la
crépis".
Abmessungen: Buchstaben H. 0,05.

  Σώστρατος Νεαπ(ολίτης?).

Ob die darüberstehende Zeile Δημύλος καλός einen Zusammenhang mit dem Graffito des
Σώστρατος aufweist, ist unsicher.

  Sostratos, der Neapolitaner.

712/L116   **Sarkophag des vierjährigen Marcus Valerius**

Πέτρος Ν. Παπαγεωργίου: Αι Σέρραι και τα προάστεια, τα περί τας Σέρρας και η
  μονή Ιωάννου του Προδρόμου, ByZ 3 (1894), S. 225–329; hier S. 233ff.
CIL III 1, Nr. 680 (= 7336 [CIL III, Suppl. 1])
Δήμιτσας, Nr. 830 (S. 678f.).

Καφταντζής, Nr. 46, S. 113.
Fanoula Papazoglou: Le territoire de la colonie de Philippes, BCH 106 (1982), S. 89–106; hier S. 102, Anm. 61.
Dimitrios C. Samsaris: La vallée du Bas-Strymon à l'époque impériale. Contribution épigraphique à la topographie, l'onomastique, l'histoire et aux cultes de la province romaine de Macédoine, Δωδώνη 18 (1989), S. 203–382; hier Nr. 87, S. 260f.

Serres. Mommsen hat die Inschrift zu Philippi gestellt, obwohl sie eindeutig aus Serres stammt: Die Inschrift wurde in der Stadt Serres gefunden. Da es sich um einen Sarkophag handelt – einen solchen verschleppt man nicht ohne Not! –, wird sie also auch aus Serres stammen.

Zeitweise wurde der Sarkophag an der Moschee als Wasserbehälter benutzt. ... χρησίμευε για λεκάνη βρύσης στην οδό Τηλεγραφείου, schreibt Καφταντζής – heute offenbar nicht mehr, vgl. Samsaris: „Nous ignorons sa chance" (S. 260).

M(arcus) Valerius M(arci) f(ilius) Vol(tinia) NCCVLNANIVS
an(norum) IIII m(ensium) XI h(ic) s(itus) e(st).
M(arcus) Valerius Valens nepo[ti]
et M(arco) Valerio Valentini[ano f(ilio)].

1 Καφταντζής, Samsaris: NCCVLNANVS.   4 Καφταντζής, Samsaris: *M(arco) V[al]erio Valentin[o].*

Marcus Valerius ..., der Sohn des Marcus, aus der Tribus Voltinia, vier Jahre (und) elf Monate alt, liegt hier begraben. Marcus Valerius Valens (hat den Sarkophag) für seinen Enkel und für seinen Sohn Marcus Valerius Valentinianus (machen lassen).

Z. 1 Papazoglou macht darauf aufmerksam, daß hinter dem *Vol(tinia)* kein *Philipp(is)* folgt; d.h. der Stein stand ursprünglich wohl im Territorium der *Colonia Iulia Augusta Philippensis* und wurde später nach Serres transportiert. Wäre er ursprünglich in Serres gesetzt worden, würde man die Herkunftsangabe *Philipp(is)* oder *domo Philipp(is)* erwarten.

Ehreninschrift für den Veteranen Herakles   713/G752
                                                        II/III

Καφταντζής, Nr. 478, S. 282f. (Photo).
Georgi Mihailov: Inscriptions de la Thrace égéenne, Philologia (Sofia) 6 (1980), S. 3–19; hier S. 12f., Nr. 33.
SEG XXX (1980) [1983] 593.
Papazoglou, S. 384, Anm. 51.

Dimitrios C. Samsaris: La vallée du Bas-Strymon à l'époque impériale. Contribution épigraphique à la topographie, l'onomastique, l'histoire et aux cultes de la province romaine de Macédoine, Δωδώνη 18 (1989), S. 203–382; hier Nr. 94, S. 264f.

Hartmut Leppin: Histrionen. Untersuchungen zur sozialen Stellung von Bühnenkünstlern im Westen des Römischen Reiches zur Zeit der Republik und des Principats, Antiquitas, Reihe I, 41, Bonn 1992; hier S. 90, Anm. 20.

Ορεινή. Αναθηματική επιγραφή σε γκρίζα μαρμάρινη στήλη, εντοιχισμένη στο παρεκκλησάκι του Προφήτη Ηλία, 2 χιλιόμ. ΒΑ. της Ορεινής (υψόμ. 900 μ.). Προέρχεται από άγνωστο ως σήμερα αρχαίο πόλισμα, που το νεκροταφείο του υπάρχει σε μιά πλαγιά πλάι στο παρεκκλησάκι (θέση Νάγλεδα) με πολλούς τάφους ανοιγμένους απ' τους χωρικούς. Δυστυχώς έχασα τις διαστάσεις που πήρα μαζί με το φίλο Αλ. Ζαφειρίου και μιά νέα επίσκεψη σ' εκείνα τα βουνά δεν ήταν τόσο εύκολη (Καφταντζής, S. 282f.). Abmessungen liegen daher nicht vor.

Samsaris beschreibt den Stein wie folgt: „Stèle funéraire de marbre gris terminée au sommet par une corniche à rosaces et mutilée légèrement en bas. Au-dessous de la corniche est sculpté, en art grossier, un buste en face endommagé qui représente un soldat (vétéran) – probablement un archer si l'on juge de son carquois à flèches; il s'agit évidemment du défunt mentionné dans le texte épigraphique. L'inscription, beaucoup endommagée, est gravée au-dessous et au-dessus du buste." (S. 264).

Die Aufteilung (vgl. das Photo bei Καφταντζής) ist derart, daß oberhalb des Reliefs sich nur die Z. 1 befindet, während schon in Z. 2 der Text durch das Relief in zwei Hälften geteilt wird (links OCTOP und rechts ΚΟΥΑΤ); das OC der Z. 3 befindet sich links neben dem Kopf des Veteranen und der Rest der Inschrift (Z. 4–7) darunter.

Samsaris zufolge befindet sich der Stein heute im Museum in Serres (S. 264).

     Καπίτων Δέκιμος, Γ[άϊ-]
     ος Τορκουᾶτ-
     ος, *vacat*
     προμισθω[τα]ί,
  5 εὐξάμενοι ἀ[νέθη-]
     [κ]αν τὸ ἄγαλμα παλεσ-
     [τ]ρα(τιώτη) Ἡρακλῆδι Ἀγαθί[ου].

Der Text bei Καφταντζής ist durch die Lesung von Mihailov völlig überholt und wird hier auch im Apparat nicht berücksichtigt. Die durch Punkt als nicht eindeutig lesbar gekennzeichneten Buchstaben habe ich nach Samsaris gegeben (Mihailov/SEG m.E. erratisch). **4** Mihailov: προμισθῶ[τ|α]ι (mit falscher Zeilenabteilung). SEG: προμισθῶ[τα]ι.

Capito Decimus (und) Caius Torquatus, die Promisthotai, haben das Bild gemäß ihrem Versprechen für den Veteranen Herakles, (den Sohn) des Agathias, aufgestellt.

Ob es sich hier wirklich um eine nach Philippi gehörige Inschrift handelt, erscheint mir nicht sicher. Mihailov (und ihm folgend das SEG) vertritt die Auffassung, daß es sich um προμισθωταί der Stadt Philippi bzw. – genauer gesagt – des dortigen Theaters handele. Nun besteht aber kein Zweifel, daß der Stein außerhalb des Territoriums von Philippi gefunden wurde. Denn selbst wenn dieses – wie etwa Λαζαρίδης annimmt – im Süden bis nahe an Serres herangereicht haben sollte, hat doch Ορεινή (im NO von Serres) schwerlich jemals zu diesem Territorium gehört. Das nächstgelegene Theater wäre demnach gewiß nicht in Philippi, sondern zunächst einmal in Serres selbst zu suchen. Nun ist ein solches dort bis heute archäologisch nicht nachgewiesen. Doch eine bei Καφταντζής publizierte fragmentarische Inschrift

... θέατρον Διὶ καὶ Ῥώμῃ καὶ θ[εῷ Σεβαστῷ]

(fehlt im SEG; Καφταντζής, Nr. 477; Samsaris, Nr. 41; im W von Serres gefunden, vgl. die Beschreibung bei Καφταντζής, S. 281; die Ergänzung wird bei Samsaris, S. 239 vorgeschlagen) legt die Existenz eines solchen jedenfalls nahe. (Vgl. auch Papazoglou, S. 385, die dieses Theater allerdings einer „polis qui attend son identification" zuschreiben will.)

Andrerseits spricht das lateinisch-thrakische Milieu der vorliegenden Inschrift doch eher für Philippi, vgl. die unten zitierten Bemerkungen von Mihailov.

Vielleicht ist aber diese alternative Zuordung überhaupt verfehlt. Könnte es nicht sein, daß – mindestens auf unternehmerischer Ebene – im zweiten oder dritten Jahrhundert eine Zusammenarbeit zwischen den Bühnen in Serres und Philippi bestand, so daß unsere προμισθωταί Personal an beide Theater vermittelten?

Z. 4 Mihailov bemerkt zu dem Wort προμισθωταί: „Le προμισθώτης [sic] est *locator scaenicorum*, entrepreneur de spectacles .... Notre inscription est précieuse étant le second document qui nous offre ce terme dans la région de Philippes et de cette façon enrichit nos connaissances de la vie théâtrale dans cette colonie romaine. Nos hommes, malgré leurs noms latins et la proximité de Philippes, sont de culture grecque et le second est sans doute d'origine thrace, comme le suggère son nom de *Torquatus*: ce nom a joui d'une grande popularité dans la région à cause du nom thrace Τορκος, avec son dérivé Τορκουλας, qui y était très répandu .... Est-ce que ces entrepreneurs étaient habitants de la ville de Serrès ou de la colonie de Philippes, on ne peut pas le préciser, mais il n'y a aucun doute qu'ils travaillaient aussi dans ce dernier centre qui non seulement possédait un théâtre, mais à cause des troupes théâtrales grecques s'est vu obligé d'entretenir une troupe de langue latine." (Mihailov, S. 12).

Die lateinische Form *promisthota* begegnet in der Inschrift 476/L092 aus Drama (Z. 3). Zum sprachlichen Befund und zur Funktion eines προμισθωτής vgl. den Kommentar zur Stelle.

Z. 6f. παλεστρατιώτης = παλαιστρατιώτης, was dem lateinischen *veteranus* entspricht (vgl. LSJ, S. 1290). Sarikakis hat diesen Veteranen in seine Prosopographie nicht aufgenommen. **Z. 7** Ἡρακλῆδι ist ein Dativ zu Ἡρακλῆς, vgl. die Ausführungen von Mihailov zur Stelle.

Der Name des Vaters, Ἀγαθίας, begegnet in den Inschriften aus Philippi sonst nicht (doch vgl. den von Μερτζίδης gefälschten Text 678/M661, Z. 3). Aus der mäßigen Qualität der Stele zieht Mihailov weitgehende Schlüsse: „En contemplant la photographie de notre grossière stèle, il m'est venu la pensée que les entrepreneurs qui l'ont faite ériger travaillaient dans le domaine du mime qui d'ailleurs était le genre préféré des classes inférieures." (Mihailov, S. 13).

Die Datierung geht auf Mihailov zurück.

714/L111   **Grabinschrift für den *aedilis* Publius Marronius Narcissus**

William Martin Leake: Travels in Northern Greece III, London 1835 (Nachdr. Amsterdam 1967), S. 140 mit Pl. XXV.
CIL III 1, Nr. 654.
CIL III, Suppl. 1, Nr. 7335.
Δήμιτσας, Nr. 877 (S. 710).
Collart, S. 278 mit Anm. 15.
Καφταντζής, Nr. 724, S. 423.
Fanoula Papazoglou: Le territoire de la colonie de Philippes, BCH 106 (1982), S. 89–106; hier S. 102, Anm. 61.

Herkunft unbekannt. Die Inschrift wurde von Leake gefunden und zwar wahrscheinlich auf dem Weg vom Athos nach Amphipolis. Leake sagt: „V. Inscription No. 124, where it is stated that the following Latin inscription is inscribed on the same monument: – Diis Manibus. Publio Marroni, Publii filio Voltinii Narcissi, aedili Philipporum, annos quadraginta, Marronia Regermina patri erigi curavit. But I suspect some error here in my notes, and am unable to state positively where this Latin memorial was found. If not at Vatopédhi, it was somewhere on my route from Vatopédhi to *Amphipolis*, or at *Amphipolis* itself" (S. 140, Anm. 2).

Woher Papazoglou wissen will, daß der Stein in Serres gefunden wurde, bleibt ihr Geheimnis („A Serrès fut retrouvée aussi, selon toute apparence, l'épitaphe d'un édile de Philippes, *CIL*, III 654", sagt sie S. 102, Anm. 61).

Diis Manibus
P(ubli) Marroni P(ubli) f(ili) Vol(tinia) Narcissi
aed(ilis) Phil(ippis) an(norum) XL. Marronia P(ubli) f(ilia)
[F]irmina patri [f(aciendum)] c(uravit).

3 Leake hat am Ende der Zeile RE. CIL zitiert Visconti im Codex Parisinus N. 7 mit
PF. **4** Leake hat am Ende der Zeile TRIEC. Δήμιτσας ergänzt daher die Zeilen 3f.:
Re-|germina [pa]tri e(rigi) c(uravit), so auch Καφταντζής.

Den Manen des Publius Marronius Narcissus, des Sohnes des
Publius, aus der Tribus Voltinia, des Ädils in Philippi, vierzig
Jahre alt. Marronia Firmina, die Tochter des Publius, hat (die
Inschrift) für ihren Vater anfertigen lassen.

Z. 1 Die Liste aller Dis-Manibus-Inschriften aus Philippi findet sich im
Kommentar zu 092/G496 aus Κρηνίδες.
Z. 2 Ein Marronius Mestula in 391/L616 (dort alle Belege).

Milliarium des Traianus

715/L771
107 oder 112

E.A. Gardner/S. Casson: Antiquities Found in the British Zone, 1915–1919,
ABSA 23 (1918–1919), S. 10–41; hier S. 39 (kein Text).
Paul Collart: Une réfection de la „Via Egnatia" sous Trajan, BCH 59 (1935), S.
395–415; hier S. 407–411 mit Abb. Pl. XXVI 2.
AÉ 1936, 52.
Collart, S. 499, Anm. 3; S. 511f.
Charles Edson: The Location of Cellae and the Route of the Via Egnatia in We-
stern Macedonia, CP 46 (1951), S. 1–16; hier S. 5f.
Ch.I. Makaronas: Via Egnatia and Thessalonike, in: Studies Presented to David
Moore Robinson on His Seventieth Birthday I, Saint Louis 1951, S. 380–388;
wieder abgedruckt in: Θεσσαλονίκην Φιλίππου Βασίλισσαν. Μελέτες για την Αρ-
χαία Θεσσαλονίκη, Thessaloniki 1985, S. 392–401 (danach hier zitiert); hier S.
398, Nr. 2.
IG X 2,1, Nr. 1012.
Firmin O'Sullivan: The Egnatian Way, Newton Abbot/Harrisburg 1972, S. 144f.,
Nr. 8 (mit Abb. auf S. 51).
Paul Collart: Les milliaires de la Via Egnatia, BCH 100 (1976), S. 177–200; hier
S. 187, Nr. 2; S. 194; S. 197, Nr. 2.
John Paul Adams: Trajan and Macedonian Highways, in: Αρχαία Μακεδονία V 1.
Ανακοινώσεις κατά το πέμπτο διεθνές συμπόσιο, Θεσσαλονίκη, 10–15 Οκτωβρίου
1989, Band 1, IMXA 240, Thessaloniki 1993, S. 29–39; hier S. 32ff.

Thessaloniki. An der Straße von Thessaloniki nach Serres, am 6. Kilometer
gefunden: „Near the 6th kilometre stone from Salonika on the Salonika-Serres
road a well preserved milestone was found at the end of 1917. It is of the reign
of Trajan and the inscription on it refers to the repair of the Via Egnatia
between Durazzo and Kavala. It is about four feet in height and one foot in
diameter and is in good preservation. In proximity to the milestone a large
marble head was found, probably representing the Emperor Trajan. It is 45
cm. in height and of coarse semi-crystalline marble ... . Whether the head

belonged to a statue is unknown, and beyond the fact that it was found with the milestone no evidence is forthcoming" (Casson, S. 39).

„La face supérieure est bombée; la partie inférieure, brisée, et destinée à être plantée en terre, n'a été qu'à peine dégrossie. Seule la surface inscrite de la pierre a été soigneusement travaillée; la partie postérieure, comme le bas, n'est que sommairement taillée" (Collart, S. 407).

Abmessungen: H. 2,28; Durchmesser oben: 0,43; Durchmesser unten: 0,38; beschriebene Fläche: H. ca. 0,99; Buchstaben H. Z. 1: 0,095; Z. 2: 0,085; Z. 3: 0,062; übrige Zeilen ca. 0,05.

> vacat Imp(erator) vacat
> Caes(ar) divi Ner-
> vae f(ilius) Nerva Tra-
> ianus Aug(ustus), Germ(anicus), Dac(icus),
> 5 p(ontifex) m(aximus), trib(unicia) p(otestate) XI, imp(erator)
> VI, co(n)s(ul)
> VI, p(ater) p(atriae), viam a Dyrrac(hio)
> usq(ue) Neapoli(m) per pro-
> vinciam Macedo-
> niam longa inter-
> 10 missione neglect(am)
> restituendam cu-
> ravit. a Thessalonica
> vacat V. vacat

5 Nach Adams ist in X<V>I zu korrigieren.   **6** Nach Collart ist in V{I} zu korrigieren.

Der Imperator Caesar Nerva Traianus Augustus, der Sohn des vergöttlichten Nerva, Germanicus, Dacicus, [5] Pontifex Maximus, zum elften Mal mit der tribunizischen Gewalt ausgestattet, zum sechsten Mal Imperator, zum sechsten Mal Consul, Vater des Vaterlandes, hat dafür gesorgt, daß die Straße durch die Provinz Macedonia von Dyrrachium bis Neapolis, die lange Zeit [10] vernachlässigt worden war, wiederhergestellt wurde. Von Thessaloniki fünf Meilen.

Dieses Milliarium ist das Pendant zu 414/L433 aus Καλαμπάκι. Der Kommentar zu jener Inschrift ist durchgehend zu vergleichen. Der wichtigste Unterschied liegt darin, daß 414/L433 von der Reparatur der Via Egnatia von Dyrrachium bis Akontisma spricht, wohingegen hier nur von der Strecke von Dyrrachium bis Neapolis die Rede ist. Zudem heißt es in der Inschrift 414/L433 aus Καλαμπάκι tribunicia potestate XVI (Z. 4), wohingegen hier von tribunicia potestate VI die Rede ist. Daraus folgt, daß die vorliegende Inschrift chronologisch etwas früher anzusetzen ist als 414/L433: „il s'est donc au moins écoulé, entre l'érection de l'un et de l'autre, le temps nécessaire à l'exécution des travaux sur la distance de 9 milles qui sépare Acontisma de Néapolis" (Collart, S. 409; diese Annahme zweier Phasen der Reparatur der Via Egnatia erübrigte sich, wenn man der Adamsschen Rekonstruktion folgte, vgl. unten zu Z. 5f.).

Damit ergäbe sich in bezug auf die Reparatur der Via Egnatia, daß der thrakische Abschnitt zeitlich später anzusetzen ist als der makedonische: „The reason that Neapolis, not Acontisma, is mentioned in the second and earlier milestone [715/L771] is that at the date it was erected the repair of the road had not yet extended eastward from Neapolis" (Edson, a.a.O., S. 6).

Z. 5f. Hier liegt ein Widerspruch vor zwischen dem *tribunicia potestate XI* und dem *consul VI*, da das sechste Consulat des Traianus am 1. Januar 112 beginnt, wohingegen die elfte *tribunicia potestas* in den Zeitraum zwischen dem 10. Dezember 106 und dem 9. Dezember 107 fällt (vgl. Collart, S. 409). Das fünfte Consulat des Traianus dagegen fällt in das Jahr 107; in der vorliegenden Inschrift ist nach Collart daher in *consul V* zu korrigieren. Adams weist darauf hin, daß man diesen Widerspruch zwischen der Zahl XI bei dem *tribunicia potestate* und der Zahl VI beim Konsulat auch in der Weise ausgleichen kann, daß man im ersten Fall zu X<V>I ergänzt; damit käme man für die Datierung der vorliegenden Inschrift in das Jahr 112.

Diese Lösung ist nach Adams vorzuziehen, da die Reparatur der Via Egnatia in der Gegend von Thessaloniki gleichzeitig mit derjenigen in der Gegend von Philippi stattfindet, welche das Milliarium 414/L433 aus Καλαμπάκι bezeugt: „The conclusion, therefore, is that there was no work on the Via Egnatia in A.D. 107, but instead that we possess two *miliaria* from the extensive work of A.D. 112" (S. 36). Zur historischen Begründung vgl. Adams, S. 34ff.

Z. 13 Dieser Stein wurde ganz offensichtlich *in situ* gefunden: „Notre milliaire portant le chiffre V à partir de Thessalonique a sans doute été découvert en place: la route moderne de Salonique à Serrès, au bord de laquelle il était, commence par suivre le tracé de la Via Egnatia jusqu'à la dépression de Langada que longeait alors la route romaine pour se diriger vers le golfe d'Orfano et vers Amphipolis" (Collart, S. 411).

Die Bedeutung dieses Milliariums besteht darin, daß es den Verlauf der Via Egnatia von Thessaloniki in Richtung Neapolis sicherstellt: Die Via Egnatia folgt hier der Trasse der modernen Straße von Thessaloniki nach Kavala und überquert mitnichten den Chortiatis, wie es auf vielen Karten fälschlicherweise dargestellt wird. Vgl. zur Trasse im einzelnen Makaronas, S. 400, Fig. 1.

716/L709   **Grabinschrift der Primitiva**

Φώτιος Μ. Πέτσας: Λατινικαί επιγραφαί εκ Θεσσαλονίκης, ΑΕ 1950–1951, S. 52–
    79; hier S. 53–55; Nr. 1 (Abb. 1).
AÉ 1952 [1953] 223.

Thessaloniki: Jüdischer Friedhof. Die Inschrift wurde gefunden κατά την
απομάκρυνσιν των ισραηλιτικών νεκροταφείων της Θεσσαλονίκης (Πέτσας, S.
52) im Jahr 1943 (S. 53) und befand sich 1950/51 εν τω περιβόλω του Αγίου
Δημητρίου της Θεσσαλονίκης. Zu den Inschriften vom jüdischen Friedhof in
Thessaloniki vgl. o. Bd. I, S. 34f.
Seitenwand eines Marmorsarkophags.
Abmessungen: L. 2,15; H. 0,82; D. ca. 0,17. H. der Buchstaben Z. 1: 0,12;
Z. 2: 0,10; Z. 3: 0,09; Z. 4–6: 0,08.
Die Inschrift befindet sich wahrscheinlich heute (1992) noch im nördlichen
Hof von Ἅγιος Δημήτριος. Da die sehr schweren Steine dort aufeinander
gestapelt sind, konnte ich diese Inschrift nicht selbst überprüfen.

> [M(arcus)] Aur(elius) Athenodorus fecit
> [. . .]ae Primitivae, coniuci suae ben[e]
> [mere]nti, quae vix(it) ann(is) XXIII m(ensibus) II dieb(us) XXVI.
>   si qu[is]
> [si]ve caesarinus, sive miles, sive pacanus, [sive]
> 5 [ali]qua potestas vim facere voluerit et aperi[re arcam,]
> [infer]et fisco poenae nomine SS X̅X̅ et praeterea [dabit]
> [r(ei) pub(licae)] c(oloniae) Philippensium SS X̅I̅I̅. haec arca
>   heredem [non sequitur].

1   Die Ergänzung ist von mir.   6   Das Zahlzeichen XX ist wie auch das XII in Z. 7 mit
einem Überstrich versehen und dadurch als Tausender gekennzeichnet. Der Herausgeber
hat dies nicht beachtet, obwohl in Z. 3 drei Zahlenangaben ohne Überstrich als Vergleich
zur Verfügung stehen.

Marcus Aurelius Athenodorus hat (diesen Sarkophag) für ...
Primitiva, seine wohlverdiente Frau, welche dreiundzwanzig Jahre, zwei Monate (und) sechsundzwanzig Tage lebte, gemacht.
Wenn einer, sei es ein kaiserlicher (Angestellter), sei es ein Soldat,
sei es ein Dorfbewohner, sei es eine Behörde, Gewalt anwenden
und den Sarg hat öffnen wollen, soll er dem Fiscus Strafe in Höhe
von zwanzigtausend Sesterzen zahlen und außerdem der *res publica* der *colonia Philippensium* zwölftausend Sesterzen geben.
Dieser Sarg geht nicht auf den Erben über.

Z. 4 *Caesarinus* ist überaus selten; im hier vorliegenden Sinn anscheinend Hapaxlegomenon (vgl. die Belege in ThLL Suppl. II, Sp. 39, Z. 58–60,

sämtlich im Sinne von „a Caesare dictatore", was hier ersichtlich nicht paßt). Glare hat nur unseren Beleg (S. 254); er gibt die Übersetzung: „An imperial servant or official" (ebd.). Ist das *Caesarinus* in der Tat so zu verstehen, dann entspricht es in etwa dem paulinischen οἱ ἐκ Καίσαρος οἰκίας in Phil 4,22. Πέτσας hat für diese Formulierung in Z. 4f. keinerlei Parallele finden können. Anders verhielte es sich, wenn man statt *Caesarinus Caesarianus* läse; dafür gibt es zahlreiche Belege, vgl. Otto Hirschfeld: Die kaiserlichen Verwaltungsbeamten bis auf Diocletian, Berlin ²1905, S. 472–474, Anm. 3.

Z. 6f. Falls die Inschrift dem zweiten oder dritten Jahrhundert angehört – darauf läßt der Name Aurelius in Z. 1 schließen –, sind die von Πέτσας vorgeschlagenen Summen lächerlich niedrig. (Πέτσας will *viginti* bzw. *duodecim* lesen.) Dagegen weist schon der Strich über dem XX und dem XII in Z. 6 bzw. Z. 7 darauf hin, daß hier an Tausender gedacht ist (gegen Πέτσας). Diese Interpretation gewinnt an Wahrscheinlichkeit, falls die Abb. bei Πέτσας (Abb. 1 auf S. 54) korrekt ist: Bei den Zahlen XXIII, II und XXVI in Z. 3 fehlt der Strich nämlich, bei $\overline{\text{XX}}$ in Z. 6 und $\overline{\text{XII}}$ in Z. 7 ist er deutlich erkennbar.

Z. 7 Zum Problem der Kombination von *res publica* und *colonia* vgl. den Kommentar zu 559/L152. Papazoglou zufolge (s. dort) ist *colonia* als Genitiv zu *res publica* aufzufassen. Daher die Übersetzung „*res publica* der *colonia* usw."

Zur Formel *h.a.h.n.s.* vgl. die Bemerkungen zu 476/L092 aus Drama (dort eine Liste aller Belege aus Philippi).

Inschrift für Publius Turpilius Valens   717/L710

Φώτιος Μ. Πέτσας: Λατινικαί ἐπιγραφαί ἐκ Θεσσαλονίκης, AE 1950–1951, S. 52–79; hier S. 55–56; Nr. 2.
AÉ 1952 [1953] 224.
Sarikakis, S. 456, Nr. 190.

Thessaloniki: Jüdischer Friedhof. Die Inschrift wurde gefunden κατά τήν ἀπομάκρυνσιν τῶν ισραηλιτικῶν νεκροταφείων τῆς Θεσσαλονίκης (Πέτσας, S. 52) im Jahr 1943 (S. 53) und ist seit 1950/51 verschollen. Marmorplatte mit den Maßen L. 2,22; H. 0,70; D. 0,14.

> Loco publice dato d(ecreto) d(ecurionum)
> P(ublio) Turpilio P(ubli) f(ilio) Volt(inia) Valenti,
> aed(ili), praefecto fabr(um), $\overline{\text{II}}$vir(o) (iure) d(icundo) Phil(ippis),
> Pup(us) Turpilius Valens patri.

An dem auf Beschluß des Rates auf Staatskosten zugewiesenen Ort (hat) Pupus Turpilius Valens für seinen Vater Publius Turpilius Valens, den Sohn des Publius, aus der Tribus Voltinia, den Ädil, den *praefectus fabrum*, den Duumvir *iure dicundo* in Philippi, (die Inschrift anfertigen lassen).

Z. 2 Zur seltenen Abkürzung VOLT vgl. den Kommentar bei 600/L229.

718/L711   **Grabinschrift für Caius Graecinius Firminus**
und Graecinia Veneria

Φώτιος Μ. Πέτσας: Λατινικαί επιγραφαί εκ Θεσσαλονίκης, AE 1950–1951, S. 52–79; hier S. 56–58; Nr. 3.
AÉ 1952 [1953] 225.
Sarikakis, S. 450, Nr. 126.

Thessaloniki: Jüdischer Friedhof. Die Inschrift wurde gefunden κατά την απομάκρυνσιν των ισραηλιτικών νεκροταφείων της Θεσσαλονίκης (Πέτσας, S. 52) im Jahr 1943 (S. 53) und ist seit 1950/51 verschollen.
Marmorplatte mit den Maßen L. 2,63; H. 0,86; D. 0,13.

C(aio) Graecinio C(ai) f(ilio) Vol(tinia)
Firmino, praef(ecto) fabrum
et frumenti mancipalis provinc(iae) Africae,
dec(urioni), quaest(ori) col(oniae) Philipp(ensium), an(norum)
$\overline{\text{LVIII}}$,
5 Graeciniae Veneriae an(norum) $\overline{\text{XLVII}}$
C(aius) Graecinius Romulus Venustus Firmini
[f(ilius) parentibus dulcissimis fecit.]

7 Ergänzung von mir.

Für Caius Graecinius Firminus, den Sohn des Caius, aus der Tribus Voltinia, den *praefectus fabrum* und Aufseher über die Getreideverträge der Provinz Africa, den Ratsherrn (und) Quästor der *Colonia Philippensium*, achtundfünfzig Jahre alt, (und) für Graecinia Veneria, siebenundvierzig Jahre alt, (seine liebsten Eltern, hat) Caius Graecinius Romulus Venustus, (der Sohn) des Firminus, (die Inschrift setzen lassen).

Z. 3 *mancipalis* ist ein seltenes Wort; Glare bietet s.v. (S. 1070) nur einen einzigen Beleg (CIL III, Nr. 6065). Etwas mehr im ThLL VIII, Sp. 253.

Grabinschrift des Caius Valerius Valens Ulpianus   719/L712

I

Φώτιος Μ. Πέτσας: Λατινικαί επιγραφαί εκ Θεσσαλονίκης, AE 1950–1951, S. 52–79; hier S. 58f.; Nr. 4 (Abb. 2).
AÉ 1952 [1953] 226.
Helmut Freis: Die cohortes urbanae, EpiSt 2, Köln/Graz 1967, S. 52; S. 56; S. 136.
Sarikakis, S. 457, Nr. 208.
Egon Schallmayer/Kordula Eibl/Joachim Ott u.a.: Corpus der griechischen und lateinischen Beneficiarier-Inschriften des Römischen Reiches, Der römische Weihebezirk Osterburken I, Forschungen und Berichte zur Vor- und Frühgeschichte 40, Stuttgart 1990, Nr. 672 (S. 520).

Thessaloniki: Jüdischer Friedhof. Die Inschrift wurde gefunden κατά την απομάκρυνσιν των ισραηλιτικών νεκροταφείων της Θεσσαλονίκης (Πέτσας, S. 52) im Jahr 1943 (S. 53) und befand sich 1950/51 εν τω περιβόλω του Αγίου Δημητρίου της Θεσσαλονίκης.
Marmorplatte, vielleicht von einem Sarkophag. L. 2,03; H. 0,86; D. 0,22; H. der Buchstaben: Z. 1: 0,10; Z. 2: 0,08; Z. 3: 0,075.
Die Inschrift befindet sich wahrscheinlich heute (1992) noch im nördlichen Hof von Άγιος Δημήτριος. Da die sehr schweren Steine dort aufeinander gestapelt sind, konnte ich diese Inschrift nicht selbst überprüfen. Falsch ist die Angabe im Corpus der Beneficiarier-Inschriften, wonach die Inschrift sich „in der Außenmauer von Agios Dimitrios" befinde (die Autoren haben das εν τω περιβόλω του Αγίου Δημητρίου mißverstanden!).

> C(aio) Valerio Valent[i]
> Ulpiano, vet(erano) coh(ortis) X̅I̅ urb(anae), b(eneficiario),
>   q(uaestori), I̅I̅[vir(o)]
> i(ure) d(icundo) Phil(ippis), praef(ecto) fabr(um) a co(n)s(ule
>   delato), flam(ini) divi V[espasiani].

2   Für *b(eneficiario)* auf dem Stein B.

Für Caius Valerius Valens Ulpianus, den Veteranen der elften städtischen Kohorte, den *beneficiarius,* den Quästor, den Duumvir *iure dicundo* in Philippi, den vom Consul ernannten *praefectus fabrum,* den Priester des vergöttlichten Vespasianus.

Z. 1f. Das *Ulpiano* verstehen die Herausgeber der Beneficiarier-Inschriften als Herkunftsangabe: „Valens stammte aus Ulpianum in Moesia superior" (S. 520). Dies ist zwar nicht unmöglich, aber doch unwahrscheinlich, da man in diesem Fall dann auch die Angabe der *tribus* erwarten dürfte, vgl. etwa 389/L605, wo neben *domo Eporedia* auch die Tribusangabe *Pol(lia)* erscheint, oder 418/L266, wo neben *domo Pisis* nicht die alte *tribus Galeria,* sondern die neue *Vol(tinia)* genannt wird. Direkt nebeneinander stehen

Tribusangabe und Herkunftsort in 429/L075: *L(uci) Iun(i) Maximi Me(cia)*
Neapol(i); durch die *cognomina* getrennt in 617/L118: *D(ecimus) Furius*
D(ecimi) f(ilius) Serg(ia) Octavius Secundus Curib(us) Sab(inis). Ähnlich
auch in 708/L693; 709/L696; 710/L692; 714/L111; 756/L701; 758/L699;
760/L541; 761/L735; 763/L743; 765/L702; 766/L754; 767/L745. (Ich habe nur zwei Gegenbeispiele gefunden: 762/L742 und 764/L744.) Daß es sich
dabei nicht um eine Spezialität der *colonia Iulia Augusta Philippensis* handelt, kann man sich an vielen andern Beispielen klarmachen, vgl. etwa die
Inschriften aus Dion: *M(arcus) Valerius M(arci) f(ilius) Pub(lilia) Vero-*
na (Γεώργιος Οικονόμος: Επιγραφαί της Μακεδονίας, Τεύχος Πρώτον, Βιβλιοθήκη της εν Αθήναις Αρχαιολογικής Εταιρείας, Athen 1915, Nr. 57, S.
35). Hinzu kommt, daß der Name Ulpianus auch sonst in Philippi bezeugt
ist (039/L039; 733/L726). Daher halte ich es für näherliegend, *Ulpiano* als
Namensbestandteil aufzufassen.

Z. 2 Caius Valerius Valens Ulpianus war *beneficiarius*, was ihm seine Aufnahme ins Corpus der Beneficiarier-Inschriften verschaffte. Zu den *beneficia-*
rii vgl. 202/L313.

Zu den Soldaten der *cohors XI urbana* vgl. die Liste im Kommentar zu
377/L365 (Z. 3).

Z. 2f. „Nach seiner Entlassung aus dem Militärdienst durchlief er eine
munizipale Karriere in Philippi. Im Anschluß an den Duumvirat wurde er
als praefectus fabrum in den Ritterstand erhoben. Seine Ernennung erfolgte
vermutlich aufgrund der Protektion eines Senators . . . . Die Formulierung a
consule delato besagt, daß die Einsetzung in die Praefektur durch den amtierenden Consul in Vertretung des Kaisers vorgenommen wurde" (Schallmayer
u.a., S. 520).

Z. 3 Ein weiterer *flamen divi Vespasiani* begegnet in einer Inschrift aus
Kavala (004/L030); eine Liste aller Vorkommen des Vespasian in den Inschriften von Philippi bei der Ehreninschrift 281/L371 aus der Basilika B.

720/L713   **Grabinschrift des Marcus Caetronius Silianus**

Φώτιος Μ. Πέτσας: Λατινικαί επιγραφαί εκ Θεσσαλονίκης, AE 1950–1951, S. 52–
     79; hier S. 59–61; Nr. 5.
AÉ 1952 [1953] 227.

Thessaloniki: Jüdischer Friedhof. Die Inschrift wurde gefunden κατά την
απομάκρυνσιν των ισραηλιτικών νεκροταφείων της Θεσσαλονίκης (Πέτσας, S.
52) im Jahr 1943 (S. 53) und befand sich 1950/51 εν τω περιβόλω του Αγίου
Δημητρίου της Θεσσαλονίκης.

Seitenwand eines Marmorsarkophags mit den Maßen L. 2,11–2,15; H. 0,79;
D. 0,13–0,14; H. der Buchstaben: Z. 1: nur teilweise erhalten; Z. 2: 0,15; Z.
3: 0,11; Z. 4: 0,10; Z. 5: 0,095.

Die Inschrift befindet sich wahrscheinlich heute (1992) noch im nördlichen Hof von Ἅγιος Δημήτριος. Da die sehr schweren Steine dort aufeinander gestapelt sind, konnte ich diese Inschrift nicht selbst überprüfen.

M(arcus) Caetronius M(arci) [f(ilius)]
Vol(tinia) Silianus, orn(amentis) d[ec(urionatus)]
hon(oratus), q(uaestor), IIvir i(ure) d(icundo), muner(arius)
                                        P[hil(ippis)],
an(norum) XXXVII h(ic) s(itus) e(st).
5 Publici(i) Stacchys et Valens qu[i et ...].

Die Zahlen sind uneinheitlich: **3** _IIvir_ mit Überstrich, aber **4** XXXVII ohne Überstrich.

Marcus Caetronius Silianus, der Sohn des Marcus, aus der Tribus Voltinia, mit den _ornamenta_ eines Ratsherrn geehrt, Quästor, Duumvir _iure dicundo_, Veranstalter von Spielen in Philippi, siebenunddreißig Jahre alt, liegt hier begraben. Publicius Stacchys und Publicius Valens, die auch (_bzw._ der auch) ...

Z. 2f. Zu _ornamentis decurionatus honoratus_ vgl. den Kommentar zu 001/L027, Z. 2.
Z. 3 _munerarius_ begegnet sowohl auf publizierten als auch auf unpublizierten Inschriften aus Philippi des öfteren. Vgl. dazu den Kommentar zu 252/L467 vom Macellum.

Grabinschrift des Lucius Licinius Euhemerus u.a.   721/L714

Φώτιος Μ. Πέτσας: Λατινικαί επιγραφαί εκ Θεσσαλονίκης, AE 1950–1951, S. 52–79; hier S. 62f.; Nr. 6 (Abb. 4 u. 11).
_AÉ_ 1952 [1953] 228.

Thessaloniki: Jüdischer Friedhof. Die Inschrift wurde gefunden κατά την απομάκρυνσιν των ισραηλιτικών νεκροταφείων της Θεσσαλονίκης (Πέτσας, S. 52) im Jahr 1943 (S. 53) und befand sich 1950/51 εν τω περιβόλω του Αγίου Γεωργίου της Θεσσαλονίκης.
Grabstein (_cippus_) mit den Maßen H. 2,31; B. 0,56–0,64; D. 0,15–0,20. Oberhalb der Inschrift ein Relief (H. 0,23; B. 0,47) mit Darstellung eines Totenmahls. H. der Buchstaben: Z. 1: 0,07; Z. 2/3: 0,055; Z. 4/5: 0,045; Z. 6/7: 0,04; Z. 8/9: 0,035; Z. 10: 0,045.
Heute im Archäologischen Museum in Thessaloniki (im Garten). Inventarisierungsnummer nicht vorhanden.
Dia Nummer 367.368.371.370.369/1992.

L(ucius) Licinius L(uci) l(ibertus)
Euhemer(us) V̄Ivi(r)
Aug(ustalis) sibi et
Liciniae Semne
5 uxori et L(ucio) Licini(o)
Saturnino fil(io)
et Veturiae Philu-
mene uxori et
Liciniae Hediste lib(ertae)
10 v(ivis) fa(ciendum) c(uravit).

2 Auf dem Stein das Zahlzeichen mit Überstrich. **8** Πέτσας: *u[x]ori.* **9** Πέτσας: *lib(ertae).*

Lucius Licinius Euhemerus, der Freigelassene des Lucius, Sexvir Augustalis, hat für sich und für seine Frau Licinia Semne und für Lucius Licinius Saturninus, seinen Sohn, und für Veturia Philumene, dessen Frau, und für Licinia Hediste, die Freigelassene (des Lucius), zu ihren Lebzeiten (die Inschrift) besorgt.

Z. 2 Πέτσας schlägt Euhemer vor, doch vgl. seinen Kommentar zur Stelle. Eine Liste aller Vorkommen von Euhemerus aus Philippi bei 132/L303, der Inschrift des Quintus Mofius Euhemerus vom Neapolistor.
Unser *sexvir Augustalis* fehlt auf der Liste bei Bormann (S. 45f.); Collart (S. 268f.) hingegen konnte ihn noch nicht berücksichtigen. Eine Liste der *sexviri Augustales* aus Philippi im Kommentar zu 037/L037.

722/L715   **Grabinschrift für Annius Cerdola**

Φώτιος Μ. Πέτσας: Λατινικαί επιγραφαί εκ Θεσσαλονίκης, AE 1950–1951, S. 52–79; hier S. 64, Nr. 7 (Abb. 5 u. 11).
V. Beševliev: Epigrafski primosi, Sofia 1952, S. 13 mit Anm. 1; Abb. Tafel II 3.

Thessaloniki: Jüdischer Friedhof. Die Inschrift wurde gefunden κατά την απομάκρυνσιν των ισραηλιτικών νεκροταφείων της Θεσσαλονίκης (Πέτσας, S. 52) im Jahr 1943 (S. 53) und befand sich 1950/51 εν τω περιβόλω του Αγίου Γεωργίου της Θεσσαλονίκης.
Marmorplatte aus der Seitenwand eines Sarkophags, unten beschädigt.
Abmessungen: L. 2,13; H. 0,67; D. 0,11. H. der Buchstaben: Z. 1: 0,135; Z. 2: 0,09; Z. 3: 0,10; Z. 4: 0,08. Die beiden letzten Zeilen der Inschrift werden durch ein Relief (erhaltene H. 0,29; B. 0,35) des Thrakischen Reiters unterbrochen.
Heute im Archäologischen Museum in Thessaloniki (im Garten). Inventarisierungsnummer P 134.
Dia Nummer 362–366/1992.

Annius Cerdola an(norum)
vacat   XX, m(ensium) IIII, h(ic) s(itus) e(st).   *vacat*
Annia Prima mater fil(io)
dulciss(imo) et sibi v(iva) f(aciendum) c(uravit).

4 Πέτσας ergänzt zu *v(ivae)*.

Annius Cerdola, zwanzig Jahre (und) vier Monate alt, liegt hier
begraben. Annia Prima, die Mutter, hat (die Inschrift) für ihren liebsten Sohn und sich selbst zu ihren Lebzeiten anfertigen
lassen.

Z. 1 In der griechischen Form Κερδωλας ist Cerdola in einer bei Beševliev
publizierten Inschrift als Name eines Sklaven belegt (Nr. 5, S. 12f.).

Sarkophag der Aelia Tullia Quinta und ihres Gemahls   723/L716

Φώτιος Μ. Πέτσας: Λατινικαί επιγραφαί εκ Θεσσαλονίκης, AE 1950–1951, S. 52–
79; hier S. 65f., Nr. 8 (Abb. 6 u. 11).

Thessaloniki: Jüdischer Friedhof. Die Inschrift wurde gefunden κατά την
απομάκρυνσιν των ισραηλιτικών νεκροταφείων της Θεσσαλονίκης (Πέτσας, S.
52) im Jahr 1943 (S. 53) und befand sich 1950/51 εν τω περιβόλω του Αγίου
Δημητρίου της Θεσσαλονίκης.
Ein Fragment dieser Inschrift befindet sich heute (1992) im nördlichen Hof
von Άγιος Δημήτριος.
Seitenwand eines Marmorsarkophags mit den Maßen: L. 2,67; H. 0,90; D.
0,13. H. der Buchstaben: Z. 1: 0,13; Z. 2–4: 0,10; Z. 5: 0,07.
Dia Nummer 747.748/1992.

Aelia Tullia Quinta viva sibi
et marito suo Dioscuride Di-
oscuridu de suo factum curavit. haec arca heredem non sequi-
5 tur.

4 Auf dem Stein vielleicht SEQI mit Ꝗ.

Aelia Tullia Quinta hat zu ihren Lebzeiten für sich und für ihren
Ehemann Dioscurides, (den Sohn) des Dioscurides, auf eigene
Kosten (den Sarkophag) anfertigen lassen. Dieser Sarkophag geht
nicht auf den Erben über.

Bemerkenswert ist an dieser Inschrift, daß die Frau rein römische Namen
trägt, während der Mann wie auch sein Vater einen griechischen Namen
hat.

Z. 4f. Zur Formel *h.a.h.n.s.* vgl. die Bemerkungen bei 476/L092 aus Drama (dort eine Liste aller Belege aus Philippi).

724/L717   **Grabinschrift der Firmia Prima**

Φώτιος Μ. Πέτσας: Λατινικαί επιγραφαί εκ Θεσσαλονίκης, AE 1950–1951, S. 52–
79; hier S. 66f., Nr. 9.

Thessaloniki: Jüdischer Friedhof. Die Inschrift wurde gefunden κατά την
απομάκρυνσιν των ισραηλιτικών νεκροταφείων της Θεσσαλονίκης (Πέτσας, S.
52) im Jahr 1943 (S. 53) und ist seit 1950/51 verschollen.
Marmorplatte eines Sarkophags (?), Maße nicht erhalten.

> Firmia L(uci) f(ilia) Prima sibi vivae.
> h(aec) a(rca) h(eredem) n(on) s(equitur).

> Firmia Prima, die Tochter des Lucius, für sich selbst zu ihren
> Lebzeiten. Dieser Sarg geht nicht auf den Erben über.

Z. 2 Zur Formel *h.a.h.n.s.* vgl. die Bemerkungen bei 476/L092 aus Drama
(dort eine Liste aller Belege aus Philippi).

725/L718   **Sarkophag des Marcus Capinius Priscus**

Φώτιος Μ. Πέτσας: Λατινικαί επιγραφαί εκ Θεσσαλονίκης, AE 1950–1951, S. 52–
79; hier S. 67f., Nr. 10 (Abb. 7).

Thessaloniki: Jüdischer Friedhof. Die Inschrift wurde gefunden κατά την
απομάκρυνσιν των ισραηλιτικών νεκροταφείων της Θεσσαλονίκης (Πέτσας, S.
52) im Jahr 1943 (S. 53) und befand sich 1950/51 εν τω περιβόλω του Αγίου
Δημητρίου της Θεσσαλονίκης.
Die Inschrift befindet sich heute (1992) im nördlichen Hof von Ἅγιος Δη-
μήτριος. Seitenwand eines Marmorsarkophags, in zwei Teile zerbrochen.
Abmessungen: L. 2,07–2,10; H. 0,78; D. 0,12; H. der Buchstaben: Z. 1: 0,11;
Z. 2: 0,08; Z. 3: 0,10; Z. 4: 0,085; Z. 5: 0,075.
Dia Nummer 743.744.749/1992.

> M(arcus) Capinius Priscus a[n(norum)]
> X h(ic) s(itus) e(st).

M(arcus) Capinius Glyco et Anin̦[ia]
Iucunda quae et Tertull[a]
5 parentes fil(io) dulciss(imo) et sib[i]
f(aciendum) c(uraverunt).

Marcus Capinius Priscus, zehn Jahre alt, liegt hier begraben.
Seine Eltern Marcus Capinius Glyco und Aninia Iucunda, die
auch Tertulla (heißt), haben (den Sarkophag) für ihren liebsten
Sohn und für sich selbst anfertigen lassen.

Grabinschrift für Lucius Laelius (?)   726/L719

Φώτιος M. Πέτσας: Λατινικαί επιγραφαί εκ Θεσσαλονίκης, AE 1950–1951, S. 52–
79; hier S. 68f., Nr. 11 (Abb. 11).
Fanoula Papazoglou: Le territoire de la colonie de Philippes, BCH 106 (1982), S.
89–106; hier S. 105, Anm. 72.

Thessaloniki: Jüdischer Friedhof. Die Inschrift wurde gefunden κατά την
απομάκρυνσιν των ισραηλιτικών νεκροταφείων της Θεσσαλονίκης (Πέτσας, S.
52) im Jahr 1943 (S. 53) und ist seit 1950/51 verschollen.
Grabstein (*cippus*), oben abgebrochen. Maße nicht überliefert.

[L(ucius) Laelius]
[...]
testamento fieri
iussit. *vacat*
Laelia L(uci) l(iberta) Secunda,
L(ucius) Laelius L(uci) l(ibertus) Chressimus,
5 Laelia L(uci) l(iberta) Maronis,
Laelia L(uci) l(iberta) Musice.

Da sich nicht feststellen läßt, wie viele Zeilen vor den erhaltenen sechs fehlen, zähle ich
mit Πέτσας nur die erhaltenen.

(Lucius Laelius ...) hat testamentarisch angeordnet. Laelia Secunda, die Freigelassene des Lucius, Lucius Laelius Chressimus,
der Freigelassene des Lucius, Laelia Maronis, die Freigelassene
des Lucius, Laelia Musice, die Freigelassene des Lucius.

Z. 1 Mit Recht vermutet Πέτσας ein *L(ucius) Laelius* am Anfang der
Inschrift. Eine Liste der *Laelii* in Philippi bei 747/G769 aus Attika.
Z. 6 Das *cognomen* Musicus begegnet in Philippi im Namen des *Licinius
Soter, qui et Musicus* (aus Kavala; 027/L329).

727/L720   Grabinschrift für Lepidia Victoria

Φώτιος Μ. Πέτσας: Λατινικαί επιγραφαί εκ Θεσσαλονίκης, AE 1950–1951, S. 52–
79; hier S. 69, Nr. 12.

Thessaloniki: Jüdischer Friedhof. Die Inschrift wurde gefunden κατά την
απομάκρυνσιν των ισραηλιτικών νεκροταφείων της Θεσσαλονίκης (Πέτσας, S.
52) im Jahr 1943 (S. 53) und war 1950/51 verschollen.
Seitenwand eines Marmorsarkophags; Abmessungen: L. 2,23; H. 0,76; D.
0,14.

> Lepidia Victoria a[n(norum)]
> LX h(ic) s(ita) e(st).
> Norbanus Priscus
> *vacat* matri.

Lepidia Victoria, sechzig Jahre alt, liegt hier begraben. Norbanus
Priscus (hat den Sarkophag) für seine Mutter (anfertigen lassen).

728/L721   Sarkophag der Decimia Persice

Φώτιος Μ. Πέτσας: Λατινικαί επιγραφαί εκ Θεσσαλονίκης, AE 1950–1951, S. 52–
79; hier S. 70, Nr. 13.

Thessaloniki: Jüdischer Friedhof. Die Inschrift wurde gefunden κατά την
απομάκρυνσιν των ισραηλιτικών νεκροταφείων της Θεσσαλονίκης (Πέτσας, S.
52) im Jahr 1943 (S. 53) und war 1950/51 verschollen.
Seitenwand eines Marmorsarkophags; Abmessungen: L. 2,45; B. 0,87; D.
0,11.

> Decimia Persi[ce]
> sibi v(iva) f(aciendum) c(uravit).
> in eam arcam alium s[i]
> quis posuerit, dabit fisco ...

2 Πέτσας ergänzt zu *v(ivae)*.

Decimia Persice hat für sich zu ihren Lebzeiten (den Sarkophag)
anfertigen lassen. Wenn einer einen anderen in dieses Grab gelegt
hat, soll er dem Fiscus (Strafe bezahlen ...).

Z. 1 Vermutlich handelt es sich um eine Freigelassene eines Mitglieds der
Familie der *Decimii*, die durch eine Reihe von Inschriften vom W-Brunnen
auf dem Forum in Philippi bezeugt ist (vgl. 213/L347).

Grabinschrift eines Firmus   729/L722

Φώτιος Μ. Πέτσας: Λατινικαί επιγραφαί εκ Θεσσαλονίκης, ΑΕ 1950–1951, S. 52– 79; hier S. 70f., Nr. 14 (Abb. 11 u. 12).
AÉ 1952 [1953] 229.
Sarikakis, S. 459, Nr. 224.

Thessaloniki: Jüdischer Friedhof. Die Inschrift wurde gefunden κατά την απομάκρυνσιν των ισραηλιτικών νεκροταφείων της Θεσσαλονίκης (Πέτσας, S. 52) im Jahr 1943 (S. 53) und war 1950/51 verschollen.
Marmorplatte, an allen Seiten abgebrochen; Abmessungen: L. 1,90; H. 0,58; D. 0,16.

[fi]l(io) Vol(tinia) [F]irmo, ḍec̣(urioni) [c(o)hor(tis)]
[IV? v]ig(ilium), an(norum) LXV et Cassiae T(iti) fil(iae)
[Resti]tutae eius an(norum) XXXII. SE[...]
[... de] ṣ[uis] f(aciendum) c̣ụ(ravit *oder* -raverunt).

4 Die Klammersetzung bei Πέτσας ist nicht in Ordnung. Offensichtlich muß vor *faciendum* die eckige Klammer geschlossen sein, sonst ist der Punkt unter dem f sinnlos.

... für ... Firmus, den Sohn des ..., aus der Tribus Voltinia, den Decurio der vierten Wachkohorte, fünfundsechzig Jahre alt, und für dessen (Frau) Cassia Restituta, die Tochter des Titus, zweiunddreißig Jahre alt. ... auf eigene Kosten anfertigen lassen.

Z. 2 Zu Cassia vgl. die Liste bei 156/L564. Eine Cassia Restituta begegnet in 027/L329.

Z. 3 Daß die Ergänzung zu *Restitutae* wegen des darauffolgenden *eius* problematisch ist, hat schon der erste Herausgeber gesehen: συνεπλήρωσα ουχί μετά βεβαιότητος, διότι το ακολουθούν eius απαιτεί λέξιν συγγενείας σημαντικήν. Αφ' ετέρου δεν δύναμαι να συμπληρώσω άλλως τον στίχον, εκτός εάν δεχθώ λάθος του αντιγραφέως ή του χαράκτου γράψαντος TVTAE αντί TVT – EL – AE. Την επιγραφήν δεν είδον προ της εξαφανίσεώς της και δεν είναι αδύνατον το ληφθέν προχείρως απόγραφον να είναι ανακριβές εις το σημείον τούτο (Πέτσας, S. 71).

Grabinschrift für Asclas Tullius   730/L723

Φώτιος Μ. Πέτσας: Λατινικαί επιγραφαί εκ Θεσσαλονίκης, ΑΕ 1950–1951, S. 52– 79; hier S. 71, Nr. 15.

Thessaloniki: Jüdischer Friedhof. Die Inschrift wurde gefunden κατά την απομάκρυνσιν των ισραηλιτικών νεκροταφείων της Θεσσαλονίκης (Πέτσας, S. 52) im Jahr 1943 (S. 53) und war 1950/51 verschollen.
Marmorplatte mit den Maßen: L. 1,70; H. 0,75; D. 0,12.

[...] Asclae Tull[io ...]
[...] viro et sibi [v(iva) f(aciendum) c(uravit)].

2 Πέτσας ergänzt zu [v(ivae)].

... für Asclas Tullius ..., ihren Mann, und für sich selbst hat
... zu ihren Lebzeiten (die Inschrift) anfertigen lassen.

731/L724   **Sarkophag für Marcus Aurelius Bitys und seine Frau**

Φώτιος Μ. Πέτσας: Λατινικαί επιγραφαί εκ Θεσσαλονίκης, AE 1950–1951, S. 52–
79; hier S. 72f., Nr. 16 (Abb. 8 u. 11).
AÉ 1952 [1953] 230.
Sarikakis, S. 443, Nr. 42.

Thessaloniki: Jüdischer Friedhof. Die Inschrift wurde gefunden κατά την
απομάκρυνσιν των ισραηλιτικών νεκροταφείων της Θεσσαλονίκης (Πέτσας, S.
52) im Jahr 1943 (S. 53) und befand sich 1950/51 εν τω περιβόλω του Αγίου
Δημητρίου της Θεσσαλονίκης.
Seitenwand eines Marmorsarkophags, links, rechts und unten abgebrochen;
Abmessungen: L. 2,10; H. 0,81; D. 0,17. H. der Buchstaben: Z. 1: 0,23; Z. 2:
0,18; Z. 3: 0,14.
Die Inschrift befindet sich wahrscheinlich heute (1992) noch im nördlichen
Hof von Άγιος Δημήτριος. Da die sehr schweren Steine dort aufeinander
gestapelt sind, konnte ich diese Inschrift nicht selbst überprüfen.

M(arcus) Aur(elius) Bitys y[e-]
[te]r(anus) ex c(o)hor(te) deci[ma]
[pr]aetoria{e} sibi et Ael[iae]
[Ph]ilice coiugi suae v(ivus) f(aciendum) [c(uravit)].

Marcus Aurelius Bitys, Veteran der zehnten Prätorianerkohorte,
hat für sich und seine Frau Aelia Philice zu seinen Lebzeiten (den
Sarkophag) anfertigen lassen.

732/L725   **Sarkophag eines *librarius* der zweiten Legion**
III/IV

CIL III, Suppl. 2, Nr. 14203⁴⁰.
Φώτιος Μ. Πέτσας: Λατινικαί επιγραφαί εκ Θεσσαλονίκης, AE 1950–1951, S. 52–
79; hier S. 73f., Nr. 17 (Abb. 9).
AÉ 1952 [1953] 231.

IG X 2,1, 631.
Sarikakis, S. 461, Nr. 249.

Thessaloniki: Jüdischer Friedhof. Die Inschrift wurde gefunden κατά την απομάκρυνσιν των ισραηλιτικών νεκροταφείων της Θεσσαλονίκης (Πέτσας, S. 52) im Jahr 1943 (S. 53) und befand sich 1950/51 εν τω περιβόλω του Αγίου Γεωργίου της Θεσσαλονίκης. Fragment einer Seitenwand eines Marmorsarkophags, in zwei Teile gebrochen; Abmessungen: L. 1,03; H. 0,36; D. 0,14. Die Inschrift ist links, rechts und unten unvollständig; Spuren der Buchstaben der vierten Zeile sind vorhanden. H. der Buchstaben: 0,04.

Laut Inventarisierungsbuch des Archäologischen Museums Thessaloniki (Ευρητήριο Συλλογής Ροτόνδας) hat dieser Stein die Inventarisierungsnummer P 128. Er befindet sich im Magazin des Museums (die Angabe bei Edson, IG X 2,1, S. 203: „nunc deperdita“, ist falsch).
Dia Nummer 384–386/1992.

[libr]arius leg(ionis) II Her(culiae) fide(lis) succura Mucian[i]
[. . .] quinque vineia Secundina mater i[nfeliciss(ima)].
[si quis h]unc sarcofago aperire voluerit, in[feret]
[fisco] ✗ viginti [. . .] M   M   D

1 CIL: LIDE mit der Bemerkung: „in LIDE quid lateat, nescio, quamquam possis cogitare de *fidelis* vocabulo. Sequitur *succura,* id est *sub cura*“ (S. 2316⁴⁰). Edson: <*f>ide(lis)*. Damit liegt Edson definitiv falsch, denn das von ihm ergänzte F ist exakt an der Bruchstelle, so daß er allenfalls [f] geben dürfte, auf keinen Fall jedoch <f>! Ich glaube auf dem (mittlerweile wieder zusammengefügten) Stein Reste eines F zu erkennen.

... Schreiber der zweiten Legion Herculia Fidelis unter der Obhut des Mucianus ... fünf Weingärten. Secundina, seine allerunglücklichste Mutter. Wenn einer diesen Sarkophag hat öffnen wollen, soll er beim Fiscus einzahlen zwanzig (?) Denare.

Z. 1 Zur zweiten Legion Herculia Fidelis bemerkt Edson (S. 204): „Legio Secunda Herculia a Diocletiano c. a. 285 p. constituta est in provincia nova *Scythia* stationem habuit usque in s. V p.“ Daraus ergibt sich auch Edsons Vorschlag zur Datierung: „Suspicor tit.[ulum] temporibus Diocletiani vel Galerii adsignandum esse“ (ebd.).

Z. 2 Πέτσας hat mit Weingärten nichts im Sinn. Er möchte *Vineia* als *nomen gentile* verstehen, obgleich er einräumt: ὡς nomen gentile δεν εύρον αλλαχού (S. 74). Das ist auch nicht verwunderlich, handelt es sich doch ziemlich sicher nicht um ein solches; angemessener schon die Kommentierung Edsons (S. 204), der auf Weingärten in andern Inschriften aus Thessaloniki hinweist (IG X 2,1 Nr. 259 und 260).
Secundina in griechischer Gestalt in der Inschrift 290/G421 aus dem Narthex der Basilika B.

Z. 4 Die Summe von zwanzig Denaren ist für die anzunehmende Zeit überaus gering (zu den üblichen Summen vgl. den Kommentar zu 734/G749, Z. 4!). Der begünstigte *fiscus* ist keineswegs für Philippi spezifisch. Vielleicht gehört dieser Text doch nach Thessaloniki? Datierung nach Edson, IG X 2,1, S. 204.

733/L726 **Inschrift des Marcus Valerius Valens für seine Eltern**

734/G749 **Grabinschrift des Αὐρ. Κλαυδιανός und seiner Familie**

III

B. Καλλιπολίτης/Δ. Λαζαρίδης: Ἀρχαίαι ἐπιγραφαί Θεσσαλονίκης, Thessaloniki 1946; Καλλιπολίτης, Nr. 10, S. 17–19 mit Abb. 10.
Jeanne Robert und Louis Robert, BÉ 1948, Nr. 102 (S. 164f.).
Φώτιος M. Πέτσας: Λατινικαί ἐπιγραφαί ἐκ Θεσσαλονίκης, AE 1950–1951, S. 52–79; hier S. 74, Nr. 18.

Thessaloniki: Jüdischer Friedhof. Dieser Stein wurde gefunden κατά τήν ἀπομάκρυνσιν τῶν ἰσραηλιτικῶν νεκροταφείων τῆς Θεσσαλονίκης (Πέτσας, S. 52) im Jahr 1943 (S. 53) und war 1950/51 anscheinend verschollen. Der Stein weist zwei verschiedene Inschriften auf, eine lateinische (= 733/L 726) und eine griechische (= 734/G749); die lateinische ist älter als die griechische (vgl. die Abb. 10 bei Καλλιπολίτης). Edson (IG X 2,1) hat auch die griechische Inschrift nicht aufgenommen in der Überzeugung, daß sie nicht aus Thessaloniki stammt.
Marmorplatte; Abmessungen: L. 1,90; H. 0,69; D. 0,12. Buchstaben der lateinischen Inschrift H. Z. 1: 0,12; Z. 2: 0,09; Z. 3: 0,06; Zeilenabstand 0,07. Buchstaben der griechischen Inschrift H. 0,04; Zeilenabstand 0,02 (Abmessungen nach Καλλιπολίτης).

    [... V]alerio [...]A[...]RO[...] Antoṇ[i-]
    [n]o et [...]INAT[...]. M(arcus) Valerius Val[ens]
    [Ulpia]ṇus parentibus d(e) s(uo) f(ecit).
    [... Αὐρήλ]ιος Κλαυδιανός ὁμολογῶ συγκεχωρηκένε ἀνγεῖον
                                   τῷ ἰδίῳ
5 [πατρὶ Κωνστα]ντείῳ καὶ συμβίῳ Αὐρ(ηλίᾳ) Μουντάνᾳ καὶ
                    τέκνοις αὐτῶν· ἐὰν δέ τις
    [... κ]αταθῇ χωρὶς τῶν προγεγραμμένων δώσι τῇ πόλι προστίμ[ου]
    [in] f(ronte) p(edes) X, *vacat* in ag(ro) p(edes) X.
    vacat ✳ φ´ καὶ δηλάτορι ✳ σν´. *vacat*

Die lateinische Inschrift 733/L726 lautet also:
[... V]alerio [...]A[...]RO[...] Antoṇ[i-]
[n]o et [...]INAT[...]. M(arcus) Valerius Val[ens]
[Ulpia]ṇus parentibus d(e) s(uo) f(ecit).
[in] f(ronte) p(edes) X, *vacat* in ag(ro) p(edes) X.

... für Valerius ... Antoninus und ... . Marcus Valerius Valens
Ulpianus hat (die Inschrift) auf eigene Kosten für seine Eltern
gemacht. (Die Grabanlage mißt) in der Breite zehn Fuß, in der
Tiefe zehn Fuß.

Z. 1 Der Name Valerius ist in Philippi überaus häufig.

Z. 1f. Antoninus begegnet natürlich häufig in Philippi, doch nur als Bestandteil des Kaisernamens.

Die griechische Inschrift 734/G749 lautet:

[... Αὐρήλ]ιος Κλαυδιανὸς ὁμολογῶ συγκεχωρηκένε ἀγγεῖον

τῷ ἰδίῳ

[πατρὶ Κωνστα]ντείῳ καὶ συμβίῳ Αὐρ(ηλίᾳ) Μουντάνᾳ καὶ

τέκνοις αὐτῶν· ἐὰν δέ τις

[... κ]αταθῇ χωρὶς τῶν προγεγραμμένων δώσι τῇ πόλι προστίμ[ου]

vacat ✳ φ΄ καὶ δηλάτορι ✳ σν΄. *vacat*

1 Auf der Abbildung CΥΝΚΕΧΩΡΗΚΕΝΕ, das NK in Ligatur. **2** Die Ergänzung
πατρί schlägt Καλλιπολίτης im Kommentar (S. 18) vor. **4** Vor dem Zahlzeichen φ΄ hat
Καλλιπολίτης versehentlich das ✳ weggelassen (es ist auf der Abbildung vorhanden).

(Ich, ...) Aurelius Claudianus, sage zu, (einen Platz) in diesem
Sarkophag einzuräumen meinem eigenen Vater Konstantios und
seiner Frau Aurelia Montana und deren Kindern. Wenn aber
einer (eine Leiche) niederlegt außer den Genannten, soll er der
Stadt Strafe zahlen fünfhundert Denare und dem, der es anzeigt,
zweihundertfünfzig Denare.

Z. 1 Der Name Κλαυδιανός begegnet in Philippi in griechischer Gestalt
sonst nicht (in der lateinischen Inschrift 559/L152 aus Νέο Σούλι ist von
einem Claudianus Artemidorus die Rede); mehrere Belege finden sich dagegen in Thessaloniki (IG X 2,1, 567; 577; 667); in einem Fall sogar Αὐρήλιος
Κλαυδιανός (236, Z. 5f.).

Zu der Formulierung ὁμολογῶ συγκεχωρηκένε ἀγγεῖον findet sich weder in
Philippi noch in Thessaloniki (d.h. bei Edson in IG X, 2,1) eine Paralle-
le. Material aus anderen Gegenden bietet Καλλιπολίτης im Kommentar zur
Stelle (S. 18).

Das Wort ἀγγεῖον rechnet der Herausgeber der IG X 2,1, Charles Edson,
nicht zu den „Verba notabiliora" (S. 311) und nimmt es daher in seinen
Index nicht auf; gleichwohl kommt es in den Grabinschriften von Thessalo-
niki vor. Ich habe bei der Durchsicht der einschlägigen Texte im Edsonschen
Corpus zwei Beispiele gefunden, nämlich 580 (Z. 2; aus dem 3. Jh.) und 609
(Z. 3.5; ebenfalls 3. Jh.). In Philippi begegnet das Wort als ἀγγῖον im Sinne
von Grab in der Inschrift 337/G439, die in dem Haus mit Bad im Süden der
Basilika B gefunden wurde: ... κατεσκεύασεν τοῦτο τὸ ἀγγῖον ... (Z. 2f.).

Z. 2 Der Name Κωνστάντιος kommt noch in der christlichen Inschrift 102/G545 aus der Basilika *extra muros* vor (er fehlt bei Edson, IG X 2,1). Der Name Μουντάνα begegnet in dem Testament vom Neapolistor (133/G 441) als Μοντάνα (so in Z. 11) bzw. Μαντάνα (Z. 3). Eine Αὐρηλία Μοντάνα haben wir in 273/G413 von den Basilika B. Für die lateinische Form Montanus gibt es in Philippi zahlreiche Belege. Für Thessaloniki dagegen bietet Edson weder einen griechischen noch einen lateinischen Beleg.

Z. 2f. Zur Formel ἐὰν δέ τις mit folgender Strafandrohung bietet das genannte Testament vom Neapolistor ebenfalls eine Paralelle. Es heißt da: ἐὰν δέ τις μεταρῇ τὸν βωμὸν τοῦτον, δώσι τῇ πώλι ✱ χίλια καὶ δηλάτωρι ✱ φ´ (133/G441, Z. 6–10). Neben einer Reihe von weiteren Inschriften kann man auch die ebenfalls schon genannte Grabinschrift 273/G413 sowie 280/G415 aus der Basilika B heranziehen; vgl. auch 267/G416 (ebenfalls Basilika B): [ὃς ἂν δὲ ἕτε]ρον πτῶμα καταθ[ῇ, δώσει προστίμ]ου τῇ πόλ[ει …].

Z. 4 Das Wort δηλάτωρ ist ein Spezifikum der Inschriften von Philippi (Edson bietet keinen einzigen Beleg – weder lateinisch noch griechisch – für Thessaloniki!), vgl. die Liste der Belege bei 022/G220 aus Kavala. Interessant sind hier nun die Preise: die Polis soll fünfhundert Denare erhalten, der Delator dagegen nur 250. Damit liegt die Summe für den Delator zwischen den (älteren) lateinischen Inschriften 038/L038 (200 Denare) und 136/L453 (250 Denare) und den (späteren) griechischen Inschriften 022/G220, 265/G417, 280/G415 (die alle übereinstimmend 500 Denare bieten). Dies spricht meines Erachtens gegen die Datierung ins vierte Jahrhundert, die Καλλιπολίτης aufgrund der Buchstabenformen vornimmt. Ich schlage daher eine Datierung in das dritte Jahrhundert vor, denn die Summe für den Delator entspricht der aus der Inschrift 136/L453, die dem dritten Jahrhundert angehört.

735/L727   **Fragment einer Grabinschrift**

Φώτιος Μ. Πέτσας: Λατινικαί επιγραφαί εκ Θεσσαλονίκης, ΑΕ 1950–1951, S. 52–79; hier S. 75, Nr. 19.

Thessaloniki: Jüdischer Friedhof. Die Inschrift wurde gefunden κατά την απομάκρυνσιν των ισραηλιτικών νεκροταφείων της Θεσσαλονίκης (Πέτσας, S. 52) im Jahr 1943 (S. 53) und war 1950/51 verschollen.
Marmorplatte von einem Sarkophag; Abmessungen: L. 2,20; H. 0,18; D. 0,70.

dulciss(imis) et pientissimis

… den liebsten und treuesten …

Fragment einer Grabinschrift   736/L728

*Φώτιος Μ. Πέτσας: Λατινικαί επιγραφαί εκ Θεσσαλονίκης, AE 1950–1951, S. 52–
79; hier S. 75, Nr. 20 [a].*

Thessaloniki: Jüdischer Friedhof. Die Inschrift wurde gefunden κατά την
απομάκρυνσιν των ισραηλιτικών νεκροταφείων της Θεσσαλονίκης (Πέτσας, S.
52) im Jahr 1943 (S. 53) und war 1950/51 anscheinend verschollen.
Platte von einem Sarkophag (?); Abmessungen: L. 2,30; H. 0,16; D. 0,75.

[. . .] Optat[us *oder* -a].

Fragment einer lateinischen Grabinschrift   737/L729
Griechische Grabinschrift für Μάντα und ihre Kinder   738/G750

B. Καλλιπολίτης/Δ. Λαζαρίδης: Αρχαίαι επιγραφαί Θεσσαλονίκης, Thessaloniki
1946; Καλλιπολίτης, Nr. 11, S. 19f. mit Abb. 11.
Φώτιος Μ. Πέτσας: Λατινικαί επιγραφαί εκ Θεσσαλονίκης, AE 1950–1951, S. 52–
79; hier S. 75, Nr. 21.

Thessaloniki: Jüdischer Friedhof. Die Inschrift wurde gefunden κατά την
απομάκρυνσιν των ισραηλιτικών νεκροταφείων της Θεσσαλονίκης (Πέτσας, S.
52) im Jahr 1943 (S. 53) und war anscheinend 1950/51 verschollen.
Wie bei 733/L726 weist dieser Stein zwei verschiedene Inschriften auf, eine
lateinische (= 737/L729) und eine griechische (= 738/G750); die lateinische
ist älter als die griechische (vgl. die Abb. 11 bei Καλλιπολίτης). Edson (IG
X 2,1) hat auch die griechische Inschrift nicht aufgenommen in der Überzeugung, daß sie nicht aus Thessaloniki stammt.
Marmorplatte mit runder Vertiefung (Durchmesser 0,14; Tiefe 0,04), die
offenbar von der dritten Verwendung des Steins herrührt (vgl. die Abb. 11
bei Καλλιπολίτης).
Abmessungen: L. 2,25; H. 0,80; D. 0,14. Buchstaben H. (bei der griechischen
Inschrift) 0,07; Zeilenabstand 0,30. Bezüglich der lateinischen Buchstaben
liegen keinerlei Angaben vor (der Abb. von Καλλιπολίτης nach zu urteilen,
ist ihre H. in etwa so groß wie die der griechischen Buchstaben).

[. . .] an(norum) XXI m(ensium) [. . .]
[. . .] μου Μάντα καὶ τέκνοις· ὃς ἂν δὲ ἕτερον πτῶμα
[. . .] XXVI [. . .]
[. . . κατα]θῇ, δώσι τῷ ἱερωτάτῳ ταμείῳ ✗ (μύρια καὶ πεντακισχίλια).

Die lateinische Inschrift 737/L729 lautet also:
[. . .] an(norum) XXI m(ensium) [. . .]
[. . .] XXVI [. . .]

... einundzwanzig Jahre, ... Monate, sechsundzwanzig ... (alt)
...

Die griechische Inschrift 738/G750 lautet:

[...] μου Μάντᾳ καὶ τέκνοις· ὃς ἂν δὲ ἕτερον πτῶμα
[... κατα]θῇ, δώσι τῷ ἱερωτάτῳ ταμείῳ ✳ (μύρια καὶ πεντακισχίλια).

2 Auf der Abb. 11: ΤΑΜΙΩ.

... für Manta, (meine Frau?), und für die Kinder. Wer aber
etwa eine andere Leiche (in den Sarkophag) niederlegt, soll der
heiligsten Kasse fünfzehntausend Denare bezahlen.

Z. 1 Manta ist ein häufig vorkommender thrakischer Name, vgl. Detschew, s.v. Μαντα (S. 286f.).

739/L730   Fragment einer Grabinschrift

Φώτιος Μ. Πέτσας: Λατινικαί επιγραφαί εκ Θεσσαλονίκης, AE 1950–1951, S. 52–
79; hier S. 75, Nr. 22.

Thessaloniki: Jüdischer Friedhof. Die Inschrift wurde gefunden κατά την
απομάκρυνσιν των ισραηλιτικών νεκροταφείων της Θεσσαλονίκης (Πέτσας, S.
52) im Jahr 1943 (S. 53) und ist seit 1950/51 verschollen.
Platte mit Relief; Abmessungen: L. 0,95; H. 0,74; D. 0,15.

[et] sibi v(ivus *oder* -a) [f(aciendum)] c(uravit)].

1 Πέτσας ergänzt *vivo* bzw. *vivae*.

... hat für ... und für sich zu seinen (oder: ihren) Lebzeiten
anfertigen lassen.

740/L731   Inschrift der Cassia Procula

Φώτιος Μ. Πέτσας: Λατινικαί επιγραφαί εκ Θεσσαλονίκης, AE 1950–1951, S. 52–
79; hier S. 77, Nr. 23.

Thessaloniki: Jüdischer Friedhof. Die Inschrift wurde gefunden κατά την
απομάκρυνσιν των ισραηλιτικών νεκροταφείων της Θεσσαλονίκης (Πέτσας, S.
52) im Jahr 1943 (S. 53) und ist seit 1950/51 verschollen.
Platte mit den Maßen: L. 1,86; H. 0,57; D. 0,14.

[... C]assia T(iti) f(ilia) Procula [...].

... Cassia Procula, die Tochter des Titus, ...

Z. 1 Zu Cassia vgl. die Liste bei 156/L564.

Fragment einer Grabinschrift 741/L732

Φώτιος Μ. Πέτσας: Λατινικαί επιγραφαί εκ Θεσσαλονίκης, AE 1950–1951, S. 52–
79; hier S. 77, Nr. 24.

Thessaloniki: Jüdischer Friedhof. Die Inschrift wurde gefunden κατά την
απομάκρυνσιν των ισραηλιτικών νεκροταφείων της Θεσσαλονίκης (Πέτσας, S.
52) im Jahr 1943 (S. 53) und befand sich 1950/51 εν τω περιβόλω του Αγίου
Δημητρίου της Θεσσαλονήκης.
Marmorfragment mit den Maßen: L. 1,37; H. 0,74; D. 0,15.
Die Inschrift befindet sich wahrscheinlich heute (1992) noch im nördlichen
Hof von Ἅγιος Δημήτριος. Da die sehr schweren Steine dort aufeinander
gestapelt sind, konnte ich diese Inschrift nicht selbst überprüfen.

[si quis ..., inferet fisco ... et praeterea]
r(ei) pub(licae) Ph(ilippensium) ✶ I.

2 Vermutlich ist Ī zu lesen (vgl. den Kommentar!).

... wenn einer ..., soll er beim Fiscus einzahlen ... und außerdem der *res publica* der Philipper tausend Denare.

Z. 2 *Ein* Denar kommt aus inhaltlichen Gründen nicht in Frage. Vermutlich stand auf dem Stein Ī = 1.000.
Das *dabit rei publicae Philippensium* ist gleichbedeutend mit *dabit fisco* o.ä.:
„Dans la formule sépulcrale mentionnant l'amende qui devrait être versée
en cas de violation de la sépulture »*dabit reipublicae Phil(ippensium)* ...«,
le terme désigne le trésor public de la colonie" (Fanoula Papazoglou: Le
territoire de la colonie de Philippes, BCH 106 (1982), S. 89–106; hier S. 106,
Anm. 80).

Fragment einer Grabinschrift 742/L733

CIL III, Suppl. 2, Nr. 14203[44].
Φώτιος Μ. Πέτσας: Λατινικαί επιγραφαί εκ Θεσσαλονίκης, AE 1950–1951, S. 52–
79; hier S. 77, Nr. 20 [b].

Thessaloniki: Jüdischer Friedhof. Die Inschrift wurde wiedergefunden κατά την απομάκρυνσιν των ισραηλιτικών νεκροταφείων της Θεσσαλονίκης (Πέτσας, S. 52) im Jahr 1943 (S. 53) und war 1950/51 verschollen. Marmorfragment.

[...] dabit fisc[o] ✕ [...].

... soll er dem Fiscus ... Denare zahlen.

Πέτσας weist auf BCH 47 (1923), S. 75, Nr. 33 hin. Diesen Hinweis verstehe ich nicht. Es handelt sich um A. Salač: Inscriptions du Pangée, de la région Drama-Cavalla et de Philippes, BCH 47 (1923), S. 49–96, wo a.a.O. weder von der obigen Inschrift noch von einer ähnlichen Formulierung die Rede ist.

743/L734   **Grabinschrift des Publius Insumennius Fronto**
II

CIL III, Suppl. 2, Nr. 14203⁴¹.
Collart, S. 259; S. 262.
Jeanne Robert und Louis Robert, BÉ 1948, Nr. 102 (S. 164f. – kein Text).
Φώτιος Μ. Πέτσας: Λατινικαί επιγραφαί εκ Θεσσαλονίκης, AE 1950–1951, S. 52–
    79; hier S. 61.
IG X 2,1, Nr. 924.

Thessaloniki: Jüdischer Friedhof. Die Inschrift wurde von Papageorgiu an Mommsen geschickt. Πέτσας sagt, sie sei verschollen (S. 52). „Lapis ante a. 1902 visus a Papageorgiu cuius schedas ed. Mommsen", sagt Edson (IG, S. 261) und fügt die folgende Erklärung hinzu: „Lapis fuit ut videtur unus e marmoribus antiquis e regione Philipporum oriundis et Thessalonicam post initium s. XVI [woher weiß er das Datum?] transportatis ut ad sepulcra Iudaeorum Sephardicorum tegenda adhibita sint. Vide J. et L. Robert, *Bull. épigr.* 1948, 102. Propter distributionem versuum vix dubium est quin lapis fuerit frons sarcophagi vel pars monumenti sepulcralis maioris" (ebd.).
Die von Edson zitierten Jeanne und Louis Robert geben keinen Zeitpunkt für den Transport der Inschriften. Es heißt bei ihnen lediglich: „Pour les tombes de leur cimetière les Juifs de Salonique ont donc largement exploité les ruines de Philippes; les communications étaient faciles par la route; même facilité des communications avec Thasos par mer" (BÉ 1948, Nr. 102, S. 165).

P(ublio) Insumennio P(ubli) f(ilio) Vo<l(tinia)> Frontoni aed(ili)
                                                    IIviro iuri dic(und)o
Philippis quaest(ori) ex testamento.

1 Edson hat *Insummenio* (aber woher? Der Stein ist doch verschollen! Handelt es sich um einen Druckfehler?). **2** Auf dem Stein VOE statt VOL; in dem O ist ein C einbeschrieben (Sinn?). Mommsen will *iur<e> di<cu(ndo)>* lesen.

Für Publius Insumennius Fronto, den Sohn des Publius, aus der Tribus Voltinia, den Ädil, den Duumvir *iure dicundo* in Philippi, den Quästor, aufgrund seines Testaments.

Z. 1 Ein anderer Fronto aus Philippi 026/L123 (Oppius Fronto); vgl. auch 383/L614.
Z. 2 Merkwürdig ist die Stellung des *quaestori*, das man eigentlich bei *aedili* und *IIviro* erwartete (und in jedem Fall vor dem *Philippis*). Für eine Inschrift aus Philippi selbst ist diese Angabe *Philippis* irritierend. Möglicherweise stammt der Stein also doch nicht von dort. Er wäre aber in jedem Fall in diesen Katalog aufzunehmen gewesen, da Publius Insumennius Fronto in Philippi verschiedene Ämter bekleidet hat.
Die Datierung in das 2. Jh. n. Chr. erfolgt nach dem Vorschlag Edsons.

Christliche Inschrift aus Thessaloniki (?)

743a/G798
V/VI

Ευθύμιος Τσιγαρίδας/Κάτια Λοβέρδου-Τσιγαρίδα: Κατάλογος χριστιανικών επιγραφών στα μουσεία της Θεσσαλονίκης, Μακεδονική Βιβλιοθήκη 52, Thessaloniki 1979, Nr. 36, S. 67f.
Feissel, Nr. 181, S. 162.

Thessaloniki? Der Herkunftsort der Inschrift ist unbekannt; sie befindet sich im Αρχαιολογικό Μουσείο Θεσσαλονίκης (in der αποθήκη) und hat die Inventarisierungsnummer ΜΘ 6821.
Θραύσμα πλάκας από υπόλευκο μάρμαρο με φαιές μαρμαρυγές. Λείπει το άνω και κάτω μέρος και τμήμα της δεξιάς πλευράς (Τσιγαρίδας/Λοβέρδου-Τσιγαρίδα, S. 67).
Abmessungen: H. 0,345; B. 0,365; D. 0,03; H. der Buchstaben: 0,033.

```
    Φλαβιανὴ ΔΕ[...]
    ΤΟΥ τῆς ὁσίας μητ[ρός ... οἱ]
    πατέρες εὐστόρ[γως ...]
    Ἀλεξάνδρας καὶ [...]
5   [τ]οῦ πρὶν ἐλλόγ[ιμ(ωτάτου) ...]
    [... Φιλ]ίπποις Μ[...]
```

Da ich den Stein nicht selbst studiert habe und keine Photographie existiert, gebe ich die abweichenden Lesarten Feissels (der auch sagt: „Non revue") im Apparat, ohne eine Entscheidung zu treffen. **1** Feissel: Φλαβιαν ΗΔΕ[... γυναῖκα (?)]. Nach Feissel „ΔΟ inventaire". **2** Feissel: τοῦ τῆς ὁσίας μν[ήμης ... οἱ] mit dem Hinweis „ΜΝ inventaire"

und der Versicherung: „quel que soit l'état de la pierre, ma restitution est ici quasi sûre."
3 Feissel: Εὐστόρ[γιος καὶ ... μετὰ (?)]. **6** Feissel: [.]ππους μ[...].

743b/G823   **Sarkophag des Lucius Valerius Maximus**
III

B. Καλλιπολίτης: Ἐπιτύμβιοι ἐπιγραφαί ἐκ Θεσσαλονίκης, in: Ἐπετηρίς τῆς Φιλο-
σοφικῆς Σχολῆς Πανεπιστημίου Θεσσαλονίκης 6 (= Gedenkschrift N.Γ. Παπ-
παδάκις), Thessaloniki 1948, S. 311–317; hier S. 311–315 (wieder abgedruckt in:
Θεσσαλονίκην Φιλίππου Βασίλισσαν, S. 940–946; hier S. 940–944).
Jeanne Robert und Louis Robert, BÉ 1949, Nr. 98.
SEG XIII (1956) 401.

Thessaloniki: Jüdischer Friedhof. Der *editio princeps* zufolge προέρχεται
ἀπό τὸ ἰσραηλιτικόν νεκροταφεῖον τῆς Θεσσαλονίκης, εὑρεθεῖσα μετά τὴν ὑπό
τῆς Διευθύνσεως Ἀρχαιοτήτων Γεν. Διευκήσεως Μακεδονίας γενομένην δη-
μοσίευσιν τῶν ἑλληνικῶν ἐπιγραφῶν, αἱ ὁποῖαι ἀπεκαλύφθησαν τῳ 1943, ὅταν
αἱ στρατιωτικαί ἀρχαί τῆς γερμανικῆς κατοχῆς διέταξαν τὴν ἀπομάκρυνσιν
τοῦ νεκροταφείου (Καλλιπολίτης, S. 311 = 940).
Es handelt sich um ein Stück eines Marmorsarkophags. Abmessungen: L.
2,10; H. 0,76; D. 0,17. Von der Inschrift sind lediglich die letzten fünf Zeilen
erhalten. Buchstaben H. 0,04; Zeilenzwischenraum 0,01.

> [Διέθ]ετο ἐν τῇ διαθήκῃ Λούκιος Οὐαλέριος Μάξιμος μηδένα
> [εἰς τὴ]ν σορὸν ἑαυτοῦ τεθῆναι μηδὲ εἰς τὸν κύβον, εἰ μὴ μόνον
>   ἑαυτὸν
> [ἀ]ρχικόν, καὶ προσέταξε εἴ τις ἂν τολμήσειεν πτῶμά τινος
> [κατ]αθέσθε ἤτε ἰς τὸν κύβον ἢ ἰς τὸ ἀνγεῖον, δώσι εἰς τὸ ταμεῖον
> 5 δηνάρια δισχίλια πεντακόσια.

1 Die Ergänzung wurde von Καλλιπολίτης vorgeschlagen.

Lucius Valerius Maximus hat in seinem Testament festgelegt,
daß niemand in seinen Sarkophag gelegt werden solle und auch
nicht in den Kasten, außer allein er selbst als der Ursprüngliche,
und er hat hinzugefügt: Wenn einer es wagen solle, die Leiche
jemandes hier niederzulegen entweder in den Kasten oder in den
Sarkophag, soll er der Kasse 2.500 Denare (Strafe) bezahlen.

Καλλιπολίτης hat im Kommentar zur *editio princeps* die These vertreten,
es handle sich hier um eine Inschrift aus Philippi. Ihm haben sich Jeanne
Robert und Louis Robert angeschlossen, die in BÉ 1949 unseren Text als
Nr. 98 zu Philippi stellen, die zweite von Καλλιπολίτης publizierte Inschrift
jedoch als Nr. 93 unter Thessaloniki rubrizieren. Dieses Verfahren hat sich

auch Charles Edson zu eigen gemacht, der die zweite Inschrift in sein Corpus aufgenommen hat (IG X 2,1, Nr. 566), die vorliegende Inschrift aber nicht. Eine Diskussion der (schwachen) Gründe, die Καλλιπολίτης für die Herkunft aus Philippi anführt, wird im folgenden Kommentar geboten.

Z. 1 Der Anfang unsres Fragments nimmt auf das Testament des Lucius Valerius Maximus Bezug. Dieser trägt die *tria nomina*; Καλλιπολίτης weist darauf hin, daß in Thessaloniki nur wenige *Valerii* bezeugt seien (S. 313 = 942). Daran hat sich auch durch das Erscheinen der Inschriften von Thessaloniki nichts geändert (IG X 2,1; vgl. den Index auf S. 301 s.v. Οὐαλερία und s.v. Οὐαλέριος; diesen wird S. 303 lediglich ein in lateinischer Sprache bezeugter Valerius hinzugefügt). Der Sarkophag 733/L726 – ebenfalls vom jüdischen Friedhof in Thessaloniki – nennt einen Marcus Valerius Valens. Wie dieser könnte auch die vorliegende Inschrift aus Philippi stammen. Καλλιπολίτης fügt hinzu, daß gerade auch die spätere griechische Inschrift 734/G749 auf demselben Stein eine Aurelia Montana nenne; Montanus bzw. Montana seien in Philippi häufig begegnende Namen (vgl. meinen Kommentar zu 734/G749, Z. 2). Ist damit die Herkunft der Inschriften 733/L726 und 734/G749 so gut wie sicher, so folgt daraus für den vorliegenden Text aber gar nichts. Die Schlußfolgerung bei Καλλιπολίτης S. 313 = 942 (Και ο M. Valerius Valens της λατινικής επιγραφής δύναται να συσχετισθή ασφαλώς προς την αποικίαν των Φιλίππων, αλλά κατά πάσαν πιθανότητα και ο Λούκιος Οὐαλέριος Μάξιμος της επιγραφής, περί ής πραγματευόμεθα ενταύθα) ist alles andere als zwingend. Insbesondere seine Formulierung κατά πάσαν πιθανότητα („aller Wahrscheinlichkeit nach") schießt weit über das Ziel hinaus. Denn im Falle der Inschrift 734/G749 gibt es eine ganze Reihe von Argumenten für eine Herkunft aus Philippi, was bei der vorliegenden Nummer keineswegs der Fall ist. Ihre Herkunft aus Philippi ist nicht nur nicht gesichert, sondern nach meinem Urteil sogar eher unwahrscheinlich. Ich habe sie hier nachträglich aufgenommen, um dem Leser ein eigenes Urteil zu ermöglichen.

Z. 2 Schwierigkeiten bietet das Wort κύβος, das hier wie ein fester Begriff erscheint (vgl. Z. 4); aber wofür? Καλλιπολίτης möchte einen Zusammenhang mit *cumba* und *cupa* herstellen; *cupa* begegne auf afrikanischen Grabinschriften in der Bedeutung θήκην νεκρού με καμπυλωτόν κάλυμμα εξ οπτής γής (Καλλιπολίτης, S. 315 = 944; als Belege werden ILS 8103.8104.8106 angeführt). Dies lehnen Jeanne Robert und Louis Robert ab; „peut-être était-ce une sorte de boîte cubique pour les ossements ou les cendres" (BÉ 1949, Nr. 98).

Z. 4 Zu dem ἰς τὸν κύβον vgl. o. zu Z. 2.
In dem ἀγγεῖον sieht Καλλιπολίτης ein zusätzliches Argument für seine These, daß unsere Inschrift aus Philippi stamme: Ισχυρός επίσης λόγος διά την απόδοσιν και της επιγραφής ταύτης εις τους Φιλίππους είναι η εν στιχ. 4 χρήσις του όρου ανγείον, ο οποίος ουδέποτε απαντάται εις επιγραφάς της Θεσσαλονίκης, ευρίσκεται όμως εις επιγρ. των Φιλίππων (S. 313f. = 942f.).

Dieses vermeintlich starke Argument (ἰσχυρός λόγος) ist durch das im Kommentar zu 734/G749, Z. 1 angeführte Material bereits widerlegt: Einerseits ist ἀγγεῖον keinesfalls für Philippi spezifisch, andrerseits kommt das Wort in Thessaloniki selbst durchaus vor: einer der von mir a.a.O. genannten Belege – IG X 2,1, Nr. 580 – hätte auch Καλλιπολίτης bekannt sein müssen, da er sich schon bei Δήμιτσας (1896!) findet (als Nr. 723 auf S. 594). Vgl. dazu aber auch die Bemerkungen von Jeanne Robert und Louis Robert (BÉ 1948, Nr. 102, S. 164), wonach der Begriff ἀγγεῖον für Thessaloniki nicht spezifisch sei (die Autoren diskutieren hier Material aus Thasos).

Damit erweisen sich beide von Καλλιπολίτης ins Feld geführten Argumente als entscheidend geschwächt: Die Herkunft unserer Inschrift aus Philippi ist nicht mehr als eine Möglichkeit.

743p/G829
213/12
v. Chr.

Freilassungsurkunde

IG IX I 1², Nr. 96.

Argyro B. Tataki: Macedonians Abroad. A Contribution to the Prosopography of Ancient Macedonia, Μελετήματα 26, Athen 1998, S. 125, Nr. 1.

Phistyon (Aitolien). Gefunden im Dorf Κρύο Νερό im Heiligtum der syrischen Göttin (Klaffenbach, S. 51 u. S. 52).

Στραταγέοντος Στράτωνος Ἀρσινοέος μηνὸς Δίου
ἀπέδοντο Φιλόξενος, Σκορπίων Ἀρσινοεῖς, συνευδοκεο-
ύσ<α>ς τᾶς ματέρος Κλεαρχίος, ΙΕΜΝΑΥΤΟΣ Ἰδαῖος τᾷ Ἀφροδίτᾳ
τ<ᾷ>ι
Συρίᾳ τᾷ ἐν Ἱερίδαις σῶμα γυναικεῖον, ᾇ ὄνομα Σωτία, τιμᾶς
ἀρ-
5 γυρίου M̄ Μ, ἐφ' οἷ ἐλευθέραν εἶμεν καὶ ἀνέφαπτον ἀπὸ παντὸς
ἀνθ-
ρώπου καὶ ἀφορολόγητον. εἰ δέ τί κα πάθῃ Σωτία κ<α>ὶ καταλίπῃ
ἐξ αὐτ-
οσαυτᾶς γενεάν, τὰ καταλειφθέντα ὑπάρχοντα ὑπὸ Σωτίας τᾶς
γε- *vacat*
νεᾶς ἔστ *vacat* ω. εἰ δὲ μὴ εἴη γενε<ὰ> ἐκ Σωτίας, Φι-
10 λοξένου κ<α>ὶ Σ *vac.* κο *vac.* ρπίωνος ἔστω καὶ τῶν τούτων ἐπινό-
μων. βεβαιωτῆρες κατέστασαν κατὰ τὸν νόμον Δω-
ρίμαχος Θεοκρίτου, Ξ *vac.* ενόδοχος Διακρίτου Θεστιεῖς.
μ<ά>ρτυροι Ἀμ-
φίας, Νικόμαχος, Ἀλκίμαχος, Νικοφῶν, Φαλακρίων, Λάμιο-
ς, Σώσιππος, Ἀνδρόνικος, Πολεμοκράτης, Ἄνδρων, Λευ-
15 κίδας Θεστιεῖς, Ἀγίας Νεοπολίτας. ἁ ὠνὰ παρὰ Ἀ-
μφίαν, Λευκίδαν Θεστιεῖς, Ἀγίαν Νεαπολίταν.

Als Straton, der Arsinoer, Stratege war, im Monat Dios verkauften Philoxenos und Skorpion, die Arsinoer, – mit Zustimmung der Mutter – Klearchios, ..., der Idäer, an die syrischen Aphrodite in Hieridai einen weiblichen Sklaven mit Namen Sotia für einen Preis von [5] sechs Minen Silber, unter der Maßgabe, frei zu sein und unangreifbar für jedermann und ohne Tributverpflichtung. Wenn auch immer Sotia irgendetwas zustößt und sie aus sich selbst Nachkommen hinterläßt, so gehöre die Hinterlassenschaft der Sotia den Nachkommen. Wenn es aber keine Nachkommen der Sotia gibt, so gehöre es [10] Philoxenos, Skorpion und deren Erben. Als Bürgen stellten sich gesetzesgemäß (zur Verfügung): Dorimachos, (der Sohn) des Theokrites, Xenodokos, (der Sohn) des Diakrites, die Thessitieier; als Zeugen: Amphias, Nikomachos, Alkimachos, Nikophon, Phalakrion, Lamios, Sosippos, Andronikos, Polemokrates, Andron, [15] Leukidas, die Thessitieier (und) Hagias, der Neapolitaner. Die Kaufsumme (wurde beigebracht) im Beisein von Amphias, Leukidas, den Thessitieiern, (und) Hagias, dem Neapolitaner.

Diese Freilassungsurkunde insgesamt zu kommentieren, ist hier nicht der Ort. Im Rahmen dieses Katalogs ist vor allem die Zeugenliste in Z. 12–16 von Interesse, weil hier zweimal der Bürger von Neapolis Ἁγίας begegnet (Z. 15 und Z. 16). Er ist sonst nirgendwo bezeugt.

Proxeniedekret   743q/G830
                                     210/9 v. Chr.

IG IX I 1², Nr. 29.
Argyro B. Tataki: Macedonians Abroad. A Contribution to the Prosopography of Ancient Macedonia, Μελετήματα 26, Athen 1998, S. 126, Nr. 14.

Thermos (Aitolien). Zur genaueren Herkunft äußert sich Klaffenbach nicht. Zu den Maßen vgl. seine Angaben auf S. 25.

Στραταγέοντος Πυρρία Ἡρακλε[ώτα]
τὸ τρίτον, ἱππαρχέοντος Ἀγα[θ]ω[νος]
Φυσκέος, γραμματεύοντος Δαμ[οτέ-]
λεος Φυσκέος προξενίαν Αἰτωλοὶ ἔ[δω-]
5 καν κὰτ τὸν νόμον Ἀσκλαπιάδαι [– – – –]
σίου Σολεῖ. ἔγγυος Δαμοτέλης Τελεσάρχου Φυσκεύς [– – –¹³– – –]
σθένεος Αἰγινάται. ἔγγυος(!) [Σκόπας]
Σωσάνδρου Τρι[χονεύς, [– – –¹⁰– – –]
10 Σωκράτεος Χαλειε[ύς – – –¹⁰– – –]

αι Ἀκροτάτου Λακεδαιμονί[ωι. ἔνγυ-]
ος Πολύξενος Νε[από]λιος(?) [– –⁸– –].
Ὀλυμπίχωι Εὐμήλου Κορω[νεῖ. ἔνγυ-]
ος Δαμοτέλης Τελεσάρχου [Φυσκεύς].
15 Καλλικράτει Ἀνδρονίκ[ου – –⁵– –].
ἔγγυος Πυρρίας Τιμαγό[ρου Ἡρα-]
κλεώτας vac. Πολ[υ]κλεῖ Πολ[υκλέ-]
ους Ἀθηναίωι. ἔγγυος Πολέμ[αρχος]
Λέωνος Ναυπάκτιος Θεοδώρο[ι Κλε- oder Νε-]
20 οστρ[άτου] Συρακοσίωι. ἔγγ[υ]ος Σκόπα[ς Σωσάν-]
[δ]ρου Τριχονεύς Δοκίμωι Ἀντιόχο[υ – –⁵– –]
ται. ἔγγυος Ἀλέξανδρος Νικία Καλυδ[ώνιος].
Λυκίσχωι Ἀνεροίτα Μολ[ο]σσοῖ. ἔγγυος [Σκόπας]
Τριχονεύς vacat Περδίκ[και – –⁵– –]
25 καὶ τῶι υἰῶι Φανίαι Θεσσα[λοῖ]ς Ν[– – – –⁹– – – – ἔνγυ-]
ος Πολέμαρχος Λέων[ος Να]υπά[κτιος Ξενοφῶν-]
τι Εὐρυλέοντος Αἰγιεῖ. [ἔγγυος …]
[…]ος Ἀρσινοεύς […]
[…]

Die Angaben hinsichtlich der fehlenden Buchstaben sind ca.-Angaben; sie stammen von Klaffenbach. **29** Klaffenbach liest […]ΟΙΟ[…].

Ich gebe keine Übersetzung dieses Textes, da er wohl gar nicht in diesen Katalog gehört. Der in Z. 12 genannte Πολύξενος wird mit einem recht undurchsichtigen Ethnikon versehen: Νε[από]λιος – auch falls diese Lesart zuträfe, wäre Νεαπόλιος mehr als ungewöhnlich. Der Bürger der uns hier interessierenden Stadt Νεάπολις heißt ansonsten durchweg Νεαπολίτης (vgl. den Index für eine Liste aller hier gebuchten Belege).
Zur Gattung der Proxeniedekrete vgl. den Kommentar zu 743r/G831, wo sich auch eine Liste aller in diesem Katalog aufgenommenen Proxeniedekrete findet.

743r/G831
184/83
v. Chr.

Proxeniedekret für Euthios

IG IX I 1², Nr. 33.
Argyro B. Tataki: Macedonians Abroad. A Contribution to the Prosopography of Ancient Macedonia, Μελετήματα 26, Athen 1998, S. 126, Nr. 9 und 10.

Thermos (Aitolien). „Basis lapidis calcarii inaedificata in ecclesia Ἅγιος Νικόλαος prope vicum Μόκιστα sita (in externo muro apsidis)" (Klaffenbach, S. 34).

Abmessungen: H. 0,71; B. 0,72; D. 0,355; Buchstaben H. 0,012; Zeilenzwischenraum 0,008.

Στραταγέοντος Νικάνδρου Τριχονέος τὸ δεύτερον
προξενίαν Αἰτωλοὶ ἔδωκαν κατὰ τὸν νόμον Εὐθίῳ
[Εὐθ]ίου Νεαπολίτᾳ. ἔγγυος Κυδρίων Δωριμάχου
Τριχονεύς.   *vacat*

Die *Iota subscripta* sind in dieser Inschrift durchweg adskribiert.

Als Nikandros aus Trichonion zum zweiten Mal Stratege war, verliehen die Aitoler gemäß dem Gesetz dem Euthios, (dem Sohn) des Euthios, dem Neapolitaner, die Proxenie. Zeuge: Kydrion, (der Sohn) des Dorimachos, aus Trichonion.

Der hier begünstigte Euthios aus Neapolis ist sonst nicht bekannt (vgl. Tataki, S. 126, Nr. 9 und 10).
Zur Gattung der Proxeniedekrete (vgl. dazu in diesem Katalog die Nummern 743q/G830, 745/G782, 745d/G832, 746/G783, 746k/G833, 746l/G834, 746o/G835 und 754a/G837) ist die Studie von Christian Marek (Die Proxenie, EHS III 213, Frankfurt am Main/Bern/New York 1984) heranzuziehen. „Städte besaßen ihre Proxenoi, hochangesehene Fremde, an den öffentlichen Angelegenheiten zu Hause nicht selten in vorderster Front beteiligt, Freunde ihrer Politik, Helfer, Vermittler und Gastgeber ihrer reisenden Bürger. Tausende von in Stein oder Bronze eingeschriebenen Volksbeschlüssen verkünden immer wieder denselben Vorgang: Weil er sich verdient gemacht hat, soll ein Fremder Proxenos der Gemeinde sein oder, wie es auch formuliert wird, »die Proxenie der Gemeinde« empfangen. Zugleich verspricht man auf Dauer gültige, ja sogar auf die Nachkommen übergehende Vorrechte. Sie sichern dem Mann für den Fall seines Aufenthaltes in der Stadt zu, daß er nicht wie irgendein Fremder behandelt wird, daß ihm aus seinem Status als Nichtbürger keine Schwierigkeiten entstehen, daß er als Wohltäter und Freund der Gemeinde Respekt und Zuvorkommenheit erfährt, sei es in den Versammlungen, sei es vor Gericht, sei es im Theater" (Marek, S. 1).
Im vorliegenden Fall haben wir ein extrem kurzes Formular (vgl. als Gegensatz etwa die weitschweifigen Ausführungen in 754a/G837!). Die entscheidenden Merkmale der Gattung sind gleichwohl vorhanden: Wir haben eine Datierung durch den eponymen Beamten in Z. 1 (hier ein Stratege), Z. 2 erwähnt die Verleihung der Proxenie seitens der Aitoler (hier allerdings ohne eine Aufzählung der damit verbundenen Rechte). In Z. 2f. folgt der Name des Begünstigten samt dem Vatersnamen und dem Ethnikon. Der Zeuge in Z. 3f. (der in andern Fällen häufig fehlt) schließt das Dokument ab.

744/G737
ca. 400
v. Chr.

Vertrag zwischen Thasos und Neapolis

Jean-Charles Moretti: Une vignette de traité à Delphes, BCH 111 (1987), S. 157–166 (mit Abb.).

SEG XXXVII (1987) [1990] 392.

Yves Grandjean/François Salviat: Décret d'Athènes, restaurant la démocratie à Thasos en 407 av. J.-C.: IG XII 8,262 complété, BCH 112 (1988), S. 249–278; hier S. 272–274.

Delphi: Obere Terrasse des Gymnasiums. „Lors du nettoyage de la terrasse supérieure du gymnase de Delphes, le 8 décembre 1985, fut exhumé un bas-relief, en grande partie ravalé, sous lequel se lisent encore quelques lettres d'une inscription ... . La plaque, de marbre blanc, à grains fins, a été découverte légèrement au Nord de la vingt-troisième base du portique à compter du Sud, 2,30 m vers l'intérieur du xyste, à environ 0,50 m au-dessus du niveau du stylobate" (Moretti, S. 157). Es handelt sich um thasischen Marmor, „extrait des carrières de Vathy" (Moretti, S. 166).

Der Stein hat die Inventarisierungsnummer 12675.

Abmessungen: H. 0,475; B. 0,66; D. (max.) 0,13; Buchstaben H. Z. 1: 0,015; Z. 2: 0,01; Zeilenabstand 0,022. Der Stein ist oben und an den beiden Seiten intakt.

„La limite inférieure de la stèle est le résultat d'un sciage. La face postérieure est seulement dégrossie. La face antérieure a été retaillée à la smille de façon à définir un plan circulaire d'environ 43 cm de diamètre. Cette surface, dont le centre est marqué de la pointe d'un compas, a été obtenue par le ravalement des parties saillantes jusqu'au niveau du fond du bas-relief; aussi peut-on encore distinguer les contours approximatifs des figures en relief avant le ravalement" (Moretti, S. 157).

„Sur une longueur de 18,5 cm, à partir de son extrémité gauche, le bas-relief est surmonté d'un bandeau plat large de 4,4 cm, en saillie de 1,4 cm. Ce couronnement très simple, dont le type est largement attesté pour les bas-reliefs au tournant du Ve et du IVe siècle, a été grossièrement abattu sur les trois quarts de son extension. Les deux personnages placés sur les côtés de la stèle sont en partie conservés" (Moretti, S. 157).

Die linke Figur trägt einen Bart und hat den Kopf nach rechts gewandt; es handelt sich um Zeus (Moretti, S. 157.159; vgl. Abb. 3). Sein linker Arm ist auf ein Szepter gestützt. Die rechte Figur sitzt auf einem Löwenfell und hält einen kleinen Bogen in der linken Hand (Moretti, S. 159; Abb. 4); es handelt sich ohne Zweifel um Herakles. Die zwei Personen dazwischen sind kaum zu erkennen (Moretti, S. 160). Unter dem Relief befindet sich die Inschrift.

[Σ]υνθῆκαι Θα[σίων καὶ Νεο]πολιτέων
[Ἀγ]αθῆ[ι τ]ύχηι   *vac.*

Vertrag der Thasier und Neopolitaner. Glück auf!

Die Ergänzung des Textes, die Moretti vorschlägt, beruht auf der Inschrift IG XII 5,109, einem Vertrag zwischen Thasos und Neapolis (= 753/G748, vgl. dort). Dieser Vertrag sieht vor (Z. B2–4), daß insgesamt vier Exemplare des Textes aufgestellt werden, davon eines in Neapolis, eines in Thasos, eines in Paros (= 753/G748) und eines in Delphi; ein Fragment dieses letztgenannten Exemplars ist die vorliegende Inschrift.

Z. 1 Zur Form Νεοπολιτέων vgl. das von Moretti, S. 163, Anm. 17 zitierte epigraphische und numismatische Material.

Proxeniedekret aus Delphi

745/G782

nach 347/46

v. Chr.

Paul Perdrizet: Proxènes macédoniens à Delphes, BCH 21 (1897), S. 102–118; hier S. 108ff., Nr. 5.

Johannes Baunack: Die delphischen Inschriften (4. Teil: No. 2501–2993), Sammlung der Griechischen Dialekt-Inschriften, Zweiter Band, VI. Heft, Göttingen 1899, Nr. 2763 (S. 896).

SIG³ I 267A.

Collart, S. 178 mit Anm. 1.

Miltiade B. Hatzopoulos: Décret pour un bien faiteur de la cité de Philippes, BCH 117 (1993), S. 315–326; hier S. 322 mit Anm. 23.

Argyro B. Tataki: Macedonians Abroad. A Contribution to the Prosopography of Ancient Macedonia, Μελετήματα 26, Athen 1998; hier Nr. 30–35 (S. 166f.).

Delphi. „Trouvée le 16 juillet 1895, dans les tranchées faites à Pylaea. Stèle à fronton, brisée à gauche et en bas. Marbre blanc. Gravure στοιχηδόν. Haut. de la partie inscrite, 0ᵐ·12; haut. des lettres, 0ᵐ·009" (Perdrizet, S. 108). Inventarisierungsnummer 2784.

[Τιμοκ]ράτει, Σωσικράτει,
[Σωσθ]ένει, Σωκράτει, Τιμοκ-
[λεῖ, Τι]μάνδρου παισ[ὶ], Φιλι-
[ππεύσι], αὐτοῖς κα[ὶ] ἐγγόνο-
5 [ις, Δελφοὶ ἔδ]ωκαν προξενί-
[αν, εὐεργεσίαν, π]ο[λι]τείαν,
[προμαντείαν, προεδρίαν κτλ.]

1 Ergänzung von Dittenberger. **3f.** Baunack gibt: Φιλι[ππέοις]. **7** Die Zeile fehlt bei Perdrizet und Baunack.

Dem Timokrates, dem Sosikrates, dem Sosthenes, dem Sokrates, dem Timokles, den Söhnen des Timandros, den Philippern, ihnen und ihren Nachkommen [5] haben die Delphier die Proxenie, die Euergesie, das Bürgerrecht, das Vorrecht bei der Orakelbefragung, die Prohedrie ... verliehen.

Zur Gattung der Proxeniedekrete vgl. den Kommentar zu 743r/G831, wo sich auch eine Liste aller in diesem Katalog aufgenommenen Proxeniedekrete findet. Im Unterschied zu 743r/G831 haben wir im vorliegenden Fall keinen Zeugen; anders als dort werden hier die Rechte einzeln genannt.

Z. 1 Der Name Τιμοκράτης findet sich bei Κανατσούλης nicht (in Philippi fehlt er bis auf ein Vorkommen in einer von Μερτζίδης wahrscheinlich gefälschten Inschrift – 685/M668 – ebenfalls). Σωσικράτης ist für das Territorium ein weiteres Mal belegt (642/G490 aus dem 5./4. Jh. v. Chr.).

Z. 2 Σωσθένης fehlt bei Κανατσούλης. In Philippi begegnet der Name sonst nur in der vermutlich gefälschten Inschrift 663/M198.

Σωκράτης fehlt bei Κανατσούλης. Der Name findet sich in Philippi sonst nur in römischer Zeit (508/L253, Grabinschrift des Socrates) und in einer vermutlich von Μερτζίδης gefälschten Inschrift 680/M663 (Z. 34).

Z. 2f. Τιμοκλής fehlt bei Κανατσούλης und begegnet auch sonst nirgendwo in Philippi.

Z. 3 Τίμανδρος fehlt bei Κανατσούλης und begegnet auch sonst nirgendwo in Philippi. In der Liste der θεωροδόκοι aus Epidauros (752b/G821) wird allerdings ein Timandros aus Δάτος genannt, der mit unserm Timandros identisch sein könnte, vgl. dazu den Kommentar zu 752b/G821, Z. 32.

Z. 3f. Φιλιππεύς ist hier epigraphisch zum ersten Mal belegt. Zum Namen und seinen verschiedenen alternativen Formen vgl. o. Band I, S. 116–118. Dort habe ich nicht alle Belege für diese „vorpaulinische" Form genannt; hier haben wir das sechste Beispiel auf einer Inschrift außerhalb des Territoriums (nach 699a/G841; 704/GL694; 704a/G786; 711a/G811 und 711b/G812).

Z. 5 Οἱ Δελφοί bezeichnet sowohl die Stadt als auch ihre Bewohner (vgl. LSJ, S. 378, s.v. Δελφοί).

Z. 5f. Zu προξενία und εὐεργεσία vgl. Margherita Guarducci: L'epigrafia greca dalle origini al tardo Impero, Rom 1987, S. 121 und 209f. Zum Begriff πρόξενος vgl. den Kommentar zu 348/G356, Z. 1.

Die Datierung auf die Zeit nach 347/46 v. Chr. stammt von Dittenberger.

745a/G819   **Die große Theorodokoi-Inschrift**
230/220
v. Chr.

B. Haussoullier: Fragments d'une liste des proxènes rangés par ordre géographique, BCH 7 (1883), S. 189–203.

Johannes Baunack: Die delphischen Inschriften (4. Teil: No. 2501–2993), Sammlung der Griechischen Dialekt-Inschriften, Zweiter Band, VI. Heft, Göttingen 1899, Nr. 2580 (S. 754–765).

A. Nikitsky: Die geographische Liste der delphischen Proxenoi, Dorpat 1902.

A. Plassart: Inscriptions de Delphes. La liste des Théorodoques, BCH 45 (1921), S. 1–85.

Georges Daux: Listes delphiques de théarodoques, REG 62 (1949), S. 1–30.

Jeanne Robert und Louis Robert, BÉ 1950, Nr. 49, N. 12 (S. 142).
Jeanne Robert und Louis Robert, BÉ 1950, Nr. 127 (S. 163–167).
Charles Edson: Strepsa (Thucydides 1. 61. 4), CP 50 (1955), S. 169–190; hier S. 173–178.
Georges Daux: La grande liste delphique des théarodoques, AJP 101 (1980), S. 318–323.
Hammond in Hammond I (im Kommentar zitiert).
Papazoglou (im Kommentar zitiert).
M.B. Hatzopoulos/L.D. Loukopoulou: Morrylos. Cité de la Crestonie, Μελετήματα 7, Athen 1989 (im Kommentar zitiert).
Miltiade B. Hatzopoulos: Un prêtre d'Amphipolis dans la grande liste des théarodoques de Delphes, BCH 115 (1991), S. 345–347.
M.B. Hatzopoulos: Macedonian Institutions under the Kings. Band I: A Historical and Epigraphic Study, Μελετήματα 22, Athen 1996, S. 130, Anm. 7.
Argyro B. Tataki: Macedonians Abroad. A Contribution to the Prosopography of Ancient Macedonia, Μελετήματα 26, Athen 1998.

Delphi: Porticus der Athener. Da diese Inschrift nach der Zählung Plassarts 647 Zeilen aufweist (BCH 1921, S. 3), ist es unmöglich, sie in diesem Rahmen komplett abzudrucken. Zunächst ist daher die Abgrenzung zu diskutieren.

Die uns interessierenden makedonischen Städte befinden sich in Kolumne III unter der Überschrift τὰς ἐπὶ Θεσσαλίας καὶ [Μ]αχ[εδονίας] (= Z. 10). Zunächst werden die thessalischen Städte aufgelistet, in Z. 51 beginnt mit ἐν Ἡρακλείῳ der makedonische Katalog (vgl. Papazoglou, S. 18, Anm. 21; speziell zu Herakleion, „la première ville de Macédoine sur le golfe Thermaïque en venant de Thessalie", Papazoglou, S. 114f. mit Anm. 70).

Schwieriger ist es, das Ende der makedonischen Liste zu bestimmen. Die nächste Überschrift τῶν ἐπὶ Κρῆτας folgt in Z. 100. Davor finden sich jedoch einige Städte, die man auf keinen Fall Makedonien zuordnen kann, nämlich Maroneia (Z. 91f.), Lysimacheia (Z. 95), Bisanthe (Z. 96), Perinthos (Z. 97) und Byzanz (Z. 98f.). Zwischen diese eingestreut ist aber wiederum Skapte Hyle (Z. 94), das jedenfalls in Makedonien, möglicherweise sogar im Stadtgebiet von Philippi liegt. (Zu Skapte Hyle vgl. Paul Perdrizet: Scaptésylé, Klio 10 (1910), S. 1–27; Heinz Josef Unger/Ewald Schütz: Ein Gebirge und sein Bergbau: Mythos und Wirklichkeit, Pangaion 1, o.O. 1980; Δαμιανός Τσεχουράκης: Η θέση της αρχαίας Σκαπτής Ύλης, Μακεδονικά 21 (1981), S. 76–92; Ewald Schütz/Heinz Josef Unger: Wanderungen im Pangaion, Pangaion 2, Landshut 1981, hier S. 64–66; Τριαντ. Δ. Παπαζώης: Το Παγγαίο όρος, η Σκαπτή Ύλη και τα Πιερικά φρούρια Φάγρης-Περγάμου κατά την αρχαιότητα, Μελέτη ιστορική-γεωγραφική, Thessaloniki 1988.) Trotz der erratischen Einordnung von Skapte Hyle gehören die Z. 91–100 also ersichtlich nicht mehr zu unserer makedonischen Liste, die folglich von Z. 51 bis Z. 90 reicht.

Aber auch die so abgegrenzte makedonische Liste ist nicht einheitlich; vor allem am Schluß bietet sie geographische Schwierigkeiten. Mag man sich für die Reihenfolge der Z. 80–84 auch noch Gründe zurechtlegen, so ist eine nachvollziehbare Anordnung in den Z. 84–90 definitiv nicht mehr zu erkennen. Papazoglou tröstet sich mit dem Gedanken, es handle sich hier um einen späteren Zusatz: „Les villes sont rangées dans un ordre géographique qui correspond en général à l'itinéraire suivi par les théores. Dans la partie macédonienne, les cinq dernières villes ne suivent pas cet ordre et sont sans doute des additions postérieures" (S. 19).

51 ἐν Ἡρακλείῳ Γλαυκίας, Ἀντίγονος
Ποσειδωνίου,
ἐν Λειβήθροις Νικόστρατος Νίκωνος,
ἐν Δίῳ Μέντωρ Ἀγαθοκλέους, Πολυκλῆς,
55 ἐν Πύδνᾳ Ἀρχίας, Φίλιππος, Διο[ν]υσογένης
Ἀλκιμάχου,
ἐν Βεροίᾳ Ἀντάνωρ Νεοπτολέμου,
Μένανδρος, Ἀπελλᾶς Φιλώτα,
ἐμ Μέζᾳ Νικωνίδας, Νικάνωρ Μνασιγένεος,
60 ἐν Ἐδέσσᾳ Μοσχίων, Τριάκας, Μόσχος,
ἐν Πελλᾳ Ἀπολλωνίδης, Δίφιλος, Χάρης,
ἐν Ὠρωπῷ Παράμονος,
ἐν Ἴχναις Δίης Ἀλκέτου,
ἐν Ἀλλ[α]ντείῳ Ἀνδρόνικος, Δίκαιος
65 Χιωνίδου,
ἐν Θεσσαλονίκᾳ Ἀρχέδημος Τιμοθέου,
Μένιππος Πυθίωνος, ἐν Οἴῳ,
ἐν Ἰδομέναις Ἰκκότιμος, Ἀμεινοκράτης,
ἐν Ἀστρέᾳ Ἀντίγονος Ἀριστοκράτεος
70 ἐν Βραγύλαις Ἀνδρόνικος Κασσάνδρου,
Κεφάλων Ἀντιόχου,
ἐν Χαρακώματι Δημόκριτος Εὐδήμου,
ἐν Λητᾷ Ἀργεῖος Μελανθίου,
Ἀπολλώνιος Διονυ[σ...],
75 ἐν Αἰανέᾳ Ἀγορα[...],
ἐν Ἀντιγον[είᾳ Ἡ]ρακλέων Ξένωνος,
ἐν Κασσανδ[ρείᾳ] Ξένων Ξένωνος,
ἐν Ἀμφιπόλε[ι Ξενό]τιμος Ἐπικράτους,
Πυθίων Μενίππου,
80 ἐν Φιλί[ππ]οις Ἀντινικίδης Ἐπικράτους,
[ἐν Ο]ἰσύμᾳ Ἐπιγήθης Τελεσίου,
ἐν Νέᾳ Πόλι Φίλτων, Ἀπολλωνίδης Φίλτωνος,
ἐν [Σ]άπαις Ἀντιφάνης, Ἀντιγένης [Κ]λέωνος,
ἐμ Μορύλλῳ Ἄδυμος, Σέλευκος Ἀ[ρ]γαίου,
85 ἐν Κλίτ[α]ι Φανέας Σόλωνος,
ἐν Ἀ[κ]ανθῳ Ἀλέξανδρος Ἀλεξάνδρου,

ἐν Θάσῳ Ἀ[ρισ]τοφάνης Ἀ[ρκ]εσιλάου,
ἐ[ν Ἀ]σ[σ]άροις Διονυσᾶς Διονυσοδώρου,
Διονυσόδωρος Νυμφοδώρου,
90 Εὔφαντος Διονυσᾶ.

In dieser Inschrift steht das Iota durchweg als *adscriptum*, also Ἡρακλείωι, Δίωι, Πύδναι usw. Dieses *adscriptum* habe ich stets in ein *subscriptum* verwandelt mit Ausnahme von Z. 85, wo das α nicht erhalten ist: Κλίτ[α]ι.
67–69 Plassart bemerkt zur Stelle (S. 17): „Oion a été ajouté dans le blanc à droite de la colonne, avant que fussent gravées les l. IV 60–61" und liest offenbar ἐν Οἴωι Ἀμεινοκράτης Ἀριστοκράτεος (also senkrecht Z. 67 → Z. 68 → Z. 69), was mit einem Punkt vor dem Ἀμεινοκράτης in Z. 68 und mit einem Punkt vor dem Ἀριστοκράτεος in Z. 69 angedeutet wird. Dagegen äußern sich Papazoglou, S. 177, Anm. 18 sowie Hatzopoulos, S. 210 (beide ohne Begründung). Klarheit könnte wohl nur ein Blick auf den Stein selbst verschaffen.
76 Diese Zeile ist nachgetragen, vgl. Plassart, S. 18: „Elle a été insérée dans un interligne; les lettres n'ont que 0 m. 004 de hauteur, c'est-à-dire moitié moins que celles des l. précédente et suivante; mais, pour la clarté, on a doublé les intervalles qui les séparent (0 m. 006 à 7)." **78** Plassart liest Ἀμφιπόλε[ι] (irrtümlich ohne *spiritus lenis*) sowie [...]τιμος. Die verbesserte Lesung geht auf Hatzopoulos (Un prêtre d'Amphipolis) zurück: [Ξενό]τιμος. Statt Ἐπικράτους (Plassart) liest Hatzopoulos am Schluß Ἐπικράτου (a.a.O., S. 347, Anm. 15) und am Anfang statt Ἀμφιπόλε[ι] vielmehr Ἀμφιπόλι. **83** Statt des schwierigen [Σ]άπαις (vgl. den Kommentar) konjiziert Baunack (in der Sammlung griechischer Dialektinschriften) Σάναις, womit wir eine Stadt auf der Chalkidike-Halbinsel Pallene erhielten. **84** Hatzopoulos/Loukopoulou: Ἀ[ρ]γαίου. Dagegen Plassart: Ἀ[–]παίου (ohne *spiritus*) mit folgender Bemerkung: „La seconde lettre du patronymique est Λ ou Ρ." **88** „Plassart ... had read the name of Assera on the great catalogue of the *theorodokoi* of Delphoi. In fact, as J. Oulhen, who is preparing a new edition of the catalogue, and myself have independently concluded, the correct reading of the entry is Abdara, a form of the name of the city of Abdera in Thrace" (Hatzopoulos: Macedonian Institutions, S. 196, Anm. 6; akzeptiert von Tataki, S. 504) – wie aus [Ἀ]σ[σ]άροις Abdera wird, gesteht dieser Herausgeber nicht zu wissen. Vgl. im übrigen u. den Kommentar z.St.

[51] In Herakleion Glaukias und Antigonos, (die Söhne) des Poseidonios; in Leibethra Nikostratos, (der Sohn) des Nikon; in Dion Mentor, (der Sohn) des Agathokles, und Polykles; [55] in Pydna Archias, Philippos und Dionysogenes, (die Söhne) des Alkimachos; in Beroia Antanor, (der Sohn) des Neoptolemos, Menandros und Apellas, (die Söhne) des Philotas; in M(i)eza Nikonidas und Nikanor, (die Söhne) des Mnasigenes; [60] in Edessa Moschion, Triakas und Moschos; in Pella Apollonides, Diphilos und Chares; in Oropos Paramonos; in Ichnai Dies, (der Sohn) des Alketas; in Allanteion Andronikos und Dikaios, [65] (die Söhne) des Chionides; in Thessaloniki Archedemos, (der Sohn) des Timotheos, und Menippos, (der Sohn) des Pythion; in Oion (?); in Idomenai Hikkotimos und Ameinokrates; in Astrea Antigonos, (der Sohn) des Aristokrates; [70] in Bragylai Andronikos, (der Sohn) des Kassandros, und Kephalon, (der Sohn) des Antiochos; in Charakoma Demokritos, (der Sohn) des Eudemos; in Lete Argeios, (der Sohn) des Melanthios, und Apollonios, (der

Sohn) des Diony(s...); [75] in Aianea Agora(...); in Antigoneia Herakleon, (der Sohn) des Xenon; in Kassandreia Xenon, (der Sohn) des Xenon; in Amphipolis Xenotimos, (der Sohn) des Epikrates, und Pythion, (der Sohn) des Menippos; [80] in Philippi Antinikides, (der Sohn) des Epikrates; in Oisyme Epigethes, (der Sohn) des Telesios; in Neapolis Philton und Apollonides, (die Söhne) des Philton; bei den Sapai Antiphanes und Antigenes, (die Söhne) des Kleon; in Moryllos Adymos und Seleukos, (die Söhne) des Argaios; [85] in Klitai (?) Phaneas, (der Sohn) des Solon; in Akanthos Alexandros, (der Sohn) des Alexandros; in Thasos Aristophanes, (der Sohn) des Arkesilaos; in Assara Dionysas, (der Sohn) des Dionysodoros, Dionysodoros, (der Sohn) des Nymphodoros, und [90] Euphantos, (der Sohn) des Dionysas.

Der hier abgedruckte Teil der Inschrift nennt insgesamt dreißig makedonische Städte, „que les théores delphiques visitaient pour leur annoncer la célébration des Pythia et les inviter à envoyer une délégation à la fête" (Papazoglou, S. 48). Die θεωροί aus Delphi fanden in den einzelnen Städten, die sie besuchten, Aufnahme bei eigens dazu ausgewählten Bürgern der jeweiligen Städte, den sogenannten θεωροδόκοι, denen, „die die θεωροί aufnahmen", wie ihre Bezeichnung übersetzt werden kann. Daher nennt man unseren Text „Theorodokoi-Inschrift". Zur Unterscheidung von ähnlichen anderen (weniger umfangreichen) Texten spricht man von der „großen Theorodokoi-Inschrift".

Es handelt sich also um eine Liste von Städten und ihren jeweiligen „Ansprechpartnern", die zum praktischen Gebrauch der θεωροί diente; zu den Aufgaben der θεωροδόκοι im einzelnen vgl. Paula Jean Perlman: The *Theorodokia* in the Peloponnese, Phil. Diss. Berkeley 1984 (Ann Arbor 1988), S. 5–17 sowie den Kommentar zu 754/G707, Z. 54f. Von der Funktion her kann man diese Liste als Itinerar bezeichnen. Dem praktischen Zweck entspricht die geographische Anordnung der Städte: Sie markiert den Weg der θεωροί durch Makedonien. Eine ältere Liste mit Städten aus Makedonien stammt aus Argos (vgl. 752a/G797).

Eine Würdigung dieses sehr wichtigen Textes kann hier nicht erfolgen. Eine solche hätte u.a. nach dem Verhältnis der genannten zu den fehlenden Städten zu fragen; die spektakulärste Fehlanzeige ist die alte Hauptstadt Aigeai (vgl. unten zu Z. 57). Ein weiterer Ansatzpunkt ist die Zahl der pro Stadt aufgelisteten θεωροδόκοι – die Höchstzahl drei begegnet nur in fünf Fällen: in Pydna (Z. 55), in Beroia (Z. 57), in Edessa (Z. 60), in Pella (Z. 61) und in Assara (Z. 88). Darf man von der Zahl der θεωροδόκοι auf die Bedeutung der jeweiligen Stadt schließen? (Vgl. dazu Plassart, S. 44–46; die neuere Diskussion referiert Paula Perlman in ihrem Aufsatz Θεωροδοκοῦντες ἐν ταῖς πόλεσιν: Panhellenic *Epangelia* and Political Status, in: Sources for the Ancient Greek City-State, Acts of the Copenhagen Polis Centre 2, Kopenhagen 1995, S. 113–164.)

Ein Problem stellen auch die familiären Verhältnisse der θεωροδόκοι dar. Ich folge hier Plassart: „Nous considérons que plusieurs théorodoques sont frères, quand leurs deux ou trois noms, au nominatif, sont suivis d'un nom au génitif. Cependant, cela peut ne pas être toujours exact, car un assez grand nombre des noms de notre liste ne sont pas précisés par le nom du pére" (S. 45, Anm. 1).

Umstritten ist die Datierung unseres Textes. Plassart plädiert für das erste Viertel des zweiten Jahrhunderts v. Chr. (S. 41). Daux hingegen (Listes delphiques, S. 23f.) schlägt ca. 230–220 v. Chr. vor. Ihm haben sich u.a. Argyro B. Tataki (Ancient Beroea. Prosopography and Society, Μελετήματα 8, Athen 1988, S. 108, Nr. 184) und M.B. Hatzopoulos angeschlossen: „... this part of the list does not date from the decade 190–180 B.C., as Plassart ... thought, but from *circa* 220" (Hatzopoulos: Macedonian Institutions, S. 130, Anm. 7). Die Identifizierung des ersten θεωροδόκος aus Amphipolis mit dem eponymen Priester dieser Stadt für das Jahr 217/216 (Hatzopoulos: Un prête d'Amphipolis, S. 347) ist ein starkes Argument für die frühere Datierung mindestens unseres makedonischen Stücks auf 230/220 v. Chr.

Z. 51f. Zu Herakleion (Ἡράκλειον) vgl. Papazoglou, S. 114f. und ihre Karte 1 auf S. 104. Es handelt sich um die erste Stadt Makedoniens, wenn man aus Thessalien kommt. Sie liegt in der Nähe des heutigen Platamon. Die beiden θεωροδόκοι hält Tataki für Brüder (S. 111, Nr. 1 und 2; S. 112, Nr. 7) – vgl. dazu oben die Regel Plassarts.

Z. 53 Zu Leibethra (τὰ Λείβηθρα) vgl. Papazoglou, S. 113f. und ihre Karte 1 auf S. 104. Leibethra liegt nördlich der zuvor genannten Stadt Herakleion im Landesinneren. Eine eingehendere Diskussion der Lage bietet Hammond (in Hammond I, S. 135–137).

Die beiden Bürger der Stadt, Νικόστρατος und sein Vater Νίκων, sind anderwärts nicht bezeugt (vgl. Tataki, S. 117).

Z. 54 Dion (Δῖον) ist durch die spektakulären Ausgrabungen von Παντερμαλῆς allgemein bekannt geworden (vgl. Papazoglou, S. 108–111); seit Augustus ist Dion römische Kolonie (*Colonia Iulia Augusta Diensis*).

Die genannten θεωροδόκοι Μέντωρ und Πολυκλῆς, sowie Ἀγαθοκλῆς, der Vater des Μέντωρ, sind sonst nicht bezeugt (vgl. Tataki, S. 100f., Nr. 1; Nr. 7 und Nr. 9). Möglicherweise ist Μέντωρ jedoch ein Nachfahre des Ἀγασικλῆς Μέντορος (= Tataki, Nr. 2, vgl. Plassart, S. 43f.).

Z. 55f. Zu Pydna (Πύδνα) vgl. Papazoglou, S. 106–108 und ihre Karte auf S. 104. Zu dem an zweiter Stelle genannten Φίλιππος, der auch anderwärts bezeugt ist, vgl. Hatzopoulos: Macedonian Institutions, S. 130, Anm. 7.

Z. 57 Beroia (Βέροια) ist auch aus dem Neuen Testament bekannt (Apg 17,10–15 und 20,4). Zur Bedeutung der Stadt vgl. Papazoglou, S. 141–148 (mit Hinweis auf unsere Inschrift in Anm. 5 auf S. 141), zur Lage Karte 2 bei Papazoglou, S. 125. Von Pydna (Z. 55) führt der Weg also ins Landesinnere über Beroia und Mieza weiter nach Edessa und Pella. Auffällig ist an dieser Route das Fehlen der alten makedonischen Hauptstadt Aigeai (Αἰγέαι), die man auf dem Weg von Pydna nach Beroia zwangsweise berührt. (Zur Straße von Pydna nach Aigeai, die auf Archelaos (413–399) zurückgeht, vgl. Hammond in Hammond II, S. 140.) Leider geht Papazoglou auf die Frage des Fehlens von Aigeai in unserer Liste überhaupt nicht ein (S. 134f.). Die ältere Liste aus Argos (752a/G797) nennt Aigeai in Z. 15 (nach der sehr wahrscheinlichen Ergänzung der Lücke durch Foucart, vgl. den Kommentar z.St.).

Beroia kann gleich mit drei θεωροδόκοι aufwarten. Als erster wird Antanor, der Sohn des Neoptolemos, genannt. Zu diesem und seiner möglichen Identifikation mit „Perseus' ambassador and admiral" vgl. Argyro B. Tataki: Ancient Beroea. Prosopography and Society, Μελετήματα 8, Athen 1988, S. 108f., Nr. 184. Über den Vater Νεοπτόλεμος hingegen (Tataki, a.a.O., S. 235, Nr. 936) ist sonst nichts bekannt.

Z. 58 Die beiden folgenden θεωροδόκοι Menander und Apellas hält Tataki für Brüder (vgl. zu Μένανδρος a.a.O., S. 227, Nr. 882 und zu Ἀπελλᾶς S. 112, Nr. 210). Beide sind sonst ebensowenig bekannt wie der Vater Φιλώτας (vgl. zu diesem Tataki, a.a.O., S. 293, Nr. 1300).

Z. 59 Mieza, griechisch gewöhnlich Μίεζα, erscheint hier als Μέζα, was Papazoglou zwar mit einem Ausrufezeichen würdigt (S. 151, Anm. 25), aber nicht erklärt. Zur Lage vgl. ihre Karte 2 auf S. 125 (zwischen Naoussa und Lefkadia).

Die beiden θεωροδόκοι Νικάνωρ und Νικωνίδας hält Tataki (S. 124, Nr. 5 und S. 123, Nr. 4) für Brüder; sie sind sonst ebensowenig bezeugt wie der Vater Μνασιγένης.

Z. 60 Edessa (Ἔδεσσα) ist der nordwestlichste Punkt der Route der θεωροί, die im folgenden sich ziemlich genau ostwärts nach Pella und Thessaloniki wenden. Zu Edessa vgl. Papazoglou, S. 127–131 und ihre Karte auf S. 125.

Der zuerst genannte Μοσχίων ist anderwärts ebensowenig bezeugt wie die im folgenden genannten Τριάκας und Μόσχος, vgl. Argyro B. Tataki: Macedonian Edessa. Prosopography and Onomasticon, Μελετήματα 18, Athen 1994, Nr. 215 und 216 auf S. 60 und Nr. 294 auf S. 72. (Die einschlägigen Nummern in ihrem neuen Buch, das oben in der Literaturliste angegeben ist, hier S. 103f. und S. 105, führen darüber nicht hinaus.)

Z. 61 Zu Pella (Πέλλα), der makedonischen Hauptstadt, vgl. Papazoglou, S. 135–139 sowie ihre Karte S. 125. Die drei genannten θεωροδόκοι Ἀπολλωνίδης (Tataki, S. 150, Nr. 17), Δίφιλος (Tataki, S. 154, Nr. 39) und Χάρης (Tataki, S. 161, Nr. 91) sind sonst nicht bezeugt.

Z. 62 Weniger bekannt ist Ὠρωπός, das häufig mit Europos identifiziert wird (so etwa bei Plassart im Kommentar z.St., S. 54, Anm. 7 und bei Papazoglou, S. 180); anders Hammond (in Hammond I, S. 168f.): „It is therefore better to regard Oropus as a separate city", der auch eine Lage für

Ὠρωπός vorschlägt (vgl. seine Karte 14 auf S. 141). Für die Identität beider
Orte entscheidet sich Tataki, die unsern Παράμονος unter der Überschrift
„Europos, Oropos" (S. 108) als Nr. 10 (S. 109) aufnimmt.

Z. 63 Zu Ἴχναι vgl. Papazoglou, S. 154–156; zu den beiden Namen Δίης
und Ἀλκέτας vgl. Tataki, S. 113 (mit weiterer Literatur zu Δίης).

Z. 64f. Ἀλλάντειον ist wahrscheinlich mit Atalante identisch (Hammond
in Hammond I, S. 171; Papazoglou, S. 182). Hammonds Vorschlag der Lokalisierung allerdings (Karte 14 auf S. 141) würde den Reisenden aus Delphi
einen ziemlichen Zick-Zack-Kurs zumuten: Zunächst von Pella aus nordöstlich nach Oropos, von da weiter Richtung Südost nach Ichnai, dann aber
praktisch über Oropos wieder zurück und weiter nach Norden nach Atalan-
te/Allanteion. Das scheint mir kein sinnvolles Itinerar. Die von Hammond
für Atalante/Allanteion vorgeschlagene Ortslage ließe die Reihenfolge Pella
→ Oropos → Allanteion → Ichnai erwarten. Ein sinnvoller Weg ergibt sich,
wenn man dem Papazoglouschen Vorschlag der Lokalisierung folgt (Karte
5 auf S. 175). „The detour northward to Europus and Allanteion is easily
explained. Both these towns were located to the west of the Axius river,
and it was therefore necessary for the Delphian representatives to visit them
before they crossed the bridge over the Axius and approached Thessalonica" (Edson, S. 174).
Die drei Namen in Z. 64f. sind sonst nicht bezeugt (Tataki, S. 43f., Nr. 1.3.5).

Z. 66f. Thessaloniki ist in seiner Lage nicht umstritten; die beiden θεωροδόκοι und ihre Väter sind sonst nicht bezeugt (vgl. zu Ἀρχέδημος Tataki, S. 179, Nr. 10; zu Τιμόθεος S. 187, Nr. 65; zu Μένιππος S. 185, Nr. 47; zu
Πυθίων S. 187, Nr. 62). Einen Zusammenhang mit dem zweiten θεωροδόκος
aus Amphipolis (Z. 79) sieht Plassart: „Il est probable ... que Ménippos
Pythionos à Thessalonique et Pythion Ménippou à Amphipolis sont l'une
père et l'autre fils" (S. 46).

Z. 67 Erratisch ist das ἐν Οἴῳ am Ende der Zeile. Plassart bemerkt in
einer Anm. zur Stelle: „Oion a été ajouté dans le blanc à droite de la colonne,
avant que fussent gravées les l. IV 60–61" (S. 17). Demnach hätte Oion mit
unserem makedonischen Katalog gar nichts zu tun (doch vgl. den Apparat
zu Z. 68!). Tataki jedoch bietet Oion (S. 128) und stellt Ἀμεινοκράτης aus
Z. 68 hierher.

Z. 68 Nach Thessaloniki erfolgt ein weiter Abstecher ins Landesinnere:
Ἰδομέναι ist nicht gerade der nächste Weg (zur Lage weit droben im Tal
des Axios, jenseits der heutigen Grenze des Staates Griechenland vgl. etwa
die Karte 14 in Hammond I, S. 140). „Du fait que l'itinéraire des théores
delphiques ne se limite pas à la région côtière – Edessa, Idomenè [im Original
versehentlich Idomènè], Astraion à l'intérieur ont été également visitées –
on pourrait déduire que l'envoi des théores en Macédoine coïncidait en gros
avec la réorganisation qui fit des villes macédoniennes des communautés
autonomes" (Papazoglou, S. 48). Zur Route von Thessaloniki nach Ἰδομέναι

vgl. die ausführliche Diskussion bei M.B. Hatzopoulos/L.D. Loukopoulou, S. 104–110.

Immerhin gibt es in Ἰδομέναι zwei θεωροδόκοι, nämlich Ἰκκότιμος und Ἀμεινοκράτης (doch vgl. den Apparat zu Z. 68!). Nicht konsequent verfährt Tataki, die zwar Ἰκκότιμος s.v. Ἰδομέναι verzeichnet (S. 113), für Ἀμεινοκράτης dann extra eine Rubrik Oion kreiert (S. 128), dort jedoch Ἀριστοκράτης aus Z. 69 wiederum nicht aufnimmt (was sie, wenn sie dem Text Plassarts folgen will, dann konsequenterweise aber tun müßte). Ἀριστοκράτης erscheint bei ihr S. 71, s.v. Astrea, Nr. 1 als Vater des Ἀντίγονος sowie S. 72, Nr. 3.

Z. 69 Vermutlich noch weiter nördlich liegt Ἀστρέα (vgl. Hammond in Hammond I, S. 201f. sowie Papazoglou, S. 333–335 und Karte 13 auf S. 329). Die Lokalisierung ist umstritten (vgl. die von Papazoglou S. 334f., Anm. 35 referierten älteren Vorschläge).

Zu den beiden Namen aus Astrea vgl. den Apparat zu Z. 67–69 sowie den Kommentar zu Z. 68.

Z. 70f. Nachdem mit Astrea der nördlichste Punkt erreicht war, wenden sich die θεωροί nun wieder nach Süden, Richtung Chalkidike (der südlichste Punkt ist Κασσάνδρεια in Z. 77). „Apparement les théores se rendaient de Thessalonique à Idoménai par la grande voie qui menait à Stobi et au Danube et revenaient d'Astraion [gemeint ist Astrea] par une autre route qui passait par Bragylai et Charakôma avant d'arriver à Létè" (Papazoglou, S. 184). Zur Straße, die über Astrea → Bragylai → Charakoma → Lete zum Langada-See führt, vgl. M.B. Hatzopoulos/L.D. Loukopoulou, S. 103 und ihre Karte 2: Les routes de la Crestonie (am Schluß des Bandes).

Die Lokalisierung von Βράγυλαι beim heutigen Ort Μεταλλικόν ist unumstritten (vgl. Hammond in Hammond I, S. 179 und die Karte 14 auf S. 141 sowie Papazoglou, S. 184f. und Karte 5 auf S. 175). Warum als nächster Ort allerdings nicht die Nachbarstadt Morrylos genannt wird, ist fraglich: Morrylos folgt erst in Z. 84!

Die vier hier genannten Namen sind die einzigen „Macedonians abroad" aus Bragylai (vgl. Tataki, S. 84).

Z. 72 „Au Nord-Ouest de Lètè il faut sans doute chercher la ville de Charakoma (Χαράκωμα), que la Liste delphique des théorodoques situe entre Bragylai (Métallikon en Amphaxitide ...) et Lètè: ἐν Βραγύλαις ..., ἐν Χαρακώματι Δημόκριτος Εὐδήμου, ἐν Ληταῖ ...). Il est évident, comme l'a reconnu l'éditeur de la Liste [d.i. Plassart], que cette Charakoma ne pouvait être la bourgade du même nom que Strabon mentionne dans la Pérée de Samothrace. En revenant de Péonie, où ils visitèrent Idoménai, Astréa et Bragylai, les théores delphiques passent par Charakoma et Lètè pour arriver en Chalcidique" (Papazoglou, S. 215) – sehr schön, aber was ist nun mit Morrylos, das erst in Z. 84 folgt?

Die beiden θεωροδόκοι aus Χαράκωμα (Tataki, S. 98) sind anderwärts nicht bezeugt.

Z. 73f. Die Lokalisierung von Λητή, der „most important of the inland cities of Mygdonia" (Hammond in Hammond I, S. 184) bei der gleichnamigen heutigen Ortschaft ist unangefochten (vgl. auch Papazoglou, S. 213–215). Die vier Namen Ἀργεῖος (Tataki, S. 118, Nr. 3), Μελάνθιος (ebd. Nr. 9), Ἀπολλώνιος (Tataki, S. 117, Nr. 1) und Διονυ[σ...] (Tataki, S. 118, Nr. 5) sind ansonsten nicht bezeugt.

Z. 75 Kontrovers wird die Lage von Αἰανέα diskutiert. Plassart plädiert für eine Ortslage in der Chalkidike: „On ne peut manifestement songer à Αἰανή, que Heuzey a sûrement localisée en Élymiotide, à l'ouest de l'Haliacmon moyen ... . Cette Aianéa doit être Αἴνεα, qui se trouvait à 15 milles au sud de Thessalonique, en face de Pydna ..." (Plassart, S. 55, Anm. 5). Hammond dagegen sucht unsern Ort in Elimea, im heutigen Νομός Κοζάνη, in Obermakedonien (Hammond in Hammond I, S. 119 mit Anm. 3). Diese Annahme ruiniert jegliche geographische Plausibilität unseres Itinerars und ist daher strikt abzulehnen (vgl. auch Papazoglou, S. 19, Anm. 27). „Le nom Αἰανέα semble plus proche de celui d'Αἰανή en Élimiotide que d'Αἴνεα en Chalcidique, mais l'ordre géographique suivi par la liste écarte toute hésitation quant à l'identificaction de cette ville" (Papazoglou, S. 418, Anm. 17). Zur Lage vgl. Papazoglous Karte 19 auf S. 416.
Der These Papazoglous folgt auch Tataki, die unsern Ἀγορα[...] s.v. Aineia auf S. 41 als Nr. 1 bucht.

Z. 76 Zu Ἀντιγόνεια vgl. Papazoglou, S. 419–421 (zur Lage am Westrand der Chalkidike ihre Karte 19 auf S. 416).
Unser Ἡρακλέων (Tataki, S. 64, Nr. 4) ist Sohn des Ξένων (vgl. Z. 77: Ξένων Ξένωνος). Tataki lehnt eine Verwandtschaft des Ἡρακλέων aus Z. 76 mit dem Ξένων der Z. 77 ab: „J. Alexander's suggestion that they were brothers living in these two neighbouring cities is not convincing" (ebd.; zu Alexanders Aufsatz vgl. den Kommentar zu Z. 77); schon früher hatte Plassart einen Zusammenhang behauptet (S. 46).

Z. 77 Die Lage von Κασσάνδρεια (der späteren *Colonia Iulia Augusta Cassandrensis*) ist unstrittig (vgl. Papazoglou, S. 424–426).
Ξένων, der Sohn des Ξένων (Tataki, S. 93, Nr. 74), ist auch sonst bekannt: Datiert man unsre Inschrift in das dritte Jahrhundert (Daux zufolge um 230/220, vgl. Daux: Listes delphiques, S. 23f.), ist er der Vater eines dritten Ξένων (Tataki, S. 93, Nr. 73 = SIG³ 585); datiert man unsere Inschrift auf das zweite Jahrhundert (mit Plassart), ist er mit ihm identisch (vgl. John A. Alexander: Cassandreia during the Macedonian Period: An Epigraphical Commentary, Ancient Macedonia I, Thessaloniki 1970, S. 127–146; hier S. 134, Anm. 26).

Z. 78f. Obgleich die Chalkidike nicht arm ist an bedeutenden Städten, reisen die θεωροί von Kassandreia sogleich nach Amphipolis (Z. 80; Akanthos wird dann immerhin in Z. 86 nachgetragen). Neben dem oben bereits konstatierten Fehlen der alten makedonischen Hauptstadt Aigeai ist dies hier wohl die merkwürdigste Fehlanzeige: Auf dem Weg von Kassandreia nach

Amphipolis *muß* man unweigerlich eine ganze Reihe bedeutender Städte durchqueren – wenn man nicht, wie heutige griechische Politiker, den Hubschrauber benutzt ...

Lage und Bedeutung des auch in Apg 17,1 erwähnten Amphipolis bedürfen an dieser Stelle keines Kommentars (vgl. Papazoglou, S. 392–399). Der zuerst genannte Ξενότιμος, Sohn des Ἐπικράτης (Tataki, S. 58, Nr. 102 und S. 51, Nr. 46; Plassart erörtert S. 46 seine Verwandtschaft mit dem θεωροδόκος aus Philippi), wurde in dem Aufsatz von Hatzopoulos (Un prêtre d'Amphipolis) „with the eponymous priest of the city for the year 214/3 B.C. mentioned in an inscription from the gymnasium of Amphipolis" (Tataki, S. 58, Nr. 102) identifiziert. Diese Inschrift ist abgedruckt bei Hatzopoulos: Macedonian Institutions under the Kings. Band II: Epigraphic Appendix, Μελετήματα 22, Athen 1996, Nr. 61 (= S. 83); unser Ξενότιμος ist in Z. 5 genannt. Die Identität unseres Ξενότιμος mit dem dortigen eponymen Priester ist ein Argument für die frühe Datierung unserer makedonischen Liste.

Πυθίων, der Sohn des Μένιππος, ist Plassart zufolge der Sohn des θεωροδόκος aus Thessaloniki (Z. 67).

Z. 80 Wie zwischen Kassandreia und Amphipolis klafft auch zwischen Amphipolis und Philippi eine beträchtliche Lücke: Insbesondere das Fehlen der Städte am Unterlauf des Strymon ist auffallend. Wo ist das so gefeierte Gazoros (vgl. etwa unsere Inschrift 543/G480, die Hatzopoulos zufolge mit unserem Text ziemlich gleichzeitig ist; vgl. seine Monographie, S. 55)? Wo ist Serrai? (Ebenso könnte man nach den Städten auf der westlichen Seite des Flusses fragen.)

Die beiden für Philippi genannten Namen Ἀντινικίδης und Ἐπικράτης (vgl. auch Tataki, S. 163, Nr. 3 und S. 164, Nr. 12) sind sonst in dieser Stadt nicht bezeugt. Zu einem möglichen Verwandtschaftsverhältnis der θεωροδόκοι in Amphipolis und in Philippi vgl. Plassart, S. 46.

Z. 81 Zwischen Philippi und Neapolis ist Οἰσύμη plaziert (vgl. Papazoglou, S. 400–403 und zur Lage ihre Karte 18 auf S. 386). Die Reihenfolge ist merkwürdig, da man von Philippi aus (auf der Route der späteren *Via Egnatia*) zunächst nach Neapolis kommt, bevor man sich, dem Küstenverlauf folgend oder per Schiff, nach Oisyme im SW von Neapolis wenden kann.

Der Vater des Ἐπιγήθης (Tataki, S. 128, Nr. 1) mit Namen Τελέσιας (a.a.O., Nr. 3), ist auch aus einer andern Inschrift bekannt (siehe dort).

Z. 82 Neapolis (Papazoglou, S. 403f.) weist wie zuletzt Amphipolis zwei θεωροδόκοι auf, Φίλτων (Tataki, S. 127, Nr. 20) und Ἀπολλωνίδης (Tataki, S. 125, Nr. 4), die Tataki zufolge Brüder und daher beide Söhne des Φίλτων *senior* sind; alle drei sind sonst nicht bekannt. (Der Φίλτων aus 006/G475 gehört ins 5. oder 4. Jahrhundert v. Chr. und hat mit den Männern dieses Namens in unserer Liste daher wohl nichts zu tun.)

Z. 83 Von Neapolis aus geht es nun nicht etwa nach Thasos weiter, wie man erwarten würde; Thasos wird vielmehr erst in Z. 87 genannt. Ab hier ist eine sinnvolle geographische Reihenfolge nicht mehr erkennbar. Selbst wenn man das ἐν Ἀσσάροις in Z. 87, Hatzopoulos folgend, in Abdera korrigiert und so einen sinnvollen Übergang zum Z. 91 beginnenden thrakischen Abschnitt erhält, bleibt die Reihenfolge zwischen Z. 82 und Z. 87 rätselhaft.

Schwierig ist das ἐν Σάπαις, da es sich hier nicht – wie in den Z. 51–82 – um eine Ortslage handelt. Die Σάπαι nämlich „étaient une tribu thrace et non une polis grecque" (Papazoglou, S. 19). Zur Lage des Gebiets der Sapai vgl. Hatzopoulos (in der Monographie, S. 185f., Anm. 6); demnach wären die Sapai gleich östlich des Territoriums von Philippi zu suchen. Die Stadt Philippi unterhielt enge Beziehungen zu herausragenden Angehörigen der Σάπαι, vgl. die Inschriften 390/G571 und 199/L309.

Merkwürdigerweise tragen diese thrakischen Menschen nun aber griechische Namen: Ἀντιφάνης, Ἀντιγένης und Κλέων. Papazoglou meint: „Il ne semble pas gêné de la présence de cette tribu thrace parmi les villes grecques ac-ceptant les théores de Delphes, pas plus que du fait que les théorodoques de cette tribu (?) portent des noms purement grecs" (S. 19, Anm. 25).

Die textkritische Lösung (Baunacks Korrektur des Σάπαις in Σάναις) ist reine Konjektur.

Z. 84 Lag das Gebiet der Sapai im Osten von Philippi, so folgt nun ein weiter Ausflug in den Westen, nach Morrylos, in der Nähe der Stadt Bragylai (Z. 70) gelegen. Zu Morrylos vgl. Papazoglou, S. 183f. sowie die Studie von M.B. Hatzopoulos und L.D. Loukopoulou: Morrylos. Cité de la Crestonie, Μελετήματα 7, Athen 1989 (zu unserer Inschrift vgl. S. 78 und S. 84 mit Anm. 5, wo statt der Plassartschen Lesart Ἀ[-]παίου vielmehr Ἀ[ρ]γαίου vorgeschlagen wird).

Aus den bei Hatzopoulos/Loukopoulou publizierten Inschriften geht hervor, daß man in der Stadt selbst die Schreibweise Μόρρυλος benutzte (vgl. etwa S. 18, Z. 12 oder den Grenzstein auf S. 57, Z. 1f.); in unserer Inschrift aus Delphi wird hingegen Μόρυλλος geschrieben.

Zur Einordnung von Μόρρυλος und Κλίται äußern sich die Verfasser der genannten Studie an verschiedenen Stellen (S. 84; S. 104; S. 110). Die Er-klärung, wonach die θεωροί aus Delphi „visitent les cités de la Crestonie en deux temps séparés" (S. 110), vermag angesichts der riesigen Entfernungen freilich nicht zu überzeugen.

Die drei genannten Männer Ἄδυμος, Σέλευκος und Ἀ[ρ]γαίος (Tataki, S. 124, Nr. 1–3) sind die einzigen im „Ausland" nachgewiesenen Bürger der Stadt Morrylos.

Z. 85 Papazoglou diskutiert (S. 184f.) eine Stadt Κλίται. Wenn der No-minativ jedoch in der Tat Κλίται lautet (vgl. auch Tataki, S. 115), wie kann dann der Dativ ἐν Κλίτ[α]ι, also ἐν Κλίτᾳ heißen? Man müßte dann doch ἐν Κλίταις erwarten.

Offenbar ist Klitai in der Nähe von Morrylos zu suchen (vgl. Papazoglous Karte 5 auf S. 175 sowie die Studie von Hatzopoulos und Loukopoulou, S. 91f.).

Die beiden Männer Σόλων (Tataki, S. 115, Nr. 1) und Φανέας (a.a.O., Nr. 2) sind sonst nicht bekannt.

Z. 86 Unstrittig ist die Lage von Akanthos beim heutigen Ierissos (vgl. Papazoglou, S. 433f.). Hier ist der Nachtragscharakter dieser Zeilen wieder mit Händen zu greifen, denn eigentlich hätte Akanthos zwischen Kassandreia und Amphipolis, d.h. zwischen Z. 77 und Z. 78 eingeordnet werden müssen. Der θεωροδόκος Alexander (Tataki, S. 41, Nr. 1) und sein gleichnamiger Vater (Tataki, S. 42, Nr. 2) sind sonst nicht bekannt.

Z. 87 Der Fall Thasos bestätigt das soeben zu Akanthos Bemerkte: Gewiß kann man Thasos auch von Akanthos aus erreichen, doch geographisch hätte es näher gelegen, Thasos nach Neapolis, also nach Z. 82, einzuordnen: Noch heute kommt man von Kavala aus am schnellsten zu dieser Insel.

Allerdings ist Thasos nicht eigentlich Teil Makedoniens: „L'île de Thasos, conquise par Philippe II et obligée à la soumission par d'autres monarques macédoniens, ne fut jamais assimilée. Proclamée libre en 196, elle sauvegarda son caractère de cité hellénique. Auguste lui laissa le statut de cité libre. Chez Ptolémée elle est administrativement rattachée à la province de Thrace. Ce n'est qu'à la basse époque impériale que Hiéroklès la nomme parmi les villes de la Macédoine Première" (Papazoglou, S. 79).

Der θεωροδόκος Ἀριστοφάνης ist Sohn des Ἀρχεσίλαος; er ist auch auf einer thasischen Inschrift erwähnt (IG XII 8,293, Z. 39, vgl. Plassart, S. 43), wo es heißt Ἀριστοφάνης Ἀρχεσίλα (der Name des Vaters ist also nicht genauso geschrieben wie in unserer Inschrift). Vgl. ferner noch IG XII Suppl. 375, wo in einer sechszeiligen Namensliste (3. Jh. v. Chr.) an 4. Stelle Ἀρχεσίλας Ἀριστοφάνου erscheint: Möglicherweise hieß der Großvater unseres Ἀριστοφάνης also auch Ἀριστοφάνης.

Z. 88–90 Die letzte Stadt unserer Liste, Assara, weist noch einmal drei θεωροδόκοι auf, was sie aus der Masse der übrigen Städte heraushebt (*drei* θεωροδόκοι haben sonst lediglich Pydna, Beroia, Edessa und Pella, also solche Städte, deren Bedeutung unstrittig ist). Aber Assara? Wo liegt diese Stadt überhaupt?

Bei Hammond (in Hammond I) sucht man Assara im Register vergeblich. Papazoglou meint: „Une ville nommée Ἄσσαρα figure à la fin de la section macédonienne de la Liste delphique des théorodoques, après Akanthos et Thasos, avant Maronée. Il s'agit probablement des Ἀσσηρῖται des listes du phoros, de l' Ἄσσηρα mentionée par Théopompe comme ville chalcidienne, de l'*Assera*, qui Pline situe à l'entrée de l'isthme et probablement de l' Ἄσσα d'Hérodote, qui se trouvait sur la côte septentrionale du golfe Singitique, non loin du canal" (S. 433; zur Lage vgl. Dietram Müller: Topographischer Bildkommentar zu den Historien Herodots: Griechenland im Umfang des heutigen griechischen Staatsgebiets, Tübingen 1987, Karte S. 127 und Beschreibung der Ortslage S. 150f.). Ist dies richtig, so ist der Nachtrag auch in sich geographisch konfus, denn als Nachbarstadt von Akanthos wäre Assara dann vor und nicht nach Thasos einzuordnen gewesen.

All den genannten Schwierigkeiten entgeht, wer statt Assara Abdera liest (vgl. den Apparat). Dies hatten schon vor mehr als hundert Jahren Baunack und Nikitsky vorgeschlagen, die ἐ[ν Ἀβδ]άροι[ς] lesen wollten. Plassart hält ihnen entgegen: „La quatrième lettre est Σ" (S. 18). Steht aber an der vierten Position in der Tat ein Σ, so führt kein Weg nach Abdera. Vielleicht kann uns dereinst die lang geplante neue Ausgabe dieses Textes eines Besseren belehren ...

Plassart sieht hier drei Generationen ein und derselben Familie, „père, fils et petit-fils" (S. 45); das setzt nicht nur voraus, daß der Z. 88 genannte Διονυσόδωρος mit dem Διονυσόδωρος aus Z. 89 identisch ist, sondern auch, daß Διονυσᾶς, der Vater des Εὔφαντος (Z. 90), derselbe ist wie der Διονυσᾶς in Z. 88. Spricht nicht auch die Reihenfolge Sohn → Vater → Enkelsohn gegen die Plassartsche Annahme?

Katalog von Wettkämpfern

745b/G827

259/58 oder

255/54

Johannes Baunack: Die delphischen Inschriften (4. Teil: No. 2501–2993), Sammlung der Griechischen Dialekt-Inschriften, Zweiter Band, VI. Heft, Göttingen 1899, Nr. 2564 (S. 742–745).

Georges Nachtergael: Les Galates en Grèce et les Sôtéria de Delphes. Recherches d'histoire et d'épigraphie hellénistiques, Brüssel 1977, Nr. 8 (S. 416–419).

Argyro B. Tataki: Macedonians Abroad. A Contribution to the Prosopography of Ancient Macedonia, Μελετήματα 26, Athen 1998, S. 164, Nr. 11.

Delphi: Polygonalmauer. In Nachtergaels Zählung umfaßt die Inschrift 83 Zeilen. Schon aus Platzgründen kann dieser Text hier nicht vollständig wiedergegeben werden. Vollständig abgedruckt ist hier nur das wesentlich kürzere Exemplar 746a/G820.

19 Δωρόθεος *vacat* Φιλιπ[π]εύς

Zu Beginn der Zeile noch [τιο]ς, der Rest des Ethnikons Βοιώ[τιο]ς, das zum vorausgehenden Namen gehört.

Dorotheos, der Philipper.

Die Inschrift zählt verschiedene Disziplinen auf, so ῥα[ψωι]δοί in Z. 10f., [κιθ]αρωιδοί in Z. 12f., αὐλη[ταί] in Z. 14–16; unser Philipper Dorotheos findet sich s.v. [χο]ρ[ο]ὶ παίδ[ων] in Z. 17–29, auf die dann die χοροὶ ἀνδρῶν (Z. 30–44) folgen. Zu unserem Dorotheos vgl. auch die folgende Inschrift.

Zu Φιλιππεύς vgl. o. Bd. I, S. 116–118. Ich habe dort nicht alle Belege für diese „vorpaulinische" Form genannt: Hier haben wir das siebte Beispiel auf einer Inschrift außerhalb des Territoriums (nach 699a/G841; 704/GL694; 704a/G786; 711a/G811; 711b/G812 und 745/G782).

745c/G828
258/57 oder
254/53

Katalog von Wettkämpfern

Johannes Baunack: Die delphischen Inschriften (4. Teil: No. 2501–2993), Sammlung der Griechischen Dialekt-Inschriften, Zweiter Band, VI. Heft, Göttingen 1899, Nr. 2565 (S. 745–748).

Georges Nachtergael: Les Galates en Grèce et les Sôtéria de Delphes. Recherches d'histoire et d'épigraphie héllenistiques, Brüssel 1977, Nr. 9 (S. 419–422).

Argyro B. Tataki: Macedonians Abroad. A Contribution to the Prosopography of Ancient Macedonia, Μελετήματα 26, Athen 1998, S. 164, Nr. 11 und S. 165, Nr. 18.

Delphi: Polygonalmauer. Bei Nachtergael umfaßt die Inschrift 82 Zeilen; sie kann hier nicht vollständig wiedergegeben werden. Vollständig abgedruckt ist hier nur das wesentlich kürzere Exemplar 746/G820.

28 [Δωρόθεος Κ]αλλιστράτου Φιλιππεύς

Baunack: [– – –⁷– – – Κ]αλλιστράτου. Nachtergael: [Δωρόθεος Κ]αλλιστράτου mit Verweis auf 745b/G827.

Dorotheos, (der Sohn) des Kallistratos, der Philipper.

Wie in der vorigen Inschrift erscheint Dorotheos in der Gruppe der παῖ[δες] χορευταί im Rahmen verschiedener Gruppen von Wettkämpfern. Zu seinem Vater Kallistratos vgl. auch 746a/G820.
Zu Φιλιππεύς vgl. o. Bd. I, S. 116–118. Ich habe dort nicht alle Belege für diese „vorpaulinische" Form genannt: Hier haben wir das achte Beispiel auf einer Inschrift außerhalb des Territoriums (nach 699a/G841; 704/GL694; 704a/G786; 711a/G811; 711b/G812; 745/G782 und 745b/G827).

745d/G832
275/74
v. Chr.

Proxeniedekret für Μεγακλῆς

G. Colin: Inscriptions du Trésor des Athéniens, FD III 2, Paris 1909–1913, Nr. 177.

Georges Daux: Chronologie delphique, Fouilles de Delphes III: Épigraphie, Fascicule hors série, Paris 1943, S. 33.

Argyro B. Tataki: Macedonians Abroad. A Contribution to the Prosopography of Ancient Macedonia, Μελετήματα 26, Athen 1998, S. 126, Nr. 12 und S. 127, Nr. 17.

Delphi: Schatzhaus der Athener. Nähere Angaben sowie Abmessungen fehlen bei Colin.

Δελφοὶ ἔδωκαν Μεγακλεῖ Σωσ[ι-]
πάτρου Νεπολίτῃ θεαροδο[κί-]

αν, αὐτῷ καὶ ἐκγόνοις, προξενίαν, προμαντείαν, προεδρίαν, προ-
5 [δικ]ίαν, καὶ τἄλλα ὅσα καὶ τοῖς
[ἄλλ]οις προξένοις. ἄρχοντος
[Ἀρχ]έλα, βουλευόντων Μενάν-
[δρο]υ, Δάμωνος, Κλεοτίμου.

Die *Iota subscripta* sind in dieser Inschrift durchweg abskribiert.

Die Delphier haben dem Megakles, (dem Sohn) des Sosipatros,
dem Neapolitaner, ihm und seinen Nachkommen, die Theoro-
dokie, die Proxenie, die Promantie, die Prohedrie und die [5]
Prodikie sowie alles andere, entsprechend den übrigen Proxenoi verliehen zur Zeit des Archon Archelas (und) der Ratsherrn
Menandros, Damon (und) Kleitomos.

Zur Gattung der Proxeniedekrete vgl. den Kommentar zu 743r/G831, wo
sich auch eine Liste aller in diesem Katalog aufgenommenen Proxeniedekrete
findet.
Die beiden in Z. 1f. genannten Neapolitaner Megakles (Tataki, Nr. 12) und
Sosipatros (Tataki, Nr. 17) sind aus andern Quellen nicht bekannt.
Zur Datierung vgl. Daux, S. 33f.

Proxeniedekret der Delphier für Kotys, den Thrakerkönig   746/G783

276/275
v. Chr.

Paul Perdrizet: Inscriptions de Delphes, BCH 20 (1896), S. 466–496; hier S. 476–
481.
Johannes Baunack: Die delphischen Inschriften (4. Teil: No. 2501–2993), Samm-
lung der Griechischen Dialekt-Inschriften, Zweiter Band, VI. Heft, Göttingen
1899, Nr. 2746 (S. 887f.).
SIG³ I 438.
Fouilles de Delphes. Tome III: Épigraphie. Fascicule IV, Nr. 414.
Georges Daux: Chronologie delphique, Fouilles de Delphes III: Épigraphie, Fasci-
cule hors série, Paris 1943, S. 33.
Argyro B. Tataki: Macedonians Abroad. A Contribution to the Prosopography of
Ancient Macedonia, Μελετήματα 26, Athen 1998; hier Nr. 19 (S. 127).
Ulrike Peter: Art. Kotys [I 2], DNP 6 (1999), Sp. 784.

Delphi. „Stèle de marbre blanc, brisée en plusieurs morceaux, mais complète. Elle a été trouvée au milieu de l'année 1894, dans un des jambages de
l'arc en plein cintre qui s'ouvre dans le milieu du grand mur de soutènement
parallèle au côté N. du temple" (Perdrizet, S. 476).
Abmessungen: H. 0,79; B. 0,24; D. 0,12; Buchstaben H. 0,008.
Inventarisierungsnummer 1833.

['Ά]ρχοντος Ἀριστίωνος, βουλευόντων Εὐαγόρα, Αἰακίδα, Μαντία, Δίωνος, Ἐπικράτεος· ἔδοξε τᾷ πόλει τῶν Δελφῶν ἐν ἀγορᾷ τελε-
5 ίῳ σὺν ψάφοις ταῖς ἐννόμοις· ἐ-
πειδὴ Κότυς Ῥαίζδου Θρακῶν
βασιλεὺς ἔν τε τοῖς πρότερον
χρόνοις εὔνους ὢν διετέλει
τῷ τε ἱερῷ καὶ τᾷ πόλει, καὶ το-
10 ῖς ἰδίᾳ παραγινομένοις πο-
τὶ αὐτὸν φιλανθρώπως χρείμενος, καὶ νῦν παραγενόμε-
νος Τύριλλος ὁ Νεαπολίτας
ἐνεφάνισε τὰν αἵρεσιν ἂν ἔ-
15 χει ποτί τε τὸ ἱερὸν καὶ τὰν πό-
λιν· δεδόχθαι τᾷ πόλει· ἐπαινέσαι Κότυν Ῥαίζδου Θρακῶν
βασιλέα, ἀνανεώσασθαι δὲ
καὶ τὰν ὑπάρχουσαν αὐτῷ προ-
20 ξενίαν καὶ εἶμεν αὐτὸν πρόξενον καὶ αὐτὸν καὶ ἐκγόν[ο]υς καὶ
ὑπάρχειν αὐτῷ κα[ὶ ἐκ]γόνοις προμαντείαν, ἀσυ[λία]ν, ἀτέλειαν,
προεδρίαν ἐμ [πᾶ]σι τοῖς ἀγῶσι-
25 ν οἷς ἁ πόλις [τίθ]ητι καὶ τἆλλα ὅ-
σα καὶ τοῖ[ς] ἄλλοις προξένοις
καὶ εὐεργέταις τᾶς πόλιος, ἀ-
ναγ[ρ]άψαι δὲ τόδε τὸ ψάφισμα
[ἐ]ν στάλᾳ καὶ ἀναθέμεν ἐν
30 τῷ ἐπιφανεστάτῳ τόπῳ
τοῦ ἱεροῦ.

Die *iota subscripta* sind in dieser Inschrift durchweg adskribiert. Der Text folgt der Ausgabe in FD III, IV. Die ursprüngliche Version Perdrizets ist in diesem Apparat verzeichnet.
8 Perdrizet gibt: διετελε[ῖ]. **21** Perdrizet gibt: ἐκγόνους. **22** Perdrizet: καὶ ἐκγόνοις.
23 Perdrizet: ἀσυλίαν. **24** Perdrizet: πᾶσι. **25** Perdrizet: τίθητι. **26** Perdrizet:
τοῖς. **27f.** Perdrizet: ἀ|ναγράψαι. **29** Perdrizet: ἐν.

Unter dem Archon Aristion (sowie) den Buleuten Euagoras, Aia-
kidas, Mantias, Dion (und) Epikrates: Beschluß der Stadt der
Delphier durch beschlußfähige [5] Versammlung in gesetzmäßi-
ger Abstimmung:
Weil Kotys, (der Sohn) des Rhaizdos, der König der Thraker, sich
in der Zeit davor fortwährend wohlwollend verhielt gegenüber
dem Heiligtum und der Stadt und auch diejenigen, [10] die pri-

vat zu ihm kamen, menschenfreundlich behandelte, und nun auch Tyrillos, der Neapolitaner, herzugekommen ist und die Neigung, die er (*sc.* Kotys) gegenüber Heiligtum und Stadt [15] hegt, deutlich aufgewiesen hat, hat die Stadt (folgendes) beschlossen: daß sie den Kotys, (den Sohn) des Rhaizdos, den König der Thraker, belobigt und die ihm (schon) zuteil gewordene Proxenie [20] erneuert, und daß er Proxenos ist, er selbst und seine Nachkommen, und ihm und seinen Nachkommen ein Vorrecht bei der Orakelbefragung zuteil wird, (sowie) Unverletzlichkeit, Abgabenfreiheit, Prohedrie bei allen Agonen, [25] die die Stadt ausrichtet, und das übrige, was den Proxenoi und Wohltätern der Stadt (gewährt wird). Dieser Beschluß ist auf eine Stele zu schreiben und aufzustellen an dem [30] bestmöglich einzusehenden Platze auf dem Heiligtum.

Diese Inschrift ist in dorischem Dialekt verfaßt; es ist daher zu beachten, daß gegenüber dem attischen Dialekt η grundsätzlich zu α wird. Darüber hinaus wird geringfügig anders flektiert.

Zur Gattung der Proxeniedekrete vgl. den Kommentar zu 743r/G831, wo sich auch eine Liste aller in diesem Katalog aufgenommenen Proxeniedekrete findet. Da der Begünstigte im vorliegenden Fall ein König ist, ist das Formular hier sehr viel reicher ausgestaltet als in den beiden anderen Proxeniedekreten aus Delphi (745/G782 und 745d/G832).

Z. 6 Zu den verschiedenen thrakischen Königen mit Namen Kotys vgl. die Ausführungen bei Perdrizet und Dittenberger sowie die diversen Artikel von Ulrike Peter in DNP 6 (1999), Sp. 783–785. Unser Kotys, Sohn des Rhaizdos, erscheint bei Peter Sp. 784 als I 2.

Z. 11f. χρείμενος (dorisch) = χρώμενος.

Z. 13 Der Neapolitaner Τύριλλος ist in der Monographie von Collart offenbar übersehen. Aus andern Quellen ist er nicht bekannt (vgl. Tataki, Nr. 19 auf S. 127). Er muß ein bedeutender Mann gewesen sein, wie aus dieser Inschrift hervorgeht (vgl. auch Perdrizet, S. 480).

Z. 15 ποτί = πρός.

Z. 20 εἶμεν ist ein dorischer Infinitiv (= εἶναι).

Z. 20f. Zum Begriff πρόξενος vgl. den Kommentar zu 348/G356, Z. 1.

Z. 25 τίθητι = τίθησι, also 3. Pers. Sing. Ind. Präs. Akt. von τίθημι.

Z. 29 ἀναθέμεν ist Infinitiv Aorist von ἀνατίθημι (= ἀναθεῖναι).

Katalog von Wettkämpfern

746a/G820

262/61 oder
258/57

R. *Flacelière*: Remarques sur les Sôtéria de Delphes, BCH 52 (1928), S. 256–291; hier S. 259–265.

SEG XVIII (1962) 235.

Georges Nachtergael: Les Galates en Grèce et les Sôtéria de Delphes. Recherches d'histoire et d'épigraphie hellénistiques, Brüssel 1977, Nr. 5 (S. 410–412).
Argyro B. Tataki: Macedonians Abroad. A Contribution to the Prosopography of Ancient Macedonia, Μελετήματα 26, Athen 1998, S. 165, Nr. 18.

Delphi: Χρυσόν. „L'inscription suivante, trouvée en décembre 1927 au village de Chrysô, dans un mur moderne, près de l'église de l'Evangélistria, a été transportée par les soins diligents de A. Kondoléon au musée de Delphes, où j'ai pu l'étudier en mai dernier", berichtet Flacelière S. 259.
Inventarisierungsnummer Museum Delphi 5727. „Fragment de marbre brisé de toute part, sauf à droite" (ebd.). Abmessungen: H. 0,62; B. 0,20; D. 0,22; Buchstaben H. 0,005 bis 0,009; Zeilenzwischenraum 0,003 bis 0,007.

> [Ἐπὶ τοῦ δεῖνος ἄρχοντος, ἱερομναμο-]
> [νούντων Αἰ]τωλῶ[ν τοῦ δεῖνος],
> [τοῦ δεῖνος], Πολυκλείτου, [τοῦ δεῖνος, τοῦ]
> [δεῖνος, . . .]τους, Παμφαΐδα, [τοῦ δεῖνος],
> 5 [τοῦ δεῖνος, Δε]λφῶν Πεισίλα, Ἀρχ[ία (?), Ἱστιαιέων (?)]
> [Ἀνδροσθένου(?)]ς· Βοιωτῶν Λυσιδάμο[υ], ΑΡΛ[...]Π[...],
> [Ἀθηναίων Δη]μονίχου, Κορινθίων Ἀ[γύλλου (?)]
> [γραμματεύο]ντος Ἁγία Αἰτωλοῦ, ἐ[πὶ ἱερέως]
> [δὲ Πυθοκλέος] τοῦ Ἀριστάρχου Ἑρ[μιονέως]·
> 10 [οἵδε ἠγωνίσαντ]ο τὸν ἀγῶνα τῶν Σ[ωτηρίων]·
> [ῥαψωιδοί (?)· . . .]ράτης Καλλιφ[. . .]
> [ὁ δεῖνα . . .]ς Ἀθηναῖος·
> [κιθαριστάς· . . .χ]λῆς Πολυκράτ[ους . . .]
> [κιθαρωιδός (?)· ὁ δεῖνα] Παρμενίσκ[ου . . .]·
> 15 [παῖδες χορευταί]· Ἰσμῆς (?) Ἀνδροσθέ[νους (?) . . .]
> [Δαμόνικος Ἰσιδ(?)]ήμου Μεγαλο[πολίτας]·
> [ὁ δεῖνα . . .]ξένου Μεγαλ[οπολίτας]·
> [Ἀλκίας Δαϊφάν(?)]του Κλειτόριος·
> [Καλλισθένης Ἄρχ(?)]ωνος Μεγαλοπ[ολίτας]·
> 20 [ὁ δεῖνα Ξε(?)]ννία Μιλήσιος·
> [ὁ δεῖνα Δα]μοξένου Βοιώτιος·
> [Νικέας Ὀλ]υμπίχου Βοιώτιος·
> [. . .πνίας Ἀσω]ποδότου Βοιώτιος·
> [Στράτων Σ]τράτωνος Βοιώτιος·
> 25 [ὁ δεῖνα Ὀλυμπί(?)]χου Βοιώτιος·
> [Δωρόθεος Κα]λλιστράτου Φι[λιππεύς]·
> [Αἰνησίδημος] Ἀρίστωνος Βυ[ζάντιος]·
> [Ἀντίδωρος (?) Ε]ὐξένου Βοιώτ[ιος]·
> [χοροὶ ἀνδρῶν· Π]αγκλῆς Κορυμ[βίου Αἰτωλός]·
> 30 [Τί(?)μανδρος] Σωτέλους Σικυ[ώνιος]·
> [Νέων (?) Ἱπ]πία Στυμφάλιος·
> [. . .]ς Δαμοτέλους Σικυ[ώνιος]·

[...]ς Δαμοτέλευς Σικυ[ώνιος]·
[Ἀντιγένη(?)]ς Κριτολάου Βοιώ[τιος]·
35 [Λύκος Διο]νυσίου Ἀθηναῖος·
['Ίππων Ὀν(?)]ασίμου Βοιώτιος·
[Ἀσκλάπ]ων Ἀρισποδήμου Βοιώ[τιος]·
[Μνήσιππο(?)]ς Δίωνος Βοιώτιος·
[Νέων Ἀ]πολλωνίου Κλειτόρ[ιος]·
40 [τραγωιδοί (?)· ...]ρατος Λαμπρέος Κ[λειτόριος]·
[ὁ δεῖνα Ἀπ]ολλωνίου Κλειτόρ[ιος]·
[ὁ δεῖνα Ἀπολ]λωνίου Κλειτόριος,
[...]ς Γόργου Κλειτόριο[ς]·
[...]μμος Ζωπύρου Στ[υμφάλιος],
45 [...]

7 Flacelière ergänzt [Ἀθηναίων Δη], Nachtergael dagegen [Φωχέων (?) Δα]. 14 Nachtergael schlägt Κάλλων vor. 15 Flacelière: [...]ήσμης. Nachtergael: Ἰσμῆς mit Fragezeichen. 16 Der Name von Nachtergael ergänzt. 18 Der Name von Nachtergael ergänzt. 22 Der Name von Nachtergael ergänzt. 26 Flacelière: [ὁ δεῖνα Κα]λλιστράτου. Nachtergael: [Δωρόθεος Κα]λλιστράτου. 34 Der Name von Nachtergael ergänzt. Nachtergael: Βοιώ[τ]ιο[ς]. 36 Flacelière: ὁ δεῖνα Στ(?). Nachtergael: Ἵππων Ὀν(?). 38 Flacelière: [ὁ δεῖνα Μου]ταίωνος. Nachtergael: [Μνήσιππο(?)]ς Δίωνος. 39 Der Name von Nachtergael ergänzt.

Dies ist die dritte einschlägige Liste von Wettkämpfern, die einen Philipper erwähnt (vgl. o. 745b/G827 und 745c/G828). Als Beispiel (und auch weil sie die kürzeste ist) wird sie hier vollständig abgedruckt.

Z. 26 Zu Φιλιππεύς vgl. o. Bd. I, S. 116–118. Ich habe dort nicht alle Belege für diese „vorpaulinische" Form genannt: Hier haben wir das neunte Beispiel auf einer Inschrift außerhalb des Territoriums (nach 699a/G841; 704/GL694; 704a/G786; 711a/G811; 711b/G812; 745/G782; 745b/G827 und 745c/G828).

Namensliste

746b/G822

3./2. Jh.

v. Chr.

Richard Meister: Die böotischen Inschriften, Sammlung der griechischen Dialekt-Inschriften, Erster Band, Heft III, Göttingen 1884, Nr. 713 (S. 238f.).

Paul Perdrizet: Proxènes macédoniens à Delphes, BCH 21 (1897), S. 102–118; hier S. 109, Anm. 1.

IG VII, Nr. 2433.

Collart, S. 178f. mit Anm. 1 auf S. 179.

Argyro B. Tataki: Macedonians Abroad. A Contribution to the Prosopography of Ancient Macedonia, Μελετήματα 26, Athen 1998, Nr. 5.8.14.16.22.23.25.26.29 auf S. 163–166.

Theben. „Tabula marmoris albi inaedificata ad scalas domus privatae sitae iuxta ipsum museum Thebanum a septentrionibus, quam possidet vidua Euthymii Brysakis" (Dittenberger, S. 420).
Abmessungen gibt Dittenberger nicht an.

[Fι]φιχρατίδας χὴ Ἀγείσιππος	Στράτων, Κράτεις Εἰω[...]
[Νυ]μεινίω Ἰ[...]	Μέδων Πυθίαο Φιλιπ[πεύς]
[...]	[...]
[...]	[...]
5 [...]τα	5 Ἰατροκλεῖς, Ἀρταμίδ[ωρος]
[...]	Μιννίωνος Φιλιππεῖε[ς]
[...]	[...]
[...]	Λάμπων Εὐαγόρω Ἐσχ[ατιώτας (?)]
Φιλωνίδας Νίχωνος [...]	[...]
10 [...]	10 [...]
[...]	Νιχόμαχ[ος Ἀ]πειμά[ντω]
[...]	Φιλιππε[ύς]
[...]	[...]
[...]	Εὐπόλεμο[ς Με]νεδ[άμω]
15 [Μ]οσχίων Ἀπολλοδώρω	15 Φιλιππεύς
[Ἀ]φηστόδωρος Λυχίσχω	[...]
[...]	[...]
	[...]

Die Ausgabe von Meister in den Griechischen Dialekt-Inschriften ist durch Dittenberger überholt und wird daher hier nicht mehr berücksichtigt.

In Kolumne II begegnet viermal das Ethnikon Φιλιππεύς (Z. 2.6.12 und 15); vgl. dazu o. Bd. I, S. 116–118. Ich habe dort nicht alle Belege für diese „vorpaulinische" Form genannt: Hier haben wir die Beispiele 10–13 auf einer Inschrift außerhalb des Territoriums (nach 699a/G841; 704/GL694; 704a/G786; 711a/G811; 711b/G812; 745/G782; 745b/G827; 745c/G828 und 746a/G820).

746k/G833   **Proxeniedekret für Πέλοψ**
2. H. des
3. Jh. v. Chr.   *Richard Meister:* Die böotischen Inschriften, Sammlung der griechischen Dialekt-Inschriften, Erster Band, Heft III, Göttingen 1884, Nr. 936 (S. 283).
    IG VII, Nr. 505.
    Argyro B. Tataki: Macedonians Abroad. A Contribution to the Prosopography of Ancient Macedonia, Μελετήματα 26, Athen 1998, S. 125, Nr. 5 und S. 126, Nr. 13.

Tanagra. „Basis quadrata marmoris caerulei, a. fere 0,40, in vico *Skimatari* in ecclesia S. Taxiarchi" (Dittenberger, S. 158; dort auch die ältere Literatur).

Εἰρίαο ἄρχοντος, μεινὸς Δαματρίω νιομεινίη, ἐπεψάφιδδε
Γυνόππαστος Ἀμινίωνος, Ἐπιχαρίδας Φύλλιος ἔλεξε· δε-
δόχθη τοῖ δάμοι, πρόξενον εἶμεν κὴ εὐεργέταν τᾶς πόλιος
Ταναγρήων Πέλοπα Δεξίαο Νιαπολίταν αὐτὸν κὴ ἐσγόνως,
5 κὴ εἶμεν αὐτοῖς γᾶς κὴ Ϝυκίας ἔππασιν κὴ ἀσφάλιαν κὴ Ϝισοτέλιαν
[κὴ]
ἀσουλίαν κὴ πολέμω κὴ ἰράνας ἰώσας κὴ κατὰ γᾶν κὴ κατὰ θάλατ-
ταν,
[κ]ὴ τἆλλα πάντα καθάπερ τοῖς ἄλλοις προξένοις καὶ εὐεργέτης.

2 Meister liest [Φι]λό[μν]αστος. 4 Dittenberger: ΝΙΑΓΟΛΙΤΑΝ (S. 159), aber Νεαπολίταν (S. 158).

Als Heirias Archon war, im Monat Damatrios, am ersten Tag des Monats, brachte Gynoppastos, (der Sohn) des Aminion, den Antrag ein und Epicharidas aus Phyllos las ihn vor, das Volk stimmte zu:
Proxenos und Wohltäter der Stadt Tanagra soll sein Pelops, (der Sohn) des Dexias, der Neapolitaner, er selbst und seine Nachkommen [5] und sie sollen das Recht haben, Land und Wohnung zu erwerben; sie sollen haben Sicherheit und Isoteleia und Asylie im Kriegs- wie im Friedensfall und zu Lande wie zu Wasser und all das übrige wie auch die übrigen Proxenoi und Wohltäter.

Zur Gattung der Proxeniedekrete vgl. den Kommentar zu 743r/G831, wo sich auch eine Liste aller in diesem Katalog aufgenommenen Proxeniedekrete findet. Im Unterschied zum dort diskutierten Formular werden hier die Nachkommen mit einbezogen (Z. 4) sowie die Rechte im einzelnen benannt (Z. 5f.). Ein Zeuge dagegen wird hier nicht genannt.

Z. 1 Δαμάτριος ist ein boiotischer Monatsname, vgl. LSJ, S. 368.
νιομεινίη entspricht dem attischen νουμηνία (Neumond: der erste Tag des Monats), vgl. LSJ, S. 1183, wo allerdings unsere Form nicht begegnet.
Hinter ἐπεψάφιδδε steckt wohl eine Form von ἐπιψηφίζω.

Z. 2 Nach Pape/Benseler II, Sp. 1654 ist Φύλλιος Adjektiv zu Φύλλος (Stadt in Thessalien).

Z. 3 εἶμεν = εἶναι (dorische Form des Infinitivs, vgl. LSJ, S. 487, s.v. εἰμί).

Z. 4 Pelops, der Sohn des Dexias, ist auch aus einem Proxeniedekret aus Oropos bekannt, vgl. 746o/G835.

Z. 5 Ϝυκία steht wohl für οἰκία.

Die boiotische Form ἔππασις entspricht ἔμπασις (vgl. LSJ, S. 543, s.v. ἔμπασις), was mit ἔγκτησις gleichbedeutend ist (ebd.): „tenure of land in a country or district by a person not belonging to it" bzw. – und das ist die hier anzunehmende Bedeutung – „the right of holding such property" (LSJ, S. 474, s.v. ἔγκτησις).

ϝισοτέλεια entspricht ἰσοτέλεια, vgl. LSJ, S. 840, s.v. ἰσοτέλεια („equality in tax and tribute").

Z. 6 ἰώσας entspricht ἐώσας (= ἐούσας/οὔσης [Partizip zu εἶναι]).

746 l/G834

hellenistisch

Proxeniedekret für einen Neapolitaner

Richard Meister: Die böotischen Inschriften, Sammlung der griechischen Dialekt-Inschriften, Erster Band, Heft III, Göttingen 1884, Nr. 944 (S. 285).
IG VII, Nr. 516.
Argyro B. Tataki: Macedonians Abroad. A Contribution to the Prosopography of Ancient Macedonia, Μελετήματα 26, Athen 1998, S. 127, Nr. 23.

Tanagra. „Basis lapidis nigri fracta in tres partes, a. 0,19, l. 0,48, c. 0,25, Tanagrae (*Skimatari*) in collectione monumentorum, quae est ad ecclesiolam S. Taxiarchis" (Dittenberger, S. 161; dort auch ältere Literatur).

> [... κ]ηδεκάτη, ἐπεψάφιδδε Καφισίας, Γου[...]ς [ἔλεξε· δεδόχθη]
> [τῦ δάμυ, πρόξενον εἶ]μεν κὴ εὐεργέταν τᾶς πόλιος Ταναγρή[ων
> ...]ί[α]ο Νεαπ[ολίταν]
> [αὐτὸν κὴ ἐσγόνως, κὴ εἶμεν αὐτῦς γᾶς] κὴ ϝυκίας ἔππασιν κὴ ϝι-
> σοτέλιαν κὴ ἀ[σφάλιαν κὴ ἀ]σουλίαν
> [κὴ πολέμω κὴ ἰράνας ἰώσας κὴ κα]τὰ γᾶν κὴ κατὰ θάλατταν, κὴ
> τὰ ἄλλα πάντα καθάπερ τοῖς ἄλλο[ις]
> 5 [προξένοις κὴ εὐεργέτης].

4 Dittenberger, S. 161: ΤΑΑΛΛΑ, aber S. 162: τἄλλα.

... Kaphisias brachte den Antrag ein, ... las ihn vor, das Volk stimmte zu: Proxenos und Wohltäter der Stadt Tanagra soll ..., der Neapolitaner, sein, er und seine Nachkommen, und sie sollen das Recht haben, Land und Wohnung zu erwerben; sie sollen haben Isotelie und Sicherheit und Asylie im Kriegs- wie im Friedensfall sowie zu Land und zu Wasser und all das übrige wie die übrigen Proxenoi und Wohltäter.

Zu diesem Proxeniedekret vgl. den Kommentar zur vorigen Nummer 746k/ G833, wo die entscheidenden Begriffe des boitischen Idioms erklärt werden. Der Name des hier begünstigten Neapolitaners (vgl. Tataki, S. 127, Nr. 23) ist in Z. 2 leider nur fragmentarisch erhalten: ί[α]ο.

Proxeniedekret für Πέλοψ

IG VII, Nr. 342.

Βασείλιος Χ. Πετράκος: Οι επιγραφές του Ωρωπού, Βιβλιοθήκη της εν Αθήναις Αρχαιολογικής Εταιρείας 170, Athen 1997, Nr. 111 (S. 95).

Argyro B. Tataki: Macedonians Abroad. A Contribution to the Prosopography of Ancient Macedonia, Μελετήματα 26, Athen 1998, S. 125, Nr. 5 und S. 126.

Oropos. „In duobus lapidibus... monumenti quod in fronte lapidis *a* habet titulum C. Scribonii Curionis" (Dittenberger, S. 110).

> Πύθων Καλλιγείτονος εἶπεν· δεδόχθαι τῷ δήμῳ, Πέλοπα Δεξία
>   Νεαπολίτην
> πρόξενον εἶναι καὶ εὐεργέτην τῆς πόλεως Ὠρωπίων καὶ αὐτὸν καὶ
>   ἐγγόνους,
> καὶ εἶναι αὐτῷ γῆς καὶ οἰκίας ἔνκτησιν καὶ ἰσοτέλειαν καὶ
>   ἀσυλίαν καὶ ἀσφάλειαν
> καὶ πολέμου καὶ εἰρήνης καὶ κατὰ γῆν καὶ κατὰ θάλατταν, καὶ
>   τἆλλα πάντα καθάπ[ε-]
> 5 ρ τοῖς ἄλλοις προξένοις καὶ εὐεργέταις.

Python, (der Sohn) des Kalligeiton, sagte: Das Volk möge beschließen, daß Pelops, (der Sohn) des Dexias, der Neapolitaner, Proxenos sei und Wohltäter der Stadt Oropos, er selbst und seine Nachkommen, und er soll das Recht haben, Land und Wohnung zu erwerben, und (er soll haben) Isotelie und Asylie und Sicherheit sowohl im Kriegs- als auch im Friedensfall, zu Land wie zu Wasser, und alles übrige wie [5] auch die übrigen Proxenoi und Wohltäter.

Z. 1 Pelops, der Sohn des Dexias, ist auch aus einem Proxeniedekret aus Tanagra bekannt (746k/G833). Das Formular des vorliegenden Dekrets stimmt in den Grundzügen mit dem aus Tanagra überein. Lediglich die sprachliche Gestalt gleicht mehr der gewohnten attischen. Zur Gattung der Proxeniedekrete vgl. den Kommentar zu 743r/G831, wo sich auch eine Liste aller in diesem Katalog aufgenommen Proxeniedekrete findet.

Z. 3 Zu dem Begriff ἔνκτησις vgl. den Kommentar zu 743k/G833, Z. 5.

Katalog von Wettkämpfern

IG VII, Nr. 416.

Βασείλιος Χ. Πετράκος: Οι επιγραφές του Ωρωπού, Βιβλιοθήκη της εν Αθήναις Αρχαιολογικής Εταιρείας 170, Athen 1997, Nr. 523 (S. 421–426 mit Abbildung Πίν. 81).

Argyro B. Tataki: Macedonians Abroad. A Contribution to the Prosopography of Ancient Macedonia, Μελετήματα 26, Athen 1998, S. 127, Nr. 16 (?).

Oropos. Gefunden 1957 an der Stelle, wo später das Museum gebaut wurde. Basis aus weißem Marmor (vgl. im einzelnen die Angaben bei Πετράκος, S. 421).

Da der Text 77 Zeilen umfaßt, drucke ich nur den uns interessierenden Abschnitt.

13 ἐπῶν ποιητής
14 Ἀγαθοκλῆς Θεοδοσίου Νεαπολίτης

Vermutlich liegt bei Tataki eine Verwechslung vor: Ihr Στέφανος (S. 127, Nr. 16) ist im Werk von Πετράκος unauffindbar, wohingegen umgekehrt Ἀγαθοκλῆς und sein Vater Θεοδόσιος bei ihr fehlen.

Ob es sich um das thrakische Neapolis handelt, ist nicht sicher, da die Liste international besetzt ist, Z. 40 hat einen Σικελὸς ἀπὸ Κατάνης und Z. 65 bietet einen Ἀλεξανδρεύς (so auch Z. 71).

747/G769
1. Jh. v. Chr.

Grabinschrift der Laelia Romaia

SEG XVI (1959) 211.
Fanoula Papazoglou: Le territoire de la colonie de Philippes, BCH 106 (1982), S. 89–106; hier S. 105, Anm. 72.
Band I, S. 236.

Attika: Καισαριανή. „Columellam marm. *Kaisariani* ad introitum monasterii inv. ed. A. A. Papagiannopoulos-Palaios, Πολέμων IV 1949/51, σύμμεικτα 4. Cf. eund., Καισαριανή, παράρτημα τοῦ Πολέμωνος, 1956, 14/15 c. adn. 10.“ (SEG, S. 68).

> *vacat* Λαιλία Ῥωμαία *vacat*
> *vacat* γυνὴ *vacat*
> Πύρρου Νεαπολίτου.

Laelia Romaia, die Frau des Pyrrhos, des Neapolitaners, (liegt hier begraben).

Z. 1 Die *Laelii* begegnen in Philippi in der Silvanusinschrift (163/L002, Z. 32: Lucius Laelius Felix) und in einer Inschrift vom jüdischen Friedhof in Thessaloniki (726/L719; hier gleich mehrere Beispiele, darunter eine Laelia Secunda). Laelia Romaia ist bei Κανατσούλης nicht berücksichtigt.

Man sollte vielleicht besser übersetzen: „Laelia, die Römerin usw.“; Ῥωμαία, fem. zu Ῥωμαῖος, heißt natürlich „römisch“, hier also: „die Römerin“. Es ist jedoch auch mit der Möglichkeit zu rechnen, daß Ῥωμαία als *cognomen* verwendet wird.

Z. 3 Zum Namen Pyrrhus bemerkt Papazoglou: „Le nom du mari rend très probable son origine macédonienne" (Papazoglou, S. 105, Anm. 72). Pyrrhus ist bei Κανατσούλης ebenfalls nicht berücksichtigt.
Interessant ist das Ethnikon Νεαπολίτης: „Malheureusement la date de l'inscription attique ne peut être précisée. Si celle-ci était postérieure à la fondation de la colonie, nous y aurions la preuve que Néapolis jouissait d'une certaine autonomie" (Papazoglou, S. 105, Anm. 72).
Die Datierung auf das 1. Jh. v. Chr. wird im SEG mit einem Fragezeichen versehen.

Ehrendekret aus Athen

748/G703
410/409 und
407/406

Δήμιτσας, Nr. 976 (S. 760–763).
SIG³ I 107.
IG I² 108.
Collart, S. 110 mit Anm. 2 (Literatur!); S. 114ff.; Pl. XXII 1.
SEG X (1949) 124.
Δημήτριος I. Λαζαρίδης: Νεάπολις, Χριστούπολις, Καβάλα. Οδηγός Μουσείου Καβάλας, Athen 1969, S. 22f. mit Abb. Πίναξ 24.
IG I³1 101.
Chrissoula Veligianni: Χάρις in den attischen Ehrendekreten der Klassischen Zeit und die Ergänzung in *IG* I³ 101, Z. 35–37, 51–52, The Ancient History Bulletin 3 (1989), S. 36–39.
SEG XXXIX (1989) [1992] 11.

Athen: Akropolis. „Olim in clivis arcis meridionalibus. Fragmenta novem, praeter unum, in constellationes duo composita (EM 6598). Fragmenta superiora tergum atque margines sinistram (in titulo) et dextram (in anaglypho) servant, a. 0,66, l. 0,58, cr. 0,065. Inferiora a sinistra atque a tergo integra, a. 0,65, l. 0,60, cr. 0,075. EM 6589 (vv. 12–20) addidit Wilhelm, undique mutilum, a. 0,165, l. 0,10, cr. 0,035; litterae certe sunt eaedem ac in manu prima et Θ]ασίο[ς fortasse v. 16 commemorat, sed H = η abesse videtur. De anaglypho, in quo repraesentatur Minerva stans cum scuto, quae sinistram versa manum porrigit, vid. Binneboeßel 6. 38–40 n. 15 et *phot. Arch. Jahrb.* 42, 1927, 70.
Adsunt lapicidae tres. Vv. 1–46 manus prima: litt. plerumque Att., sed H = η et semel Λ = λ (v. 44 Πόληι), spiritus asper abest (sed cf. v. 29 ἀφειληφότας), a. 0,01 (vv. 1–3 maiores); non στοιχηδόν, spat. vert. 0,157. V. 47 manus secunda: litt. Att. Vv. 48–64 et in rasuris vv. 7–8 manus tertia: litt. Att. a. 0,007; στοιχηδόν 0,0107, 0,0079. *Phot.* Em 6598 Svoronos, *Ath. Nat. Mus.,* tab. CCIV, *BSA* 46 tab. 23; EM 6589 *BSA* 46 p. 200" (IG I³, S. 118).

[Θε]ο[ὶ]·
[Ν]εο[π]ολιτõ[ν]

[τ]ῶμ παρὰ Θάσ[ον]·

[ἔ]δοχσεν τῆι β[ο]υ[λῆι] καὶ τōι δήμοι· Λεοντὶς ἐπρυτά[νευεν],

5   Σιβυρτιάδη[ς ἐγρα]μμάτευεν, Χαιριμένης ἐπεστ[άτει, Γλ-]

αὔκιππος ἦρχ[ε, . . .]θεος εἶπεν· [ἐπ]αινέσαι τοῖς Νεοπ[ολίταις]

<τοῖς>

παρὰ Θάσον [πρῶτον μ]ὲν ⟦ [ὅτι ἄποικοι ὄντες Θασίον] ⟧ [καὶ

πολιο-]

ρκόμενοι ⟦ [ὑπ' αὐτōν] ⟧ καὶ Πελο[πονν]ησίον οὐκ ἠθ[έλησαν ἀ-]

[πο]στῆνα[ι ἀπ' Ἀθηναί]ον, ἄνδ[ρες δ'] ἀγαθοὶ ἐγένο[ντο ἔς τε τὴ-]

10 [ν στρα]τ[ιὰν καὶ τὸν δῆ]μον τ[ὸν Ἀθηναίον κα]ὶ το[ὺς χσυμμά-]

[χους - - - - ¹³- - - -] ⌒ - - - - - ¹⁶- - - - - Ε[- - - -⁸- - - -]

lacuna

I

ΣΤΕΙ̣

ΤΕΣ̇

15   ΔΕΙϹ

ΑϹΙϹ

ΕΙΔΕ

ΙΟΣ

ΟΠ

20   ιτ

lacuna

[- - - - - - - - -²⁶- - - - - - - - Ἀθ]ηνα[ιο - - - - - - - -¹³- - - - - - - -]

[- - - - - - - - - - -²⁷- - - - - - - - - - -] χρήματα [- - - - -¹¹- - - - -]

[- - - - - - - - - - -²⁵- - - - - - - - - - -]νηι Ἀθηναίον [- - - -⁹- - - -]

[- - - - - - - - - -²⁴- - - - - - - - -]ιασιν εἶναι Νεοπο[λιτ - -⁴- -]

25 [- - - - - - - - -²²- - - - - - - -]ον καὶ χρῆσαι ΤΤΤΤΧΧ[. . . καθά-]

[περ οἱ στρατηγοὶ οἱ Ἀθηναί]ον ἐδέοντο ὅπος ἂν ἔχο̣[σιν ἐς]

[τὸν πόλεμον· δάνεια δὲ πο]ι̣ε̃σθαι αὐτοῖς ἐκ τō̃ χρημ[άτον τ-]

[ούτον ἅ ἐστι τῆς Νέας Π]όλεος ἐκ τοῦ λιμένος, τοὺς ἐν̣ [Θάσοι]

[στρατηγὸς ἑκάστο τō ἐ]νιαυτō ὅς ἀφειληφότας παρὰ [σφō̃ν γρα-]

30 [φσαμένος ἕος ἂν ἐντελ]ε̃ ἀποδοθῆι· ποιε̃ν δὲ ταῦτα ἕ[ος ἂν αὐ-]

[τοῖς ὁ πόλεμος ἦι ὁ πρὸς] Θασίος· ὅ δὲ διδόασι ν[ῦν Νεοπολῖτ-]

[αι οἱ ἀπὸ Θράικη]ς καὶ βουλόμενοι καὶ ἐθελοντ[αὶ ἔδοσαν τοῖς]

[ἑλληνοταμ]ίαις ⌐ΧΧΧΧⲢΗΗΗ καὶ πρόθυμοί εἰσ[ι ποιε̃ν ὅ τι δύν-]

[ανται ἀγ]αθὸν αὐτοὶ ἐπαγγειλάμενοι καὶ λ[όγοι καὶ ἔργοι ἐς τ-]

35 [ὴν πόλ]ιν τὴν Ἀθηναίον, καὶ ἀντὶ τῆς εὐεργε[σίας ταύτης τὸ νῦ-]

[ν εἶν]αι καὶ ἐν τōι λοιπōι χρόνο[ι] παρ' Ἀθηνα[ίον χάριτας εἶναι

αὐ-]

[τ]ο̣ῖς ὅς ἀνδράσιν οὖσιν ἀγαθο[ῖ]ς καὶ τὴ[ν πρόσοδον εἶναι αὐτ-]

οῖς πρὸς τὴμ βουλὴν καὶ τὸν δῆ[μ]ον π[ρότοις μετὰ τὰ ἱερὰ ὅς]

εὐεργέταις οὖσιν Ἀθηναίον· το[ὺς δὲ πρέσβεις τὰ ὑπομνήμα-]

40 τα τούτον ἅ οἱ Νεοπολῖται ἔδο[σαν πάντα παραδοῦναι τōι γρ-]

αμματεῖ τῆς βουλῆς, χορὶς μὲν [τὰ νῦν δεδομένα, χορὶς δὲ τἀλ-]

λα, καὶ τὸ φσήφισμα τόδε ἀναγρά[φσας ὁ γραμματεὺς ὁ]
τῆς βουλῆς ἐστήληι λιθίνηι καταθ[έτο ἐμ πόλει τέλεσι τοῖ-]
ς Νεοπολιτõν· ἐν δὲ Νέαι Πόλ ηι αὐτοὶ [ἀναγράφσαντες καταθ-]
45 έντον ἐν τõι ἱερõι τῆς Παρθένο ἐστήλ[ηι λιθίνηι· καλέσαι δὲ καὶ]
ἐπὶ χσένια τὴμ πρεσβείαν ἐς τὸ πρυτα[νεῖον ἐς αὔριον vacat]
Οἰνοβίοι Δεκελεεῖ στρατεγõι ΤΤΤΓΗ[ΔΔΔ ⊢ ⊢ ⊢ ⊢ ΙΙΙΙ].

Ἀχσίοχος εἶπε ⦂ ἐπαινέσαι τοῖς Νεοπολίταις τοῖς ἀπὸ [Θράικες
                                    hος ὅσιν ἀνδράσιν ἀγαθοῖς]
ἔς τε τὲν στρατιὰν καὶ τὲμ πόλιν τὲν Ἀθεναίον καὶ hότ[ι ἐς Θάσον
                                    ἐστρατεύοντο χσυμπολιορ-]
50 κέσοντες μετὰ Ἀθεναίον ⦂ καὶ hότι χσυνναυμαχõντ[ες ἐνίκον] καὶ
                                    [κατὰ γῆν χσυνεμάχον τὸν πά-]
ντα χρόνον καὶ τὰ ἄλλα hότι εὖ ποιõσιν Ἀθεναίο[ις, καὶ ἀντὶ
                                    τ]ούτον [τõν ἀγαθõν χάριτας παρὰ Ἀ-]
θεναίον εἶναι αὐτοῖς καθάπερ ἐφσέφισται τ[õι δέμο]ι ⦂ [κα]ὶ hόπος
                                    ἂμ μ[ὲ ἀδικõνται μεδὲν μέτ-]
ε ὑπὸ ἰδιότο μέτε ὑπὸ κοινõ πόλεος, τός τε σ[τρατεγὸ]ς hοὶ ἂν
                                    hεκάστοτε ἄ[ρχοσι πάντας ἐπιμέ-]
λεσθαι αὐτõν hό τι ἂν δέονται ⦂ καὶ τὸς ἄρχ[ο]ν[τ]ας τὸς Ἀθεναίον
                                    hοὶ ἂν hεκ[άστοτε hορõσιν σφ-]
55 õν τὲμ πόλιν Νεοπολίτας φυλάττοντα[ς] καὶ προθύμος ὄντας ποιῖν
                                    hό τι ἂν [αὐτοὺς κελεύοσιν]·
καὶ νῦν hευρίσκεσθαι αὐτὸς παρὰ τ[õ δ]έμο τõ Ἀθεναίον hό τι
                                    ἂν δοκῆι ἀγαθ[ὸν ... ⦂ περὶ]
δὲ τῆς ἀπαρχῆς τῆι Παρθένοι h[έπερ κ]αὶ τέος ἐγίγνετο τῆι [θε]õι
                                    ἐν τõι δέμο[ι πρᾶχσαι πρὸς αὐ-]
τός· ἐς δὲ τὸ φσέφισμα τὸ πρό[τερον ἐ]πανορθõσαι τὸγ γραμματέα
                                    τῆς βολῆς ⦂ κ[αὶ ἐς αὐτὸ μεταγρ-]
[ά]φσαι ἀντὶ τῆς ἀποικία[ς τῆς Θασί]ον hότι συνδιεπολέμεσαν
                                    τὸμ πόλεμον μ[ετὰ Ἀθεναίον ⦂ καὶ]
60 [- - - -⁸- - -]σαι ⦂ καὶ Π[- - -⁷- - - καὶ - - -]οφάντοι· ἐπαινέσαι
                                    hάτε νῦν λέγοσιν κ[αὶ πράττοσιν ἀγα-]
[θὸν hυπὲρ Ἀθε]ν[αίον τõ δέμο καὶ hότι] πρόθυμοί εἰσι ποιῖν hό
                                    τι δύνανται ἀ[γαθὸν ἐς τὲν στρα-]
[τιὰν καὶ τὲμ πόλιν ἐς τὸ λοιπὸν καθά]περ τὸ πρότερον· καλέσαι
                                    δὲ καὶ ἐπὶ χ[σένια ἐς αὔριον] vacat
[- - -⁷- - - εἶπε: τὰ μὲν ἄλλα καθάπερ τῆι] βουλῆι· τῆι δὲ Παρθένοι
                                    ἐχσαιρε̃[σθαι τὲν ἀπαρχὲν κα-]
[θάπερ τὸ πρότερον hὲν ἂν Νεοπολιτõν ho δ]έμος ε[ὔ]χσεται.
                                                                    vacat
65 vacat

Die textkritische Lage ist verwickelt, vgl. die im Apparat von IG I³1 zitierte Literatur. Ich gebe im folgenden durchweg den dort gebotenen Text. Zu dem Grund für die textkritischen

Komplikationen vgl. den Kommentar zu Z. 58f.

7f. Die Ergänzung geht auf Wilhelm zurück. An ihrer Stelle bietet der Stein jetzt *manu tertia*:

ὅ{υ}τι συνδιεπο[λέμεσ]αν τὸν πόλεμον μετὰ Ἀθεναίο[ν καὶ πολιο-]
ρκόμενοι ὑπ[ὸ Θασίον] καὶ Πελο[πονν]ησίον.

11 Da wir uns noch im nicht-στοιχηδόν-Abschnitt befinden, sind die Angaben der Zahl der jeweils fehlenden Buchstaben hier und im folgenden nur ca.-Angaben. **35–37** Veligianni kritisiert die Ergänzung von χάριτας als unwahrscheinlich, „die Wiederholung des Infinitivs εἶναι" sei zumindest „unwahrscheinlich" (S. 38). Ihre Alternative lautet:

καὶ ἀντὶ τῆς εὐεργε[σίας ὅτο ἀν δέοντ-]
αι καὶ ἐν τõι λοιπõι χρόνο[ι] παρ' Ἀθηνα[ίον εἶναι εὑρέσθαι αὐ-]
[τ]οῖς ὁς ἀνδράσιν οὖσιν ἀγαθο[ῖ]ς.

51f. Auch hier kritisiert Veligianni die Ergänzung von χάριτας (vgl. oben zu Z. 35–37). Ihre Alternative lautet hier:

[καὶ ἀντὶ τ]ούτον [κυρίας τὰς δωρειὰς παρὰ Ἀ-]
θεναῖον εἶναι αὐτοῖς καθάπερ ἐφσέφισται τ[õι δέμο]ι.

Die Götter. Der Neapolitaner gegenüber von Thasos. Rat und Volk haben beschlossen, als Leontis Prytane, Sibyrtides Schreiber, Chairimenes Vorsteher, Glaukippos Archon war, (...)theos sagte: Lobt die Neapolitaner gegenüber von Thasos zuerst, daß sie als Kolonisten der Thasier, obwohl sie von ihnen und den Peloponnesiern belagert wurden, nicht von den Athenern abfallen wollten, sondern gute Männer im Hinblick [10] auf das Heer, das Volk der Athener und die Bundesgenossen waren ... (die Summe von) vier Talenten 2000 Drachmen zur Verfügung stellen, [25] gerade wie die Strategen der Athener (ihrer) bedürfen, damit sie (die Summe) zum Krieg haben. Darlehen sollen ihnen aus diesem Geld gegeben werden, das aus dem Hafen von Nea Polis stammt. Die Strategen in Thasos schreiben jedes Jahr das auf, was sie von ihnen [30] genommen haben, solange bis es vollkommen zurückgezahlt wurde. Dies sollen sie so lange tun, wie der Krieg gegen die Thasier dauert. Was aber die Neapolitaner aus Thrakien jetzt geben, das gaben sie freiwillig und gern den Hellenotamiai, (es sind) vier Talente 634 Drachmen vier Obolen, und sie selbst sind bereit, nach Kräften Gutes zu tun, und machen es in Wort und Tat bekannt in der [35] Stadt der Athener, und für diese Wohltätigkeit danken ihnen heute und in Zukunft die Athener, weil sie gute Männer sind, und sie sollen Zugang haben zu dem Rat und dem Volk als erste nach dem Opfer als solche, die Wohltäter der Athener sind. Die Gesandten sollen die Aufzeichnungen [40] darüber, was die Neapolitaner gegeben haben, alle übergeben an den Schreiber des Rates, jedoch ohne das jetzt Verhandelte und ohne das Übrige (?). Und dieses Dekret soll der Schreiber des Rates auf einer steinernen Stele niederlegen in der Stadt auf Kosten der Neapolitaner. In Nea Polis aber sollen sie es aufschreiben und [45] in dem Heiligtum der Parthenos auf einer steinernen Stele niederlegen. Sie sollen aber auch die Gesandtschaft in das Prytaneion zu einem Gastmahl für morgen einladen.

[47] Für Oinobios, aus dem Demos Dekeleia, den Strategen, drei Talente 634 Drachmen vier Obolen.

[48] Achsiochos sagte: Lobt die Neapolitaner aus Thrakien, weil sie gute Männer sind zu dem Heer und der Stadt der Athener und weil sie gegen Thasos zu Felde gezogen sind und es belagert haben [50] zusammen mit den Athenern und weil sie in gemeinsamer Seeschlacht (mit den Athenern zusammen gegen Thasos) den Sieg errungen haben und zu Land die ganze Zeit über mitgekämpft haben und auch im übrigen den Athenern Wohltaten erwiesen haben. Und für diese Wohltaten sollen ihnen die Athener dankbar sein, wie das Volk beschlossen hat, auf daß sie niemals ein Unrecht erleiden sollen, weder von einem Privatmann noch von der Stadt als ganzer. Die Strategen, die jeweils im Amt sind, sollen immer für sie sorgen, welcher (Sache) sie auch immer bedürftig sind, und die Archonten der Athener, die jeweils diese Geschäfte führen, [55] sollen den Neapolitanern, die ihre Stadt bewachen und wohlwollend sind, tun, was auch immer sie ihnen befehlen. Und heute werden sie von dem Volk der Athener (dafür) befunden, was auch immer gut scheint ... betreffs des Erstlingsopfers für die Parthenos, das der Göttin eigen geworden ist, liege es bei ihnen im Volk, es darzubringen. In bezug auf den früheren Beschluß, daß der Schreiber des Rats ihn korrigiert, und es ist in ihm folgendes zu ändern: Anstelle des »der Kolonie der Thasier« (ist vielmehr zu lesen:) »weil sie den Krieg zusammen mit den Athenern fortgeführt haben«. [60] ... Lobt sie, weil sie jetzt Gutes sagen und tun für das Volk der Athener und weil sie bereit sind, nach Kräften Gutes für das Heer und die Stadt zu tun in Zukunft gerade wie früher. Ladet sie auch zum Gastmahl auf morgen ein. ... sagte: Das Übrige gerade wie in der Ratsvorlage; aber für die Parthenos soll das Erstlingsopfer ausgewählt werden wie früher, das das Volk der Neapolitaner gelobt.

Der Text besteht aus zwei Dekreten, nämlich Z. 1–Z. 47 Dekret Nr. 1 aus dem Jahre 410/09 (nicht στοιχηδόν, ungefähr 46 Buchstaben pro Zeile) und Dekret Nr. 2 aus dem Jahre 407/6 (? – die Datierung ist unsicher! Dieses Dekret στοιχηδόν mit 73 Buchstaben pro Zeile). Bei beiden Dokumenten handelt es sich um Ehrendekrete für die Neapolitaner, die im Gegensatz zu Thasos nicht von Athen abgefallen sind. In diesen Zusammenhang gehört auch die Inschrift 711c/G824 aus Thasos, die die Konfiskation von Mitgliedern

der athenerfreundlichen Partei auf Thasos anordnet (darunter bezeichnenderweise auch zwei Bürger von Neapolis! Zum Verhältnis zwischen Thasos
und Neapolis Ende des 5./Anfang des 4. Jh.s v. Chr. ist auch noch das
Dekret 711d/G825 von Interesse). Eine eingehendere Kommentierung des
vorliegenden Ehrendekrets ist im Rahmen dieses Katalogs nicht möglich.

Z. 1 Das formelhafte θεοί am Anfang des Dekrets bereitet dem Überset-
zer Schwierigkeiten, vgl. die salomonische Formulierung Woodheads: „This
occurs frequently in this position and, as it seems, rather cryptically indicates that, before matter under discussion was considered and decided, the
proper religious exercises had been performed or invocations made" (A.G.
Woodhead: The Study of Greek Inscriptions, Cambridge [2]1981, S. 39).

Z. 25 T steht für Talent, TTTT bedeutet demnach vier Talente; X steht
für χίλιοι (nämlich Drachmen), XX ist also 2000 Drachmen. Wer die Summe
von vier Talenten und 2000 Drachmen erhält, ist wegen der vorausgehenden
Lücke nicht deutlich; ihre Verwendung hingegen wird im folgenden festgelegt.

Z. 30 Γ mit einbeschriebenem T steht für πέντε Talente (vgl. oben den
Kommentar zu Z. 25 zu XXXX). Γ mit einbeschriebenem H steht für 500,
HHH für 300 Drachmen. Damit ergibt sich insgesamt: 5 Talente 4800 Drach-
men.

Z. 44f. In Neapolis soll der Stein im Heiligtum der Parthenos aufgestellt
werden. Zum Heiligtum der Parthenos vgl. die dort gefundenen Inschriften
005/G031 bis 017/G574 und die bei diesen angegebene Literatur.

Z. 47 Der Zusammenhang dieser Zeile zu den vorigen bzw. zu den folgenden ist unklar (vgl. die Beschreibung, wonach Z. 47 *manu secunda* ist). Die
Zahl ergibt sich wie folgt: TTT sind drei Talente, Γ mit einbeschriebenem H
steht für 500 Drachmen (die zusammen mit H und ΔΔ also 634 Drachmen
ergeben), ⊢⊢⊢⊢ schließlich steht für vier Obolen.

Z. 48 Hier beginnt *manu tertia* das zweite Dekret bezüglich der Neapolitaner, das στοιχηδόν geschrieben ist.

Z. 58f. Bemerkenswert ist die Passage καὶ ἐς αὐτὸ μεταγράψαι ἀντὶ »τῆς
ἀποικίας τῆς Θασίον« vielmehr »hότι συνδιεπολέμεσαν τὸμ πόλεμον μετὰ
Ἀθεναίον«: „On peut voir, en effet, sur la pierre que la correction a bien
été faite et que la formule ici indiquée a été regravée, en lettres plus petites
et plus serrées, à la place du texte primitif préalablement effacé" (Collart, S.
115). Das Verbum μεταγράφω wird hier also im Sinne von *„rewrite, alter* or
correct what one has written" (LSJ, S. 1111, s.v. μεταγράφω) verwendet: Im
zweiten Dekret wird die Änderung des Textes des ersten Dekrets beschlossen
(vgl. auch den textkritischen Apparat zu Z. 7f.). Mögliche Gründe für die
verlangte Änderung des ersten Dekrets diskutiert Collart (S. 116f.) mit dem
Ergebnis, daß Neapolis faktisch niemals eine thasisches Kolonie gewesen sei:
„L'erreur commise par l'auteur du premier décret peut s'expliquer suffisamment par la proximité des comptoirs thasiens de la Pérée, ainsi que par la
situation géographique de Néapolis en face de l'île, sur laquelle insistaient,

dans ce texte, les mots παρὰ Θάσον" (S. 117). Diese Collartsche Interpretation läßt sich jedoch nicht halten (zur *thasischen* Kolonie Neapolis vgl. Bd. I, S. 90, Anm. 17 und die dort aufgeführte Literatur).

Dekret aus Athen

749/G704
355 v. Chr.

Δήμιτσας, Nr. 977 (S. 763f.).
IG II/III² 1,1, Nr. 128.
SIG³ I 197.
Collart, S. 110f. mit Anm. 1 (Literatur!) und Abb. Pl. XXII 2.
Helen Pope: Foreigners in Attic Inscriptions, Philadelphia 1947 (Nachdr. in der Reihe Studia Historica, Band 65, Rom 1969), S. 125.
Theoder Kraus: Hekate. Studien zu Wesen und Bild der Göttin in Kleinasien und Griechenland, Heidelberger kunstgeschichtliche Abhandlungen N.F. 5, Heidelberg 1960, S. 75 mit Anm. 372 sowie S. 123f. mit Anm. 582.
Δημήτριος Ι. Λαζαρίδης: Νεάπολις, Χριστούπολις, Καβάλα. Οδηγός Μουσείου Καβάλας, Athen 1969, S. 24f. mit Abb. Πίναξ 25.
Hermann Bengtson: Die Verträge der griechisch-römischen Welt von 700 bis 338 v. Chr., Die Staatsverträge des Altertums II, München ²1975, Nr. 312.
Guy Thompson Griffith in Hammond II, S. 255f.
Argyro B. Tataki: Macedonians Abroad. A Contribution to the Prosopography of Ancient Macedonia, Μελετήματα 26, Athen 1998, S. 125f., Nr. 2.6.8.11.

Athen. „Stele aus pentelischem (oder hymettischem ...) Marmor, auf drei Seiten, links, rechts und unten abgebrochen, b. 0,43 m., h. 0,52 m., d. 0,095 m., stark abgescheuert, geschmückt mit einem versenkten Relief" (Bengtson, S. 286).
Das Relief weist noch zusätzlich eine eigene Inschrift als Beischrift zu der rechts abgebildeten Figur auf: „Anaglyphum repraesentat Minervam a sinistra adstantem, quae dextram porrigit alteri feminae pariter adstanti; huic litteris minutissimis superscriptum est ΓΑΡΘΕΝΟΣ. Hanc Dianam intelligendam esse Neapolis Thraciae deam tutelarem ex nummis (cf. Head² *Hist. num.* 197) huius urbis probabiliter demonstravit Schoene *Griech. Reliefs* p. 23, qui ipsum anaglyphum expressit tab. VII 48" (IG, S. 66). Zu der auf dem Relief neben Athene abgebildeten Parthenos vgl. auch Kraus, demzufolge die „archaistische, mit einem Polos bekrönte Figur" „zweifellos eine ins Relief übertragene Statue ist" (S. 124 mit weiterer Literatur in Anm. 582). Die Deutung der Παρθένος als Bendis (vgl. Collart, S. 112) lehnt Kraus ab (S. 75, Anm. 372).
Collart bemerkt: „La pierre est aujourd'hui conservée au Musée national à Athenes, où nous l'arms vue et photographiée (cat., Γλυπτά, n° 1480)" (S. 111, Anm. 1).

> [Ἐπ'] Ἐλπίνο ἄρ[χοντος]·
> *anaglyphum cum inscriptione superscripta* Παρθένος

[Ν]εοπολιτ[ῶν]

[Δη]μοσθένους τοῦ Θεοξ[ένου]

[Δι]ο[σκ]ουρίδου τοῦ Ἀμειψ[ίου].

5 [ἐπὶ] τῆς [Ἀντι]ο[χ]ίδος ἐνάτης πρυτανείας ἦι Λυσ[ίας Λυσ...]

[- -] Πιθεὺ[ς] ἐγρα[μ]μάτευεν, τῶν προέδρων ἐπεψήφ[ιζε Καλλιστ-]

[ογε]ίτων [Φ]η[γ]α[εύ]ς. *vacat*

[ἔδο]ξεν [τῆι] βουλῆι καὶ τῶι δήμωι· Πολύευκτο[ς εἶπεν· περὶ ὧν]

[οἱ π]ρέ[σβες] τῶν Νεοπολιτῶν λέ[γ]ουσι Δη[μο]σθ[ένης καὶ

Διοσκ-]

10 [ουρίδης, ἐ]ψη[φ]ίσθαι τῆ[ι] βουλῆ[ι] τὸς μὲν προ[έδρους οἳ ἂν τυγ-]

[χάνωσι π]ροε[δ]ρεύον[τε]ς [ε]ἰς τὴν πρώτ[η]ν ἐκκ[λησίαν

· προσαγα-]

[γεῖν αὐτοὺς] πρὸς [τ]ὸν δῆμ[ο]ν καὶ χρηματίσ[αι περὶ ὧν ἀπαγγέ-]

[λλοσι, γνώμη]ν δὲ [ξ]υ[μβ]άλλ[ε]σθα[ι] τῆς βουλῆ[ς εἰς τὸν δῆμον

ὅτ-]

[ι δοκεῖ τῆι β]ουλῆι, ἐπει[δ]ὴ ὁ δ[ῆμ]ο[ς] ἐψη[φισ - - - -14- - - - -]

15 [- - - -10- - - -]ΩΝΕΓ - ΣΑ - πόλ[εως] συμμα[χίδος - - -12- - - - -]

[- - - - -12- - - - -] ἀπαγωγὴν ἐάν τις ἀφικ[- - - - - -17- - - - - - -]

[- -5- - ἐλέσθαι ἐ]ξ Ἀθην[α]ίων ἁ[πά]ντων ο[ἵτινες - - - -11- - - - -]

[- - - - - - - - - - - - - - - - - - -47- - - - - - - - - - - - - - - - - -]

[- - - - - -14- - - - - -]τον τοῦτον [- - - - - - - - - -24- - - - - - - - - -]

20 [- - - - - -15- - - - - -]πο[- - - - - - - - - - - -30- - - - - - - - - - - -]

Ab Zeile 5 ist der Text στοιχηδόν, so daß die Angaben bezüglich der Zahl der fehlenden Buchstaben präzise sind. Pro Zeile sind es 47 Buchstaben.

Zur Herkunft der einzelnen Ergänzungen vgl. die Angaben bei Bengtson, S. 287.

18 Nach 13 fehlenden Buchstaben folgt ein Stück mit einzelnen lesbaren (vgl. IG II/III[2] 1,1, S. 66), danach fehlen 17 weitere Buchstaben.

Zur Zeit, als Elpines Archon war.

Parthenos.

Bezüglich der Neapolitaner Demosthenes, (des Sohnes) des Theoxenes, und Dioskurides, (des Sohnes) des Ameipsias.

[5] Als Antiochis zum neunten Mal Prytane war, als Lysias, (der Sohn) des ..., aus dem Demos Pithos, Schreiber war, brachte von den Vorsitzenden Kallistogeiton, aus dem Demos Phagaia, den folgenden Antrag ein:

[8] Der Rat und das Volk haben beschlossen. Polyeuktos sagte: In bezug auf die Vorschläge der Gesandten der Neapolitaner Demosthenes und Dioskurides sollen die Vorsitzenden, welche den Vorsitz führen bei der ersten Volksversammlung, im Rat beschließen lassen, daß sie vor das Volk geführt werden, und daß über das verhandelt wird, was sie berichten. Es soll die Auffassung des Rates hinzugefügt werden vor dem Volk, wonach der Rat der Ansicht ist: Da das Volk beschlossen hat ... [15] ... einer

verbündeten Stadt ... Ablieferung, wenn einer (ankommt [?])
... zu wählen aus allen Athenern, welche ...

„Die Urkunde stellt einen attischen Volksbeschluß dar, der im Sommer 355
unter dem Archonat des Elpines erlassen worden ist. Antragsteller des Pro-
buleuma war Polyeuktos, der wohl mit Polyeuktos von Sphettos zu identifizieren ist, einem bekannten Parteigänger des Demosthenes ... . Das Pro-
buleuma hat vorgesehen, die Gesandten Demosthenes und Dioskurides von
Neapolis in die Ekklesie einzuführen und mit ihnen zu verhandeln, ohne
Zweifel über ein Bündnis mit Neapolis, dessen Bedingungen mit dem abge-
brochenen Teil der Inschrift ebenso verloren sind wie die Ehren, die man für
die Gesandten beschlossen haben dürfte." (Bengtson, S. 287f.)
Zum Hintergrund der Inschrift vgl. Griffith (in Hammond II, S. 255f.):
„Though our record of the embassy of Neapolis to Athens in May 355 falls
short of telling us what Neapolis was asking or proposing then, and exactly
what had made her ask or propose it, it would not be surprising if some
pressure exerted by Philip lay behind it. Neapolis presumably was losing
much of her normal livelihood (from trade with the interior) by being at
war with Philip now, and though he may have hesitated to besiege a city
which could so easily be supplied and reinforced from Thasos as well as by
Athens, he may well have thought it good policy to invade her territory and
devastate the grain harvest in May or June, and so tighten the screw" (S.
256).

Bündnis Athens und der Könige Ketriporis von Thrakien, Lyppeios von Paionien und Grabos von Illyrien

750/G778
Juli 356
v. Chr.

IG II/III² 1,1, Nr. 127.
SIG³ I 196.
Collart, S. 139; S. 148; S. 152ff.; S. 157ff.; S. 166f.
Hermann Bengtson: Die Verträge der griechisch-römischen Welt von 700 bis 338
   v. Chr., Die Staatsverträge des Altertums II, München ²1975, Nr. 309.
Guy Thompson Griffith in Hammond II, S. 246ff.

Athen: Akropolis.
„Drei Bruchstücke einer Stele von pentelischem Marmor (a–c), a (Z. 1–14)
geschmückt mit einem Relief, einen nach rechts sprengenden Reiter abbil-
dend ..., b. 0,245 m, h. 0,31 m, d. 0,10 m. b (Z. 9–24): b. 0,12 m, h. 0,16
m, d. 0,10 m; c (Z. 25–47): b. 0,285 m, h. 0,235 m, d. 0,10 m. Von a und b
der linke Rand, von c der rechte Rand erhalten." (Bengtson, S. 281).

[Γ]ραμματεὺς Λυσίας Λυσ[... Πιθεύς].
συμμαχία Ἀθηναίων πρὸς Κετρίπορ[ιν τὸν Θρᾶικα καὶ το-]

ὺς ἀδελφοὺς καὶ πρὸς Λύππειον τὸν [Παίονα καὶ πρὸς Γρα-]
βον τὸν Ἰλλυριόν. ἐπὶ Ἐλπίνου ἄρχο[ντος ἐπὶ τῆς Ἱπποθω-]
5 [ντίδ]ος πρώτης πρυτανείας, ἑνδεκ[άτηι τῆς πρυτανείας·]
[τῶν πρ]οέδρων ἐπεψήφι[ζε]ν Μνήσαρχ[ος ----8---- ἔδοξεν]
[τῆι βο]υλῆι καὶ τῶι δήμωι· Καλλισθέ[νης εἶπεν· ἀγαθῆι τύ-]
[χηι τοῦ δήμ]ου τοῦ Ἀθηναίων, δέ[χ]εσθ[αι μὲν τὴν συμμαχία-]
ν [ἐφ' οἷς Μονο]ύνιος λέγει ὁ ἀδελφὸ[ς ὁ Κετριπόριος τὸν ἀ-]
10 δελ[φὸν τὸν αὐ]τὸ συνθέσθαι καὶ τὸν [ἐσταλμένον παρὰ τὸ]
δήμο [τὸ Ἀθηναί]ων Κετριπόριδι καὶ [τοῖς ἀδελφοῖς καὶ Λ-]
υππεί[ωι τῶι Παίο]νι καὶ Γράβωι [τῶι Ἰλλυριῶι, τὸς δὲ προ-]
έδρους [οἳ ἂν λάχωσι π]ροεδρε[ύεν ἐς τὴν πρώτην ἐκκλησί-]
αν προσ[αγαγὲν πρὸς τὸ]ν δῆ[μον Μονούνιον τὸν ἀδελφὸν τ-]
15 ὸν Κετρ[ιπόριδος καὶ Πεισιάνακτα καὶ τὰς πρεσβείας τ-]
ὰς ἡκόσ[ας παρὰ Λυππείου καὶ Γράβου καὶ ----9--- τὸν]
παρὰ Χάρητο[ς ἥκοντα, γνώμην δὲ ξυμβάλλεσθαι τῆς βουλ-]
ῆς ἐς τὸν δῆμον [ὅτι δοκεῖ τῆι βουλῆι τὴν μὲν συμμαχίαν]
δέχεσθ[αι, ἐ]πειδ[ὴ -------------30----------]
20 βων τογ[- - -]ν[-]ο[-----------32-------------]
Χάρητα [-------------36------------ Ἀθ-]
[ην]αίων [-------------38-----------]
[- ἐ]πὶ πο[λέμωι ----------33------------]
[- Λυ]ππ[ε]ι(?) [-------------37------------]
25 [-------------36-------------]κλυ[- -5- -]
[--------30------------]σ[-----]ε τὸ ἀργ[ύριο-]
[ν. ἐπαινέσαι δὲ Κετρίποριν καὶ τὸς ἀδελ]φὸς ὅτι εἰσ[ὶν ἄ-]
[νδρες ἀγαθοὶ περὶ τ]ὸν [δῆμον τὸν Ἀθηναί]ω[ν· ἐπαινέσ[αι δ-]
[ὲ καὶ Μονούνιον τὸν ἀδελφὸν τὸν ἥ]κο[ντα π]αρ[ὰ Κετριπόρ-]
30 [ιος ἀρετῆς ἕνεκα καὶ εὐνοίας καὶ] κα[λέσ]αι ἐπὶ ξένια ἐς
[τὸ πρυτανεῖον εἰς] α[ὔ]ριον· ἐπαινέσ]αι δὲ καὶ Πεισιάνα[κ-]
[τα καὶ καλέσαι ἐπὶ δεῖπνον ἐς τὸ πρυταν]εῖον εἰς αὔριο-
[ν· καλέσαι δὲ ἐπὶ ξένια τοὺς πρέσβες τὸς ἥ]κοντας παρὰ τ-
[ῶν ἄλλων βασιλέων εἰ]ς τ[ὸ] π[ρ]υ[τ]ανεῖον [ε]ἰς αὔριον. ἐὰν δέ
35 [το προσδέηι τόδε τ]ὸ ψή[φ]ισμ[α], τ[ὴ]ν [β]ουλ[ὴ]ν κυ[ρ]ίαν εἶναι·

                                                          ν

[πρέσβες ἥιρηνται]· Λυσικράτης ν Οἰν[αῖ]ος ν Ἀντίμαχος ν
[------12------ Θρά]σων ν [Ἐρ]χιεύς. vacat
[ὀμνύω Δία καὶ Γῆν] καὶ Ἥλιον καὶ Ποσει[δ]ῶ καὶ Ἀθηνᾶν καὶ
[Ἄρην, φίλος ἔσομαι] Κετριπόρι καὶ τοῖς ἀδελφοῖς τοῖς Κ-
40 [ετριπόριος καὶ σ]ύμμαχος καὶ πολεμή[σ]ω μετὰ Κετριπόρ-
[ιος τὸν πόλεμον τ]ὸν πρὸς Φίλιππον ἀδόλως παντὶ σθένε[ι]
[κατὰ τὸ δυνατόν, κ]αὶ οὐ προκαταλύσομαι τὸν πόλεμον ἄν-
[ευ Κετριπόριος κ]αὶ τῶν ἀδελφῶν τὸν πρὸς Φίλιππον κ[αὶ]
[τἆλλα χωρία ἃ κατ]έχε[ι] Φίλιππος συνκα[τ]α[σ]τρέψομαι μ[ε-]
45 [τὰ Κετριπόριος κ]αὶ τῶν ἀδελφῶν καὶ Κρηνίδ[α]ς συνε[ξ]αι-

[ρήσω μετὰ Κετριπ]ό[ρ]ιος κα[ὶ τ]ῶν [ἀδ]ελφῶν καὶ ἀποδώσω τὰ
[- - - - -¹⁴- - - - -] Ο[- - -]ΟΡΩ[- - - -]Λιοτι[-] ^Γ[- -]σωσιν [- - - -]

Der Text ist ab Z. 2 στοιχηδόν geschrieben mit 44 Buchstaben pro Zeile. Die Angaben bezüglich der Zahl der fehlenden Buchstaben sind also präzise.
Ich gebe den bei Bengtson, S. 282f., gebotenen Text.
Zur Herkunft der Ergänzungen vgl. die Angaben bei Bengtson, S. 283.

Es handelt sich hier um den Vertragstext eines Bündnisses (συμμαχία, Z. 2) Athens mit Ketriporis, dem König von Thrakien (ebd.), Lyppeios, dem König von Paionien (Z. 3), und Grabos, dem König von Illyrien (Z. 3f.). Zum historischen Hintergrund dieser gegen Philipp II. gerichteten συμμαχία s. Griffith bei Hammond II, S. 246ff.

Z. 45 Dies ist die einzige inschriftliche Bezeugung für die Stadt Κρηνίδες, der Vorgängersiedlung von Philippi. Die Stadt befindet sich schon in Philipps Hand. Somit ist diese Inschrift der *terminus ad quem* für das Eingreifen Philipps. Die Absichtserklärung, Κρηνίδες dem Philipp wieder zu entreißen (Z. 45f.: καὶ Κρηνίδας συνεξαιρήσω), führte freilich zu nichts: „Surprisingly (astonishingly, even), we do not know for certain that Philip ever had to fight for Crenides again" (Griffith bei Hammond II, S. 249). Zum weiteren Verlauf der Ereignisse s. Griffith, a.a.O., S. 251ff.

Katalog von Söldnern aus Athen

751/G705
um 300
v. Chr.

Paul Perdrizet: Proxènes macédoniens à Delphes, BCH 21 (1897), S. 102–118; hier S. 109, Anm. 1.
IG II/III² 2,2, Nr. 1956.
Collart, S. 178.
Helen Pope: Foreigners in Attic Inscriptions, Philadelphia 1947 (Nachdr. in der Reihe Studia Historica, Band 65, Rom 1969), S. 161.
Griffith in Hammond II, S. 360.
P.M. Fraser: Thracians Abroad: Three Documents, in: Ἀρχαία Μακεδονία V 1, S. 443–454; hier S. 445–448 mit Abb. Pl. 2 auf S. 453.
Argyro B. Tataki: Macedonians Abroad. A Contribution to the Prosopography of Ancient Macedonia, Μελετήματα 26, Athen 1998, S. 164, Nr. 13.

Athen. „In Erechtheo, nunc EM 8091. Pars infima tabulae marmoris Pentelici, quam homines aetatis Byzantinae in basem columnae converterunt, a. 0,72, l. 0,31, cr. 0,20" (IG, S. 438).
Fraser (a.a.O., S. 445 mit Anm. 10) datiert unsere Inschrift auf die Jahre zwischen 315 und 309 v. Chr. Zur Begründung siehe seine Anm. 10.

Kolumne 1:
[Σ]εύθης
Σιμίας
Διονύσιος
Γλαυκίας
5 Βάκχιος
Παρμενίσκος
Πυρρίας
Εὔδημος
[Ἱπ]πίας
10 Στράτων
Ἀσκληπιόδωρος
Ζωίλος
Θόας
Διονύσιος
15 Ζωίλος
Ἡρακλείδης
Σῖμος
Παρμενίων
Κτησίας
20 Κόνων
Πατουμάσης
Δίβυθος
Ῥοσηζίς
Φίλων
25 Πατούμας
Δουλήζελμις
Κάρσις
Πυρουρρήδης
Δριαζίς
30 Δισούπης
Πρωτίων
Ἀριστόμαχος
Πυρρίας
Σῖμος
35 Κόλπος
Πυρρίας
Κεδρήπολις
Μάμοξις
Θέων
40 Κένθος
Ἡρακλείδης
Δρομιχαίτης
Τράλις

Καλλίστρατος
45 Γλαυκίας
Νικίας
Λευκανοί
 Βάκχιος
 Λέων
50 Λεύκων
 Θετταλοί
 Νίκων
 Θεότιμος
 Αἰσχίνης
55 Αἴθιξ
 Λέσχος
 Κῶιοι
 Διοκλῆς
 Καρύστιοι
60 Διονυσόδωρ
 Λαρισαῖοι
 Ἑρμόδωρος
 Μεσσάνιοι
 Αἰσχρίων
65 Ἀσπένδιοι
 Φίλων
 Κυρηναῖοι
 Ξένων
 Μεγαρεῖς
70 Διονύσιος
 Σωκλῆς
 [...]νος
 [Ἐρ]υθραῖο[ι]

Kolumne 2:
Κη[ρίνθιοι]?
75 Σ[...]
 Μελ[...]
 Ἡφαι[στ...]
 Καρύστιοι
 Διοκλῆς
80 Κυζικηνοί
 Διοφάνης
 Αἰνιᾶνες
 Ἀγέμαχος
 Ἀρίστων

85 Ἀμύντας
 Δικαίαρχος
 Δράκ<ω>ν
 Ἱππίας
 Θηβαῖοι
90 Εὔφημος
 Λήμνιοι
 Σώστρατος
 Σώστρατος
 Κᾶρες
95 Μέλας
 Φασηλῖται
 Μουσαῖος
 Θεαγγελεῖς
 Ερμογένης
100 Φανίας
 Μελάνθιος
 Ἡρακλείδης
 Ἀρτεμίδωρος
 Ἐφέσιοι
105 Κν<ῶ>σος
 Ἀργεῖοι
 Μητρόδωρος
 Μηθυμναῖοι
 Ἀγίας
110 Ζωίλος
 Κασσανδρεῖς
 Διόδοτος
 Θράσων
 Ἀριστοκλῆς
115 Πλειστίας
 Διοφάνης
 Κολοφώνιοι
 Σώπατρος
 Κρίτων
120 Περίνθιοι
 Διονύσιος
 Ἡράκλειτος
 Ζ<ω>ίλος
 Δίων
125 Σαμοθρᾶικες
 Πάμφιλος
 Λεωκράτης
 Μιλήσιοι

Εὐάγορος

130 Θεόμνηστος

Σιδῆται

Ξένων

Μυτιληναῖο[ι]

Λαμέ[δ]ω[ν]

135 Ἑρμ<ῶ>ναξ

Ἡρακλείδης

Στράτων

Μαλιεῖς

Φιλώτας

140 Ῥόδιοι

[Κ]ό[ν]ων

Kolumne 3:

[Ἀμ]είνιχος

Ἀγέας

Δάμων

145 Ἰασεῖς

Σαμιάδης

Ἁλικαρνασσ[εῖς]

Μοσχίων

Φιλιππεῖς

150 Ἑρμόλυχος

Λύκιοι

Ἀγάθων

Ἡρακλεῶται

Ἑρμίας

155 Σώστρατος

Ἀθαμᾶνες

Ὀρθαγόρας

Πριηνεῖς

Τιμαγένης

160 Ὀλύνθιοι

Θεόμναστος

Γαργαρεῖς

Δεινοκράτης

Καρύστιοι

165 Σόφων

Μικίνου

Λοκροί

Μικίνας

Τίμων

170 Ἀρίστων

Νικόλας

Αἰνιᾶνες

Ἀνδρέας

Μιλήσιοι

175 Ζώπυρος

[[Θηβαῖοι]]{ς}

Λύσανδρος

Διοσκουρίδης

Βοιωτοί

180 Ἀντίγων

Φωκεῖς

Οἴνιχος

Τιμόκριτ[ος]

Θρᾶικες

185 Θεόδωρος

Νίκων

Περίνθι[οι]

Φιλόξεν[ος]

Ἠπειρῶται

190 Βοίσχος

Ἀχαιοί

Μένα[ρ]χος

Ὀλύμπιχο[ς]

Ξένω[ν]

195 Μεγακλέου[ς]

Περίνθιοι

Μεγακλῆ[ς]

Λοκροί

Δίων

200 Εὐθίας

Θέων

Πύρρος

Εὐαγ[...]

Ο[...]

---

87 Auf dem Stein: ΔΡΑΚΟΝ. **105** Auf dem Stein: ΚΝΟΣΟΣ. **123** Auf dem Stein: ΖΟΙΛΟΣ. **135** Auf dem Stein: ΕΡΜΟΝΑΞ. **176** Auf dem Stein: ΘΗΒΑΙΟΣ Rasur.

Es handelt sich um eine Liste von Namen, deren Anfang verlorengegangen ist. Aus der Liste selbst geht nicht hervor, um was für Namen es sich handelt; „but certainly the most likely explanation is that we have a list of mercenary troops in Athenian service, whose names have been perpetuated by the state for some reason" (Fraser, S. 445).

Verschiedene Seltsamkeiten unserer Liste, so beispielsweise die merkwürdige Reihenfolge oder auch die Wiederholungen mancher Rubriken, würden erklärt, wenn man mit Fraser annimmt, daß es sich um eine Liste von Gefallenen handelt (a.a.O., S. 448).

Z. 1–46 Es handelt sich um Thraker, wie die Namen zeigen. Zur Interpretation vgl. Fraser, a.a.O., S. 445ff.

Z. 111–116 Diese Zeilen sind für die Datierung entscheidend: „quinque homines Cassandrenses recensentur, quorum urbem c. a. 316/5 conditam esse ex Diod. XIX 52 colligitur. Titulus igitur saeculo quarto exeunte vel paullo post lapidi incisus esse Koehlero videtur" (IG, S. 440).

Z. 149 Hier beginnt die Liste der Philipper (Φιλιππεῖς), die allerdings nur aus einem einzigen Namen besteht (s. die folgende Zeile). Es handelt sich nach Fraser um „the earliest documentary instance of the ethnic, if I am not mistaken" (a.a.O., S. 446). Fraser übersieht die vermutlich ältere Inschrift aus Delphi (745/G782), wo Z. 3f. bereits Φιλιππεῦσι begegnet! Das Ethnikon steht im Plural, obgleich nur ein Philipper genannt wird! Zu Φιλιππεύς vgl. o. Bd. I, S. 116–118. Ich habe dort jedoch nicht alle Belege für diese „vorpaulinische" Form genannt. Hier haben wir das 14. Beispiel auf einer Inschrift außerhalb des Territoriums (nach 699a/G841; 704/GL694; 704a/G786; 711a/G811; 711b/G812; 745/G782; 745b/G827; 745c/G828; 746a/G820 sowie viermal in 746b/G822).

Z. 150 Der Name des Söldners aus Philippi, Ἑρμόλυκος, begegnet in den Inschriften aus Philippi sonst nicht.

Z. 164 Ein anderer Einwohner von Karystos (auf Euböa) kommt schon vorher (Z. 78f.) vor.

752/G759
320/19
v. Chr.

Ehrendekret für Nikostratos

Benjamin D. Meritt: Greek Inscriptions, Hesperia 13 (1944), S. 210–266; hier S. 234–241.

W. Kendrick Pritchett/O. Neugebauer: The Calendars of Athens, Cambridge (Mass.) 1947, S. 61f.

Helen Pope: Foreigners in Attic Inscriptions, Philadelphia 1947 (Nachdr. in der Reihe Studia Historica, Band 65, Rom 1969), S. 161.

Αλ. Ν. Οικονομίδης: Δημάδου του Παιανιέως ψηφίσματα και επιγραφικαί περί του βίου πήγαι, Πλάτων 8 (1956), S. 105–129; hier S. 118f.

Benjamin D. Meritt: The Athenian Year, Berkeley/Los Angeles 1961, S. 119f.

W. Kendrick Pritchett: Ancient Athenian Calendars on Stone, Berkeley/Los Angeles 1963, S. 376f.

Sterling Dow: Three Athenian Decrees. Method in the Restoration of Preambles, HSCP 67 (1963), S. 55–75; hier S. 67–75.

Benjamin D. Meritt: The Year of Neaichmos (320/19 B.C.), Hesperia 32 (1963), S. 425–439.

SEG XXI (1965) 306.

Argyro B. Tataki: Macedonians Abroad. A Contribution to the Prosopography of Ancient Macedonia, Μελετήματα 26, Athen 1998, S. 166, Nr. 27 (mit defizitären Literaturangaben!).

Athen. Eine endgültige Einigung über die vorzunehmenden Ergänzungen des fragmentierten Ehrendekrets konnte noch nicht erzielt werden. Die Genese der verschiedenen Rezensionen wird im SEG kurz folgendermaßen beschrieben:

„Fragmenta duo inter se coniuncta stelae marm., Agora inv. I 5626, ed. B. D. Meritt, *Hesperia* XIII 1944, 234/41 n. 6, c. im. ph.; cf. W. K. Pritchett et O. Neugebauer, *Calendars of Athens*, 1947, 61/2. Eo tempore lapidem ipsum non perscrutari potuit Meritt, sed postea lectione meliore editionem priorem correxit et textum praeferendum praebuit, *The Athenian Year*, 1961, 119/20. Primae editionis textus quattuor (quorum tres reiecerat ipse Meritt) editionemque quintam nuper prolatam examinavit Sterling Dow, *HSCP LXVII* 1963, 67/75, qui ceteris sepositis textum suum protulit. Textum (quintum) a Meritt editum reprehendit quoque W. K. Pritchett, *Ancient Athenian Calendars on Stone*, 1963, 376/7.

Ita impulsus in titulum hunc cura intentissima incubuit Meritt, *Hesperia* XXXII 1963, 425/32, ubi textum (quintum) leviter correxit et conatum suum novum (septimum) profert. Illum ideo infra exhibemus, addito textu versuum 1/8 a Dow elaborato.

Quod decretum hoc quoque movit Demades, vid. A. N. Oikonomides, Πλάτων VIII 1956, 118/19 n. 13." (SEG, S. 86f.).

Daher halte ich es für sinnvoll, nicht eine Rezension samt zugehörigem kompliziertem Apparat zu bieten; vielmehr folge ich dem Beispiel des SEG und drucke die drei wichtigsten Rezensionen hintereinander ab.

Fassung a)
(Meritt 1963)

[Νικόστρατος ...]λωνος Φιλ[ιππεύς?].

[ἐπὶ Νεαίχμου ἄρχοντος], ἀναγραφέω[ς δ' Ἀρχεδί-]

[κου τοῦ Ναυκρίτου Λαμπ]τρέως, ἐπὶ τῆ[ς Οἰνεῖδ-]

[ος ἕκτης πρυτανείας ἧι ..]νων Ὀῆθ(εν) ἐγραμ[μάτε-]

5 [υεν· Γαμηλιῶνος δεκάτηι ἱσ]ταμένου, τετ[άρτηι]

[καὶ εἰκοστῆι τῆς πρυτανεί]ας· ἐκκλησί[α· τῶν π-]

[ροέδρων ἐπεψήφιζεν - - 5 - -]οφῶν Στει[ρι(εύς)· ἔδοξ-]

[εν τῆι βουλῆι καὶ τῶι δήμωι]· Δημάδης Δη[μέου Π-]

[αιανιεὺς εἶπεν· v ἐπειδὴ Νι]κόστρατο[ς - - 5 - -]

10   [...] τε τῶν ἐς Σ[- - -6- - -]

                [...] Ἀθηναίων μη[- -4- -]

                [...] τοὺς ἐπιβουλ[- - -]

                  [...] Ἀθηναι[- - 5 - -]

                [... γυναι]ξὶ καὶ παι[σὶν]

15   [...]ε[-] ὁ μέλλων Λ[- - -]

                [... κα]ταληφθῆναι [- - -]

                [...]ων καὶ δι Λ[- - 5 - -]

                  [...]ν αὐτὸν Ἀθ[ηναῖ-]

           [ον ... ἐπίστατ(?)]αι ὁ δῆμος ὁ [Ἀθη-]

20   [ναίων ...]ο πλέον τ[- -4- -]

                 [...]ι μετ[- -4- -]

$$[\ldots] \underset{.}{\tau}\alpha[- - \tfrac{5}{} - -]$$
$$[\ldots]\underset{.}{\iota}[- - \tfrac{5}{} - -]$$

Meritt nimmt an, daß der Text ab Z. 2 στοιχηδόν ist mit 36 Buchstaben pro Zeile.
5 Nach Meritt standen die zwei Iota „in one space" (S. 432). **9** Vor ἐπειδή postuliert
Meritt ein „single space left blank" (ebd.).

Fassung b)
(Dow 1963)

[Νικόστρατος - -⁴¹⁄₂- -]λωνος Φιλ[ιππεύς?].
[ἐπὶ Νεαίχμου ἄρχοντος], ἀναγραφέω[ς δ' Ἀρχεδί-]
[κου τοῦ Ναυκρίτου Λαμπ]τρέως, ἐπὶ τῆ[ς Οἰνεῖδ-]
[ος ἕκτης πρυτανείας ἧι - -]νων Ὀῆθ(εν) ἐγραμ[μάτ-]
5 [ευεν· Γαμηλιῶνος ἕκτηι ἱσ]ταμένου, τετ[άρτηι]
[καὶ εἰκοστῆι τῆς πρυτανεί]ας· ἐκκλησί[α· τῶν]
[προέδρων ἐπεψήφιζεν - - - -]οφῶν Στει[ρ(ιεύς)· ἔδοξ-]
[εν τῆι βουλῆι καὶ τῶι δήμωι]· κτλ.

Dows Rezension beruht auf der Annahme von 35 Buchstaben pro Zeile (außer in den Z.
1, 3 und 5).

Fassung c)
(Meritt 1961)

['Ἐπὶ Νεαίχμου ἄρχοντος, ἐπ'] ἀναγραφέω[ς δὲ Ἀρχε-]
[δίκου τοῦ Ναυκρίτου Λαμπ]τρέως, ἐπὶ τῆ[ς Οἰνεῖ-]
[δος ὀγδόης πρυτανείας ἧι - - -]νων Ὀῆθ(εν) ἐγραμ[μάτ-]
5 [ευεν· Μουνιχιῶνος ὀγδόηι ἱσ]ταμένου, τετ[άρτηι]
[καὶ τριακοστῆι τῆς πρυτανεί]ας· ἐκκλησί[α κυρ-]
[ία· τῶν προέδρων ἐπεψήφιζεν Ἰ]οφῶν Στει[ρ(ιεὺς) καὶ σ-]
[υμπρόεδροι· ἔδοξεν τῶι δήμωι]· Δημάδης Δη[μέου]
[Παιανιεὺς εἶπεν· ἐπειδὴ - -]κόστρατο[ς - - ⁵ - -]
10 κτλ.

1961 rechnete Meritt mit einer Zeilenlänge von 38 Buchstaben pro Zeile ab Z. 2. In den
Z. 2, 3, 4, 6, 7 und 8 nahm er damals jeweils eine Leerstelle am Schluß der Zeile an. In Z.
9 postulierte er zwei Leerstellen vor dem ἐπειδή.

Übersetzt wird die Fassung a) von 1963:

Nikostratos, (der Sohn) des … lon, der Philipper.
Als Neaichmos Archon war, Anagrapheus aber Archedikos, (der
Sohn) des Naukritos, aus dem Demos Lamptrai, zur Zeit der
sechsten Prytanie des Oineides, als … aus dem Demos Oe Gram-
mateus war; [5] im Monat Gamelion am 10. Tag, am 24. Tag

der Prytanie. Volksversammlung. Von den Vorsitzenden brachte
... ophon, aus dem Demos Steiria, den Antrag ein. Der Rat und
das Volk haben beschlossen. Demades, (der Sohn) des Demeas,
aus dem Demos Paianiea, sagte: Da Nikostratos ...

Z. 1 Der Name Nikostratos ist in Z. 9 vollständig erhalten und kann hier
daher mit Gewißheit rekonstruiert werden. Den Namen des Vaters könnte
man allenfalls raten, da die Zahl der fehlenden Buchstaben in Z. 1 nicht
bestimmt werden kann (der Text ist erst ab Z. 2 στοιχηδόν!).
Unser Nikostratos ist als Bürger von Philippi sonst nicht nachgewiesen (vgl.
Tataki, S. 166, Nr. 27).
Zum Ethnikon Φιλιππεύς vgl. o. Bd. I, S. 116–118. Ich habe dort nicht alle Belege für diese „vorpaulinische" Form genannt. Hier haben wir das 15. Beispiel
auf einer Inschrift außerhalb des Territoriums (nach 699a/G841; 704/GL694;
704a/G786; 711a/G811; 711b/G812; 745/G782; 745b/G827; 745c/G828;
746a/G820; viermal in 746b/G822 und einmal in 751/G705).

Spendenliste aus Argos

752a/G797
Ende des 4.
Jh. v. Chr.

Walther Prellwitz: Die argivischen Inschriften, Sammlung der griechischen Dia-
lekt-Inschriften, Dritter Band, erste Hälfte, III. Heft, Göttingen 1889, Nr. 3286
(S. 129f.).
Paul Perdrizet: Proxènes macédoiniens à Delphes, BCH 21 (1897), S. 102–118; hier
S. 109, Anm. 1.
IG IV 617.
Collart, S. 178 mit Anm. 3.
Louis Robert: Études de numismatique Grecque, Paris 1951, S. 190, Anm. 4.
L. Gounaropoulou/M.B. Hatzopoulos: Les milliaires de la Voie Egnatienne entre
Héraclée des Lyncestes et Thessalonique, Μελετήματα 1, Athen 1985, S. 57–60.
M.B. Hatzopoulos: Strepsa: A Reconsideration or New Evidence on the Road Sy-
stem of Lower Macedonia, in: M.B. Hatzopoulos/L.D. Loukopoulou: Two Stu-
dies in Ancient Macedonian Topography, Μελετήματα 3, Athen 1987, S. 17–60;
hier S. 47.
Papazoglou, S. 127; S. 133; S. 180; S. 182.

Argos. „Argis in museo tabula lapidis calcarii reperta a. 1854 prope ecclesiam S. Panagiae. Supra et infra servatus est margo. A. 0,46. l. 0,45. cr.
0,15" (IG, S. 105).

⊙ Αἰγιναίανς. Ἡρακλειῶται : : · Αἰγινα[ίανς].
[Ὑ]παταιεῖς ⊙⊙⊙ : : · Αἰγιναίανς. ἐξ Ἐχίνο[υ ...]
Αἰγιναίανς. Ὠρεῖται [⊙ (?)] : : · = Αἰγιναίανς [–]
[Παγ]ασαῖοι ⊙ Ἀλεξανδρείανς. Φεραῖοι ⊙⊙ : : ·
5 [Ἀλ]εξανδρείανς. Φαρσάλιοι ⊙ : : : Αἰγιναία[νς].
[– –ί]ανς. Λαρισαῖοι ⊙ Αἰγιναίανς. Ξέναρχ[ος]

Ἀλεξανδρείανς. Ἄτραξ [Ⲟ (?)] Ⲟ *vac.* Αἰγιναία[νς]

[– –]ίεις Ⲟ Αἰγιναίαν[ς]. ἐκ Κιερίου *vac.* Γ *vac.* Ἀλεξ[ανδρείανς].

[– – –]Σ[– –]Υ[– –]λλίθας Ⲟ [Αἰγι]ναίανς. Μ[– –]

10 [– – – –]Λ. Ἀλεξανδρείαν[ς]. ἐγ Γονφῶν Γ [– –]

Γ Ⲟ Ἀλεξανδρείανς. [Ἐ]χχ Πελ[ἱ]νν[α]ς Γ Ⲟ Ἀλ[εξανδρείανς].

Αἰγιναίανς. Φαλαννεῖς Γ Ἀλεξανδρείαν[ς].

[– – ία]νς ἐξ Ὁμολίο<υ> Ⲟ Ἀλεξανδρείανς. [Γον(?)]νεῖς

[– – –]ιοι.. ἐξ Ἀσ... ⲞⲞ Ἀλεξανδρε[ία]ν[ς].

15 [ἐξ Αἰ]γεᾶν ⲞⲞⲞ : : Αἰγιναίανς. Ε[– –]

[Ἀλ]εξανδρείανς. ἐξ Ἐδέσσας ⲞⲞⲞ Αἰγιναί[ανς].

[Ἀταλα]νταῖοι [–] Ἀλεξανδρείανς. Εὐρωπαῖο[ι –]

[Ἀλεξανδρ]είανς. [– – – –] Ⲟ [...]

[Ἀλεξανδρ]είανς. [...]

20 [– –ί]ανς. Κα[σσανδρεῖς ...]

[Φι]λιππεῖς ⲞⲞ ...]

ⲞⲞⲞ [...] Ἀλε[ξανδρείανς].

ⲞⲞⲞ [...].

Zu den *variae lectiones* sind die Angaben bei Prellwitz sowie in den IG heranzuziehen. Ich habe den IG-Text nur in Z. 15 modifiziert, vgl. unten den Kommentar z. St.

...10 aiginetische Drachmen. Die Herakleoten 5 aiginetische Drachmen. Die Hypateer 35 aiginetische Drachmen. Aus Echinos ... aiginetische ... . Die Oriter 15 (?) aiginetische Drachmen, 2 Obolen. Die Pagasener 10 Alexander-Drachmen. Die Pheraier 25 [5] Alexander-Drachmen. Die Pharsaler 16 aiginetische Drachmen. ... Die Larisaier 10 aiginetische Drachmen. Xenarchos ... Alexander-... . Atrax 20 (?) aiginetische Drachmen. ... 10 aiginetische Drachmen. Aus Kierios 50 Alexander-Drachmen. ... 10 aiginetische Drachmen. ... [10] ... Alexander-... . Aus Gonphoi 50 ... ... 60 Alexander-Drachmen. Aus Pelinna 60 Alexander-Drachmen. Aiginetisch ... . Die Phalanner 50 Alexander-Drachmen. ... Aus Homolios 10 Alexander-Drachmen. Die Gonner (?) ... . Aus ... 20 Alexander-Drachmen. [15] Aus Aigea 34 aiginetische Drachmen. ... Alexander-... . Aus Edessa 30 aiginetische Drachmen. Die Atalanter ... Alexander-... . Die Europer ... Alexander-... ... Alexander- ... . [20] Die Kassandrer ... Die Philipper 20 ... Drachmen ... ... 30 ... Drachmen ... Alexander-... . 30 ...

„Die Inschrift enthält ein Verzeichnis der Beiträge, die von Privaten oder von Gemeinden zu leisten sind. Abgesehen von Oreos liegen die letzteren sämmtlich in Thessalien oder Makedonien. Sie sind geographisch geordnet, was die Herstellung erleichtert" (Prellwitz, S. 129f.). Wir haben insofern also eine Parallele zur großen Theorodokoi-Inschrift aus Delphi, deren makedonischer Abschnitt unter Nummer 745a/G819 aufgenommen ist; dort wird im Kommentar auch die Reihenfolge der makedonischen Städte diskutiert, worauf hier ein für allemal verwiesen sei.

„Nach *F.[oucart]* stammt der Stein aus dem Tempel der Ἄρτεμις Φεραία zu Argos, von deren Bild Pausanias 2. 23₅ berichtet ἐκ Φερῶν τῶν ἐν Θεσσαλίᾳ κομισθῆναι" (Prellwitz, S. 130). Spenden für Artemis bzw. ihren Tempel in Argos sind es also, die unser Dokument auflistet.

Z. 1–14 ist der thessalische Teil der Liste, spätestens in Z. 15 setzt der makedonische Teil ein. Dieser allein soll im folgenden kurz kommentiert werden.

Z. 15 Die Ergänzung zu [ἐξ Αἰγ]εᾶν geht auf Foucart zurück (in den Supplementen zu Le Bas, vgl. die Angaben in den IG z. St.). Sie wird von Papazoglou mit Vorsicht aufgenommen: „Il est dommage que cette restitution ne soit pas complètement sûre; nous y aurions la preuve de la distinction des deux villes [sc. Aigeai in Z. 15 und Edessa in Z. 16]" (S. 133, Anm. 56). Bemerkenswerterweise fehlt Aigeai in der großen Theorodokoi-Inschrift aus Delphi (vgl. meinen Kommentar zu 745a/G819, Z. 57).

Z. 16 Wir haben hier die „plus ancienne attestation d'Edessa" überhaupt (Papazoglou, S. 127, Anm. 12). Im Unterschied zu Aigeai (vgl. den Kommentar zu Z. 15) begegnet Edessa auch auf der großen Theorodokoi-Inschrift 745a/G819 in Z. 60.

Z. 17 Zu Atalante bzw. Allante vgl. Papazoglou, S. 182 mit Anm. 57. Ist ihre Identifizierung richtig, so handelt es sich hier um die auch in 745a/G819, Z. 64 genannte Stadt.

Zu Europos vgl. Papazoglou, S. 180f. mit Anm. 41.

Z. 20 Zu Kassandreia vgl. den Kommentar zu 745a/G819, Z. 77.

Z. 21 Als letztes auf dem Stein lesbares Ethnikon wird Φιλιππεῖς erwähnt. Vgl. dazu o. Bd. I, S. 116–118. Ich habe dort nicht alle Belege für diese „vorpaulinische" Form genannt. Hier haben wir das 16. Beispiel auf einer Inschrift außerhalb des Territoriums (nach 699a/G841; 704/GL694; 704a/G786; 711a/G811; 711b/G812; 745/G782; 745b/G827; 745c/G828; 746a/G820; viermal in 746b/G822; 751/G705 und 752/G759). Die Datierung auf das Ende des 4. Jahrhunderts v. Chr. ist unstrittig, vgl. etwa Papazoglou: „L'inscription est datée de l'époque postalexandrine par la mention des monnaies d'Alexandre" (S. 127, Anm. 12).

Theorodokoi-Inschrift aus Epidauros

752b/G821

360/59
v. Chr.

IG IV 1², 94.
SEG XI (1950/1954) 410.
Collart, S. 40, Anm. 1; S. 178 mit Anm. 1.
Hammond in Hammond II 193f.

Paula Jean Perlman: The *Theorodokia* in the Peloponnese, Phil. Diss. Berkeley 1984 (Ann Arbor 1988), S. 37–53; S. 364–367.

Olivier Picard: Les Thasiens du continent et la fondation de Philippes, in: Tranquillitas. Mélanges en l'honneur de Tran tam Tinh, Quebec 1994, S. 459–473; hier S. 461.

Argyro B. Tataki: Macedonians Abroad. A Contribution to the Prosopography of Ancient Macedonia, Μελετήματα 26, Athen 1998, S. 99, s.v. Datos, Nr. 1; S. 126, Nr. 14.

Epidauros: Asklepieion. Es handelt sich um zwei Stelen (zu den Maßen vgl. Hiller von Gärtringen, S. 30).

Ia

Θεαροδό[κοι]·
Μέγαρα· – –
Ἀθᾶναι· Διο| – –
Θῆβαι· Χαρικ[λῆς]
5   Θε – –
Θεσπιαί· Δα – –
[Κορ]ώνεια· Πυθ – –
[Ὀρχο]μενός· – –
[Λεβάδ]ει[α· – –]

Ib

Ὀξύνιο[ν· – –]
Φαρκαδ[ών· – –]
Ἄδρακας· Εὐκρά[της]
Γύρτων· Ἀρχεσίλ[ας]
5 Λάρισα· Ἀριστίων
    Ὁμόλιον· Δωριεύς   34 Κλεο
    Πύδνα· Δαμάτριος   35 Πεταλία· Σι[μωνίδης (?)] Κ̣λ̣ησ[ά-]
    Μεθώνα· Πολύφαντος   ρχου
    Μαχεδονία· Περδίκκας   Μενέλαος Νικάνορος
                       ἐξ Εὐορδαίας
10 Αἴνεια· Εὔβουλος   Πύθοιον· Βούπλαγος
    Δίκαια· Νυμφόδωρος   40 Ἔκφαντος
    Ποτείδαια· Καλλικράτης
    Καλίνδοια· Παυσανίας
    Ὄλυνθος· Ἄρχων   ἐν Κασσανδρείαι·
                       Τιμοσθένης Κρίτω-
15 Ἀπολλωνία· Ἐπίξενος   νος
    Ἀρέθουσα· Βόλων   ἐν Ὀρμενίῳ· Φρυνίσ-
    Ἄρχιλος· Ὀνήσανδρος   45 κος Πέρσα.
    Ἀμφίπολις· Ἴαραξ
    Βέργα· Ἀντιφάνης

20 Τράγιλα· Πεισίης
Στάγιρα· *vacat*   Αἶνος· Δεινολκῆς
        an erasum?   Φιλοξένου
Ἄκανθος· Ἐπικράτης
Στῶλος· Λεύκων   Δαμόκριτος
Ἄφυτις· Διόγνητος   Πεισιστράτου
25 Σκιώνα· Σώπολις   50 Ἐπιθέρσης Ἀλκιμένευς
Μένδα· Κνώπων
Νεάπολις· Πυθόδωρος
Ἄβδηρα· Εὐρύλοχος   Ζηνέας Πύθιος
Μαρώνεια· Ἀνάψυξις   Πυθόγονος Παντα[κ-]
30 Αἶνος· Θεμισταγόρας   [λ]εῦς
Θάσος· Ἀρτυσίλας   Δορκαλίων. Πυθίων
Δάτος· Τίμανδρος   55   Σκύμνου
        vacat

Die *iota subscripta* sind auf dem Stein adskribiert.

Zur Gattung der θεωροδόκοι-Inschriften vgl. die Bemerkungen zur großen
θεωροδόκοι-Inschrift aus Delphi 745a/G819 und die dort angegebene all-
gemeine Literatur. Zu den Aufgaben der θεωροδόκοι ist die Monographie
von Paula Jean Perlman (S. 5–17) heranzuziehen. Die vorliegende Liste aus
Epidauros ist ein Jahrhundert älter als die große θεωροδόκοι-Inschrift aus
Delphi (745a/G819); im Unterschied zu dieser wird hier jeweils nur ein θεωροδόκος genannt. Auch ist Makedonien noch durch den König vertreten:
Z. 9 nennt Perdikkas (gemeint ist Perdikkas III., der von 365 bis 359 v. Chr.
regierte); dies ist ein eher seltener Fall: Insgesamt vermag Perlman (S. 23f.)
nur neun Könige anzuführen, die irgendwann als θεωροδόκοι fungierten.
Die hier vorliegende Inschrift wird von Perlman auf 360/359 v. Chr. datiert. Es handelt sich dabei um „the earliest evidence for the *theorodokia* at
Epidauros" (Perlman, S. 94; das Kursive im Original unterstrichen).
Der Aufbau ist ein geographischer: bis Z. 6 befinden wir uns in Thessalien
(Ὁμόλιον ist „the last city of Magnesia in Thessaly", Hammond in Hammond II, S. 193), von Z. 7 bis Z. 20 werden Städte Makedoniens bis hin
zum Strymontal genannt, Z. 21 bis Z. 26 folgen Städte der Chalkidike (die
damals noch nicht zu Makedonien gehörte!), mit Neapolis in Z. 27 folgen
Städte Thrakiens bis zu Z. 32 (Δάτος).
Da die vorliegende Inschrift vor die Gründung der Stadt Philippi fällt – auch
die Vorgängersiedlung Krenides wird hier nicht genannt (zu Δάτος s. gleich)
– ist hier nicht der Ort, sie eingehender zu kommentieren. Zum Verhältnis
der griechischen Städte Pydna, Methone usw. zum makedonischen Reich vgl.
die Bemerkungen Hammonds (in Hammond II, S. 193f.).
Aufschlußreich ist die Inschrift für die Frage, ob und, wenn ja, was Δάτος
mit Krenides zu tun hat. Krenides wird in 750/G778 (Juli 356 v. Chr.)

inschriftlich erwähnt und von Appian (Bellum Civile IV 439) mit Δάτος identifiziert; Appian nahm die Reihenfolge Krenides → Datos → Philippi an (Hammond, a.a.O., S. 188; vgl. auch Collart, S. 39ff.). Dies ist jedoch gewiß unzutreffend, da Δάτος bzw. Δάτον noch in dem Dekret Alexander des Großen an die Philipper genannt wird (160a/G481, Z. A15). Man wird die Ortslage daher anderswo suchen müssen (vgl. etwa Hammonds Vorschlag, a.a.O., S. 71f.).

Z. 27 Pythodoros aus Neapolis ist sonst nicht bekannt (vgl. Tataki, S. 126, Nr. 14).

Z. 32 Timandros aus Datos wird sonst nicht genannt. Zu erwägen ist jedoch, ob unser Timandros vielleicht mit dem gleichnamigen Philipper aus 745/G782 identisch ist, vgl. die Diskussion bei Perlman.

753/G748
nach 411
v. Chr.

Vertrag zwischen Thasos und Neapolis

IG XII 5, 109.

Jean Pouilloux: Recherches sur l'histoire et les cultes de Thasos. I. De la fondation de la cité à 196 avant J.-C., Études Thasiennes III, Paris 1954, S. 178–192.

Hermann Bengtson: Die Verträge der griechisch-römischen Welt von 700 bis 338 v. Chr., Die Staatsverträge des Altertums II, München [2]1975, Nr. 204.

Jean-Charles Moretti: Une vignette de traité à Delphes, BCH 111 (1987), S. 157–165; hier S. 162f.

Yves Grandjean/François Salviat: Décret d'Athènes, restaurant la démocratie à Thasos en 407 av. J.-C.: IG XII 8, 262 complété, BCH 112 (1988), S. 249–278; hier S. 272–274.

Paros. „Fragmenta quinque stelae marmoris albi, in Baruchae agro qui Θόλος vocatur inventa, eodem loco, ubi novum chronici Parii fragmentum effossum esse fertur" (IG XII 5, S. 30).

[Συνθῆκαι Θασίων καὶ Νεοπολιτέων]

A

[. . .]
[. . .]μενος τίμημα ἀρχ[. . .]
[- - κατὰ] ταὐτὰ ἀτελὲς ἐόντω[ν - -]
[. . . ἐ]ν Θάσωι οἰκέοσι καὶ το[. . .]
5 [. . .]ινες κη Μ[-]Ι[. . .]

B

[-]ων· ἦν δέ τις τι[. . . παρὰ ταῦτα . . .]
φοις· τὰς δὲ συνθή[κας Θασίων καὶ Νεοπολιτέων τοὺς . . . ἀνα-]
[γ]ράψαντας ἐστήλα[ς τέσσαρας στῆσαι μίαν μὲν ἐς Πάρον]
μίαν δὲ ἐς Δελφοὺ[ς μίαν δὲ ἐς ἑκατέρους· προσγράψαι δὲ τ-]
5 ῆις συνθήκηις μετὰ [. . .]

Ἀριστάρχο, Πυθόλεω [... ὅρκος· ἐμ-]
μενέω ἀδόλως τῆις σ[υνθήκηις ἃς συνέθεντο ... ὑ-]
πὲρ Θασίων Ἀλκείδη[ς ... πρὸς τοὺς Νεο-]
πολίτας καὶ οὐ παραβ[ήσομαι οὐδενὶ τρόπωι οὐδὲ τέχνηι οὐ-]
•10 δὲ μηχανῆι οὔτε λό[γωι οὔτε ἔργωι ... τὰς συνθή-]
κας· οὐδὲ ἄλλωι ἐπιτρ[έψω παραβῆναι ἐς τὸ δυνατὸν οὔ-]
τε ἀστῶι οὔτε ξένω[ι· οὐδὲ μνησικακήσω ... τ-]
ῶμ παρικότων ὅσα [ἐγένετο πρὸ τῶν συνθηκῶν τῶνδε καὶ τῶ]
ὅρκο τοῦδε οὔτε ἰδ[ιώτης οὔτε ἄρχων· ... τ-]
15 ὅδε καὶ βολεύσω κακ[ὸν οὐδὲν ...]
[... Θ]ασίοις καὶ Νεοπο[λίτηις ...]
[...]σιγ καὶ δ[ί]κας καὶ δ[ιαδικασίας ...]
[... ἤ]ν τις παραβαίνηι τὰς [συνθήκας ... καὶ το-]
[ὺς ὅρκου]ς τούσδε, οὐ πείσομ[αι τῶι παραβάντι ἀλλὰ βοηθή-]
20 [σω παντὶ σ]θένει τοῖς ἐμμέν[οσι τῆις συνθήκης ...]
[...]σιν ο[ὐδὲ ἐπ]ιτρέψω τ[...]

Der hier gebotene Text folgt Grandjean/Salviat: Die Überschrift ist aus dem Exemplar von Delphi (vgl. Moretti) ergänzt, die Fragmente A und B sind umgeordnet (in IG XII 5 begann der Text mit B!), die Ergänzungen modifiziert. Was die Überschrift angeht, ist das Prinzip nicht einsichtig: Grandjean/Salviat übernehmen zwar Z. 1 des Textes 744/G737, aber nicht Z. 2: Ἀγαθῆι τύχηι.
A4f. Grandjean/Salviat möchten [τοῖς δὲ Νεοπολίτηις τοῖς ἐ]ν Θάσωι οἰκέοσι καὶ το[ῖς Θασίοις τοῖς ἐν Νεαπόλει οἰκέοσι ...] lesen.

Auch in der neuen Rezension von Grandjean und Salviat sind die Lücken noch zu groß, um eine Übersetzung dieses stark fragmentierten Textes bieten zu können. Zudem weichen die vorgeschlagenen Ergänzungen (vgl. etwa den bei Bengtson gedruckten Text mit dem hier nach Grandjean und Salviat gebotenen!) stark voneinander ab.
„Der Urkunde liegt nach Pouilloux folgender Sachverhalt zugrunde: Am Ende des 5. Jhs. wandten sich Thasos und Neapolis an Delphi, um durch delphischen Schiedspruch eine Aussöhnung zustande zu bringen. Delphi aber verwies die beiden Gemeinden an Paros, die Mutterstadt von Thasos und Neapolis. Paros ist die Gemeinde, die dann den Konflikt geschlichtet hat. Die Inschrift steht vielleicht in Zusammenhang mit der Expansion der Thasier seit 411 v. Chr. Daß Thasos und Neapolis miteinander verfeindet waren, beweist IG I² 108 [= IG I³1, 101 = 748/G703]: danach hat Neapolis, Verbündeter des Thrasybul, die Belagerung von Thasos und der Peloponnesier durch die Athener unterstützt; ferner hat Thrasybul im J. 407 Thasos mit Hilfe von Neapolis wiedergewonnen (Xenoph. Hell. I 4,9; vgl. dazu Pouilloux a.a.O. S. 135–137x).“ (Bengtson, S. 145).
Seit der Ausgabe Bengtsons ist nun auch der Anfang des delphischen Exemplars (vgl. den Kommentar zu Z. B2–4) gefunden worden (= 744/G737).
Zum historischen Hintergrund des Verhältnisses zwischen Neapolis und Tha-

sos in diesen Jahren sind noch zu vergleichen 711c/G824 (aus dem Jahr 412/11 v. Chr., aus Thasos) und 711d/G825 (ebenfalls aus Thasos) sowie 748/G703 (aus Athen).

Z. A3 Die erste erhaltene Regelung unseres Vertrags betrifft die Atelie: „On avait sans doute ... une clause accordant ... une atélie réciproque ([κατὰ] ταὐτὰ - - -)" (Grandjean/Salviat, S. 273).

Z. A4f. Falls die im Apparat zitierte Ergänzung zutrifft, geht es hier um die Rechte der in Thasos lebenden Neapolitaner sowie um die Rechte der in Neapolis lebenden Thasier. Neben der in Z. A3 erwähnten Atelie wäre dies dann die einzige erhaltene Regelung aus diesem Vertrag, da das größere Fragment B sich nur mehr mit der Aufstellung der Inschriften und den Eiden, die den Vertrag bekräftigen, befaßt.

Z. B2–4 Die Passage regelt die Aufstellung von vier Exemplaren des Textes auf Stelen in Paros (das ist die vorliegende Inschrift), in Delphi (das ist 744/G737 – leider sind nur die beiden ersten Zeilen erhalten), in Neapolis und in Thasos.

754/G707
242 v. Chr.

Asylie-Urkunde der Stadt Philippi aus Kos

Collart, S. 105; S. 181f.

Rudolf Herzog/Günther Klaffenbach: Asylieurkunden aus Kos, ADAW.S 1, Berlin 1952, Nr. 6.

Jeanne Robert und Louis Robert, BÉ 1953, Nr. 152.

SEG XII (1955) 373.

Hermann Bengtson: Randbemerkungen zu den koischen Asylieurkunden, Historia 3 (1954/55), S. 456–463; hier S. 462f.

F. Papazoglou: Sur l'organisation de la Macédoine des Antigonides, in: Αρχαία Μακεδονία III (1983), S. 195–210; hier S. 202–206.

Paula Jean Perlman: The *Theorodokia* in the Peloponnese, Phil. Diss. Berkeley 1984 (Ann Arbor 1988), S. 5–17.

Hammond III 318f.

Miltiade B. Hatzopoulos: Décret pour un bienfaiteur de la cité de Philippes, BCH 117 (1993), S. 315–326; hier S. 319ff.; S. 323; S. 325.

Band I, S. 87 mit Anm. 10; S. 195 mit Anm. 8.

M.B. Hatzopoulos: Macedonian Institutions under the Kings. Band I: A Historical and Epigraphic Study, Band II: Epigraphic Appendix, Μελετήματα 22, Athen 1996; hier Band I, S. 139–149; Band II, Nr. 36 (S. 54f.) mit Abb. Pl. XXXIV und XXXV.

Kos: Asklepieion. „Stele, unten gebrochen, aus zwei genau aneinanderpassenden Fragmenten zusammengesetzt, oben mit einem Sims versehen (Maße fehlen). Gefunden im Asklepieion bei den italienischen Ausgrabungen der Terrasse IV." (Herzog/Klaffenbach, S. 15).

Höhe der Buchstaben 0,007; Zeilenabstand 0,007.

Die Stele enthält vier verschiedene Urkunden, die von Kassandreia unter der Überschrift Κασσανδρέων (Z. 1–17), die von Amphipolis unter der Überschrift Ἀμφιπολιτῶν (Z. 18–34) und die aus Philippi unter der Überschrift Φιλίππων (Z. 35–55) sowie „die Reste von 5 Zeilen, die den Anfang des Dekretes von Korkyra enthalten" (Herzog/Klaffenbach, S. 17). Ich drucke hier lediglich das Dekret aus Philippi mit der ursprünglichen Zeilenzählung.

35 Φιλίππων.

ἱερῶν· ὑπὲρ τῆς ἐκ Κῶ θεωρίας· γνώμη τῆς ἐκλησίας· ἐπειδὴ ἡ
πόλις ἡ Κώιων κατὰ
τὰ πάτρια καὶ κατὰ τὴμ μαντείαν τὸ ἱερὸν τοῦ Ἀσκληπιοῦ ἀπέσταλ-
κεν ἀρχι-
θέωρον Ἀριστόλοχον Ζμένδρωνος καὶ θεωρὸν μετ' αὐτοῦ Μα-
καρέα Ἀράτου
ἐπαγγέλλοντας τήν τε θυσίαν τῶι Ἀσκληπιῶι καὶ τὴν ἐκεχειρίαν,
οἵτινες ἐπελ-
40 θόντες ἐπὶ τὴν ἐκλησίαν τὴν οἰκειότητα τὴν ὑπάρχουσαν τῆι πόλει
τῆι Κώιων
πρὸς τὴμ πόλιν τὴν Φιλίππων καὶ πρὸς τὸμ βασιλέα Ἀντίγονον καὶ
πρὸς τοὺς ἄλ-
λους Ἕλληνας καὶ Μακεδόνας ἐνεφάν[ι]σαν καὶ ἀνενεώσαντο,
ἠξίουν δὲ
τὸ ἱερὸν ἄσυλον εἶναι, ἀγαθῆι τύχηι δεδόχθαι τῆι ἐκλησίαι·
δέχεσθαι τὴμ πόλιν
τήν τε ἐπαγγελίαν τὴν τῶν Ἀσκληπιείων τῶν ἐν Κῶι καὶ τὴν
ἐκεχειρίαν κα-
45 θάπερ ἐπαγγέλλουσιν οἱ θεωρ[οί]· ἐπαινέσαι <δ>ὲ καὶ τὴμ πόλιν τὴν
Κώιων ἐπὶ ταῖς
τιμαῖς, αἷς συντελεῖ τοῖς θεοῖς, καὶ ἐπὶ τῆι εὐνοίαι τῆι τε πρὸς τὸμ
βασιλέα Ἀντί-
γονον καὶ τὴμ πόλιν τὴν Φιλίππων καὶ τοὺς ἄλλους Ἕλληνας καὶ
Μακεδόνας· <εἶ->
ναι δὲ καὶ τὸ ἱερὸν τοῦ Ἀσκληπιοῦ τὸ ἐν Κῶι ἄσυλο<ν>, καθάπερ
καὶ ὁ βασιλεὺς Ἀντίγο-
νος προαιρεῖται· δοῦναι δὲ τὸν ταμίαν τοῖς θεωροῖς ὑπὲρ τῆς πόλεως
εἰς ξένια,
50 ὅσον καὶ τοῖς τὰ Πύθια ἐπαγγέλλουσιν δίδοται ἐν τῶι νόμωι γέ-
γραπται· καλέσαι δὲ
τοὺς θεωροὺς καὶ ἐπὶ τὰ ἱερὰ ὑπὲρ τῆς πόλεως τὸν ἄρχοντα εἰς τὸ
πρυτανεῖον· τὸν
δὲ ταμίαν δοῦναι τῶι ἄρχοντι ὑπὲρ ἑκατέρου αὐτῶν ἀργύριον τὸ
ἐκ τοῦ νόμου· ὅπως
δ' ἄν ἀσφαλῶς ἀποσταλῶσιν εἰς Νέαν Πόλιν, τοὺς στρατηγοὺς
συμπέμψαι αὐτοῖς

τοὺς ξένους <σ>τρατιώτας τοὺς παρὰ τῆι πόλει μισθοφοροῦντας·
εἶναι δὲ καὶ θεωροδόκον
55 [τ]ῆς ἐκ Κῶ παραγινομένης θεωρίας τὸν ὑποδεδεγμένον τὴν θε-
ωρίαν Ἡρακλεόδωρον Ἀριστίωνο[ς].

45 Auf dem Stein: Λ. **47** Auf dem Stein: ΔΟΥ. Gegen die Konjektur von Herzog/Klaffenbach ist Hatzopoulos: „It is not certain that δοῦναι is a mistake for εἶναι as the first editors thought, for δίδωμι can have the meaning of »concede«" (II 55). **48** Auf dem Stein: H. **54** Auf dem Stein: ΥΣΤ, d.h. ein Σ zu wenig!

[35] Von Philippi; Heiliges betreffend; bezüglich der Gesandtschaft aus Kos. Antrag (bei) der Volksversammlung. Weil die Stadt Kos gemäß dem Herkommen und dem Orakel das Heiligtum des Asklepios (gegründet hat) und als Anführer der Gesandtschaft Aristolochos, (den Sohn) des Zmendron, und mit ihm als Gesandten Makareus, (den Sohn) des Aratos, geschickt hat, um das Opfer für Asklepios und den Waffenstillstand öffentlich bekannt zu machen, die zur [40] Volksversammlung gingen und die Freundschaft aufzeigten und erneuerten, die die Stadt Kos gegenüber der Stadt Philippi, gegenüber dem König Antigonos und den anderen Griechen und Makedonen hatte, und forderten, daß das Heiligtum ein Zufluchtsort sei, daher möge die Volksversammlung mit gutem Glück beschließen:
Die Stadt soll die Ankündigung der Asklepieia von Kos und den Waffenstillstand annehmen, [45] so wie die Gesandten es ankündigen. Die Stadt Kos soll gelobt werden wegen der Ehren, die sie den Göttern erweist, und wegen des Wohlwollens gegenüber dem König Antigonos und der Stadt Philippi und den anderen Griechen und Makedonen. Auch soll das Heiligtum des Asklepios in Kos unverletzlich sein, gerade wie (es) auch der König Antigonos beabsichtigt. Der Schatzmeister soll den Gesandten im [50] Namen der Stadt Gastgeschenke geben so viel, wie man auch denen, die die Pythien melden, nach der Gesetzesvorschrift gibt. Der Archon soll die Gesandten auch zum Opfer für die Stadt ins Prytaneion einladen. Der Schatzmeister soll dem Archon für jeden von ihnen die vom Gesetz bestimmte Summe geben. Damit sie aber unbeschadet nach Neapolis geschickt werden, sollen die Strategen Söldner, die ihren Sold bei der Stadt erhalten, mit ihnen schicken. Herakleodoros, (der Sohn) des Aristion, der die Gesandtschaft aufgenommen hat, soll auch θεωροδόκος [55] der aus Kos anwesenden Gesandtschaft sein.

Der hier abgedruckte Ausschnitt der von Herzog und Klaffenbach publizierten Inschrift ist für die hellenistische Phase der Stadt Philippi von herausragendem Interesse. Nur hier haben wir bisher Informationen über die

Struktur der hellenistischen Stadt; es wird die ἐκ<κ>λησία der Philipper erwähnt (Z. 36.40.43), der ταμίας der Stadt (Z. 49.52), die στρατηγοί (Z. 53) samt den Soldaten (Z. 54), das Prytaneion (Z. 51) samt dem ἄρχων (Z. 51f.) und der θεωροδόκος Herakleodoros, der Sohn des Aristion (Z. 54f.). Treffend hat Collart unsere Inschrift als „le document le plus complet que nous possédions jusqu'ici sur Philippes à l'époque macédonienne" (S. 181) bezeichnet.

Für die Struktur der hellenistischen Stadt Philippi ist der Vergleich mit den andern makedonischen Urkunden aus Kassandreia (das sind Z. 1–17 unserer Inschrift), Amphipolis (Z. 18–34) und Pella (Herzog/Klaffenbach, Nr. 7) instruktiv. Dabei hat sich die u.a. von Bengtson vertretene These, es habe staatsrechtlich zwei Klassen von Städten in Makedonien gegeben, „solche die unmittelbar zum makedonischen Staate gehören (wie Thessalonike und Amphipolis) und solche, die in einem Bundesverhältnis zu ihm gestanden haben [hier Kassandreia und Philippi]" (Bengtson, S. 462), nicht halten lassen. Schon Papazoglou hat demgegenüber geltend gemacht, daß die Dekrete zwar unterschiedliche Formulare aufweisen, „mais ces différences n'affectent pas les rapports entre les villes et le roi" (Papazoglou, S. 203). Vgl. zu dieser Frage auch die ausführliche Diskussion bei Hatzopoulos (Band I, 139–149).

Z. 35 Die Überschrift Φιλίππων entspricht den vorausgegangenen Überschriften Ἀμφιπολιτῶν (Z. 18) und Κασσανδρέων (Z. 1) dieses Dokuments; daher ist es möglich, sie als Ethnikon aufzufassen: „Bemerkenswert ist die bisher unbelegte Form des Ethnikons, die sonst in der Regel Φιλιππεύς lautet ... . So liegt es nahe, auch die Münzlegende Φιλίππων nicht als Namen der Stadt, sondern in der üblichen Weise als Ethnikon zu deuten" (Herzog/Klaffenbach, S. 18).

Die normalerweise außerhalb der Stadt Philippi gebräuchliche Form des Ethnikons lautet Φιλιππεύς, im Plural Φιλιππεῖς (vgl. dazu den Kommentar zu 752/G759, Z. 1, wo sich eine vollständige Liste aller in diesem Anhang II gesammelten Belege für diese Form des Ethnikons findet). Die hier begegnende Form Φίλιπποι ist für Inschriften von außerhalb der Stadt singulär (ich habe sie bei der Diskussion in Bd. I, S. 116–118 überhaupt nicht berücksichtigt; vgl. jedoch den in Philippi selbst gefundenen Text 160a/G481 sowie den Kommentar zu Z. A2). Dies ist nicht verwunderlich, denn das hier zu diskutierende Dekret wurde zwar in Kos gefunden, ist aber als Dekret der Stadt Philippi im eigentlichen Sinn nicht eine Inschrift von außerhalb. Zu dieser Form des Ethnikon vgl. noch die Belege in den Zeilen 41 und 47.

Z. 36 „ἱερῶν ist Genetiv des Sachbetreffs (»thematischer Genetiv«)" (Herzog/Klaffenbach, S. 18).

Z. 37 „Anakoluth. Es muß ein Participium wie ἱδρυσαμένη ausgefallen sein. Die μαντεία wird in den erhaltenen Urkunden allein hier erwähnt" (Herzog/Klaffenbach, S. 18).

37f. Dieselben θεωροί begegnen auch in Pella (Herzog/Klaffenbach, Nr. 7), Kassandreia (Herzog/Klaffenbach, Nr. 6) und Amphipolis (ebd.). Vermutlich sind sie es auch gewesen, „die die Städte an der thrakischen Küste aufgesucht" haben, also „Maroneia (Nr. 9) und Ainos (Nr. 8)" (Herzog/Klaffenbach, S. 29).

Z. 41 Zur ungewöhnlichen Form des Ethnikons vgl. o. den Kommentar zu Z. 35.

Z. 47 Zur ungewöhnlichen Form des Ethnikons vgl. o. den Kommentar zu Z. 35.

Z. 50 „Anakoluth, entstanden entweder aus der Vermengung von ὅσον καὶ τοῖς τὰ Πύθια ἐπαγγέλουσιν δίδοται ... und ὅσον καὶ τοῖς τὰ Πύθια ἐπαγγέλλουσιν ἐν τῶι νόμωι γέγραπται ... oder aus der Verschreibung von δίδοται für δίδοσθαι" (Herzog/Klaffenbach, S. 18).

Z. 51 „Bemerkenswert ist auch das Erscheinen eines Archon und eines Prytaneion in der Stadt; es hat demnach den Anschein, als ob die Stadtverfassung nach griechischem, vielleicht sogar nach attischem Vorbilde geschaffen worden wäre, kein Wunder übrigens, wenn man sich der Niederlassung der Athener in Daton, in der Nähe des späteren Philippi, erinnert" (Bengtson, S. 463).

Z. 53f. „A decree of Philippi from 243/2, which registers the intention of that city to send an escort of mercenaries to accompany Coan *theoroi* on the next stage of their journey to Neapolis on the coast opposite Thasos, has been taken as evidence that Neapolis was not at that time under Macedonian control. But such an escort would hardly have been welcomed by an independent city and could well have prejudiced the reception of the Coan *theoroi*. Probably then the assignment of these troops points to the opposite conclusion, that Neapolis lay within the realm of Macedonia, but indicates that the region between Neapolis and Philippi was exposed to danger – perhaps from brigands." (F.W. Walbank in Hammond III 318f.)

Die Söldner als solche beanspruchen ebenfalls Interesse. Die Formulierung ξένοι στρατιῶται οἱ παρὰ τῇ πόλει μισθοφοροῦντες erlaubt den Schluß, daß es sich um von der Stadt Philippi besoldete Soldaten handelt, „über die die Strategen das Kommando führten. Die Strategen waren wohl städtische Funktionäre" (Bengtson, S. 463; beachte auch Anm. 1, wo Bengtson seine frühere These, wonach „die Strategen ..., ebenso wie der Archon, in Philippi königl.[iche] Beauftragte gewesen" seien, „nach Kenntnis der gesamten Urkunde" ausdrücklich zurückzieht.

Z. 54f. Abschließend wird die Funktion des θεωροδόκος Herakleodoros bestimmt. „The provisions voted ... indicate that several of the activities which modern scholars have associated with the *theorodokia* were performed by other groups and magistrates; notably the guaranty of safe passage to the next city [hier Z. 52ff.] in their itinerary; *xenia* and the public grant of dining privileges at the prytaneion [vgl. hier Z. 49.51]; and the offer of a travelling allowance payable by the treasurer [hier Z. 51f.; vgl. auch Z. 49f.]" (Paula Jean Perlman, S. 11; das Kursivierte im Original unterstrichen; vgl. weiter dies.: Θεωροδοκοῦντες ἐν ταῖς πόλεσιν: Panhellenic *Epangelia* and Political

Status, in: Sources for the Ancient Greek City-State, Acts of the Copenhagen Polis Centre 2, Kopenhagen 1995, S. 113–164).
Zum politischen Hintergrund der Asylie-Urkunden aus Kos vgl. I.K. Ξυδό-πουλος: Ψηφίσματα μακεδονικῶν πόλεων (242 π.Χ.) καὶ η πολιτική του Αν-τιγόνου Γονατά στη Νότια Ελλάδα, Ελληνικά 47 (1997), 51–61 und 204–205.

Proxenie für einen Neapolitaner

754a/G837
hellenistisch

IG XII 5, Nr. 843.
Argyro B. Tataki: Macedonians Abroad. A Contribution to the Prosopography of Ancient Macedonia, Μελετήματα 26, Athen 1998, S. 127, Nr. 22.

Tenos. „Tabula marmoris albi, a superiore sinistra inferiore parte laesa" (Hiller von Gärtringen, S. 250).
Abmessungen: H. 0,34; B. 0,14; D. 0,07; Buchstaben H. 0.008.

> [. . .]ΙΛΙ[. . .]
> [. . . διατ]ελεῖ δὲ καὶ
> [ἀνὴρ γινόμενος καλὸς κ]ἀγαθὸς καὶ
> [χρείας παρεχόμενος κ]αὶ κοινεῖ τεῖ
> 5 [πόλει καὶ ἰδίᾳ τοῖ]ς ἐντυγχάνου-
> [σιν αὐτῷ τῶν Την]ίων, τύχει τεῖ
> [ἀγαθεῖ, δεδόχθαι τῷ] δήμῳ, ἐπαινέσ[αι]
> [μὲν . . .]δου Νεαπολίτην
> [καὶ στεφανῶσαι αὐτὸν] τῷ ἐκ το[ῦ] νόμου
> 10 [στεφάνῳ ἀρετῆς ἕνεκ]εν καὶ φιλοτιμίας
> [ἣν ἔχων διατελεῖ, καὶ ἀν]αγορε[ῦσ]αι αὐτ[ῷ]
> [τὸν στέφανον τὸν ἄ]ρχοντ[α τ]ὴν στε-
> [φανηφόρον ἀρχὴν ἐν] τῷ ἱερῶ[ι τ]οῦ Ποσ[ει-]
> [δῶνος καὶ τῆς Ἀμφιτρί]της, ὅταν τὴν θυ-
> 15 [σίαν καὶ τὴν πανήγυριν] συντελεῖ ὁ δῆμο[ς,]
> [καὶ ἐν τῷ θεάτρ]ῳ Ποσιδείων κα[ὶ]
> [Διονυσίων τῷ ἀγῶνι] τ[ῶν τραγῳδῶν·]
> [εἶναι δὲ αὐτὸν καὶ τοὺς ἐκγόνους αὐ-]
> [τοῦ προξένους καὶ εὐεργέτας τῆς πόλε-]
> 20 [ως· δεδόσθαι δὲ αὐτοῖς καὶ πολιτείαν]
> [καὶ γῆς καὶ οἰκίας ἔγκτησιν], καὶ πρὸς [φυ-]
> [λὴν καὶ φρατρίαν προσγρ]άψασθαι ὁποί-
> [αν ἂν βούλωνται, καὶ προε]δρίαν ἐν τοῖς
> [ἀγῶσιν οἷς ἡ πόλις συντελεῖ], κα[ὶ]
> 25 [. . .]

Die *Iota subscripta* sind auf dem Stein adskribiert.

(Weil N.N. ...) fortwährend ein Mann von Kalokagathia ist und
Nutzen bringt sowohl [5] der Stadt als ganzer als auch im Privaten den Teniern, die ihm begegnen, – Glück auf – ergeht der
Beschluß des Volkes: Zu beloben den N.N., den Neapolitaner,
und ihn zu bekränzen mit dem gesetzmäßigen [10] Kranz wegen (seiner) Tugend und (seiner) Einstellung, die er fortwährend
bewies, und daß ihm öffentlich den Kranz verleiht der Archon
in bezug auf das kranztragende Amt im Heiligtum des Poseidon und der Amphitrite, wann immer das Volk ein [15] Opfer
oder die Festversammlung begeht, und im Theater beim Agon
der Tragoden des Poseidon und des Dionysos; [20] und daß er
und seine Nachkommen Proxenoi und Wohltäter der Stadt sind;
und daß ihnen auch das Bürgerrecht sowie das Recht, Land und
Wohnung zu erwerben, übertragen werden, und daß sie der Phyle
und Phratrie zugeschrieben werden, zu welcher sie es wünschen,
sowie die Prohedrie bei den Agonen, die die Stadt abhält, und
...

Zur Gattung der Proxeniedekrete vgl. den Kommentar zu 743r/G831, wo
sich auch eine Liste aller in diesen Katalog aufgenommen Proxeniedekrete
findet.

Z. 21 Zum Begriff ἔγκτησις vgl. den Kommentar zu 746k/G833, Z. 5.

755/L746   **Grabinschrift für einen Iulius**

CIL X,1 2538.
Collart, S. 292.

Misenum. „Miseni rep., servat marchio Anatolius de Gibot in villa Mergel-
linensi" (CIL).

>   [I]ulius I[...]
>   [P]hilippiensis,
>   have.

>   Iulius ..., der Philipper, sei gegrüßt!

Κανατσούλης (Συμπλήρωμα, Nr. 1617) erklärt unseren Iulius zum Veteranen
– aus der Inschrift ist das freilich nicht zu entnehmen. Sarikakis hat sich
diesem Urteil nicht angeschlossen und unseren Iulius dementsprechend in
seine Prosopographie der Soldaten aus Makedonien nicht aufgenommen.

Inschrift des Caius Iulius Longinus   756/L701

I

Δήμιτσας, S. 752, Nr. 970.
CIL IX 4684.
ILS 2460.
Collart, S. 258f.; S. 292f.
Κανατσούλης, Nr. 594.
Sarikakis, Nr. 137 (S. 451).

Reate. „Reate VALL.; in domo Petri de Sanctis IVC.; in domo Petri Severii (*Pietro Silverio* SAB. TAVR.) LIG. (SAB. TAVR.) LIPS. VICT.; in domo Severiorum PIGH. ANG.; apud aedes dominorum de Severis GARAMPI; hodie in curia" (CIL IX 4684).

> Dis Manibus.
> C(aio) Iulio C(ai) f(ilio)
> Longino
> domo Voltinia
> 5 Philippis Macedo-
> nia, veteranus
> leg(ionis) $\overline{\text{VIII}}$ Aug(ustae), deductus
> ab divo Augusto
> Vespasiano Quirin(a)
> 10 Reate, se vivo fecit
> sibi et Iuliae C(ai) libert(ae)
> Helpidi coniugi suae
> et C(aio) Iulio C(ai) libert(o) Felici
> et posterisque suis fec(it)
> 15 et C(aio) Iulio C(ai) l(iberto) Decembro
> et Iuliae *folium* C(ai) l(ibertae) Veneriae
> et C(aio) Iulio C(ai) l(iberto) Prosdoxo.

Den Manen. Caius Iulius Longinus, der Sohn des Caius, von Hause aus aus der Tribus Voltinia, aus Philippi in Macedonien, Veteran der achten Legion Augusta, vom vergöttlichten Augustus Vespasianus nach Reate in die Tribus Quirina überführt, hat zu seinen Lebzeiten für sich selbst und für Iulia Helpis, die Freigelassene des Caius, seine Frau, und für Caius Iulius Felix, den Freigelassenen des Caius, und für seine Nachkommen (die Inschrift) aufgestellt und für Caius Iulius December, den Freigelassenen des Caius, und für Iulia Veneria, die Freigelassene des Caius, und für Caius Iulius Prosdoxus, den Freigelassenen des Caius.

Unser Veteran aus der achten Legion war durch die Länge der Inschrift syntaktisch überfordert: Zwar redet er in Z. 2f. von sich im Dativ, geht aber

dann in Z. 6 in den Nominativ über. Die deutsche Übersetzung kann diese
Feinheit allerdings nicht nachahmen.

Z. 1 Die Liste aller *Dis-Manibus*-Inschriften aus Philippi findet sich im
Kommentar zu 092/G496 aus Κρηνίδες.

Z. 4f. „Philippi, unde Longinus oriundus fuit, fuerunt tribu Voltinia, Reate, quo deductus est, tribu Quirina" (Dessau, S. 491).

Z. 8f. Eine Liste aller Vorkommen des Vespasianus in den Inschriften aus
Philippi bei der Ehreninschrift 281/L371 aus der Basilika B.

Z. 10 „Reate deducti sunt a Vespasiano etiam veterani legionis nonae
(IX 4685 et 4689), item veterani e cohortibus praetoriis (IX 4682.4683)"
(Dessau, S. 491).

Z. 15 December als *cognomen* ist nicht selten (vgl. ThLL Suppl. III, Sp.
68, wo unsere Inschrift Z. 16 und Z. 37f. zitiert wird).

757/L698
168

Liste von Soldaten

CIL VI 1, 3559.
ILS 9081.
Collart, S. 291.
Sarikakis, Nr. 242 (S. 460).

Rom. CIL VI 1, S. 818: „fragmentum tabulae magnae marmoreae".

[L(ucio) Venuleio Aproniano ĪĪ L(ucio)] Sergio Paullo ĪĪ co(n)s(ulibus)
[... signis milita]rib(us) V̄ sedem exstructo tribunali
[...]rio milites infra scripti fecerunt:

[... Orfito et Pude]nte	Sex(tus) Bolanius Quintianus
co(n)s(ulibus)	Tar(ento)
5 [...]tus Patav(io)	M(arcus) Tintorius Kalendinus Capua
[...]a Bonon(ia)	P(ublius) Fabius Saturnalis Patavio
[... Pudente et Polli]one	Q(uintus) Romanius Charito
co(n)s(ulibus)	Mediol(anio)
[...] Fident(ia)	M(arcus) Brittius Secundus Nepe
[...]	[...]us Strato Berua
10 [...]	[...]us Philip(pis)
[...]	[...]

4 Ergänzung nach Dessau (im CIL dagegen: [*Rufino et Praese*]*nte.*) **7** Ergänzung nach
Dessau (im CIL: [*Homullo et Glabri*]*one*).

Die vorliegende Inschrift, deren Interpretation im einzelnen schwierig ist,
kann aus zwei Gründen unser Interesse beanspruchen: Zum einen wird in
Z. 10 der rechten Kolumne ein Philipper erwähnt (leider ist der Name des

Mannes nicht erhalten), zum andern handelt es sich bei dem zweiten in Z. 1 erwähnten Consul des Jahres 168 n. Chr. um einen *Lucius Sergius Paullus*, dessen Name jedem bibelkundigen Leser aus der Apostelgeschichte vertraut ist, begegnet doch in Apg 13,7 ein Vorfahre dieses Mannes namens Sergius Paul[l]us. Zur Familie der *Sergii Paulli* vgl. zuletzt Thomas Drew-Bear: Les Sergii Paulli à Antioche de Pisidie, in: Thomas Drew-Bear/Mehmet Taş-halan/Christine M. Thomas [Hg.]: First International Congress on Antioch in Pisidia, İzmit 2000.

Grabinschrift für die Eltern des Decimus Furius Octavius Octavianus

758/L699

CIL VI 1, 3597.
Collart, S. 258; S. 291.
Κανατσούλης, Nr. 1468.
Sarikakis, Nr. 124 (S. 450).

Rom. Genaueres ist hinsichtlich der Herkunft nicht bekannt; „in hortis *della Valle*, ut videtur" (CIL VI, S. 823).

> D(is) M(anibus)
> parentium
> D(ecimus) Furius D(ecimi) f(ilius)
> Vol(tinia) Octavius
> 5 Octavianus
> Philippis, miles.

Den Manen seiner Eltern (hat) Decimus Furius Octavius Octavianus, der Sohn des Decimus, aus der Tribus Voltinia, aus Philippi stammend, Soldat, (die Inschrift errichtet).

Z. 1 Die Liste aller *Dis-Manibus*-Inschriften aus Philippi findet sich im Kommentar zu 092/G496 aus Κρηνίδες.

Z. 3–5 Der Namensvetter unseres Octavius, Decimus Furius Octavius Secundus, verzeichnet in 617/L118 Stationen einer erfolgreicheren militärischen Laufbahn.

Liste von Prätorianern

759/L700
119

CIL VI 4,2, 32515b = VI 1, 2375c.
Collart, S. 291.
Κανατσούλης, Nr. 1305.
Sarikakis, Nr. 235 (S. 459).

Rom. Die Angaben in CIL VI 1 sind recht spärlich: „fragmentum tabulae marmoreae" (S. 653). Die vorliegende Inschrift, wie sie in CIL VI 4,2 erscheint, umfaßt sieben Kolumnen mit mehr als 80 Zeilen und kann hier unmöglich komplett abgedruckt werden.

32 [...]s Scalvinus Philip(pis)

... Scalvinus, aus Philippi.

Unser Philipper erscheint in Z. 32 des Fragments b.
Die Passage, in der Scalvinus auftaucht, listet Soldaten der siebten Prätorianercohorte auf. Er ist somit *miles cohortis VII praetoriae.*
Die Datierung ergibt sich aus Z. 28 (Angabe der Consuln des Jahres 119).

760/L541   **Liste von Prätorianern**
126

CIL VI 4,2, 32516 = VI 1, 2405.
Collart, S. 291.
Κανατσούλης, Nr. 46.
Sarikakis, Nr. 15 (S. 441).

Rom. Die Angaben in CIL VI 1 sind recht spärlich: „tabula marmorea alta m. 0,40, larga 0,34, crassa 0,09" (S. 668).

18 P(ublius) Aelius Valerian(us) Phi[lip(pis)]

Publius Aelius Valerianus, aus Philippi.

Ein dem Namen vorgesetztes SP erweist unsern Valerianus als *speculator* seiner Prätorianercohorte.
Die Datierung ergibt sich aus der Angabe der Consuln in Z. 16.

761/L735   **Liste von Prätorianern**
136

CIL VI 4,2, 32518a = VI 1, 2377.
Collart, S. 258; S. 291.
Κανατσούλης, Nr. 1091.
Sarikakis, Nr. 216 (S. 458).

Rom. CIL VI, 1, S. 653: „fragmentum tabellae marmoreae minuta, sed pulchra littera".

3 [... Vi]nicius Q(uinti) f(ilius) Vol(tinia) Maximus Philip(pis)

3 Möglich wäre auch die Ergänzung zu *[Mi]nicius.*

... Vinicius Maximus, der Sohn des Quintus, aus der Tribus Voltinia, aus Philippi.

Maximus war vermutlich Soldat der sechsten Prätorianercohorte (die Zeile fehlt; doch die nächste einschlägige Angabe in Z. 7 nennt *cohors VII*). Die Datierung ergibt sich aus der Consuln-Angabe in Z. 9 (137 n. Chr., also für das Davorstehende: 136 n. Chr.).

Liste von Prätorianern   762/L742
                                                     144

CIL VI 4,2, 32520a = VI 1, 2379 a, col. 3.
Collart, S. 291.
Κανατσούλης, Nr. 1055.
Sarikakis, Nr. 203 (S. 457).

Rom. CIL VI 1, S. 654: „tabula magna marmorea".

10 P(ublius) Valerius Rufus Philipp(is)

Publius Valerius Rufus, aus Philippi.

Durch das dem Namen vorgestellte SP erweist sich unser Rufus als *speculator* seiner Einheit, der *cohors III praetoria.* Die Datierung ergibt sich aus der Consuln-Angabe in Z. 5 (144 n. Chr.).

Liste von Prätorianern   763/L743
                                                     um 200

Bormann/Henzen, Ephemeris Epigraphica IV (1881), 894b (S. 313).
CIL VI 4,2, 32624b.
Collart, S. 291.
Κανατσούλης, Nr. 214; 243; 272; 767; 812.
Sarikakis, Nr. 38 (S. 443); Nr. 46 (S. 443); Nr. 52 (S. 444); Nr. 223 (S. 459) und
    Nr. 228 (S. 459).

Rom. „tabula magna marmorea litteris exiguis parum accurate scripta erroribusque quadratarii multis locis corrupta; servatur in tabulario. Dispositae sunt quattuor paginae" (Ephemeris Epigraphica, S. 313).
Im folgenden ist nur Kolumne b wiedergegeben (auch als Beispiel für diese Gattung von Inschriften, die sonst nur als Einzelzeile in diesem Katalog erscheint, vgl. 759/L700; 760/L541; 761/L735; 762/L742 und 764/L744).

C(aius) Iuli(us) C(ai) f(ilius) Pap(ia) Valens Oesco
M(arcus) Aur(elius) M(arci) <f>(ilius) Pap(ia) Capitoli Oesco
M(arcus) Aur(elius) M(arci) f(ilius) Fl(avia) Bassus Philip(popoli)
M(arcus) Aur(elius) M(arci) f(ilius) Iul(ia) Cottus Philip(pis)
5　M(arcus) Aur(elius) M(arci) f(ilius) Iul(ia) Fuscus Philip(pis)
M(arcus) Aur(elius) M(arci) f(ilius) Ul(pia) Fabius Beroe(a)
M(arcus) Aur(elius) M(arci) f(ilius) Fl(avia) Firmus Ancyro
M(arcus) Ul(pius) M(arci) f(ilius) Fl(avia) Romulus Mursa
vacat　c(enturionis) Fufici Vari　*vacat*
10　M(arcus) Aur(elius) M(arci) f(ilius) Ae(milia) Optatus Moc
M(arcus) Aur(elius) M(arci) f(ilius) Cl(audia) Dammo Acunt
M(arcus) Aur(elius) M(arci) f(ilius) Cl(audia) Carinus Savari
M(arcus) Aur(elius) M(arci) f(ilius) Fl(avia) Septimos Sipmi
M(arcus) MAT M(arci) f(ilius) Sep Antoninu[s] Carnu
15　M(arcus) Aur(elius) M(arci) f(ilius) Ul(pia) Albanus Anchi
M(arcus) Au<r>(elius) M(arci) f(ilius) Ul(pia) Herodian[us] Mar-
　　　　　　　　　　　　　　　　　　　　　　　　　　cia
M(arcus) Aur(elius) M(arci) f(ilius) Fl(avia) Faustini Ancy<r>a
L(ucius) Lae(tus) L(uci) f(ilius) Ul(pia) Placidus Zermiz
M(arcus) Aur(elius) M(arci) f(ilius) DOM Marinus Anto
20　M(arcus) Aur(elius) M(arci) f(ilius) Iul(ia) Aprilis Philip(pis)
M(arcus) Aur(elius) M(arci) f(ilius) Ani(ensis) Alexis Dafne
[M(arcus) A]ur(elius) M(arci) f(ilius) Ul(pia) Septimin[us] E /
　　　　　　　　　　　　　　　　　　　　　　　　　　C O
[M(arcus) Aur(elius)] M(arci) f(ilius) Iul(ia) Larcus Philip(pis)
[. . .] Corbulo Philip(pis)
25　[. . . L]arcus Traipo
[. . .]s Beroia
[. . .] Epiro

Die Inschrift enthält viele Fehler, die auffälligsten sind im folgenden notiert. **2**　Auf dem Stein irrtümlich I statt F. **9**　Auf dem Stein: > für *centurio*. **13**　SIPMI vielleicht für *Sirmi?* **14**　Die Abkürzung MAT vermag ich nicht aufzulösen. SEP vermutlich irrtümlich für SER = *tribu Sergia.* **16**　Auf dem Stein falsch AVP statt AVR. **17**　Auf dem Stein falsch ANCYPA. **18**　Vor dem Beginn der Kolumne mit den *praenomina* befindet sich hier noch das Zeichen > für *centurio*. Vor dem Zeichen > steht o P, ohne daß erkennbar ist, ob dieser Zusatz zu Kolumne b oder zu Kolumne a gehört. **19**　Die Abkürzung DOM verstehe ich nicht.

„Dans cette liste, l'épithète *Iul.* désignait la colonie de Philippes, pour distinguer les soldats qui en étaient originaires de ceux qui étaient originaires de Philippopolis de Thrace, dont le nom était accompagné de l'épithète *Fl.*; cf. p. ex. l. 3: . . . *M. Aur. M. f. Fl. Bassus Philip.*" (Collart, S. 291, Anm. 1).

Z. 3 Der Ablativ zu *Philippopolis* ist literarisch leider nicht belegt, wie eine Suche auf der PHI-CD-ROM #5.3 zeigt, die nicht wesentlich mehr Belege liefert, als Glare, S. 1373 s.v. anführt. Vgl. im übrigen Jos. Wilhelm Kubitschek: Imperium Romanum tributim discriptum, Prag 1889, S. 240. Falsch rubriziert Sarikakis (Nr. 41, S. 443) unsern Bassus als Philipper (wenn auch mit einem Fragezeichen ...).

Z. 5 Zum *cognomen* Fuscus vgl. den Kommentar bei 163/L002, Z. 28.

Z. 24 Ob auch Corbulo aus der *Colonia Iulia Augusta Philippensis* stammt, ist nicht sicher, da sich hier das IVL nicht erhalten hat (vgl. die Wiedergabe der Inschrift bei Bormann/Henzen und die einleitend zitierte Erläuterung Collarts).

Die Datierung geht auf Sarikakis zurück, der sagt: „aetas Septimii Severi" (S. 443 bei Nr. 46).

Liste von Prätorianern

764/L744

um 200

CIL VI 4,2, 32625a = VI 1, 2386.
Collart, S. 291.
Sarikakis, Nr. 59 (S. 444); Nr. 66 (S. 445).

Rom. CIL VI 1, S. 662: „fragmenta laterculi litteris parum bonis effossa »*nel nuovo quartiere dell' Esquilino (via Gaeta)*« prope castra praetoria."

12 Aur(elius) Mucianus d(uplicarius) Phil(ippis)
14 Aur(elius) Marcianus d(uplicarius) Phil(ippis).

14 Vor der Kolumne mit den *gentilicia* findet sich hier EVOK, also *evocatus*.

Die Datierung geht auf Sarikakis zurück, der sagt: „aetas Septimii Severi" (S. 444 bei Nr. 59).

Grabinschrift des Caius Valerius

765/L702

I

CIL III 2, 5636.
Δήμιτσας, S. 752, Nr. 971.
Otto Cuntz: Legionare des Antonius und Augustus aus dem Orient, JÖAI 25 (1929), S. 70–81; hier S. 75f., Nr. 9.
Collart, S. 258; S. 291f.
Artur Betz: Die römischen Militärinschriften in Österreich, JÖAI 29 (1935), Beiblatt, Sp. 287–332; hier Sp. 313, Nr. 314.
Artur Betz: Inschriften aus Carnuntum, JÖAI 37 (1948), Beiblatt, Sp. 239–262; hier Sp. 242 (bei Nr. 1).
Κανατσούλης, Nr. 1032.
Sarikakis, Nr. 192 (S. 456).

Rottenmann in *Noricum*. CIL III 2, S. 682: „in ecclesia oppidi Roten-
man".

> C(aius) Valer-
> ius C(ai) f(ilius) V<o>l-
> tinia P<h>il-
> ip<p>is mil-
> 5 es leg(ionis) X
> V Apol(linaris).
> an<n>o(rum) XX
> XII stip(endiorum)
> XI hic s(itus) e(st).

3f. Nach CIL und Betz auf dem Stein: *Pil|ipis*. **6** Nach CIL und Betz auf dem Stein:
V APOL.

> Caius Valerius, der Sohn des Caius, aus der Tribus Voltinia, aus
> Philippi, Soldat der fünfzehnten Legion Apollinaris, zweiunddrei-
> ßig Jahre alt, mit elf Dienstjahren, liegt hier begraben.

Z. 1f. Ein gleichnamiger *Caius Valerius Cai filius* aus Philippi begegnet
in der Inschrift 766/L754 aus Carnuntum (s. dort). Da es sich in beiden
Fällen um eine Grabinschrift handelt, muß man zwei verschiedene Personen
annehmen – trotz der Namensgleichheit und trotz der Tatsache, daß beide
stipendiorum XI aus ihrem Dienst in der *legio XV Apollinaris* dahingerafft
wurden.
Z. 5f. Zur *legio XV Apollinaris* vgl. die Inschrift des Caius Valerius aus
Carnuntum (766/L754).
Zur Datierung vgl. Collart, S. 292 und Betz, Sp. 242f.

766/L754   **Grabstein des Caius Valerius aus Philippi**
I

Artur Betz: Die römischen Militärinschriften in Österreich, JÖAI 29 (1935), Bei-
    blatt, Sp. 287–332; hier Sp. 313, Nr. 315.
Artur Betz: Inschriften aus Carnuntum, JÖAI 37 (1948), Beiblatt, Sp. 239–262;
    hier Nr. 1 (Sp. 240–244) mit Abb. 66.
Sarikakis, Nr. 191 (S. 456).

Carnuntum. Über den genauen Fundort gibt es keine Informationen: „Man-
gels geeigneter Aufzeichnungen im Museum vermag ich leider nur bei n. 5
den genauen Fundort innerhalb des Territoriums von Carnuntum anzugeben" (Betz 1948, Sp. 240).
„Grabstele, unten abgebrochen, oben durch einen Dreieckgiebel mit Rahmen abgeschlossen. ... Im Giebelfeld sind zwei gekreuzte Speere mit einem

auf ihnen ruhenden Rundschild und zur weiteren Raumfüllung zwei zu diesen symmetrisch gelagerte Rosetten dargestellt. Das Inschriftfeld umgibt ein profilierter Rahmen, auf den die Schrift in Z(eile) 4 übergreift" (Betz, Sp. 240).
Abmessungen: Erhaltene H. 0,74; B. 0,70; D. 0,18. Buchstaben H. 0.09–0,05.
Betz wundert sich über „die ganz ungewöhnliche Verbindung von P und H in Z. 3" und fügt hinzu, daß er kein Beispiel für eine solche Ligatur hat finden können (Sp. 240 mit Anm. 2). Ein Blick auf Inschriften aus Philippi hätte ihn eines Besseren belehren können. Sie begegnet hier insbesondere bei PHILIPPIS o.ä. nicht selten.

    C(aius) Valer(ius)

    C(ai) f(ilius) Volt(inia)

    Philippis,

    mil(es) leg(ionis) $\overline{\text{XV}}$ Apo(llinaris)

5 [ann(orum)] ... st]i(pendiorum) X̣Ị

    [...]

4 Das Zahlzeichen mit Überstrich.   **5** Das Zahlzeichen ohne Überstrich.

Caius Valerius, der Sohn des Caius, aus der Tribus Voltinia, aus Philippi, Soldat der fünfzehnten Legion Apollinaris, ... Jahre alt, mit elf Dienstjahren, (liegt hier begraben).

Z. 2 Zur seltenen Abkürzung VOLT vgl. den Kommentar zu 600/L229.

Z. 3 „Was diesem Denkmal mit dem einfachen Formular der Grabinschrift eines Soldaten Bedeutung gibt, ist die Domus des Mannes" (Betz, Sp. 241). Betz diskutiert die Herkunft der Soldaten der *legio XV Apollinaris* und stellt fest, daß ein Teil „aus makedonischen Städten stammt" (Sp. 242). Aus Philippi ist hier auch der gleichnamige *Caius Valerius Cai filius* zu nennen, dessen Grabstein in Rottenmann in *Noricum* gefunden wurde (765/L702). Hinzu kommt aus Thessaloniki ein Caius Iulius aus der Tribus Cornelia (CIL III 13483 = IG X 2,1, 1033). In allen diesen Fällen haben wir es Betz zufolge „mit Peregrinen zu tun ..., die unter Verleihung des Bürgerrechtes den illyrischen Legionen zugeführt wurden" (Sp. 243).
„Der Grabstein des C. Valerius gehört demnach zusammen mit dem des C. Iulius zum alterältesten Denkmälerbestand der 15. Legion in Carnuntum. Da der Mann zwischen 6–9 n. Chr. eingestellt wurde und mit elf Dienstjahren verstorben ist, fällt die Errichtung des Steines in die ersten Regierungsjahre des Tiberius." (ebd.).

Grabinschrift für Quintus Vilanius Nepos

CIL VIII 1, 1026.
ILS 2127
Collart, S. 258; S. 291ff.
Sarikakis, Nr. 215 (S. 458).
Valerie A. Maxfield: The Military Decorations of the Roman Army, London 1981,
S. 190f.; S. 270.

Karthago. „Carthagine rep., nunc Algerii in museo" (CIL, S. 136). Über
der Inschrift findet sich ein Kranz, darunter ein Pferd. Maße werden nicht
angegeben.

> Dis Manibus sacr(um).
> Q(uintus) Vilanius Q(uinti) f(ilius) Vol(tinia) Nepos
> Philippis, c(enturio) coh(ortis) X̅I̅I̅I̅ urb(anae),
> donis donatus a Domitiano
> 5 ob bellum Dacicum, item ab
> eodem ob bellum Germanicum,
> item torquib(us) armillis ob bellum
> Dacicum, vixit ann(os) L, militavit an(nos) XXXII.
> M(arcus) Silius Quintianus optio bene merenti
> 10 *vacat* posuit. *vacat*

3 Auf dem Stein steht das Zeichen > für *centurio.* Die Zahl XIII als einzige mit Überstrich.
9 Das *bene* ist über der Zeile nachgetragen.

> Den Manen geweiht.
> Quintus Vilanius Nepos, der Sohn des Quintus, aus der Tri-
> bus Voltinia, aus Philippi, Centurio der dreizehnten städtischen
> Kohorte, der wegen des Dakerkrieges von Domitian mit *dona*
> ausgezeichnet wurde, ebenso wegen des Germanenkrieges von
> demselben, ebenso wegen des Dakerkrieges mit Halsketten (und)
> Armspangen, lebte fünfzig Jahre lang und leistete zweiunddrei-
> ßig Dienstjahre ab.
> Marcus Silius Quintianus, der Optio, hat dem Wohlverdienten
> (den Stein) errichtet.

Z. 1 Die Liste aller *Dis-Manibus*-Inschriften aus Philippi findet sich im
Kommentar zu 092/G496 aus Κρηνίδες.
Z. 3 Die Einheit, in der Nepos als *centurio* diente, „*cohors XIII Urbana* which was normally stationed in Carthage, is known from independent
sources ... to have crossed over to Europe to take part in Domitian's Rhine
and Danube wars" (Maxfield, S. 191).

Z. 7 Die hier genannten *dona* sind für einen *centurio* eher bescheiden; aber: „So small an award to a centurion is not without parallel at this period" (Maxfield, S. 191).

Höher dekoriert sind etwa die *centurio*-Kollegen unseres Nepos in 522/L210 (Tiberius Claudius Maximus) oder in 617/L118 (Decimus Furius Octavius).

Z. 7f. Der zweite dakische Krieg irritiert: „Duplex bellum Dacicum non intellego, vix enim de Traiani imperio vv. 7.8 cogitandum" (CIL).

Der Stein muß Collart zufolge vor 96 errichtet worden sein, denn: „Le nom de Domitien, qui fut plus tard banni des inscriptions, figure encore avec honneur dans l'épitaphe" (Collart, S. 293, Anm. 2).

Addenda et corrigenda zu Band I

S. VII. Das Recueil des inscriptions grecques et latines de Philippes ist bisher noch nicht erschienen.

S. 5, Z. 10. Ich habe mich bemüht, alle bis Ende 1998 bekannt gewordenen Texte im Katalog nachzutragen.

S. 6. Der Kommentar zu den Inschriften aus Obermakedonien ist bisher noch nicht erschienen.

S. 10, erster Absatz. Heuzey hat zwar die Bedeutung des Pangaion-Gebirges erkannt (S. 25f.), doch fehlte es ihm an der für eine seriöse Erkundung nötigen Zeit, da er sich auf Kavala und Philippi konzentrierte: „Mais le pays qui entoure immédiatement les ruines réclamait toute notre attention et tout notre temps, et je n'ai pu hasarder qu'une rapide reconnaissance dans la partie de la montagne qui borde la plaine" (S. 26). Die wenigen Inschriften aus Ελευθερούπολις (seine Nummern 6 [= 634/G032]; 7 [= 635/L033]) und Palaeochori (seine Nummern 8 [= 645/L034]; 9 [= 646/L035]; 10 [= 647/G036]) konnte er leicht als Exkurs in sein Kavala-Kapitel aufnehmen. Angesichts des ungeheuer angewachsenen Materials (die Inschriften aus dem Pangaion reichen von 577/G495 bis 649/L654) ist dieses Verfahren heute nicht mehr anwendbar.

S. 24. Die Grabungen der Universität Thessaloniki sind mit Erfolg fortgesetzt worden (vgl. unten die Nachträge zum Literaturverzeichnis s.v. Βελένης/Γούναρης). Die Bedeutung der Straße, die die vierte und fünfte *insula* nach Süden begrenzt, ist dabei immer deutlicher geworden. Auf der gegenüberliegenden Straßenseite wurden die großen Thermen von Philippi entdeckt. Vielleicht sollte man daher die neue Straße „Thermen-Straße" taufen? Herr Γούναρης war so freundlich, uns am 3. September 1999 durch das Gelände zu führen. Man darf auf die Fortsetzung gespannt sein.

S. 25. Πέννας hat die genannten Inschriften inzwischen veröffentlicht (vgl. den Literaturnachtrag); sie sind als Nummern 125a/G802 und 125b/G803 in diesen Katalog aufgenommen worden (beide aus dem vierten Jahrhundert).

S. 53, Anm. 7. Die genannte Inschrift ist mittlerweile zitierbar, da sie dankenswerterweise im Φίλιπποι-Führer abgebildet worden ist (S. 85, Abb. 72 = 381a/G787); die dort hergestellte Verbindung zur Synagoge ist wenig wahrscheinlich, da Σίμων keineswegs ein spezifisch jüdischer Name ist (vgl. den Kommentar zu 381a/G787).

S. 75, Karte 8. Diese Karte wird ohne mein Wissen oder gar Einverständnis von Elliger nachgedruckt (Winfried Elliger: Mit Paulus unterwegs in

Griechenland. Philippi, Thessaloniki, Athen, Korinth, erschienen Stuttgart 1998, S. 19, Nr. 3).

S. 87, Z. 14 v.u. Statt „alteingessenen Thrakern" ist „alteingesessenen Thrakern" zu lesen.

S. 89, Z. 1f. Es handelt sich um zwei oder drei nichtthrakische Namen; vgl. genauer den Kommentar zu 580/G488.

S. 91. Die in der Liste zuletzt genannte Inschrift ist jetzt zitierbar (381a/ G787, vgl. o. unter S. 53, Anm. 7).

S. 95, Z. 16ff. Es handelt sich um zwei oder drei nichtthrakische Namen; vgl. genauer den Kommentar zu 580/G488.

S. 96 mit Anm. 18. Die hier erwähnte Inschrift 617/L118 läßt sich mit Hilfe eines stadtrömischen Textes ergänzen, so daß *praenomen* und *nomen gentile* sich angeben lassen: Der Mann heißt *Decimus Furius Octavius Secundus.*

S. 98f. Die Inschrift mit den *[pro]curatores* ist nach wie vor unpubliziert.

S. 104, Z. 11 v.u. Hatzopoulos macht zu Recht darauf aufmerksam, daß die Formulierung „ist auch vom Verbrennen der Rosen die Rede" falsch ist (BÉ 1996, Nr. 280); sie beruht auf einer unhaltbaren Übersetzung der Wendung παρακαύσουσιν ῥόδοις, die in mehreren Inschriften begegnet. Vgl. dazu im einzelnen meinen Kommentar zu 029/G215, Z. 6–8.

S. 104, Z. 3 u. Z. 2 v.u. Es ist zu lesen „den Mysten" statt „dem Mysten"; nach dem „überwiesen" ist das Komma durch ein Semikolon zu ersetzen.

S. 104f., Anm. 52. Das inschriftliche Material zum Rosalienfest aus Philippi ist zusammengestellt im Kommentar zu 029/G215, Z. 6–8.

S. 111. Sätze 2 bis 7 müssen korrekt lauten: „D.h. 163/L002 zerfällt in zwei verschiedene Listen A und B. Priester zur Zeit der Liste A (= 163/L002, Z. 1–48) ist der oben in Z. 3 und Z. 4 genannte *Lucius Volattius Urbanus.* Priester zur Zeit der Liste B (= 163/L002, Z. 49ff.), ist derselbe *Marcus Alfenus Aspasius*, der auch in 164/L001, Z. 18 genannt wird. Daß B ersichtlich später ist als A, ergibt sich nach Collart daraus, daß 164/L001 später ist als A (und ungefähr gleichzeitig mit B). Da aber sowohl in A als auch in 164/L001 *Publius Hostilius Philadelphus* als der Errichter der Inschrift genannt ist, darf man die Inschriften nicht zu weit auseinanderrücken. Da der Platz für neue Namen auf 163/L002 damit endgültig erschöpft war, wurde später 165/L003 hinzugefügt."

S. 112, Anm. 76, Z. 4. Statt „die stadtrömischen Silvanusinschriften" ist zu lesen: „zahlreiche stadtrömische Silvanusinschriften".

S. 116f. mit Anm. 8. Eine ungewöhnliche Form des Ethnikons im Plural – Φίλιπποι – hat Stephanos von Byzanz übersehen. Sie findet sich auf einem Dekret der Philipper, das auf der Insel Kos gefunden wurde (754/G707), vgl. den Kommentar dort zu Z. 35.

Eine Liste aller Belege für die gewöhnliche Form des Ethnikons (nämlich Φιλιππεύς) auf Inschriften, die außerhalb des Territoriums gefunden wurden, bietet der Kommentar zu Z. 1 der Inschrift 752/G759.

S. 121, Z. 3 v.u. Eine Ausnahme bildet jetzt die nachgetragene Inschrift des Turmarchen Leon 115a/G801 aus dem 10. Jh.

S. 145, Z. 4 v.u. Das erratische Komma nach der Klammer ist zu streichen.

S. 149, Z. 2 v.u. Zur falschen Formulierung „verbrennt dort die Rosen" vgl. o. die Korrektur zu S. 104.

S. 150, Z. 5. Zur „Verbrennung der Rosen" vgl. o. die Korrektur zu S. 104.

S. 150, Z. 7 v.u. Statt *thiasus Maenad(arum)* ist *thiasus Maenad(um)* zu lesen.

S. 153. In der Überschrift verdient das „ein" vor ἀνὴρ Μακεδών Beachtung. Verschiedene Rezensenten haben mir unterstellt, ich sähe in Lukas *den* ἀνὴρ Μακεδών aus Apg 16,9 und damit einen Reisebegleiter des Paulus. Dies ist eine Hypothese, die beispielsweise von Ramsay vertreten wird, wie ich S. 156, Anm. 9 referiere, wo ich mich davon *ausdrücklich* distanziere: „Meine Hypothese beruht nicht auf dergleichen Voraussetzungen und Spekulationen. Sie ließe sich auch dann halten, wenn Lukas ein Reisebegleiter des Paulus gewesen wäre, ist aber von dieser Voraussetzung völlig unabhängig." *sapienti sat* ...

S. 176, Anm. 6. Die Nummer der Inschrift ist in 646/L035 zu korrigieren.

S. 177. Im Text der Inschrift ist in Z. 3 natürlich Θυατειρ[ην]όν zu lesen.

S. 180, Z. 8. Es ist auch hier natürlich Θυατειρ[ην]όν zu lesen.

S. 181, Anm. 28, Z. 2. Es ist auch hier natürlich Θυατειρ[ηνόν] zu lesen.

S. 194, Anm. 4. Zu den Ἀσιάρχαι vgl. unten den Nachtrag zu S. 248, Anm. 1.

S. 220, Z. 14 v.u. Zum „Verbrennen" der Rosen vgl. o. die Korrektur zu S. 110, Z. 11 v.u.

S. 220, Z. 11 v.u. Statt 525/L104 ist am Ende der Zeile vielmehr 048/L304 zu lesen.

S. 221, Z. 6 v.u. Zum „Verbrennen" der Rosen vgl. o. die Korrektur zu S. 110, Z. 11 v.u.

S. 232. Die Inschrift, die eine συναγωγή in Philippi erwähnt, ist mittlerweile publiziert worden, und so konnte ich sie als Nummer 387a/G813 nachträglich in meinen Katalog aufnehmen (s. dort).

S. 240, Z. 3 v.u. Es muß richtig heißen: „Hier findet sich kein Ζείπας ... ".

S. 241, s.v. 101/G544. Die Akzente sind zu korrigieren: lies Φαυστῖνος und Δονᾶτος.

S. 241, s.v. 110/G553. Der Akzent ist zu korrigieren: Ἑρακλέων muß es richtig heißen.

S. 241, s.v. 115/G766. Es ist Ἀγάθη und Ἰωάν<ν>ης zu lesen.

S. 241, s.v. 268/G428. Es ist Ἄγροικος zu lesen.

S. 241, s.v. 292/G427. Es ist Ἀρεσίας zu lesen.

S. 242, Z. 12 v.u. Es ist „d.h. 119/G500–125/G485" zu lesen.

S. 248, Anm. 1. Die hier angeführte Borgensche These, wonach Lukas in Ephesos schreibt, ist schon wegen Apg 19,31 unmöglich: Die Ἀσιάρχαι treten hier als Gremium in Erscheinung; keinem Bewohner der Stadt Ephesos konnte es jedoch verborgen bleiben, daß es immer nur *einen* Asiarchen gibt (dies beweisen auch sämtliche literarischen und epigraphischen Zeugnisse: Die TLG-CD-ROM #D bietet lediglich 10 Belege; Strabo ist der einzige vom Neuen Testament unabhängige Autor, der den Plural bezeugt [Geogr. XIV 1,42]. Er spricht an dieser Stelle von der Stadt Tralleis, die immer Asiarchen hervorgebracht habe, d. h. dieser Beleg ist gerade kein solcher, der mehrere Asiarchen *gleichzeitig* auftreten ließe! Was sodann die epigraphischen Belege betrifft, so ergibt die Suche nach #ασιαρχ- auf der PHI-CD-ROM #7 insgesamt 220 Belege. Darunter sind nur ca. ein Dutzend pluralische Belege. Meist handelt es sich dabei um Ehreninschriften, in der der oder die zu Ehrende als Abkomme von Asiarchen erscheint, d. h. mehrere Vorgängergenerationen der betreffenden Familie weisen jeweils einen Asiarchen auf. D. h. einen Apg 19,31 vergleichbaren Plural *bieten auch die Inschriften nicht*). Damit scheidet Ephesos als Abfassungsort des lukanischen Doppelwerks nach meinem Urteil definitiv aus.

S. 257, Anm. 4. Die Nummer der Inschrift ist in 705/L503 zu korrigieren. Das im Text zu dieser Anmerkung vorgetragene Argument hinsichtlich des Militärdiploms 030/L523 setzt voraus, daß die Zeugen in Rom tätig werden. Für die frühen Militärdiplome wird dies jedoch von Slobodan Dušanić (The Witnesses to the Early »Diplomata Militaria«, in: Sodalitas. Scritti A. Guarino, Neapel 1984, S. 271–286) bestritten. Vgl. dagegen meinen Kommentar zu 705/L503.

S. 262, s.v. [IG XII 8]. Es muß natürlich „Fasciculus VIII" heißen; der Herausgeber heißt korrekt „Fredrich".

S. 265, Z. 7. Es ist zu lesen „Τεύχος Πρῶτον,".

S. 272, Z. 3. Es ist zu lesen „Cousinéry, E.M.".

S. 284, Z. 4 v.u. Es ist „de la région de Serrès" zu lesen.

S. 292, Z. 16 v.u. Lies Παράρτημα.

S. 301, s.v. 065/L053. Der Eintrag ist zu streichen.

S. 301, s.v. 126/L613. Der Eintrag ist zu streichen.

S. 303, s.v. 646/L035. Füge hinzu: 176[5].

S. 303, s.v. 705/L503. Füge hinzu: 257[4].

S. 303, s.v. 748/L703. Der Eintrag ist zu streichen.

S. 308, s.v. Φίλιπποι (das moderne Dorf). Statt 242[5] ist 243[5] zu lesen.

S. 309, s.v. ἄρχοντος. Das Lemma ist in ἄρχοντες zu korrigieren.

S. 309, s.v. Ασιάρχαι. Das Lemma ist in Ἀσιάρχαι zu korrigieren.

S. 310 s.v. Imp. Rem. Der erratische Verweis ist zu streichen.

S. 311, linke Spalte, am Schluß: Die Reihenfolge ist verkehrt. Das Lemma „Steinmetzzeichen" gehört vor „Straßennetz (Philippi)".

Literaturverzeichnis

Es handelt sich um Nachträge zum Literaturverzeichnis in Band I, S. 259–295; die dortige Gliederung wurde beibehalten.

I Hilfsmittel

1. Wörterbücher

[Pape/Benseler] Pape, Wilhelm: Wörterbuch der griechischen Eigennamen. Dritte Aufl., neu bearbeitet von Gustav Eduard Benseler, 2 Bde., Handwörterbuch der griechischen Sprache 3, Braunschweig 1863–1870 (Nachdr. 1875).

[LSJ Suppl.] Glare, P.G.W./Thompson, A.A. [Hg.]: Greek-English Lexicon. Revised Supplement, Oxford 1996.

2. Grammatiken, epigraphische Handbücher u.ä.

Guide de l'épigraphiste. Bibliographie choisie des épigraphies antiques et médiévales, hg. v. François Bérard, Denis Feissel, Pierre Petitmengin, Denis Rousset und Michel Sève, Paris [3]2000.

Woodhead, A.G.: The Study of Greek Inscriptions, Cambridge [2]1981.

3. Atlanten und Einzelkarten

Tabula Imperii Romani. D'après la carte internationale du monde au 1:1.000.000, K 35 Istambul, K 35, I: Philippi, hg. v. A. Avraméa, Athen 1993.

Tabula Imperii Romani: Naissus – Dyrrhachion – Scupi – Serdica – Thessalonike. D'après la carte internationale du monde au 1:1.000.000, K 34 Sofia, Ljubljana 1976.

Νομός Φωκίδος, hg. v. Εθνική Στατιστική Υπηρεσία της Ελλάδος, Athen 1963.

II Sammelwerke

Baunack, Johannes s. SGDI.

Ceramic Art from Byzantine Serres, hg. v. Demetra Papanikola-Bakirtzis/ Eunice Dauterman Maguire/Henry Maguire, Illinois Byzantine Studies III, Urbana/Chicago 1992.

[CIG] Corpus Inscriptionum Graecarum, Bd. I–II hg. v. A. Boeckh, Berlin 1828–1843; Bd. III hg. v. J. Franz, Berlin 1845–1853; Bd. IV hg. v. E. Curtius und A. Kirchhoff, Berlin 1856–1859.

[CIL VI 1] Inscriptiones urbis Romae latinae. Pars prima, hg. v. Eugen Bormann und Wilhelm Henzen, CIL VI 1, Berlin 1876.

[CIL VI 4,2] Inscriptiones urbis Romae latinae. Partis quartae fasciculus posterior: Additamenta, hg. v. Christianus Huelsen, CIL VI 4,2, Berlin 1902.

[CIL VIII 1] Inscriptiones Africae latinae. Pars prior, hg. v. Gustav Wilmanns, CIL VIII 1, Berlin 1881.

[CIL IX] Inscriptiones Calabriae, Apuliae, Samnii, Sabinorum, Piceni latinae, hg. v. Theodor Mommsen, CIL IX, Berlin 1883.

Corpus der griechischen und lateinischen Beneficiarier-Inschriften des Römischen Reiches, hg. v. Egon Schallmayer/Kordula Eibl/Joachim Ott/Gerhard Preuß/Esther Wittkopf, Der römische Weihebezirk von Osterburken I, Forschungen und Berichte zur Vor- und Frühgeschichte 40, Stuttgart 1990.

[FD III 2] Colin, G.: Inscriptions du Trésor des Athéniens, Fouilles de Delphes, Tome III: Épigraphie, Deuxième fascicule, Paris 1909–1913.

[IEph Ia] Die Inschriften von Ephesos, Teil Ia, Nr. 1–47 (Texte), hg. v. Hermann Wankel, IGSK 11.1, Bonn 1979.

[IG I³1] Inscriptiones Atticae Euclidis anno anteriores. Fasciculus I: Decreta et tabulae magistratuum, hg. v. David Lewis, IG I³1, Berlin/New York 1981.

[IG II/III² 1,1] Inscriptiones Atticae Euclidis anno posteriores, Pars prima decreta continens. Fasciculus prior: Decreta annorum 403/2–230/29, hg. v. Johannes Kirchner, IG II/III² 1,1, Berlin 1913.

[IG IV] Inscriptiones Argolidis, hg. v. Maximilian Fraenkel, IG IV, Berlin 1902.

[IG IX 1] Inscriptiones Graeciae septentrionalis voluminibus VII et VIII non comprehensae. Pars I: Inscriptiones Phocidis, Locridis, Aetoliae, Acarnaniae, insularum maris Ionii, hg. v. Wilhelm Dittenberger, IG IX 1, Berlin 1897.

[IG XII Suppl.] Inscriptiones Graecae insularum maris Aegaei praeter Delum. Supplementum, hg. v. Friedrich Hiller von Gaertringen, IG XII Suppl., Berlin 1939.

[IGSK 3] Die Inschriften von Ilion, hg. v. Peter Frisch, IGSK 3, Bonn 1975.

[IGSK 53] The Inscriptions of Alexandreia Troas, hg. v. Marijana Ricl, IGSK 53, Bonn 1997.

[ILS][8] Inscriptiones Latinae Selectae, hg. v. Hermann Dessau, Vol. I–III 2, Berlin 1892–1916, 5. Aufl. (unveränderter Nachdruck) Zürich 1997.

[ISmyrn] Die Inschriften von Smyrna, Teil II 1, hg. v. Georg Petzl, IGSK 24,1, Bonn 1987.

Peek, Werner [Hg.]: Griechische Vers-Inschriften, Bd. I: Grab-Epigramme, Berlin 1955.

Philippi at the Time of Paul and after His Death, hg. v. Charalambos Bakirtzis und Helmut Koester, Harrisburg 1998.[9]

Prellwitz, Walther s. SGDI.

Roman Onomastics in the Greek East. Social and Political Aspects, Proceedings of the International Colloquium organized by the Finnish Institute and the Centre for Greek and Roman Antiquity, Athens, 7–9, September 1993, hg. v. A.D. Rizakis, Μελετήματα 21, Athen 1996.

Schallmayer, Egon s. Corpus der griechischen und lateinischen Beneficiarier-Inschriften des Römischen Reiches.

[SGDI I] Meister, Richard: Die böotischen Inschriften, Sammlung der griechischen Dialekt-Inschriften, Erster Band, Heft III, Göttingen 1884.

[SGDI II] Baunack, Johannes: Die delphischen Inschriften (4. Teil: No. 2501–2993), Sammlung der griechischen Dialekt-Inschriften, Zweiter Band, VI. Heft, Göttingen 1899.

[SGDI III 1] Prellwitz, Walther: Die argivischen Inschriften, Sammlung der griechischen Dialekt-Inschriften, Dritter Band, erste Hälfte, III. Heft, Göttingen 1889.

Sklaven und Freigelassene in der Gesellschaft der römischen Kaiserzeit. Textauswahl und Übersetzung von Werner Eck und Johannes Heinrichs, TzF 61, Darmstadt 1993.

Thasiaca, BCH Suppl. 5, Athen/Paris 1979.

Waddington, W.H.: Inscriptions grecques et latines de la Syrie, recueillies et expliquées, Paris 1870 (Nachdr. Rom 1968).

Waltzing, Jean-Pierre: Étude historique sur les corporations professionnelles chez les Romains. Depuis les origines jusqu'à la chute de l'Empire d'Occident, Bd. III: Recueil des Inscriptions grecques et latines relatives aux Corporations des Romains, Löwen 1899 (Nachdr. Hildesheim/New York 1970).

---

[8] Die Titelaufnahme in Band I 263 ist unzureichend.

[9] Hätte ich dieses Buch zu rezensieren, würde ich nicht nur das ungenügende Literaturverzeichnis bemängeln: Wer 1998 über Paulus und Philippi unter lokalgeschichtlicher Perspektive schreibt, ohne meine Monographie von 1995 zu erwähnen, disqualifiziert sich selbst ...

Αρχαία Μακεδονία. Ancient Macedonia [Katalog einer Ausstellung in Melbourne, Brisbane und Sydney 1989], Athen 1988.

Αφιέρωμα στον N.G.L. Hammond, Παράρτημα Μακεδονικών 7, Thessaloniki 1997.

Γουναροπούλου, Λουκρητία/Χατζόπουλος, Μ.Β.: Επιγραφές Βεροίας, Επιγραφές Κάτω Μακεδονίας (μεταξύ του Βερμίου όρους και του Αξιού ποταμού), Bd. I, Athen 1998.

Διεθνές Συμπόσιο Βυζαντινή Μακεδονία, 324–1430 μ.Χ., Θεσσαλονίκη 29–31 Οκτωβρίου 1992, Μακεδονική Βιβλιοθήκη 82, Thessaloniki 1995.

Η Κάβαλα χθες και σήμερα, Καθημερινή, Αφιέρωμα vom 27. Juni 1993.

Λοβέρδου-Τσιγαρίδα, Κάτια s. Τσιγαρίδας, Ευθύμιος/Λοβέρδου-Τσιγαρίδα, Κάτια.

Μακεδονία – Θράκη. Τα αρχαιολογικά ευρήματα αφηγούνται την ιστορία τους, Καθημερινή, Αφιέρωμα vom 23. Juli 1995.

Μνήμη Μανόλη Ανδρόνικου, Παράρτημα Μακεδονικών 6, Thessaloniki 1997.

Μπακαλάκης, Γεώργιος: Οίνος Ισμαρικός. Μικρά μελετήματα του καθηγητή Γεωργίου Μπακαλάκη. Τιμητικός τόμος (des Αριστοτέλειο Πανεπιστήμιο Θεσσαλονίκης), 2 Bde., Thessaloniki 1990.

Πετράκος, Βασίλειος Χ.: Οι επιγραφές του Ωρωπού, Βιβλιοθήκη της εν Αθήναις Αρχαιολογικής Εταιρείας 170, Athen 1997.

Τσιγαρίδας, Ευθύμιος/Λοβέρδου-Τσιγαρίδα, Κάτια: Κατάλογος χριστιανικών επιγραφών στα μουσεία της Θεσσαλονίκης, Μακεδονική Βιβλιοθήκη 52, Thessaloniki 1979.

Χατζόπουλος, Μ.Β. s. Γουναροπούλου, Λουκρητία/Χατζόπουλος, Μ.Β.

III Antike Autoren

Ovid

Publius Ovidius Naso: Metamorphosen. In deutsche Hexameter übertragen und mit dem Text herausgegeben von Erich Rösch, Tusc, Darmstadt [10]1983.

Strabon

Meineke, A. [Hg.]: Strabonis geographica, 3 Bände, Leipzig 1877 (Nachdr. Graz 1969).

Appian

Mendelssohn, Ludwig/Viereck, Paul [Hg.]: Appiani Historia Romana, editio altera correctior, BiTeu, Band II, Leipzig 1905 (Nachdr. 1986).

Artemidoros

Pack, R.A. [Hg.]: Artemidori Daldiani onirocriticon libri V, BiTeu, Leipzig 1963.

Herodianos

Lentz, A. [Hg.]: De prosodia catholica, Grammatici Graeci, Bd. III 1, Leipzig 1867 (Nachdr. Hildesheim 1965).

Aelian

Hercher, E. [Hg.]: Claudii Aeliani de natura animalium libri XVII, varia historia, epistolae, fragmenta, vol. 2, Leipzig 1866 (Nachdr. Graz 1971).

Cassius Dio

Boissevain, U.P. [Hg.]: Cassii Dionis Cocceiani historiarum Romanarum quae supersunt, 3 Bände, Berlin 1895, 1898, 1901 (Nachdr. 1955).

Euseb

Lake, Kirsopp/Oulton, J.E.L./Lawlor, H.J. [Hg.]: Eusebius: The Ecclesiatical History, Bd. I–II (griech.-engl.), LCL 153.265, Cambridge/London 1926/1932 (Nachdr. 1975/1973).

Epiphanios

Gelzer, Heinrich [Hg.]: Texte der Notitiae Episcopatuum, ABAW.PP 21,3, München 1901.

Egeria

Maraval, Pierre [Hg.]: Égérie: Journal de voyage (Itinéraire). Introduction, texte critique, traduction, notes, index et cartes, SC 296, Paris 1982.

IV Sekundärliteratur

Alexander, John A.: Cassandreia during the Macedonian Period: An Epigraphical Commentary, Ancient Macedonia I, Thessaloniki 1970, 127–146.

Amandry, Pierre: Chronique des fouilles et découvertes archéologiques en Grèce en 1948, BCH 73 (1949), 516–536.

Badian, E.: Alexander and Philippi, ZPE 95 (1993), 131–139.

Badian, E.: A Reply to Professor Hammond's Article, ZPE 100 (1994), 388–390.[10]

Bauer, Johannes Bapt.: Die Polykarpbriefe, KAV 5, Göttingen 1995.

---

[10] Am Schluß des Artikels findet sich eine „Notiz der Redaktion: Damit schliessen wir die Debatte" (a.a.O., S. 390). Schön, daß heutzutage Debatten durch Redaktionen geschlossen werden ...

Bengtson, Hermann: Randbemerkungen zu den koischen Asylieurkunden, Historia 3 (1954/55), 456–463.

Blackman, David: Archaeology in Greece 1996–97, AR 43 (1996–1997), 1–125.

Blackman, David: Archaeology in Greece 1997–98, AR 44 (1997–1998), 1–128.

Blackman, David: Archaeology in Greece 1998–99, AR 45 (1998–1999), 1–124.

Bockmuehl, Markus: A Commentator's Approach to the „Effective History" of Philippians, JSNT 60 (1995), 57–88.

Bon, Anne-Marie/Bon, Antoine: Les timbres amphoriques de Thasos, Études des Thasiennes IV, Paris 1957.

Bredow, Iris von: Die thrakischen Namen bei Homer, in: Third International Scientific Symposium »Terra Antiqua Balcanica«. Acta Centri Historiae »Terra Antiqua Balcanica« I, Sofia 1986, 133–186.

Brocke, Christoph vom: Thessaloniki – Stadt des Kassander und Gemeinde des Paulus. Eine frühe christliche Gemeinde in ihrer heidnischen Umwelt, WUNT 2/125, Tübingen 2000.

Caskey, John L.: New Inscriptions from Troy, AJA 39 (1935), 588–592.

Catling, H.W.: Archaeology in Greece 1987–88, AR 34 (1987–1988), 3–85.

Catling, H.W.: Archaeology in Greece 1988–89, AR 35 (1988–1989), 3–116.

Chamoux, François: Gaïus Caesar, BCH 74 (1950), 250–264.

Chronique des fouilles et découvertes archéologiques dans l'Orient hellénique (novembre 1919–novembre 1920), BCH 44 (1920), 367–415.

Chronique des fouilles et découvertes archéologiques en Grèce en 1956, BCH 81 (1957), 496–636.

Courbin, P.: Chronique des fouilles et découvertes archéologiques en Grèce en 1953, BCH 78 (1954), 95–157.

Dąbrowa, Edward: Legio X Fretensis. A Prosopographical Study of its Officers (I–III c. A.D.), Historia Einzelschriften 66, Stuttgart 1993.

Daux, Georges: Chronique des fouilles et découvertes archéologiques en Grèce en 1957, BCH 82 (1958), 644–830.

Daux, Georges: Chronique des fouilles et découvertes archéologiques en Grèce en 1958, BCH 83 (1959), 567–793.

Daux, Georges: Chronique des fouilles et découvertes archéologiques en Grèce en 1961, BCH 86 (1962), 629–975.

Daux, Georges: Chronologie delphique, Fouilles de Delphes III: Épigraphie, Fascicule hors série, Paris 1943.

Daux, Georges: La grande liste delphique des théarodoques, AJP 101 (1980), 318–323.

Daux, Georges: Listes delphiques de théarodoques, REG 62 (1949), 1–30.

Daux, Georges: Notes de lecture, BCH 101 (1977), 329–351.

Daux, Georges: Quelques noms, quelques textes, in: Thasiaca, BCH Suppl. 5, Athen/Paris 1979, 351–373.

Debidour, Michel: Réflexions sur les timbres amphoriques thasiens, in: Thasiaca, BCH Suppl. 5, Athen/Paris 1979, 269–314.

Descat, Raymond: À propos d'un citoyen de Philippes à Théangela, REA 99 (1997), 411–413.

Dow, Sterling: Three Athenian Decrees. Method in the Restoration of Preambles, HSCP 67 (1963), 55–75.

Drew-Bear, Thomas: Les Sergii Paulli à Antioche de Piside, in: Thomas Drew-Bear/Mehmet Taşlıalan/Christine Thomas [Hg.]: First International Congress on Antioch in Pisidia, İzmit 2000.

Drexler, W.: Art. Men, ALGM II2 (1894–1897), Sp. 2687–2770.

Drijvers, Han J.W.: Abgarsage, in: Wilhelm Schneemelcher [Hg.]: Neutestamentliche Apokryphen, I. Band: Evangelien, Tübingen ⁵1987, 389–395.

Düll, Siegrid: Die Götterkulte Nordmakedoniens in römischer Zeit. Eine kultische und typologische Untersuchung anhand epigraphischer, numismatischer und archäologischer Denkmäler, Münchener Archäologische Studien 7, München 1977.

Düll, Siegrid: Götter auf makedonischen Grabstelen, in: Μελετήματα στη μνήμη Βασιλείου Λαούρδα/Essays in Memory of Basil Laourdas, Thessaloniki 1975, 115–135.

Dunand, Françoise: Le culte d'Isis dans le bassin oriental de la méditerranée. Vol. I: Le culte d'Isis et les Ptolémées. Vol. II: Le culte d'Isis en Grèce. Vol. III: Le culte d'Isis en Asie mineure. Clergé et rituel des sanctuaires isiaques, EPRO 26, Leiden 1973.

Edson, Charles: Double Communities in Roman Macedonia, in: Μελετήματα στη μνήμη Βασιλείου Λαούρδα/Essays in Memory of Basil Laourdas, Thessaloniki 1975, 97–102.

Edson, Charles: Strepsa (Thucydides 1. 64. 4), CP 50 (1955), 169–190.

Eisen, Ute E.: Amtsträgerinnen im frühen Christentum. Epigraphische und literarische Studien, FKDG 61, Göttingen 1996.

Errington, R. Malcolm: Neue epigraphische Belege für Makedonien zur Zeit Alexanders des Großen, in: Alexander der Große. Eine Welteroberung und ihr Hintergrund, Vorträge des Internationalen Bonner Alexanderkolloquiums, 19.–21.12.1996, Antiquitas, Reihe I, 46, Bonn 1998, 77–90.

Faure, Paul: Alexandre, Paris 1985.

Feyel, Michel: Paul-Émile et le synédrion macédonien, BCH 70 (1946), 187–198.

Freis, Helmut: Die cohortes urbanae, EpiSt 2, Köln/Graz 1967.

French, E.B.: Archaeology in Greece 1989–90, AR 36 (1989–1990), 3–82.

French, E.B.: Archaeology in Greece 1992–93, AR 39 (1992–1993), 3–81.

French, E.B.: Archaeology in Greece 1993–94, AR 40 (1993–1994), 3–84.

Friedlaender, Ludwig: Darstellungen aus der Sittengeschichte Roms in der Zeit von Augustus bis zum Ausgang der Antonine, 10. Aufl. v. Georg Wissowa, Bd. I, Leipzig 1922.

Gostar, Nicolae: Sur l'inscription de Ti. Claudius Maximus de Grammeni (Macédoine), in: Epigraphica. Travaux dédiés au VIIe Congrès d'épigraphie grecque et latine (Constantza, 9–15 septembre 1977), hg. v. D.M. Pippidi et Em. Popescu, Bukarest 1977, 79–98.

Gruppe, O.: Griechische Mythologie und Religionsgeschichte, Band II, HKAW V 2, München 1906.

Guarducci, Margherita: Un rito funerario in una iscrizione della Tracia, SMSR 1938, 168–172.

Hammond, N.G.L.: A Note on E. Badian »Alexander and Philippi«, ZPE 95 (1993), 131–9, seinerseits erschienen in ZPE 100 (1994), 385–387; jetzt in: ders.: Collected Studies IV. Further Studies on Various Topics, Amsterdam 1997, 189–191.

Hammond, N.G.L.: The Lakes on the lower Strymon and Mt. Dionysus, The Ancient World 28 (1997), 41–45.

Hammond, N.G.L.: Was some rock art in the southern Balkans due to Crusaders?, The Journal of Mediaeval History 60 (1995), 1–10; jetzt in: ders.: Collected Studies IV. Further Studies on Various Topics, Amsterdam 1997, 281–290.

Hattersley-Smith, Kara: The Early Christian Churches of Macedonia and their Patrons, in: Bosphorus: Essays in Honour of Cyril Mango = ByF 21 (1995), 229–234.

Hatzopoulos, M.B.: Alexandre en Perse: La revanche et l'empire, ZPE 116 (1997), 41–52.

Hatzopoulos, Miltiade B.: Décret pour un bienfaiteur de la cité de Philippes, BCH 117 (1993), 315–326.

Hatzopoulos, Miltiades B.: Épigraphie et villages en Grèce du Nord: Ethnos, polis et kome en Macédoine, in: L'epigrafia del villagio, Epigrafia e antichità 12, Faenza 1993, 151–171.

Hatzopoulos, M.B.: Macedonian Institutions under the Kings. Band I: A Historical and Epigraphic Study. Band II: Epigraphic Appendix, Μελετήματα 22, Athen 1996.

Hatzopoulos, Miltiades B.: The Via Egnatia between Thessalonike and Apollonia, in: Αφιέρωμα στον N.G.L. Hammond, Παράρτημα Μακεδονικῶν 7, Thessaloniki 1997, 199–213.

Hatzopoulos, Miltiades B.: Un prêtre d'Amphipolis dans la grande liste des théaradoques de Delphes, BCH 115 (1991), 345–347.

Haussoullier, B.: Fragments d'une liste des proxènes rangés par ordre géographique, BCH 7 (1883), 189–203.

Hoey, A.S.: Rosaliae signorum, HThR 30 (1937), 15–35.

Huber, Sandrine/Varalis, Yannis: Chronique des fouilles et découvertes archéologiques en Grèce en 1994, BCH 119 (1995), 843–1057.

Jullian, C.: Art. Flamen, Flaminica, Flamonium, DAGR II 2, 1156–1188.

Kaletsch, Hans: Art. Euromos, DNP 4 (1998), Sp. 289f.

Kazarow, Gawril: Art. Thrakische Religion, PRE VI AI (1936), Sp. 472–551.

Kern, Otto: Aus Samothrake, MDAI.A 18 (1893), 337–384.

Keune, Johann Baptist: Art. Felsendenkmäler, PRE Suppl. III (1918), Sp. 482–491.

Kleiner, Fred S.: The Arch of Nero in Rome. A Study of the Roman Honorary Arch before and under Nero, Archaeologica 52, Rom 1985.

Koukouli-Chrysantaki[11], Chaido: Colonia Iulia Augusta Philippensis, in: Philippi at the Time of Paul (s. dort), 5–35.

Kourkoutidou-Nikolaidou, Eu./Marki, Eu.: Des innovations liturgiques et architecturales dans la basilique du Musée de Philippes, Actes du Congrès International d'Archéologie Chrétienne XII (Bonn 22.–28. September 1991), Band 2, Münster 1995, 950–957.

Kraus, Theodor: Hekate. Studien zu Wesen und Bild der Göttin in Kleinasien und Griechenland, Heidelberger kunstgeschichtliche Abhandlungen N.F. 5, Heidelberg 1960.

Kubińska, Jadwiga: Épitaphe grecque de Rome au Musée National de Varsovie, Eos 75 (1987), 305–307.

Lambrinudakis, Wassilios/Wörrle, Michael: Ein hellenistisches Reformgesetz über das öffentliche Urkundenwesen von Paros (mit Taf. 5–13), Chiron 13 (1983), 283–368.

Lane, E.N.: A Re-Study of the God Men. Part I: The Epigraphic and Sculptural Evidence, Berytus 15 (1964), 5–58.

Le Bohec, Yann: Art. Beneficiarii, DNP 2 (1997), Sp. 561.

Loukopoulou, Louisa: Sur la structure ethnique et sociale de Serrès à l'époque impériale, in: Ποικίλα, Μελετήματα 10, Athen 1990, 173–189.

Luik, Martin: Das zweite Militärdiplom aus Köngen, Kreis Esslingen, Fundberichte aus Baden-Württemberg 20 (1995), 717–724.

Malkin, Irad: What is an Aphidruma?, ClA 10 (1991), 77–96.

---

[11] Wieso Χρυσανθάκη in diesem Werk *passim* als Chrysantaki transkribiert wird, bleibt unerfindlich.

Mateescu, G.: Cercetări cu privire la Traci. A. Emendaţiuni la Corpus I.L., Buletinul Comisunii Monumentelor Istorice 9 (1916), 29–40 (mit französischer Zusammenfassung S. 41f.).

Meritt, Benjamin D.: Greek Inscriptions, Hesperia 13 (1944), 210–266.

Meritt, Benjamin D.: The Athenian Year, Berkeley/Los Angeles 1961.

Meritt, Benjamin D.: The Year of Neaichmos (320/19 B.C.), Hesperia 32 (1963), 425–439.

Meyer, Eduard: Geschichte des Altertums, IV 2: Der Ausgang der griechischen Geschichte, Darmstadt [5]1965.

Michaud, Jean-Pierre: Chronique des fouilles et découvertes archéologiques en Grèce en 1970, BCH 95 (1971), 803–1067.

Mitchell, Stephen: Iconium and Ninica. Two Double Communities in Roman Asia Minor, Historia 28 (1979), 409–438.

Mottas, François: La population de Philippes et ses origines à la lumière des inscriptions, Études de Lettres 2 (1994), 15–24.

Nachtergael, Georges: Les Galates en Grèce et les Sôtéria de Delphes. Recherches d'histoire et d'épigraphie hellénistiques, Brüssel 1977.

Najdenova, Vărbinka: A Shrine of Ares Suregethes in Thrace, in: Third International Scientific Symposium »Terra Antiqua Balcanica«. Acta Centri Historiae »Terra Antiqua Balcanica« II, Sofia 1987, 252–258.

Neugebauer, O. s. Pritchett, W. Kendrick/Neugebauer, O.

Nigdelis, Pantelis M.: Kalendarium Caesianum: Zum kaiserlichen Patrimonium in der Provinz Makedonien, ZPE 104 (1994), 118–128.

Nikitsky, A.: Die geographische Liste der delphischen Proxenoi, Dorpat 1902.

Noethlichs, Karl Leo: Der Jude Paulus – ein Tarser und Römer?, in: Raban von Haehling [Hg.]: Rom und das himmlische Jerusalem. Die frühen Christen zwischen Anpassung und Ablehnung, Darmstadt 2000, 53–84.

Pallas, D.I.: Une petite recherche dans le diaconicon de la basilique B de Philippes, BZ 53 (1960), 328–332.

Pandermalis, Dimitrios: Dion. Archäologische Stätte und Museum, Athen 1997.

Papazoglou, Fanoula: La population des colonies romaines en Macédoine, ŽAnt 40 (1990), 111–124.

Papazoglou, F.: Sur l'organisation de la Macédoine des Antigonides, in: Αρχαία Μακεδονία III (s. dort), 195–210.

Pariente, Anne: Chronique des fouilles et découvertes archéologiques en Grèce en 1989, BCH 114 (1990), 703–850.

Pariente, Anne: Chronique des fouilles et découvertes archéologiques en Grèce en 1991, BCH 116 (1992), 833–954.

Pariente, Anne: Chronique des fouilles et découvertes archéologiques en Grèce en 1993, BCH 118 (1994), 695–866.

Peek, Werner: Zwei Grabepigramme aus Makedonien, Hermes 92 (1964), 498–502.

Perlman, Paula Jean: The *Theorodokia* in the Peloponnese, Phil. Diss. Berkeley 1984 (Ann Arbor 1988).

Perlman, Paula: Θεωροδοχοῦντες ἐν ταῖς πόλεσιν: Panhellenic *Epangelia* and Political Status, in: Sources for the Ancient Greek City-State, Acts of the Copenhagen Polis Centre 2, Kopenhagen 1995, 113–164.

Pennas, Charalambos: Early Christian Burials at Philippi, in: Bosphorus: Essays in Honour of Cyril Mango = ByF 21 (1995), 215–227.

Perdrizet, Paul: Le cimetière chrétien de Thessalonique, MAH 19 (1899), 541–548.

Perdrizet, Paul: Notes de numismatique macédonienne, RNum 7 (1903), 309–325.

Peter, Ulrike: Art. Kotys [I 2], DNP 6 (1999), Sp. 784.

Picard, Ch.: Fouilles de Thasos (1914 et 1920), BCH 45 (1921), 86–173.

Picard, Olivier: Les Thasiens du continent et la fondation de Philippes, in: Tranquillitas. Mélanges en l'honneur de Tran tam Tinh, Collection »Hier pour aujourd'hui«, Quebec 1994, 459–473.

Pilhofer, Peter: Λουκᾶς ὡς ἀνήρ Μακεδών (erscheint 2000 in den Kongreßakten Αρχαία Μακεδονία VI – Ancient Macedonia VI in Thessaloniki).

Pilhofer, Peter: Luke's Knowledge of Pisidian Antioch, in: First International Congress on Pisidian Antioch, hg. v. Thomas Drew-Bear, Mehmet Taşhalan und Christine M. Thomas, İzmit 2000, 69–76.

Pilhofer, Peter/Witulski, Thomas: Archäologie und Neues Testament: Von der Palästinawissenschaft zur lokalgeschichtlichen Methode, in: Exegese und Methodendiskussion, TANZ 23, Tübingen/Basel 1998, 237–255.

Plassart, A.: Inscriptions de Delphes. La liste des Théorodoques, BCH 45 (1921), 1–85.

Pope, Helen: Foreigners in Attic Inscriptions, Philadelphia 1947 (Nachdr. in der Reihe Studia Historica, Band 65, Rom 1969).

Pritchett, W. Kendrick/Neugebauer, O.: The Calendars of Athens, Cambridge (Mass.) 1947.

Pritchett, W. Kendrick: Ancient Athenian Calendars on Stone, Berkeley/Los Angeles 1963.

Quass, F.: Zum Problem der Kultivierung brachliegenden Gemeindelandes kaiserzeitlicher Städte Griechenlands, Τεχμήρια Β´ (1996), 82–119.

Rapp, A.: Art. Kotys, ALGM II (1890–1897), Sp. 1398–1403.

Reinach, S.: La reconstruction des murs de Cavalla, BCH 6 (1882), 267–275.

Reinach, Théodore: Inscriptions de Samothrace, REG 5 (1892), 197–205.

Robert, Louis: Études de numismatique grecque, Paris 1951.

Russu, I.I.: Thracica. (Note onomastice I), in: Fraților Alexandru și Ion I. Lăpědatu, Bukarest 1936, 763–772.

Salomies, Olli: Contacts between Italy, Macedonia, and Asia Minor during the Principate, in: Roman Onomastics in the Greek East. Social and Political Aspects, hg. v. A.D. Rizakis, Μελετήματα 21, Athen 1996, 111–127.

Samsaris, Dimitrios C.: Le culte du Cavalier thrace dans la colonie romaine de Philippes et dans son territoire, Ponto-Baltica 2–3 (1982–83), 89–100.

Santerre, Hubert Gallet de: Chronique des fouilles et découvertes archéologiques en Grèce en 1949, BCH 74 (1950), 290–314.

Sarnowski, Tadeusz: Primi ordines et centuriones legionis I Italicae und eine Dedikation an Septimius Severus aus Novae in Niedermoesien, ZPE 95 (1993), 205–219.

Schäfer, Thomas: Imperii insignia: Sella curulis und fasces. Zur Repräsentation römischer Magistrate, MDAI (R) 29, Mainz 1989.

Scheid, John: Art. Augustales [1], DNP 2 (1997), Sp. 291f.

Schian, Ruth: Untersuchungen über das »argumentum e consensu omnium«, Diss. Tübingen 1971.

Schiess, Traugott: Die römischen Collegia Funeraticia nach den Inschriften, München 1888.

Servais, Jean: Les deux sanctuaires, in: Aliki, Bd. I, Études Thasiennes 9, Athen/Paris 1980.

Seure, G.: Voyage en Thrace, BCH 25 (1901), 308–324.

Sève, Michel: Le forum de Philippes, in: L'espace grec. 150 ans de fouilles de l'École française d'Athènes, Paris 1996, 123–131.

Sève, Michel: L'oeuvre de l'École française d'Athènes à Philippes pendant la décennie 1987–1996, AEMΘ 10 B (1996) [1997], 705–717.

Sève, Michel: Nouveautés épigraphiques au forum de Philippes: Questions de méthode, in: Επιγραφές της Μακεδονίας/Inscriptions of Macedonia. Γ΄ διεθνές συμπόσιο δια τη Μακεδονία/Third International Symposium on Macedonia, Thessaloniki 1996, 173–183.

Sève, Michel: Philippes, BCH 117 (1993), 645–646.

Sève, Michel: Philippes, BCH 118 (1994), 435–436.

Sève, Michel: Philippes: une ville romaine en Grèce, in: L'espace grec. 150 ans de fouilles de l'École française d'Athènes, Paris 1996, 89–94.

Sève, Michel: Sur la taille des rayonnages dans les bibliothèques antiques, RPh 64 (1990), 173–179.

Strothmann, Meret: Art. Decebalus, DNP 3 (1997), Sp. 341.

Tačeva, Margarita: Corrigenda et addenda ad PIR (III, 1898: R 40–42, 50–52; II², 1936: C 1552–1554; IV², 1966, J 517) pertinentia, in: Third International Scientific Symposium »Terra Antiqua Balcanica«. Acta Centri Historiae »Terra Antiqua Balcanica« II, Sofia 1987, 210–213.

Tataki, Argyro B.: Macedonian Edessa. Prosopography and Onomasticon, Μελετήματα 18, Athen 1994.

Tataki, Argyro B.: Macedonians Abroad. A Contribution to the Prosopography of Ancient Macedonia, Μελετήματα 26, Athen 1998.

Thompson, Dorothy Burr: The House of Simon the Shoemaker, Archaeology 13 (1960), 234–240.

Tomlinson, R.A.: Archaeology in Greece 1994–95, AR 41 (1994–1995), 1–74.

Tomlinson, R.A.: Archaeology in Greece 1995–96, AR 42 (1995–1996), 1–47.

Touchais, Gilles: Chronique des fouilles et découvertes archéologiques en Gèce en 1984, BCH 109 (1985), 759–862.

Touchais, Gilles: Chronique des fouilles et découvertes archéologiques en Grèce en 1995, BCH 120 (1996) [1998], 1109–1373.

Varalis, Yannis s. Huber, Sandrine/Varalis, Yannis.

Veligianni, Chrissoula: Gazoros und sein Umland. Polis und Komai, Klio 77 (1995), 139–148.

Vidman, Ladislav: Probleme des Systems der diakritischen Zeichen, in: Third International Scientific Symposium »Terra Antiqua Balcanica«. Acta Centri Historiae »Terra Antiqua Balcanica« II, Sofia 1987, 145–162.

Walbank, F.W.: Monarchies and monarchic ideas, in: CAH² VII 1, Cambridge 1984, 62–100.

Witulski, Thomas s. Pilhofer, Peter/Witulski, Thomas.

Witulski, Thomas: Die Adressaten des Galaterbriefes. Untersuchungen zur Gemeinde von Antiochia ad Pisidiam, FRLANT 193, Göttingen 2000.

Wörrle, Michael s. Lambrinudakis, Wassilios/Wörrle, Michael.

Zahrnt, Michael: Hadrians Wirken in Makedonien, in: Επιγραφές της Μακεδονίας/Inscriptions of Macedonia. Γ΄ διεθνές συμπόσιο δια τη Μακεδονία/Third International Symposium on Macedonia, Thessaloniki 1996, 229–239.

Ατακτίδης, Κώστας Αν.: Οι βράχοι της Καβάλας μαρτυρούν το χαμένο πολιτισμό της, Αρχαιολογία 26 (1988), 16–24.

Άτσαλος, Βασίλης: Η ονομασία της Ιεράς Μονής της Παναγίας της Αχειροποιήτου του Παγγαίου, της επονομαζομένης της Κοσινίτσης ή Εικοσιφοινίσσης, Δήμος Δράμας: Ιστορικό Αρχείο. Σειρά δημοσιευμάτων 2, Drama 1996.

Βελένης, Γεώργιος s. Γούναρης, Γεώργιος/Βελένης, Γεώργιος.

Βεληγιάννη, Χ.: Αφιέρωση στον Ποσειδώνα από Θράκα στην Ανατολική Μακεδονία, Τεκμήρια Γ΄ (1997), 152–164.

Γούναρη, Εμμανουέλα: Κεφαλή γενειοφόρου ανδρός από τους Φιλίππους (864/ 96), Μακεδονικά 31 (1997–1998) [1998], 391–403.

Γούναρης, Γεώργιος/Βελένης, Γεώργιος: Ανασκαφή Φιλίππων 1991–1992, Εγνατία 3 (1991–1992) [1994], 257–280.

Γούναρης, Γεώργιος/Βελένης, Γεώργιος: Ανασκαφή Φιλίππων 1991–1992, ΑΕΜΘ 6 (1992) [1995], 529–531.

Γούναρης, Γεώργιος/Βελένης, Γεώργιος: Πανεπιστημιακή ανασκαφή Φιλίππων 1993, ΑΕΜΘ 7 (1993) [1997], 531–540.

Γούναρης, Γεώργιος/Βελένης, Γεώργιος: Πανεπιστημιακή ανασκαφή Φιλίππων 1988–1996, ΑΕΜΘ 10 Β (1996) [1997], 719–733.

Ζησίου, Κωνστ. Γ.: Έρευναι των εν Μακεδονία Χριστιανικών μνημείων, ΠΑΕ 1913 [1914], 119–251.

Καλλιπολίτης, Β.: Επιτύμβιοι επιγραφαί εκ Θεσσαλονίκης, in: Επετηρίς της Φιλοσοφικής Σχολής Πανεπιστημίου Θεσσαλονίκης 6 (= Gedenkschrift Ν.Γ. Παππαδάκις), Thessaloniki 1948, 311–317 (wieder abgedruckt in Θεσσαλονίκην Φιλίππου Βασίλισσαν, 940–946).

Καραδέδος, Γιώργος/Κουκούλη-Χρυσανθάκη, Χάϊδω: Σκέψεις για τους αναλημματικούς τοίχους του αρχαίου θεάτρου των Φιλίππων, ΑΕΜΘ 7 (1993) [1997], 519–530.

Κεραμόπουλος, Αντ.: Οι Άλμωπες της Μακεδονίας, Μακεδονικό Ημερολόγιο 1938, 223f.

Κουκούλη-Χρυσανθάκη, Χάϊδω s. Καραδέδος, Γιώργος.

Κουκούλη-Χρυσανθάκη, Χάϊδω/Μπακιρτζής, Χαράλαμπος: Φίλιπποι, Athen 1995.

Κουρκουτίδου-Νικολαΐδου, Ευτυχία: Το Επισκοπείο των Φιλίππων στον 6ο αι., in: Μνήμη Μανόλη Ανδρόνικου, Παράρτημα Μακεδονικών 6, Thessaloniki 1997, 115–125.

Κουρκουτίδου-Νικολαΐδου, Ευτυχία: Το συγκρότημα των βορείων προσκτισμάτων στη βασιλική του Μουσείου Φιλίππων, ΑΕΜΘ 10 Β (1996) [1997], 735–744.

Κουρκουτίδου-Νικολαΐδου, Ευτυχία: Φίλιπποι. Από την παλαιοχριστιανική στη βυζαντινή πόλη, in: Διεθνές Συμπόσιο Βυζαντινή Μακεδονία (s. dort), Thessaloniki 1995, 171–182.

Λαμπάκης, Γεώργιος: Οι Επτά Αστέρες της Αποκαλύψεως ήτοι ιστορία, ερείπια, μνημεία και νυν κατάστασις των επτά εκκλησιών της Ασίας, Εφέσου, Σμύρνης, Περγάμου, Θυατείρων, Σάρδεων, Φιλαδελφείας και Λαοδικείας, παρ' ἧ Κολοσσαί και Ιεράπολις, Athen 1909 (Nachdr. Thessaloniki 1995).

Μακαρόνας, Χαράλαμπος Ι.: Χρονικά αρχαιολογικά. Ανασκαφαί, έρευναι και τυχαία ευρήματα εν Μακεδονία και Θράκη κατά τα έτη 1940–1950, Μακεδονικά 2 (1941–1952), 590–678.

Μουτσόπουλος, Ν.Κ.: Το »Βασιλάκι πηγάδι« παρά τη Χλεμπίνα, Βυζαντινά (Thessaloniki) 17 (1994), 289–302.

Μπακαλάκης, Γεώργιος: Από την ζωντανή φυλλάδα του Μεγάλου Αλεξάνδρου, Μακεδονικόν Ημερολόγιον 1939, 97–98; jetzt in: ders.: Οίνος Ισμαρικός (s. dort), Bd. 1, Thessaloniki 1990, 97–100.

Μπακαλάκης, Γεώργιος: Σιρινών ή τα πρώτα μελανόμορφα όστρακα από το λόφο της Ακρόπολης των Σερρών, Μακεδονικόν Ημερολόγιον 1957, 257–259; jetzt in: ders.: Οίνος Ισμαρικός (s. dort), Bd. 1, Thessaloniki 1990, 433–437.

Μπακιρτζής, Χαράλαμπος s. Κουκούλη-Χρυσανθάκη, Χάϊδω/Μπακιρτζής, Χαράλαμπος.

Νικολαΐδου-Πατέρα, Μαρία: Ανασκαφικές έρευνες στον αρχαίο Φάγρητα, ΑΕΜΘ 7 (1993) [1997], 499–503.

Νικολαΐδου-Πατέρα, Μαρία: Τοπογραφία της Πιερίας κοιλάδας, in: Αφιέρωμα στον N.G.L. Hammond, Παράρτημα Μακεδονικών 7, Thessaloniki 1997, 309–319.

Νικολαΐδου-Πατέρα, Μαρία: Φάργης: Η αρχαία πόλη και το νεκροταφείο, ΑΕΜΘ 10 Β (1996) [1997], 835–846.

Ντάρλας, Α. s. Τρανταλίδου, Κατερίνα/Ντάρλας, Α.

Ξυδόπουλος, Ι.Κ.: Ψηφίσματα μακεδονικών πόλεων (242 π.Χ.) και η πολιτική του Αντιγόνου Γονατά στη Νότια Ελλάδα, Ελληνικά 47 (1997), 53–61 und 204–205.

Οικονομίδης, Αλ.Ν.: Δημάδου του Παιανιέως ψηφίσματα και επιγραφικαί περί του βίου πήγαι, Πλάτων 8 (1956), 105–129.

Οτατζής, Μόσχος: Μιλιάρια της Εγνατίας οδού από τα Κερδύλλια Σερρών, in: Μνήμη Μανόλη Ανδρόνικου, Παράρτημα Μακεδονικών 6, Thessaloniki 1997, 187–198.

Παλιούρας, Αθανάσιος: Εγνατία: Ένας δρόμος που »διακινούσε« εμπορεύματα, ιδεολογίες, τέχνες και καλλιτέχνες, in: Αφιέρωμα στον N.G.L. Hammond, Παράρτημα Μακεδονικών 7, Thessaloniki 1997, 321–334.

Παντερμαλής, Δημήτριος: Ανασκαφή του Δίου κατά το 1994 και το ανάγλυφο της νάβλας, ΑΕΜΘ 8 (1994) [1998], 131–136.

Παντερμαλής, Δημήτριος: Δίον. Η ανακάλυψη, Athen 1999.

Περιστέρη, Κατερίνα: Ανασκαφική έρευνα στην Καλή Βρύση Ν. Δράμας 1992–1993, ΑΕΜΘ 7 (1993) [1997], 513–518.

Πίκουλας, Γιάννης Α.: Η αμαξήλατος οδός στη βόρεια Ελλάδα, in: Αφιέρωμα στον N.G.L. Hammond, Παράρτημα Μακεδονικών 7, Thessaloniki 1997, 357–364.

Τρακοσοπούλου-Σαλακίδου, Ελένη: Προτομή Διονύσου από τη Δράμα, ΑΑΑ 28 (1990–1995) [1998], 143–154.

Τρανταλίδου, Κατερίνα/Ντάρλας, Α.: Έρευνες στα σπηλαία του Νομού Δράμας, 1992, AEMΘ 6 (1992) [1994], 587–603.

Τσαλαμπούνη, Αικατερίνη: Η Μακεδονία κατά την εποχή της Καινής Διαθήκης, Theol. Diss. Thessaloniki 1999.

Χρυσοστόμου, Παύλος: Βασιλικοί δικασταί και ταγοί σε μιά νέα επιγραφή με ωνές από την κεντρική Μακεδονία, Τεκμήρια Γ΄ (1997), 23–45.

Indices

von Eva Ebel und Jens Börstinghaus

Es werden im folgenden die Indices 1. Personen, 2. *Cives Romani*, 3. *Cognomina civium Romanorum*, 4. Prominente historische Persönlichkeiten, 5. Geographisches, 6. Römisches, 7. Philippisches, 8. Kultisches und 9. Bemerkenswertes Vokabular geboten.

Alle Indices mit Ausnahme von Index 4 sind in eine lateinische und eine griechische Abteilung gegliedert. In Index 4 dagegen erscheinen alle Persönlichkeiten in der im Deutschen üblichen Form.

Die Indices 1–7 sind mit dem Anspruch auf Vollständigkeit erstellt worden, im Index 9 wird eine Auswahl wichtiger Wörter und Wendungen gegeben. Zu beachten ist jedoch, daß von den Inschriften, die außerhalb des Territoriums von Philippi gefunden worden sind (Anhang II), nur die vermutlich aus Philippi stammenden Inschriften vom Jüdischen Friedhof in Thessaloniki (716/L709–743/L734) und die Asylie-Urkunde der Stadt Philippi aus Kos (754/G707) komplett aufgenommen worden sind; aus den übrigen, z.T. sehr umfangreichen Inschriften sind ausschließlich die in ihnen genannten Philipper, Neapolitaner und Thasier samt den Angaben zu ihrer Person in den Indices verzeichnet. Bei den in Anhang I *Dubia et spuria* gesammelten Inschriften handelt es sich mit sehr wenigen Ausnahmen um Fälschungen von Μερτζίδης (vgl. Band I, S. 10f.); um die Benutzer der Indices vor falschen Schlüssen zu schützen, sind die Belegstellen aus diesen Inschriften durch ein * gekennzeichnet.

Namen von Personen, die nicht sicher als römische Bürger zu erkennen sind, erscheinen in Index 1. Römische Bürger sind nach ihren *nomina gentilicia* geordnet in Index 2 zu finden. Die weitere Anordnung richtet sich zunächst nach den *cognomina*, dann nach den *praenomina*. Die *cognomina* sind in Index 3 ohne den vollständigen Namen aufgelistet; *supernomina* finden sich auch unter den *cognomina* (Index 3), dann allerdings mit dem Untereintrag des vollständigen Namens.

In Index 5 haben wir auf die Aufnahme der von Philippi gebildeten Substantive und Adjektive mit Ausnahme von Φιλιππεύς/Φιλιππήσιος verzichtet (vgl. dazu Band I, S. 116–118, die Kommentare zu 160a/G481, Z. A2, 752/G759, Z. 1 und 754/G707, Z. 35 sowie *Addenda et corrigenda*, S. 834 [zu Band I, S. 116f. mit Anm. 8]).

Aus Platzgründen werden alle Inschriften in den Indices nur mit dem ersten Teil ihrer eigentlich zweiteiligen Nummer angeführt. Die kleinere tiefergestellte Zahl gibt die Zeile des Vorkommens an. Die einzelnen Wörter und Wendungen werden außer in sehr unsicheren oder nicht eindeutig lösbaren Fällen ohne textkritische Zeichen angeführt.

1. Personen

Margulas
  Zipas Margulas 515$_{3f.}$
Martiales 166$_9$
Mestus 512$_6$
  Zipas Mestus 514$_{5f.}$
Metrodorus 163$_6$
Mucianus 134$_{3f.}$ 732$_1$
Niger 432$_3$
Optata (?) 736$_1$
Optatus (?) 736$_1$
Orinus 163$_{10}$
Paibes 649$_6$
Phaedrus *660$_1$
Philetius 370$_1$
Phoebus 163$_{31}$
Phoibus 163$_{55}$
Pia 153$_3$
Polula 512$_1$
Primilla 078$_1$
Procula 346$_4$
Quarta 052$_{B3}$
Quirinus 517$_5$
Raebucentus 526$_{1f.}$
Rascila
  Bithus Rascila qui et Crispus 517$_{3f.}$
Rufa
  Bendis Rufa 134$_{5f.}$
Rufus 134$_4$ 524$_6$
  Tauzies qui et Rufus 524$_{2f.}$
Ruria 513$_{5f.}$
Sabinus 524$_5$

Sauciles 638$_3$
Secis 512$_3$
Secunda 035$_3$
Secundina 732$_2$
Secundus 177$_3$
Silvanus 028a$_1$
Sudilas 638$_1$
Tauzies
  Tauzies qui et Rufus 524$_{2f.}$
Tauzix 524$_{1.3.4}$
Tharsa 163$_{30}$
Valens 052$_{A3}$
Varius 166$_3$
Venustus 428$_8$
Viatoreilius 080$_2$
Vitalis 416$_1$
Zaeraziste 519$_4$
Zeces 514$_6$
Zepa 514$_{4f.}$
Zerces 519$_{8.9}$
Zipa 649$_{1.3}$
Zipacenthus 524$_4$
Zipaibes 519$_5$
Zipas 035$_1$ 171$_2$ 512$_6$ 520$_6$ 638$_6$
  Zipas Margulas 515$_{3f.}$
  Zipas Mestus 514$_{5f.}$
Zipyr 638$_1$
Zipyro 519$_6$
Zipyron 644$_{1f.}$
Ziryroniys *699$_3$
Zosimus 063$_1$

Ἄβγαρος Οὐχαμᾶ 131$_{A1}$
Ἀβρέας *683$_1$
Ἀγάθη 115$_3$
Ἀγαθίας *678$_3$ 713$_7$
Ἀγαθίων *680$_{25}$
Ἀγαθοκλῆς 746p$_{14}$
Ἀγίας 743p$_{15.16}$
Ἀγλαοφῶν *680$_{41}$
Ἀγρύκιος 268$_4$

Ἀέλιος 622$_2$
Ἀθηναγένης *680$_{15}$ *686$_3$
Ἀθηνόδωρος *680$_{6.12}$
Ἀϊούλας 544$_6$
Ἀκίνδυνος 162$_1$
Ἀλεξάνδρα 275$_{2f.}$
Ἀλέξανδρος 116$_{2f.}$ 124$_1$
Αλιουπαιβες 048$_1$
Ἀλκαῖος *680$_3$

Γναῖος *680_{38}

Γοργίας *680_6

Γορδίνων *680_{29}

Γούρας 567_1

Γουράσιος 102_4

Γωβρίας *680_{24}

Δαγουσις $599_{4f.}$

Δαμοκλῆς *680_{27}

Δαναηκρίτη *690_3

Δάνδης 580_{L10}

Δειτουζαιποῦ $025_{4f.}$

Δέκιμος
  Καπίτων Δέκιμος 713_1

Δεντις $568a_1$

Δεντούπης $510_{1.2}$

Δεξίας $746k_4$ $746o_1$

Δημάρατος *680_{23}

Δημητρία $379a_1$

Δημήτριος 068_1 073_2 $319_{1.2}$

Δημοσθένης 355_3 *680_{19} $749_{3.9}$

Διεύς 006_1

Διζάζελμις 615_2

Διζάρης 572_1

Δίζας $568a_1$ 572_5 $580_{L2.7.8}$

Διογένης *680_{26}

Διόγνητος 501_1

Διόδοτος 246_1

Διόδωρος *652_1

Διοινύσιος 579_1

Διοκλῆς *678_1

Διονύσιος 081_2 $543_{26f.}$ $555_{1.9}$ 570_3
    577_1 $593_{2f.}$ *678_2 *680_{21} *689_3

Διοσκοριάδης $711c_{12}$

Διοσκουρίδης $501b_1$ $551_{3f.}$
    $561_{A1.1f.; B5f.}$ $568_{1.11}$ $572_{1f.2f.6f.}$
    $576_{1f.}$ $585_{5f.}$ 596_2 $607_{10f.}$ $749_{4.9f.}$

  Διοσκουρίδης (Enkel) 555_{10}

  Διοσκουρίδης (Großvater) $555_{1.5}$

Διόσκους $580_{R2.5}$

Διουλας $539_{4.5.6}$

Διωνύσιος $379a_2$

Δομιτία $606_{3f.11}$

Δομνῖνος 196_1

Δονᾶτος 101_2

Δορζίλας 501_1

Δούλης 538_1 544_3 556_2

Δουσκελης 560_2

Δριωζίγης 390_4

Δύδημος *680_{20}

Δυνούζης 598_1

Δωροθέα $114_{2f.}$

Δωρόθεος $745b_{19}$ $745c_{28}$ $746a_{26}$

Ἐζβένις 527_3

Εἰκέσιος 625_1

Ἐλπιδήφορος 122_1

Ἐλπίδιος 360_{10}

Ἐνκόλπιος 040_3

Ἐξήκεστος 327_2 $711a_2$

Ἐπιγένης 246_1

Ἐπιγήθης $745a_{81}$

Ἐπικράτης $745a_{80}$

Ἑρακλέων $110_{1f.}$

Ἕρμιππος 387_2

Ἑρμόδωρος *681_1

Ἑρμόλυκος 751_{150}

Εὐάλκης 544_2

Εὔδικος *678_2 *688_1

Εὐηφένης 327_1

Εὔθιος
  Εὔθιος (Sohn) $743r_2$
  Εὔθιος (Vater) $743r_3$

Εὐκτήμων *680_{38}

Εὐοδιανή $114_{1f.}$

Εὐπόλεμος $746b_{II14}$

Εὐριβιάδης *680_{37}

Εὐστάθιος 106_2

Εὐτυχής 137_1

Εὐτυχία 459_2

Εὐτυχιανή $308_{3f.}$

Ζαζελάτης *674_1

Ζειπαλας $048_{1f.}$

Ζείπας $540_{3.5}$ $580_{L1.10; R1.4.6.8.9}$ 597_1
  Ῥοῦφος Ζείπας $535_{1f.}$

Ζειπύρων 603_1

Ζεργέδης 580_{L9}

Κυριακός $274_{2f.}$
Κύρνιος $711b_2$
Κωνστάντειος 734_2
Κωνστάντιος 102_5
Λασθένης
 Λασθένης (Sohn) $*680_{28}$
 Λασθένης (Vater) $*680_{28}$
Λεοννᾶτος $160a_{A7}$
Λέων $115a_4$
Λεωνίδης $607_{4f.10}$
Λουσάλα 556_1
Λύκος $*697_2$
Λυσίας $*680_{12}$
Λυσίμαχος 549_2
Μακαρεύς 754_{38}
Μάντα 029_1 $557a_6$ 598_3 599_4 643_1 738_1
Μάντας 543_{27} 592_2 593_2
 Μάν[τας?] 572_6
Μάντω $561_{B2f.}$
Μάρκελλος $098_{1.10}$
Μάρκος 538_4 $539a_6$ $539b_2$ 598_1 $606_{4f.}$ 634_2
Μαρκούλας 580_{R6}
Μάτα 510_6 565_6
Μαυρέντιος $528_{A4f.}$
Μεγακλῆς $745d_1$
Μέδων $746b_{II2}$
Μελγίς 456_6
Μενέδαμος $746b_{III4}$
Μενεκλῆς $096_{2f.}$ $711b_{1.2}$
Μενεκράτης $*680_{41}$
Μεστιχενθος $557a_{2f.}$
Μέστος $538_{2.4f.}$ 552_1 553_3 580_{R3} $592_{2f.}$
Μεστυπαίβης $509a_1$
Μηνόδωρος $*680_{43}$
Μητρόδωρος $*687_1$
Μιννίων $746b_{II6}$
Μινόδωρος $*663_1$
Μουχασος $555_{5.7}$
Μουχιανός 527_4
Μύρων $*680_{30}$

Μωμοζλίτης $*680_{31}$
Μώμω 552_1
Νεάκωρ (?) $623_{1f.}$
Νέαρχος 007_1 $*680_{30}$
Νείκαια 647_2
Νικάνδρα $274_{3f.}$
Νίκη 579_1
Νικήρατος $*680_{35}$
Νικόμαχος $746b_{III1}$
Νικόστρατος $387a_1$ $752_{1.9}$
Νουμένιος $506a_1$
Νουμήνιος 305_1
Νύμφις 010_1
Ξενοδίκη 304_1
Ξενοφῶν 098_5
Ὀνίρας
 Ἡρόδοτος ὁ καὶ Ὀνίρας 578_{3-5}
Οὐάλης 510_4
Οὐάλλης 510_1
Οὐενερία $552_{2f.}$
Οὔλπιος 561_{B2}
Παίβης 555_6
Παιβίλας 028_2
Παίζιος
 Παίζιος Πηδίζα 499_1
Πανχαρία $077_{3f.}$
Παπείς 319_2
Πάπιος 319_1
Παράνομος 426_1
Πατουμάστης $603_{1f.}$
Παῦλος 100_1 103_1
Πείσων 267_4
Πέλοψ $746k_4$ $746o_1$
Πέργαμος 010_1
Πέτρος 293_3 324_2 632_2
Πήδιζα
 Παίζιος Πήδιζα 499_1
Πλῆστις $543_{20f.}$
Πολύγνωτος $*653_1$
Πολύξενος $743q_{12}$
Πολύχαρμος 544_3
Ποσιδωνία $077_{2f.}$

Φαυστῖνος 101_2
Φιλῖνος 018_2
Φίλιππος 304_1 335_2 $546_{1.2}$ 577_2 $583_{1f.}$
  $*680_{19}$
Φιλοκύριος 123_1 $308_{2f.}$
Φίλτων 006_1 $745a_{82}$

Φιλώτας $160a_{A7}$
Φλάβιος $561_{A1.2.3.4.6}$
Φοίβιδος 625_1
Φύρμους 048_4
Χαβρίας $*680_9$
Χαρίδημος $*690_4$

2. *Cives Romani*

Abellius 163_{12}
  Caius Abelius Agathopus 163_{20}
  Caius Abellius Anteros 163_9
  Caius Abellius Secundus 163_{59}
Accius
  Lucius Accius Venustus 169_2
Acculeius
  Marcus Acculeius 199_3
Acomius
  Acomius Tertullus 165_{11}
Acutus
  Caius Acutus Glaucus $381_{1f.}$
Aelia
  Aelia Atena 184_1
  Aelia Eutychia 645_1
  Aelia Philice $731_{3f.}$
Aelius
  Caius Aelius Philargyrus $430_{2f.}$
  Publius Aelius Valerianus 760_{18}
Aemilius 423_1
Agapetus
  Caius Agapetus Heracliei 166_8
Aimilius
  Marcus Aimilius Rufus $183_{1f.}$
Albius
  Albius Verus 429_8
Alfena
  Alfena Saturnina $476_{5.7}$
Alfenus
  Alfenus Aspasius 164_{18}
  Marcus Alfenus Aspasius 163_{51}

Allius
  Caius Allius Fortunatus 286_3
Ancharia
  Ancharia Fausta 428_1
  Ancharia Iucunda $428_{5f.}$
  Ancharia Specula 428_7
Ancharius
  Ancharius Myro $428_{2f.}$
Aninia
  Aninia Elpis $430_{8f.}$
  Aninia Iucunda quae et Tertulla
    $725_{3f.}$
Annia
  Annia Prima 722_3
  Annia Secunda 270_2
Annius
  Annius Agricola 492_1
  Lucius Annius Agricola 492_3
  Annius Cerdola 722_1
  Caius Annius Fuscus 270_1
  Marcus Annius Therizon 386_1
Antonius
  Marcus Antonius Alexander $313_{3f.}$
  Marcus Antonius Bassus 356_1
  Marcus Antonius Macer 396_1
  Caius Antonius Rufus $700_{2f.}$ $701_{2f.}$
    $702_{2f.}$ $703_{2f.}$
  Marcus Antonius Rufus 356_2
Atiaria
  Atiaria Acte 523_2
Atiarius 531_1

Aulus Velleius Onesimus 163$_{54}$
Velleius Paibes 163$_{53}$
Caius Velleius Plato (Sohn) 322$_3$
Caius Velleius Plato (Vater) 322$_1$
Caius Velleius Rixa 163$_{40}$
Gnaeus Velleius Ursus 350$_{1f.}$
Lucius Velleius Velleianus 229$_{7f.}$
  230$_{7f.}$
Veneteius
Veneteius Heronianus 028$_{7f.}$
Publius Veneteius Phoebus qui et Hero-
  nianus 028$_{1-5}$
Vergilia
Vergilia Daphne 454$_1$
Vergilius
Vergilius Valerius 134$_{1f.}$
Veronius
Veronius Euhemerus 165$_6$
Vesonius
Marcus Vesonius Stephanus 154$_3$
Marcus Vesonius Repentinus 430$_{6f.}$
Vetidius
Lucius Vetidius 393$_1$
Caius Vetidius Rasinianus 705$_{A20}$
Vettius
Publius Vettius Aristobulus 163$_{47}$
Publius Vettius Victor 163$_8$
Veturia
Veturia Philumene 721$_{7f.}$
Veturius 165$_3$
Vibia

Vibia Arilia 318$_1$
Vibia Piruzir 392$_{1f.}$
Vibius
Trophimus Vibius 278$_1$
Caius Vibius Daphnus 493$_1$
Caius Vibius Florus 493$_3$
Vibius Paris 392$_4$
Caius Vibius Quartus 058$_{1f.}$
Vibius Trophimus 277$_2$
Caius Vibius Trophimus 277$_3$
Vilanius
Quintus Vilanius Nepos 767$_2$
Villia
Villia Secunda 310$_{A2f.}$
Vinicius
[Vi?]nicius Maximus 761$_3$
Vivia
Vivia Hilara 345$_3$
Volattius
Lucius Volattius Firmus 163$_{57}$
Lucius Volattius Urbanus 163$_{4.62}$
Volcasius
Sextus Volcasius 418$_1$
Volusius
Quintus Volusius Saturninus 639$_3$
Volussius
Lucius Volussius Valens 474$_2$
Volvia
Volvia Firmina 566$_{1f.}$
Volvius
Caius Volvius Narcissus 566$_4$

Αἴλιος
  Π. Αἴλιος Εὐτυχίδης *654$_1$
Ἀμβείβιος
  Λούκιος Ἀμβείβιος Πωλλίων 291$_1$
Ἀντώνιος
  Μάρχος Ἀντώνιος Ὀπτᾶτος 704a$_6$
Ἀτείδια
  Ἀτείδια Σεκούνδα 607$_{6f.}$
Αὐρηλία
  Αὐρηλία Γηπέπυρις 527$_3$

Αὐρηλία Ἱεροχλεία 291$_2$
Αὐρηλία Κλαυδία 083$_8$
Αὐρηλία Μαρχελλίνα 071$_{7f.}$
Αὐρηλία Μοντάνα 273$_2$
Αὐρηλία Μουντάνα 734$_2$
Αὐρήλιος 072$_2$ 589$_1$
Αὐρήλιος Ἀχμαῖος 580$_{L3}$
Αὐρήλιος Ζιπύρων 133$_1$
Αὐρήλιος Ζιπύρων Δίζας 133$_{12f.}$
Αὐρήλιος Καπίτων 360$_1$

3. *Cognomina civium Romanorum*

Moschas 163_{66}

Mucianus $240_{2f.}$ 251_5 357_2 764_{12}

Musa 042_1

Musice 726_6

Musicus

Lucius Licinius Soter qui et Musicus 027_{3-5}

Myro 428_3

Narcissus 566_4 714_2

Natales 163_{49}

Nemesaeus 707_9

Nepos 600_1 767_2

Nerva $030_{A13;\ I14}$

Nestor 205_6

Nice 463_2

Niger $091_{3.12}$ 163_{29} $249_{3.4}$

Ninnarus 316_3

Nivius 513_1

Novus 558_5

Nymphe 272_1

Ocraterus 165_9

Octavianus 758_5

Octavius 617_2 758_4

Onesimus 163_{54}

Optata 057_1

Optatilla 151_3

Optatus $165_{3.8}$ $233_{I/IV2}$ $310_{A1f.}$

Paibes 163_{53}

Paris 392_4

Peregrinus 163_{70}

Persice 728_1

Philadelphus $163_{1.16}$ $164_{1.23}$

Philargyrus 430_3

Philice 731_4

Philippica 062_3 317_1 455_3

Philippicus 062_1 163_{63} 508_3 588_5

Philocalus 206_1

Philode[...] 220_2

Philumene $721_{7f.}$

Phoebus 028_3

Piruzir 392_2

Plato $322_{1.3}$

Plotianus 163_{36}

Polla 226_{e2} 645_1

Tagina Quarta quae et Polla $045_{1f.}$

Pompullius 635_1

Pribata 394_1

Prima 288_1 722_3 724_1

Primigenia 271_2 321_3 $430_{4f.}$

Primigenius 030_{A25} $163_{25.44}$ 164_5

Primilla $173_{2f.}$

Primitiva 716_2

Prisca 310_{B2}

Priscianus 344_2

Priscinus 091_8

Priscus 252_2 310_{B1} 352_1 409_1 473_3 725_1 727_3

Proba 228_1

Proclus 166_3

Procula 253_6 336_1 740_1

Proculus 091_9 166_5 189_2 336_2

Pudens $163_{13.56}$ 250_4 705_{A25}

Pyralis $440_{5f.}$

Quarta 045_2 154_1

Quartus 058_2

Quinta 297_1 489_1 505_5 584_1 723_1

Rasinianus 705_{A20}

Repentinus 430_7

Restituta 027_6 729_3

Restitutus 260_1 354_8

Rixa 163_{40}

Romanus $288_{5f.}$

Romulus 718_6

Rufilla 562_4

Rufina 062_2

Rufinianus 201_{B2} 228_2 $229_{2f.}$ $230_{2f.}$ 232_5

Rufinus 562_2

Rufus $030_{A20.23}$ 126_1 163_{22} 183_2 356_2 460_1 700_3 701_3 702_3 703_3 762_{10}

Rusticus 165_{15}

Sabinus 163_{23} 164_7 705_{A18}

Salva 443_1

Salvius $448_{2.4}$

Saturnina 310_{B5} $476_{5.7}$

Διοσκουρίδης $561_{B1f.}$

Ἑρμαδίων $307_{2f.}$ $311_{1f.4}$

Εὐτυχής 410_1

Εὐτυχίδης $*654_1$

Ζιπύρων $133_{1.13}$

Ζώσιμος 142_1 143_2 144_1

Ἱεροκλεία 291_2

Καπίτων 360_1

Καρποφόρος 266_2

Κλαυδιανός 734_1

Κοΐντα 561_{B3}

Κυριακός 071_2

Λερμ[...] 371_1

Μάγνος 022_3

Μαντάνα 133_3

Μάξιμος 404_3 $743b_1$

Μαρκελλίνα 071_8

Μελτίνη 468_3

Μεσσάλας 619_2

Μέστα 355_2

Μεστιχένθος 527_3

Μοντάνα 133_{11} 273_2

Μουντάνα 734_2

Μυστει[...] 580_{L5}

Νικόστρατος $387a_1$

Ὀξυχόλιος $387a_2$

Ὀπτᾶτος $704a_6$

Οὐάλης $612_{1f.}$

Οὐελλεῖος $404_{2f.}$

Παῦλα 360_8

Ποσιδώνις 337_1

Πρόκλος 248_4 561_{B4}

Πρόκουλος 468_2

Πυθίων 619_3

Πωλλίων 291_1

Ῥωμαία 747_1

Σεβῆρος 083_2

Σεκούνδα 607_7

Σεκουνδεῖνα $290_{1f.}$

Σεκοῦνδος 590_1

Τορχουᾶτος 557_1

Φίρμος 309_2

Φοντήια $190_{1f.}$

4. Prominente historische Persönlichkeiten

Alexander d. Gr. $160a_{A3; B5.11f.}$

Antigonos $754_{41.46f.48f.}$

Antoninus Pius 201_{B1} 240_5 254_7 $349_{6.14}$ 357_4 $386a_7$ 395_3

Augustus 031_4 088_1 241_2 249_1 $282_{2.5}$ 296_5 452_3 539_1 $539a_8$ 544_5 $*670_2$ 700_4 701_4 702_4 703_4

Basileios II. $115a_2$

Cäsar $282_{3.5}$ 700_1 701_1 702_1 703_1

Caracalla $349_{9f.}$

Carinus 205_1

Carus 205_4

Claudius 001_3 $*699_1$

Commodus $349_{5.12}$

Decebalus 522_{19}

Domitian 069_1 $202_{8f.}$ 522_{11}

Drusus 282_4

Faustina 231_1

Hadrian $208_{2f.}$ 254_2 283_6 $349_{7.14}$ 475_3 617_9

Homer 439_4

Iulia Domna $349_{15f.}$

Konstantin d. Gr.

  Constantinus 235_1

Konstantinos VIII. $115a_2$

Livia 002_2 $226_{a4; b3; c3; d4}$

Lysimachos $*655_1$

Marcus Aurelius $023_{7f.}$

Nerva 254_5 283_4 414_1

Nikephoros $115a_2$

Paulus 329_3
Philipp II. $161_{1.6}$
  κτίσμα Φιλίπποιο 296_5
Philipp V. 532_1 $568b_3$
Rhaskuporis III. $199_{2f.}$
Rheskouporis $390_{8f.}$
Rhoimetalkes II. 199_1

Sabina 208_5
Septimius Severus $023_{1f.6f.}$ $349_{3.11}$
Tiberius 088_1 $282_{2.4}$
Titus 281_4
Trajan 254_3 283_2 $349_{7.15}$ 414_3 $497_{2f.}$
  522_{12} $559_{2f.}$ $*667_1$
Vespasian 004_8 $030_{A1.13;\ 11.14}$ 281_2
  719_3

5. Geographisches

Acontisma 414_6
Actia Nicopolis 617_{16}
Africa 718_3
Antheritanus $644_{14f.}$
Aprianus 416_5
Asia $386a_{10}$
Bithynia 240_6 357_5
Capitolium $030_{A17f.;\ I19}$
Corenus 519_3
Cures 617_3
Dacicus $522_{9.14f.16}$
Dyrrachium $414_{5.10}$ 715_6
Eporedia 389_4
Flavia Solva 513_3
Iudaicus 617_{10}
Luriana (?) 344_1
Macedonia 201_{B2} 205_8 229_5 230_5
  232_6 414_7 $715_{8f.}$ $756_{5f.}$
Medianus 045_6
Mesopotamia $522_{24f.}$
Neapolis 429_3 715_7
Neapolitanus
  Napolitanus $*659_1$

Nicaeensis
  Nicaenses 519_3
Noricus 513_2
Olympus 164_{12}
Paestum $030_{A6;\ I6}$
Paphos 439_5
Parthicus 522_{17}
Philippicus
  filipica $*658_1$
Pisae 418_4
Pontus 240_6 357_5
Ranisstorum $522_{20f.}$
Roma $030_{A17;\ I19}$
Sabinus 617_3
Sappaeus $030_{A14;\ I15}$
Satricenus 048_6
Sc[...] 519_2
Scaporenus $512_{1f.}$
Scevenus $644_{4f.}$
Tasibastenus 524_6 $525_{5f.}$
Thracia 061_3 240_9 357_7
Ulpia [...] 617_{16}
Zcambu[...] 519_3

[Ἀβδε?]ρίτης $*673_2$
Ἀδριανοπολείτης 349_{18}
Αἴνιος 068_3
Ἀλεξάνδρεια 326_{B1}
Ἀμφιπολίτης $*680_{13}$

Ἀντιγονεύς $*685_5$
Ἀσκανία 129_3
Βεργαῖος
  Βεργᾶος 349_{19}
Βυζάντιος 040_2

Δάτος 752b$_{Ib32}$

Δάτος (bzw. Δάτον) 160a$_{A15}$

Δαίναρος

Δαίνηρον 160a$_{B9}$

Δύσωρον 160a$_{B10}$

Ἕλλην 754$_{42.47}$

Εὔπορος

Εὐπόρῳ 602$_{14}$

Εὔπουλος

Εὐπούλῳ 602$_{16}$

Γαζώριος 349$_{19}$ 543$_{15}$

Γαζωρία 552$_2$

Γάζωρος 544$_7$

Γαλῆψιος *680$_{10}$

Ζακύνθιος 018$_3$

Ἡλιόδωρος

Ἡλιοδώρῳ 602$_{13}$

[Ἡ?]ρακλῆτις 379a$_3$

Ἡρουνός

Ἡρουνί 602$_{12}$

Θάσιος 033$_1$ 331a$_1$ 704a$_4$ 711d$_{1.9.10.11}$
    744$_1$ 748$_{7.31.59}$ 753$_{0; B2.8.16}$

ἐκ Θασίωγ γυναικῶν 711d$_{8f.}$

Θάσος 507$_2$ *653$_2$ 745a$_{87}$ 748$_{3.7.28.49}$
    752b$_{Ib31}$ 753$_{A4}$

Θεσσαλονείκη 098$_3$

Θρᾴξ 160a$_{B3.4f.}$

Θυατειρηνός

Θυατειρινός *697$_3$

Ἱεροσολύμα 131$_{A2}$

Ἰολλίτης 417$_{2f.5}$

Καλπαπουρεῖται 029$_{5f.}$

Κερδώζευς (?) 636$_5$

Κιμα 569$_2$

Κολοφών 179$_1$

Κρηνίδες 750$_{45}$

Κῶϊος 754$_{36.40.45}$

Κώς 754$_{36.44.48.55}$

Μακεδών *677$_{2f.}$ 754$_{42.47}$

Νεάπολις 752b$_{Ib27}$

    εἰς Νέαν Πόλιν 754$_{53}$

    ἐν Νέᾳ Πόλῃ 748$_{44}$

    ἐν Νέᾳ Πόλι 745a$_{82}$

Νέας Πόλεος 748$_{28}$

Νεαπολίτης 711e$_1$ 745d$_2$ 746o$_1$ 746p$_{14}$
    747$_3$ 754a$_8$

Νεαπόλιος (?) 743q$_{12}$

Νεαπολίτας 743r$_3$ 746$_{13}$ 746l$_2$

Νεοπολίτας 743p$_{15.16}$

Νεοπολίτης 711c$_{12.13}$ 711d$_{1.8}$ 744$_1$
    748$_{2.6.24.31f.40.44.48.55.64}$ 749$_{2.9}$
    753$_{0; B2.8f.16}$

Νιαπολίτας 746k$_4$

Νικαία 129$_2$

Οἰσύμη 745a$_{81}$

Ὀλδηνός 568$_{2.4}$

Οὐιέννη 326$_{A1}$

Πάγγαιον

Πανγαῖον 532$_3$

Πενταπολείτης 349$_{17}$

Πολγηνός 390$_{6f.}$

Πόντος 125a$_3$

Ποτειδαιάτης

Ποτιδαιάτης *680$_7$

Προυπτοσουρηνός (vicus?) 456$_{2f.}$

Προυσαέους 319$_1$

Προυσαεύς 073$_3$

Ῥόδος 326$_{B4}$

Ῥωμαῖος 034$_4$

Ῥώμη 326$_{A4}$

Σειραϊκή 160a$_{B8}$

Σερωνός

Σερωηνί 602$_{11}$

Σιρραῖος 349$_{18}$ 564$_1$

Σκιαζερηνός 509a$_2$

Σκιμβέρτιος 349$_{19}$

Σμυρναῖος 381a$_{2f.}$

Τριπολίτης 417$_{7f.}$

Ὕπιος 073$_4$ 319$_2$

Φαγρήσιος 642$_3$

Φιλαδελφηνός 302$_{4f.}$

Φιλιππεύς *676$_1$ *677$_1$ *680$_{4.16}$
    *690$_1$ 699a$_{20}$ 704$_2$ 704a$_6$ 711a$_3$
    711b$_3$ 745$_{3f.}$ 745b$_{19}$ 745c$_{28}$ 746a$_{26}$
    746b$_{II2.6.12.15}$ 751$_{149}$ 752$_1$ 752a$_{21}$

ἡ τῶν Φιλιππέων κολονία 273$_{5f.}$

6. Römisches

7. Philippisches

8. Kultisches

thiasus 095$_2$ 524$_6$ 525$_{4f.}$ 529$_4$

   thiasus Maenadum regianarum 340$_{2f.}$

thuribulum 620$_3$

Venus

   Venerei 057$_2$

Vertumnus 515$_1$

Victoria

   Victoria Germanica 224$_{1f.}$

ἅγιος 101$_4$ 103$_3$ 528$_{B5}$

   ἁγιώτατος 125a$_9$

ἀγωνοθέτης

   ἀγωνοθέτης τῶν μεγάλων Ἀσκληπείων 311$_{10-12}$

Ἀθηνᾶ *678$_4$

Ἅιδης

   καθ' Ἅδην 509$_{7f.}$

   Ἀείδαο δόμοι 609$_2$

Ἀλμωπία

   Θεὰ Ἀλμωπία 602$_{1-3}$

ἀναγνώστης 292$_3$

Ἀπόλλων 191$_1$ 359$_2$ *651$_1$ *652$_4$ *669$_2$ *682$_1$

   Ἀπόλλων Κωμαῖος 246$_2$

ἀποστολικός 101$_3$

Ἄρης 161$_9$

Ἄρτεμις 246$_3$

Ἄρτεμις Ὀπιταΐς 018$_1$

ἀρχή

   ἡ στεφανηφόρος ἀρχή 754a$_{12f.}$

ἀρχιερεύς 311$_7$

ἀρχιθέωρος 754$_{37f.}$

Ἀρφοκράτης 191$_1$ 192$_{1f.}$

Ἀσκληπεῖα 754$_{44}$

   τὰ μεγάλα Ἀσκληπεῖα 311$_{11f.}$

Ἀσκληπιός 754$_{37.39}$

Αὐλωνείτης

   Θεὸς Ἥρως Αὐλωνείτης 622$_1$

   Ἥρως Αὐλωνείτης 619$_1$ 624$_1$ 625$_2$

ἀφίδρυμα

   ἀφυδρεύματα 142$_{5f.}$ 144$_{14f.}$

ἀφιερόω *655$_2$

Ἀφροδίτη

   οἱ οὐράνιοι θεοὶ Κάβειροι καὶ Ἀφροδίτη *681$_{3f.}$

βάπτισμα *698$_1$

βασιλική

   βασιλική Παύλου 329$_{2f.}$

Βότρυς

   Βότρυς Διόνυσος 535$_{2f.}$

βωμός 098$_8$ 133$_7$ *682$_{4f.}$

γυμνασίαρχος 311$_{5f.}$

δαίμων 296$_4$

διακόνισσα 077$_3$

διάκονος 613$_{1f.}$

διάκονος (fem.) 115$_{3f.}$

Διόνυσος 417$_6$ 499$_1$ 501$_2$ 501a$_2$ 501b$_2$ 501d$_2$ 597$_5$ *672$_{1f.}$

   Βότρυς Διόνυσος 535$_{2f.}$

   Διόνυσος καὶ Ἡρακλῆς θεοὶ πατρῷοι *666$_{2f.}$

δόμος

   ἐν Ἀείδαο δόμοις 609$_2$

δούλη

   δούλη θεοῦ 536$_{1f.}$

δοῦλος 324$_1$ 328$_1$

   δοῦλος θεοῦ 537$_{1f.}$

ἐκκλησία 103$_4$ 125a$_9$

   ἐκκλησία Φιλιππησίων 101$_4$

   Φιλιππισίων ἁγία ἐκκλησία 528$_{B4f.}$

   ἡ καθολεική ἐκκλησία 360$_{2f.}$

ἐπίσκοπος 329$_{1f.}$

εὐσέβεια

   ἐπ' εὐσεβίης 125$_{14f.}$

   ἡ τῶν Σεβαστῶν εὐσέβεια *690$_{5f.}$

εὐσεβής 704a$_4$

εὐχή 509a$_{2f.}$

εὔχομαι 545$_2$

   εὐξάμενος *652$_3$

Ζεύς 568b$_1$

   Ζεὺς Μεῖλαξ *678$_4$

9. Bemerkenswertes Vokabular

decuria $165_{4.14}$

dedico 074_1 $407_{8f.}$

defero

  a consule delatus 719_3

defungor 566_2

delator 038_3 $136_{12f.}$

depono

  hic est depositus $080_{8f.}$

designatus 061_2 240_8 254_9 357_6

devotus 205_8

dirigo

  fines derecti 475_4 $559_{4f.}$ $601_{1f.}$

do 074_2 $141_{1.2}$ 416_8 439_{10} 644_{12} 717_1

  dabit coloniae nostrae $062_{4f.}$

  dabit fisco 261_4 728_4 742_1

  dabit rei publicae 138_6 487_5 523_4

  dabit rei publicae coloniae Philippiensium $716_{6f.}$

  dabit rei publicae Philippensium 289_5

  dabit rei publicae Philippensium ... delatori 038_3 136_{11-13}

  dabunt heredibus $529_{10f.}$

  datus decreto decurionum 448_7

  dedu 512_4

dolor $439_{1.9}$

domus

  divina domus $132_{2f.}$ 201_{A1} $233_{I/IV1}$

  verna domo natus $416_{2f.}$

dono $164_{14.16}$ 524_6 525_6 529_4

  donis donatus 202_6 $522_{10.15f.}$ 617_9

  ornamentis IIviralibus donatus $617_{15f.}$

donum 202_6 $522_{10.15}$ 617_9

dulcis

  dulcissimus 028_{10} $136_{7f.}$ 352_2 394_3 402_6 411_3 454_2 648_2 718_7 722_4 725_5 735_1

epulae

  ex epulis 201_{B1}

eripio 416_6

excido 163_2 164_{24}

  exscidit 175_3

explorator 522_{14}

faber

  praefectus fabrum 046_1

facies 339_5

facio 163_2 175_4 184_2 226_{f1} 259_3 370_5 428_9 474_3 485_5 517_4 562_3 644_{11} $716_{1.5}$ 718_7 733_3

  faciendum curavi 513_8

  faciendam curavit 232_{12}

  faciendum curavit 024_1 $035_{4f.}$ 038_2 041_4 044_4 045_2 051_3 052_{B4} 059_2 061_6 089_2 134_7 156_5 194_3 199_5 251_6 261_3 269_3 270_3 271_3 279_2 284_5 286_4 288_8 300_3 336_2 344_5 345_4 346_8 356_3 386_3 $386a_{12}$ 391_2 392_5 394_4 402_6 409_2 411_3 420_2 440_7 441_5 446_4 463_3 478_4 493_5 503_5 504_5 508_3 511_5 512_3 518_2 520_9 522_3 523_2 533_3 635_4 638_7 721_{10} 722_4 728_2 730_2 731_4 739_1

  faciendum curavit (?) 075_1 729_4

  faciendas curaverunt 249_5

  faciendum curaverunt 027_7 028_{10} 253_7 282_7 388_7 454_3 506_8 514_8 524_5 588_9 649_5 725_6

  faciendum curaverunt (?) 075_1 729_4

  factum curavit $723_{3f.}$

  quod si non fecerint $529_{9f.}$

  quot si non fecerint ... 138_2

  φήχιτ 614_3

  φηχυτ 048_3

Felix (in der Kaisertitulatur) 205_4 234_1

felix 452_3 506_5

fero 437_{11}

festus 439_{20}

Feterancus (Epitheton des Iuppiter) $588_{1f.}$

finis 475_4 559_4 601_1

fio 726_1

fiscus 261_4 617_7

fleo 439_2

forma 439_{13}

frons s. in fronte pedes

hic s(ita?) est 445_1

hic sitae 455_3

hic siti 429_7

hic siti sunt 078_2 288_4 313_4 373_4 463_2 524_3 649_2

hic sito 386_2

hic situs est 001_4 027_2 028_6 037_4 051_1 052_{A2} 061_4 126_2 136_5 152_2 244_2 260_2 270_1 276_1 277_5 278_2 300_1 322_4 345_2 354_5 356_2 382_3 389_7 391_1 398_2 411_2 416_3 441_3 448_3 492_2 493_2 495_2 503_3 508_2 523_1 525_4 526_2 563_5 600_2 638_2 720_4 722_2 725_2

hic s(itus?) est 445_1

s. auch depono und sepelio

sodalicium 019_2

sodalis 164_3

solvo

libens animo solvit 168_3

votum solvit 170_3 177_3

votum solvit libens animo $342_{3f.}$ 407_7 408_3

votum solvit libens merito 057_4 173_5 473_3 $515_{4f.}$ 620_8

votum solverunt libentes merito $501c_1$

spargo 087_3

specto 258_3

splendidus

splendidissimus 139_5

statua 164_5

stipendium $030_{A4f.; I5}$ 389_6 708_4 710_5 765_8 766_5

sto 258_2

subscribo 166_1

subsellium 132_7

succedo 617_{12}

superus

superi 416_9

taberna 416_4

tabula

tabula picta 164_{12}

taeda 439_{20}

Tasibastenus (Epitheton des Liber) 524_6 $525_{5f.}$

tectum 519_3

tego $164_{7.8}$

tegula 164_8

testamentum 154_5 213_1 227_3 $438_{3f.}$ 726_1

ex testamento 042_2 218_4 219_3 253_7 743_2

testimonium

sub testimonio 177_1

thermae 026_4

thiasus 095_2 340_2 524_6 $525_{4f.}$ 529_4

thuribulum 620_3

titulus 163_2 164_2

torquis $202_{6f.}$ 617_{11} 767_7

traho 439_{20}

transfero 617_4

si cuis eam aram trastolerit 136_{9-11}

usura

ex usuris $512_{4f.}$ 644_6

valeo

vale 416_{12}

validus 439_9

venatio 087_3

verna 394_3

verna domo natus $416_{2f.}$

vescor 524_7 529_9 $644_{7f.}$

via

via a Dyrrachio usque Acontisma $414_{5f.}$

via a Dyrrachio usque Neapolim $715_{6f.}$

viator 416_7

vicanus 045_6 $437_{3.14.15.17}$ 518_2 519_2 $644_{4.13}$

βικανιβους $048_{5f.}$

Victor (in der Kaisertitulatur) 235_2

vinco

volnere victi 439_{11}

vinea 045_7

vineium 732_2

vineium s. vinea

ἀπέστιλεν 368₃
ἀπόστολος 602₉₋₁₁
ἀποτίνω
  ἀποτείσει τῇ πόλει 119₁f.
ἀποφθίνω 509₅f.
Ἀπρίλιος 326_{A2.5; B2.5}
ἀργεντάριος 410₁f.
ἀργός 160a_{A4.6}
ἀργύριον 754₅₂
ἀρετή 570₂ *689₇ 711a₄ 754a₁₀
  ἀρετῆς ἕνεκεν *657₅
  ἀρετῆς ... χάριν *690₉f.
ἀριστεύω 129₇
ἀρκάριος
  ἀρκάρις 410₁
Ἀρτεμίσιος 096₄f. 599₂
  Ἀρτεμείσιος 544₄f.
  Ἀρτεμέσιος 592₁f.
ἀρχή 125₁₂
ἄρχων
  ἐπὶ ἄρχοντος *675₁
  οἱ ἄρχοντες 348_{4.10f.}
ἀσφάλεια 746ο₃
  ἀσφάλια 746k₅ 746l₃
ἀσφαλής 754₅₃
ἀσυλία *685₆ 746ο₃
  ἀσουλία 746k₆ 746l₃
ἄσυλον 754_{43.48}
ἀτέλεια *685₆
Αὔγουστος 326_{A3.6; B3.6}
Αὐδυναῖος
  Αἰδυναῖος 551₂f.
  Αὐδηναῖος 541₆ 573₂ *686₈
αὐξάνω
  αὔξω 570₃
αὔξω s. αὐξάνω
ἀφιερόω *655₂
βασανίζω 131_{A7}
βασιλεύς 160a_{A3} 296₅ 532₁ 543_{9f.16f.18}
  568b₂ *655₁ 754_{41.46.48}
  τῶι βασιλῖ 390₉f.
βασιλεύω 591₃

βοηθέω 130₃
  βοήθη 322a_B 324₁ 594₁
  βωήθι 328₁
βοτάνη 131_{A4}
βουλευτήριον 348₁₁
βουλευτής 510₂ 544₁₅
βουλεύω 544₁₅
βουλή 544₈
βούπαις 129₄
γαῖα 296₄
  s. auch γῆ
γεμίζω 568₆
γενναῖος *677₃f.
γεννάω 130₂
γένος 296₂
Γερμανικός/Γερμανός (in der Kaisertitulatur) 069₂
γῆ 125b₂ 160a_{B8.10}
  s. auch γαῖα
γίγνομαι 539a₂f. 543₂₃ 544₂₆
γλυκύς 296₆
  γλυκύτατος 083₉f. 116₃f. 265₂ 355₄
  360₉
γνήσιος 456₇
γνώμη *656₁ 754₃₆
  γνώμη τῆς ἐκκλησίας 348₁
γόνος *684₁
Γορπιαῖος 539₂f.
γράφω 131_{B2.5} 754₅₀
γυμνασιαρχέω *680₅ *689₅f.
Δαίσιος 553₁f.
Δεκέμβριος 326_{A3.6; B3.6}
δένδρον
  δένδρος 544₁₂
δένδρος s. δένδρον
δεσμοφύλαξ *698₁f.
δεσπότης 115a₂
δέχομαι 754₄₃
δηλάτωρ 022₁₀ 265₄ 280₃ 734₄
  δηλάτωρι 133₉f.
δῆμος 544_{8.27}
δημόσιος 544_{11.20.24f.}
δηνάριον 568₄ *690₆

ἐκτελέω 125_{10}
ἐλαία $544_{20f.}$
ἐλάχιστος 353_1
ἐλεέω
  ἐλέησόν με $100_{8f.}$
  ἐλέησον ἡμᾶς 099_1
ἔμπασις
  γᾶς κὴ ϝυκίας ἔππασις $746k_5$ $746l_3$
  s. auch ἔγκτησις
ἐμφανίζω 754_{42}
ἐμφύτευσις
  ἐνφύτευσις 544_{11}
ἐμφυτεύω
  ἐνφυτεύσας 544_{17}
ἔνδοξος 296_2 *667_2
ἐξάγω *685_7
ἐξαιρέω $160a_{A13}$
ἐξανύω
  σῆμα τόδ' ἐξανύσας $125b_3$
ἐξουσία $131_{B13f.}$
ἐπαγγέλλω $754_{39.45.50}$
  ἐπηνγείλατο 543_3
ἐπαγγελία 754_{44}
ἐπαινέω 754_{45}
ἐπανέρχομαι $160a_{B12}$
ἐπάξιος $125_{10f.}$
ἐπεισβαίνω $160a_{A8.12}$
ἐπεισφέρω
  ἐπεισφέρειν σκήνωμα ἀλλότριον
  $125a_{6f.}$
ἐπέρχομαι $754_{39f.}$
ἐπήκοος 618_1
ἐπιβουλεύω
  ὅστις ἐπειβουλεύσει 631_{3-5}
  ὅστις ἐπειβουλεύσετει ἕτερον θόσει
  $632_{3f.}$
ἐπικαρπία $544_{14.18.23}$
ἐπίκλην 104_2
ἐπιμελέομαι $544_{13f.23}$
  ἐπιμελόμενος $544_{17f.}$
ἐπιμελητής *$673_{2f.}$
ἐπισκοπέω $160a_{A10}$
ἐπιστατέω *680_{11}

ἐπίταγμα 296_2
ἐπιχειρέω $634_{3f.}$
  εἴ τις δὲ ... ἐπιχειρήσει ἐνθάδε ἕτερον
  θεῖναι νεκρόν 103_{4-7}
ἐπιχειροτονέω $544_{26f.}$
ἐπιψηφίζω 543_{26}
ἐπώνιον $161_{4.7.10.12.4r.8r.10r.12r}$
ἐργάζομαι $160a_{A4}$
εὐγένεια 104_5
εὐδαίμων 551_5 $557a_{3f.}$
  εὔδαιμον χαίριν (!) $539_{6f.}$
εὐεργεσία $306_{8f.}$ $543_{23f.}$ 745_6
εὐεργέτης 307_7 $535_{4f.}$ *663_2 *685_1
  *697_3 $746o_2$ 748_{39} $754a_{19}$
  εὐεργέτας $746k_3$ $746l_2$
εὐλαβής
  εὐλαβέστατος 101_1 $292_{3f.}$
εὔλογος 544_{16}
εὔνοια $711a_5$ 754_{46}
  εὐνοίας ... ἕνεκα 405_{3-5}
εὔνους $348_{2.6}$
εὐοδέω 586_5
εὑρίσκω 543_2
εὐσέβεια
  ἐπ' εὐσεβίης $125_{14f.}$
Εὐσεβής (in der Kaisertitulatur)
  349_2
εὐσεβής $704a_4$
εὔσημος 296_2
εὐστέφιος 296_6
εὐτυχής $330a_1$
εὐχαριστήριον $501b_2$ 622_3 $623_{3f.}$ 624_2
εὐχή 625_3
  ὑπὲρ εὐχῆς 124_1
εὔχομαι
  εὐξάμενος $192_{5f.}$ 501_2 $501a_2$ *652_3
ἐχεφροσύνη $125_{6f.}$
ἐχθρός 131_{B13}
ἔχω 131_{B14}
ἐφηβαρχέω *680_8
ἔφηβος
  ἔφηβος στρατεύσιμος *680_{17}
ζητέω $543_{13f.}$

κοιμάω
  ἐκοιμήθη 105₄
  ἐνθάδε κοιμηθέντας 099₂
κοιμητήριον 077₁ 100₁ 101₁ 102₁
    103₁ 106₁ 274₁f. 275₁ 292₁ 293₁f.
    631₁ 632₁
  κοιμιτίριον 630₁
  κυμητήριον 114₁ 634₁
  κυμιτίριον 115₁
κοινός 543₁₄
κόλπος 125b₂ 569₁
κοσμέω 507₂ *653₂
κόσμος 296₆
κοῦρος 098₉
κρατήρ 568₅
Κράτιστος (in der Kaisertitulatur)
    *667₁
κρατύς
  κράτιστος *682₂
κρεοφυλάκιον 005₄
κριθή 543₆
κτίζω
  ἔκτησε *668₁
κτίσμα 296₅
κυνηγός 603₂f.
κυρόω 544₇
Κωμαῖος (Epitheton des Apollon)
    246₂
κώμη 543₁₃.₁₅f. 568₄
λαγχάνω 107₈
λαμβάνω 125₁₇ 544₁₄
λείπω 296₆ 609₆
λειτουργία
  λῃτουργίας 543₁₂
λεπρός 131ₐ₆
ληνός *687₃
λίθινος 543₂₀
λόγος 131ₐ₅
  διδόναι λόγον 103₇ 613₄ 631₅ 632₄f.
    634₅
λογιστής
  λογιστὴς ὑπέρτατος *683₂
λόφος 160aᴮ₇

Λῶος 556₆
μάγειρος
  μάγιρος 247₂
μαθητής 131ᴮ₁₀
Μάϊος 326ₐ₂.₅; ᴮ₂.₅
μακάριος 131ᴮ₁
μακρονοσία 131ₐ₇
Μάρτιος 326ₐ₂.₅; ᴮ₂.₅
μάρτυς 196₁
μεγαλοπρεπής
  μεγαλοπρεπέστατος 528ₐ₆
Μεῖλαξ (Epitheton des Zeus) *678₄
μεμόριον 123₁ 308₁
  μιμόριον 110₃
μένω 543₁₂
μεταίρω
  ἐὰν δέ τις μεταρῇ τον βωμόν τοῦτον
    133₆₋₈
μετατίθημι
  τοῦτο τὸ πῶμα ὃς ἂν μεταθῇ 119₁
μετοχή 711d₁
μικρός
  μικρότατος 131ₐ₁₃
μισθοφορέω 754₅₄
μνεία
  μνείας χάριν 086₆ 335₄ 355₅f. 371₂
    557₁f. 561ₐ₅ 590₃
μνῆμα 116₁
μνημεῖον *686₆
μνήμη 073₆ 096₁
  μνήμης χάριν 029₃ 266₄ 302₆f. 307₈
    456₇f. 552₇ 556₅ 561ᴮ₇ 568a₂ 598₅f.
    *686₂ *688₃f.
  μνήμιν αὐτό (!) 539₇f.
μνήμων 544₇
μοῖρα 326ᴮ₄
μονόσωμος 103₈f.
Μοῦσα 129₇
μουσεῖον 306₄
ναβλίστρια 647₃
ναιετάω 125₂₀f.
ναῦς 543₄
νεκρός 103₇

πολυτλήμων
πολυτλάμων 609₁
πορεύομαι 543₁₇f.
πορφυροβάφος *697₁f.
ποσιαστής 133₂₀
ποταμός *675₇
πότμος 509₈
πραγματευτής 022₂ 083₃f. 248₆f.
πραίκων 302₂f.

s. auch praeco

πρᾶξις 296₂
πρεσβεία 160a_B11
πρεσβευτής 543₁₇ *675₂
οἱ πρέσβες τῶν Νεοπολιτῶν 749₉
πρεσβεύω 160a_A2
πρεσβύτερος 100₂ 101₂ 102₃ 103₂
106₂ 360₁
προαιρέομαι 754₄₉
προγράφω 273₅ 280₂
χωρὶς τῶν προγεγραμμένων 734₃
προδικία 745d₄f.
προεδρία 745₇ 745d₄ 754a₂₃
πρόεδρος 544₄
πρόθυμος 748₃₃.₅₅.₆₁
προμισθωτής 713₄
προνοέω 543₁₀
προξενία 743r₂ 745₅f. 745d₃f.
πρόξενος *685₁ 746k₃ 746l₂ 746o₂
754a₁₉
πρόξενος τῆς πόλεως 348₁f.
προσλαμβάνω 160a_B1
πρόσοδος *681₂
πρόσοδος πρὸς τὴμ βουλήν 748₃₇f.
πρόσταγμα
κατὰ πρόσταγμα 018₃f.
προστάτης
προστάτης τῆς πόλεως *677₅f.
προστελέω 160a_A5
πρόστιμον 072₄ 125a₈ 265₄ 267₆ 273₅
296₈ 365₅ 636₅ 734₃
πρόστειμον 127₃ 133₁₉ 280₂ 387a₇
πρυτανεῖον 754₅₁
πρωτοπρεσβύτερος 103₉

πτῶμα 022₆ 072₃ 127₂ 137₆ 267₅ 415₁
589₄ 738₁
πυρός 543₄
πωλέω 160a_B11 543₃.₉
πῶμα 119₁
ῥήτωρ 098₄ 404₅
ῥόδον 029₈ 597₈
κατὰ ῥόδοις 133₁₇
Σεβαστή (in der Kaisertitulatur)
349₁₆
Σεβαστός (in der Kaisertitulatur)
349₁f.₉ *667₂ *670₂ *690₅
σεμνός 131_A13
Σεπτέμβριος 326_A3.6; B3.6
σῆμα 125b₃
σιτέω
οἱ ἐν Μουσείῳ σειτούμενοι 306₄f.
σῖτος 543₄
σκήνωμα 071₁₁f. 083₁₂ 125a₆
σκῆπτρον 125₁₉f.
σκύλλω 131_A10
στάδιον
σταδίους 160a_B2
σταυρόω 130₂
στέμμα 142₃f. 144₃f.
στέμφυλον 544₂₂
στέφανος 543₂₂
ὁ ἐκ τοῦ νόμου στέφανος 754a₉f.
χρυσὸς στέφανος *689₈
στεφανόω 543₂₁f. 568₇ *657₂
στήλη 360₄f. 543₂₀ 606₁₀
στοά 417₉ *673₃
στρατεύσιμος *680₁₇
στρατηγέω *680₂
στρατηγός
στρατηγὸς Μακεδόνων *677₂f.
στρατιώτης
ξένοι στρατιῶται 754₅₄
συγκυρέω
συνκυροῦσαι 543₁₃.₁₅
συγχωρέω
συγκεχωρηκένε 734₁
συκέα s. σῦκον

χαμοσόριον 071$_4$ 083$_5$
  χαμωσόρον 387a$_{4f.}$
χαρίζω 535$_{5f.}$
χάρις 748$_{36.51}$
χαριστήριον 619$_4$
χρῆμα 711c$_5$
χρηστός *689$_4$
χρόνος 125$_{7f.}$ 130$_4$
χρυσός *689$_8$

χωλός 131$_{A5}$
χώρα 160a$_{A5.8.15; B6}$ 543$_{11}$ *675$_3$
χωρέω 544$_{19.24}$
ψήφισμα 348$_{10}$ 543$_{16.19.21}$
  ψηφίσματι βουλῆς 248$_9$
ψῆφος 544$_{25}$
ψιλός 575$_{1f.4.8.10f.}$
ὠκύμορος 509$_6$
ὡρολόγιον 133$_{15f.}$

Konkordanz

1. AÉ

1898, 89	559	1933, 81	201	1935, 48	283
1901, 123	517	1933, 82	198	1935, 49	249
1901, 124	636	1933, 83	225	1935, 50	250
1908, 198	699	1933, 84	199	1935, 51	251
1912, 10	030	1933, 85	200	1935, 52	276
1921, 4	132	1933, 86	235	1935, 53	321
1923, 87	177	1933, 87	202	1935, 54	287
1923, 88	189	1933, 88	203	1935, 55	322
1923, 89	169	1933, 231	048	1936, 43	309
1923, 90	181	1934, 48	228	1936, 44	306
1923, 91	174	1934, 49	233	1936, 45	307
1923, 92	168	1934, 50	221	1936, 46	311
1923, 93	175	1934, 51	232	1936, 47	296
1923, 94	581	1934, 52	227	1936, 48	292
1924, 48	588	1934, 53	224	1936, 49	268
1924, 49	581	1934, 54	231	1936, 51	414
1924, 50	519	1934, 55	229	1936, 52	715
1924, 51	514	1934, 56	213	1937, 47	248
1924, 52	502	1934, 57	217	1937, 48	360
1924, 53	500	1934, 58	214	1937, 49	071
1924, 54	087	1934, 59	215	1937, 51	133
1924, 55	418	1934, 60	216	1938, 52	253
1925, 62	142	1934, 61	218	1938, 53	350
1930, 48	175	1934, 62	219	1938, 54	344
1930, 49	581	1934, 63	210	1938, 55	135
1930, 50	132	1934, 64	211	1938, 56	136
1932, 21	048	1934, 65	377	1939, 40	349
1932, 27	705	1935, 47	281	1939, 44	388
1933, 80	201	1935, 47	282	1939, 45	080

1939, 183	436	1939, 203	171	1974, 588	177
1939, 184	240	1939, 204	170	1974, 589	522
1939, 185	252	1939, 205	168	1979, 565	711
1939, 186	323a	1948, 20	061	1983, 890	111
1939, 187	093	1948, 21	395	1983, 891	112
1939, 188	241	1948, 22	396	1983, 892	619
1939, 189	323b	1952, 223	716	1984, 818	208
1939, 190	208	1952, 224	717	1985, 774	558
1939, 191	205	1952, 225	718	1986, 629	558
1939, 192	340	1952, 226	719	1991, 1427	563
1939, 193	186	1952, 227	720	1991, 1428	226
1939, 194	184	1952, 228	721	1991, 1429	628
1939, 195	339	1952, 229	729	1992, 1527	386a
1939, 196	338	1952, 230	731	1992, 1528	074a
1939, 197	094	1952, 231	732	1992, 1529	616
1939, 198	341	1968, 466	389	1992, 1530	630
1939, 199	342	1968, 468a	604	1992, 1531	631
1939, 200	408	1968, 468b	605	1992, 1532	034
1939, 201	169	1968, 468c	608	1993, 1401	414
1939, 202	174	1969/70, 583	522	1995, 1393	30a

2. BÉ

1900, S. 124	510	1936, S. 371	469	1938, 221 [c]	006
1911, S. 321	570	1936, S. 371	470	1939, 179	349
1921, S. 442	509a	1938, 215 (1)	567	1939, 181	029
1924, S. 348	142	1938, 215 (2)	568	1939, 182	568
1924, S. 348	143	1938, 216	699a	1939, 183	509
1926, S. 273	144	1938, 217 [1]	359	1939, 184 [a]	007
1930, S. 200,1	190	1938, 217 (2)	248	1944, 129	602
1930, S. 200,2	191	1938, 217 (3)	360	1944, 151 a	704a
1930, S. 200,3	192	1938, 217 (4)	071	1946–47, 140	551
1930, S. 200 [4]	193	1938, 218	133	1948, 101	349
1932, S. 209	048	1938, 219	302	1948, 102	733
1934, S. 231	048	1938, 220	115a	1948, 102	734
1936, S. 371	306	1938, 221 [a]	068	1948, 102	743
1936, S. 371	348	1938, 221 [b]	005	1948, 107	247

1948, 108 [a]	506a	1970, 382	167	1989, 428 [b]	160a
1949, 98	743b	1972, 267 [a]	620	1989, 471	160a
1950, 49N.12	745a	1972, 267 [b]	621	1989, 472	160a
1950, 127	745a	1974, 356	501	1989, 473	161
1951, 131	018	1977, 284 [a]	329	1989, 474 [a]	096
1951, 132 [a]	050	1977, 284 [b]	328	1989, 475	034
1951, 132 [b]	614	1978, 305	319	1990, 491	642
1951, 132 [c]	603	1978, 306	528	1990, 492	553
1953, 152	754	1979, 276	328	1990, 494	034
1959, 244	296	1982, 215	606	1990, 495	160a
1959, 245	568a	1982, 216	116	1991, 412	554
1960, 329	711	1983, 262	606	1991, 415	618
1963, 140 [a]	100	1983, 267	569	1991, 417	160a
1963, 140 [b]	101	1983, 267	569	1993, 356	160a
1963, 140 [c]	102	1984, 242	619	1993, 370 [a]	191
1963, 140 [d]	103	1984, 258	544	1993, 370 [b]	387a
1963, 140 [e]	104	1984, 259	349	1993, 370 [c]	053
1964, 262	246	1984, 259	543	1994, 435	348
1964, 263 [a?]	008	1987, 445 [a]	123	1994, 436	160a
1964, 263 [a?]	009	1987, 445 [b]	124	1996, 279	543
1964, 263 [b]	010	1987, 445 [c]	125	1997, 412 (1)	379a
1965, 239	544	1987, 707	596	1997, 412 (2)	381a
1966, 237	570	1987, 712	119	1997, 413	596a
1967, 364	324	1987, 713	390	1997, 414	557a
1968, 333 [a]	015	1987, 714	160a	1998, 235	160a
1968, 333 [b]	016	1987, 716	580	1998, 279	568b
1970, 379 [a]	015	1988, 812 [b]	599	1998, 280	160a
1970, 379 [b]	016	1988, 864	543	1998, 281	160a
1970, 381 [a]	618	1988, 865	092	1998, 631	125a
1970, 381 [b]	619	1988, 866	577	1998, 631	125b

3. CIL

III 1, 386	700	III 1, 633	163	III 1, 634	183
III 1, 386	701	III 1, 633	164	III 1, 635	181
III 1, 386	702	III 1, 633	165	III 1, 636	172
III 1, 386	703	III 1, 633	166	III 1, 637	178

III 1,638	473	III 1,675	635	III 2,6115	351
III 1,639	054	III 1,676	346	III 2,6115a	035
III 1,640	474	III 1,677	352	III 2,6116	422
III 1,641	057	III 1,678	047	III 2,6117	399
III 1,642	184	III 1,679	486	III 2,6118	400
III 1,643	019	III 1,680	712	III 2,6119	401
III 1,644	423	III 1,681	064	III Suppl. 1,7334	617
III 1,645	429	III 1,682	440	III Suppl. 1,7335	714
III 1,646	046	III 1,683	441	III Suppl. 1,7337	058
III 1,647	058	III 1,684	038	III Suppl. 1,7338	440
III 1,648	039	III 1,685	063	III Suppl. 1,7339	357
III 1,649	492	III 1,686	439	III Suppl. 1,7340	031
III 1,650	001	III 1,687	478	III Suppl. 1,7341	463
III 1,651	002	III 1,688	358	III Suppl. 1,7342	026
III 1,652	003	III 1,689	061	III Suppl. 1,7343	476
III 1,653	438	III 1,690	041	III Suppl. 1,7344	043
III 1,654	714	III 1,691	066	III Suppl. 1,7345	375
III 1,655	428	III 1,692	067	III Suppl. 1,7346	464
III 1,655	455	III 1,693	065	III Suppl. 1,7347	044
III 1,656	045	III 1,694	075	III Suppl. 1,7348	447
III 1,657	037	III 1,695	490	III Suppl. 1,7349	662
III 1,658	062	III 1,696	488	III Suppl. 1,7350	448
III 1,659	493	III 1,697	489	III Suppl. 1,7351	449
III 1,660	004	III 1,698	477	III Suppl. 1,7352	084
III 1,661	437	III 1,699	491	III Suppl. 1,7353	584
III 1,662	529	III 1,700	442	III Suppl. 1,7354	445
III 1,663[a]	457	III 1,701	444	III Suppl. 1,7355	495
III 1,663[b]	460	III 1,702	530	III Suppl. 1,7356	450
III 1,663[c]	458	III 1,702	531	III Suppl. 1,7357	496
III 1,664	646	III 1,703	524	III Suppl. 1,7358a	660
III 1,666	059	III 1,704	525	III Suppl. 1,7358b	661
III 1,667	494	III 1,705	511	III Suppl. 1,7358c	659
III 1,668	060	III 1,706	523	III Suppl. 1,7358d	658
III 1,669	487	III 1,707	512	III Suppl. 2,12311	059
III 1,670	645	III 1,2031	710	III Suppl. 2,12312	356
III 1,671	398	III 1,2717	708	III Suppl. 2,12313	347
III 1,672	042	III 2,5636	765	III Suppl. 2,12314	076
III 1,673	446	III 2,6113	476	III Suppl. 2,12315	323
III 1,674	443	III 2,6114	082	III Suppl. 2,12315a	020

III Suppl. 2, 12319	704	III Suppl. 2, 145061	707	III Suppl. 2, 1420628	484
III Suppl. 2, 13705	356	III Suppl. 2, 1420340	732	III Suppl. 2, 1420629	478
III Suppl. 2, 13706	497	III Suppl. 2, 1420341	743	III Suppl. 2, 1420630	477
III Suppl. 2, 13707	513	III Suppl. 2, 1420344	742	VI 1, 2377	761
III Suppl. 2, 14406c	517	III Suppl. 2, 1420610	515	VI 1, 2379a, col. 3	762
III Suppl. 2, 14406d	475	III Suppl. 2, 1420611	406	VI 1, 2386	764
III Suppl. 2, 14406e	372	III Suppl. 2, 1420612	407	VI 1, 2405	760
III Suppl. 2, 14507	706	III Suppl. 2, 1420613	451	VI 1, 3559	757
III Suppl. 2, 14933	709	III Suppl. 2, 1420614	430	VI 1, 3597	758
III Suppl. 2, 137081	498	III Suppl. 2, 1420615	433	VI 4,2, 32515b	759
III Suppl. 2, 137082	472	III Suppl. 2, 1420616	455	VI 4,2, 32516	760
III Suppl. 2, 137083	471	III Suppl. 2, 1420617	032	VI 4,2, 32518a	761
III Suppl. 2, 142064	559	III Suppl. 2, 1420618	432	VI 4,2, 32520a	762
III Suppl. 2, 142065	566	III Suppl. 2, 1420619	452	VI 4,2, 32624b	763
III Suppl. 2, 142066	562	III Suppl. 2, 1420620	526	VI 4,2, 32625a	764
III Suppl. 2, 142067	463	III Suppl. 2, 1420621	416	VIII 1, 1026	767
III Suppl. 2, 142068	356	III Suppl. 2, 1420622	434	IX, 4684	756
III Suppl. 2, 142069	471	III Suppl. 2, 1420623	435	X,1, 2538	755
III Suppl. 2, 142069	472	III Suppl. 2, 1420624	465	XVI, 10	705
III Suppl. 2, 142069	497	III Suppl. 2, 1420625	461	XVI, 12	030
III Suppl. 2, 142069	498	III Suppl. 2, 1420626	085		
III Suppl. 2, 142069	513	III Suppl. 2, 1420627	409		

4. Δήμιτσας

70	458	927	309	939	183
822	527	928	179	940	184
823	527	929	083	941	178
824	557	930	077	942	180
825	559	931	468	943	173
830	712	932	368	944	263
841	566	933	369	944	346
842	562	934	164	945	082
873	356	935	163	946	352
877	714	936	165	947	351
920	597	937	166	948	358
925	589	938	181	949	398

950	399	989	038	1041	438
951	400	990	039	1042	439
952	401	991	039	1043	439
953	422	992	041	1044	446
954	423	993	040	1045	440
955	428	994	046	1046	441
956	429	995	045	1047	442
957	493	996	047	1048	443
958	494	997	054	1049	444
959	042	998	057	1050	455
960	492	999	057	1051	456
961	357	1000	058	1052	457
962	026	1001	059	1054	459
963	375	1002	060	1054	460
964	084	1003	061	1055	511
965	370	1004	063	1056	512
966	044	1005	064	1057	524
967	043	1005	066	1058	525
968	031	1006	065	1059	523
969	617	1006	067	1060	529
970	756	1007	068	1061	530
971	765	1008	371	1062	531
972	353	1009	069	1063	499
973	086	1010	069	1064	650
974	021	1011	070	1065	651
975	005	1016	469	1066	652
976	748	1018	474	1067	653
977	749	1019	487	1068	654
978	634	1020	486	1069	655
979	647	1021	476	1070	656
980	001	1022–1027	486	1071	473
981	002	1022–1027	487	1071	657
982	003	1028–1039	477	1072	658
983	004	1028–1039	478	1073	659
984	019	1028–1039	488	1075	660
985	635	1028–1039	489	1077	661
986	645	1028–1039	490	1078	474
987	646	1028–1039	491	1079	662
988	037	1040	437	1080	663

1081	664	1090	671	1101	499
1082	456	1092	471	1104	535
1083	463	1093	472	1105	512
1084	665	1095	498	1107	513
1085	666	1096	497	1259	711c
1086	667	1097	474	S. 726	187
1087	668	1098	484	S. 726	188
1088	669	1099	478		
1089	670	1100	477		

5. Feissel

181	743a	229	247	241	077
218	613	230	107	242	292
219	634	231	071	243	274
220	591	232	083	244	275
221	583	233	360	245	293
222	131	234	099	246	268
223	130	235	101	247	104
224	528	236	102	248	116
225	353	237	100	249	308
226	329	238	103	251	111
227	328	239	106	252	112
228	324	240	105		

6. Heuzey

1	001	9	646	17	046
2	002	10	647	18	047
3	003	11	037	19	054
4	004	12	038	20	057
5	005	13	039	21	058
6	634	14	040	22	059
7	635	15	041	23	060
8	645	16	045	24	061

25	063	49	083	71	459
26	064	50	077	72	460
27	065	51	353	73	469
28	066	52	358	74	473
29	067	53	398	75	474
30	068	54	399	76	476
31	069	54	400	77	486
32	070	54	401	78	487
33 I	164	55	422	79	478
34 II	163	56	423	80	488
35 III	165	57	428	81	477
36 IV	166	58	429	82	182
37	181	59	437	82	489
38	183	60	438	83	490
39	184	61	439	84	491
40	178	62	446	85	511
40	179	63	440	86	512
41	180	64	441	87	524
42	173	65/66	442	88	525
43	309	65/66	443	89	523
44	346	65/66	444	90	529
45	263	67	455	91	530
46	082	68	456	92	531
47	352	69	457	S. 79	187
48	351	70	458	S. 79	188

7. IG

I², 108	748	VII, 2433	746b	XII 8, 209	704
I³ 1, 101	748	IX I 1², 29	743q	XII 8, 263	711c
II/III² 1,1, 127	750	IX I 1², 33	743r	XII 8, 264	711d
II/III² 1,1, 128	749	IX I 1², 96	743p	XII 8, 481	021
II/III² 2,2, 1956	751	X 2,1, 631	732	XII 8, 531 a	578
IV, 617	752a	X 2,1, 924	743	XII 8, 531 b	579
IV 1², 94	752b	X 2,1, 1012	715	XII Suppl., S. 151	711c
VII, 342	746o	X 2,1, 1034	098	XII Suppl., S. 152	711d
VII, 505	746k	XII 5, 109	753		
VII, 516	746l	XII 5, 843	754a		

8. IGBulg

IV, 2291   025 | IV, 2343   527 |

9. ILS (Dessau)

2080	617	2718	700–703	5710			026
2127	767	4059	525	5981			559
2460	756	5208	476	7189			493
2538	058	5466	163.164	9081			757

10. Μερτζίδης

a) Αι χώραι του παρελθόντος και αι εσφαλμέναι τοποθετήσεις των

2	650	10	658	23			666
3	651	11	659	24			667
4	652	13	660	25			668
5	653	15	661	26			669
6	654	17	662	27			670
7	655	18	663	28			671
8	656	19	664				
9	657	22	665				

b) Οι Φίλιπποι

1	672	10	681	20			690
2	673	11	682	23			691
3	674	12	683	24			692
4	675	13	684	25			693
5	676	14	685	26			694
6	677	15	686	27			695
7	678	16	687	28			696
8	679	18	688	29			697
9	680	19	689	S. 191.196			698

11. Samsaris

87	712	112	545	149	576
94	713	113	548	153	596
97	564	114	549	154	590
98	563	115	550	155	595
99	562	116	547	156	589
100	561	117	546	157	588
101	560	118	552	158	585
102	559	119	551	159	592
103	557	120	539b	160	593
104	558	121	540	161	586
105	565	122	539	162	584
106	556	123	539a	163	582
107	555	124	538	164	581
108	568	125	535	165	580
109	568a	144-146	571	166	533
110	566	147	573	167	553
111	544	148	572		

12. Šašel Kos

210	028	214	621	217	604
211	026	215	637	218	605
213	620	216	608		

13. SEG

II, 415	636	II, 423	098	III, 500	143
II, 416	613	II, 424	129	III, 501	144
II, 417	598	II, 425	137	III, 502	188
II, 418	586	II, 426	127	III, 503	172
II, 419	590	II, 427	426	III, 504	193
II, 420	521	II, 428	073	X, 124	748
II, 421	410	II, 429	025	XI, 410	752b
II, 422	413	III, 499	142	XII, 373	754

XIII, 401	743b	XXX, 593	713	XXXV, 762	590
XIV, 481	018	XXX, 594	580	XXXV, 762	591
XV, 417	397	XXX, 596	555	XXXV, 762	594
XVI, 211	747	XXX, 597	539	XXXV, 764	565
XVII, 419	711a	XXX, 599	552	XXXVI, 628	349
XVIII, 235	746a	XXX, 607	556	XXXVI, 629	125
XIX, 440	100	XXX, 608	557	XXXVI, 630	157
XIX, 441	101	XXX, 610	538	XXXVI, 631	158
XIX, 442	102	XXX, 619	572	XXXVI, 632	159
XIX, 443	103	XXX, 682	606	XXXVI, 633	160
XIX, 444	104	XXX, 1892	543	XXXVII, 392	744
XIX, 445	105	XXXI, 631	544	XXXVII, 553	543
XIX, 446	106	XXXI, 769 b	711e	XXXVII, 562	630
XIX, 447	107	XXXII, 635, 1	349	XXXVII, 562	631
XIX, 448	108	XXXII, 635, 2	552	XXXVII, 573	160a
XIX, 449	109	XXXII, 635, 3	544	XXXVII, 574	599
XIX, 450	110	XXXII, 635, [4]	543	XXXVII, 579	552
XXI, 306	752	XXXII, 641	569	XXXVIII, 575	160a
XXIV, 578	570	XXXII, 643	559	XXXVIII, 656	642
XXIV, 579	561	XXXII, 647	560	XXXVIII, 657	160a
XXIV, 614	544	XXXII, 676	510	XXXVIII, 658	161
XXIV, 615	548	XXXIII, 538	619	XXXVIII, 659	096
XXIV, 616	549	XXXIII, 539	119	XXXVIII, 660	387
XXIV, 620	246	XXXIII, 542	595	XXXVIII, 661	162
XXIV, 621	327	XXXIII, 543	596	XXXVIII, 668	553
XXIV, 622	010	XXXIII, 544	589	XXXVIII, 705	539b
XXVI, 731	325	XXXIV, 638	543	XXXVIII, 2038	539b
XXVI, 732	328	XXXIV, 664	160a	XXXIX, 11	748
XXVII, 259	528	XXXIV, 665	390	XXXIX, 569	554
XXVII, 304	329	XXXIV, 666	122	XXXIX, 592	543
XXIX, 567	561	XXXIV, 667	123	XXXIX, 598	622
XXIX, 1801	561	XXXIV, 668	125	XXXIX, 599	623
XXX, 569	543	XXXIV, 669	125	XXXIX, 625	160a
XXX, 570	544	XXXIV, 670	124	XL, 539 a	624
XXX, 571	545	XXXIV, 671	328	XL, 539 b	625
XXX, 584	116	XXXIV, 675	580	XL, 539 b App.	618
XXX, 585	326	XXXV, 746	577	XL, 539 b App.	626
XXX, 589	527	XXXV, 761	092	XL, 539 b App.	629
XXX, 589	544	XXXV, 762	589	XL, 543	034

XL, 544	033	XLII, 608 B	631	XLIII, 448	348		
XL, 621	053	XLII, 620	191	XLIII, 449	074a		
XLI, 572 A	630	XLII, 621	053	XLIII, 450	387		
XLI, 572 B	631	XLII, 622	196	XLIV, 548	330a		
XLI, 572 C	632	XLIII, 430	006	XLIV, 549	331a		
XLII, 608 A	630	XLIII, 447	160a				

14. SIG³ (Dittenberger)

107	748	197	749	438	746
196	750	267A	745		

Wissenschaftliche Untersuchungen zum Neuen Testament

Alphabetische Übersicht der ersten und zweiten Reihe

Ådna, Jostein: Jesu Stellung zum Tempel. 2000. *Band II / 119.*

Ådna, Jostein und *Kvalbein, Hans* (Hrsg.): The Mission of the Early Church to Jews and Gentiles. 2000. *Band 127.*

Anderson, Paul N.: The Christology of the Fourth Gospel. 1996. *Band II / 78.*

Appold, Mark L.: The Oneness Motif in the Fourth Gospel. 1976. *Band II / 1.*

Arnold, Clinton E.: The Colossian Syncretism. 1995. *Band II / 77.*

Avemarie, Friedrich und *Hermann Lichtenberger* (Hrsg.): Bund und Tora. 1996. *Band 92.*

Bachmann, Michael: Sünder oder Übertreter. 1992. *Band 59.*

Baker, William R.: Personal Speech-Ethics in the Epistle of James. 1995. *Band II / 68.*

Balla, Peter: Challenges to New Testament Theology. 1997. *Band II / 95.*

Bammel, Ernst: Judaica. Band I 1986. *Band 37* – Band II 1997. *Band 91.*

Bash, Anthony: Ambassadors for Christ. 1997. *Band II / 92.*

Bauernfeind, Otto: Kommentar und Studien zur Apostelgeschichte. 1980. *Band 22.*

Bayer, Hans Friedrich: Jesus' Predictions of Vindication and Resurrection. 1986. *Band II / 20.*

Bell, Richard H.: Provoked to Jealousy. 1994. *Band II / 63.*

– No One Seeks for God. 1998. *Band 106.*

Bergman, Jan: siehe *Kieffer, René*

Bergmeier, Roland: Das Gesetz im Römerbrief und andere Studien zum Neuen Testament. 2000. *Band 121.*

Betz, Otto: Jesus, der Messias Israels. 1987. *Band 42.*

– Jesus, der Herr der Kirche. 1990. *Band 52.*

Beyschlag, Karlmann: Simon Magus und die christliche Gnosis. 1974. *Band 16.*

Bittner, Wolfgang J.: Jesu Zeichen im Johannesevangelium. 1987. *Band II / 26.*

Bjerkelund, Carl J.: Tauta Egeneto. 1987. *Band 40.*

Blackburn, Barry Lee: Theios Anēr and the Markan Miracle Traditions. 1991. *Band II / 40.*

Bock, Darrell L.: Blasphemy and Exaltation in Judaism and the Final Examination of Jesus. 1998. *Band II / 106.*

Bockmuehl, Markus N.A.: Revelation and Mystery in Ancient Judaism and Pauline Christianity. 1990. *Band II / 36.*

Böhlig, Alexander: Gnosis und Synkretismus. Teil 1 1989. *Band 47* –Teil 2 1989. *Band 48.*

Böhm, Martina: Samarien und die Samaritai bei Lukas. 1999. *Band II / 111.*

Böttrich, Christfried: Weltweisheit – Menschheitsethik – Urkult. 1992. *Band II / 50.*

Bolyki, János: Jesu Tischgemeinschaften. 1997. *Band II / 96.*

Büchli, Jörg: Der Poimandres – ein paganisiertes Evangelium. 1987. *Band II / 27.*

Bühner, Jan A.: Der Gesandte und sein Weg im 4. Evangelium. 1977. *Band II / 2.*

Burchard, Christoph: Untersuchungen zu Joseph und Aseneth. 1965. *Band 8.*

– Studien zur Theologie, Sprache und Umwelt des Neuen Testaments. Hrsg. von D. Sänger. 1998. *Band 107.*

Byrskog, Samuel: Story as History – History as Story. 2000. *Band 123.*

Cancik, Hubert (Hrsg.): Markus-Philologie. 1984. *Band 33.*

Capes, David B.: Old Testament Yaweh Texts in Paul's Christology. 1992. *Band II / 47.*

Caragounis, Chrys C.: The Son of Man. 1986. *Band 38.*

– siehe *Fridrichsen, Anton.*

Carleton Paget, James: The Epistle of Barnabas. 1994. *Band II / 64.*

Ciampa, Roy E.: The Presence and Function of Scripture in Galatians 1 and 2. 1998. *Band II / 102.*

Classen, Carl Joachim: Rhetorical Criticsm of the New Testament. 2000. *Band 128.*

Crump, David: Jesus the Intercessor. 1992. *Band II / 49.*

Dahl, Nils Alstrup: Studies in Ephesians. 2000. *Band 131.*

Deines, Roland: Jüdische Steingefäße und pharisäische Frömmigkeit. 1993. *Band II / 52.*

– Die Pharisäer. 1997. *Band 101.*

Dietzfelbinger, Christian: Der Abschied des Kommenden. 1997. *Band 95.*

Dobbeler, Axel von: Glaube als Teilhabe. 1987. *Band II / 22.*

Du Toit, David S.: Theios Anthropos. 1997. *Band II / 91*

Dunn , James D.G. (Hrsg.): Jews and Christians. 1992. *Band 66.*
– Paul and the Mosaic Law. 1996. *Band 89.*
Dunn, James D.G., Hans Klein, Ulrich Luz und *Vasile Mihoc* (Hrsg.): Auslegung der Bibel in orthodoxer und westlicher Perspektive. 2000. *Band 130.*
Ebertz, Michael N.: Das Charisma des Gekreuzigten. 1987. *Band 45.*
Eckstein, Hans-Joachim: Der Begriff Syneidesis bei Paulus. 1983. *Band II / 10.*
– Verheißung und Gesetz. 1996. *Band 86.*
Ego, Beate: Im Himmel wie auf Erden. 1989. *Band II / 34*
Ego, Beate und *Lange, Armin* sowie *Pilhofer, Peter (Hrsg.):* Gemeinde ohne Tempel – Community without Temple. 1999. *Band 118.*
Eisen, Ute E.: siehe *Paulsen, Henning.*
Ellis, E. Earle: Prophecy and Hermeneutic in Early Christianity. 1978. *Band 18.*
– The Old Testament in Early Christianity. 1991. *Band 54.*
Ennulat, Andreas: Die ‚Minor Agreements‘. 1994. *Band II / 62.*
Ensor, Peter W.: Jesus and His 'Works'. 1996. *Band II / 85.*
Eskola, Timo: Theodicy and Predestination in Pauline Soteriology. 1998. *Band II / 100.*
Fatehi, Mehrdad: The Spirit's Relation to the Risen Lord in Paul. 2000. *Band II / 128.*
Feldmeier, Reinhard: Die Krisis des Gottessohnes. 1987. *Band II / 21.*
– Die Christen als Fremde. 1992. *Band 64.*
Feldmeier, Reinhard und *Ulrich Heckel* (Hrsg.): Die Heiden. 1994. *Band 70.*
Fletcher-Louis, Crispin H.T.: Luke-Acts: Angels, Christology and Soteriology. 1997. *Band II / 94.*
Förster, Niclas: Marcus Magus. 1999. *Band 114.*
Forbes, Christopher Brian: Prophecy and Inspired Speech in Early Christianity and its Hellenistic Environment. 1995. *Band II / 75.*
Fornberg, Tord: siehe *Fridrichsen, Anton.*
Fossum, Jarl E.: The Name of God and the Angel of the Lord. 1985. *Band 36.*
Frenschkowski, Marco: Offenbarung und Epiphanie. Band 1 1995. *Band II / 79* – Band 2 1997. *Band II / 80.*
Frey, Jörg: Eugen Drewermann und die biblische Exegese. 1995. *Band II / 71.*
– Die johanneische Eschatologie. Band I. 1997. *Band 96.* – Band II. 1998. *Band 110.* – Band III. 2000. *Band 117.*
Freyne, Sean: Galilee and Gospel. 2000. *Band 125.*

Fridrichsen, Anton: Exegetical Writings. Hrsg. von C.C. Caragounis und T. Fornberg. 1994. *Band 76.*
Garlington, Don B.: ‚The Obedience of Faith‘. 1991. *Band II / 38.*
– Faith, Obedience, and Perseverance. 1994. *Band 79.*
Garnet, Paul: Salvation and Atonement in the Qumran Scrolls. 1977. *Band II / 3.*
Gese, Michael: Das Vermächtnis des Apostels. 1997. *Band II / 99.*
Gräbe, Petrus J.: The Power of God in Paul's Letters. 2000. *Band II / 123.*
Gräßer, Erich: Der Alte Bund im Neuen. 1985. *Band 35.*
Green, Joel B.: The Death of Jesus. 1988. *Band II / 33.*
Gundry Volf, Judith M.: Paul and Perseverance. 1990. *Band II / 37.*
Hafemann, Scott J.: Suffering and the Spirit. 1986. *Band II / 19.*
– Paul, Moses, and the History of Israel. 1995. *Band 81.*
Hannah, Darrel D.: Michael and Christ. 1999. *Band II / 109.*
Hamid-Khani, Saeed: Relevation and Concealment of Christ. 2000. *Band II / 120.*
Hartman, Lars: Text-Centered New Testament Studies. Hrsg. von D. Hellholm. 1997. *Band 102.*
Heckel, Theo K.: Der Innere Mensch. 1993. *Band II / 53.*
– Vom Evangelium des Markus zum viergestaltigen Evangelium. 1999. *Band 120.*
Heckel, Ulrich: Kraft in Schwachheit. 1993. *Band II / 56.*
– siehe *Feldmeier, Reinhard.*
– siehe *Hengel, Martin.*
Heiligenthal, Roman: Werke als Zeichen. 1983. *Band II / 9.*
Hellholm, D.: siehe *Hartman, Lars.*
Hemer, Colin J.: The Book of Acts in the Setting of Hellenistic History. 1989. *Band 49.*
Hengel, Martin: Judentum und Hellenismus. 1969, ³1988. *Band 10.*
– Die johanneische Frage. 1993. *Band 67.*
– Judaica et Hellenistica. Band 1. 1996. *Band 90.* – Band 2. 1999. *Band 109.*
Hengel, Martin und *Ulrich Heckel* (Hrsg.): Paulus und das antike Judentum. 1991. *Band 58.*
Hengel, Martin und *Hermut Löhr* (Hrsg.): Schriftauslegung im antiken Judentum und im Urchristentum. 1994. *Band 73.*
Hengel, Martin und *Anna Maria Schwemer:* Paulus zwischen Damaskus und Antiochien. 1998. *Band 108.*

Hengel, Martin und *Anna Maria Schwe-mer* (Hrsg.): Königsherrschaft Gottes und himmlischer Kult. 1991. *Band 55.*
– Die Septuaginta. 1994. *Band 72.*
Hengel, Martin, Siegfried Mittmann und *Anna Maria Schwemer* (Ed.): La Cité de Dieu / Die Stadt Gottes. 2000. *Band 129.*
Herrenbrück, Fritz: Jesus und die Zöllner. 1990. *Band II / 41.*
Herzer, Jens: Paulus oder Petrus? 1998. *Band 103.*
Hoegen-Rohls, Christina: Der nachöster-liche Johannes. 1996. *Band II / 84.*
Hofius, Otfried: Katapausis. 1970. *Band 11.*
– Der Vorhang vor dem Thron Gottes. 1972. *Band 14.*
– Der Christushymnus Philipper 2,6–11. 1976, ²1991. *Band 17.*
– Paulusstudien. 1989, ²1994. *Band 51.*
– Neutestamentliche Studien. 2000. *Band 132.*
Hofius, Otfried und *Hans-Christian Kammler:* Johannesstudien. 1996. *Band 88.*
Holtz, Traugott: Geschichte und Theologie des Urchristentums. 1991. *Band 57.*
Hommel, Hildebrecht: Sebasmata. Band 1 1983. *Band 31* – Band 2 1984. *Band 32.*
Hvalvik, Reidar: The Struggle for Scripture and Covenant. 1996. *Band II / 82.*
Joubert, Stephan: Paul as Benefactor. 2000. *Band II / 124.*
Kähler, Christoph: Jesu Gleichnisse als Poesie und Therapie. 1995. *Band 78.*
Kamlah, Ehrhard: Die Form der katalogi-schen Paränese im Neuen Testament. 1964. *Band 7.*
Kammler, Hans-Christian: Christologie und Eschatologie. 2000. *Band 126.*
– siehe *Hofius, Otfried.*
Kelhoffer, James A.: Miracle and Mission. 1999. *Band II / 112.*
Kieffer, René und *Jan Bergman (Hrsg.):* La Main de Dieu / Die Hand Gottes. 1997. *Band 94.*
Kim, Seyoon: The Origin of Paul's Gospel. 1981, ²1984. *Band II / 4.*
– „The ‚Son of Man'" as the Son of God. 1983. *Band 30.*
Klein, Hans: siehe *Dunn, James D.G..*
Kleinknecht, Karl Th.: Der leidende Gerechtfertigte. 1984, ²1988. *Band II / 13.*
Klinghardt, Matthias: Gesetz und Volk Gottes. 1988. *Band II / 32.*
Köhler, Wolf-Dietrich: Rezeption des Matthäusevangeliums in der Zeit vor Irenäus. 1987. *Band II / 24.*
Korn, Manfred: Die Geschichte Jesu in veränderter Zeit. 1993. *Band II / 51.*

Koskenniemi, Erkki: Apollonios von Tyana in der neutestamentlichen Exegese. 1994. *Band II / 61.*
Kraus, Wolfgang: Das Volk Gottes. 1996. *Band 85.*
– siehe *Walter, Nikolaus.*
Kuhn, Karl G.: Achtzehngebet und Vaterunser und der Reim. 1950. *Band 1.*
Kvalbein, Hans: siehe *Ådna, Jostein.*
Laansma, Jon: I Will Give You Rest. 1997. *Band II / 98.*
Labahn, Michael: Offenbarung in Zeichen und Wort. 2000. *Band II / 117.*
Lange, Armin: siehe *Ego, Beate.*
Lampe, Peter: Die stadtrömischen Christen in den ersten beiden Jahrhunderten. 1987, ²1989. *Band II / 18.*
Landmesser, Christof: Wahrheit als Grundbegriff neutestamentlicher Wissenschaft. 1999. *Band 113.*
– Jüngerberufung und Zuwendung zu Gott. 2000. *Band 133.*
Lau, Andrew: Manifest in Flesh. 1996. *Band II / 86.*
Lee, Pilchan: The New Jerusalem in the Book of Relevation. 2000. *Band II / 129.*
Lichtenberger, Hermann: siehe *Avemarie, Friedrich.*
Lieu, Samuel N.C.: Manichaeism in the Later Roman Empire and Medieval China. ²1992. *Band 63.*
Loader, William R.G.: Jesus' Attitude Towards the Law. 1997. *Band II / 97.*
Löhr, Gebhard: Verherrlichung Gottes durch Philosophie. 1997. *Band 97.*
Löhr, Hermut: siehe *Hengel, Martin.*
Löhr, Winrich Alfried: Basilides und seine Schule. 1995. *Band 83.*
Luomanen, Petri: Entering the Kingdom of Heaven. 1998. *Band II / 101.*
Luz, Ulrich: siehe *Dunn, James D.G..*
Maier, Gerhard: Mensch und freier Wille. 1971. *Band 12.*
– Die Johannesoffenbarung und die Kirche. 1981. *Band 25.*
Markschies, Christoph: Valentinus Gnosticus? 1992. *Band 65.*
Marshall, Peter: Enmity in Corinth: Social Conventions in Paul's Relations with the Corinthians. 1987. *Band II / 23.*
McDonough, Sean M.: YHWH at Patmos: Rev. 1:4 in its Hellenistic and Early Jewish Setting. 1999. *Band II / 107.*
Meade, David G.: Pseudonymity and Canon. 1986. *Band 39.*
Meadors, Edward P.: Jesus the Messianic Herald of Salvation. 1995. *Band II / 72.*
Meißner, Stefan: Die Heimholung des Ketzers. 1996. *Band II / 87.*

Mell, Ulrich: Die „anderen" Winzer. 1994. *Band 77.*

Mengel, Berthold: Studien zum Philipper-brief. 1982. *Band II / 8.*

Merkel, Helmut: Die Widersprüche zwischen den Evangelien. 1971. *Band 13.*

Merklein, Helmut: Studien zu Jesus und Paulus. Band 1 1987. *Band 43.* – Band 2 1998. *Band 105.*

Metzler, Karin: Der griechische Begriff des Verzeihens. 1991. *Band II / 44.*

Metzner, Rainer: Die Rezeption des Matthäusevangeliums im 1. Petrusbrief. 1995. *Band II / 74.*

– Das Verständnis der Sünde im Johan-nesevangelium. 2000. *Band 122.*

Mihoc, Vasile: siehe *Dunn, James D.G.*.

Mittmann, Siegfried: siehe *Hengel, Martin.*

Mittmann-Richert, Ulrike: Magnifikat und Benediktus. *1996. Band II / 90.*

Mußner, Franz: Jesus von Nazareth im Umfeld Israels und der Urkirche. Hrsg. von M. Theobald. 1998. *Band 111.*

Niebuhr, Karl-Wilhelm: Gesetz und Paränese. 1987. *Band II / 28.*

– Heidenapostel aus Israel. 1992. *Band 62.*

Nielsen, Anders E.: „Until it is Fullfilled". 2000. *Band II / 126.*

Nissen, Andreas: Gott und der Nächste im antiken Judentum. 1974. *Band 15.*

Noack, Christian: Gottesbewußtsein. 2000. *Band II / 116.*

Noormann, Rolf: Irenäus als Paulusinter-pret. 1994. *Band II / 66.*

Obermann, Andreas: Die christologische Erfüllung der Schrift im Johannesevan-gelium. 1996. *Band II / 83.*

Okure, Teresa: The Johannine Approach to Mission. 1988. *Band II / 31.*

Oropeza, B. J.: Paul and Apostasy. 2000. *Band II / 115.*

Ostmeyer, Karl-Heinrich: Taufe und Typos. 2000. *Band II / 118.*

Paulsen, Henning: Studien zur Literatur und Geschichte des frühen Christen-tums. Hrsg. von Ute E. Eisen. 1997. *Band 99.*

Pao, David W.: Acts and the Isaianic New Exodus. 2000. *Band II / 130.*

Park, Eung Chun: The Mission Discourse in Matthew's Interpretation. 1995. *Band II / 81.*

Park, Joseph S.: Conceptions of Afterlife in Jewish Insriptions. 2000. *Band II / 121.*

Pate, C. Marvin: The Reverse of the Curse. 2000. *Band II / 114.*

Philonenko, Marc (Hrsg.): Le Trône de Dieu. 1993. *Band 69.*

Pilhofer, Peter: Presbyteron Kreitton. 1990. *Band II / 39.*

– Philippi. Band 1 1995. *Band 87.* – Band 2 2000. *Band 119.*

– siehe *Ego, Beate.*

Pöhlmann, Wolfgang: Der Verlorene Sohn und das Haus. 1993. *Band 68.*

Pokorný, Petr und *Josef B. Souček:* Bibel-auslegung als Theologie. 1997. *Band 100.*

Porter, Stanley E.: The Paul of Acts. 1999. *Band 115.*

Prieur, Alexander: Die Verkündigung der Gottesherrschaft. 1996. *Band II / 89.*

Probst, Hermann: Paulus und der Brief. 1991. *Band II / 45.*

Räisänen, Heikki: Paul and the Law. 1983, ²1987. *Band 29.*

Rehkopf, Friedrich: Die lukanische Sonderquelle. 1959. *Band 5.*

Rein, Matthias: Die Heilung des Blindgebo-renen (Joh 9). 1995. *Band II / 73.*

Reinmuth, Eckart: Pseudo-Philo und Lukas. 1994. *Band 74.*

Reiser, Marius: Syntax und Stil des Markusevangeliums. 1984. *Band II / 11.*

Richards, E. Randolph: The Secretary in the Letters of Paul. 1991. *Band II / 42.*

Riesner, Rainer: Jesus als Lehrer. 1981, ³1988. *Band II / 7.*

– Die Frühzeit des Apostels Paulus. 1994. *Band 71.*

Rissi, Mathias: Die Theologie des Hebräer-briefs. 1987. *Band 41.*

Röhser, Günter: Metaphorik und Personifi-kation der Sünde. 1987. *Band II / 25.*

Rose, Christian: Die Wolke der Zeugen. 1994. *Band II / 60.*

Rüger, Hans Peter: Die Weisheitsschrift aus der Kairoer Geniza. 1991. *Band 53.*

Sänger, Dieter: Antikes Judentum und die Mysterien. 1980. *Band II / 5.*

– Die Verkündigung des Gekreuzigten und Israel. 1994. *Band 75.*

– siehe *Burchard, Christoph*

Salzmann, Jorg Christian: Lehren und Ermahnen. 1994. *Band II / 59.*

Sandnes, Karl Olav: Paul – One of the Prophets? 1991. *Band II / 43.*

Sato, Migaku: Q und Prophetie. 1988. *Band II / 29.*

Schaper, Joachim: Eschatology in the Greek Psalter. 1995. *Band II / 76.*

Schimanowski, Gottfried: Weisheit und Messias. 1985. *Band II / 17.*

Schlichting, Günter: Ein jüdisches Leben Jesu. 1982. *Band 24.*

Schnabel, Eckhard J.: Law and Wisdom from Ben Sira to Paul. 1985. *Band II / 16.*

Schutter, William L.: Hermeneutic and Composition in I Peter. 1989. *Band II / 30.*

Einen Gesamtkatalog erhalten Sie gern vom
Mohr Siebeck Verlag, Postfach 2040, D–72010 Tübingen.
Neueste Informationen im Internet unter http: / /www.mohr.de